기출문제
해 설 집

언어이해 | 문제편

메가로스쿨 언어논리연구소

LEET 메가로스쿨

2027

성공을 위한 러닝메이트, 메가로스쿨

메가로스쿨은 2008년부터 현재까지
로스쿨 수험생들과 함께
합격의 꿈을 이뤄가고 있습니다.

LEET 고득점 성공의 시작,
메가로스쿨 언어논리연구소가 함께합니다!

기출문제를 정확히 파악하지 못한다는 것은 무엇을 공부해야 하는지를 모르면서 수험기간을 보내는 것과 다름없습니다. 법학적성시험을 준비하는 수험생에게 기출문제는 실전을 대비하고 성적을 향상시킬 수 있는 출발선이자 수험생활을 성공적으로 이끄는 가이드가 될 수 있습니다.

기출문제를 단순히 자신의 실력을 확인하는 용도로 사용하거나, 단지 시간을 들여 각 문제들을 풀어보는 정도에 그친다면 많은 시간을 들인다고 해도 성과가 크게 나지 않을 수 있습니다. 실전에서 고득점을 얻기 위해서는,

첫째, 출제 의도와 출제 원리를 파악할 수 있어야 하며
둘째, 구체적으로 어떤 유형의 문제들이 나의 약점인지를 확인할 수 있어야 하며
셋째, 각 유형에 따른 구체적인 문제 해결 방법을 정확히 파악할 수 있어야 합니다.

본 교재는 모든 문항마다 내용 영역과 문항 유형을 분석해 두었으므로, 이를 통해 연도별로 출제된 기출문제를 학습하면서 출제 경향의 변화 및 출제 의도, 특히 유형별 출제 원리를 파악할 수 있을 것입니다.

또한 고득점을 받기 위해서는 자신이 빈번하게 틀리는 유형의 정오 판단 기준을 파악할 수 있어야 합니다. 그리고 출제 기관에서 요구하는 정오 판단의 기준을 완전히 체화해야 합니다. 본 교재에 제시된 제시문의 분석, 정답과 오답 선택지의 해설이 이러한 능력을 향상시키는 데 도움이 될 것입니다.

따라서 수험생이라면 연도별로 기출문제를 분석하는 것과 더불어 유형별로 문항을 분류하여 그 출제 원리를 파악해 볼 것을 권합니다. 유형별로 문항을 심도 있게 분석하는 것을 통해 출제 시 정답과 오답을 설계하는 기준이나 원리를 파악할 수 있을 것입니다.

본 교재가 법학적성시험을 준비하는 수험생의 전략적 기초일 뿐만 아니라 최종 마무리에도 도움이 되는 지침서가 되리라 자신합니다. 수험생 여러분의 합격을 기원합니다.

메가로스쿨 언어논리연구소 연구원 일동

과목 소개

내용 영역 | 문항 유형

법학적성시험은 법학전문대학원 교육에 필요한 기본 능력과 소양을 측정하는 시험으로서, 법학전문대학원 입학 전형에서 적격자 선발 기능을 제고하고, 법학 교육 발전을 도모하는 데 목적이 있다. '언어이해'는, 법학적성시험의 취지와 목적에 부합하도록 '규범', '인문', '사회', '과학기술' 분야의 다양한 학문적 또는 학제적 소재를 활용하여 법학전문대학원 교육에 필요한 '언어 이해 능력', '의사소통 능력 및 종합적인 사고 능력'을 측정하는 과목이다.

내용 영역

- **규범** : 법학, 윤리에 대한 탐구와 설명을 목적으로 하는 텍스트
- **인문** : 철학, 역사, 문학, 예술 등 인간의 본질과 문화에 대한 탐구와 설명을 목적으로 하는 텍스트
- **사회** : 정치, 경제 등 사회 현상에 대한 탐구와 설명을 목적으로 하는 텍스트
- **과학기술** : 자연 현상, 기술 공학에 대한 탐구와 설명을 목적으로 하는 텍스트

문항 유형

언어이해는 특정 전공 영역에 대한 세부 지식을 측정하는 영역이 아니므로, 대학 교육과정을 정상적으로 마쳤거나 마칠 예정인 수험생이면 주어진 자료에 제공된 정보와 종합적 사고력을 활용하여 문제를 해결할 수 있도록 문항을 구성한다.

- **주제, 구조, 관점 파악**
  제시문의 주제, 구조, 전개 방식을 파악하거나, 제시문에 소개된 인물 혹은 이론이 가진 관점을 명확히 파악하는 유형

- **정보의 확인과 재구성**
  제시문에 나타난 정보 및 정보의 관계를 다른 표현으로 재구성하거나 목적이나 의도에 맞게 정보를 추출하였는지를 묻는 등 제시문의 내용을 세밀하면서도 정확하게 읽었는지를 측정하는 유형

- **정보의 추론과 해석**
  제시된 정보를 바탕으로 새로운 정보를 추론하거나 맥락을 고려한 해석을 통하여 정보가 가지는 적합한 의미를 밝혀내어, 제시문에 포함된 추론, 논증의 결론이나 전제를 찾는 유형

- **정보의 평가와 적용**
  제시문에 주어진 논증이나 설명의 타당성을 평가하거나 제시문에 소개된 원리를 새로운 사례나 상황에 적용하는 유형

유형별 접근법

주제, 구조, 관점 파악 | 정보의 확인과 재구성 | 정보의 추론과 해석 | 정보의 평가와 적용

언어이해는 독해력 등과 같이 법학전문대학원 교육 이수에 필요한 '언어 능력'과, '주제와 관점 파악', '정보 재구성', '추론', '비판과 적용' 등의 사고 능력을 측정하고자 한다. 특정 문항 유형에 취약한 수험생은, 각 문항 유형의 특성을 파악하고 문항에 접근함으로써 문제 해결력을 제고할 수 있을 것이다.

주제, 구조, 관점 파악

주제, 구조, 관점 파악 유형의 문항을 해결하기 위해서는 글의 일부분이나 지엽적인 내용에 근거하여 글이 중심적으로 말하는 바를 추정하거나 추론하는 것을 지양하고, 문장이나 문단이 글 전체에서 수행하는 기능을 파악해 나가면서 글쓴이나 제시문에 소개된 관점이 궁극적으로 말하고자 하는 바를 찾아내야 한다.

정보의 확인과 재구성

정보의 확인과 재구성 유형의 문항을 해결하기 위해서는 제시문의 전체적인 구조나 전개 방식 속에서 세부적인 정보가 어떻게 구조화되었는지를 파악하는 것이 중요하다. 따라서 제시문을 읽을 때 표지어에 유의하면서 글의 흐름을 파악하고, 밑줄을 긋거나 구조도를 활용하여 핵심 내용을 정리하며, 이러한 정보의 구조를 어떻게 효과적으로 시각화할 수 있을지 예측해보는 것이 좋다.

정보의 추론과 해석

정보의 추론과 해석 문항을 해결하기 위해서는 분석적 사고를 통해 제시문에 명시되어 있는 내용을 이해하고 제시문의 맥락을 근거로 내용이 함의하고 있는 바를 신속하고 정확하게 파악해야 한다. 이를 위해 제시문 독해 과정에서 읽은 내용의 전제가 되는 내용이나 앞으로 이어질 내용을 예상하며 읽는 독해 습관을 들여야 한다.

정보의 평가와 적용

정보의 평가와 적용 유형의 문항을 해결하기 위해서는 어떤 새로운 정보나 사례가 제시문의 내용을 지지하는지 혹은 반박하는지 등을 판단할 수 있어야 하며, 합당한 기준에 근거하여 글쓴이의 논증이나 설명이 타당한 것인지도 평가할 수 있어야 한다.

출제 경향
내용 영역

2008년 8월부터 치러진 법학적성시험이 지금까지 시행되는 동안 언어이해의 내용 영역 구성과 문항 수는 다소 변화가 있었다. 그러나 제시문을 통해 통합적 이해 능력과 심층적 분석 능력을 측정하고자 하는 과목의 특성, 제시문이 다루고 있는 내용 영역, 각각의 문항 풀이를 위해 요구되는 능력에는 별다른 변화가 없었다. 2012학년도부터 출제를 주관하는 기관이 교육과정평가원에서 법학전문대학원협의회로 바뀌었지만, 법학전문대학원의 도입 목적, 법학적성시험의 시행 취지 등은 달라지지 않았다.

내용 영역

2010학년도부터 2013학년도까지는 국어 영역을 제외한 32문항이 11개의 제시문과 함께 출제되었으나, 2014학년도에는 35개의 문항이 11개의 제시문으로 출제되었고, 예비시험 이후 1개의 제시문에 4개의 문항이 출제되는 구성이 다시 등장하였다. 이후 2016학년도부터 2018학년도까지는 법 관련 소재의 제시문이 4개 출제되는 등 다른 영역에 비해 높은 비중을 차지하여 유지되었다.

2019학년도부터는 법학적성시험 개선안에 따라, 언어이해는 1개의 제시문에 3문항 출제를 기본원칙으로 하여, 제시문 10개로 구성된 총 30개의 문항이 출제되었다. 전체 제시문 수가 1개 줄어들었지만, 규범 3, 인문 3, 사회 2, 과학기술 2의 비율로 출제되어 내용 영역별 비율은 이전과 크게 달라지지 않았다.

다만 2020학년도에서는 이전과 달리 문학비평 영역에서 실제 소설의 줄거리를 내용에 포함시켜 설명한 제시문이 등장하였다.

2021학년도는 규범 영역에서 고전 국역 제시문이, 인문 영역에서 종교사 제시문이 새롭게 출제되었다. 문학비평 영역에서도 이전과 달리 일본 작품을 예시로 문학이론을 제시한 일본 비평가의 견해를 설명하는 제시문이 등장하였다. 제시문 배치 순서에 있어서 규범 제시문이 첫 제시문으로 나오던 이전과 달리, 기술 제시문이 첫 번째 제시문으로 배치되는 변화도 있었다.

2022학년도 제시문의 내용 영역은 전년도와 동일한 비율로 출제되었으며 사회와 인문, 규범 영역이 융복합적으로 출제되는 경향을 보였다. 다만 세부 내용 영역에 있어서 고전 국역 제시문은 미출제되었으며, 다시 규범 제시문이 첫 제시문으로 나오는 등 전년도와 다소 달라진 제시문 구성을 보였다. 제시문 소재 역시 시의성 있는 소재나 대체로 익숙한 소재가 출제되었다.

2023학년도는 문학비평 영역에서 문학 작품(희곡)이 제시문으로 출제되었으며, 규범 영역에서는 법사학 제시문이 미출제되었다. 또한 과학기술 영역에서 기술 대신 물리 제시문이 출제되었다. 그 외 전반적인 내용 영역 비율은 전년도와 유사하였으며, 제시문 배치 순서 또한 전년도와 유사하였다.

2024학년도는 전반적인 내용 영역 비율을 유지하면서, 사회 영역을 중심으로 시의성을 고려한 융복합적 주제의 제시문 출제 경향을 유지하였다. 또한 과학기술 영역에서는 기술 제시문이 출제되지 않았던 2023학년도를 제외한 최근 몇 년간 데이터과학 분야의 제시문이 지속적으로 출제되었다. 반면 규범, 인문 영역에서는 최근 출제되지 않았던 법제도 및 고전 국역 소재의 제시문이 출제되었다.

2025학년도는 규범, 사회 영역에서 법과 문학, 정치 등을 융합한 융복합적 성격이 두드러졌으며, 규범 영역에서 법철학 제시문이 미출제되었다. 그리고 인문 영역에서는 사학 및 철학 제시문에서 공통적으로 고대 그리스 시대를 소재로 다루었다. 과학기술 영역에서는 전년도와 마찬가지로 데이터과학 분야에서 기술 제시문이 출제되면서 기존의 출제 경향을 유지하였다. 또한 전 영역에서 전반적으로 제시문 길이가 감소하는 추세를 보였다.

2026학년도는 내용 영역 비율은 전년도와 동일하나, 전반적으로 시의성이 뚜렷한 소재의 제시문을 출제하는 경향을 보였다. 그리고 규범, 인문 영역을 중심으로 법사학, 소설 등 기존에 잘 출제되지 않던 소재가 다루어졌다. 사회 영역에서는 경제, 정치 모두 계량적 정보 파악을 요구하는 방향성이 유지되었고, 과학기술 영역에서는 기술은 기존 경향이 유지되었으나 과학에서 생물이 아닌 화학 제시문이 출제된 점이 특징적이다.

<내용 영역별 출제 문항 수>

	2009학년도	2010학년도	2011학년도	2012학년도	2013학년도	2014학년도	2015학년도	2016학년도	2017학년도	2018학년도	2019학년도	2020학년도	2021학년도	2022학년도	2023학년도	2024학년도	2025학년도	2026학년도	총계	비율
국어	4	3	3	3	3															
규범	3	6	6	8	6	6	9	12	12	12	9	9	9	9	9	9	9	9	152	26.3%
인문	15	12	12	9	12	13	14	10	10	10	9	9	9	9	9	9	9	9	189	32.6%
사회	9	8	8	9	8	13	6	6	6	7	7	6	6	6	6	6	6	6	129	22.3%
과학기술	9	6	6	6	6	3	6	7	6	6	6	6	6	6	6	6	6	6	109	18.8%
합	40	35	35	35	35	35	35	35	35	35	30	30	30	30	30	30	30	30	579	100.0%

※ 국어 문항 제외한 수치

<2019학년도 이후 내용 영역별 출제 문항 수>

	2019학년도	2020학년도	2021학년도	2022학년도	2023학년도	2024학년도	2025학년도	2026학년도	총계	비율
규범	9	9	9	9	9	9	9	9	72	30.0%
인문	9	9	9	9	9	9	9	9	72	30.0%
사회	6	6	6	6	6	6	6	6	48	20.0%
과학기술	6	6	6	6	6	6	6	6	48	20.0%
합	30	30	30	30	30	30	30	30	240	100.0%

출제 경향

문항 유형 | 난이도 | 2009~2018학년도

문항 유형

기존에는 언어이해가 '주제·요지·구조 파악', '의도·관점·입장 파악', '정보의 확인과 재구성', '정보의 추론과 해석', '정보의 평가와 적용'의 총 다섯 가지 문항 유형으로 구성되었다. 그런데 2019학년도부터 '주제·요지·구조 파악' 유형과 '의도·관점·입장 파악' 유형이 통합되어서, '주제, 구조, 관점 파악', '정보의 확인과 재구성', '정보의 추론과 해석', '정보의 평가와 적용'의 네 가지 문항 유형으로 변화되었다. 최근에는 '주제, 구조, 관점 파악' 유형의 비중이 낮고, 나머지 세 유형은 비슷한 비중으로 출제되고 있다.

난이도

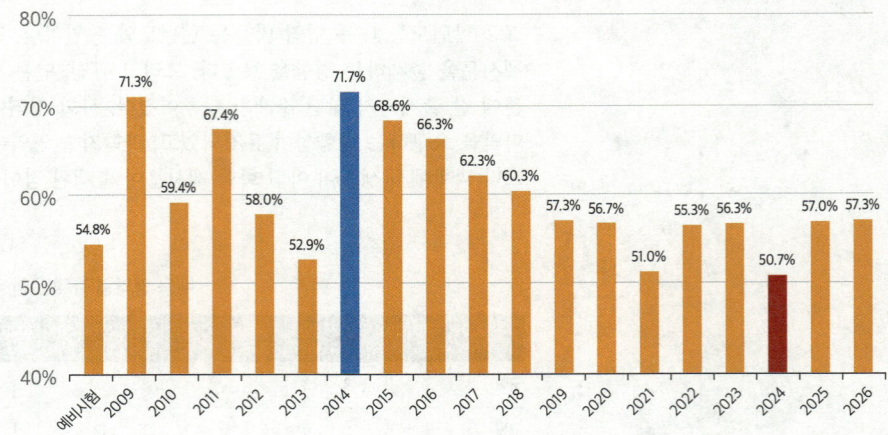

<역대 언어이해 본고사 평균>

학년도	예비시험	2009학년도	2010학년도	2011학년도	2012학년도	2013학년도	2014학년도	2015학년도	2016학년도	2017학년도	2018학년도	2019학년도	2020학년도	2021학년도	2022학년도	2023학년도	2024학년도	2025학년도	2026학년도
본고사 평균 (원점수)	21.9	28.5	20.8	23.6	20.3	18.5	25.1	24	23.2	21.8	21.1	17.2	17	15.3	16.6	16.9	15.2	17.1	17.2
총 문항 수	40	40	35	35	35	35	35	35	35	35	35	30	30	30	30	30	30	30	30

※ 메가로스쿨 입시 분석 기준

📋 2009~2011학년도

첫 회에 해당하는 2009학년도 언어이해에 출제된 제시문과 문항들은 수험생들이 큰 부담을 느끼지 않을 만한 평이한 수준에 머물렀으나 2010학년도에는 제시문과 문항의 난이도가 전반적으로 상향 조정되었다. 수험생들이 문항을 푸는 데 느꼈을 심리적 부담은 전체적인 평균 점수 하락으로도 알 수 있었다. 2011학년도의 전반적인 난이도는 2010학년도와 비슷했지만 몇몇 문제의 난이도는 눈에 띄게 낮은 편이었다. 제시문 내용과의 일치 여부나 추론의 타당성 여부를 꼼꼼하게 따져봐야 하는 오답들이 함께 배치되어 있음에도 불구하고, 한눈에 답임을 알 수 있는 정답 선택지로 인해 해당 학년도 언어이해의 정답률과 평균 점수는 예년에 비해 다소 상승하였다.

📋 2012~2013학년도

2012학년도의 경우 제시문과 문항의 난이도가 전반적으로 높다고 볼 수는 없으나 꼼꼼한 독해를 바탕으로 논리적 사고를 요하는 문항이 많아 수험생들이 체감하는 난이도는 전년도에 비해 높았다. 수험생들의 평균 점수는 전년도에 비해 다소 하락하였는데, 이는 전년도 시험 이후의 반응과 평균 점수를 감안할 때 어느 정도 예측되었던 바다. 2013학년도에서는 제시문의 길이가 대체로 길어지고 제시된 정보의 양이 늘어남으로 인해 수험생들이 한정된 시간 내에 제시문을 소화하는 데 곤란을 겪었을 가능성이 높아 보인다.

📋 2014~2015학년도

2014학년도와 2015학년도 시험은 지난 2년의 평균 점수와 난이도 논란을 의식한 탓인지 상당히 평이하게 출제되었다. 제시문에 사용된 소재는 수험생들이 평소 많이 접해보았을 만한 익숙한 것들인 데다 각 제시문에 담긴 정보의 양도 많지 않아 독해에 곤란을 느끼는 경우는 많지 않았을 것으로 짐작된다. 다만 2015학년도 시험에서는 이전에 한 번도 출제된 적 없었던 문학비평 제시문이 출제된 데다 전년도에 비해 과학 제시문의 수가 늘어나서 수험생들이 체감한 난이도는 전년도에 비해 다소 증가했다고 평가할 수 있다.

📋 2016학년도

2016학년도 시험은 전년도와 크게 다르지 않은 평이한 수준으로 출제되었다. 전년도와 마찬가지로 문학비평 제시문이 출제되었고, 특정 정보나 핵심 내용에 대한 이해만으로도 해결 가능한 문항들이 적지 않았으며 정답 선택지와 오답 선택지의 구별 역시 명확하였다. 제시문의 길이나 제시문에 담긴 정보의 양 또한 전년도에 비해 크게 늘지 않아 수험생들이 체감한 난이도는 전년도와 유사했다고 볼 수 있다.

📋 2017학년도

2017학년도는 제시문의 길이가 대체로 짧고, 제시문의 주제가 명확하여 제시문 내용을 이해하는 데 큰 어려움은 없었을 것이다. 다만 특정 문항에서 정보 간의 관계를 세밀하게 추론하고, 종합적 사고력을 요구하는 선택지들이 있어 선택지 판단은 다소 까다로웠을 것으로 보인다. 또한 최근 2년간 출제되지 않았던 소설 작품이 문학 영역으로 출제되어 이에 대한 대비가 부족했던 수험생이라면 체감 난이도는 높았을 것이다. 이로 인해 수험생들의 평균 점수는 예년에 비해 하락하였다.

📋 2018학년도

2018학년도는 전년도와 마찬가지로 제시문의 길이는 짧았으나, 제시문에 제시된 개념들 간의 관계가 다소 복잡하여 제시문의 내용을 상세하게 이해하는 것이 쉽지 않았을 것이다. 제시문의 소재는 수험생들에게 익숙한 것이 많았으나, 전년도에 비해 논리적 추론을 요하는 문항과 비판적 평가 혹은 사례 적용 능력을 측정하는 문항이 다수 출제되어 문항을 해결하는 데 상당한 집중력과 시간이 필요했을 것으로 보인다. 이로 인해 수험생들이 체감한 난이도는 높았을 것이며, 수험생들의 평균 점수 또한 전년도에 비해 다소 하락하였다.

출제 경향

2019~2026학년도

📋 2019학년도

2019학년도는 전년도에 비해 제시문 수와 문항 수가 줄었지만 수험생들의 체감 난이도는 오히려 상승하였다. 선택지와 보기의 길이가 전반적으로 길어졌고, 제시문의 내용을 단순하게 확인하는 선택지보다 복잡한 추론과정을 필요로 하는 선택지가 많아졌기 때문이다. 이로 인해 수험생들이 선택지의 정오를 가리는 기준을 찾는 것이 쉽지 않았을 것이며, 선택지의 선택에 확신을 가지지 못하는 문항이 많았을 것으로 판단된다.

📋 2020학년도

2020학년도에는 전년도와 같은 문항 수로 출제되었지만, 복합적인 영역을 다루는 제시문들이 출제되었고, 정치 제시문이 출제되지 않는 등 제시문의 구성에 변화된 부분이 있었다. 또한 제시문의 정보량은 이전에 비해 줄어들었지만, 생소한 소재를 다루거나 개념 설명이나 문장 표현이 복잡한 제시문이 늘어나 독해 난이도는 높은 편이었다. 반면 선택지의 구성은 간결해져서 전년도처럼 제시문의 세세한 정보를 확인해야 하거나 복잡한 추론을 요구하는 문제는 줄어들었다. 따라서 상대적으로 전년도에 비해 수험생들이 선택지의 정오 판단보다는 제시문의 이해에 많은 시간을 소요했을 것으로 판단된다.

📋 2021학년도

2021학년도 역시 전년도와 같은 문항 수로 출제되었지만, 최근 출제되지 않던 소재의 제시문들이 많이 등장하였다. 또한 제시문 배치 순서에 있어서 최근 경향과 달리 기술 제시문이 첫 번째 제시문으로 배치되는 변화가 있었으나, 제시문의 정보량이나 난이도는 평이하여 제시문 독해에 자체는 크게 어렵지 않았을 것으로 판단된다. 그러나 선택지 구성이 제시문에 명시적으로 제시되어 있지 않거나 출제자의 의도를 파악하기 어려운 경우가 많아 정오를 판단하는 데에 어려움이 있었을 것으로 보인다.

📋 2022학년도

2022학년도에는 전년도에 비해 평이하거나 익숙한 소재들이 출제되었고, 제시문의 길이 역시 대체로 짧았다. 다만 일부 제시문의 경우 정보량이 유난히 많았고, 개념 설명이 복잡하거나 개념 간 관계를 추론하는 과정이 어려워 독해하는 데 다소 까다로웠을 것으로 판단된다. 반면 선택지 구성은 전년도에 비해 제시문에 명시적으로 제시되어 있지 않은 경우가 줄어들었다. 선택지 난이도 역시 다소 평이하여 제시문의 구조나 정보들을 제대로 이해하였다면 큰 어려움 없이 정오 판단을 할 수 있었을 것으로 보인다.

2023학년도

2023학년도에는 전년도에 비해 제시문의 정보량은 다소 많아졌으나 소재는 평이하여 전반적인 독해 난이도는 무난하였다. 다만 일부 제시문의 경우 주요 개념들을 엄밀하게 범주화하여 독해할 것을 요구하고 있어 제시문의 내용을 명확하게 이해하는 것에 어려움이 있었을 것으로 보인다. 선택지 구성은 제시문의 정보를 세밀하게 파악해야 하거나 전체 내용을 종합적으로 이해해야 하는 경우가 많아 정오 판단이 다소 까다로웠을 것이다.

2024학년도

2024학년도에는 전년도에 비해 전반적인 제시문 독해 및 선택지 판단의 난이도가 상승하였다. 제시문의 경우 규범, 인문 영역을 중심으로 여러 견해 및 관점 차이를 세밀하게 파악하여 구분할 것을 요구하고 있어 내용 이해에 상당한 어려움이 있었을 것으로 보인다. 아울러 사회, 과학기술 영역에서는 <보기>를 통해 새로운 정보를 제시하였으며, 그로 인해 전반적인 제시문의 길이가 짧아졌음에도 체감되는 정보량은 더 많았을 것이다. 나아가 해당 유형의 문항을 중심으로 수리적 계산 및 계량적 추론 능력을 요구하는 선택지 구성이 이루어져 정오 판단이 상당히 까다롭고 시간 관리에도 어려움을 겪었을 것이다.

2025학년도

2025학년도에는 전년도에 비해 제시문의 길이가 짧아졌으며, 이에 따라 제시문 독해 난도 역시 다소 하락하였다. 다만 일부 제시문의 경우 소재가 익숙하지 않거나, 논지에 대한 근거가 상당히 함축적이어서 의미를 이해하면서 독해하는 것에 어려움을 겪었을 것으로 보인다. 문항의 경우 전년도와 유사하게 일부 영역에서 <보기>를 통해 새로운 정보를 제시하거나 계량적 정보를 해석할 것을 요구하였다. 하지만 전년도에 비해 제시문의 이해를 통해 수월하게 정오 판단이 가능한 문항의 비중이 증가하였다는 점에서 전반적인 난도는 하락하였다고 볼 수 있다.

2026학년도

2026학년도에는 제시문의 길이가 짧은 대신 정보를 비교적 압축적으로 서술하는 전년도의 경향이 유지되었다. 제시문의 경우 비록 과학기술 영역의 제시문 독해가 전년도에 비해 까다로웠지만, 그 외 영역에서는 제시문과 문항 모두 평이하게 출제되었다. 문항의 경우 전반적인 난도는 전년도와 유사하였고, <보기>가 포함된 문항의 정오 판단이 비교적 더 까다로웠던 점 역시 크게 다르지 않았다. 따라서 선택지 정오 판단의 난도는 전년도와 유사하나, 일부 영역을 제외하고는 제시문 난도가 하락했다는 점에서 전반적인 난도는 소폭 하락하였다고 볼 수 있다.

교재 구성

문제편 | 해설편

LEET 학습 가이드
- 과목 소개 / 유형별 접근법 / 출제 경향 / LEET 언어이해 기출분석표

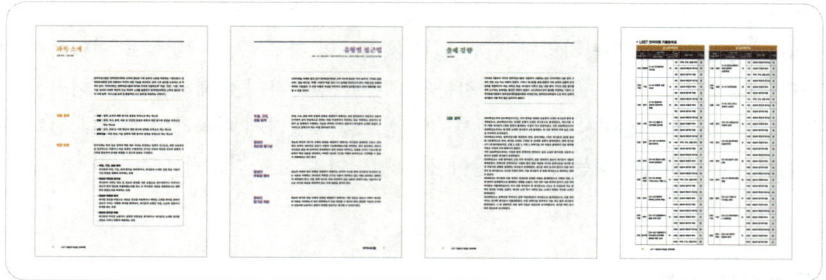

[문제편]

역대 기출문제 회차별 수록(2026학년도 본고사~예시문항)
- 연도별 영역 출제 비중 및 출제 경향 분석 수록
- 실제 시험지 구성의 문제지

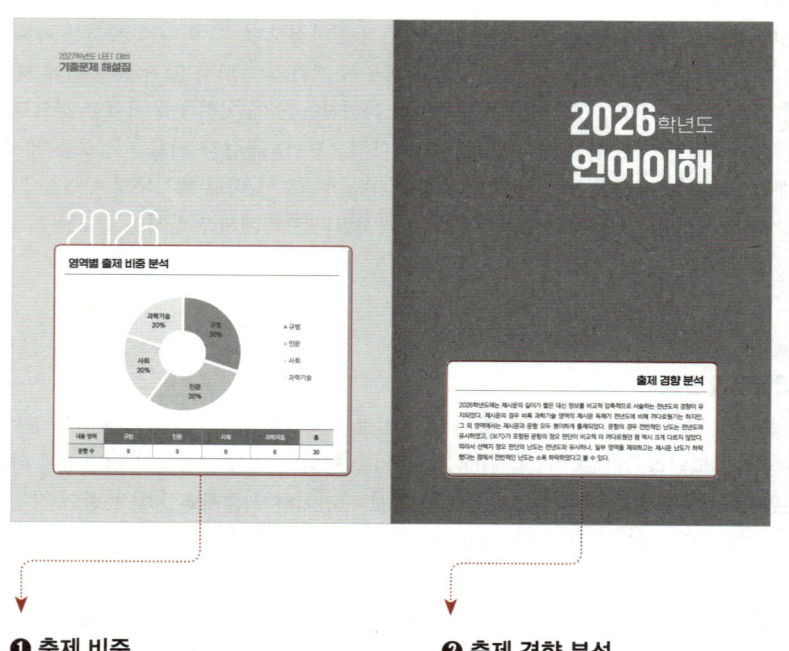

❶ 출제 비중
기출 분석에 도움이 되는
내용영역별 출제 비중 수록

❷ 출제 경향 분석
메가로스쿨 언어논리연구소가
분석한 연도별 출제 경향 수록

❸ 기출 연도별 인덱스
문항을 수월하게 찾을 수
있도록 인덱스 표기

[해설편]

역대 기출문제 해설 회차별 수록(2026학년도 본고사~예시문항)
- 출제 의도를 꿰뚫는 상세한 해설 제시
- 지문 제재 및 난이도 제공
- 메가로스쿨 합격예측 풀서비스를 바탕으로 한 문항 난이도 및 정답률 제공

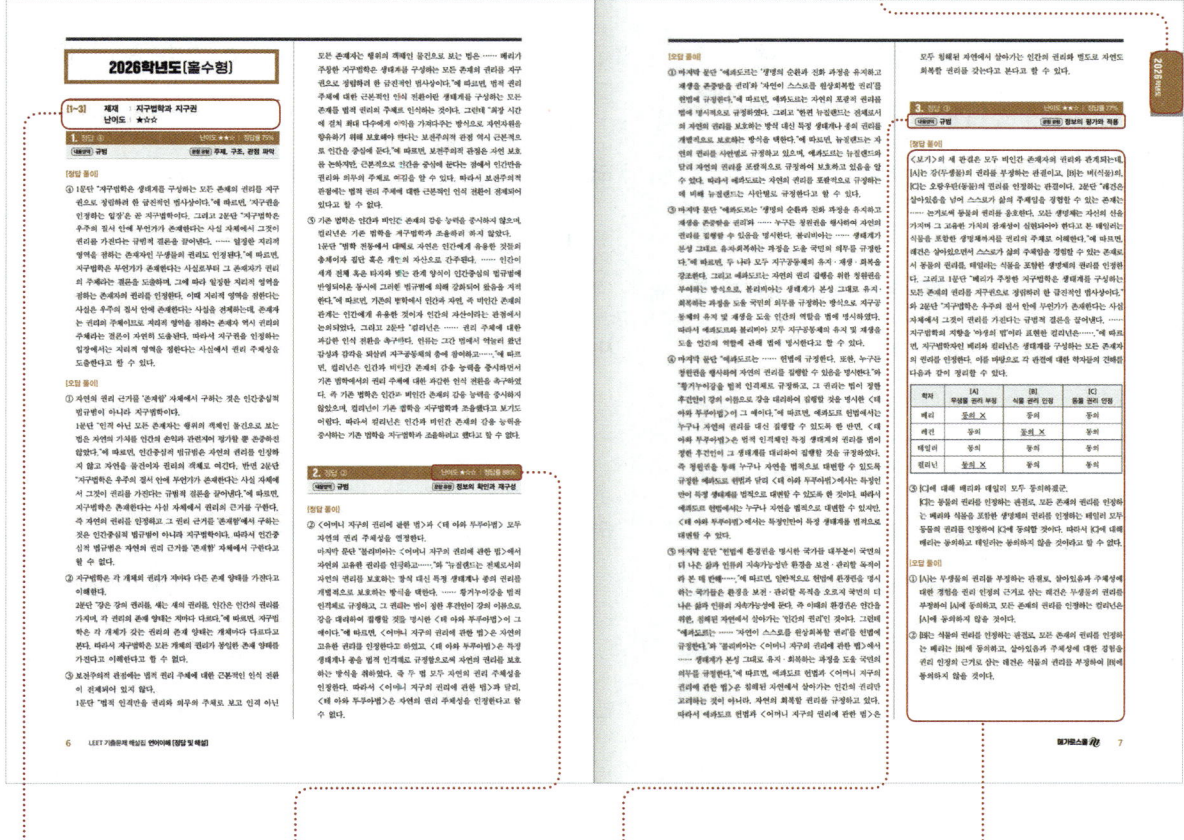

❺ 기출 연도별 인덱스
해설을 수월하게 찾을 수 있도록 인덱스 표기

❶ 지문 제재 및 난이도
문항별 지문 제재 및 난이도 표기

❷ 정답률 및 난이도
메가로스쿨 합격예측 풀서비스 기준 정답률과 해당 데이터를 기반으로 난이도를 상·중·하로 구분하여 표기

❸ 내용영역 및 문항 유형
최신 출제 경향을 파악할 수 있도록 출제기관의 분류 기준에 따라 구분하여 표기

❹ 정답 풀이 & 오답 풀이
단순히 정답을 맞히는 것 이상의 학습 효과를 낼 수 있는 정·오답 상세 풀이

▶ LEET 언어이해 기출분석표

2026학년도

지문 내용 영역		지문 분석		문항 번호	문항 유형	난이도
		[문번] 제재	난이도			
규범	법철학	[1~3] 지구법학과 지구권	하	1번	주제, 구조, 관점 파악	중
				2번	정보의 확인과 재구성	하
				3번	정보의 평가와 적용	중
과학 기술	기술	[4~6] 모델링 표준 DMN	상	4번	정보의 확인과 재구성	중
				5번	정보의 추론과 해석	상
				6번	정보의 평가와 적용	상
사회	정치	[7~9] 집권자의 조작과 민주주의 퇴행	하	7번	정보의 확인과 재구성	하
				8번	정보의 추론과 해석	중
				9번	정보의 평가와 적용	중
인문	사학	[10~12] 중종 대 과거제와 천거제	하	10번	정보의 확인과 재구성	중
				11번	정보의 추론과 해석	하
				12번	정보의 평가와 적용	중
인문	철학	[13~15] 수의주의와 불수의주의	중	13번	정보의 확인과 재구성	중
				14번	주제, 구조, 관점 파악	중
				15번	정보의 평가와 적용	상
사회	경제	[16~18] 제도와 성장 사이의 인과관계	중	16번	정보의 확인과 재구성	중
				17번	정보의 추론과 해석	상
				18번	정보의 평가와 적용	중
인문	문학 비평	[19~21] 최인훈 「크리스마스 캐럴 Ⅳ」	하	19번	정보의 확인과 재구성	중
				20번	주제, 구조, 관점 파악	하
				21번	정보의 평가와 적용	중
규범	윤리	[22~24] 행위와 무위의 도덕적 책임	하	22번	정보의 확인과 재구성	하
				23번	정보의 추론과 해석	중
				24번	정보의 평가와 적용	중
과학 기술	화학	[25~27] 혼합물에서 분몰 부피 변화	상	25번	정보의 확인과 재구성	중
				26번	정보의 추론과 해석	상
				27번	정보의 평가와 적용	중
규범	법사학	[28~30] 대한제국기 지식인의 군주제와 공화정 제도 논의	하	28번	정보의 확인과 재구성	중
				29번	정보의 추론과 해석	하
				30번	주제, 구조, 관점 파악	중

2025학년도

지문 내용 영역		지문 분석		문항 번호	문항 유형	난이도
		[문번] 제재	난이도			
규범	법학	[1~3] 범죄소설에서 법과 문학의 상호작용	하	1번	정보의 확인과 재구성	하
				2번	정보의 추론과 해석	중
				3번	주제, 구조, 관점 파악	하
과학 기술	생물	[4~6] 포르피린증	중	4번	정보의 확인과 재구성	중
				5번	정보의 추론과 해석	중
				6번	정보의 평가와 적용	상
인문	사학	[7~9] 고대 그리스 로마의 소년애	하	7번	주제, 구조, 관점 파악	하
				8번	정보의 확인과 재구성	하
				9번	정보의 평가와 적용	중
사회	정치	[10~12] 사법심사와 여론의 관계	하	10번	정보의 확인과 재구성	하
				11번	정보의 추론과 해석	하
				12번	정보의 평가와 적용	중
규범	윤리	[13~15] 공리주의와 반공리주의	상	13번	정보의 확인과 재구성	중
				14번	정보의 추론과 해석	상
				15번	정보의 평가와 적용	중
사회	경제	[16~18] 솔로우 성장 모형	중	16번	정보의 확인과 재구성	중
				17번	정보의 추론과 해석	중
				18번	정보의 평가와 적용	상
규범	법학	[19~21] 배아에 관한 법령	중	19번	정보의 확인과 재구성	하
				20번	정보의 추론과 해석	중
				21번	정보의 평가와 적용	상
인문	철학	[22~24] 「변론」과 「크리톤」 해석	하	22번	정보의 확인과 재구성	중
				23번	정보의 평가와 적용	중
				24번	정보의 추론과 해석	중
과학 기술	기술	[25~27] 데이터베이스 트랜잭션	상	25번	정보의 확인과 재구성	상
				26번	정보의 추론과 해석	상
				27번	정보의 평가와 적용	상
인문	문학 비평	[28~30] 희곡과 공연의 관계	하	28번	정보의 확인과 재구성	중
				29번	정보의 추론과 해석	중
				30번	정보의 평가와 적용	상

※ 모든 문항은 홀수형을 기준으로 분석하였음

2024학년도

지문 내용 영역	지문 분석 [문번] 제재	난이도	문항 번호	문항 유형	난이도
규범 / 법철학	[1~3] 법학의 학문성에 관한 논쟁	중	1번	주제, 구조, 관점 파악	상
			2번	정보의 확인과 재구성	하
			3번	정보의 추론과 해석	중
과학 기술 / 기술	[4~6] 개인정보 비식별화 기술	중	4번	정보의 확인과 재구성	중
			5번	정보의 추론과 해석	중
			6번	정보의 평가와 적용	중
사회 / 정치	[7~9] 투표 비용과 투표 참여	하	7번	정보의 확인과 재구성	하
			8번	정보의 평가와 적용	하
			9번	정보의 추론과 해석	중
인문 / 철학	[10~12] 아퀴나스의 진리론과 그에 대한 비판	상	10번	정보의 확인과 재구성	중
			11번	정보의 추론과 해석	상
			12번	주제, 구조, 관점 파악	중
사회 / 경제	[13~15] 사회적 가치와 사회성과	중	13번	정보의 확인과 재구성	중
			14번	정보의 추론과 해석	중
			15번	정보의 평가와 적용	상
인문 / 문학비평	[16~18] 문학적 언어와 시적 진실	중	16번	정보의 확인과 재구성	중
			17번	정보의 추론과 해석	중
			18번	정보의 평가와 적용	중
인문 / 사학	[19~21] 박세당 「예송변」	상	19번	정보의 확인과 재구성	상
			20번	주제, 구조, 관점 파악	중
			21번	정보의 평가와 적용	상
과학 기술 / 생물	[22~24] 광역학 치료 기전	중	22번	정보의 확인과 재구성	중
			23번	정보의 평가와 적용	상
			24번	정보의 추론과 해석	상
규범 / 윤리	[25~27] 흄의 도덕 판단에 대한 해석	중	25번	정보의 확인과 재구성	중
			26번	정보의 추론과 해석	중
			27번	정보의 평가와 적용	중
규범 / 법학	[28~30] 미성년 자녀 반환에 관한 국제 협약	하	28번	정보의 확인과 재구성	중
			29번	정보의 추론과 해석	중
			30번	정보의 평가와 적용	중

2023학년도

지문 내용 영역	지문 분석 [문번] 제재	난이도	문항 번호	문항 유형	난이도
규범 / 법철학	[1~3] 판사의 진솔함에 대한 논의	중	1번	정보의 확인과 재구성	중
			2번	정보의 추론과 해석	하
			3번	정보의 평가와 적용	하
규범 / 윤리	[4~6] 식물인간의 도덕적 고려	하	4번	정보의 확인과 재구성	중
			5번	정보의 추론과 해석	하
			6번	정보의 평가와 적용	하
과학 기술 / 생물	[7~9] 단백질 합성과 신호서열 이론	중	7번	정보의 확인과 재구성	중
			8번	정보의 추론과 해석	중
			9번	정보의 평가와 적용	중
인문 / 사학	[10~12] 미국 역사학의 흐름	하	10번	정보의 확인과 재구성	하
			11번	주제, 구조, 관점 파악	중
			12번	정보의 평가와 적용	중
사회 / 정치	[13~15] 나이의 정치적 효과	중	13번	정보의 확인과 재구성	중
			14번	정보의 추론과 해석	중
			15번	정보의 평가와 적용	중
인문 / 문학비평	[16~18] 김자림 「이민선」과 근대화 여성 담론	중	16번	정보의 확인과 재구성	중
			17번	주제, 구조, 관점 파악	중
			18번	정보의 평가와 적용	중
사회 / 경제	[19~21] 제도가능곡선 모델	중	19번	정보의 확인과 재구성	상
			20번	정보의 추론과 해석	상
			21번	정보의 평가와 적용	중
인문 / 철학	[22~24] 헤겔의 '낭만적인 것' 의미	상	22번	주제, 구조, 관점 파악	상
			23번	정보의 추론과 해석	중
			24번	정보의 평가와 적용	중
과학 기술 / 물리	[25~27] 중력파 검출 실험의 원리	상	25번	정보의 확인과 재구성	중
			26번	정보의 추론과 해석	상
			27번	정보의 평가와 적용	중
규범 / 법철학	[28~30] 법정립적 폭력과 법보존적 폭력	중	28번	정보의 확인과 재구성	중
			29번	정보의 추론과 해석	중
			30번	정보의 평가와 적용	중

2022학년도

지문 내용 영역		지문 분석		문항 번호	문항 유형	난이도
		[문번] 제재	난이도			
규범	법사학	[1~3] 부랑인 정책	중	1번	정보의 확인과 재구성	중
				2번	정보의 평가와 적용	중
				3번	정보의 평가와 적용	하
인문	철학	[4~6] 환경 위기와 철학적 근대 담론	하	4번	정보의 확인과 재구성	하
				5번	정보의 추론과 해석	하
				6번	정보의 추론과 해석	중
인문	문학비평	[7~9] 소설의 화자에 대한 논의	중	7번	정보의 확인과 재구성	하
				8번	주제, 구조, 관점 파악	중
				9번	정보의 평가와 적용	중
과학기술	생물	[10~12] 망막의 신호 처리	중	10번	정보의 확인과 재구성	중
				11번	정보의 추론과 해석	상
				12번	정보의 평가와 적용	상
인문	일반	[13~15] 파시즘의 정의에 대한 견해	중	13번	정보의 확인과 재구성	중
				14번	정보의 추론과 해석	중
				15번	정보의 평가와 적용	중
과학기술	기술	[16~18] 클러스터링	중	16번	정보의 확인과 재구성	중
				17번	정보의 추론과 해석	상
				18번	정보의 평가와 적용	중
사회	경제	[19~21] 소유와 지배의 분리	상	19번	주제, 구조, 관점 파악	중
				20번	정보의 추론과 해석	상
				21번	정보의 평가와 적용	중
사회	정치	[22~24] 미국 민주주의 규범	하	22번	정보의 확인과 재구성	하
				23번	정보의 추론과 해석	하
				24번	정보의 평가와 적용	중
규범	윤리	[25~] 인공 지능과 인공 감정	중	25번	정보의 확인과 재구성	중
				26번	정보의 평가와 적용	중
				27번	정보의 평가와 적용	중
규범	법철학	[28~30] 칸트의 법규범 설명 체계	상	28번	주제, 구조, 관점 파악	상
				29번	정보의 추론과 해석	상
				30번	정보의 평가와 적용	상

2021학년도

지문 내용 영역		지문 분석		문항 번호	문항 유형	난이도
		[문번] 제재	난이도			
과학기술	기술	[1~3] 프로세스 마이닝	상	1번	정보의 확인과 재구성	중
				2번	정보의 추론과 해석	중
				3번	정보의 평가와 적용	상
인문	문학비평	[4~6] 고진의 풍경론	중	4번	정보의 확인과 재구성	중
				5번	정보의 추론과 해석	중
				6번	정보의 평가와 적용	중
규범	윤리	[7~9] 롤스의 평등론에 대한 싱어의 비판	하	7번	주제, 구조, 관점 파악	하
				8번	정보의 추론과 해석	중
				9번	정보의 평가와 적용	하
규범	법사학	[10~12] 윤기, 「논형법」	중	10번	주제, 구조, 관점 파악	상
				11번	정보의 추론과 해석	중
				12번	정보의 평가와 적용	상
사회	정치	[13~15] 권리와 권력의 관계에 대한 르포르의 견해	중	13번	정보의 확인과 재구성	중
				14번	주제, 구조, 관점 파악	중
				15번	정보의 평가와 적용	중
인문	일반	[16~18] 수피즘이 제국주의에 저항할 수 있었던 원동력	하	16번	정보의 확인과 재구성	하
				17번	주제, 구조, 관점 파악	하
				18번	정보의 평가와 적용	상
인문	철학	[19~21] 귀신 개념에 대한 성리학적 논쟁	중	19번	정보의 확인과 재구성	중
				20번	정보의 추론과 해석	중
				21번	주제, 구조, 관점 파악	중
사회	경제	[22~24] 빈곤의 원인에 대한 경제학자들의 다양한 견해	중	22번	정보의 확인과 재구성	중
				23번	주제, 구조, 관점 파악	중
				24번	정보의 평가와 적용	상
과학기술	과학	[25~27] 바르부르크 효과	상	25번	정보의 확인과 재구성	중
				26번	정보의 추론과 해석	상
				27번	정보의 평가와 적용	중
규범	법철학	[28~30] 법률 문언 해석에 관한 법학방법론적 논의와 법철학적 논의	중	28번	주제, 구조, 관점 파악	상
				29번	정보의 추론과 해석	상
				30번	정보의 평가와 적용	중

2020학년도

지문 내용 영역		지문 분석		문항 번호	문항 유형	난이도
		[문번] 제재	난이도			
규범	법학	[1~3] 법률 언어에서 '물(物)'의 의미 변화	중	1번	정보의 확인과 재구성	중
				2번	정보의 추론과 해석	중
				3번	정보의 평가와 적용	중
인문	사학	[4~6] 조선 초 중혼 규제에 관한 법적 논의	상	4번	정보의 확인과 재구성	하
				5번	정보의 추론과 해석	중
				6번	정보의 평가와 적용	상
과학 기술	생물	[7~9] 오믹스	중	7번	정보의 확인과 재구성	중
				8번	정보의 추론과 해석	중
				9번	정보의 평가와 적용	중
인문	문학 비평	[10~12] 채만식의 『탁류』 비평	하	10번	주제, 구조, 관점 파악	중
				11번	정보의 추론과 해석	하
				12번	정보의 평가와 적용	중
사회	경제	[13~15] 헨리 조지의 토지가치세	하	13번	정보의 확인과 재구성	중
				14번	정보의 추론과 해석	중
				15번	정보의 평가와 적용	중
사회	사회학	[16~18] 지식인의 정의와 역할에 대한 논쟁	중	16번	정보의 확인과 재구성	중
				17번	주제, 구조, 관점 파악	중
				18번	정보의 추론과 해석	중
인문	철학	[19~21] 시간여행의 논리적 문제	상	19번	주제, 구조, 관점 파악	하
				20번	정보의 추론과 해석	중
				21번	정보의 평가와 적용	중
규범	윤리	[22~24] 도덕적 행위의 조건	상	22번	정보의 확인과 재구성	중
				23번	주제, 구조, 관점 파악	중
				24번	정보의 평가와 적용	중
과학 기술	기술	[25~27] 우주선 랑데부와 궤도 운동 원리	중	25번	정보의 확인과 재구성	중
				26번	정보의 추론과 해석	상
				27번	정보의 평가와 적용	상
규범	법학	[28~30] 연륜연대학에 기초한 법적 증거의 활용	중	28번	정보의 추론과 해석	상
				29번	정보의 추론과 해석	중
				30번	정보의 평가와 적용	중

2019학년도

지문 내용 영역		지문 분석		문항 번호	문항 유형	난이도
		[문번] 제재	난이도			
규범	법철학	[1~3] 법의 본질에 대한 이론들	중	1번	주제, 구조, 관점 파악	중
				2번	정보의 추론과 해석	중
				3번	정보의 평가와 적용	하
인문	사학	[4~6] 아리스티데스, 『로마 송사』	중	4번	정보의 확인과 재구성	하
				5번	주제, 구조, 관점 파악	중
				6번	정보의 평가와 적용	중
과학 기술	기술	[7~9] 전자 현미경	상	7번	정보의 확인과 재구성	중
				8번	정보의 추론과 해석	상
				9번	정보의 평가와 적용	중
인문	문학 비평	[10~12] 멜랑콜리	상	10번	주제, 구조, 관점 파악	하
				11번	정보의 확인과 재구성	상
				12번	정보의 평가와 적용	중
규범	윤리	[13~15] 동물감정론과 동물권리론	중	13번	주제, 구조, 관점 파악	중
				14번	정보의 추론과 해석	중
				15번	정보의 추론과 해석	하
사회	경제	[16~18] 전통적 경제학과 행동경제학의 '이상 현상' 해석	하	16번	정보의 확인과 재구성	하
				17번	주제, 구조, 관점 파악	하
				18번	정보의 평가와 적용	중
인문	철학	[19~21] 뒤집힌 감각질 사고 실험	중	19번	주제, 구조, 관점 파악	중
				20번	정보의 추론과 해석	중
				21번	정보의 평가와 적용	중
과학 기술	기술	[22~24] 온톨로지	상	22번	정보의 확인과 재구성	상
				23번	정보의 추론과 해석	중
				24번	정보의 추론과 해석	상
사회	정치	[25~27] 극우민족주의	중	25번	정보의 확인과 재구성	중
				26번	정보의 추론과 해석	중
				27번	정보의 평가와 적용	중
규범	법사학	[28~30] 근대법의 기획	중	28번	주제, 구조, 관점 파악	중
				29번	정보의 평가와 적용	중
				30번	정보의 추론과 해석	중

2018학년도

지문 내용 영역		지문 분석		문항 번호	문항 유형	난이도
		[문번] 제재	난이도			
규범	헌법	[1~3] 차별금지법	중	1번	정보의 확인과 재구성	하
				2번	정보의 추론과 해석	중
				3번	정보의 평가와 적용	중
인문	사학	[4~6] 폴란드 역사 서술 방식의 변화	중	4번	정보의 확인과 재구성	중
				5번	주제, 구조, 관점 파악	하
				6번	정보의 추론과 해석	하
과학 기술	기술	[7~9] DNA 컴퓨팅	중	7번	정보의 확인과 재구성	중
				8번	정보의 추론과 해석	중
				9번	정보의 평가와 적용	상
인문	문학 비평	[10~12] 비극적 황홀	하	10번	정보의 확인과 재구성	하
				11번	정보의 추론과 해석	중
				12번	주제, 구조, 관점 파악	하
규범	윤리학	[13~15] 칸트와 헤겔의 윤리 이론	중	13번	정보의 추론과 해석	하
				14번	정보의 평가와 적용	중
				15번	정보의 확인과 재구성	중
규범	법철학	[16~18] 법 해석의 방법론	상	16번	주제, 구조, 관점 파악	중
				17번	정보의 평가와 적용	상
				18번	정보의 평가와 적용	중
과학 기술	생물	[19~21] 생물의 성 결정 과정	중	19번	정보의 확인과 재구성	중
				20번	정보의 추론과 해석	중
				21번	정보의 평가와 적용	중
인문	철학	[22~25] 베나타의 논증	상	22번	주제, 구조, 관점 파악	중
				23번	정보의 평가와 적용	중
				24번	정보의 추론과 해석	중
				25번	정보의 평가와 적용	중
사회	경제	[26~29] 거래 비용 기업 이론	하	26번	주제, 구조, 관점 파악	중
				27번	정보의 추론과 해석	중
				28번	정보의 평가와 적용	하
				29번	정보의 평가와 적용	상
사회	정치	[30~32] 합의제 민주주의와 다수제 민주주의	중	30번	정보의 확인과 재구성	중
				31번	정보의 추론과 해석	중
				32번	정보의 평가와 적용	상
규범	민법	[33~35] 유류분 제도	하	33번	정보의 확인과 재구성	하
				34번	주제, 구조, 관점 파악	중
				35번	정보의 평가와 적용	중

2017학년도

지문 내용 영역		지문 분석		문항 번호	문항 유형	난이도
		[문번] 제재	난이도			
규범	형법	[1~3] 카르네아데스의 널	하	1번	정보의 확인과 재구성	하
				2번	정보의 추론과 해석	하
				3번	정보의 추론과 해석	중
규범	윤리	[4~6] 복지에 대한 도덕철학적 입장	하	4번	정보의 확인과 재구성	하
				5번	주제, 구조, 관점 파악	중
				6번	정보의 평가와 적용	중
인문	문학	[7~10] 이청준, 『가면의 꿈』	상	7번	주제, 구조, 관점 파악	중
				8번	정보의 추론과 해석	하
				9번	정보의 추론과 해석	중
				10번	정보의 평가와 적용	중
규범	헌법	[11~13] 공화주의와 헌정주의적 수단	중	11번	정보의 확인과 재구성	하
				12번	주제, 구조, 관점 파악	중
				13번	정보의 평가와 적용	중
사회	경제	[14~17] 금융위기의 원인	하	14번	주제, 구조, 관점 파악	중
				15번	정보의 추론과 해석	하
				16번	정보의 평가와 적용	중
				17번	정보의 평가와 적용	중
과학 기술	물리	[18~20] 지구와 성운 사이의 거리 측정	중	18번	정보의 확인과 재구성	중
				19번	정보의 추론과 해석	중
				20번	정보의 확인과 재구성	중
인문	사학	[21~23] 조선시대 재가 관련 규정	하	21번	정보의 확인과 재구성	중
				22번	주제, 구조, 관점 파악	하
				23번	정보의 평가와 적용	하
사회	정치	[24~26] 새로운 전쟁	하	24번	주제, 구조, 관점 파악	하
				25번	정보의 평가와 적용	하
				26번	주제, 구조, 관점 파악	중
인문	철학	[27~29] 개념주의와 비개념주의	중	27번	주제, 구조, 관점 파악	중
				28번	정보의 평가와 적용	중
				29번	정보의 평가와 적용	중
과학 기술	생물	[30~32] 상피세포와 성체장줄기세포	중	30번	정보의 확인과 재구성	중
				31번	주제, 구조, 관점 파악	상
				32번	정보의 추론과 해석	중
규범	헌법	[33~35] 변호인의 성실 의무	하	33번	정보의 확인과 재구성	하
				34번	주제, 구조, 관점 파악	중
				35번	주제, 구조, 관점 파악	중

2016학년도

지문 내용 영역		지문 분석 [문번] 제재	난이도	문항 번호	문항 유형	난이도
규범	형사법학	[1~3] 언론 보도의 자유와 공정한 재판	중	1번	정보의 확인과 재구성	하
				2번	주제, 구조, 관점 파악	하
				3번	정보의 평가와 적용	하
인문	사학	[4~6] 신채호, 『조선 역사상 일천년래 제일대사건』에서	중	4번	정보의 확인과 재구성	하
				5번	주제, 구조, 관점 파악	하
				6번	주제, 구조, 관점 파악	하
인문	문학	[7~10] 김춘수와 김수영의 시론	상	7번	정보의 확인과 재구성	중
				8번	주제, 구조, 관점 파악	중
				9번	주제, 구조, 관점 파악	중
				10번	정보의 평가와 적용	상
규범	윤리학	[11~13] 선은 객관적으로 존재하는가?	중	11번	정보의 확인과 재구성	하
				12번	정보의 평가와 적용	중
				13번	정보의 추론과 해석	하
과학기술	생물	[14~16] 형태발생물질의 농도 구배	중	14번	정보의 확인과 재구성	중
				15번	정보의 추론과 해석	중
				16번	정보의 추론과 해석	중
사회	정치	[17~19] 대의 민주주의에서 정당의 기능 변화	중	17번	정보의 확인과 재구성	중
				18번	정보의 평가와 적용	중
				19번	정보의 평가와 적용	중
규범	공법학	[20~22] 재판에 대한 국가배상 책임	중	20번	정보의 확인과 재구성	중
				21번	주제, 구조, 관점 파악	중
				22번	정보의 평가와 적용	하
인문	예술	[23~25] 컨스터블의 풍경화	하	23번	정보의 확인과 재구성	하
				24번	정보의 추론과 해석	하
				25번	정보의 평가와 적용	하
사회	경제	[26~28] 교육과 기술의 경주 이론	중	26번	정보의 확인과 재구성	하
				27번	정보의 추론과 해석	하
				28번	정보의 평가와 적용	중
과학기술	물리	[29~32] 레이저 냉각	상	29번	주제, 구조, 관점 파악	중
				30번	정보의 확인과 재구성	상
				31번	정보의 평가와 적용	중
				32번	정보의 평가와 적용	상
규범	법제사	[33~35] <로마법대전>에 대한 연구	중	33번	정보의 확인과 재구성	중
				34번	정보의 추론과 해석	하
				35번	주제, 구조, 관점 파악	중

2015학년도

지문 내용 영역		지문 분석 [문번] 제재	난이도	문항 번호	문항 유형	난이도
규범	법제사	[1~3] 유종원, 『복수에 대한 건의를 논박함』	중	1번	정보의 확인과 재구성	중
				2번	정보의 추론과 해석	하
				3번	주제, 구조, 관점 파악	하
사회	경제	[4~6] 경제학에서의 차선의 문제	중	4번	주제, 구조, 관점 파악	중
				5번	정보의 평가와 적용	하
				6번	정보의 평가와 적용	중
인문	예술철학	[7~10] 예술사에 대한 헤겔의 구분	중	7번	주제, 구조, 관점 파악	중
				8번	정보의 확인과 재구성	중
				9번	정보의 추론과 해석	중
				10번	정보의 평가와 적용	중
과학기술	지구과학	[11~13] 남극 대륙의 빙붕 질량 변화	중	11번	정보의 확인과 재구성	하
				12번	정보의 추론과 해석	중
				13번	정보의 평가와 적용	중
사회	정치	[14~16] 통치 형태에 따른 교착 해소 방안	상	14번	주제, 구조, 관점 파악	중
				15번	정보의 추론과 해석	중
				16번	정보의 평가와 적용	중
인문	문학	[17~20] 소월 시로 대표되는 한국 낭만주의의 허무	중	17번	주제, 구조, 관점 파악	하
				18번	정보의 확인과 재구성	하
				19번	주제, 구조, 관점 파악	중
				20번	정보의 추론과 해석	중
인문	사학	[21~23] 프리모 레비의 '회색 지대'	중	21번	정보의 확인과 재구성	중
				22번	주제, 구조, 관점 파악	하
				23번	정보의 평가와 적용	하
규범	윤리학	[24~26] 인격체의 살생에 관한 논변	하	24번	정보의 확인과 재구성	하
				25번	정보의 추론과 해석	중
				26번	정보의 평가와 적용	중
과학기술	공학	[27~29] CPU의 정보 처리 원리	상	27번	정보의 확인과 재구성	중
				28번	정보의 추론과 해석	중
				29번	정보의 평가와 적용	상
규범	규범	[30~32] 경업금지약정	중	30번	정보의 확인과 재구성	하
				31번	정보의 평가와 적용	중
				32번	정보의 추론과 해석	중
인문	사학	[33~35] 유물 분류에 대한 두 가지 입장	중	33번	정보의 확인과 재구성	중
				34번	주제, 구조, 관점 파악	중
				35번	정보의 평가와 적용	중

2014학년도

지문 내용 영역		지문 분석		문항 번호	문항 유형	난이도
		[문번] 제재	난이도			
사회	경제	[1~3] 서브프라임 모기지 사태의 원인 분석	중	1번	분석	하
				2번	분석	하
				3번	비판	중
사회	일반	[4~7] 사회 현상 설명 모형으로서의 상전이 이론	상	4번	분석	하
				5번	분석	중
				6번	추론	하
				7번	비판	중
인문	철학	[8~10] 쾌락주의와 쾌락주의적 공리주의	하	8번	분석	하
				9번	추론	하
				10번	비판	중
규범	법학	[11~13] 독점규제 및 공정거래에 관한 법률	중	11번	분석	하
				12번	분석	중
				13번	창의	중
인문	예술	[14~16] 음악의 재현성에 대한 논의	중	14번	분석	하
				15번	분석	중
				16번	창의	중
인문	사학	[17~19] 근대 역사학의 역사주의적 사유 방식	하	17번	분석	하
				18번	추론	하
				19번	추론	하
사회	일반	[20~22] 빈곤에 대한 대응과 그 문제점	하	20번	분석	하
				21번	추론	하
				22번	추론	중
사회	정치	[23~25] 위임 행위의 발생 원인에 대한 이론들	중	23번	분석	하
				24번	분석	중
				25번	추론	상
인문	문학 비평	[26~29] 박형서, <아르판>	중	26번	분석	하
				27번	추론	하
				28번	추론	중
				29번	추론	하
규범	법철학	[30~32] 근대적 계약 이해 방식의 변화	하	30번	분석	중
				31번	비판	중
				32번	창의	중
과학 기술	기술	[33~35] 모바일 무선 통신	상	33번	분석	중
				34번	분석	상
				35번	추론	중

2013학년도

지문 내용 영역		지문 분석		문항 번호	문항 유형	난이도
		[문번] 제재	난이도			
규범	법사학	[4~6] 노비가 상전을 모해한 사건에 대한 처벌 논의	중	4번	추론	하
				5번	추론	상
				6번	추론	하
사회	경제	[7~9] 최적통화지역 이론 소개	상	7번	분석	상
				8번	추론	상
				9번	추론	중
사회	정치	[10~12] 의회의 입법 과정에 관한 상임위원회 중심의 역동성 이론	상	10번	분석	중
				11번	추론	상
				12번	추론	중
인문	철학	[13~15] 주희의 심통성정론	상	13번	분석	하
				14번	추론	중
				15번	추론	중
인문	문학 비평	[16~18] 윌리엄 셰익스피어, <맥베스>	하	16번	추론	하
				17번	분석	하
				18번	비판	하
과학 기술	과학	[19~21] 수성의 내부 구조	중	19번	분석	상
				20번	분석	중
				21번	추론	중
인문	사학	[22~24] 조선의 지방관 제도	하	22번	분석	하
				23번	분석	중
				24번	추론	중
과학 기술	과학	[25~27] 속세포덩어리의 형성 과정	상	25번	분석	중
				26번	분석	상
				27번	추론	상
사회	일반	[28~29] 대상에 대한 유사성 판단과 범주 판단	상	28번	추론	중
				29번	추론	상
규범	법철학	[30~32] 칸트의 법 이론적 기획에 대한 들뢰즈의 해석	중	30번	분석	중
				31번	분석	중
				32번	비판	중
인문	예술	[33~35] 대중문화 텍스트 수용에 대한 이해	상	33번	분석	상
				34번	분석	중
				35번	비판	중

2012학년도

지문 내용 영역		지문 분석		문항 번호	문항 유형	난이도
		[문번] 제재	난이도			
인문	사학	[4~6] 이민행, <연조귀감서>	하	4번	분석	하
				5번	추론	하
				6번	추론	하
규범	법사학	[7~8] 헌법위원회의 성격	하	7번	분석	하
				8번	창의	하
사회	정치	[9~11] 유권자 선택 이론	상	9번	분석	중
				10번	추론	중
				11번	창의	중
규범	윤리	[12~14] 도덕철학의 과제와 상위선	하	12번	분석	하
				13번	추론	중
				14번	비판	중
과학 기술	과학	[15~17] 지방의 저장과 분해	중	15번	분석	중
				16번	분석	중
				17번	창의	중
사회	경제	[18~20] 자본구조와 기업 가치	중	18번	분석	하
				19번	분석	중
				20번	창의	중
규범	법철학	[21~23] 분석법학에서 규범 양상 간의 관계	상	21번	분석	중
				22번	추론	상
				23번	추론	상
사회	일반	[24~26] 비고츠키의 근접 발달 이론	하	24번	분석	중
				25번	추론	하
				26번	창의	중
인문	문학 비평	[27~29] 박영한, <지상의 방 한 칸>	하	27번	분석	중
				28번	추론	중
				29번	추론	중
과학 기술	기술	[30~32] 자기 냉각 기술과 자기 냉장고	중	30번	추론	상
				31번	분석	중
				32번	창의	중
인문	문학 비평	[33~35] 멜로드라마의 흐름	하	33번	분석	중
				34번	추론	중
				35번	창의	중

2011학년도

지문 내용 영역		지문 분석		문항 번호	문항 유형	난이도
		[문번] 제재	난이도			
사회	경제	[4~5] 국가 채무 상환 가설	하	4번	분석	중
				5번	추론	중
인문	철학	[6~8] 철학적 근대의 전개 과정	중	6번	분석	하
				7번	분석	중
				8번	비판	중
규범	법철학	[9~11] 호펠드의 권리 문법	중	9번	분석	중
				10번	추론	중
				11번	창의	하
사회	일반	[12~14] 혁신 주도형 지역 발전 모델	하	12번	분석	하
				13번	분석	하
				14번	추론	중
과학 기술	과학	[15~17] 고전물리학과 현대 물리학의 관계	중	15번	분석	중
				16번	분석	중
				17번	추론	중
인문	문학 비평	[18~20] 루쉰, <비공>	중	18번	분석	중
				19번	추론	중
				20번	추론	하
인문	예술	[21~23] 선법 음악과 조성 음악	상	21번	분석	중
				22번	분석	상
				23번	창의	중
사회	정치	[24~26] 노동자 정당의 등장과 프랑스 민주주의	중	24번	분석	중
				25번	추론	중
				26번	추론	하
인문	사학	[27~29] 잡학직에 대한 논의	하	27번	추론	하
				28번	분석	중
				29번	분석	하
규범	법사학	[30~32] 중세 시대의 동물 재판	중	30번	분석	중
				31번	추론	하
				32번	분석	중
과학 기술	과학	[33~35] 원격 탐사에 사용되는 에너지와 물체 간의 상호작용	중	33번	분석	중
				34번	추론	상
				35번	추론	중

2010학년도

지문 내용 영역		지문 분석		문항 번호	문항 유형	난이도
		[문번] 제재	난이도			
사회	경제	[4~6] 기업의 가치와 주가의 상관관계에 대한 법적 판단	중	4번	분석	하
				5번	추론	중
				6번	추론	하
규범	법사학	[7~9] 조선의 전율 체제 형성 과정	중	7번	분석	중
				8번	분석	중
				9번	창의	중
과학 기술	과학	[10~12] 새로운 계통수 작성법	중	10번	분석	하
				11번	추론	하
				12번	창의	중
인문	예술	[13~15] 미술사학과 신미술사학	중	13번	분석	중
				14번	추론	하
				15번	비판	중
사회	정치	[16~18] 루소의 일반의지와 국가 권력	중	16번	분석	중
				17번	분석	중
				18번	창의	하
인문	문학 비평	[19~21] 이강백, <영월행 일기>	중	19번	분석	중
				20번	분석	하
				21번	창의	하
규범	법철학	[22~24] 권위의 역설	중	22번	분석	하
				23번	추론	중
				24번	추론	하
사회	일반	[25~26] 위험에 대한 과학 기술 보도의 이론적 모델	하	25번	분석	하
				26번	창의	하
과학 기술	과학	[27~29] 화학과 물리학의 관계	중	27번	분석	중
				28번	추론	중
				29번	추론	하
인문	사학	[30~32] 토지 겸병의 폐단	중	30번	추론	하
				31번	분석	중
				32번	창의	하
인문	철학	[33~35] 철학적 글쓰기	하	33번	분석	하
				34번	추론	하
				35번	창의	하

2009학년도

지문 내용 영역		지문 분석		문항 번호	문항 유형	난이도
		[문번] 제재	난이도			
규범	법학	[5~7] 합의의 구속력에 대한 인식의 변화	하	5번	분석	하
				6번	추론	하
				7번	분석	하
사회	경제	[8~10] 한국계 이민 사회와 중간 상인 이론	중	8번	분석	하
				9번	분석	하
				10번	분석	하
과학 기술	기술	[11~13] VOD 서비스 방식	중	11번	분석	상
				12번	추론	상
				13번	창의	하
인문	사학	[14~16] 절용과 저축	하	14번	분석	하
				15번	추론	하
				16번	비판	하
인문	문학 비평	[17~19] 서영은, <먼 그대>	중	17번	분석	하
				18번	추론	하
				19번	추론	하
과학 기술	과학	[20~22] 에클로자이트와 한반도 내 대륙충돌대 존재 가능성	중	20번	분석	하
				21번	추론	중
				22번	추론	하
인문	철학	[23~25] 철학적 회의주의의 역할	상	23번	분석	하
				24번	추론	하
				25번	추론	중
인문	문학 비평	[26~28] 괴테, <파우스트>	중	26번	추론	하
				27번	분석	하
				28번	추론	중
인문	철학	[29~31] 체계 이론 미학과 헤겔의 예술론	하	29번	추론	중
				30번	분석	하
				31번	추론	중
사회	정치	[32~34] 정당 체계에서의 정당 수 산정 방식	중	32번	분석	하
				33번	창의	하
				34번	추론	중
과학 기술	과학	[35~37] 포유동물의 정소 온도에 관한 이론들	중	35번	분석	하
				36번	추론	하
				37번	추론	중
사회	일반	[38~40] 미국 언론의 파수견 기능	중	38번	분석	하
				39번	분석	하
				40번	추론	하

예비시험

지문 내용 영역		지문 분석		문항 번호	문항 유형	난이도
		[문번] 제재	난이도			
인문	철학	[5~7] 호르크하이머의 계몽 사회 진단	중	5번	분석	상
				6번	추론	하
				7번	비판	중
과학 기술	기술	[8~10] 수동형 RFID 시스템	중	8번	분석	하
				9번	추론	하
				10번	창의	중
인문	예술	[11~13] 영화, <리버티 밸런스를 쏜 사나이>	하	11번	분석	하
				12번	분석	중
				13번	창의	중
사회	일반	[14~15] 신제품 개발에서의 압축 전략과 경험 전략	하	14번	분석	하
				15번	분석	하
인문	문학 비평	[16~18] 도스토예프스키 <죄와 벌>	하	16번	분석	하
				17번	분석	중
				18번	추론	하
과학 기술	과학	[19~21] 지상과 상층에서의 오존 생성과 파괴	중	19번	분석	하
				20번	추론	중
				21번	추론	상
사회	일반	[22~25] 밀스의 사회학적 상상력	중	22번	분석	하
				23번	분석	하
				24번	분석	상
				25번	추론	하
사회	정치	[26~28] 민주주의로의 이행과 민주주의 공고화	중	26번	분석	중
				27번	분석	중
				28번	추론	중
규범	법사학	[29~31] 서구 근대법과 자본주의의 관계에 대한 베버의 견해	상	29번	분석	중
				30번	추론	하
				31번	분석	상
인문	문학 비평	[32~34] 정한숙, <전황당인보기>	하	32번	추론	하
				33번	추론	하
				34번	추론	중
인문	사학	[35~37] 아악의 제정과 황종관 제작	상	35번	분석	중
				36번	추론	하
				37번	추론	상
인문	철학	[38~40] 베이즈주의	중	38번	분석	하
				39번	추론	중
				40번	추론	중

예시문항

지문 내용 영역		지문 분석		문항 번호	문항 유형	난이도
		[문번] 제재	난이도			
인문	철학	[3~5] 취미론과 미적 태도론	중	3번	분석	중
				4번	비판	상
				5번	추론	하
사회	경제	[6~8] 와해성 혁신 이론	중	6번	분석	하
				7번	추론	하
				8번	창의	중

Contents

- 과목 소개 4
- 유형별 접근법 5
- 출제 경향 6
- 교재 구성 12
- LEET 언어이해 기출분석표 14

문제편

- 2026학년도 29
- 2025학년도 47
- 2024학년도 65
- 2023학년도 83
- 2022학년도 101
- 2021학년도 119
- 2020학년도 137
- 2019학년도 155
- 2018학년도 173
- 2017학년도 193
- 2016학년도 213
- 2015학년도 233
- 2014학년도 253
- 2013학년도 273
- 2012학년도 293
- 2011학년도 313
- 2010학년도 333
- 2009학년도 355
- 예비시험 375
- 예시문항 395

해설편

• 2026학년도	6
• 2025학년도	27
• 2024학년도	49
• 2023학년도	68
• 2022학년도	85
• 2021학년도	101
• 2020학년도	118
• 2019학년도	133
• 2018학년도	145
• 2017학년도	162
• 2016학년도	180
• 2015학년도	198
• 2014학년도	216
• 2013학년도	234
• 2012학년도	249
• 2011학년도	262
• 2010학년도	275
• 2009학년도	290
• 예비시험	305
• 예시문항	321

2027학년도 LEET 대비
기출문제 해설집

2026

영역별 출제 비중 분석

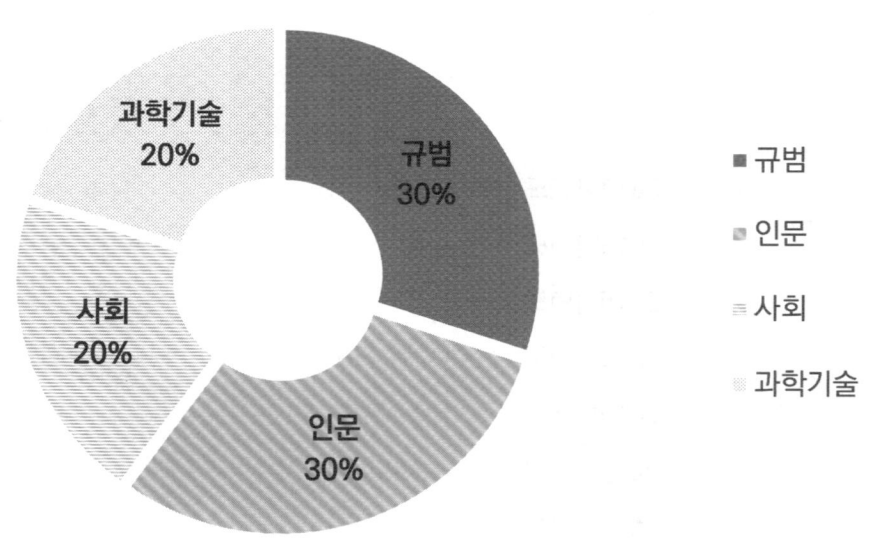

내용 영역	규범	인문	사회	과학기술	총
문항 수	9	9	6	6	30

2026학년도 언어이해

출제 경향 분석

2026학년도에는 제시문의 길이가 짧은 대신 정보를 비교적 압축적으로 서술하는 전년도의 경향이 유지되었다. 제시문의 경우 비록 과학기술 영역의 제시문 독해가 전년도에 비해 까다로웠지만, 그 외 영역에서는 제시문과 문항 모두 평이하게 출제되었다. 문항의 경우 전반적인 난도는 전년도와 유사하였고, <보기>가 포함된 문항의 정오 판단이 비교적 더 까다로웠던 점 역시 크게 다르지 않았다. 따라서 선택지 정오 판단의 난도는 전년도와 유사하나, 일부 영역을 제외하고는 제시문 난도가 하락했다는 점에서 전반적인 난도는 소폭 하락하였다고 볼 수 있다.

제 1 교시

홀수형

2026학년도 법학적성시험

언어이해 문제지

성 명

수험번호

수험생 유의사항

- 이 문제지는 **30문항**으로 구성되어 있습니다.
- **시험 시간은 09 : 00~10 : 10(70분)입니다.**
- 문제지에 성명과 수험번호를 정확하게 기재하십시오.
- 답안지는 반드시 컴퓨터용 사인펜을 사용하여 답을 표기하여야 합니다.
- 답안지의 '필적확인란'에 제시된 문구를 정확히 정자로 기재하여야 합니다.

메가로스쿨

제1교시

2026학년도 법학적성시험
언어이해

홀수형

- 이 문제지는 **30문항**으로 구성되어 있습니다. 문항 수를 확인하십시오.
- 문제지의 해당란에 성명과 수험번호를 정확히 쓰십시오.
- 답안지에 수험번호, 문제유형, 성명, 답을 표기할 때에는 '답안 작성 시 반드시 지켜야 하는 사항'에 따라 표기하십시오.
- 답안지의 '필적확인란'에 해당 문구를 정자로 기재하십시오.

[1~3] 다음 글을 읽고 물음에 답하시오.

법학 전통에서 대체로 자연은 인간에게 유용한 것들의 총체이자 집단 혹은 개인의 자산으로 간주된다. 소유 대상으로서의 자연은 그것을 둘러싼 인간 상호 간의 권리의무관계를 위해 존재한다. 생태 사상가 베리는 인간이 세계 전체 혹은 타자와 맺는 관계 양식이 인간중심의 법규범에 반영되어온 동시에 그러한 법규범에 의해 강화되어 왔음을 지적한다. 법적 인격만을 권리와 의무의 주체로 보고 인격 아닌 모든 존재자는 행위의 객체인 물건으로 보는 법은 자연의 가치를 인간의 손익과 관련지어 평가할 뿐 존중하진 않았다. 최장 시간에 걸쳐 최대 다수에게 이익을 가져다주는 방식으로 자연 자원을 향유하기 위해 보호해야 한다는 보전주의적 관점 역시 근본적으로 인간을 중심에 둔다. 베리가 주창한 지구법학은 생태계를 구성하는 모든 존재의 권리를 지구권으로 정립하려 한 급진적인 법사상이다.

비인간 존재자에게 권리를 인정할 수 있는가에 관해서는 그간 다양한 논의가 진행되어 왔다. 가령 레건은 살아있음을 넘어 스스로가 삶의 주체임을 경험할 수 있는 존재는 상대적으로 더 월등한 존재의 이익을 위해 자신의 이익을 희생당하지 않아야 한다는 논거로써 동물의 권리를 옹호한다. 모든 생명체는 자신의 선을 가지며 그 고유한 가치의 잠재성이 실현되어야 한다고 본 테일러는 식물을 포함한 생명체까지를 권리의 주체로 이해한다. 더 나아가 지구법학은 우주의 질서 안에 무언가가 존재한다는 사실 자체에서 그것이 권리를 가진다는 규범적 결론을 끌어낸다. 이에 따르면 물리적으로 지속되는 실체를 갖거나 일정한 지리적 영역을 점하는 존재자인 무생물의 권리도 인정된다. 지구법학의 지향을 '야생의 법'이라 표현한 컬리넌은 다양한 창조물들의 생존과 안녕은 인간이 아니라 지구 행성으로부터 주어지는 것임을 강조하며 권리 주체에 대한 과감한 인식 전환을 촉구한다. 인류는 그간 법에서 억눌러 왔던 감성과 감각을 되살려 지구공동체의 춤에 참여하고, 그 박자에 스스로 몸짓을 맞추어야 한다는 것이다. 지구권은 존재할 권리, 서식지에 관한 권리, 지구공동체가 부단히 새로워지는 과정에서 자기 역할과 기능을 수행할 권리 등으로 구체화된다. 강은 강의 권리를, 새는 새의 권리를, 인간은 인간의 권리를 가지며, 각 권리의 존재 양태는 저마다 다르다.

이러한 권리 개념을 수용하여 구체적인 법의 근거로 채택한 ㉠사례도 없지 않다. 전문에서부터 '우리가 그 일부이자 우리의 생존에 필수적인 어머니 지구'와의 조화를 언급한 에콰도르 헌법이 그 예이다. 헌법에 환경권을 명시한 국가들 대부분이 국민의 더 나은 삶과 인류의 지속가능성만 환경을 보전·관리할 목적이라 본 데 반해, 에콰도르는 '생명의 순환과 진화 과정을 유지하고 재생을 존중받을 권리'와 '자연이 스스로를 원상회복할 권리'를 헌법에 규정한다. 또한, 누구든 청원권을 행사하여 자연의 권리를 집행할 수 있음을 명시한다. 볼리비아는 <어머니 지구의 권리에 관한 법>에서 자연의 고유한 권리를 인정하고 생태계가 본성 그대로 유지·회복하는 과정을 도울 국민의 의무를 규정한다. 한편 뉴질랜드는 전체로서의 자연의 권리를 보호하는 방식 대신 특정 생태계나 종의 권리를 개별적으로 보호하는 방식을 택한다. '내가 강이고 강이 나다.'라는 마오리족의 믿음을 존중하여 황거누이강을 법적 인격체로 규정하고, 그 권리는 법이 정한 후견인이 강의 이름으로 강을 대리하여 집행할 것을 명시한 <테 아와 투푸아법>이 그 예이다. 흐르던 물길이 가로막힌 강이나 서식지를 침범당한 새의 권리는 사회적 관심을 환기하려는 환경운동의 기획을 넘어 구체적인 법리 구성 단계에서도 다루어지게 되었다.

1. 윗글의 내용과 일치하는 것은?

① 인간중심적 법규범은 자연의 권리 근거를 '존재함' 자체에서 구한다.
② 지구법학은 모든 개체의 권리가 동일한 존재 양태를 가진다고 이해한다.
③ 보전주의적 관점에는 법적 권리 주체에 대한 근본적인 인식 전환이 전제되어 있다.
④ 지구권을 인정하는 입장에서는 지리적 영역을 점한다는 사실에서 권리 주체성을 도출한다.
⑤ 컬리넌은 인간과 비인간 존재의 감응 능력을 중시하는 기존 법학을 지구법학과 조율하려고 했다.

2. ㉠에 대한 설명으로 적절하지 않은 것은?

① 에콰도르는 자연의 권리를 포괄적으로 규정하는 데 비해 뉴질랜드는 사안별로 규정한다.
② <어머니 지구의 권리에 관한 법>과 달리, <테 아와 투푸아법>은 자연의 권리 주체성을 인정한다.
③ 에콰도르와 볼리비아 모두 지구공동체의 유지 및 재생을 도울 인간의 역할에 관해 법에 명시한다.
④ 에콰도르 헌법에서는 누구나 자연을 법적으로 대변할 수 있지만, <테 아와 투푸아법>에서는 특정인만이 특정 생태계를 법적으로 대변할 수 있다.
⑤ 에콰도르 헌법과 <어머니 지구의 권리에 관한 법>은 모두 침해된 자연에서 살아가는 인간의 권리와 별도로 자연도 회복할 권리를 갖는다고 본다.

3. 윗글을 바탕으로 <보기>의 판결을 이해할 때, 적절하지 않은 것은?

<보 기>

[A] 도로 확장공사 중 다량의 흙과 돌이 강에 매립되어 강폭이 좁아지고 강물이 범람하자, 마을 주민은 훼손된 강을 대리하여 소를 제기했다. 법원은 강의 권리주체성을 부정하여 청구를 각하했다.

[B] 수로 공사 중 지역 원주민들에게 문화적으로 특별한 상징성을 지닌 야생 벼 서식지가 수몰되자, 원주민 대표는 벼를 대리하여 소를 제기했다. 법원은 공사의 중단을 명령했다.

[C] 동물권리보호협회는 동물원 실태 조사 후, 오랑우탄이 자기 본성에 맞는 장소에서 살 권리를 가짐을 주장하며 갇힌 오랑우탄을 대리하여 소를 제기했다. 법원은 적절한 거주 조건을 제공할 것을 명령했다.

① [A]에 대해 레건은 동의하고 컬리넌은 동의하지 않겠군.
② [B]에 대해 베리는 동의하고 레건은 동의하지 않겠군.
③ [C]에 대해 베리는 동의하고 테일러는 동의하지 않겠군.
④ [A]와 [B] 모두에 대해 테일러는 동의하겠군.
⑤ [B]와 [C] 모두에 대해 컬리넌은 동의하겠군.

[4~6] 다음 글을 읽고 물음에 답하시오.

업무 프로세스를 시각적으로 표현하는 모델링 언어 표준인 BPMN을 제정한 표준화 단체에서, 의사결정을 명시적으로 모델링하는 표준인 DMN을 발표하였다. BPMN으로 전체 업무 처리 과정을 모델링하고, DMN으로는 의사결정과 관련한 사항을 모델링할 수 있다. BPMN으로 복잡한 의사결정을 관리하는 데 한계가 있어, 별도 표준인 DMN을 개발하였다. BPMN 모델의 비즈니스 규칙 태스크에서 DMN 모델의 의사결정 테이블을 호출하는 방식으로 두 표준이 연동되어 활용된다. 그런데 전략적 의사결정은 의사결정 규칙이 불명확하고, 다양한 분석이 요구되므로 모델링하여 자동화하기는 매우 어렵다. 예를 들어 조직의 성패를 결정할 신제품 개발이나 기업의 인수합병과 같이 불확실성이 크고 위험을 수반하는 의사결정에 DMN을 적용하는 것은 부적절하다. DMN은 은행의 대출 승인 결정이나 보험회사의 보상금 결정과 같이 정해진 절차와 규칙에 따라 수행되는 일상적인 운영 의사결정을 자동화하는 데 효과적이다.

기존에는 개발자가 의사결정과 관련한 로직을 프로그래밍 언어로 코딩하여 애플리케이션으로 구현하였다. 이 방식에서는 애플리케이션 코드에 의사결정 로직을 구성하는 여러 규칙이 혼재해 의사결정 로직의 가시성이 낮으며, 로직이 복잡할수록 구현의 난도가 높아진다. 또한 경영 환경이 변하면 의사결정 로직도 신속하게 변경해야 하지만, 개발자가 코드를 수정해야 하므로 즉각적인 반영이 어렵다. 이 문제는 DMN을 사용하면 그래픽 다이어그램과 테이블 형태로 의사결정을 명시적으로 모델링하여 해결할 수 있다. 이처럼 의사결정 로직을 애플리케이션에서 분리하여 모델링하면, 개발자에게 의존하지 않고 업무 담당자가 자신이 주관하는 업무 규칙을 빠르고 유연하게 변경할 수 있다.

㉠DMN 모델링을 통해서는 의사결정 요구 다이어그램(DRD)과 의사결정 로직을 작성한다. DRD는 의사결정 모델링의 시작점으로 불리는데, <그림 1>과 같이 맨 하위에 ◯로 표시된 입력 데이터와 그 상위에 ▯로 표시된 의사결정 노드 간 연결선으로 의사결정의 전체 구조를 표현한다. 입력 데이터는 의사결정 노드의 입력으로 제공되며, 하위 의사결정 노드의 결과로 생성된 데이터는 상위 노드의 입력으로 전달된다. 각 노드의 의사결정 로직은 의사결정 테이블로 세부 규칙을 작성하는데, 이를 위해 간단하고 직관적인 문법을 제공하여 업무 담당자와 개발자가 모두 쉽게 활용할 수 있는 언어인 FEEL을 사용한다. 의사결정 테이블에서는 각 규칙을 행으로 나열하고 규칙의 조건과 결과를 구분하여 열로 정의한다. 규칙의 조건 열에는 의사결정의 입력을 표기하며, 조건 열이 여럿인 경우 각 조건을 AND로 해서 논릿값을 계산한다. 각 규칙은 자신의 조건이 참일 경우 테이블에 규정된 출력을 결과 열에 산출한다.

<그림 2>의 의사결정 테이블은 이자율과 신청 금액에 따라 수익성을 결정하는 의사결정 로직을 보여 준다. 입력 셀에는 FEEL로 조건식을 기술하는데, 문자열 값의 단순 비교부터 숫자의 크기 비교, 숫자 구간 등의 다양한 조건식이 사용된다. 이 예에서는 이자율과 신청 금액이라는 숫자형 변수가 조건 열에 사용되는데, '<'와 '>='는 값의 크기를 비교하는 연산자이며, '[p..q]'는 경곗값을 포함하는 숫자 구간을 나타낸다. 예를 들어 [2..5]는 2 이상 5 이하,]2..5[는 2 초과 5 미만의 구간을 의미한다. 입력 셀에 '—'라고 표기된 경우

해당 조건은 항상 참으로 간주한다. 의사결정 테이블의 상단에는 여러 규칙이 동시에 만족될 때 이를 어떻게 처리할지를 설정하기 위한 적중 정책을 표기한다. 오버랩을 허용하지 않고 동시에 하나의 규칙만 만족되도록 규칙을 관리하는 방식인 '유일' 정책이 기본값이다. 한 번에 여러 규칙이 적용 가능한 경우에는 처음으로 만족되는 규칙을 적용하는 '최초' 정책과 규칙의 우선순위 값에 따라 적용 규칙을 선정하는 방식인 '우선순위' 정책 등 상황에 따라 적절한 적중 정책을 지정한다.

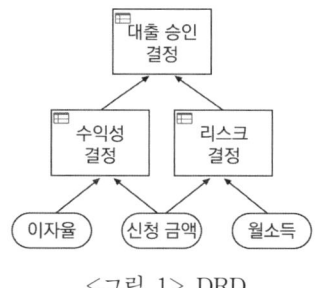

<그림 1> DRD   <그림 2> 의사결정 테이블

4. 윗글의 내용과 일치하는 것은?
① 전략적 의사결정은 경영 성과 창출에 미치는 영향이 크므로 확정된 규칙에 따라 수행해야 한다.
② DMN을 사용하여 의사결정 로직을 애플리케이션과 따로 모델링하면 규칙의 구현, 유지보수가 쉽다.
③ 의사결정 테이블의 조건부에서 경곗값을 포함하지 않는 구간을 조건식으로 나타낼 수 없다.
④ 운영 의사결정을 자동화하려면 의사결정 테이블에 BPMN 비즈니스 규칙 태스크를 포함하여 조건식을 작성해야 한다.
⑤ 의사결정 로직이 단순한 경우 규칙의 변경이 요구될 때 업무 담당자가 FEEL로 애플리케이션 코드를 쉽게 수정할 수 있다.

5. ㉠에 대해 추론한 것으로 적절한 것은?
① 같은 입력값으로 여러 규칙이 동시에 만족될 수 있는 경우 적중 정책을 기본값으로 설정할 수 없다.
② 의사결정 테이블의 입력이 여러 개일 경우, 어떤 규칙의 조건식 중 어느 하나가 참이면 그 규칙은 만족된다.
③ 어떤 의사결정 로직의 입력으로 사용되는 데이터는 다른 의사결정 로직의 입력으로 활용될 수 없다.
④ 최상위의 의사결정 노드에 직접 연결되지 않은 최하위의 입력 데이터는 최상위의 의사결정에 영향을 미치지 않는다.
⑤ 의사결정 노드가 여러 계층으로 구성될 경우, 상위 의사결정 노드의 출력을 하위 의사결정 노드에서 사용할 수 있다.

6. <보기>의 사례에서 DMN을 활용할 때 적절하지 않은 것은?

─────< 보 기 >─────
P사는 자동차 보험료 산정을 위한 위험도 결정 업무를 자동화하기 위해 다음의 세 단계로 의사결정 모델링을 수행한다.

단계 1: DRD 작성
Ⓐ 입력 데이터로 운전 경력, 자동차 가격, 자동차 출력(HP)을 제공함.
Ⓑ 자동차 가격과 출력을 기준으로 자동차 유형을 결정함.
Ⓒ 운전 경력과 자동차 유형을 기준으로 위험도를 결정함.

단계 2: 자동차 유형 의사결정 로직 정의
Ⓐ 2억 원 초과의 자동차는 럭셔리카로 분류함.
Ⓑ 5백만 원 미만의 자동차는 스크랩카로 분류함.
Ⓒ 5백만 원 이상 2억 원 이하면 자동차 출력을 기준으로 분류함.
  • 120 HP 초과: 스포츠카
  • 120 HP 이하: 패밀리카

단계 3: 위험도 의사결정 로직 정의
Ⓐ 3년 이하의 운전 경력이거나 럭셔리카: 위험도 5
Ⓑ 패밀리카이고, 3년 초과의 운전 경력: 위험도 2
Ⓒ 스포츠카이면 운전 경력에 따라 다음과 같이 결정함.
  • 5년 초과: 위험도 2
  • 3년 초과 5년 이하: 위험도 3
Ⓓ 스크랩카: 운전 경력과 무관하게 위험도 1

① 단계 1에서 작성한 DRD에 포함된 2개의 의사결정 노드는 단계 2와 단계 3을 통해 구체화된다.
② 단계 2와 단계 3에서 작성하는 각 의사결정 테이블은 입력으로 2개의 열을, 결과로 1개의 열을 포함한다.
③ 단계 2의 결과가 스포츠카로 결정되는 경우 단계 3의 Ⓒ가 요구하는 규칙을 작성하려면, 의사결정 테이블에 2개의 행이 요구된다.
④ 단계 2의 Ⓒ가 요구하는 자동차 출력 조건식과 단계 3의 Ⓑ가 요구하는 운전 경력 조건식에서 모두 숫자 구간이 사용된다.
⑤ 적중 정책이 '유일'일 때 단계 3에서 Ⓓ를 고려하여 Ⓐ가 요구하는 규칙을 완성하려면, 운전 경력 조건식과 자동차 유형 조건식이 포함된 규칙을 작성해야 한다.

[7~9] 다음 글을 읽고 물음에 답하시오.

 선출된 정치인이 합법적으로 민주적 가치를 잠식하는 민주주의 퇴행도 급격하고 폭력적인 방식의 쿠데타 못지않게 심각한 민주주의의 위기이다. 집권자는 '조작'을 감행할 능력을 갖추고 있다. 여기서 조작이란 명백한 위법행위가 아니라, 선거권이나 피선거권 규정의 개정이나 미디어 규제를 통한 여론 개입, 국가기구에 대한 당파적 영향력 증대 등과 같이 불법성이 명확하지 않지만 정치 과정을 불공정하게 만들어 집권 가능성을 높이려는 행위들을 일컫는다. 집권자의 조작과 유권자의 대응이 결합하여 민주주의가 퇴행하는 것을 설명하는 두 가지 모델을 살펴보자.
 우선, ㉠스볼릭 모델에서 유권자는 후보자의 정책이념과 자신의 정책이념 사이의 거리와 반비례하는 효용의 크기에 따라 지지 후보를 선택하는데, 후보자 가운데 집권자를 판단할 때는 그가 행한 조작의 정도에 비례하여 생기는 효용의 감소를 계산에 넣는다. 다시 말해 유권자는 민주주의 가치에 대해서도 내재적으로 선호한다고 가정된다.
 예를 들어, 어떤 나라에서 우파 집권자가 조작을 행한 경우, 온건 우파 유권자는 민주주의 훼손에서 생기는 효용의 감소가 좌파 도전자의 집권으로 생기는 이념 관련 효용의 감소보다 커서 집권자를 지지하지 않을 가능성이 크다. 반면 극단적인 우파 유권자는 좌파 도전자의 집권이라는 최악의 상황을 피하려고 민주주의의 훼손을 감수하고라도 집권자에게 투표할 가능성이 훨씬 크다. 한편 자신의 재집권을 위해 조작을 행한 집권자는 조작으로 득표가 늘어나는 대신 조작에 따른 민주주의 훼손으로 인해 득표가 감소하는 상황에 직면한다. 이때 득표 감소는 주로 중도 혹은 중도우파 유권자 집단에서 발생한다. 결국 집권자는 득실을 비교하여 선거에서 가장 많이 득표할 수준에서 조작의 정도를 결정하게 된다.
 한편, ㉡루오와 쉐보르스키 모델에서 유권자들은 후보자의 정책이나 능력 등을 보고 주관적으로 평가한 '매력'에 기초해서 투표한다. 이처럼 시민들이 민주주의 자체에 내재적인 가치를 부여하지 않는 경우라도, 더 매력적인 정치인들에게 통치받고 싶어할 것이므로 시민들은 누구에게 통치받을지를 자신들이 결정할 수 있는 능력을 중시한다. 이는 그 사회의 민주주의 역량에 가치를 부여한다는 것이다. 선거에 당면하여 유권자들은 현재 선택되는 후보자의 매력, 즉 선거로 들어설 정부의 질로부터 얻는 효용과 미래의 민주주의 역량, 즉 시민들이 미래에 더 나은 도전자가 등장할 때 언제든지 선거로 집권당을 교체할 수 있는 능력으로부터 얻는 효용 사이의 트레이드오프에 직면한다.
 더욱 매력적인 도전자가 등장하면 시민들은 집권자의 교체를 원할 것이기 때문에 권위주의 성향의 지도자들은 집권기에 조작을 택하고, 그 결과 시민들의 반대에도 불구하고 권력을 유지할 가능성, 즉 집권자 프리미엄이 커지게 된다. 프리미엄이 0인 상태에서 시작하여 지도자와 유권자 사이에 게임이 반복되는 상황을 상정한 이 모델에 따르면, 잠재적 도전자가 가질 매력의 기댓값에 비해 집권자의 매력이 매우 높거나 매우 낮은 경우에 민주주의가 위협받게 된다.
 집권자의 매력이 높아서 시민들이 집권자에 매우 만족하고 도전자가 더 매력적일 가능성이 작을 때, 집권자는 조작에 거리낌을 갖지 않는데 이를 '지지 속의 퇴행'이라 한다. 반면 집권자의 매력이 낮은 경우에는 집권자가 운 좋게 몇 차례 선거에 승리해서 집권자 프리미엄이 일정 수준을 넘어서면 집권의 장기화를 우려하는 시민들은 설사 당면 선거에서 도전자의 매력이 더 낮더라도 정권교체를 원하게 된다. 이를 예상하는 집권자가 프리미엄을 더욱 높이고자 가능한 모든 조작을 취하는 것을 '반대 속의 퇴행'이라 한다. 두 가지 퇴행에서 모두 쿠데타나 민중봉기와 같은 수단에 의해 교체될 위험을 감수할 정도까지 권위주의 성향의 집권자는 퇴행으로 치닫는다.

7. 윗글의 내용과 일치하는 것은?
① 민주주의 퇴행을 설명하는 모델들에서는 유권자들이 민주주의 자체에 내재적 가치를 부여한다.
② 유권자와 집권자는 모두 선거에서 전략적 선택이 필요한 상황에 직면할 수 있다.
③ 중도 성향의 유권자는 자신의 정책이념을 투표 선택에 반영하지 않는다.
④ '지지 속의 퇴행'은 집권 정부의 매력이 매우 낮을 때 일어난다.
⑤ '집권자 프리미엄'은 게임이 반복됨에 따라 0에 수렴한다.

8. 윗글에서 추론한 내용으로 가장 적절한 것은?
① ㉠과 ㉡에서 모두 미래에 등장할 잠재적 도전자의 집권 가능성은 유권자가 고려할 대상에서 제외된다.
② ㉠에서는 집권자와 도전자의 이념성향이 비슷할 때, ㉡에서는 집권자와 도전자의 매력도가 비슷할 때 민주주의의 퇴행이 심해질 가능성이 높다.
③ ㉠에서 유권자는 정책이념과 민주주의 가치 사이의 트레이드오프에, ㉡에서 유권자는 새 정부의 매력과 미래 민주주의 역량 사이의 트레이드오프에 직면할 수 있다.
④ 집권자가 조작의 정도를 결정할 때, ㉠에서는 조작에 따라 기대되는 득표와 감표의 차이를, ㉡에서는 기존에 축적된 프리미엄과 앞으로 형성될 프리미엄 간의 차이를 따질 것이다.
⑤ ㉠에서는 후보자와의 이념적 친밀도 때문에, ㉡에서는 도전자의 높은 매력도 때문에, 시민이 조작을 용인한 결과로 권력 교체가 불가능해져 민주주의 퇴행이 나타날 수 있다.

9. ㉠의 관점에서 <보기>를 평가한 것으로 적절하지 않은 것은?

<보 기>

2026년 선거를 앞둔 X국에서 좌파 성향의 집권당 L 후보는 최근 관권선거를 주도했다는 비판을 받고 있다. 온건 우파 성향의 도전자 R 후보는 비교적 민주적 절차를 중시하는 것으로 평가받고 있다. <그림 1>은 유권자 V1~V4 관점에서 인식된 자신들과 후보자들의 정책이념 및 민주주의 신념도의 위치를 나타낸다. 세로축은 민주주의 가치에 대한 신념의 정도를, 가로축은 이념성향의 정도를 나타낸다. <그림 2>는 X국 유권자들의 이념성향 분포(%)의 변화를 나타낸다.

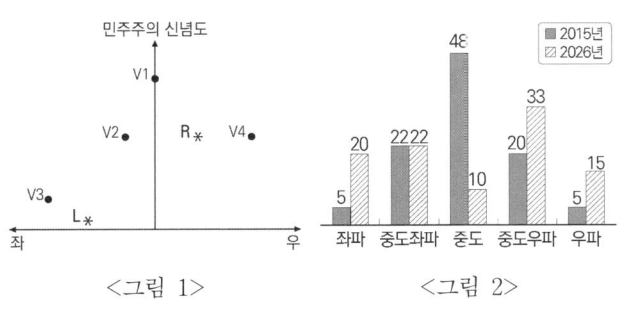

<그림 1>   <그림 2>

① <그림 1>에서, V2가 R 후보를 지지할 가능성은 V3가 R 후보를 지지할 가능성보다 클 것이다.
② <그림 1>의 V4는 정책 효용과 민주주의 효용을 동시에 고려하여 L 후보의 재집권을 허용하려 하지 않을 것이다.
③ <그림 2>에서 동일한 수준의 조작 때문에 생기는 집권자의 손실은 2015년의 경우보다 2026년의 경우가 작을 것이다.
④ <그림 1>의 L 후보가 <그림 2>의 2026년 선거에서 승리하면, 이는 민주주의의 훼손 정도를 감내하더라도 정책 관련 효용의 증가가 크다고 여긴 유권자가 감소한 결과일 것이다.
⑤ <그림 2>에서, <그림 1>의 V1에 해당하는 유권자의 비율 변화는 L 후보가 조작하는 정도를 높이려는 요인이 될 것이다.

[10~12] 다음 글을 읽고 물음에 답하시오.

1518년 6월 중종은 "내가 정사를 돌보면서부터 태평한 통치를 바라여 널리 인재를 구한 지 열 해 남짓이나 효과 없이 한탄만 할 뿐이니, 많은 현능한 이들이 추천되어 어진 교화를 도울 수 있도록 할 방법을 의논하라." 하고 명하였다. 조선은 시험으로 재목을 선발하여 관리로 등용하는 과거제도를 고려로부터 이어받아 운영하고 있었다. 유학적 소양을 선발 기준으로 하는 과거는 성리학을 표방한 국가에 매우 적합한 제도였다. 학업을 바탕으로 한 등용 방식은 학문 발전과 사회 교육에도 이바지하였다. 하지만 시험만을 위한 경전 암기와 모범 답안 위주의 학습이 진정한 학문은 아니라는 비판이 일었다. 그런 공부로는 또 다른 소양이라 할 품행과 덕성을 키우지 못한다고도 하였다. 중종의 하교는 이러한 인식과도 맥이 닿아 있다.

조광조가 주도하는 사림 세력은 기존의 과거가 글재주만 시험할 뿐 관료로서의 재능이나 인품, 행실 등은 보지 못한다고 하면서, 진정한 교화를 실현하기 위한 보완으로서 과거제도에 천거제인 현량과를 도입하기를 청하였다. 덧붙여 현행 제도는 권세가의 자녀가 합격하기에 유리하여 초야에 숨은 인재들을 발굴하는 데 한계가 있다는 지적도 하였다. 과거제도는 실력 위주의 인재 등용 방식이었고, 노비가 아니라면 백성은 누구든지 응시할 수 있는, 형식적으로는 평등하고 공정한 시험이었다. 그러나 현실적으로 과거 응시를 위한 학업에 경제적 뒷받침은 필수적이었다. 또한, 과거의 최종 합격은 벼슬할 자격만 주어지는 것이라서, 급제한 뒤에 실직을 받아 관료로 성장하려면 어느 정도의 후원과 인맥이 필요했다. 시간이 지나면서 과거시험은 지배계층의 지위를 유지하는 기능도 갖게 된 것이다.

과거는 매우 힘든 시험이기도 했다. 그 꽃이라 할 수 있는 문과는 경전의 암기와 해석뿐 아니라 작문과 논술의 능력까지 평가한다는 점에서도 어렵지만, 시험 과정도 굽이굽이 고갯길이다. 우선 경전 이해 중심의 생원시와 글 짓는 능력을 보는 진사시도 초시와 복시를 거쳐야 한다. 원칙적으로 생원이나 진사라야 문과에 응시할 수 있다. 문과에서도 경전, 작문, 논술로 초시 3단계, 복시 3단계를 거쳐 최종 33명이 뽑힌다. 이들이 다시 치르는 전시는 품계를 내리기 위해 등수를 정하는 논술 필기고사로서 임금이 주관한다. 성적에 따라 정7품, 정8품, 정9품을 받고, 장원은 종6품이다. 이렇게 열리는 출세의 길 때문에, 소수의 정원만 뽑히는 험난한 시험에 지원자가 구름처럼 몰려 경쟁이 치열했다. 등급 때문에 다시 과거를 보기도 했다. 그런데 현량과는 덕망과 행실로 각처에서 천거된 이들로 한 번의 논술 시험을 치러 합격자를 선발하는 방식인 것이다. 게다가 급제자들에게는 일반 과거보다도 높은 품계를 주려 하였다.

이런 천거제에 대하여 훈구 세력의 반발은 컸다. 시험 없이 쉽게 관리가 되는 것은 공정성의 원칙을 무너뜨리는 것이고, 추천으로 선발하는 것이 오히려 부당한 특혜로 작용한다는 비판을 제기하였다. 우여곡절 끝에 1519년 현량과가 시행되었다. 천거된 이들을 선별하여 근정전에서 논술로 시험하였고, 12명의 관직 보유자가 포함된 28명의 문과 합격자가 나왔다. 다수가 서울 지역 거주자였다. 장원은 조광조와 친분이 두터운 김식이었고, 사림파의 후원자로 알려진 안당은 세 아들이 모두 합격하였다. 자파 세력 키우기라는 정적들의 비난은 피할 수 없었다. 그리하여 훈구파를 견제하는 데 사림을 이용하려 했던 중종도 지나친 당파 형성이라는 의심을 하게 되었다. 현량과는 결국 기묘사화의 주요한 계기와 명분으로도 작용하였고, 사화 직후 현량과의 문과 합격은 취소되었다. 이후 현량과는 다시 시행되지 않았으며 과거제도 자체는 조선 말기까지 유지되다가 1894년 갑오개혁으로 폐지되었다.

10. 윗글에 대한 이해로 가장 적절한 것은?
① 현량과는 성리학적 소양을 갖춘 인재를 등용하여 통치를 돕는다는 과거제의 목적을 표방하였다.
② 어렵게 성사된 현량과의 실시로 초야에 묻힌 지방 선비들이 대거 품계를 받아 관직에 진출하게 되었다.
③ 생원과 진사는 관직을 받을 자격만 주어지는 것이어서 실제로 벼슬을 하려면 문과의 초시와 복시를 거쳐야 했다.
④ 과거는 논리적으로 서술하는 시험이 아니라 암기 위주의 평가로 되어 있어 덕성을 평가하지 못하는 한계가 있었다.
⑤ 조선에 사는 이라면 누구든지 과거에 응시할 수 있었지만 실제로 일반인이 합격하여 고위관료로 성장하기는 쉽지 않았다.

11. 윗글에서 추론한 내용으로 적절하지 않은 것은?
① 과거를 치른 경험이 있는 관료가 다시 과거에 응시하여 더 높은 품계를 받을 수 있었다.
② 양반 지배층은 정보와 인맥, 재력을 활용하여 과거를 통한 출세 기회를 높일 수 있었다.
③ 현량과의 시험은 품계를 받을 총원을 정했다는 점에서 전시를 치른 것과 마찬가지였다.
④ 추천제 관료 선발의 도입은 사림 세력을 일거에 등용하려 한 의도였다고 비판을 받았다.
⑤ 훈구파는 관리 등용이 편파적일 가능성을 우려하면서 실력 위주의 과거제를 옹호하였다.

12. 윗글을 바탕으로 <보기>의 상황을 이해할 때 가장 적절한 것은?

<보 기>
중 종: 선왕의 등용 제도는 항구적이나 별도로 시험하는 법도 있는 것이니 방안을 제시할 것이며, 추천에서는 명과 실이 어긋날 염려가 있음을 명심하라.
조광조: 재주만으로 선발하면 그 행실을 알 수 없는 폐단이 있으므로, 덕행까지 감안하여 뽑는 천거제가 이상적입니다.
정광필: 재주와 행실을 모두 갖추지 못하는 문제가 천거에서는 생기지 않겠습니까? 선왕대부터 내려오는 아름다운 법제를 경솔히 고칠 수는 없습니다.
남 곤: 현행 과거는 이미 현량과를 시행한 한나라에서의 실패를 거친 끝에 정착한 제도입니다. 잘못된 천거라 하여 천거자를 처벌하기도 어렵습니다.
김 정: 사소한 폐단에 얽매여 나아가지 않는다면 진정한 교화는 언제 이룰 수 있겠습니까?
조광조: 재주 있는 이도 여전히 뽑힐 수 있으므로 천거제 시행에는 문제가 없습니다.

① 중종은 추천제 방식의 도입을 지시하면서도 천거로 말미암을 폐단에 대한 인식과 경계를 드러낸다.
② 조광조는 정광필, 남곤, 김정의 반대에도 현량과의 도입을 관철하고자 고군분투한다.
③ 정광필은 관리 선발의 시험제도를 천거제로 대체하려는 조광조의 주장에 대해 어느 것이나 폐단이 있기는 매한가지라는 입장이다.
④ 남곤은 현량과 시행에는 찬성하지만 역사적 경험을 고려한 개선이 필요하다는 의견을 제시한다.
⑤ 김정은 경전의 학습에만 치우치는 폐단에 크게 구애받지 말라고 주문한다.

[13~15] 다음 글을 읽고 물음에 답하시오.

해가 서쪽에서 뜬다고 믿고 싶다고 맘대로 그렇게 믿을 수 있을까? 그렇게 상상하거나 또는 그렇게 믿는 듯이 행동하는 것은 원하기만 하면 할 수 있다. 하지만 무엇을 믿는다는 것은 그것이 참이라고 믿는 것인데, 원한다고 해서 "해는 서쪽에서 뜬다."라는 명제가 참이라고 실제로 믿을 수 있을까? 최소한 어떤 믿음은 인간이 수의적으로 즉, 자기 뜻대로 즉각적으로 믿을 수 있다는 입장을 ⊙ 인식적 수의주의라 하고 그런 믿음은 없다는 입장을 ⓒ 인식적 불수의주의라 한다.

수의주의가 옳으냐는 질문은 우리가 자신의 믿음에 대해 의무나 책임을 질 수 있느냐는 질문과 연관된다. 사람들은 종종 판단이나 믿음을 평가하고 심지어 비난하기도 한다. "너는 그렇게 쉽게 결론을 내리지 말아야 해.", "그런 인종차별적 믿음은 버려야 해." 등이 그 예이다. 그런데 "당위는 능력을 함축한다."라는 칸트의 원칙에 따르면, 우리는 어떤 행위를 할지 안 할지 선택할 능력을 지닌 경우에만 그 행위에 대한 의무나 책임을 질 수 있다. 이 원칙을 믿음에 적용하면, 우리는 오직 자신의 믿음을 뜻대로 선택할 능력이 있는 경우에만 믿음에 대한 의무나 책임을 질 수 있다. 따라서 불수의주의가 옳다면 우리는 각자가 가진 믿음에 대해 의무나 책임을 질 수 없다.

수의주의에 반대하는 다양한 논변이 있다. 올스턴은 인간 심리에 근거해 수의주의에 반대한다. 그는 "해는 서쪽에서 뜬다."처럼 거짓임이 분명한 명제의 경우에는 누구도 수의적으로 믿을 수 없다는 것이 명백한 경험적 사실이라고 주장한다. 그리고 명제 p를 지지하는 증거와 반대하는 증거가 증거력이 비슷해서 참·거짓 여부가 분명하지 않은 경우에도 올스턴은 p를 수의적으로 믿을 수 없다고 주장한다. 그 상황에서 p를 정말로 믿게 되었다면, 이는 그 순간 p가 조금이나마 더 그럴듯해 보였기 때문에 믿음이 생겨난 것이다. 그렇지 않고 양쪽 증거력이 정확히 같은 경우 어떤 사람이 한쪽을 믿기로 결심했다고 주장한다면 그는 그 명제를 진정으로 믿게 된 것이라기보다 그저 그 명제가 참이라고 가정하고 행위의 근거로 사용하기로 한 것이다. 우리가 장기적인 행위나 습관 형성을 통해 자신의 믿음에 간접적 영향을 줄 수는 있지만, 올스턴에 따르면 이는 수의적으로 믿음을 변경한 것이 아니다.

믿음의 개념 분석에 기반한 불수의주의도 있다. 윌리엄스에 따르면, 명제 p를 수의적으로 믿는다는 것은 p가 참인지와 무관하게 p를 믿을 능력을 필요로 한다. 그리고 누가 이 능력을 사용했다면 그는 스스로가 이 능력을 지닌다는 것을 알 수밖에 없다. 그런데 우리는 스스로가 지닌 어떤 믿음에 대해서도 그것이 참·거짓 여부와 무관하게 형성된 것이라고 생각할 수 없다. 믿음의 개념상 p를 믿는다는 것은 곧 p가 참이라고 믿는 것이기 때문이다. 따라서 우리 자신이 명제의 참·거짓 여부와 무관하게 명제를 믿을 능력이 있다고 우리가 알게 되는 경우는 있을 수 없고 결국 어떤 믿음을 수의적으로 가진다는 것은 불가능하다.

히로니미 역시 '수의성'과 '믿음'의 정의에 기반해 수의주의에 반대한다. 그의 정의에 따르면, 어떤 행위가 수의적이라는 것은 그것이 실천적인 이유에 따라 즉각 행해질 수 있다는 것이며, p라고 믿는다는 것은 "p가 참인가?"라는 의문을 해결함으로써 갖게 되는 태도라는 의미에서 참을 목표로 하는 태도이다. 또한 그는 믿음을 지지할 수 있는 이유를 내용 관련 이유와 태도 관련 이유로 구별한다. 전자는 믿음의 내용, 즉 "p가 참인가?"라는 질문에 대답하는 이유이며, 이는 곧 믿음이 참임을 보여주는 증거이다. 반면, 후자는 "p라는 믿음을 갖는 것이 좋은가?"라는 질문에 대답하는 이유이고 내용의 참·거짓을 보이는 것과 무관하다는 의미에서 외부적 이유이다. 가령 내일 비가 온다는 믿음의 경우, 일기예보에서 그렇게 예측했다는 사실은 전자이지만, 비가 온다고 믿으면 내 기분이 좋아질 것이라는 사실은 후자이다. 그런데 명제 p를 수의적으로 믿을 능력은 외부적 이유에 따라 p가 참임을 믿을 능력을 필요로 하고 이것은 "p가 참인가?"라는 질문에, 그 질문과 무관한 이유에 따라 답할 능력을 요구한다. 우리에게 이런 능력은 있을 수 없으므로 수의적 믿음은 불가능하다.

13. 윗글의 내용과 일치하는 것은?

① 오래 걸리더라도 자기 뜻대로 변화시킨 믿음은 수의적이다.
② 원하는 대로 상상하는 것보다 원하는 대로 믿는 것이 어렵다.
③ 믿음이 평가의 대상이 될 수 있다는 데에는 학문적 다툼이 없다.
④ 모든 불수의주의자는 심리적 근거에 기반해 수의주의에 반대한다.
⑤ 칸트에 따르면 날지 못한다는 이유로 어떤 인간을 비난할 수 있다.

14. ⊙과 ⓒ에 대한 이해로 적절하지 않은 것은?

① ⊙은 "당위는 능력을 함축한다."라는 원칙을 믿음에도 적용한다.
② ⓒ에 따르면, 해가 서쪽에서 뜬다고 뜻대로 믿을 수 있다고 말하는 사람은 수의적으로 그 믿음을 형성한 것이 아니다.
③ ⊙은 모든 믿음이 수의적이라고, ⓒ은 모든 믿음이 불수의적이라고 주장한다.
④ ⊙과 ⓒ 모두, 무엇인가를 믿는다는 것은 믿는 내용이 참이라고 생각함을 전제한다.
⑤ ⊙은 ⓒ에 비해, 사람들의 믿음을 비난하는 우리의 언어 관행에 대해 더 직관적인 설명을 제공한다.

15. 윗글을 바탕으로 <보기>를 설명할 때 적절하지 <u>않은</u> 것은?

<보 기>
갑은 시험을 앞두고 그간의 경험과 노력을 돌아보았다. 자신이 합격할 것이라고 믿을 근거와 불합격할 것이라고 믿을 근거는 대등해 보였다. 갑은 자신의 성격상 합격한다고 믿으면 덜 긴장해 실제로 합격할 것이라 생각했다. 갑은 ⓐ<u>자신이 합격할 것이라는 믿음</u>을 가지기로 했고 그 믿음에 따라 시험을 치렀다.

① 올스턴은, 만약 ⓐ가 진정한 믿음으로서 형성되었다면 근거 간 증거력 차이가 조금이라도 있었기 때문이라고 판단할 것이다.
② 윌리엄스는, 만약 갑이 참·거짓과 무관하게 ⓐ를 갖는다고 한다면 갑이 있을 수 없는 능력을 갖는 셈이라고 비판할 것이다.
③ 히로니미는, 갑이 ⓐ를 참으로 만들려고 한다는 점에서 갑의 믿음은 참을 목표로 하고 있다고 주장할 것이다.
④ 히로니미는, ⓐ를 가지면 실제로 좋은 결과가 있을 것이라는 갑의 생각은 믿음의 태도 관련 이유에 해당한다고 볼 것이다.
⑤ 윌리엄스와 히로니미는, 갑이 설사 초인적인 존재라고 해도 ⓐ를 수의적으로 형성한 것은 아니라고 생각할 것이다.

[16~18] 다음 글을 읽고 물음에 답하시오.

2024년 노벨경제학상은 경제성장의 원인이 제도임을 밝힌 ㉠<u>아제모을루</u>와 두 동료에게 수여되었다. 성장의 원인을 제도에서 찾는 시도는 오랜 전통을 가진 것이다. 하지만 제도의 발전과 경제의 번영 사이에 높은 상관관계가 있음을 확인하는 것만으로는 제도가 성장의 원인이라는 주장을 지지하기 어렵다. 좋은 제도가 성장을 초래하기도 하지만 경제가 성장하여 제도가 개선되는 거꾸로 된 인과관계도 존재하기 때문이다. 아제모을루 등은 도구변수를 사용하여 제도와 성장 사이의 인과관계를 명확하게 하였다.

x가 y의 원인이라는 증거를 제시하기 위해 흔히 사용하는 통계적 방법은, 둘 사이에 선형관계가 있다고 보고 두 변수의 표본으로부터 추정한 기울기가 0이라는 가설을 기각하는 추론이 신뢰할 만하다는 것을 보이는 것이다. 그런데 x가 y에 영향을 주지만 y도 x에 영향을 미치거나, x와 y 모두와 상관관계가 있는데 미처 고려하지 못한 제3의 요인이 존재하거나, 혹은 x의 관측값이 정확하게 측정되지 않은 값일 경우에는, 추정한 기울기가 x의 변화에 따른 y의 변화를 제대로 반영하지 못한다. 이런 경우에는 x와 상관관계가 크지만 x 외에 y에 영향을 주는 다른 어떤 요인과도 상관관계가 없는 도구변수 z를 찾아서, z와 x의 표본으로부터 추정한 x값, 다시 말해 z로부터 예측한 x값인 $\hat{x}$를 구하고 이를 사용해 인과관계를 살펴보아야 한다. 다시 말해 거꾸로 된 인과관계나 제3의 요인의 영향, 측정오차 등에 영향을 받는, 표본에서 관측한 x값이 아니라 x와의 관계를 제외하면 y와 연관되지 않는 도구변수로부터 추정한 $\hat{x}$에 따른 y의 기울기를 추정하여 그것이 0이 아니라는 신뢰할 만한 추론을 할 수 있어야 한다.

아제모을루 등은 제도가 성장의 원인이라는 주장의 증거를 찾기 위해 근대 이후에 유럽의 식민지를 경험한 지역들에 주목했다. 식민지가 되기 전에 부유했던 지역은 오늘날 가난하고, 가난했던 지역은 오늘날 부유한 경향이 있음을 확인한 이들은, 이러한 번영의 역전이 제도적 역전의 결과라고 보았다. 유럽인들이 상대적으로 발전된 문명을 만난 지역에서는 광물과 농작물을 빼앗아 가기 위해 착취적 제도를 세웠고, 발전되지 못하고 인구가 희박한 지역에서는 대규모 정착을 선택하여 유럽인 이민을 불러들이기 위해 포용적 제도를 발전시켰던 것이 번영의 역전을 낳았다는 것이다. 여기서 각 지역의 제도 발전 수준과 1인당 소득 수준 사이의 선형관계에서 양의 기울기를 보이는 것만으로는, 어떤 지역은 착취적 제도의 발달로 인해 정체하거나 더디게 성장한 반면 다른 지역은 포용적 제도의 발달로 인해 빠르게 성장했다는 주장을 뒷받침하지 못한다. 아제모을루 등은 식민지 초기 유럽인 정착민들의 사망률을 도구변수로 사용해 추정한 오늘날 제도적 발전 수준의 예측값과 오늘날 소득 수준의 관측값 사이의 높은 상관관계를 인과관계의 증거로 제시했다.

그렇다면 식민지 초기 유럽인들의 사망률은 좋은 도구변수인가? 첫째, 이 사망률이 오늘날의 제도 발달 수준과 상관관계가 높지 않다고 비판할 수 있다. 이에 대해 아제모을루 등은 식민지 초기 유럽인들의 사망률에 영향을 받아 채택된 식민지 전략을 반영하여 과거에 형성된 제도들은 많은 변화에도 불구하고 오늘날의 제도 발달 수준과 높은 상관관계를 가질 정도로 지속성이 있었다고 반박한다. 둘째, 이 사망률이 1인당 소득 수준에 영향을 주는 여러 요인들과 상관관계가 있다고 비판할 수 있다. 이에 대해 아제모을루 등은 과거 유럽인 사망률이 제도를 통한 영향을 제외하면 오늘날의 소득 수준과 상관관계가 없다고 반박한다. 예컨대 이 사망률도 오늘날의 경제 활동에 영향을 주는 기후나 지리적 환경과 상관관계가 있다는 비판에 대해 당시 원주민 사망률이나 오늘날 사망률이 아니므로 문제가 없다고 주장한다.

16. 윗글의 내용과 일치하지 않는 것은?

① 포용적 제도가 착취적 제도보다 발전 수준이 더 높은 제도이다.
② 번영의 역전은 과거와 오늘날의 1인당 소득 수준이 반비례한다는 것을 말한다.
③ 제도적 역전은 부유했던 지역에 비해 가난했던 지역에서 후에 제도가 더 발전했다는 것을 말한다.
④ 두 변수의 표본으로부터 추정한 기울기가 0이 아니라면 둘 사이에 인과관계가 있다고 추론하는 것이 타당하다.
⑤ x와 y 모두와 상관관계가 있는 제3의 요인이 존재하는 경우, x와 y 사이의 상관관계가 인과관계를 의미하지는 않는다.

17. 윗글을 바탕으로 ㉠의 생각을 추론할 때 가장 적절한 것은?

① 오늘날 각 지역의 사망률과 1인당 소득 수준 사이에 상관관계가 없다고 볼 것이다.
② 식민지 초기 원주민 사망률과 정착 유럽인 사망률은 별로 차이가 없다고 볼 것이다.
③ 오늘날 각 지역에서 관측되는 제도 발달 수준은 식민지 정책에 의해 이미 결정되었다고 볼 것이다.
④ 과거 유럽인의 사망률을 이용하여, 현재의 제도 발달 수준을 관측한 값에서 경제성장으로부터 영향받은 부분을 제거할 수 없다고 볼 것이다.
⑤ 초기 정착민의 사망률이 낮은 지역의 경우, 유럽인의 대규모 이주로 발전된 기술이 도입되어 기술이 진보했을 가능성을 중요하게 보지 않을 것이다.

18. 윗글을 바탕으로 <보기>의 '경제학자 A'에 대해 평가한 것으로 적절하지 않은 것은?

<보 기>

1968년 4월 4일에 마틴 루터 킹 목사가 암살되자 미국 여러 도시에서 흑인 폭동이 일어났다. 경제학자 A는, 각 도시의 당시 폭동 수준에 따른 오늘날 흑인들의 소득 수준의 기울기가 음(−)인 선형관계를 관찰하였다. 이에 당시 흑인들의 소득 수준이 낮은 도시일수록 폭동이 더 심각함에 따라 발생하는 인과관계상의 추론 문제를 검토하기 위해 각 도시의 1968년 4월 강우량을 도구변수로 사용하였다.

① 1968년 4월의 강우량이 당시 폭동 수준과 상관관계가 높다고 보는군.
② 오늘날 흑인들의 소득 수준이 낮은 도시에서 당시 폭동 수준도 높았을 가능성이 크다고 보는군.
③ 1968년 4월의 강우량은 당시 폭동 수준을 통해서만 오늘날 흑인들의 소득 수준과 연관된다고 보는군.
④ 흑인들의 당시 소득 수준과 오늘날 소득 수준 사이에 음의 상관관계가 높을 가능성이 크다고 보는군.
⑤ 1968년 4월 강우량으로 추정한 폭동 수준과 오늘날 흑인들의 소득 수준 사이에 상관관계가 높아야 둘 사이의 인과관계를 인정할 수 있다고 보는군.

[19~21] 다음 글을 읽고 물음에 답하시오.

[앞부분의 내용] 유럽에서 유학 중인 '그'는 한 노파에게 관심을 갖게 된다. 그러던 중 같은 학교의 H가 찾아와 대화를 나눈다.

"성녀?"
"음, 벌써 여기 산 지가 이십 년이 넘는데 젊었을 때는 간호부였다는군. 그밖의 일은 아무도 몰라."
"저 책은?"
"**성경**이야. 그래서 수호성년데, 성녀치곤 좀 달라."
"다르다니?"
"보통 성녀는 선행이 본업 아닌가? 그런데 그녀는 사람 만나기를 싫어해. 늘 저렇게 성경만 부둥켜안고 있지."
"성경책에 선행을 쌓는 모양이군."
"글쎄, 책이면 읽어야 할 텐데 읽는 것보다 그저 부둥켜안고 있는 거지. 밤이나 낮이나. 그녀가 저 책을 손에 들지 않은 것을 본 사람이 없다니깐. 일종의 고행이겠지. 대단한 성녀지 뭔가."

그의 생각은 H의 것과 달랐지만 그 다른 점을 설명하자면 미상불 많은 시간을 들여야 하리라고 생각하고 그는 입을 다물었던 것이다. 성녀(聖女)는 여전히 꼼짝도 않고 햇볕 속에서 고행을 계속하고 있었다.

이렇게 해서 그는 H와 알게 되었다. H는 공과계통의 학생답게, 너무 까다롭게 문화나 전통을 생각하는 이방인 친구를 [A] 가끔 놀려댔다. H는 인간은 모두 같으며 동양 사람의 결점은 자기들의 전통 속에서 보편성을 찾으려 하지 않는 '겸손한' 점이라고 말했다.

그러면 '**겸손한 이방인**'은 그것은 수학이나 물리학을 하는 사람에게는 그렇게 쉽사리 말할 수 있을지 모르나 자기로서는 여전히 이르는 곳마다 **육중한 벽**을 보며, 성경책을 고양이처럼 애완하는 그 노파가 바로 그 예라고 반박한다.

"말하자면 '수호성녀'(그들은 노파를 그렇게 불렀다.)의 저 성경책은 합리적으로 분석하거나 논증하기 위한 것이 아니고 애완하는 고양이처럼, **살아있는 물건**이 아닌가? 그녀가 결코 읽지는 않는다고 했지? 그럴 거야. 고양이를 읽는 사람은 없을 테니까. 그녀에게 다른 고양이는 무의미할 거야. 그보다 설사 더 좋은 고양이더라도 발톱에 긁히우면서도 손때를 올린 그 고양이어야 할 거야. 종교란 그런 것이지. 그 철의 유행에 따라 옷을 입듯이 그렇게는 안 된다는 걸세. 자연과학은 예증(例證)을 취급하고 정신과학은 개성을 기록하는 거야. 하물며 그 개성을 사는 인간은 완고한 벽과 같은 거지. 개성이 다른 경우 말이 안 통하는 ……."
"이것 보게 그럼 자넨 인종차별론자군 그래."
"아니 **문화차별론자**라 부르게."

[생략된 부분의 내용] 몇 달 뒤 그는 아파트 계단에서 노파와 마주친다.

그녀의 눈길이 못박혀있는 곳, 그의 발밑에 한 권의 자그마한 책이 떨어져 있다. 그것이 굴러떨어진 소리였다. 흔히 있을 수 있는 일이었으나 그의 눈에 비친 늙은 여자의 표정, 계단 중간에 멈춰선 채 이쪽을 보고 있는 여자의 표정은 흔히 있는 표정이 아니었다. 왜냐하면 그 순간 그는 에누리없이 가슴이 덜컥 내려앉았기 때문이다. …(중략)… 그것은 아주 얇은 누런 가죽으로 포장한 자그마한 성경책이었다. 그는 집어든 책을 뜻 없이 한 바퀴 손안에서 돌리며 훑어본 다음, 그것을 여인에게 내밀었다. 그때 또 뜻밖의 일이 일어났다. 장승처럼 서 있던 여자가 그가 책을 내미는 순간 퍼뜩 [B] 정신이 든 듯이 젊은 여학생처럼 거칠게 계단을 뛰어내려오더니 그의 손에서 책을 홱 나꿔챘다. 그는 멍하니 노파와 마주섰다. 성경을 가슴에 안은 노파의 팔은 후들후들 떨고 있었다. **얼굴**. 크게 뜬 회색 눈과 씰룩거리는 입언저리는 **두려움과 미움**을 한껏 나타내 보이고 있었다. 그러자 세 번째로 그를 놀라게 하는 일이 일어났다. 노파의 얼굴에서 갑자기 힘이 빠졌다. 그리고 낮은, 힘없는 목소리가 이렇게 말하는 것을 그는 들었다.
"미안해요, 외국 학생. 미안해요 ……."

[생략된 부분의 내용] 그는 귀국 이후 H의 편지를 받는다.

자네, '수호성녀'를 잊지는 않았겠지. 그녀가 얼마 전에 죽었어. 그런데 임종의 자리에서 놀라운 사실을 털어놨단 말일세. 그녀는 몇 개 단체의 회원이기도 하고 워낙 여러 해를 그 아파트에서 산 탓으로 임종의 자리에 모인 동숙자들도 많아서 목사 말고도 꽤 여러 사람 모인 자리에서 그 사람들을 향해 사죄를 겸한 고백을 했어. 그녀는 말하기를, 나는 여러분을 삼십 년 동안 속여왔다. 나는 성서보급협회의 위원될 자격이 가장 없는 사람이다. 나는 성경에 아무 관심도 없었다. 이 성경(그 순간에도 그녀는 성경을 가슴에 품고 [C] 있었다고 하네)-이 성경을 포장한 이 가죽을 지키기 위하여 나는 성경을 이용했을 뿐이다. 이 가죽은 사십 년 전에 사고로 죽은 내 애인의 가죽이다. 애인은 내가 근무하는 병원에서 운명했다. 그가 파묻히는 전날 밤 나는 시체실에서 애인의 몸의 일부를 벗겨냈다. …(중략)… 이 방법으로 나는 어디서든지 언제든지 **사랑**하는 사람과 함께 지낼 수 있었다. 삶을 마치는 자리에서 나는 이 큰 죄를 고백하지 않고는 견딜 수 없다. 주여, 이 죄인을 용서하소서-이렇게 말했다는 거야.

어떤가 놀랍지 않은가? 그보다도 자네는 늘 그 노파를 유럽인의, 그러니까 기독교의 상징처럼 말하곤 했는데 그녀의 일생에 걸친 그 집요한 행위는 기독교와는 아무 관계도 없는 것이었단 말일세. 그것은 사랑이라는 가장 인간적인 동기에서 나오고 그것으로 지탱된 것이었어.

— 최인훈, 「크리스마스 캐럴 IV」 —

19. 윗글의 내용과 일치하는 것은?

① 노파는 고양이와 함께 시간을 보내곤 했다.
② '그'는 H와 같은 전공으로 동문수학하고 있다.
③ H는 노파의 임종에 관해 전해 들은 말을 전하였다.
④ 노파는 애인이 죽은 슬픔을 신앙을 통해 극복하려 하였다.
⑤ '그'와 H의 교류는 노파의 행동에 대한 논쟁을 계기로 시작되었다.

20. [A]~[C]의 관계에 대한 설명으로 가장 적절한 것은?

① [A]에 제시된 인물들의 성격은 [B]의 경험을 통해 변화한다.
② [A]와 [B]에 제시된 노파의 태도는 [C]의 복선으로 기능한다.
③ [A]의 노파의 행동에 대한 H의 의문은 [C]의 고백을 통해 심화된다.
④ [B]에 제시된 사건은 [C]에서 다른 서술자의 관점을 통해 재진술된다.
⑤ [B]에서 형성된 인물 사이의 갈등은 [C]에 제시된 사건을 통해 심화된다.

21. <보기>를 바탕으로 윗글을 이해한 것으로 적절하지 <u>않은</u> 것은?

―――――<보 기>―――――
이 작품에서 '그'는 보편적이라 여겼던 서구의 관념이 실은 그들의 견고한 전통에 기초함을 발견한다. 이 발견은 서구의 지식과 문화를 그 토대가 결여된 채 받아들였던 한국적 근대의 부박함에 대한 인식과, 우리는 결코 보편적인 것에 닿지 못할 것이라는 주변부 지식인의 절망감으로 이어진다. 이 작품은 그가 유학 중 겪은 소외를 통해 이 절망감을 드러내면서도, 서구적 보편성을 특수한 것으로 상대화하는 한편, 서구적 기원으로 환원되지 않는 인간적 보편성을 탐색하려는 주제 의식을 표출하고 있다.

① 노파가 '성경'을 '살아있는 물건'처럼 여긴다고 보는 '그'의 시선은, 한국에 근대 문화의 뿌리가 없다는 '겸손한 이방인'의 비판적 인식으로 연결되고 있군.
② 마주치는 모든 것에 대해 '육중한 벽'을 느낀다는 '그'의 진술에서, 서구와의 문화적 차이 때문에 보편성에의 접근에 어려움을 겪고 있는 '그'의 좌절감을 떠올릴 수 있군.
③ 자신을 '문화차별론자'라고 자조하는 '그'의 말에서, 서구와 달리 보편적 관념에 대응되는 전통이 부재한다고 느끼는 동양인 유학생의 자괴감을 엿볼 수 있군.
④ 노파의 '얼굴' 표정에서 '그'가 '두려움과 미움'을 떠올리는 것에서, 주변부 지식인으로서 서구 문화로부터 배제되고 있다는 느낌을 받는 '그'의 고뇌를 엿볼 수 있군.
⑤ 성경에 대한 노파의 애착이 실제로는 '사랑' 때문이었다는 전언에서, 인간적 보편성을 서구의 특수한 문화적 전통에 불과한 것으로 상대화하려는 주제 의식을 읽어낼 수 있군.

[22~24] 다음 글을 읽고 물음에 답하시오.

어떤 상황에서 요구되는 행위를 하지 않는 '무위'는 '행위'보다 도덕적으로 덜 비난받는다. 예컨대 누군가를 죽게 내버려 두는 것은 누군가를 죽이는 것만큼 비난받지 않는다. 한편 행위자가 달리 행동할 수 있었을 경우에만 행위에 책임이 있다는 '대안 가능성의 원칙'도 상식적으로 받아들여진다. 누군가를 죽였다고 하더라도 달리할 수 없는 강요로 했다면 도덕적인 비난을 받지 않거나 덜 받는 것이다. 하지만 다음과 같은 두 사례는 이 원칙이 행위와 무위의 경우에 똑같이 적용되지 않음을 보여 준다.

<사례 1> 나는 아이를 죽이기로 결심하고 아이를 물속으로 밀어 넣어 죽였다. 사악한 신경과학자는 나도 모르게 뇌에 칩을 삽입하여, 내가 아이를 죽이기로 한 마음이 흔들렸다면 나의 뇌 활동을 조작하는 방식으로 방해했을 것이다.
<사례 2> 아이가 연못에 빠졌는데, 나는 아이를 쉽게 구할 수 있음을 알면서도 그렇게 하지 않았고 아이는 결국 죽었다. 그런데 나는 몰랐지만 연못에는 악어가 떼 지어 있어서 내가 아이를 구하려고 했어도 못하게 방해했을 것이다.

'프랭크퍼트 스타일 사례'라고 불리는 <사례 1>의 경우, 대안 가능성이 없어도 도덕적 책임을 부여하는 것이 우리의 직관이다. 나는 죽이기로 자유의사로 결심했고 그에 따라 자유롭게 행동했기 때문이다. 반면 <사례 2>에서는 대안 가능성이 없기에 나는 아이의 죽음에 책임이 없다. 아이를 구하지 않기로 결심한 것은 나에게 책임이 있고 그래서 나쁜 사람이라고 비난받을 수는 있지만, 나는 아이의 죽음에는 책임이 없다.

이렇게 행위는 그 결과가 실제와 다를 수 없는 경우에도 행위자가 그 행위에 책임이 있을 수 있지만, 무위는 그 결과가 실제와 다를 수 없는 경우 무위자는 무위에 책임이 있을 수 없다. 이런 주장을 '행위와 무위의 비대칭성 논제'라 한다. 이 논제는 행위와 무위가 구분된다는 직관을 더 잘 받아들이게 한다. 그러나 이 논제를 비판하는 사람들은 <사례 2>를 다음과 같이 프랭크퍼트 스타일로 바꾸면 비대칭성이 사라진다고 말한다.

<사례 3> 연못에 악어는 없지만 사악한 신경과학자는 아이를 구하지 않으려는 내 마음이 흔들리면 내가 구하지 않도록 뇌를 조작했을 것이다.

<사례 2>와 <사례 3>은 모두 아이를 구할 수 없었다. 그러나 <사례 2>에서는 내가 아이를 구하기로 결심했다고 하더라도 악어 때문에 아이를 구할 수 없었지만, <사례 3>에서는 내가 애초에 그렇게 결심했다면 아이를 구하려고 할 수 있었을 것이다. 신경과학자의 방해가 뒤따르겠지만, 그럼에도 결심했다면 아이를 구하려고 할 수 있었다. 나는 내 결심에 책임이 있으므로 나는 아이의 죽음에 책임이 있다는 결론이 나온다.

철학자 사토리오는 이런 결론에 반대한다. 그는 프랭크퍼트 스타일의 사례를 통해 비대칭성에 반대하는 사람들의 논변을 다음과 같이 정리한다.

(1) <사례 3>에서, 나는 아이를 구하지 않기로 결심한 데 책임이 있다.
(2) 아이를 구하지 않기로 결심한 것은 아이의 죽음의 원인이다.
(3) 내가 X에 책임이 있고 X가 Y의 원인이라면, 나는 Y에 책임이 있다.
(4) 따라서 나는 아이의 죽음에 책임이 있다.

전제 (3)에는 Y가 X로부터 나온다는 것을 예측할 수 있어야 한다는 조건이 숨어 있다. <사례 3>에서 아이를 구하지 않기로 한 나의 결심에서 아이의 죽음이 초래된다는 것은 충분히 예측 가능하다. 사토리오는 전제 (2)가 틀렸다고 주장한다. <사례 3>에서 아이가 죽은 원인은 내가 구하지 '않기로 결심해서'가 아니라 구하겠다고 '결심하지 않아서'인데, 둘은 전혀 다른 심적 상태이기 때문이다. 후자는 구할지 말지 고민만 하면서 아무 결심을 하지 않아도 성립한다. 내가 아이를 구하지 않기로 결심한 것이 아니라, 내가 아이를 구하겠다고 결심하지 않은 것이 아이가 죽은 원인인 것이다. 그러면 프랭크퍼트 스타일의 사례를 통해 비대칭성에 반대하는 사람들은 전제 (2)를 내가 아이를 구하겠다고 결심하지 않은 것이 아이가 죽은 원인이라는 전제로 바꿀 것이다. 이 전제는 참이다. 그러나 이 전제가 참이려면 (1)을 내가 아이를 구하겠다고 결심하지 않은 것에 책임이 있다는 전제로 바꿔야 하는데, 이 전제는 논란거리이다. 내가 아이를 구하지 않기로 결심한 것은 심적 행위이지만 내가 아이를 구하겠다고 결심하지 않은 것은 심적 무위인데, 행위와 달리 무위에 책임이 있느냐는 증명이 필요한 논란거리로서 그것을 증명 없이 가정할 수 없기 때문이다. 그래서 사토리오는 <사례 3>은 행위와 무위의 비대칭성 논제에 대한 반례가 될 수 없다고 주장한다.

22. 윗글의 내용과 일치하는 것은?

① 무위는 행위와 달리 도덕적으로 비난받지 않는다.
② 달리 행동할 수 없는 행위인데도 도덕적으로 비난받는 사례가 있다.
③ 행위와 무위의 비대칭성 논제에서 무위와 달리 행위는 대안 가능성이 없다.
④ 프랭크퍼트 스타일 사례는 애초에 행위와 무위가 대칭적임을 보여 주기 위한 것이다.
⑤ 대안 가능성의 원칙과 달리, 행위와 무위의 비대칭성 논제는 상식적으로 받아들여진다.

23. <사례 1>~<사례 3>에 대한 이해로 적절하지 않은 것은?

① <사례 1>에서는 책임을 묻고 <사례 2>에서는 묻지 않는 것은 대안 가능성 여부 때문이다.
② <사례 1>은 행위에, <사례 3>은 무위에 책임을 묻기 위한 것이다.
③ <사례 1>과 <사례 3> 모두에서 실제로는 신경과학자가 개입할 필요가 없었다.
④ <사례 3>은 <사례 2>와 달리, 아이의 죽음이 나의 결심에 달려 있음을 보이려는 것이다.
⑤ <사례 1>, <사례 2>, <사례 3> 모두 행위나 무위는 나의 자유로운 결심에 의한 것이다.

24. 사토리오에 대한 반론으로 옳은 것을 <보기>에서 고른 것은?

<보 기>
ㄱ. 무엇인가를 하겠다고 결심하지 않은 것이 어떤 사건의 원인이더라도, 무엇인가를 하겠다고 결심하지 않은 것에 책임이 없다.
ㄴ. 아이의 죽음이 초래되는 것은 아이를 구하지 않기로 한 나의 결심에서는 예측 가능하지만, 내가 아이를 구하겠다고 결심하지 않은 것에서는 예측 불가능하다.
ㄷ. 결과가 달라질 것을 알면서도 무엇인가를 하겠다고 결심하지 않은 것은, 무엇인가를 하지 않겠다고 결심한 것이 단초가 되었기 때문에 일어날 수 있는 일이다.
ㄹ. 아이를 돌볼 의무가 있는 부모가 그러지 않았을 때 책임을 지는 사례처럼, 무엇인가를 하겠다고 결심하지 않은 것이 곧 무엇인가를 하지 않겠다고 결심하는 것과 동일하다고 평가될 때가 있다.

① ㄱ, ㄴ　② ㄱ, ㄹ　③ ㄴ, ㄷ
④ ㄴ, ㄹ　⑤ ㄷ, ㄹ

언어이해

[25~27] 다음 글을 읽고 물음에 답하시오.

물과 기름은 혼합되지 않고 두 층으로 상(phase)이 분리되지만 물과 에탄올은 완전히 섞인 혼합물이 된다. 이러한 현상은 깁스 에너지 변화를 통해 설명할 수 있다. 화학 반응이나 변화는 깁스 에너지가 작아지는 방향이 자발적이다. 우리가 고찰하거나 실험하는 대상, 즉 계(system)에서의 혼합 시에 깁스 에너지 변화는 엔트로피 변화에 절대 온도를 곱한 값을 혼합열에서 뺀 값이다. 열이 계에서 주위로 나가는 발열이 일어나면 혼합열은 음(-)의 값이며, 열이 주위로부터 계로 들어오는 흡열은 양(+)의 값이다. 엔트로피 변화는 계가 무질서한 상태로 변화하면 양의 값이다.

한 순물질이 다른 순물질과 혼합물을 이루면 계의 엔트로피, 즉 무질서도가 증가한다. 위의 예시인 물과 에탄올이 혼합물을 이루는 과정은 발열 과정이다. 따라서 이 과정의 깁스 에너지 변화는 온도에 상관없이 항상 음수이므로, 이 과정은 항상 자발적이다. 계의 깁스 에너지 변화는 혼합뿐 아니라 화학 반응의 자발성도 결정한다. 또한 어떤 반응이 자발적이면 그 역반응은 비자발적이다.

한편 혼합 후의 전체 부피는 화학식이 서로 다른 물질로 이루어진 어떤 혼합물이든 혼합 전 부피의 산술적 합이 아니다. 25℃에서 순수한 물에 물 1몰*을 첨가하면 총부피는 18.1 cm³만큼 증가한다. 따라서 순수한 물 1몰의 부피는 18.1 cm³/mol이며 특정 온도에서 어떤 순수한 물질 1몰의 부피는 물질마다 고유하다. 그런데 큰 부피의 순수한 에탄올에 물 1몰을 넣으면 총부피는 약 14 cm³만 증가한다. 이러한 차이는 같은 수의 물 분자라 하더라도 그것들의 점유 부피는 그들을 둘러싼 분자들의 종류에 따라 다르기 때문이다. 매우 많은 에탄올에 소량의 물이 섞일 때는 각 물 분자가 에탄올 분자로 둘러싸인다. 순수한 물에서는 물 분자들을 특정 거리로 유지해 주던 수소 결합 네트워크가 여기서는 깨진다. 이는 수소 결합에 기인한 물 분자들 간의 인력보다 물과 에탄올 분자의 인력이 더 크기 때문이며, 깨어진 수소 결합 네트워크로 인해 전체 부피 증가가 덜하다. 그 증가량 14 cm³/mol이 이 상황에서 물의 분몰 부피이다. 또한 물이 1몰 첨가될 때 부피 증가는 혼합물을 구성하는 물과 에탄올의 비율에 따라서도 다르게 된다. 물과 에탄올의 혼합물과는 달리 혼합 시에 이종 분자 간에 반발력이 작용한다면, 첨가한 부피보다 혼합물의 부피가 더 증가한다. 이때에도 혼합물 부피의 증가 정도는 혼합물 구성 성분의 비율에 따라 달라진다. 이러한 개념을 일반화하면 어떤 성분 i의 분몰 부피($\overline{V_i}$)는 $\left(\dfrac{\partial V}{\partial n_i}\right)_{T,P,n_{j\neq i}}$ 로 정의된다. 이 식은 성분 i의 분몰 부피가 온도(T), 압력(P), 다른 성분 j의 몰수가 일정할 때, 혼합물의 부피(V)를 성분 i의 몰수 n_i로 미분한 값이라는 뜻이다. 이는 성분 i의 몰수에 따른 혼합물의 부피 그래프에서 접선의 기울기를 의미한다.

2가지 성분의 혼합물 계에서 한 물질의 분몰 부피는 다른 물질의 분몰 부피와 관계를 갖는데, 이를 설명하는 식이 깁스-뒤엠 식으로, $n_i d\overline{V_i} + n_j d\overline{V_j} = 0$이다. 여기서 n_i와 n_j는 혼합물의 성분 i와 j의 몰수이며, $d\overline{V_i}$와 $d\overline{V_j}$는 각각 성분 i와 j 각각의 분몰 부피 변화량이다. 이 관계식에 의하면 두 성분의 분몰 부피는 비율이 변함에 따라 독립적으로 변할 수 없으며 증감의 방향은 서로 반대이다. 한편 한 성분이 희석된 상태에서의 다른 성분의 분몰 부피 변화의 관계도 알 수 있다. 물의 비율이 매우 작은 영역에서는 물 분자를 둘러싼 에탄올이 물 분자의 수소 결합 네트워크를 깨는 양이 많아져 물의 분몰 부피가 급격히 변하지만, 에탄올의 분몰 부피는 물의 상대적인 양이 극도로 작으므로 완만한 변화를 보인다. 반면, 에탄올이 많이 희석된 상태에서는 에탄올의 분몰 부피가 급격히 변하며 물의 분몰 부피는 그렇지 않다.

순수한 물질 1몰의 부피와 달리, 분몰 부피는 음수인 경우도 있다. 가령 순수한 물에 황산마그네슘($MgSO_4$)을 극소량 첨가했을 때 황산마그네슘의 분몰 부피는 -1.4 cm³/mol이고, 이는 많은 양의 물에 황산마그네슘 1몰을 넣으면 부피가 1.4 cm³ 감소한다는 것을 의미한다. 이것은 물에서 황산마그네슘이 Mg^{2+}와 SO_4^{2-} 이온이 되어 물 분자와 결합하면서 물 분자들이 형성하고 있는 구조를 수축시키기 때문이다.

* 1몰: 원자나 분자 6.02×10^{23}개

25. 윗글의 내용과 일치하지 않는 것은?

① 물이 순수한 물질일 때 물 분자 간에는 수소 결합이 존재한다.
② 어떤 반응이 자발적이면 그 역반응은 자발적으로 일어나지 않는다.
③ 순수한 물 1몰의 부피는 순수한 에탄올 1몰의 부피와 다른 값을 갖는다.
④ 깁스-뒤엠 식은 서로 다른 성분의 분몰 부피 사이의 관계를 수학식으로 나타낸 것이다.
⑤ 이종 분자 간 반발력이 작용하는 혼합물의 분몰 부피는 구성 성분의 비율에 영향을 받지 않는다.

26. 윗글에서 추론한 내용으로 가장 적절한 것은?

① 질량을 부피로 나눈 값인 밀도가 다른 두 종류의 순물질을 서로 같은 부피로 섞어 균질한 혼합물을 만들면, 혼합물의 밀도는 두 순물질 밀도의 평균값을 갖는다.
② 동일한 몰수의 황산마그네슘과 에탄올 극소량을 각각 많은 양의 물에 혼합하면, 두 경우 모두 혼합물의 부피는 혼합 전 이종 물질의 부피 합보다 작다.
③ 분몰 부피가 음수가 되는 혼합의 경우는 분몰 부피가 양수인 경우와 달리, 혼합 후에 엔트로피가 증가한다.
④ 순수한 물에서 분자들 간 거리의 평균보다 물과 에탄올 혼합물에서 분자들 간 거리의 평균이 크다.
⑤ 깁스 에너지의 단위에 절대 온도의 단위를 곱하면 엔트로피의 단위와 동일한 단위가 된다.

27. 윗글을 바탕으로 <보기>에 대해 탐구한 내용으로 적절하지 <u>않은</u> 것은?

<보 기>

상온과 상압에서 액체로 존재하는 순물질 S와 R은 완전히 혼합된다. 상온과 상압을 유지하며 순물질 S 1.0×10^3몰에 순물질 R을 조금씩 첨가하니 혼합액의 전체 부피가 아래의 그래프처럼 변화했다. (단, a는 1.0×10^{-3}몰이다.)

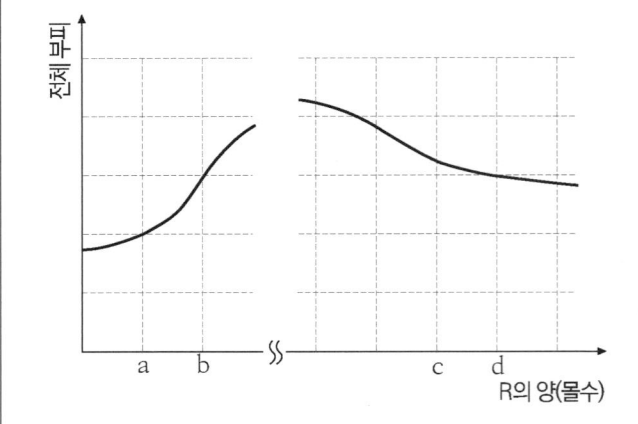

① a에서보다 b에서 R의 분몰 부피는 더 크겠군.
② a와 b 사이의 구간에서 S의 분몰 부피는 감소하겠군.
③ a에서 b로 R의 양이 늘어 가면서 R의 분몰 부피 변화의 급격한 정도는 S의 분몰 부피 변화의 급격한 정도와 같겠군.
④ b와 c 사이의 구간에는 R을 소량 첨가했을 때 혼합물의 전체 부피가 변하지 않는 지점이 있겠군.
⑤ c와 d에서 동일한 극소량의 R이 R과 S의 혼합물에 첨가될 때, 혼합물의 부피가 줄어드는 정도는 c보다 d에서 더 작겠군.

[28~30] 다음 글을 읽고 물음에 답하시오.

대한제국기 지식인은 대체로 군민공치(君民共治) 체제를 주장했다. 이들은 유교를 기반으로 서구 학문을 받아들였기에 급격한 체제 변화를 경계했다. 입헌군주국인 일본을 통해 헌정질서에 대한 서구 지식을 수용한 점, 전제군주국에서 군주제 부정이 정치적 반역이라는 점도 있었으나, 민주공화제를 채택하기에는 일반 국민의 정치적 능력이 불완전하다는 인식도 컸기 때문이다.

황제와 관료들의 무능과 변절로 국권을 잃어가는 상황이 이어지자 일반 국민의 각성과 능력 배양을 통해 국권을 회복해야 한다는 자각이 일면서 국민주권론이 등장했다. 1909년 이상설의 신한민보 논설은 이런 인식 변화를 잘 드러낸다. 유교적 세계관을 지닌 관료 출신 이상설은 유럽을 순방하며 파악한 서구 정치체제를 소개했다. 임금을 위해 나라를 세운 것이 아니라 나라를 위해 임금을 둔 것이며, 임금은 인민의 사무를 위한 공복일 뿐이니 그 직책을 다하지 못하면 상전인 인민의 책망을 면할 수 없다. 또 주권이 있는 나라라야 임금이 있을 수 있는데도 우리 인민은 나라가 망해도 임금에게 복종하는 것만 생각하고 주권이 없어져도 임금이 있다고 믿는다. 인민의 이런 인식 때문에 임금만 굴복시키면 인민은 자연 복종할 것으로 일제가 생각한 것이다. 그럼에도 이상설은 군주제 부정을 주장하지는 않았는데, 그에게는 입헌군주제가 유일한 선택지였다.

대한제국 정부의 기능이 마비되어가자 국권 회복을 위해 망명정부 수립이 유력한 방법으로 대두되었다. 국내외 국민을 결집하기 쉽고 외국의 도움도 받을 수 있기 때문이었다. 13도의군의 도총재 유인석은 이상설과 함께 1910년 7월 고종에게 연해주로 가서 망명정부를 세우고 독립운동을 영도해 줄 것을 청했다. 유인석은 임금의 절대적 권위를 인정하고 서양의 입헌정치에는 반대했다. 평등과 자유에 의한 무질서보다 신분의 차별을 인정하는 질서가 바람직하다고 보았다.

독립운동진영은 제1차 세계대전의 발발로 동양에서 중·일전쟁과 독·일전쟁이 벌어질 것을 예견하고 이를 독립의 기회로 삼으려 했다. 1915년 3월 상하이에서 결성된 ㉠<u>신한혁명당</u>은 국내외를 연결한 독립전쟁을 위해 군비를 정비하면서 중국과 군사원조동맹을 체결하려고 했는데, 이 조약의 국제 보증을 독일에서 구하려 했다. 그런데 독일이 제국이고 중국에서도 위안스카이가 세력을 확장할 것이 예상되므로 독립전쟁에서 두 나라의 지지를 얻으려면 제정(帝政)을 표방하는 것이 유리하다고 보았다. 이런 이유로 신한혁명당은 고종을 당수이자 미래 정부의 원수로 추대했다. 그러나 제1차 세계대전에서 독일이 패배하여 오히려 일본이 승전국이 되었고, 신한혁명당의 노력은 좌절되었다.

신한혁명당이 독립에 유리하다는 이유로 군주제를 지지했다는 것은 독립운동가들에게는 아직 군주제와 공화정이 선택 가능한 제도로 논의되고 있었음을 보여준다. 그런데 이 시기에 일어난 신해혁명은 만주족의 지배에 저항하는 혁명인 동시에 군주정체를 전복하는 혁명이었다. 이는 독립운동가들이 '반일 및 공화 혁명'이라는 이중 혁명을 지향하는 데에 영향을 주었다.

국내 독립운동단체에서는 1915년 여름에 결성된 ㉡<u>대한광복회</u>가 공화제를 지향하였다. 대한광복회는 독립군 양성을 위한 군자금 모집과 무기 구입 및 친일부호 처단 등의 활동을 수행했다. 이들은 국내외 기지를 건설하고 독립군을 양성한 후 일본의 국제적 고립을 기다렸다가 일시에 혁명을 일으켜 독립을 쟁취한다는 계획을 추진했다. 대한광복회가 전제군주제를 폐지하고 민주공화의 독립국 건설을 목표로 한 것은 체포된 회원의 재판기록에 나타나는데, 이들은 광복회의 목적이 국권 회복과 공화정 수립에 있다는 것, 나라에 왕이 없으므로 민국을 세운 것이라 진술했다. 1917년 대동단결선언도 국민주권론을 기초로 헌법을 제정하고 공화제 정부를 건설하자는 주장을 체계적으로 제시했다. 황제가 주권을 포기한 날은 곧 우리가 주권을 계승한 날이라는 것이다. 이러한 흐름 속에서 1919년 대한민국임시정부는 다음과 같이 대한민국임시헌장 제1조에 공화제를 명시했다.

"대한민국은 민주공화제로 함."

28. 윗글의 내용과 일치하지 않는 것은?
① 대동단결선언에서는 국민주권주의와 입헌공화제를 선포하였다.
② 군주제 유지가 필요하다는 데에 이상설과 유인석은 같은 의견이었다.
③ 대한제국 시기에 망명정부 수립을 추진한 세력은 군주제를 선호하였다.
④ 신한혁명당은 신해혁명의 이중 혁명의 내용을 제도적으로 실현하려 했다.
⑤ 대한제국 시기에 유교적 전통의 지식인들은 대체로 공화제에는 부정적인 입장이었다.

29. 윗글에서 추론한 내용으로 가장 적절한 것은?
① 대동단결선언에는 황실에서 국민으로 주권이 이양된 셈이라는 취지가 나타난다.
② 대한제국 시기의 입헌주의자들은 급격한 변화를 경계하여 국민주권을 부정하였다.
③ 군민공치론에서는 군주제, 입헌주의, 국민주권주의, 공화주의의 사상적 혼용을 보인다.
④ 유인석이 고종의 망명을 청한 것은 국민주권론 세력을 견제할 필요가 있었기 때문이었다.
⑤ 이상설은 인민이 국왕의 사무를 제대로 보좌하지 못한 것을 망국의 주된 원인으로 삼았다.

30. ㉠과 ㉡에 관한 설명으로 가장 적절한 것은?
① ㉠은 주권이 황제에게 있다고 보아 군주제를 부정하지 않았다는 점에서 이상설과 입장을 같이 한다.
② ㉡은 새로운 정부 체제로서 공화제를 지향함으로써 입헌군주제와는 분명히 선을 그었다.
③ ㉠은 ㉡과 마찬가지로, 제정을 부정하고 망명정부의 수립을 지향하였다.
④ ㉡은 ㉠과 달리, 독립을 위해 무력 투쟁까지 준비하고 있었다.
⑤ ㉡은 ㉠과 달리, 일본의 국제적 고립을 이용하여 독립을 쟁취하고자 하였다.

2027학년도 LEET 대비
기출문제 해설집

2025

영역별 출제 비중 분석

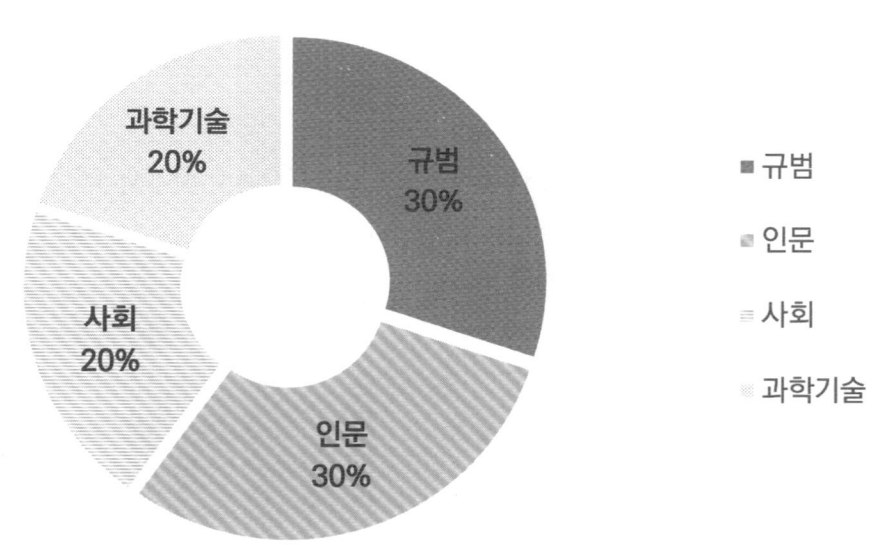

내용 영역	규범	인문	사회	과학기술	총
문항 수	9	9	6	6	30

2025학년도 언어이해

출제 경향 분석

2025학년도에는 전년도에 비해 제시문의 길이가 짧아졌으며, 이에 따라 제시문 독해 난도 역시 다소 하락하였다. 다만 일부 제시문의 경우 소재가 익숙하지 않거나, 논지에 대한 근거가 상당히 함축적이어서 의미를 이해하면서 독해하는 것에 어려움을 겪었을 것으로 보인다. 문항의 경우 전년도와 유사하게 일부 영역에서 <보기>를 통해 새로운 정보를 제시하거나 계량적 정보를 해석할 것을 요구하였다. 하지만 전년도에 비해 제시문의 이해를 통해 수월하게 정오 판단이 가능한 문항의 비중이 증가하였다는 점에서 전반적인 난도는 하락하였다고 볼 수 있다.

제 1 교시

홀수형

2025학년도 법학적성시험

언어이해 문제지

성 명

수험번호

수험생 유의사항

- 이 문제지는 **30문항**으로 구성되어 있습니다.
- **시험 시간은 09 : 00~10 : 10(70분)입니다.**
- 문제지에 성명과 수험번호를 정확하게 기재하십시오.
- 답안지는 반드시 컴퓨터용 사인펜을 사용하여 답을 표기하여야 합니다.
- 답안지의 '필적확인란'에 제시된 문구를 정확히 정자로 기재하여야 합니다.

메가로스쿨

2025학년도 법학적성시험
언어 이해

제1교시

성명 □ 수험번호 □□□□□ **홀수형**

- 이 문제지는 **30문항**으로 구성되어 있습니다. 문항 수를 확인하십시오.
- 문제지의 해당란에 성명과 수험번호를 정확히 쓰십시오.
- 답안지에 수험번호, 문제유형, 성명, 답을 표기할 때에는 '답안 작성 시 반드시 지켜야 하는 사항'에 따라 표기하십시오.
- 답안지의 '필적확인란'에 해당 문구를 정자로 기재하십시오.

[1~3] 다음 글을 읽고 물음에 답하시오.

 문학이 사회와 그 구성원의 삶을 반영한다는 명제는 법의 영역에도 적용된다. 문학적 서사는 한 시대의 법인식과 정의관을 비추는 거울이다. 문학 속의 법은 비윤리나 무질서와 대비되는 규범·규율의 상징, 또는 '언제 열릴지 모르지만 열리길 기다릴 수밖에 없는 문' 같은 대상으로 그려진다. 문학의 감성적 호소력은 독자를 일정한 행위 방향으로 이끌어 법의 제·개정을 추동하기도 한다. 1830년대 영국에서 유행한 범죄소설은 이러한 법과 문학의 상호작용을 잘 보여 준다. 범죄자 처형기록부인 『뉴게이트 캘린더』에서 인물과 소재를 차용해 '뉴게이트 소설'이라 불린 이 시기 범죄문학 장르는 재판 관행 및 행형 실태 개선을 촉구하는 캠페인의 산물이었다. 그것은 동시에 당대의 지배적 범죄 담론에 대한 대항 담론을 선전·유포하여 형법 개혁의 원동력이 되기도 했다.

 불워-리턴의 『폴 클리퍼드』는 뉴게이트 소설 열풍의 서막을 연 작품이다. 그 서두에서 작가는 소설 집필의 동기가 영국 형법의 두 가지 근본적 야만성, 즉 수감자를 교화하기보단 타락하게 만드는 행형, 그리고 단순 절도범마저 공동체로 복귀할 기회를 박탈하는 ㉠피에 굶주린 형법전에 대한 교정임을 밝혔다. 범죄자가 들끓는 술집에서 유년기를 보낸 클리퍼드는 소매치기 누명으로 체포되어 수감 생활을 거듭한다. 법정에 선 그는 죄 없는 소년으로 감옥에 갔던 자신이 법을 깨뜨릴 준비가 된 남자로 그곳을 나왔다며, "당신들의 법이 나를 지금의 나로 만들더니 이젠 죽이려 든다."라는 항변으로 독자의 공감을 유발한다. 법은 범죄자를 만드는 계급과 처벌하는 계급만을 위해 존재할진대, 생존의 막다른 골목에 놓인 빈민을 ㉡자연의 제일법칙에 입각한 선택지만 남은 상황으로 내몬 다음 그 선택지를 집었다는 이유로 교수형에 처하는 것이 과연 정의일 수 있는지 소설은 질문한다.

 뉴게이트 소설은 범죄자를 신비화하고, '참회하는 자'와 '자비를 베푸는 자' 또는 '추궁당하는 자'와 '추궁하는 자'의 역할을 전도시키는 데까지 나아갔다. 불워-리턴의 후속작 『유진 아람』엔 주인공의 범행 사실을 밝혀낸 자가 도리어 공동체의 지탄을 받고 주인공의 용서를 청하는 장면이 나온다. 대중적 인기를 끌었던 에인즈워스의 『룩우드』 또한 영웅의 일대기처럼 범죄 서사를 구성하고 노상강도의 삶을 낭만적으로 묘사한다. 범죄자에 대한 온정적 묘사나 형법 개혁의 메시지에 대해선 평가를 유보했던 지배계급은 이런 전복적 설정에 대해서는 ㉢교수대에 낭비된 감수성이라 격렬히 비난했다. 소설이 연극으로 만들어져 중산계급에서 노동계급으로 수용층이 넓어지자 불온한 열광에 대한 우려는 증폭되었다.

 작가는 ㉣문학적 공범자가 되어선 안 되며 무뢰한의 타락상을 정확히 보여 줘야 한다고 주장한 새커리는 『뉴게이트 캘린더』에서 한 여성 범죄자를 발굴하여 『캐서린』을 집필했다. 범죄자를 주인공으로 하여 개인사를 부여한 지점까지 이 소설은 뉴게이트 소설의 통상적인 문법을 따랐다. 하지만 범죄의 사회경제적 요인을 찾고자 인물의 유년기를 조명했던 앞선 작가들과 달리, 새커리는 범죄성이 개인의 병증이나 타고난 악함에 의한 것임을 밝혀 독자의 공감을 차단하려 했다. 주인공의 처형 장면은 기사 인용 형태로 건조하게 기술되었다. 처벌은 악인의 참회와 독자의 눈물을 위한 최소한의 유예를 허락하지 않은 채 가해짐으로써 ㉤봉쇄된 정의를 실현했다. 하지만 작가의 손을 떠난 작품은 독자에 의해 매 순간 새롭게 읽히기 마련이다. 수전노로 악명 높은 남편과의 결혼생활을 끝내고 사랑하는 사람과 결합하고자 살인을 조력한 주인공의 욕망은 독자에게 뜻밖의 호소력이 있었다. 범죄에 대한 구토를 유발하고 사회의 건강을 회복시킬 약물을 투입하겠다는 작가의 기획은 온전한 성공을 거두진 못했다.

 비슷한 시기에 출간된 디킨스의 『올리버 트위스트』 역시 범죄소설의 자장 안에서 읽힌다. 범죄자의 삶을 세밀히 묘사하는 작법은 여기서도 사용되었으며, 익살스럽고 입체적인 악역들은 오락적 요소를 배가했다. 악인 대신 어린 올리버가 주인공으로 설정됐으며, 그 주변 인물인 소매치기들은 자기 삶을 '로맨스와 열정이 가득한 유쾌한 것'이라 말하지만 실상 그 삶이 교수대에 가까이 있음을 감지하고 있다. 반면 올리버는 구빈원에서 단지 죽을 더 달라고 했다는 이유로 예비 범죄자로 낙인찍음에도 탁월한 통제력으로 범죄 유혹을 물리쳤고 마침내 사회로부터 보상받는다. 뉴게이트 소설의 시대가 저문 후에도 이 소설이 꾸준히 읽힌 데엔 법의 부정의를 고발하되 해학과 권선징악이라는 안전장치를 두어 법질서 자체를 교란하지는 않았던 작가적 선택이 한몫했을지도 모른다.

1. 윗글의 내용과 일치하지 <u>않는</u> 것은?

① 형법 개혁 운동은 범죄소설 열풍의 계기이자 성과였다.
② 뉴게이트 소설은 범죄를 질병으로, 형벌을 치료로 이해한 당대 범죄 담론을 강화했다.
③ 『캐서린』에 대한 독자들의 반응은 문학작품이 항상 작가의 의도대로 읽히는 것은 아님을 보여 준다.
④ 기득권층은 뉴게이트 소설의 대중적 전파력 확대가 기존 사회 체제의 안정을 저해할 것이라 여겼다.
⑤ 『폴 클리퍼드』의 경우와 달리 『올리버 트위스트』는 범행 착수의 기로에 선 개인의 선택과 의지력을 강조했다.

2. ㉠~㉤에 대한 이해로 적절하지 않은 것은?

① ㉠은 죄에 비해 과한 형을 구형하거나 사형 선고를 남발하는 현상을 가리킨다.
② ㉡은 살아남기 위해 주어진 계급적 위치와 역할에 순응해야 하는 운명을 가리킨다.
③ ㉢은 범죄자와 유대감을 형성하여 범법과 준법의 경계를 허물려는 감수성을 가리킨다.
④ ㉣은 대중의 기대에 따라 범죄자를 이상화하는 방식으로 그려내는 작가를 가리킨다.
⑤ ㉤은 범죄자에 대한 독자의 감정이입을 차단한 상태에서 구현되는 정의를 가리킨다.

3. 윗글에서 추론한 것으로 가장 적절한 것은?

① 디킨스는 법의 부조리에 대한 비판과 범죄의 해악에 대한 훈계를 한 작품에서 동시에 수행할 수 없다고 보았을 것이다.
② 불워-리턴과 디킨스 모두 뉴게이트 소설의 작법에 따라 범죄자에게 자기 정당화의 기회를 많이 주었을 것이다.
③ 에인즈워스와 새커리 모두 범죄소설의 목적은 범죄자의 교화나 참회를 통해 독자에게 교훈을 주는 것이라고 보았을 것이다.
④ 불워-리턴은 개인의 잠재된 범죄 성향을 찾기 위해, 그리고 에인즈워스는 영웅적 면모를 강조하기 위해 범죄자의 유년기를 다루었을 것이다.
⑤ 불워-리턴은 새커리와 달리 범죄자와 독자 대중의 심정적 거리를 좁히고자 했을 것이다.

[4~6] 다음 글을 읽고 물음에 답하시오.

동서양의 전설에 나오는 귀신 중 흡혈귀는 문학의 소재로 오래 활용되었다. 특히 흡혈귀는 슬라브 또는 헝가리의 전설에 자주 등장하는데, 이런 전설이 생겨난 원인 중 하나로 포르피린증이라는 질환이 종종 언급된다. 혈액 안의 적혈구가 가지고 있는 단백질인 헤모글로빈은 산소와 결합할 수 있는 분자인 헴(heme)을 가지고 있는데, 헴은 여러 단계의 복잡한 생합성 경로에 의해 만들어진다. 이 헴 합성 경로에 관여하는 효소의 이상으로 포르피린으로 통칭되는 헴 합성 중간물질 및 부산물들이 적혈구, 체액, 간에 축적되는 질환이 포르피린증이다.

헤모글로빈 같은 단백질은 아미노산이 연결되어 만들어지는데, 아미노산만으로는 주어진 단백질의 기능을 완성하기 어려울 때 보철그룹이라 부르는 아미노산 이외의 다른 분자를 단백질에 추가로 결합시킨다. 헴은 단백질의 대표적인 보철그룹으로, 적혈구 안에서 산소를 운반하는 데 참여하는 헤모글로빈뿐 아니라 근육에 존재하는 미오글로빈, 미토콘드리아에 많이 존재하는 시토크롬 등의 단백질에서도 산소와 결합하는 능력을 부여하는 보철그룹으로 작용한다. 운동을 통해 근육이 수축될 때 산소가 많이 필요하므로 미오글로빈은 헤모글로빈과 마찬가지로 산소를 결합하고 있다가 필요할 때 방출한다.

포르피린증은 돌연변이로 이상이 나타난 헴 합성 경로의 효소가 무엇이냐에 따라 여러 종류로 나뉜다. 그중 하나인 '선천성 조혈기성 포르피린증'은, 헴 합성 경로 효소 중 하나의 결함으로 생겨난 유로포르피리노젠 I이 다음 단계 효소의 작용을 통해 전환되어 생성된 코프로포르피리노젠 I에 의해 발생한다. 코프로포르피리노젠 I은 환자의 몸에 축적되는데, 치아에 자외선을 비추면 붉은색 형광이 나타나게 하고 피부를 자외선에 민감하게 만들어 햇빛에 노출될 경우 발진을 발생시킨다. 또한 소변으로 배출되어 소변을 붉은색으로 변하게 한다.

선천성 조혈기성 포르피린증 환자는 불면증이 있으며 햇빛을 피하려 주로 밤에 활동하고 피를 마신 것처럼 붉은색 소변을 본다. 그래서 선천성 조혈기성 포르피린증 환자는 공통된 증세를 보이는 흡혈귀 전설의 모델이 되었다는 것이다. 하지만 흡혈귀 전설이 유행하였던 18세기 유럽에서 선천성 조혈기성 포르피린증은 아주 희귀한 질병이었으므로 포르피린증과 흡혈귀의 연관성을 논하는 것은 무리라는 의견도 있다.

포르피린증과 관련된 또 하나의 논란은 영국 왕 조지 3세와 관련한 것이다. 매캘파인과 헌터는 문헌 사례 조사를 통해 발표한 연구에서 조지 3세의 성격이상, 불면증, 정신이상이 포르피린증의 하나인 '혼합 포르피린증'과 관련이 있을 것이라고 주장하였다. 하지만 이러한 보고는 동시대 의사들에게 널리 받아들여지지 않았고 양극성 장애가 좀 더 가능성 있는 설명이라는 의견도 많았다.

조지 3세의 질환과 관련된 논란이 계속되자 콕스는 조지 3세의 모발을 분석하여 헴 합성과 연관된 유전자의 결함을 찾으려고 하였으나 유전자 분석에 성공하지는 못했다. 하지만 그는 모발에서 고농도의 비소를 발견하였고, 비소가 헴 대사를 저해한다는 사실에 착안하여 다시 조지 3세의 포르피린증 관련 논란을 촉발시켰다. 그럼에도 조지 3세가 정말 포르피린증 환자였다는 증거는 충분하지 않다는 의견도 많다.

언어이해

4. 윗글의 내용과 일치하지 <u>않는</u> 것은?

   ① 코프로포르피리노젠 I은 포르피린의 한 종류이다.
   ② 미오글로빈과 시토크롬은 헴을 보철그룹으로 가지고 있는 단백질이다.
   ③ 근육의 미오글로빈도 혈액의 헤모글로빈과 마찬가지로 산소와 결합한다.
   ④ 전설 속 흡혈귀의 특징과 공통점이 있는 포르피린증은 혼합 포르피린증이다.
   ⑤ 유로포르피리노젠 I에서 코프로포르피리노젠 I을 만드는 효소에 일어난 결함은 선천성 조혈기성 포르피린증의 원인이 아니다.

5. 윗글에서 추론한 내용으로 가장 적절한 것은?

   ① 미오글로빈은 적혈구 안에서 산소를 운반하는 데 참여할 것이다.
   ② 미토콘드리아의 시토크롬에 존재하는 헴은 산소와 결합할 수 없을 것이다.
   ③ 매캘파인과 헌터의 연구 결과에 의하면 비소는 헴의 대사를 저해할 것이다.
   ④ 조지 3세는 불면증과 정신이상을 보였지만 붉은색 소변은 보지 않았을 것이다.
   ⑤ 콕스는 조지 3세의 모발에서 비소 대사와 관련된 효소 유전자의 결함을 찾고자 하였을 것이다.

6. <보기>를 바탕으로 본문을 이해할 때, 가장 적절한 것은?

   ─────<보 기>─────

   헴 합성은 (가)와 같은 다단계 효소 촉매 과정에 의하여 일어난다. 효소는 '기질'의 화학적 구조를 변화시키는 반응을 촉매하여 '산물'을 만드는데, 특정 효소가 저해되면 다단계 효소 촉매 과정에서 특정 효소의 기질이 축적되어 전체 반응이 저해될 수 있다. 헴 합성 다단계 효소촉매 과정에 관여하는 효소와 그 기질과 산물, 그리고 그 효소에 이상이 생겼을 경우 발병하는 포르피린증의 종류를 (나)의 표에 표시하였다. 단, 효소 ⓒ에 이상이 생겨 효소 ⓒ의 기질인 포르피린 B가 포르피린 C로 전환되지 못하면, 축적된 포르피린 B는 자발적인 반응을 통해 유로포르피리노젠I로 바뀐다.

   (가) 델타아미노레불린산 → 포르피린 A → 포르피린 B → 포르피린 C → 포르피린 D → 포르피린 E → 포르피린 F → 헴

   (나)

효소	기질	산물	효소 결핍 시 발병하는 포르피린증
㉠	델타아미노레불린산	포르피린 A	도스포르피린증
㉡	포르피린 A	포르피린 B	급성 간헐성 포르피린증
㉢	포르피린 B	포르피린 C	선천성 조혈기성 포르피린증
㉣	포르피린 C / 유로포르피리노젠 I	포르피린 D / 코프로포르피리노젠 I	만발성 피부 포르피린증
㉤	포르피린 D	포르피린 E	유전성 코프로포르피린증
㉥	포르피린 E	포르피린 F	혼합 포르피린증
㉦	포르피린 F	헴	조혈기성 프로토포르피린증

   ① 효소 ㉠, ㉡의 산물은 도스포르피린증 환자의 체내에 축적될 것이다.
   ② 효소 ㉢의 산물이 코프로포르피리노젠 I로 전환되는 반응은 만발성 피부 포르피린증 환자의 체내에서 원활히 이루어질 것이다.
   ③ 효소 ㉣과 ㉤이 결핍되어도 흡혈귀와 공통점이 있는 포르피린증의 원인 물질이 만들어지지 않을 것이다.
   ④ 효소 ㉥의 산물은 조혈기성 프로토포르피린증 환자의 체내에 축적되지 않을 것이다.
   ⑤ 효소 ㉦의 기질은 매캘파인과 헌터가 조지 3세가 앓았을 것으로 추정한 포르피린증 환자의 몸에 많이 축적될 것이다.

[7~9] 다음 글을 읽고 물음에 답하시오.

　기존의 역사가들이 민주주의, 노예제와 같은 정치·사회제도의 모델을 찾기 위해 고대 그리스와 로마에 주목했다면, 최근에는 성(性)의 역사라는 맥락에서 서양 고대사를 다루는 경향도 있다. 그중 일부 학자는 혐오스러운 아동 학대라고 할 수 있는 소년애에 대해 고대 그리스와 로마 사회가 비교적 관용의 태도를 보였다는 점에 주목한다.
　그리스어 파이데라스티아는 파이스(pais, 소년)와 에란(eran, 사랑하다)의 합성어로 소년애를 뜻한다. 소년애 관계에서 사랑의 대상인 자유민 소년은 에로메노스로 불리며, 이들의 나이는 17세 이하였다. 소년의 연인은 에라스테스로 불리며, 흔히 18~30세 사이의 남성이 이 역할을 수행했다. 고전기 아테네 사람들은 소년을 육체적 아름다움의 추구 대상이자 동시에 지적 대화의 동반자라고 생각했다. 플라톤도 "소년을 사랑하는 사람들은 아무 소년이나 사랑하는 것이 아니라 이성(理性)을 갖기 시작한 나이의 소년들만을 사랑한다."라고 서술한다. 실제로 그리스인들은 소년을 대상으로 한 교육과 육체적 쾌락이 양립할 수 있다고 믿었다. 그렇기에 파이데라스티아는 육체적 탐미와 사회적 교육, 우정의 조합이라 간주되었다. 아테네의 노예제와 동성애를 연구한 골든이 주장하듯이, 에라스테스와 에로메노스의 육체적 관계도 소년의 명예와 존엄을 배려하는 성격을 띠고 있었다.
　스파르타에서는 에로메노스의 역할이 30세까지 지속되었다. 크세노폰은 남성과 소년이 친구가 될 수는 있지만 "남성이 명백히 소년의 육체에 매혹되었다면, 이는 불명예스러운 것"이라고 비판했다. 플루타르코스도 에라스테스와 에로메노스 사이의 관계는 교육적이며, 정신적 사랑의 의미가 더 크다고 보았다. 현대의 역사가 카틀리지는 소년애가 지녔던 정치적 엘리트 충원 역할에 주목했다. 그에 따르면, 세력 있는 집안 출신인 소년의 에라스테스가 된다는 것은 소년의 가장 가깝고 믿을 만한 조언자, 동료가 된다는 것을 뜻하였다. 물론 이런 해석들은 파이데라스티아의 본질인 '육체적 아름다움에 대한 매혹'을 과소평가한 것이다.
　로마 공화정 후기인 기원전 3세기에서 기원전 1세기까지 동성애를 원하는 자유민 남성들에게 '준비된 손쉬운 사랑'의 대상은 주로 노예였다. 호라티우스의 시구에 등장하는 "난 준비된 손쉬운 사랑을 좋아하거든"이라는 표현은 상류층의 노예주가 노예 남녀를 성욕 충족의 도구로 삼는 데 아무런 장애가 없었음을 보여 준다. 이 경우 노예주들은 종종 미소년을 찾는 경향을 보였는데, 그러한 소년 노예는 델리카투스라 불렸다. 하지만 기원전 6~5세기의 아테네와 달리 기원전 2세기의 로마는 성인 남성과 자유민 소년과의 관계를 처벌하고 있었다. 이에 대해 로마사가 폴 벤느는 로마인이 시민의 능동성과 남성성에 대해 결벽적이었기 때문에 장차 시민이 될 소년과의 관계를 거부한 것이라고 설명했다. 나아가 미셸 푸코는 소년애를 억제한 결과 신분에 구애받을 필요가 없는 젊은 노예들과의 동성애가 로마에서 널리 행해졌다고 주장하였다.
　로마 제정 초기인 기원전 1세기에서 서기 1세기까지 로마에는 그리스의 생활 방식을 숭상하는 헬레니즘이 번져 있었다. 그 일환으로 소년애가 로마에 흘러든 것은 결코 놀라운 일이 아니다. 당대의 지식인 키케로가 "이 우정의 사랑이란 대체 무엇인가? 내가 보기에 이 습속은 그리스인들의 김나시움에서 생겨난 듯하다."라고 논평했듯이, 로마의 지식인들은 젊은 남성들이 연무장에서 벗은 몸으로 운동하는 것을 의심에 찬 눈초리로 바라보았다. 로마사 연구자 윌리엄스는 로마인이 그리스인에게 소년애를 배울 필요가 없었다고 하지만, 여러 정황을 고려하면 로마의 소년애는 그 뿌리가 그리스에 있는 것으로 보인다. 그런데 다른 풍토에 이식된 문화는 원산지에서와는 다르게 생장하는 법이다. 로마의 소년애도 그랬다. 구애의 절차와 관계의 목표 모두 그리스에서와는 달리 명예로운 편이 아니었다. 소년들을 육체적으로 정복하고자 하는 욕망의 충족이 소년애의 궁극적 목표였으며, 이는 잠재적 시민의 명예에 대한 배려와는 거리가 멀었다.

7. 윗글에 대한 이해로 적절하지 않은 것은?

① 플라톤은 파이데라스티아의 대상을 일정한 지적 성장 단계의 소년으로 한정했다.
② 크세노폰은 에라스테스를 소년의 육체를 차지하려는 불명예스러운 자로 한정했다.
③ 플루타르코스는 성년 남자와 자유민 소년 간의 관계에서 정신적인 것을 중시했다.
④ 호라티우스의 시구에는 공화정 후기 로마인들과 델리카투스 사이의 성 풍속이 암시되어 있다.
⑤ 키케로는 헬레니즘을 통해 확산된 소년과의 그리스적 우정에 대해 비판적이었다.

8. 윗글로 보아 다음 설명 중 가장 적절한 것은?

① 아테네와 스파르타에서는 모두 이십 대 청년이 에로메노스에서 배제되었다.
② 아테네에서와 달리 스파르타에서의 에라스테스는 소년과의 육체적 관계를 거부했다.
③ 그리스에서와 달리 공화정 후기의 로마에서는 자유민 소년과의 소년애가 억제되었다.
④ 그리스에서와 달리 제정 초기의 로마에서는 소년애가 수행하는 사회화 기능에 주목했다.
⑤ 공화정 후기의 로마에서와 마찬가지로 제정 초기의 로마에서 소년애는 소년의 명예를 배려하였다.

9. 윗글과 <보기>를 연결하여 평가할 때, 가장 적절한 것은?

<보 기>

고대 그리스 도자기에 묘사된 소년애 장면은 이성애 장면에 비해 훨씬 덜 노골적이다. 이는 자유민 소년이 성적 권력관계에서 욕망의 대상으로만 인식되는 것에 대해 그리스 사회가 지닌 거부감을 보여 준다. 한편, 기원전 2세기 로마의 상류사회에서 노예는 성적 대상이기도 했다. 법적 보호를 받을 수 없었던 노예 소년과의 관계를 즐기는 문화가 확산되자 시민들은 자칫하면 자기 자식도 소년애의 대상이 될 수 있다는 생각에 불안해 했다. 거리에서 미성년 남성에게 치근덕거리는 행위를 금했던 공화정 후기의 성추행 관련 칙례은 이런 불안감의 결과였다. 공화정이 붕괴하고 평화의 시기가 도래하자 그리스적 사랑이 확산되었다. 로마의 현실을 일정하게 반영하고 있는 연가(戀歌) 역시 그리스적 사랑의 이식을 잘 보여 주었다.

① 도자기에 그려진 장면은 에로메노스와 에라스테스 관계에 대한 골든의 해석과 상충하는군.
② 그리스 도자기의 소년애 장면은 소년애를 정치 엘리트 충원 기능과 연결하는 카틀리지의 해석과 상충하지 않겠군.
③ 그리스인이 느낀 '거부감'과 로마인이 지닌 결벽적 태도가 상충한다는 점에서 벤느의 해석은 비판받을 수 있겠군.
④ 젊은 노예의 법적 지위는 노예를 상대로 한 동성애 확산으로 인해 소년애가 줄었다는 푸코의 주장을 뒷받침할 만하군.
⑤ 제정 초기 로마의 연가는 소년애가 그리스로부터 유입된 것이 아니라는 윌리엄스의 주장을 뒷받침할 만하군.

[10~12] 다음 글을 읽고 물음에 답하시오.

사법심사는 다수주의의 예외로 간주되기도 한다. 민주적 절차로 선출된 의회나 행정부의 결정이 합헌 여부를 기준으로 무효화될 수 있기 때문이다. 게다가 사법심사의 주체가 임명직이라는 점에서 정통성 문제가 대두된다. 반대로 사법심사는 민주주의의 내재적 한계를 극복하려는 고육지책이라는 옹호론도 있다. 사회적 약자에 해당하는 소수자 집단은 다수결 논리에 의해 형성되거나 해체되는 의회나 행정부로부터 보호받기 어렵다는 것이다.

위의 논의들은 사법심사의 정치적 독립성을 전제하지만, 현실 정치에서의 완전한 독립은 늘 의심받는다. 이에 로버트 달은 미국의 연방대법원이 반다수주의를 추구하는 사법심사 기구가 아니라 대통령, 의회와 함께 지배 연합의 필수불가결한 부분으로 작동한다고 분석했다. 의회의 힘 있는 입법 다수가 최근에 제정한 법률을 연방대법원이 뒤집는 경우는 거의 없다는 것이다. 선출직 의원들은 재선 때문에 여론에 민감하게 반응하고 의회 내 입법 다수는 전국 여론의 축소판이어서, 이에 영향을 받는 사법심사는 원래 취지와 달리 소수의 이익을 보호하지 못하는 다수주의적 난제에 직면한다. 사법심사가 반다수주의적 난제를 떠안았다는 기존의 견해를 뒤집은 달의 이런 주장은 여론조사 기법의 발달로 대중의 선호가 사법적 판단에 미치는 영향에 대한 연구가 본격화되면서 설득력이 커졌다. 그중에는 사법심사 결과와 여론조사 결과가 60% 이상 일치한다는 연구 결과도 있었다. 즉 정책 영역에 따라 일치도의 차이는 있지만, 연방대법원 역시 대체로 의회나 대통령처럼 여론에 반응한다는 것이다.

반대로 사법심사의 결과가 여론에 영향을 미치는 방향도 상정할 수 있다. 즉, 사법심사 결정 후 그 결정에 찬성하는 여론이 증가 혹은 감소할 수도 있고, 여론이 양분되거나 사법심사 결정에도 불구하고 여론에 변동이 없는 경우도 예상할 수 있는 것이다. 미국 정치를 배경으로 한 기존 연구는 이 상황을 크게 네 가지 모델 로 구분해 설명한다.

우선 '긍정적 반응 모델'이다. 이 모델은 어떤 사안에 대해 반대 의견을 가졌던 사람들도 연방대법원의 결정이 나온 후에는 기존 의견을 수정해 그 결정을 수용하는 경우가 많다는 현상에 주목한다. 이때 찬반 의견의 변경은 그 사안에 대해 대중의 관여도가 비교적 낮아 발생한 것으로 설명된다. 대중은 대체로 연방대법원의 전문성과 공정성을 신뢰하고, 그 결과 연방대법원의 결정은 미국 사회에서 안정적으로 수용된다. 자신과 특별한 이해관계가 없는 한, 대중은 연방대법원의 결정을 수용하는 방향으로 여론을 형성하게 되므로 이 모델은 많은 사례를 잘 설명할 수 있다고 평가된다.

'반발 모델'은 사법심사 결과에 불복하는 그룹들이 반대 의사를 적극 표출하고 이것이 전체 여론으로 확산하는 현상에 주목한다. 연방대법원이 동성혼을 합헌으로 결정하자 동성혼에 대한 지지는 물론 성적 소수자를 포용하는 여론이 도리어 감소했음을 밝혀낸 연구가 그 사례이다. 한편, 사법심사 결과에 대한 반발은 시간 경과에 따라 줄어드는 경우가 있어 이 모델은 내구성이 약하다고 평가되기도 한다. 일시적 반발이 잠잠해지면 사법심사의 결과를 수용하는 방향으로 여론 변화가 나타나기 때문이다.

'양극화 모델'은 여론의 주목을 받지 못하던 사안들이 사법심사를 계기로 본격적인 쟁점으로 전환되어 대중의 찬반 여론이 극명하게 갈리는 현상에 주목한다. 낙태 이슈에 대한 사법심사 결정이 오히려 미국 사회의 갈등을 증폭한 것이 그 예이다. 실제로 사법심사 결정은 특정 집단 내에서 여론의 강도를 높이는 경우가 있다. 특정 사안에 관심이 없거나 태도가 모호했던 대중이 사법심사 결정 이후 양극단에 집결하고 응집도도 높아지기 때문이다. 앞에서 말한 낙태 이슈는 사법심사 과정에서 대중에게 전달되는 관련 정보를 증가시켰고 이 정보에 노출된 대중은 기존의 모호한 태도를 버리고 특정 입장에 집결하고 세력화하였다.

마지막으로 '무반응 모델'은 사법심사 결정 후에도 기존의 여론 지형도가 지속되는 무반응 현상에 주목한다. 사법심사가 의회의 결정을 지지하는 경우, 언론의 주목도나 여론의 관심도는 대체로 낮다. 주로 폭넓은 사회적 합의가 있었거나 대중의 관심도가 낮았던 특정 사안이 의회에서 입법화되고 사법심사가 이를 추인한 것이기 때문이다. 이런 점에서 '무반응 모델'은 미국의 정치 현실을 폭넓게 설명할 수 있는 모델로 평가될 만하다.

10. 네 가지 모델 에 대한 설명으로 가장 적절한 것은?

① 긍정적 반응 모델은 연방대법원의 전문성과 공정성에 대한 대중의 불신을 반영한다.
② 연방대법원의 결정을 여론이 즉각 수용할 경우, 반발 모델은 설득력이 커진다.
③ 반발 모델이 예상하는 반응은 시간이 지나면서 긍정적 반응 모델이 예상하는 반응으로 수렴되는 경향이 있다.
④ 낮았던 여론의 관심도가 사법심사 결정 이후 높아졌다면, 양극화 모델은 설득력이 줄어든다.
⑤ 의회의 결정을 수용하는 연방대법원의 결정에 대해 여론의 관심이 높을 경우, 무반응 모델로 이를 설명할 수 있다.

11. 윗글에서 추론한 내용으로 적절하지 않은 것은?

① 반다수주의자들은 사법심사권자를 선거로 뽑는 것에 대해 우려를 제기할 것이다.
② 로버트 달의 견해는 입법 다수가 대중의 선호를 제대로 반영한다는 것을 전제로 도출되었을 것이다.
③ 소수자 보호에 적극적인 사람이라면, 사법심사와 입법 활동 모두 대중의 여론을 있는 그대로 반영해야 한다는 주장에 찬성할 것이다.
④ 의회 결정 무효화가 부당하다고 보는 사람은, 사법심사로 인해 민주주의가 다수주의적 난제에 직면했다는 의견에 동의하지 않을 것이다.
⑤ 사법심사의 대상이 된 법률을 입법했던 의회 다수당이 선거에서 패배했다면, 달은 그 사안에 대한 연방대법원의 위헌 결정 가능성이 높아진다고 예상할 것이다.

12. 윗글을 바탕으로 <보기>의 X국 상황을 평가할 때, 적절하지 않은 것은?

―――<보 기>―――

X국의 사법심사를 담당하는 연방대법원은 최근 두 건의 사법심사 결과를 발표했다.

(가) 의회가 개정한 선거법은 위헌이다.
(나) 의회가 개정한 국기법(國旗法)은 합헌이다.

사법심사 결정의 전 단계에서 언론은 (가)의 법에 대해 집중 보도했고, 상대적으로 (나)의 법에 대해서는 주목하지 않았으나 결정 이후 보도량을 대폭 늘렸다. 아래 그림은 관련된 여론 변화를 나타낸다.

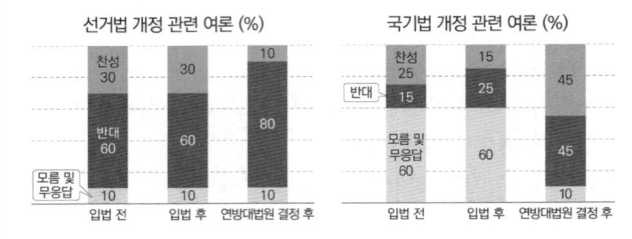

① '선거법 개정'과 관련한 찬반 구성의 변화 추이가 연방대법원에 대한 X국 국민의 신뢰를 반영한다는 점에서, 긍정적 반응 모델로 (가)에 대한 대중의 반응을 설명할 수 있겠군.
② 반발 모델로는 (가)의 결정 직후 대중이 '선거법 개정'에 반발한 점을 설명할 수 있지만, 관여도가 낮았던 대중이 (나)의 결정 직후 입법 찬성으로 선회한 점은 설명할 수 없겠군.
③ '국기법 개정'에 대한 반응이 연방대법원 결정 이후의 시점에 팽팽한 찬반 대립으로 나타났다는 점에서, 양극화 모델로 X국의 사회적 갈등의 증폭을 설명할 수 있겠군.
④ (가)와 (나) 두 사안에 대해 '모름 및 무응답' 비율의 변화 추세가 다르다는 점에서, 양극화 모델로 정보 제공량과 대중의 관심도 간의 양의 상관관계를 설명할 수 있겠군.
⑤ 무반응 모델로는 (가)와 (나)로 인한 여론 추이를 설명하기 힘들지만, 사회적 합의가 부족한 상태에서 의회가 입법 활동을 했음을 지적할 수는 있겠군.

[13~15] 다음 글을 읽고 물음에 답하시오.

공리주의에서 도덕적으로 옳은 것은 공리를 극대화하는 결과를 산출하는 것이다. 반인권적인 행위나 제도라도 결과적으로 더 많은 공리를 산출한다면, 공리주의는 그것을 지지해야 한다. 가령 병원에 건강 검진을 받으러 온 한 사람을 죽여 다섯 명의 환자에게 장기를 이식하는 경우, 더 많은 공리는 산출되겠지만 한 명의 생명이 갖는 권리를 침해하게 된다.

도덕적 권리들이 존재하는 것이 틀림없다고 전제하는 피시킨은 이 권리들을 인정하지 않는 윤리 이론은 거부되어야 한다고 주장한다. '무엇이 공리를 극대화하는 결과를 낳을 것인가'는 경험적인 문제이므로, 권리에 적대적인 행위가 권리를 존중하는 것보다 더 많은 공리를 산출한다는 이유로 지지되는 공리주의는 권리의 확실한 토대를 제공할 수 없다고 주장한다. 위의 행위가 허용되면 사람들이 공포를 느끼고 의료 시스템에 대한 신뢰가 무너지는 등 나쁜 결과가 초래될 것이므로, 공리주의자도 그 행위를 반대할 것이다. 그러나 피시킨은, 무작위 추첨에 의한 반자의적 장기 기증 시스템에서는 사람들이 강제 기증자가 될 위험에 대한 공포보다 자신들도 수혜자가 될 수 있다는 기대가 더 크다면 공리주의자는 공리 극대화의 한 방법으로 그 시스템을 승인할 것이라고 비판한다.

공리주의는 '권리의 규범적 힘'을 인정할 수 없기에 권리를 수용하기 어렵다고 라이언스는 비판한다. 그에 따르면 내가 어떤 것을 할 권리를 가진다는 사실은 타인의 간섭에 반대하는 근거를 제공할 뿐만 아니라, 권리 침해를 옹호하는 논변이 넘어야 하는 '논증의 문턱'을 제공한다. 그런데 공리주의는 행위의 도덕적 평가에서 일관되게 공리의 극대화를 기준으로 삼기 때문에, 권리의 규범적 힘을 인정할 수 없다.

한편, 반공리주의 논변에 맞서 브란트는 공리즈의와 권리 사이의 부정합성은 단지 행위 공리주의에만 있을 뿐, 규칙 공리주의에는 없다고 주장한다. 개별 행위의 공리를 계산하는 행위 공리주의와 달리, 규칙 공리주의는 한 사회의 도덕률은 그것을 채택하지 않았을 때보다 채택했을 때 더 큰 공리를 산출하는 경우에만 옳으며, 어떤 개별 행위는 그 도덕률에 의해 정당화될 때 도덕적으로 옳다고 본다. 이때 도덕률 위반 행위가 공리를 증가시키더라도 그 도덕률은 준수되어야 한다. 이처럼 브란트는 규칙 공리주의가 권리의 규범적 힘을 수용할 수 있다고 주장한다. 하지만 라이언스는 규칙 공리주의도 권리들의 규범적 힘을 수용하지 못한다고 주장한다. 공리주의에서는 공리에 대한 위협 없이 규칙을 위반하는 것이 가능하기에, 공리주의적 정당화는 공리주의자에게 규칙 유지의 이유를 제공할 수는 있어도 그 규칙을 준수해야 할 이유는 제시하지 못한다는 것이다.

헤어는 공리주의와 권리의 도덕적 힘 사이의 부정합성은 '직관적 수준'과 '비판적 수준'으로 이루어진 자신의 두 수준 공리주의 이론을 따를 때 해소된다고 주장한다. 직관적 수준의 사유란 우리가 이미 주어진 것으로 간주하고 의문을 제기하지 않는 마음의 습관이나 원리 등을 개별적 사안에 적용할 때의 사유로서, 규칙 공리주의적으로 사유하는 것을 가리킨다. 이에 견줘 비판적 수준의 사유는 행위 공리주의적으로 사유하는 것이다. 헤어는 직관적 사유를 이끄는 간단하고 일반적인 도덕 원리는 그것을 위반했을 때 죄의식이나 회한 같은 도덕적 감정을 수반한다고 본다. 이는 규칙을 과거의 경험에서 일반화한 일종의 '대략의 규칙'으로 보는 행위 공리주의의 생각과 다르다. 헤어에 의하면 권리는 일반적 도덕 원리의 일종이다. 직관적 사유가 다룰 수 없는 특수한 상황에서는 비판적 사유가 적용될 것이다. 그 결과, 권리 침해가 최적의 행위라고 결론이 난다면, 일관된 공리주의자의 입장에서는 권리의 침해가 도덕적으로 옳다. 그러나 여기서 헤어는 인간의 오류 가능성과 한계를 언급하면서, 신중한 공리주의자는 직관을 저버리기보다는 따르는 것이 최선이 될 가능성이 크다고 여길 것이라고 주장한다.

13. 윗글의 내용과 일치하는 것은?

① '논증의 문턱'을 넘으면 권리 침해가 용인된다.
② 행위 공리주의자는 '대략의 규칙'을 인정하지 않는다.
③ 규칙 공리주의자는 개별적 행위의 옳고 그름을 판단하지 않는다.
④ 공리와 권리 간의 부정합성은 '비판적 수준'에서는 발생하지 않는다.
⑤ 반공리주의자는 반자의적 장기 기증 시스템이 유발하는 공포를 인정하지 않는다.

14. 윗글에 제시된 입장들을 이해한 내용으로 적절하지 않은 것은?

① 피시킨은 경험이나 결과에 의존하지 않고도 권리가 존재한다고 전제할 수 있느냐고 비판받을 수 있을 것이다.
② 피시킨은 권리를 보호하는 규칙의 효용성이 경험적으로 드러나더라도 그 규칙은 권리의 확실한 토대를 제공할 수 없다고 주장할 것이다.
③ '규칙 준수의 이유를 제시하더라도 규칙 공리주의는 결과를 계산하지 않는 권리론과 다를 바 없다.'라고 주장하는 사람은 라이언스의 브란트 비판에 동조할 것이다.
④ 규칙의 규범적 힘을 공리의 극대화를 통해 수용할 수 있다면 규칙 유지는 결국 규칙 준수와 다르지 않다고 브란트는 주장할 수 있을 것이다.
⑤ 헤어는 권리가 가지는 논증의 문턱이 직관적 수준에서는 규범적 힘을 발휘하기에 너무 높다고 비판받을 것이다.

15. 윗글을 바탕으로 다음 <보기>를 이해할 때, 적절하지 않은 것은?

<보 기>

인간을 궁극적으로 행복하게 만들어서 최종적으로 인간에게 평화와 안식을 줄 목적으로 네가 인간 운명의 기본 구조를 만들고 있다고 상상해 봐. 그러나 작은 아기를 죽을 때까지 고문하고 그 아기의 한 서린 눈물 위에 그 구조물을 세우는 것이 필수적이고 불가피하다고 상상해 봐. 너는 이런 조건에서 그것의 건설에 동의하겠니?

- 도스토옙스키, 『카라마조프가의 형제들』 -

① 행위 공리주의자는 '상상'을 실현할 수 있다면 '아기'의 권리에 대한 침해에 동의할 것이다.
② '아기'의 권리가 선험적으로 확실하다면, 피시킨은 '아기'의 고통과 인간들의 '평화와 안식'을 저울질하는 것이 무의미하다고 생각할 것이다.
③ '아기'를 고문함으로써 더 많은 이익이 생긴다고 할지라도, 라이언스는 '아기'가 '한 서린 눈물'을 흘리지 않도록 고문이 금지되어야 한다고 생각할 것이다.
④ '아기'의 '행복'을 존중하는 규칙을 채택하는 것보다 채택하지 않는 것이 더 큰 공리를 산출하더라도, 브란트는 '아기'의 권리는 존중되어야 한다고 생각할 것이다.
⑤ '구조물'의 건설이 실제로 공리를 극대화할지 판단할 확실한 정보가 없다면, 헤어는 '아기'의 권리를 보호해야 한다는 직관을 따라야 한다고 생각할 것이다.

[16~18] 다음 글을 읽고 물음에 답하시오.

한 사회의 소비나 인프라 수준은 생산 능력에 달려있기 때문에, 생산 능력의 장기적인 변동으로 정의되는 경제성장은 경제학자와 정책입안자의 중요한 관심 사항이다. 솔로우 성장모형은 저축과 인구의 변동, 기술의 진보가 시간의 흐름에 따라 생산과 소비에 어떤 영향을 주는지를 동태적으로 분석하는 대표적인 성장모형이다. 인구와 기술 수준의 변동을 고려하지 않는 '단순한' 솔로우 성장모형에서 생산량(y)은 자본량(k)의 증가 함수이다. 단, 자본이 한 단위 증가할 때 생산이 늘어나는 정도는 자본 수준이 높아질수록 작아진다고 가정한다. 자본을 이용하여 만들어진 생산은 소비(c)나 자본재 구입을 위한 투자(i)로 사용될 수 있다. 따라서 '생산량 = 소비량 + 투자량'의 관계가 언제나 성립한다.

생산에서 소비하지 않고 남은 부분, 즉 저축이 투자의 재원이 되므로 투자와 저축은 언제나 일치한다. 저축률(s)은 저축이 생산에서 차지하는 비율로 정의되며 0과 1 사이의 값을 갖는 상수이다. 감가상각은 자본 사용 정도에 비례하여 자본재의 일부가 마모되어 더 이상 사용할 수 없게 되는 것으로, 감가상각량은 자본량과 0과 1 사이의 값을 갖는 상수인 감가상각률(d)의 곱으로 결정된다. 생산량을 비롯하여 저축량, 감가상각량, 투자량 등은 총량을 고정된 인구수로 나눈 1인당 개념이다.

솔로우 성장모형에 따르면 자본량의 변동은 다음과 같은 <식>으로 표현된다.

$$\Delta k = i - dk$$

여기서 Δ는 경제 변수가 전기 대비 변동하는 크기를 나타내는 기호이다. 이 식은 자본량의 변동 방향을 결정하는 두 요인을 설명하는데, 신규 투자는 자본량을 늘리는 반면 감가상각은 자본량을 줄이는 방향으로 작용하게 된다. 앞선 논의를 종합하면 솔로우 성장모형에서 생산량, 저축량, 감가상각량은 다음 <그림>과 같이 궁극적으로 자본량 수준에 의해 결정된다.

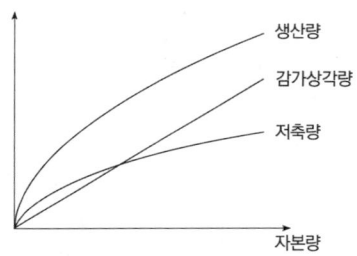

솔로우 성장모형에서 중요한 개념인 '정태상태'는 투자량과 감가상각량이 정확하게 일치하여 자본량의 변화가 없는 상태를 일컫는다. 자본량의 변동이 없으므로 생산량의 변동도 없고 저축과 소비도 일정하게 유지된다. 정태상태에 있지 않은 경제는 시간이 지남에 따라 정태상태로 이동하는 특성을 갖는다. 예를 들어, 만약 투자량이 감가상각량을 상회하고 있다면 <식>에 의해 자본량은 시간이 지남에 따라 증가하게 된다. 자본량이 늘어나면 생산량이 늘어나고 생산량의 일정 비율인 투자도 증가한다. 또한 자본량의 일정 비율인 감가상각량도 늘어난다. 다만, 감가상각량의 증가 속도는 자본량의 변화 속도와 언제나 같은 반면 투자량의 증가 속도는 차츰 감소하는데, 이는 자본이 늘어남에 따라 생산이 늘어나는 속도가 줄어들기 때문이다. 이러한 원리로 결국 어느 시점에서는 투자량과 감가상각량이 같아지면서 경제가 정태상태에 도달하게 되며, 이후에 다른 외생적인 변화가 없다면 경제는 이 정태상태를 그대로 유지하게 된다. 경제가 도달하는 정태상태 자본량은 각 경제의 기초여건인 저축률 및 감가상각률 수준과 생산함수에 의해 결정된다.

[A]
솔로우 성장모형에서는 소비가 최대가 되는 정태상태 자본량 수준을 최선의 자본량이라는 의미에서 황금률 자본량이라고 부른다. 생산함수와 감가상각률이 고정되어 있다고 하면, 저축률 변동을 통해 경제가 황금률 수준의 자본량을 달성하거나 또는 황금률에 보다 가까운 수준의 자본량을 보유하도록 경제상태를 이동시킬 수 있다. 예를 들어, 정태상태에 있는 어느 경제의 자본량이 황금률 수준을 하회하고 있는 상태에서 저축률을 상승시키는 경제 정책이 시행되었다고 하자. 정책이 시행된 시점에는 저축률 상승으로 인해 소비가 즉각 줄어든다. 그러나 시간이 지나면서 투자와 자본량 증대가 생산 수준을 점차 더 높이게 된다. 따라서 생산의 일정 비율인 소비도 점차 증가하여 궁극적으로는 정책 변경 이전보다 높은 수준으로 수렴하게 된다. 이러한 정책의 결과로 새로운 정태상태에서 미래 세대는 정책 변경이 없었던 경우와 비교하여 더 높은 수준의 소비를 누릴 수 있으므로 효용이 증가한다. 반면 현재 세대, 특히 기대 잔여 수명이 얼마 남지 않은 고령층의 경우에는 미래 시점에서의 소비 증가 혜택을 얻을 가능성은 낮으나 현재의 소비 감소로 인한 효용 감소는 분명하므로 청년층에 비해 이와 같은 정책에 반대할 가능성이 높다.

16. 윗글에 대한 이해로 적절하지 않은 것은?

① 생산함수는 정태상태에 영향을 주지 않는다.
② 투자와 감가상각이 다르다면 자본량은 변동한다.
③ 자본량이 늘어나면 생산량은 필연적으로 증가한다.
④ 저축이 투자를 상회하는 경우는 결코 발생할 수 없다.
⑤ 자본이 한 단계 증가할 때 생산 증가의 폭은 자본 수준이 높을수록 작아진다.

17. 윗글에서 추론한 것으로 적절하지 않은 것은?

① 저축률을 비롯한 기초여건은 동일하지만 초기 생산량이 다른 두 국가 경제는 소비 격차가 좁혀지지 않는다.
② 저축률을 변경시키는 정책에 대한 찬반 여부는 세대 간 기대 잔여 수명의 차이에 영향을 받는다.
③ <그림>에 의하면 자본 마모 속도가 빨라지는 경우 저축량과 감가상각량이 일치하는 자본량은 작아진다.
④ <그림>에 의하면 저축률의 상승은 투자량과 감가상각량이 일치하는 자본량을 확대시킨다.
⑤ 황금률 자본량을 보유하고 있는 경제의 생산량은 다른 조건의 변화가 없다면 변동하지 않는다.

18. [A]를 바탕으로 <보기>의 X국 경제 정책을 평가할 때, 적절하지 않은 것은?

<보 기>

현재 X국에서는 투자량과 감가상각량이 일치하며, 자본량이 황금률 수준을 상회하고 있다. 이에 주목한 정부는 황금률 자본량을 달성하기 위해 국민의 소비를 장려하는 정책을 시행하였다. (단, 다른 조건의 변동은 없다.)

① 정책 시행 이후 현재 세대 중 고령층과 청년층 모두의 효용 수준은 높아진다.
② 정책 시행 이후 새로운 정태상태에 도달할 때까지 소비는 점차 증가한다.
③ 미래 세대의 효용 수준은 정책이 시행되지 않는 경우보다 높아진다.
④ 감가상각량은 정책 시행 이전보다 낮은 수준으로 수렴한다.
⑤ 자본량은 정책 시행 이전보다 낮은 수준으로 수렴한다.

[19~21] 다음 글을 읽고 물음에 답하시오.

　보조생식술의 발전에 따라 난임 부부도 자기 생식세포를 이용한 체외수정으로 배아를 생성한 뒤 이를 모체에 이식하여 임신할 수 있게 되었다. 이 발전은 시술 뒤에 남은 배아를 어떻게 처리할 것인지에 대한 윤리적 논란도 유발하였다. 잔여 배아를 예외 없이 폐기해야 한다는 견해와, 난치병 연구를 위해 사용할 수 있게 해야 한다는 견해가 맞서고 있는 것이다.
　이와 관련하여 독일에서는 배아보호법을 제정하였다. 이 법은 대다수 국가의 법령들처럼 임신을 목적으로 하지 않는 배아의 생성을 애초에 불허하고 있지만, 다른 나라의 입법례와는 달리 가급적 잔여 배아 자체가 만들어지지 않게 하는 것이 최선이라는 시각을 반영한 ㉠엄격한 기준을 규정하여 배아 생성자의 자기결정권을 제한한다. 이에 따르면 1회의 시술 주기 내에 난자를 3개까지만 수정시킬 수 있고, 같은 시술 주기 내에 배아를 3개까지만 이식할 수 있다. 게다가 1회의 시술 주기 내에 이식할 배아의 수보다 많이 난자를 수정시켜서는 안 되고, 이식 후 배아의 온전한 착상 전에 그것을 채취해도 안 된다.
　임신 성공률을 높이려면 가급적 많은 배아를 확보해야 하는 까닭에 잔여 배아가 생긴다. 그런데도 독일 법은 결국 한 번의 시술로 이식할 만큼만 수정하게 하고, 수정 후에는 남김없이 이식하게 하며, 심지어 배아를 회수할 목적으로 착상을 방해할 가능성마저 없애고 있다. 배아 보존 자체는 금지하지 않지만 보존될 배아가 애초에 거의 생기지 않게 하려는 것이다.
　그러나 이 배아보호법으로 인해 오히려 배아가 죽게 되는 역설적 상황이 초래되었다. 이 상황은 배아를 이용한 체외수정 시술의 특수성에서 비롯된다. 체외수정 시술을 위해서는 가장 건강한 배아 하나만을 골라 이식하는 '선택적 단일 배아 이식', 몇 개의 배아를 동시에 이식한 뒤 살아남은 배아를 성장시키는 '다배아 이식' 등의 방법이 사용된다. 임신 확률을 높이려면 배아의 건강 상태, 산모의 나이, 다태아 출산의 위험성 등에 비추어 가장 적합한 시술 방식을 선택해야 한다. 그런데 이 법을 따르면 선택적 단일 배아 이식의 방식을 취하기가 어렵게 된다. 하나를 제외한 나머지 배아에 모두 결함이 있어 불가피하게 배제될 경우가 아니라면, 충분히 건강한 한두 개의 배아를 다음 시술 시기를 위해 남겨 두지 못하기 때문이다. 그 결과 모든 배아를 일단 착상시킨 후 가장 건강한 하나만을 남기고 나머지 한두 개는 모체에서 제거하는 일이 종종 일어난다. 그래서 법제 개선을 촉구하는 독일학술원의 성명에서는 잔여 배아 보존이 가능하게 하고 배아 생성자가 그 기간을 결정하도록 하자고 제안하였다.
　한국 법에서도 출산을 목적으로 할 때만 생식세포를 제공하여 배아를 생성할 수 있다. 일단 배아가 생성되면, 이식 횟수의 결정, 배아의 보존 여부, 난치병 연구를 위한 사용 여부 등에 대해 배아 생성자에게 의사 결정을 맡긴다. 다만 배아의 보존 기간은 5년 이내로만 정할 수 있고, 이 기간이 지나면 잔여 배아는 배아 생성자의 의사와 무관하게 원칙적으로 폐기해야 한다. 한편, 배아 생성자의 자기결정권을 제한하는 것에 대한 헌법소원심판도 있었는데, 헌법재판소는 배아가 배아 생성자의 기본권으로부터 도출되는 자기결정권의 대상이라고 판단했다. 배아는 비록 기본권의 주체는 아니지만 특별한 헌법적 지위를 가지는 존재이기에 그 배아의 보호를 위해 배아 생성자의 기본권을 제한할 수 있다는 등의 이유를 들어, 보존 기간의 제한은 합헌이라고 본 것이다.

19. 윗글의 내용과 일치하는 것은?
① 잔여 배아란, 착상된 후 의학적 판단에 따라 제거된 배아를 말한다.
② 독일학술원 성명에는 잔여 배아 발생을 억제하기 위한 제안이 담겨 있다.
③ 다배아 이식 시술은 선택적 단일 배아 이식 시술보다 임신 성공 확률이 높다.
④ 한국 법과 독일 법은 모두 배아를 보존하는 것 자체를 금지하지는 않고 있다.
⑤ 잔여 배아를 무조건 폐기하도록 강제하는 것은 비윤리적이라는 데 견해가 일치되어 있다.

20. ㉠에 대한 해석으로 가장 적절한 것은?
① 1회의 시술 주기 내에는 3개의 한도 내에서 이식할 배아의 수만큼만 난자를 수정시킬 수 있다.
② 배아 생성자의 요청이 있어도 이미 착상된 배아를 모체에서 분리하는 것이 엄격히 금지된다.
③ 생성한 배아를 동일 시술 주기 내에 이식할 수 없는 경우에는 반드시 폐기해야 한다.
④ 생성할 배아의 수보다 더 많은 난자를 채취하여 보관하는 것을 금지하고 있다.
⑤ 생성한 배아의 수보다 적게 이식하는 것은 어떤 경우에도 허용될 수 없다.

21. 윗글을 바탕으로 <보기>를 이해할 때, 적절하지 않은 것은?

<보 기>
　갑과 을 부부는 자신들의 생식세포를 이용하여 배아를 인공적으로 생성한 후, 이 배아를 아내인 을에게 이식하기 위한 시술을 1회 진행하였으나 착상에는 이르지 못하였다. 모든 시술은 정상적으로 진행되었으며, 배아에는 결함이 없었다.

① 독일 법이 적용되는 경우, 한국 법이 적용되는 경우와 달리 갑과 을이 원하더라도 착상 전에는 배아가 채취되지 못했겠군.
② 독일 법이 적용되는 경우, 한국 법이 적용되는 경우와 달리 갑과 을은 배아의 생성에 관한 문제에 대해 자기결정권을 행사할 수 없겠군.
③ 독일 법이 적용되는 경우, 갑과 을이 다시 배아 이식 시술을 받으려면 한국 법이 적용되는 경우와 달리 난자를 수정시키는 시술을 다시 진행해야 하겠군.
④ 한국 법이 적용되는 경우, 독일 법이 적용되는 경우와 달리 갑과 을 부부의 남은 배아를 연구 목적을 위해 사용할 수 있겠군.
⑤ 한국 법이 적용되는 경우, 독일 법이 적용되는 경우와 달리 갑과 을의 의사에 따라 남은 배아를 보존하지 않도록 결정할 수 있겠군.

[22~24] 다음 글을 읽고 물음에 답하시오.

플라톤의 두 작품 『소크라테스의 변론』(이하 『변론』)과 『크리톤』에 대해서는 해석상의 문제가 있다. 『변론』에서 소크라테스는 국가가 자신에게 철학적 활동을 그만두라고 명령한다면 사형에 처해지더라도, 그 명령에 불복하겠다고 강변한다. 그래서 소크라테스는 국가권력에 대해 개인 양심이 우선함을 주장한 철학적 순교자이자 시민불복종 정신의 선례로 이해된다.

그런데 『크리톤』에서 소크라테스는 탈옥을 종용하는 친구 크리톤에게 자신이 국가의 명령에 복종하여 사형을 받아들여야 함을 논증한다. 소크라테스는 부정의한 일을 하는 것이 어떤 상황에서도, 심지어 부정의한 일을 당한 경우에도 올바르지 않다는 원칙에 동의하는지 크리톤에게 묻고, 그 원칙에 따라 탈옥은 판결이 부당했더라도 부정의하다고 설파한다. 국민으로서 자신을 태어나고 자랄 수 있게 한 국가의 명령에 불복하는 것은 국가의 존립 근거를 해치는 부정의한 일이며, 따라서 국가의 명령이 비록 부당하더라도 복종하는 것이 옳다는 것이다. 여기서 국가의 명령이 부당하다는 것은 법률의 내용이 아니라 판결이 부당함을 뜻한다. 만약 국가의 명령에는 무조건 복종해야 한다는 권위주의적 주장을 『크리톤』의 소크라테스가 하는 것이라면, 『변론』의 소크라테스와는 상치된 주장을 하는 셈이다.

일관성의 문제는 『크리톤』 내부에 대해서도 제기될 수 있다. 크리톤이 논변의 중요 대목에서 소크라테스의 말을 이해하지 못하겠다며 대답을 회피하자, 돌연 소크라테스는 의인화된 아테네 법률을 등장시켜 그 입을 빌려 탈옥 반대 논증을 이어간다. 후반부의 이런 방식의 대화 진행은 『크리톤』의 독특한 전개 방식이다. 전반부에 제시된 논증의 전제들이 소크라테스가 여러 대화편에서 일관되게 주창해왔던 원칙들인 반면, 후반부에는 권위주의적 주장으로 읽힐 내용이 많다. 그래서 후반부 논증이 과연 소크라테스 자신의 견해를 나타낸다고 이해해야 할지가 문제시된다.

이에 대해 다양한 해석이 존재한다. 먼저 두 작품에 개진된 각각의 입장 사이에 해소될 수 없는 모순이 있다고 주장하며 한 입장을 옹호하고 다른 입장을 비판하는 견해가 있다. 베트남 전쟁에 반대해 징집에 불복한 청년들을 옹호했던 하워드 진은 『변론』의 소크라테스가 영웅적으로 보여주었던 비판과 저항의 정신을 『크리톤』의 소크라테스는 포기했다고 주장하면서 우리는 전자를 본받아야 한다고 역설했다.

그로트는 텍스트상의 모순을 플라톤의 저술 동기를 통해 설명한다. 『변론』의 소크라테스는 자신을 아테네 법 위에 놓는 오만한 자라는 인상을 주는데, 이는 그가 국법을 무시하도록 조장했다는 고발의 내용을 확증해 주는 것이었다. 따라서 플라톤은 『크리톤』에서 소크라테스를 애국심에 대한 호소로 충만한 법의 수호자로 묘사하여 부정적 인상을 불식시키고자 했고, 바로 여기서 모순이 생겼다는 것이다.

한편 개리 영은 소크라테스의 철학 방법론에 주목하여 모순을 설명한다. 소크라테스의 대화법에서 논의 수준은 대화 상대자에 따라 조절되는데, 철학적 영민함을 갖추지 못한 크리톤을 엄밀한 이성적 방식으로 설득하는 데 실패하자 소크라테스가 후반부에는 '법률'을 내세워 그를 단지 감동시키고 있다는 것이다. 이 해석에 따르면 『크리톤』 후반부의 논증은 소크라테스 자신이 받아들이지 않는, 단지 크리톤 같은 사람들을 설득하기 위한 맞춤 논증일 뿐이다.

반면 앨런은 『크리톤』에서의 소크라테스의 논증을 자세히 분석하면 『변론』과의 모순은 실제로는 존재하지 않는다고 주장한다. '부정의를 저지르는 것', 즉 윤리적 원칙에 의거해 절대적으로 하지 말아야 하는 것과, '부정의를 감수하는 것', 예컨대 소크라테스의 경우 잘못된 판결의 해악을 감수하는 것을 개념적으로 구별하면서 텍스트를 읽으면, 『크리톤』 후반부도 권위주의적 주장과는 거리가 먼 것으로 해석될 수 있다는 것이다.

유벤도 『크리톤』이 『변론』과는 상충되는 권위주의적 주장을 대변하지 않고 오히려 철학과 정치 간의 갈등을 극적으로 드러낸다고 본다. 소크라테스가 "부정의를 저지르기보다는 당하는 편이 낫고 어떤 경우라도 타인에게 의도적으로 해를 가해서는 안 된다."라는 자신의 가르침이 진리임을 입증하고자 적극적으로 죽음을 받아들였다는 것이다. 탈옥하지 않고 국가의 명령에 복종하여 사형을 감내하는 것이 불완전한 현실 국가에서 살아가는 철학자가 오히려 도덕적 우위에 서서 부당한 권력에 저항하는 방식이라는 것이다.

22. 윗글의 내용과 일치하는 것은?

① 소크라테스의 작품 내 일관성에 대한 논란은 『변론』에 한정된다.
② 『크리톤』의 후반부는 소크라테스가 의인화된 존재에게 말을 건네는 형식으로 진행된다.
③ 『크리톤』의 소크라테스는 법에 대한 복종의 근거를 법률의 구체적 내용에서 찾고 있다.
④ 시민불복종을 지지하는 사람들은 일반적으로 『변론』과 『크리톤』의 소크라테스를 모범으로 삼는다.
⑤ 『변론』과 『크리톤』에 대한 논란은 국가의 권위에 대한 소크라테스의 태도가 비일관적으로 보인다는 것에서 기인한다.

23. 윗글에 제시된 해석들에 대한 평가로 적절하지 않은 것은?

① 『크리톤』의 소크라테스도 부당한 권력에 저항한 것으로 판명된다면, 하워드 진의 『크리톤』 해석은 출발점에서부터 철회되어야 하겠군.
② 다른 작품에 나오는 소크라테스의 대화 상대자들과 크리톤 사이에 철학적 능력 면에서 명확한 차이가 없다면 개리 영의 해석은 설득력을 잃겠군.
③ '부정의를 감수하는 것'이 결국 '부정의를 저지르는 것'이라고 여기는 사람에게는 앨런의 해석은 설득력이 없겠군.
④ 그로트의 해석과 달리 유벤의 해석은 새로운 근거가 추가 제시되지 않으면 단지 추측에 바탕을 둔 것이라고 비판될 수 있겠군.
⑤ 그로트는 텍스트 외부 인물의 동기에, 개리 영은 텍스트 내부 인물의 동기에 천착하여 각각 텍스트상의 모순을 설명할 방법을 제시하고 있군.

24. 윗글을 바탕으로 <보기>를 설명할 때, 가장 적절한 것은?

<보 기>

X국은 전쟁에 필요한 재원 마련을 위해 특별세를 부과했다. 갑은 이 전쟁이 정의롭지 않고 특별세 납부는 간접적 참전이라고 여겨 특별세를 내지 않았다. X국은 특별세를 내지 않는 사람을 구류에 처했고, 갑은 구류를 사느라 특별세 금액보다 더 큰 경제적 손해를 보게 되었다. 갑의 친구 을은 갑을 반(反)애국적이라고 비난하는 우중(愚衆)에게 갑의 결정은 국가가 잘못된 방향으로 가는 것을 막으려는 애국적 결정이었다고 두둔했다.

① 하워드 진은, 특별세 납부 대신 구류를 선택한 갑의 결정을 국가에 대한 저항 정신을 포기한 것이라고 비판할 것이다.
② 타인들에게 갑을 변호하기 위해 갑의 동기를 언급한 을은, 소크라테스를 변호하기 위해 소크라테스의 동기를 언급하는 그로트에 비견된다.
③ 게리 영은, 경제적 손해를 감수하는 것이 애국심을 보여 주는 증거라는 을의 논증을 어리석은 사람을 설득하고자 노력하는 소크라테스의 논증과 대비된다고 볼 것이다.
④ 앨런은, 갑의 결정이 『변론』에서의 소크라테스뿐만 아니라 『크리톤』에서의 소크라테스의 태도와도 상치된다고 볼 것이다.
⑤ 유벤은, 특별세 납부는 거부했지만 순순히 구류를 산 갑의 결정이 불복종 행위의 도덕적 순수함을 보여 주었다고 평가할 것이다.

[25~27] 다음 글을 읽고 물음에 답하시오.

최근 빅데이터, 소셜 네트워크 서비스 등 대용량 웹서비스를 제공하기 위해 비관계형 데이터베이스가 도입되고 있지만, 정형 데이터를 안정적으로 처리하기 위해서 가장 많이 활용되고 있는 것은 관계형 데이터베이스이다. 관계형 데이터베이스 및 정보시스템 개발 과정에서 데이터베이스의 체계적 관리를 위한 소프트웨어인 DBMS가 어느 것인지에 상관없이, 데이터를 관리할 수 있도록 표준 질의언어인 SQL이 활용되고 있다.

데이터베이스 트랜잭션은 계좌이체, 주문 처리 등과 같이 한꺼번에 처리해야 하는 논리적 업무 단위를 말한다. 트랜잭션에는 SQL의 조회·삽입·삭제·갱신 등의 작업이 포함된다. 조회작업으로만 구성된 트랜잭션은 데이터베이스 내용을 변화시키지 않는다. 트랜잭션의 개념은 데이터베이스의 안전성을 유지하는 데 필수적이다. 예를 들어 계좌이체의 경우, 도중에 오류가 발생하여 출금 계좌에서 돈이 빠져나갔지만 입금 계좌에는 돈이 안 들어온 상황이 발생해서는 안 된다. 입출금 작업이 모두 성공적으로 종료되어야 이를 완전한 거래로 승인하여 '완료'하고, 일부라도 오류가 발생했을 때는 거래를 아예 진행하지 않은 상태로 '롤백'하여 거래의 안전을 확보해야 하는 것이다.

트랜잭션이 반드시 충족해야 하는 특성으로 원자성·일관성·격리성 등이 있다. 원자성은 계좌이체의 예에서 설명한 바와 같이 트랜잭션의 모든 작업이 성공적으로 완료되거나 아예 아무것도 실행되지 않아야 한다는 특성을 말한다. 일관성은 트랜잭션의 실행 전과 후 모두 데이터베이스에 정의된 무결성 제약조건을 충족하여 논리적으로 일관된 상태를 유지해야 함을 의미한다. 격리성은 둘 이상의 트랜잭션을 동시에 실행할 때 상호 간섭에 의한 문제를 일으키지 않는 성질로, 이를 만족한다면 트랜잭션의 동시 실행의 결과는 트랜잭션을 순차적으로 실행하였을 때의 결과와 같다.

㉠트랜잭션의 동시성 제어는 다중 사용자 환경에서 트랜잭션의 일관성과 격리성을 보장하기 위해 DBMS가 제공하는 기능이다. 동시성 제어를 하지 않으면 트랜잭션이 서로 충돌하여 갱신 분실 문제와 모순된 읽기 문제가 발생할 수 있다. 두 트랜잭션이 동일 데이터를 동시에 갱신할 때 한 트랜잭션의 갱신이 다른 트랜잭션이 갱신한 내용을 덮어 쓸 수 있는데, 이를 갱신 분실이라 한다. 모순된 읽기에는 오염된 읽기·반복 불가능한 읽기·팬텀 읽기가 있다. 오염된 읽기는 두 트랜잭션이 동시에 같은 데이터에 접근할 때 한 트랜잭션이 데이터를 갱신한 후 이를 완료하기 전에 다른 트랜잭션이 이 데이터를 읽었으나 이후 데이터 갱신작업을 롤백할 경우 발생하는 문제이다. 반복 불가능한 읽기는 한 트랜잭션 내에서 같은 데이터를 여러 번 조회하는 도중에 다른 트랜잭션이 해당 데이터값을 갱신한 후 완료하면 같은 질의의 결과가 서로 달라지는 문제를 말한다. 팬텀 읽기는 한 트랜잭션에서 질의를 통해 레코드 세트를 읽었지만 다른 트랜잭션이 레코드를 삽입한 후 같은 질의를 반복할 때, 이전과 다른 레코드 세트를 조회하는 현상을 말한다.

한편 SQL에서는 트랜잭션의 동시성 제어를 위한 네 단계의 격리성 수준을 정의한다. 가장 낮은 단계인 미완료 읽기는 완료되지 않은 데이터도 읽을 수 있어 모든 유형의 모순된 읽기가 발생할 수 있다. 다음으로 완료 읽기는 미완료 데이터를 읽지 못하도록 하여 오염된 읽기를 막을 수 있다. 세 번째 단계인 반복 가능 조회는 한 트랜잭션에서 하나의 스냅숏만 사용하도록 하여 오염된 읽기와 반복 불가능한 읽기는 발생하지 않으나, 팬텀 읽기를 막을 수는 없다. 마지막 단계인 직렬화 가능 실행은 2단계 잠금과 같은 기법을 사용하여 트랜잭션의 순차적 실행을 보장함으로써 최고 수준의 격리성을 제공한다. 잠금의 기본 원리는 한 트랜잭션이 자신이 먼저 접근한 데이터를 잠가 다른 트랜잭션의 접근을 막고, 작업을 마치면 이를 풀어 다른 트랜잭션이 사용할 수 있도록 하는 것이다. 이러한 기본 방식의 잠금은 데이터의 독점적 사용으로 인해 동시성을 현저히 저해하며, 또한 트랜잭션의 직렬화 가능 실행을 보장하지 못한다. 이 두 문제를 해결하기 위해 등장한 2단계 잠금은 항상 직렬화 가능 트랜잭션 실행을 보장한다. 일반적으로 격리성 수준이 높을수록 트랜잭션의 독립성이 강해지지만, 성능 및 동시성은 저하된다.

25. 윗글의 내용과 일치하는 것은?

① 조회작업으로 구성된 두 트랜잭션이 동시에 진행되면 모순된 읽기는 발생하지 않는다.
② 트랜잭션의 격리성 수준을 완료 읽기로 설정하면 트랜잭션의 원자성을 충족할 수 있다.
③ SQL 표준을 사용하여 형태가 정해지지 않은 대용량 데이터를 체계적으로 관리할 수 있다.
④ DBMS는 트랜잭션의 원자성을 보장하기 위해 제약조건을 위배하는 트랜잭션을 거부해야 한다.
⑤ 두 트랜잭션이 동일 데이터 영역을 넘나들며 진행되어도 모순된 읽기 문제는 발생하지 않는다.

26. ㉠에 대한 추론으로 적절하지 않은 것은?

① 격리성 수준을 가장 높게 설정하면 갱신 분실 문제가 발생하지 않는다.
② 격리성 수준 중 동시성이 가장 높은 단계는 모순된 읽기를 방지할 수 없다.
③ 격리성 수준을 직렬화 가능 실행에서 미완료 읽기로 변경하면 독립성이 약해진다.
④ 갱신작업으로만 구성된 두 트랜잭션이 동시에 진행할 경우 팬텀 읽기는 발생하지 않는다.
⑤ 데이터를 독점적으로 사용하는 잠금 기법을 적용함으로써 완전한 격리성을 보장할 수 있다.

27. 윗글의 내용을 바탕으로 <보기>를 이해할 때, 적절하지 않은 것은?

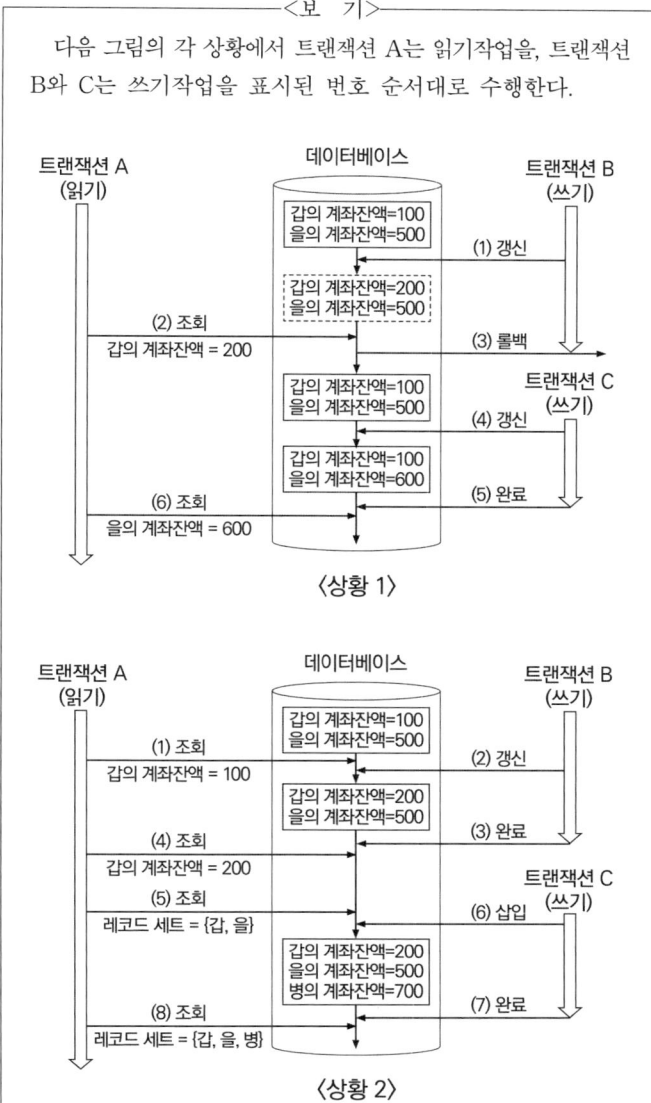

― <보 기> ―

다음 그림의 각 상황에서 트랜잭션 A는 읽기작업을, 트랜잭션 B와 C는 쓰기작업을 표시된 번호 순서대로 수행한다.

① <상황 1>에서 트랜잭션 A가 조회한 갑의 계좌잔액은 오염된 값이나, 을의 계좌잔액은 오염된 값이 아니다.
② <상황 1>의 모순성을 방지하려면 트랜잭션 A가 미완료 데이터를 조회하는 것을 허용해서는 안 된다.
③ <상황 1>, <상황 2>에서 확인할 수 있는 모순된 읽기의 유형은 모두 3가지이다.
④ <상황 2>는 세 트랜잭션을 순차적으로 실행하여 발생한 모순된 읽기를 보여 준다.
⑤ <상황 2>의 모순성을 방지할 수 있도록 격리성 수준을 설정하면 <상황 1>의 모순성도 발생하지 않는다.

[28~30] 다음 글을 읽고 물음에 답하시오.

역사적으로 희곡과 공연의 관계에 대한 탐색은 연극의 고유한 특성에 대한 물음과 이어져 있다. 아리스토텔레스는 비극은 단지 읽기만 해도 그 성질을 알 수 있다는 전제에서 비극의 창작술을 플롯을 중심으로 논했다. 다만 비극의 또 다른 요소인 '볼거리'는 비록 창작술과 거리가 멀지만 쾌감을 산출한다고 보았다. 고전주의 시대를 경과하면서 희곡의 대사는 작가의 사상과 플롯을 집약하는 공연의 중심 요소로 각인되었다.

이러한 위계는 연극학자 혼비가 희곡과 공연의 첫 번째 관계 유형으로 언급한 심포니 모델과 유사하다. 지휘자와 연주자의 개성이 존중되며 매번 다른 연주가 펼쳐지지만, 음표·선율 등을 지시한 악보의 존재는 절대적이다. 현대 연극은 다른 관계를 모색하는데, 무대 창작자들의 위상과 제작 과정에 따라 두 유형으로 나뉜다. 시네마 모델은 희곡과 공연의 관계를 영화 제작에 비유한다. 감독은 시나리오를 골격으로 삼되 이를 촬영 대본으로 고친다. 영화는 리허설 상황, 현장 여건, 스태프의 요구 등을 고려하여 대본을 조금씩 수정하며 제작된다. 조각 모델에서 연출가는 조각가에 비유된다. 조각가는 작업장에 있는 대리석 덩어리를 염두에 두며 작품을 구상한다. 적당한 아이디어가 떠오르면 작업이 시작되지만, 영감은 과정 중에도 찾아온다. 조각가는 애초의 아이디어와 새로운 영감을 견주어 좋은 점을 선택하면서 작업해 나가며, 조각품이 그의 상상력을 오롯이 반영하였는지는 마지막에서야 파악된다. 온전한 '작품'으로서의 희곡은 대본으로 대체되거나 단지 많은 공연 요소 중 하나로 취급되기도 하는 셈이다.

희곡의 위상이 조정되는 과정은 20세기 연극인들의 논의에 힘입었다. 아르토는 연극에서 발화와 대화 상황을 우선한 나머지 연극적 표현은 그동안 억압되어 왔다고 분석한 후, 이제 연극의 독자적인 표현 수단을 회복하여야 하며 대사 역시 무대효과와 무대적 규칙 등과 유기적으로 연결해야 한다고 주장하였다. 이 주장은, '글로 쓰인 자료'에서 출발하여 무대에 실제 구축되는 '기호들의 두께', 혹은 제스처·어조·공간의 간격·오브제·조명 등에 대한 총괄적 지각을 가리키는 '연극성'에 대한 바르트의 논의와도 상통한다.

일반적으로 대사는 몸짓·어투·말소리의 크기와 같은 다양한 표현 안에 놓여 있고, 무대·조명·음향·소품 등은 희곡 안에 응축되어 있다. 그런 까닭에 독자들은 희곡만 읽어도 연극성을 확인할 수 있다. 하지만 앞의 연극성 논의는 극의 대사나 무대지시문이 불러일으키는 상상이 무대적 전이보다 우선되는 '문학성 풍부한 희곡'이나 사실주의 연극관과 마찰하면서 논의의 지평을 넓혔다.

그렇다면 연극성은 희곡의 무대화 과정에서 어떻게 창조되는가. 현대 연출가들은 현실을 모형화하거나 상황과 감정의 본질적 특성들을 압축시켜 일정한 형식으로 표현하는 '양식화'에 대해 깊이 고민한다. 희곡의 플롯에 대한 분석을 토대로 극작가가 제안한 메시지를 무대에 구현하는 방식을 우선하는 ㉠해석적 연출가와 달리, ㉡창조적 연출가는 자신만의 미적 원칙 또한 중요하게 고려한다. 그래서 해석적 연출가는 희곡의 역사·사회적 맥락과 극작가의 사상 속에서 희곡을 검토하고 무대 기호의 확장을 고민하지만, 창조적 연출가는 플롯 이면의 숨겨진 의미나 이중의 메시지에도 관심을 둔다. 두 부류의 연출가들은 연극적 표현을 구체화하기 위해 여타 무대 창작자들과 함께 희곡을 양식화 안에서 재차 분석한다. 해석적 연출가는 통합적 무대 기호의 사용을 우선하지만, 창조적 연출가는 희곡의 지시 사항에서 다소 자유로운 표현에 대한 의견에 귀를 기울이며 공연 요소의 상호작용도 검토한다. 창조적 연출가의 작업에서 플롯의 전개와 호응하는 연극적 표현은 양식화의 원리와 충돌하지 않으면 일순 변형될 수 있고, 무대와 관객 간의 약속 또한 장면 안에서 재구축할 수 있다. 특정한 무대 기호를 부각하거나 무대 기호들의 의미가 서로 충돌하여 연출가의 관점과 극작가의 관점이 긴장하는 장면 역시 시도될 수 있다.

28. 윗글에 대한 이해로 적절하지 않은 것은?

① 고전주의 연극에서는 극사건의 전개를 효과적으로 재현하는 것이 중요시되었다.
② 대사 전달을 중시한 희곡을 읽을 때에도 무대 구성의 상상은 존중되어야 한다.
③ 아리스토텔레스는 볼거리가 창작술과 거리가 있으나 플롯을 구성하는 일부라 보았다.
④ 바르트는 희곡 안의 언어도 연극성을 구현하는 기호의 두께를 드러내는 요소로 보았다.
⑤ 아르토는 대사 행위와 연결되지 않은 공연 요소를 축소하려는 시도에 대해 부정적이었다.

29. 심포니 모델, 시네마 모델, 조각 모델에 대한 추론으로 적절하지 않은 것은?

① 심포니 모델에서 지시문에 기술된 인물의 감정은 연기 창조를 제약하는 요소이다.
② 시네마 모델에서 대사는 조명, 음향, 무대장치의 구성에 참조하는 요소이다.
③ 시네마 모델에서 고전 희곡은 극장 규모를 고려하여 내용을 각색하여 공연될 수 있다.
④ 조각 모델에서 무대지시문에 기술된 '작가의 말'은 연출적 구상에서 확고한 지침이 된다.
⑤ 조각 모델에서 연출가에게 영감을 주는 배우의 즉흥적 몸짓은 공연용 대본의 재구성에 활용될 수 있다.

30. <보기>의 무대화를 구상할 때, 윗글의 내용으로 보아 적절하지 않은 것은?

―<보 기>―

[앞부분의 줄거리 : 황야의 망루. 위에서 '이리떼다!'라고 외치면 아래의 파수꾼은 양철북을 쳐야 한다. '나'는 외로움 끝에 새로 충원을 요청했고 '다'가 유일한 지원자였다.]

  황혼이 점점 짙어진다. 해설자, 슬그머니 등장, 마분지로 만든 초승달을 하늘에 걸어놓고 퇴장. 두 파수꾼은 어깨를 나란히 하고 앉아 있다.

나 : 야, 하늘 곱다. 그지?
다 : 네.
나 : 어제 저녁 네가 올 때도 이랬다. 난 평생 그 광경을 잊지 못할 거다. (잠시 침묵) 어떠냐, 너 양철북 치는 방법을 배우지 않을래?
다 : 배우겠어요.
나 : 그러면서도 넌 망루 위만 바라보는구나. 그렇게도 올라가고 싶으냐?

  다, 고개를 떨군다.

나 : 양철북 치는 것두 괜찮은 거란다. 소리가 요란하긴 하지만 귀에 익으면 그 재미를 알게 된다. 자아, 우선 여러 가지 박자 만드는 법을 가르쳐 주마. (그는 강약을 두어 양철북을 두드린다) 재미있지? 이 박자치기에 맛 들이면 어느새 이리떼 같은 건 다 잊어버린다. 자, 너도 쳐보아라.
다 : (나를 따라 양철북을 치다가 갑자기 겁에 질려서 나의 등 뒤에 숨는다) 저기, 저기…….
나 : 왜 그러니?
다 : 이리가 오구 있어요.

  해설자, 식량 운반인이 되어 등장. 이리 껍질을 썼다. 유모차 비슷한 작은 손수레를 밀며 들어온다.

― 이강백, 「파수꾼」 ―

① ㉠과 ㉡은 모두 불그스름한 조명과 '나'의 대사, 황야의 바람 소리를 동시에 연출하여, 희곡에 등장하는 시공간을 풍요롭게 표현할 수 있겠군.
② ㉠과 ㉡은 모두 '침묵'을 무대화할 때 '망루'를 보는 '다'와 '다'를 보는 '나'의 시선을 엇갈리게 배치하여, 인물의 지향이 서로 엇갈려 있음을 보여줄 수 있겠군.
③ ㉠이라면 '다'의 '양철북' 소리를 기계 음향으로 대체하고, '손수레'가 등장할 때까지 점차 빨라지는 북소리를 연출하여 희곡 속의 불안과 긴장감을 고조할 수 있겠군.
④ ㉡이라면 '해설자'가 관객을 인도하여 '초승달'을 걸게 하는 장면을 연출하여, 공연은 관객과 배우 사이의 약속된 놀이라는 관점을 드러낼 수 있겠군.
⑤ ㉡이라면 '손수레'를 고급 승용차처럼 꾸며 무대 위에 연출하여, 희곡에서 다루지 않았던 새로운 의미망을 조직할 수 있겠군.

2027학년도 LEET 대비
기출문제 해설집

2024

영역별 출제 비중 분석

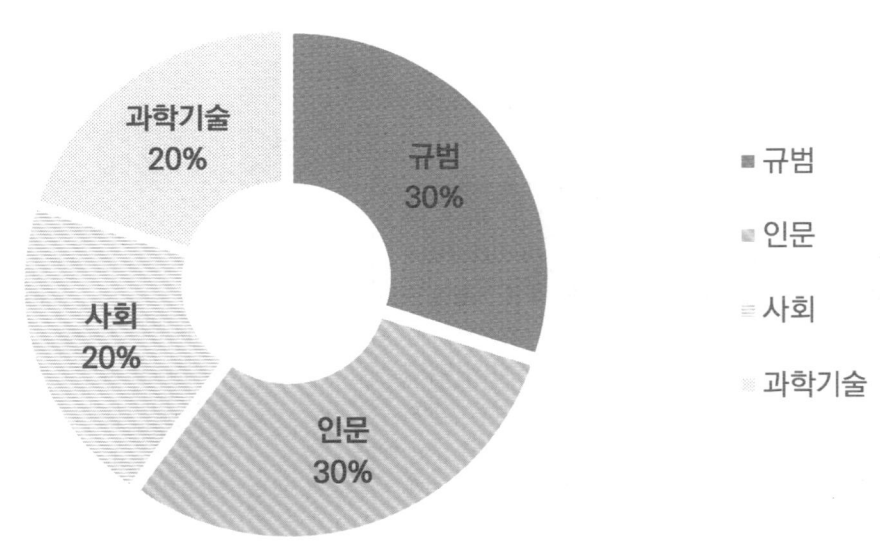

내용 영역	규범	인문	사회	과학기술	총
문항 수	9	9	6	6	30

2024학년도 언어이해

출제 경향 분석

2024학년도에는 전년도에 비해 전반적인 제시문 독해 및 선택지 판단의 난이도가 상승하였다. 제시문의 경우 규범, 인문 영역을 중심으로 여러 견해 및 관점 차이를 세밀하게 파악하여 구분할 것을 요구하고 있어 내용 이해에 상당한 어려움이 있었을 것으로 보인다. 아울러 사회, 과학기술 영역에서는 <보기>를 통해 새로운 정보를 제시하였으며, 그로 인해 전반적인 제시문의 길이가 짧아졌음에도 체감되는 정보량은 더 많았을 것이다. 나아가 해당 유형의 문항을 중심으로 수리적 계산 및 계량적 추론 능력을 요구하는 선택지 구성이 이루어져 정오 판단이 상당히 까다롭고 시간 관리에도 어려움을 겪었을 것이다.

제1교시

홀수형

2024학년도 법학적성시험

언어이해 문제지

성 명 [ ]   수험번호 [ ][ ][ ][ ][ ][ ]

수험생 유의사항
—

○ 이 문제지는 **30문항**으로 구성되어 있습니다.

○ **시험 시간은 09 : 00 ~ 10 : 10(70분)입니다.**

○ 문제지에 성명과 수험번호를 정확하게 기재하십시오.

○ 답안지는 반드시 컴퓨터용 사인펜을 사용하여 답을 표기하여야 합니다.

○ 답안지의 '필적확인란'에 제시된 문구를 정확히 정자로 기재하여야 합니다.

메가로스쿨

2024학년도 법학적성시험

언어이해

제1교시

성명 □□□ 수험번호 □□□□□□ **홀수형**

- 이 문제지는 **30문항**으로 구성되어 있습니다. 문항 수를 확인하십시오.
- 문제지의 해당란에 성명과 수험번호를 정확히 쓰십시오.
- 답안지에 수험번호, 문제유형, 성명, 답을 표기할 때에는 '답안 작성 시 반드시 지켜야 하는 사항'에 따라 표기하십시오.
- 답안지의 '필적확인란'에 해당 문구를 정자로 기재하십시오.

[1~3] 다음 글을 읽고 물음에 답하시오.

규범교의적 학문을 자처하는 법학은 학문성에 관한 논쟁에 시달려 왔다. 입법자의 권력 행사로 법전의 한마디가 바뀌면, 오랫동안 가꾼 해석의 축적이 순식간에 무용지물이 되기 때문이다. 이에 대한 도전으로서 알베르트는 경험적 반증가능성을 강조하는 비판적 합리주의에 입각하여 법학의 학문성을 새롭게 이해하고자 한다.

알베르트는 우선 법학의 은폐된 특징을 신학과의 비교를 통해 문제 삼는다. 법학은 당국의 고시(告示)에서 진리를 얻어내는 점에서 신학과 구조적 유사성을 가지기 때문이다. 신학이 경전의 해석을 통해 권위를 확보하듯, 법학은 법전을 확인하고 문제 해결과 관련하여 이를 해석한다. 이때 경전이나 법전은 학문적 비판이나 성찰의 대상이 아니라 해석적 권위의 원천이자 근거가 될 따름이다. 그가 보기에 법학이 신학과의 구조적 유사성을 탈피하려면, 해석에서 자연법이냐 사회학이냐의 양자택일을 감수해야 한다. 선택의 결과는 자명하다. 절대성을 가진 규범적 현실에 의해 실정법이 구성되고 또 구속된다고 보는 견해는 신적인 힘으로 설립된 세계를 믿는 관점에 의해서만 유지될 수 있기 때문이다. 알베르트는 법을 인간의 문화적 성취로 간주하고, 사회적 삶의 사실 중 사회 구성원의 상호 행위 조종의 영역에 속하는 것으로 본다.

물론 이 경우에도 법을 현실주의적으로 보느냐, 규범주의적으로 보느냐의 문제는 남는다. 알베르트는 법을 사회적 사실로, 법학을 경험과학으로 볼 것을 주장한다. 그에 따르면 규범에 관한 법학적 언명은 규범 자체와 다르게 규범성이 없으며, 이 구별을 무시한다면 규범의 인식적 파악이라는 이념은 사라지게 된다. 그는 법률 문언의 규범성은 인정하지만, 그 문언에 관하여 의미를 밝히는 법학은 다르다고 말한다.

법학에 대한 알베르트의 현실주의적 파악에는 곤란해 보이는 점도 있다. 예컨대, 법률 문언에 흠결이 존재하여 적극적으로 법을 형성하는 것이 불가피할 때가 그렇다. 이처럼 법형성의 과제를 앞에 두고 알베르트는 법형성의 실태에 주의를 기울인다. 법형성에서 규범주의자들이 법해석이 따라야 할 목적을 가리키면서 가치적 관점을 내세울 때, 그는 이를 반대하지 않는다. 하지만 알베르트는 그 목적이나 가치적 관점은 일반적인 평가가 가능하도록 명시되어야 한다고 요구한다. 적용될 규범이나 제안될 해석이 사회생활에 미칠 작용에 관한 고려에 대해서도 마찬가지이다. 법률이나 그 해석은 규범 체계에 작용하기에 법형성 과정에는 규범 체계의 논리적 지식도 동원해야 한다고 알베르트는 본다.

결국 알베르트가 제안하는 법학은 ㉠<u>일정한 가치적 관점에 정향된 사회공학</u>이다. 이는 가설적으로 전제된 관점 밑에서, 현행법에서 승인된 규범 명제에 대한 해석 제안, 규범 충돌의 제거를 위한 현행법 체계의 변형 제안, 입법을 통한 새로운 규범 체계의 형성 제안을 합리적으로 작성하는 것을 목표로 삼는다.

이상과 같은 알베르트의 도전에 대하여 사비니는 여전히 규범교의적 학문으로서 법학을 정당화하고자 한다. 그에 따르면, 규범적 교의는 법률의 해석을 위해서 결정의 근거지움에 사용하는 법률 바깥의 법명제이며, 법률과 함께 법체계를 형성한다. 이러한 법체계 속에서 법률 문언은 정당한 법명제로 인식되고, 법률 바깥의 법명제 역시 정당한 것으로 추정된다. 요컨대 규범적 교의는 법체계 수립에 필수적이며 이를 다루는 법학도 전통적이고 직관적인 학문 개념을 충족시킨다고 사비니는 주장한다.

이러한 입장에서 사비니는 알베르트의 주장을 반박한다. 법학의 계시모델성에 관해서는 법학이 규범적 교의를 가지고 어떻게 하면 최선에 이를 수 있을지를 모색하면서 비판적 검토를 법체계 안으로 수용한다고 해명한다. 자연법과 사회학의 해석적 양자택일에 관해서는 법학의 모든 논의가 자연법적인 것도 아니고, 모든 자연법적 논의가 비합리적인 것도 아니라고 응수한다. 법학적 언명의 권위성에 관해서도 법률에 관련된 메타 언명으로부터 규범성을 완전히 박탈하는 것이 가능한지에 의문을 표하는 동시에 도대체 왜 법학으로부터 수락할 만한 해석의 제안권을 박탈해야 하느냐고 반문한다.

사비니는 경험적 인식만을 과학적 인식으로 보면서 규범적 인식을 학문 세계에서 배척하는 태도를 문제로 지적하고, '규범적/경험적'의 구분을 '비학문적/학문적'의 구분과 동일시해서는 안 된다고 주장한다. 이는 규범교의적 학문으로서 법학의 토대를 확보하는 차원을 넘어 비판적 합리주의에 대하여 성찰을 요구하는 것이기도 하다.

---

1. 윗글을 바탕으로 ㉠을 이해할 때, 적절하지 <u>않은</u> 것은?

① 법학은 법전의 의심할 수 없는 권위를 인정하는 한 규범교의적 학문에서 벗어나지 못한다고 비판한다.
② 법을 인간의 문화적 성취로 간주하고 사회적 삶의 사실 중 사회 구성원의 상호 행위 조종의 영역에서 바라본다.
③ 법의 해석·변형·형성에 관한 제안을 법체계에 제도화된 가치적 관점에서 합리적으로 작성하는 것을 목표로 삼는다.
④ 법형성 과정에서 목적이나 가치적 관점에 반대하지 않지만, 이를 반드시 명시하여 일반적 판단을 가능하게 한다.
⑤ 현실주의적 관점에서 법을 사회적 사실로 법학을 경험과학으로 보고, 규범 자체와 규범에 관한 법학적 언명을 구분한다.

2. '알베르트'와 '사비니'에 대한 설명으로 적절하지 않은 것은?
① 알베르트는 법학과 신학의 구조적 유사성은 법전과 경전이 학문적 비판이나 성찰의 대상이 아니라 해석의 근거와 원천이 된다는 점에서 찾을 수 있다고 본다.
② 알베르트는 법의 해석에서 자연법 대신 사회학을 선택하더라도 법을 현실주의적으로 볼 것인지 규범주의적으로 볼 것인지의 문제는 여전히 남는다고 본다.
③ 알베르트는 법률이나 그 해석은 규범 체계에 작용하여 변화를 가져오기 때문에 법형성 과정에는 규범 체계의 논리적 지식도 동원해야 한다고 본다.
④ 사비니는 법률 문언에 흠결이 존재하여 이를 보완하기 위한 적극적인 법형성이 불가피할 때, 법학은 부득이 규범주의를 포기할 수밖에 없다고 본다.
⑤ 사비니는 자연법의 이념에 따라 법을 해석하더라도, 이에 관한 법학의 모든 논의가 자연법적인 것은 아니며, 모든 자연법적 논의가 비합리적인 것도 아니라고 본다.

3. 윗글을 바탕으로 '사비니'의 입장에 대해 추론한 것으로 적절한 것만을 <보기>에서 있는 대로 고른 것은?

<보 기>
ㄱ. 전통적이고 직관적인 학문이론의 관점에서 규범교의적 법학의 학문성을 옹호하면서, 경험적 인식만을 과학적 인식으로 보는 비판적 합리주의에 대하여 성찰을 요구한다.
ㄴ. 법률의 해석을 위해서 결정의 근거지음에 사용하는 법률 바깥의 법명제로 규범적 교의를 이해하면서, 이를 통해 법학이 법체계 바깥에서 비판적 검토를 수행한다고 본다.
ㄷ. 법률만이 아니라 규범적 교의도 법체계의 필수적 구성 요소로 인정하면서, 법률에 관한 메타 언명으로서 법학적 언명에는 법률에 관한 수락할 만한 해석의 제안권이 있다고 주장한다.

① ㄱ ② ㄴ ③ ㄱ, ㄷ
④ ㄴ, ㄷ ⑤ ㄱ, ㄴ, ㄷ

[4~6] 다음 글을 읽고 물음에 답하시오.

금융, 마케팅, 의료 등 다양한 분야에서 생성되는 빅데이터는 많은 경우 개인정보를 포함하고 있어 데이터를 활용하는 과정에서 민감한 개인정보가 유출될 가능성이 있다. 따라서 빅데이터 구축 과정에서 개인정보의 전부 또는 일부를 삭제하거나 대체함으로써 개인의 신원이 드러나지 않도록 하면서도 해당 데이터의 활용성을 최대한 유지할 수 있도록 하는 개인정보 비식별화 기술을 사용한다.

데이터 집합에서 정보를 표현하는 최소 단위를 속성이라고 하고 다양한 속성들의 조합으로 표현된 하나의 정보를 레코드라고 한다. 데이터 집합은 이 레코드들의 집합이다. 비식별화 기술은 속성을 식별자, 준식별자, 일반속성, 민감속성으로 구분한다. 주민번호와 같이 그 자체만으로도 누구인지 식별 가능한 속성이 식별자이다. 반면에 성별, 연령, 주소와 같이 개인에 대한 직접적인 식별은 불가능하지만 이들 속성이 결합하면 개인에 대한 식별이 가능해지는 속성을 준식별자라고 한다. 성별, 이름, 연령으로 구성되어 있는 원본 데이터 집합이 있을 때, 이름에서 성씨만을 남겨 비식별 데이터 집합을 만들었다고 하자. 비록 이름은 성만 남기고 가려져 있지만 '남성'이 유일하거나 성이 '이씨'이면서 '35세'인 사람이 유일하다면, 원본에 이 두 사람이 포함된 사실을 알면서 이들 각자의 유일한 속성값 조합을 미리 알고 있는 사람은 특정 개인을 재식별할 수 있다. 일반적으로 개인정보는 개인의 여러 속성과 결합하여 사용된다. 익명 데이터라도 여러 속성과 결합하면 유일한 속성값 조합이 새로 생기게 되며 이에 따라 특정 개인이 재식별되는 불완전한 비식별 데이터 집합이 된다.

k-익명성은 특정 개인을 추정할 가능성을 1/k 이하로 낮추는 비식별화 기술로 원본 데이터 집합의 식별자나 준식별자 속성에 대해서만 마스킹, 범주화 등을 수행하여 유사한 준식별자 속성값들을 동일하게 만드는 작업을 수행한다. 마스킹은 '홍길동'을 '홍**'로 바꾸는 것이고 범주화는 '35세'를 '30대'로 바꾸는 식이다. 이렇게 만든 비식별 데이터 집합에서 준식별자 속성값들이 모두 동일한 레코드들의 집합을 동질집합이라고 하며 이때 레코드들의 수를 동질집합의 크기라고 한다. k-익명성은 비식별 처리로 만들어진 동질집합의 크기가 k개 미만인 동질집합을 모두 삭제하여 동질집합의 크기가 k개 이상 될 수 있도록 만든다. k≥2일 때 원본 데이터 집합에 있는 특정 개인의 준식별자를 미리 알고 있어도 비식별 데이터 집합만을 보고 원본의 특정 개인을 재식별하는 것은 불가능하다. 그러나 개인 추정 가능성은 존재한다. 즉 특정하고자 하는 개인이 속한 동질집합의 크기가 k일 때 이 특정 개인이 k명 중의 한 명임을 추정할 수 있으므로 1/k의 확률로 개인 추정이 가능하다.

k-익명성은 한 동질집합에 속하는 모든 레코드에서 준식별자 속성이 아닌 민감속성의 값이 모두 동일할 경우 해당 정보가 유출되는 단점이 있다. 민감속성은 병명, 수입 등 개인의 사생활과 관련된 속성을 의미한다. 예를 들어 동질집합이 3명의 레코드를 갖고 있고 이 3명이 모두 위암이라면, 홍길동이 동질집합의 3명 중 한 명이라는 사실을 아는 사람은 그중 누가 홍길동인지는 몰라도 홍길동이 위암이라는 사실을 정확히 알 수 있다. 이러한 k-익명성의 단점을 보완하기 위해 ℓ-다양성을 추가로 적용한다.

ℓ-다양성은 동질집합에서 민감속성이 최소 ℓ개의 서로 다른 속성값들을 갖도록 한다. 이 조건을 만족하지 못하는 동질집합은 비식별

데이터 집합에서 삭제한다. 앞의 예에서 동질집합의 병명 속성은 모두 '위암' 값만을 가지므로 ℓ-다양성을 만족하지 못하기 때문에 이 동질집합은 삭제된다.

비식별화 기술은 개인 식별 가능성은 낮출 수 있지만 정보 손실을 유발하기 때문에 구축된 빅데이터를 활용하는 측에서는 데이터의 가치가 낮아진다. 원본 유사도는 비식별 데이터 집합의 활용성을 나타내는 지표이며 원본 데이터 집합과 이를 비식별 처리한 비식별 데이터 집합이 얼마나 유사한지를 나타낸다. 이 지표는 레코드 잔존율과 레코드 유사도로 측정한다. 레코드 잔존율은 원본 데이터 집합의 총 레코드 수 대비 비식별 데이터 집합의 총 레코드 수를 백분율로 나타낸 지표이다. 한편 레코드 유사도는 원본 데이터 집합의 한 원본 레코드가 비식별 데이터 집합에 남아 있을 경우 원본 레코드와 비식별 레코드 쌍 간의 통계적 유사성을 0과 1 사이의 값으로 표현한 지표이다.

4. 윗글의 내용과 일치하지 <u>않는</u> 것은?

① 휴대전화 번호는 일반적으로 식별자에 해당한다.
② 민감속성은 범주화와 마스킹으로 비식별 처리를 한다.
③ 레코드 유사도가 높을수록 개인정보 식별 가능성은 커진다.
④ 준식별자들의 조합만으로도 특정 개인이 식별되는 경우가 있다.
⑤ 레코드는 식별자와 준식별자 이외에도 다양한 속성으로 구성된다.

5. k-익명성 에 대한 추론으로 가장 적절한 것은?

① k를 낮추면 재식별 가능성과 레코드 잔존율 모두 감소한다.
② k를 낮추면 동질집합의 수는 증가하고 동질집합은 서로 크기가 같아진다.
③ k를 높이면 재식별 가능성은 증가하고 동질집합의 레코드 수는 감소한다.
④ k를 높이면 동질집합의 수는 감소하고 동질집합의 민감속성값은 모두 같아진다.
⑤ k를 변경했더니 레코드 잔존율이 증가했다면 동질집합의 크기들 중 최솟값은 작아진다.

6. 윗글을 바탕으로 <보기>의 사례를 이해할 때, ㄱ~ㄷ 중 맞는 것만을 있는 대로 고른 것은?

<보 기>

다음 표는 한 쇼핑몰의 고객 관리 원본 데이터 집합이다. 여기서 우편번호, 연령, 성별은 준식별자이고, 구매 수준은 민감속성이다. (a)와 (b) 방식으로 각각 비식별화 기술을 적용하고자 한다.

No.	우편번호	연령	성별	구매 수준
1	15093	25	남	상
2	15002	28	남	상
3	15000	21	여	중
4	15090	22	남	중
5	13851	45	여	하
6	13852	42	남	상

(a) 우편번호를 1509*, 1385*, 1500*로 표시하고, 연령은 40세 미만과 40세 이상으로 나누고, 성별은 마스킹한 후 k-익명성과 ℓ-다양성을 적용한다.

(b) 우편번호를 150**, 138**로 표시하고, 연령은 40세 미만과 40세 이상으로 나누고, 성별은 마스킹한 후 k-익명성과 ℓ-다양성을 적용한다.

ㄱ. (a)보다 (b)의 레코드 잔존율이 크고 (a)와 (b)의 k 값이 같고 (a)와 (b)의 ℓ 값도 같다면, (a)의 동질집합의 수는 0이다.

ㄴ. (a)와 (b)의 레코드 잔존율이 100%라면, (a)와 (b)는 k 값이 같고 ℓ 값도 같으며 동질집합의 수도 같다.

ㄷ. 레코드 잔존율이 (a)는 100%이고 (b)는 50% 이상 100% 미만이라면, (a)의 k 값이 (b)의 k 값보다 작고, (a)와 (b)의 ℓ 값은 서로 같다.

① ㄱ ② ㄴ ③ ㄱ, ㄷ
④ ㄴ, ㄷ ⑤ ㄱ, ㄴ, ㄷ

[7~9] 다음 글을 읽고 물음에 답하시오.

투표 참여에 대한 설명은 유권자가 투표에 참여하기 위해 치르는 비용에 주목한다. 예를 들어 투표소가 거주지와 가깝거나 이동하기 쉬운 곳에 있을수록 유권자들이 더 쉽게 투표할 수 있다. 또한 투표 참여 비용의 큰 부분을 차지하는 것이 ㉠선거와 후보에 대한 정보를 획득하고 처리하는 비용이다. 일반적으로 사회경제적 지위가 높은 유권자들이 그렇지 않은 유권자들에 비해 더 열심히 투표에 참여하는 이유는 전자가 이러한 비용을 더 낮게 체감하기 때문이다.

선거일 날씨도 투표 참여를 결정하는 데 있어 비용의 구성 요소가 될 수 있다. 비가 오는 날에는 투표소에 가거나 줄을 서서 차례를 기다리는 것이 불편한 일이기 때문이다. 따라서 기존 연구들은 궂은 날씨가 유권자가 투표하러 가는 것을 망설이게 한다는 데 동의한다. 다만 지금까지 학문적 관심의 초점은 궂은 날씨로 인한 비용 증가가 실제로 투표율을 낮출 만큼 큰 문제인가에 맞춰져 왔다. 어떤 학자들은 날씨가 유발하는 비용 증가는 미미하다고 주장하지만, 다른 학자들은 작은 불편으로 인한 추가 비용도 상당수 유권자 사이에서 투표와 기권의 선택을 뒤바꿀 수 있다고 본다.

미국 대통령선거를 대상으로 한 최근 연구에 따르면 주 단위에서 강수량과 투표율을 비교했을 때, 강수량이 평년보다 1인치 증가할 때 투표율은 약 2.4% 포인트 감소했다. 다만 이 연구는 ㉡주별 강수량을 측정하기 위해 그 주에서 가장 큰 도시의 선거 당일 강수량을 대리지표(proxy)로 활용했다는 점에서 비판의 대상이 되었다. 그러나 이러한 문제를 교정한 다른 연구에서도 강수량의 증가가 투표율 감소를 가져온다는 증거가 제시되었다.

그런데 투표와 관련된 비용에는 투표에 참여하는 데 필요한 직접 비용뿐 아니라, ㉢투표에 참여하느라 다른 선택을 포기하는 데서 오는 기회비용도 포함된다. 예를 들어 투표 참여를 위해 근무 중 자리를 비워야 한다면, 근무하지 못하는 데서 발생하는 손해가 투표의 기회비용이 된다. 따라서 선거일이 공휴일로 지정된 한국과 비교할 때, 미국 유권자들은 투표 참여를 위해 대체로 더 높은 기회비용을 지불하는 셈이다. 선거일을 공휴일로 지정하거나 사전투표제를 도입하는 것은 이러한 비용을 낮춰 투표율을 진작하려는 대표적인 제도이다.

투표 참여에 따르는 기회비용을 고려한다면, 날씨가 투표율에 미치는 영향력은 한국과 미국 사이에서 다르게 나타날 수 있다. 미국처럼 선거일이 공휴일이 아닌 경우 근무 시간 중에 투표해야 하는 직장인들이 치르는 기회비용은 비가 오건 오지 않건 유사하다. 만약 비가 와서 투표에 소요되는 시간이 늘어난다면, 기회비용 역시 증가하기 때문에 직접비용과 기회비용을 구분하는 것이 중요하지 않을 수 있다. 반면에 선거일이 공휴일로 지정된 한국에서는 날씨에 따라 선택 가능한 대안이 달라질 수 있다. 날씨가 맑을 경우 야외 여가 활동을 계획하고 있는 유권자를 생각해 보자. 이들에게는 투표 참여로 인해 여가 활동에 제약을 받을수록 투표의 기회비용이 증가하게 된다. 반면에 투표 당일 비가 와서 여가 활동 대신 집에 머물게 될 경우, 투표의 기회비용은 날씨가 맑을 때보다 작아진다. 결과적으로 이런 유권자들은 맑을 때보다 흐릴 때 오히려 투표 참여 가능성이 높아지는 것이다.

투표율에 관심을 두는 이유는 누가 투표하는가에 따라 선거 결과가 달라질 수 있기 때문이다. 공화당과 민주당이 경쟁하는 미국 선거에서 "공화당원은 선거일에 비가 내리게 기도해야 한다."는 말이 종종 언급되곤 한다. 선거일에 비가 내리면 전체 투표율이 하락하는데, 이러한 참여 감소가 주로 주변부 유권자들(peripheral voters)의 기권에 기인하기 때문이다. 즉 선거일의 우천은 청년층, 유색 인종, 저소득층 등과 같이 애초에 투표 참여를 위한 비용을 지불할 의지와 능력이 약한 주변부 유권자들의 투표 장벽을 높이는 경향이 있다.

세대에 따라 정치적 지지가 엇갈리는 최근 한국의 선거에서는 연령대에 따라 선거 당일 날씨에 대한 반응이 다를 수 있다. 우선 궂은 날씨로 인한 투표의 직접비용 증가는 나이 든 유권자에게 더 큰 영향을 미칠 가능성이 크다. 나이 든 유권자일수록 젊은 유권자에 비해 이동에 더 큰 제약을 받기 때문이다. 날씨가 기회비용 구조에 미치는 영향력도 연령대에 따라 다를 수 있다. 나이 든 유권자보다는 젊은 유권자가 여가 활동에 대한 선호도가 높다는 점을 고려하면, 궂은 날씨로 인한 투표의 기회비용 감소는 젊은 세대에서 투표율의 증가로 나타날 가능성이 크다.

7. 윗글의 내용에 대한 이해로 적절하지 않은 것은?

① 미국 선거에서 투표율이 상승할수록 민주당의 득표율이 증가할 수 있다.
② 고소득층 유권자일수록 저소득층 유권자에 비해 투표율이 높은 경향이 있다.
③ 한국 선거에서 선거일에 비가 오면 특정 정당에 불리하게 작용할 수 있다.
④ 언론이 주요 후보의 공약을 비교하여 공개하는 것은 투표율 상승에 기여할 수 있다.
⑤ 사전투표제를 도입한 취지는 투표 참여에 소요되는 직접비용을 절감하려는 데에 있다.

8. ㉠~㉢에 대한 평가로 적절한 것만을 <보기>에서 있는 대로 고른 것은?

<보 기>

ㄱ. 다른 조건이 같다면, 현역 의원이 같은 지역구에서 재선에 도전할 때에는 처음 출마했을 때에 비해 ㉠의 감소로 인해 투표율이 높아질 수 있다.
ㄴ. 지리적으로 큰 주일수록 ㉡은 날씨의 영향력에 대한 예측에 더 큰 왜곡을 가져올 수 있다.
ㄷ. 직장인들의 투표율과 시간당 임금 사이에 음의 상관관계가 발견된다면 투표율 예측에서 ㉢을 고려할 필요가 줄어든다.

① ㄴ ② ㄱ, ㄴ ③ ㄱ, ㄷ
④ ㄴ, ㄷ ⑤ ㄱ, ㄴ, ㄷ

9. 윗글을 바탕으로 <보기>를 이해한 내용으로 적절하지 않은 것은?

<보 기>

$R_{맑음}$과 $R_{비}$는 각각 날씨가 맑을 때와 비가 올 때 개인이 투표 참여로부터 얻을 수 있는 보상, B는 유권자의 지지 후보가 당선되었을 경우 얻을 수 있는 혜택, P는 유권자 자신의 투표로 인해 지지하는 후보가 선거에서 승리할 확률, S는 투표 행위 자체가 가져올 수 있는 만족감(심리적 효용)을 각각 의미한다. 그리고 DC와 OC는 각각 유권자가 투표하기 위해 부담하는 직접비용과 기회비용을 뜻한다. 결과적으로 R이 증가할수록 투표할 확률이 증가한다.

$$R_{맑음} = P \times B + S - (DC_{맑음} + OC_{맑음})$$
$$R_{비} = P \times B + S - (DC_{비} + OC_{비})$$
$$R_{맑음} - R_{비} = (DC_{비} - DC_{맑음}) + (OC_{비} - OC_{맑음})$$

① 기존 연구에 따르면 $DC_{비} - DC_{맑음}$은 양(+)의 값을 갖는다.
② 거주지 근처에 투표소가 추가로 설치된다면 $DC_{비}$는 감소한다.
③ $R_{맑음} - R_{비} > 0$이라면 선거일에 비가 올 때에는 투표할 가능성이 낮아진다.
④ 선거일이 공휴일로 지정되면 $OC_{비} - OC_{맑음}$은 음(-)의 값을 가질 수 있다.
⑤ 일반적으로 미국에서 $DC_{비} - DC_{맑음}$은 흑인 유권자가 백인 유권자보다 작게 느낀다.

[10~12] 다음 글을 읽고 물음에 답하시오.

토마스 아퀴나스를 통해 보편화된 고전적 정식에 따르면 '진리'는 '사물과 지성의 일치'인데, 그 맹아는 이미 플라톤에게서 보인다. 그런데 진리를 가리키는 플라톤의 용어 '오르토테스'와 '알레테이아', 그리고 토마스 아퀴나스의 '베리타스' 사이에는 중요한 유사점과 차이점이 있다. 명제뿐 아니라 하나의 단어도 이미 참 또는 거짓일 수 있다고 한 『크라튈로스』에서와 달리 『소피스테스』에서 플라톤은 말은 그것이 명제일 때, 즉 주어-술어 연결을 통해 사실성을 주장하는 언표일 때 비로소 진릿값을 가질 수 있다고 본다. 먼저 '테아이테토스는 앉는다.'와 같은 참 명제에서는 ('테아이테토스'와 '앉는다'의) 존재하는 연결이 존재하는 것으로, 또는 존재하지 않는 연결이 존재하지 않는 것으로 언표된다. 반면 '테아이테토스는 난다.'와 같은 거짓 명제에서는 ('테아이테토스'와 '난다'의) 존재하지 않는 연결이 존재하는 것으로, 또는 존재하는 연결이 존재하지 않는 것으로 언표된다. 오르토테스란 명제가 참임으로써 성립하는 진리를 가리킨다.

『국가』에서 플라톤은 알레테이아 곧 '비은폐성'을 진리의 또 다른 국면으로 제시한다. 태양 없이는 가시계의 사물들은 비가시적이고 감추어져 있어서 우리는 아무것도 볼 수 없다. 태양 덕분에 비로소 사물들은 보일 수 있다. 이와 유사하게 '좋음의 이데아' 없이는 가지계(可知界)의 이데아들은 인식될 수 없고 감추어져 있어서 우리 이성은 그것들을 인식할 수 없다. 좋음의 이데아 덕분에 비로소 이데아들은 인식될 수 있다. 태양 빛이 사물들의 가시성과 우리의 시각을 연결하듯, 좋음의 이데아는 이데아들의 가지성과 우리의 인식 능력을 연결한다. 즉 좋음의 이데아는 이데아들의 알레테이아와 그것들에 대한 우리 인식의 오르토테스를 가능케 한다.

이후 토마스 아퀴나스가 제시한 '사물과 지성의 일치'로서의 베리타스는 '지성에 사물이 일치함'과 '사물에 지성이 일치함', 즉 서로 대칭적 방향성을 지닌 사태적 진리와 명제적 진리로 나뉘는데, 존재론적 차원의 진리와 인식론적 차원의 진리가 함께 거론된다는 점에서 그의 진리론은 플라톤의 관점을 계승했다고 할 수 있다. 그러나 진리가 '본래적으로'는 인간이 명제 형식으로 수행하는 인식에서 성립한다고 보는 점에서 유의미한 편차를 보이는 것도 사실이다. 이는 사물이 신의 지성의 실천적 현시이기에 원칙적으로 이 세계에서 참되지 못한 것은 없으며, 참과 거짓의 문제가 발생하는 장은 주로 인간 지성의 영역이기에 진리는 결국 인간의 참 인식에서 완전히 성취된다는 세계관에서 기인하는 것이다. 이후의 철학사에서는 베리타스의 두 차원 중 명제적 진리가 담론의 주된 논제가 되는 경향이 종종 보인다. 이에 대해서는, 철학의 과제가 세계에 대한 '참인' 인식뿐 아니라 세계를 '참된' 것으로 이끄는 것에도 있는데 진리의 그러한 의미 한정은 철학 본연의 향도적 기능의 제한으로 이어진다는 비판이 제기될 수 있다.

그런데 진리 담론의 범위를 명제 차원에 한정하더라도 고전적 정식에서는 중대한 구조적 난점이 발견된다. 칸트에 따르면 어떤 명제 즉 인식의 참 또는 거짓을 따지려면 그 명제와 객관적 사실을 비교하여 일치 여부를 판별해야 하는데, 이때 불가피한 무한소급이 발생한다. 진위 판단의 기준인 사실을 '알고' 있어야 어떤 인식과 사실을 비교할 수 있는데, 그렇다면 인식-사실의 비교는 기실 인식-인식의 비교가 되며, 두 번째 인식은 또 다른 사실과 비교되어야 한다. 그러나 또 다른 사실 또한 필연적으로 또 다른 인식이며, 이에 진리의 기준으로서의 '객관적 사실'에는 영원히 다다를 수 없다. 칸트는 이 무한소급의 근원을 우리 인식의 불가피한 순환 구조, 즉 주관성으로부터의 이탈 불가능성에서 찾는다. 우리가 '사물'이라고 부르는 모든 것은 '우리'가 경험하는 바의 사물, 즉 '현상'일 뿐, 결코 존재하는 그대로의 '사물 자체'가 아니며, 따라서 과학이 밝히는 자연법칙도 자연 자체의 법칙이 아니라 경험의 조건으로서의 우리 심성의 내적 구조일 뿐이라는 것이다.

10. 윗글에 대한 이해로 가장 적절한 것은?

① 진리에 관한 고전적 정식은 토마스 아퀴나스에 의해 그 최초의 맹아가 마련되었다.
② 말의 진위 여부는 명제의 차원에 한정된 문제라는 것이 플라톤의 일관된 입장이었다.
③ 플라톤의 진리관에서 좋음의 이데아는 이데아들과 인간의 인식 능력이 일치한 결과로 여겨진다.
④ 고전적 정식에서, 진리의 존재론적 차원에서 판정 기준이 되는 것이 인식론적 차원에서는 판정 대상이 된다.
⑤ 사태적 진리가 진리 담론에서 경시되는 철학사적 과정은 철학의 향도적 기능이 점차 강조되어 왔음을 보여 준다.

11. '오르토테스', '알레테이아' 및 '베리타스'를 설명한 것으로 가장 적절한 것은?

① '지성에 사물이 일치함'을 성취하지 못하는 사물도 오르토테스를 성취하는 명제의 주어일 수 있다.
② '국가의 이데아'는 우리의 이성 자체의 힘만으로 인식될 수 있으므로 알레테이아를 성취할 수 있다.
③ '삼각형의 꼭짓점은 네 개이다.'라는 말은 존재하는 연결을 존재하지 않는 것으로 언표하므로 오르토테스일 수 없다.
④ '이 몸이 새라면 어떻게 될까.'라는 말은 주어와 술어의 연결을 포함하므로 오르토테스 여부를 판별하는 대상일 수 있다.
⑤ '지고의 신적 지성의 설계에 따라 만들어진 완벽한 이 세계'는 '사물에 지성이 일치함'의 경우가 아니므로 베리타스를 성취할 수 없다.

12. 윗글에 따라 칸트의 입장을 추론한 것으로 가장 적절한 것은?

① 『국가』에서 플라톤이 제시한 '진리의 또 다른 국면'에 대해서는 진위 판별이 가능하다고 생각할 것이다.
② 토마스 아퀴나스의 정식에 대해 '사물에 지성이 일치함'으로서의 진리만이 그 성취 여부를 판별할 수 있다고 여길 것이다.
③ 『소피스테스』에서 개진된 플라톤의 진리관에 대해 인식과 사물의 비교에서 나타나는 필연적 결과가 발견되는 경우라고 판단할 것이다.
④ 고전적 정식의 중대한 구조적 난점은 자연법칙에 대한 부단한 탐구를 통해 더 이상 반박할 수 없는 최종 근거가 제시될 때 해결될 것이라고 기대할 것이다.
⑤ 인간과는 다른 감각 능력을 지닌 생명체에게는 동일한 사물이 전혀 다른 방식으로 지각된다는 사실은 인식의 순환 구조에 대한 주장을 약화시킨다고 평가할 것이다.

[13~15] 다음 글을 읽고 물음에 답하시오.

고전학과 경제학자들은 재화 생산에 투입된 노동량에 의해 가격이 결정된다는 '객관적 가치론'을 주창했다. 이러한 가치론은 노동의 존엄과 생산적 활동을 중시하는 당대의 가치 규범 위에 세워졌다. 그러나 오늘날에는 가치의 핵심을 소비자의 욕구 충족에서 찾고, 재화의 유용성에 관한 각자의 판단을 중시하는 '주관적 가치론'이 대세가 되었다. 이는 시장에 의해 수요자의 욕구 및 공급자의 비용에 관한 정보가 가격으로 표출되고, 시장 참여자들이 이를 신호등 삼아 의사결정을 하는 과정에서 각자의 욕구가 충족되고 자원이 효율적으로 배분되는 현상에 주목한다.

그러나 가격기구(price mechanism)에 의한 자원배분에는 한계도 있다. 시장 거래 과정에는 거래 쌍방의 편익과 비용에 더해 제3자의 편익과 비용도 발생하는 '외부성'이 존재한다. 그리고 공급자가 요구하는 가격을 지불할 능력이 없는 사람은 시장에서 배제되는 현상도 발생한다. 이러한 시장실패에 더해 시장의 힘이 커지면서 가격이 가치 규범과 괴리를 보이고 그 규범에 부정적 영향을 미치는 현상까지 빚어진다. 투기적 활동이 높은 가격을 부여받는다면 사람들은 생산적 기여 없이 돈을 버는 행위를 꺼리지 않게 되고 가격이 매겨지지 않는 덕목들을 무가치한 것으로 인식하게 될 것이다. 미국발 금융위기를 전후로 '사회적 가치'에 대한 관심이 전세계적으로 커지고 있는 것도 이러한 맥락에서 이해될 수 있다.

그런데 사회적 가치에 대해서는 서로 다른 관점이 존재한다. '사회학적 관점'에서는 가치를 인간의 삶에서 궁극적으로 바람직한 것으로 이해하며 규범으로서의 가치를 강조한다. 이 관점에서는 공정·평등·삶의 질·지속가능성 등의 가치 규범에 비춰 시정이 필요한 사회 현상을 사회 문제로 규정하고, 이를 해결해 다수가 바람직하다고 판단하는 결과를 낳는 것을 사회적 가치로 이해하는 흐름을 보인다. 반면, '경제학적 관점'에서는 시장실패 현상에 주목해, 외부성으로 인해 누군가의 욕구를 충족시켰으나 그 비용이 회수되지 못한 편익과 지불 능력 부족으로 인해 기존의 시장을 통해서는 채워지지 못했던 편익을 사회적 가치로 이해하는 흐름을 보인다.

최근에는 사회 문제 해결을 촉진하고 시장실패를 교정해 자원 배분의 효율성을 높이기 위한 노력이 사회성과(social impact)라는 개념을 중심으로 펼쳐지고 있다. 사회성과 란 기업 활동의 경제적 결과인 '재무성과'에 상응해 기업이 창출한 사회적 가치를 측정하기 위한 개념이다. 이때, 사회성과는 사회 문제를 해결하려 한다는 점에서 '사회학적 관점'을 반영하고, 시장의 가격기구에 반영되지 않거나 비용이 회수되지 못한 편익에 초점을 맞추고 화폐 단위로 측정가능한 결과와 인센티브를 강조한다는 점에서 '경제학적 관점'을 반영한다.

사회성과의 구체적인 측정 방법에는 기업활동으로부터 편익을 제공받거나 그 활동 비용을 부담한 이해관계자별로 계정을 만든 후, 각자의 편익과 비용을 기입하고 합산하는 방법이 있다. 이에 따르면 정부·공익재단·시민 등이 사회 문제를 해결하는 다양한 형태의 경제 활동 조직에 제공한 지원금은 이들 조직의 비용을 보전시켜 주므로 해당 이해관계자 계정에서 비용으로 처리해 사회성과 계산에서 차감한다. 사회적 가치 창출에 적극적인 기업 조직 중 하나인 사회적기업을 대상으로 사회성과가 어떻게 측정되는지 살펴보자. 사회적기업이 취약계층을 고용해 근로소득 150만 원을 제공하고 정부로부터 50만 원의 고용지원금을 받는다면, 먼저 취약계층 계정에서 150만 원의 편익이 발생한다. 이는 근로자의 삶의 질이 개선된 효과를 나타낸다. 다음으로 정부는 50만 원의 지원금을 지불하므로 정부 계정에 비용으로 50만 원이 기입된다. 이때 사회성과는 두 이해관계자의 비용과 편익을 합산한 순편익으로 그 측정값은 100만 원이다.

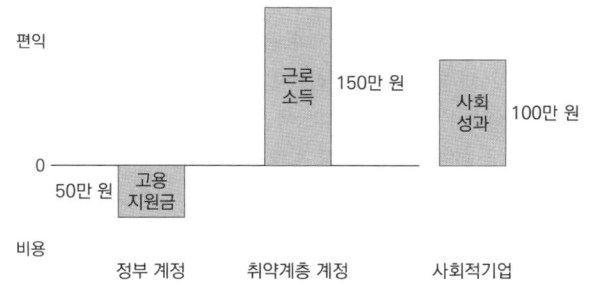

<그림> 이해관계자를 고려한 사회성과 측정

사회 문제 해결 활동과 관련한 편익과 비용을 실제로 측정하는 데는 한계도 적지 않다. 그렇지만 그 편익을 화폐 단위로 환산하고 화폐화된 성과에 대한 평가를 토대로 기존 이해관계자들을 통해 회수되지 못한 부분에 대한 금전적 보상, 곧 '사회성과 보상'이 다양한 수단들로 활성화된다면, 사회적 가치를 달성하는 활동들은 가격을 본격적으로 부여받게 된다. 이 과정에서 기업과 비영리조직으로 더 많은 자금이 유입되고, 이들 조직이 효율적인 경영을 통해 더 높은 성과를 거두도록 동기가 부여되며, 가격과 사회의 가치 규범도 다시 정렬될 것이다. 이러한 흐름은 오늘날 사회공헌채권이나 임팩트 투자 등으로 구체화되고 있다.

13. 윗글에 대한 이해로 가장 적절한 것은?

① '객관적 가치론'은 가격에 의한 가치 규범의 변화에 대해 비판적 입장을 취할 것이다.
② '주관적 가치론'은 소비자의 욕구를 중시한 끝과 공급자의 비용을 부차적인 문제로 취급할 것이다.
③ '사회학적 관점'은 가치의 문제를 사람들의 욕구 충족이라는 측면에서 판단할 것이다.
④ '경제학적 관점'은 가치와 가격의 괴리 현상이 존재하지 않는다고 볼 것이다.
⑤ 취약계층을 고용하는 기업에 제공되는 고용지원금은 '외부성'을 강화해 '사회적 가치'를 제고할 것이다.

14. 사회성과 와 관련한 다음의 추론 중 가장 적절한 것은?

① 정부 지원금은 기업의 사회적 가치 창출에 대한 보상의 성격이 있으므로 사회성과 보상에 포함되어야 할 것이다.
② 영리기업은 기업 활동의 결과로 발생한 이윤을 주주에게 배당하므로 사회성과 보상의 대상이 될 수 없을 것이다.
③ '경제학적 관점'에서는 사회성과 보상이 가격기구에 영향을 주지 않으면서 사회 문제를 해결하려는 시도이므로 사회성과 측정에 찬성할 것이다.
④ 사회성과 보상이 사회적 가치 제고라는 본연의 목적에 충실하기 위해서는 화폐화된 성과로 측정할 수 없는 편익도 평가할 수 있는 보완책이 필요할 것이다.
⑤ '사회학적 관점'에서는 사회성과 측정이 사회구성원들이 중요시하는 가치 규범을 반영할 수 없다고 여겨 사회성과 측정에 기초한 사회적 가치 촉진 정책에 반대할 것이다.

15. 윗글을 바탕으로 <보기>의 병원 활동을 설명한 것으로 적절하지 않은 것은?

<보 기>

A 병원은 2021년에 취약계층의 삶의 질 개선을 목적으로, 일반 환자에게 10만 원에 제공하는 진료 서비스를 지역 거주 취약계층 노인들에게는 회당 2만 원을 받고 총 100회를 제공하였다. 이때 지방자치단체는 회당 3만 원을 지원하였다. 한편, 2022년에는 이 병원의 사회 공헌 활동이 널리 알려지면서 지역의 뜻있는 주민들과 기업들도 동참해, 각각 회당 1만 원과 3만 원의 후원금을 지원했고, 이 병원의 취약계층 노인 대상 진료 서비스는 총 150회로 늘어났다. (단, 다른 조건에는 변화가 없다.)

① 2022년에 취약계층 노인들이 이 병원을 통해 얻은 편익은 전년도에 비해 500만 원 증가했다.
② 2022년에 이 병원이 취약계층 노인을 위해 창출한 편익 중 가격기구를 통해 그 비용을 회수한 금액은 전년도에 비해 100만 원 증가했다.
③ 2021년부터 2년 동안 이해관계자 계정의 비용 총액은 1350만 원이다.
④ 2022년에 이 병원이 창출한 사회성과는 전년도에 비해 350만 원 감소했다.
⑤ 2021년의 사회성과를 보상하기 위해서는 500만 원이 필요하다.

[16~18] 다음 글을 읽고 물음에 답하시오.

문학은 개연성을 가진 사건, 즉 세상의 이치에 따라 일어날 법한 일을 그리지만, 역사는 우연적이고 일회적으로 일어난 사실을 다룬다. 따라서 문학이 역사보다 더 보편적인 진실을 이야기한다는 것은 문학의 허구성에 대한 비판에 맞서 시적 진실을 옹호하는 고전적 관점이다. 그럼에도 작가들은 오랫동안 역사가들 앞에서 ㉠자격지심을 느끼곤 했었던 것 같다. 실제 일어난 사실과 들어맞지 않는 것은 진실일 수 없다는 통념이 여전했기 때문이다. 유럽의 초기 근대소설 작가들이 자기들의 작품을 실화나 역사라고 주장하곤 했던 사실은 이 통념이 얼마나 뿌리 깊었는지를 잘 보여 준다.

20세기에 들어와 시적 진실의 개념은 실증주의 추종자들에게 다시 의심을 받았다. 이들은 명제의 진위는 논리 법칙에 의한 증명 또는 경험적 검증으로 판단될 수 있으며, 판단 가능성을 가지지 못한 명제는 의미가 없다고 보았다. 이 입장에서 문학적 진술은 대개 거짓이거나 무의미한 진술에 불과하다. 이를테면 이육사의 「절정」에 나오는 "겨울은 강철로 된 무지개"는 같을 수 없는 것을 같다고 우기는 거짓말이거나, 보여 주지도 못하면서 그저 있다고 우겨대는 ㉡헛소리에 가깝다.

리처즈는 이에 맞서 시적 진실을 변호했다. 그는 언어의 '과학적 사용'과 '정서적 사용'을 구분한다. 이때 과학적으로 사용된 언어의 진실성은 증명이나 검증을 통해 판정되지만, 정서적으로 사용된 언어의 진실성은 수용자의 주관적 정서와 태도에 미치는 효과에 의해 결정된다. 리처즈는 시의 언어는 정서적 사용의 언어이며, 시의 진술은 '우리의 충동과 태도를 방출하거나 조직함에 있어 그 효과에 의해 정당화되는 말의 형태'로서의 의사(疑似) 진술이라고 말한다.

리처즈의 견해는 시적 진실을 주관적 효과의 문제로 환원하는 한계가 있지만, 문학 언어의 특수성에 주목하여 시적 진실에 대한 ㉢알리바이를 제공한다. 실제로 서양의 고전 운문에서 통용되었던 시적 허용은 일반적 언어관습이나 사실에서 일탈할 수 있는 창조적 자유를 작가에게 부여했다. 시적 허용은 운율과 같은 특정한 미적 효과를 위해 규범적 어법으로부터의 일탈을 허용하는 것으로 알려졌지만, 실은 보다 넓게 역사적·지리적 사실에도 적용되었다. 작가는 악의 없는 거짓말에 대한 일종의 ㉣면책특권을 누렸던 셈이다.

신비평 이론가들이 시 언어의 근본적 속성으로 강조하는 역설 또한 문학 언어의 진실성이 논리적 언어와는 다른 방식으로 인정될 수 있음을 보여 준다. 역설은 표면적으로 모순적인 것처럼 보이지만 실은 진실을 새롭게 드러내는 진술이다. 이를테면 김소월의 「진달래꽃」의 화자가 떠나는 님에게 자신이 뿌린 꽃을 "사뿐히 즈려밟고" 가라고 말하는 것은 얼핏 모순적으로 보인다. 하지만 이별의 순간에 종종 느끼는 원망과 자책, 미련과 체념의 복합된 감정은 바로 이런 역설을 통해서만 드러나기도 한다. 우리의 복잡다단한 경험과 거기서 말미암은 인식과 감정이 때때로 논리적 규범을 넘어선 역설을 통해서만 드러날 수 있음은 시적 진실의 또 다른 가능성을 잘 보여 준다.

그렇다고 사실과의 불일치나 논리적 모순이 늘 시적 진실로 용인되는 것은 아니다. 중요한 것은 작품 전체의 맥락에서 이런 진술들이 무리 없이 받아들여질 수 있는가의 문제이다. 「절정」에서 "겨울은 강철로 된 무지개"가 진실로 받아들여지는 것은 "매운 계절의 채찍에 갈겨/마침내 북방으로 휩쓸려" 온 뒤, "하늘도 그만 지쳐 끝난 고원" 위에 "한발 재겨 디딜 곳조차" 없이 선 화자의 절박한 상황이 이미 제시되었기 때문이다. 시적 진실은 일종의 맥락적 진실이며, 문학적 진술의 진실성은 작품 전체의 맥락에서 가지는 일관성과 설득력에 의해 판단된다. 이렇게 보면 순전한 상상이나 환상에 대해서도 그 진실성을 이야기할 수 있는 길이 열린다.

이러한 관점은 다시금 시적 진실에 대한 고전적 관점을 떠올리게 한다. 맥락적 진실이 세상의 이치와 곧바로 이어지는지 쉽게 단언할 수 없지만, 두 관점이 각각 추려내는 좋은 작품의 목록은 상당히 큰 ㉤교집합을 이루기 때문이다. 이 안의 작품들은 최소한 작품이 제시하는 허구적인 세계의 내적 정합성이라는 맥락 아래 승인되는 맥락적 진실을 획득할 것이다.

16. 윗글의 내용과 일치하지 않는 것은?

① 과학적으로 사용된 언어의 진실성은 실증주의와 유사한 방법으로 판단될 수 있다.
② 신비평 이론가들은 문학의 언어를 통해서만 표현할 수 있는 진실이 있다고 생각했다.
③ 근대 초기 유럽소설은 허구에 대한 통념을 비판하기 위해 사실적인 요소를 강조하였다.
④ 허구적인 문학은 오랜 기간 역사와 대비되었지만 근대 이후에는 과학과도 대비되고 있다.
⑤ 문학의 허구성에 대한 고전적 옹호론과 비판적 통념 모두 허구와 사실을 대립시켜 주장을 펼친다.

17. ㉠~㉤에 대한 이해로 적절하지 않은 것은?

① ㉠은 허구를 역사보다 열등한 것으로 여기는 풍조 속에서 시적 진실에 대한 자기 확신을 가지지 못했던 작가들의 태도를 나타낸다.
② ㉡은 경험적으로 반증할 수 있는 사례를 찾을 수 있기 때문에 무의미한 것으로 여겨지는 진술을 의미한다.
③ ㉢은 문학적 진술이 과학적 진술과는 다른 방법으로 진실성을 인정받을 근거가 있음을 비유하는 말이다.
④ ㉣은 분명한 예술적 효과를 가진 경우, 문학작품과 역사적 사실의 불일치가 용인될 수 있음을 말한다.
⑤ ㉤은 진술이나 사건들이 작품의 전체적인 구조 속에서 충분한 개연성을 가지고 제시되는 작품들로 구성된다.

언어이해

18. 윗글을 바탕으로 <보기>를 평가한 것으로 적절하지 않은 것은?

―<보 기>―

「메밀꽃 필 무렵」은 장돌뱅이 허 생원과 그가 우연히 마주친 동이가 사실 부자 관계라는 점을 서사 진행을 통해 조금씩 암시한다. 두 사람이 서로의 처지를 이해하며 동질감을 느끼는 과정은 작품 전체의 치밀한 구성을 통해 드러난다. 특히 작품 후반부에서 섬세한 문체로 묘사되는 메밀꽃 핀 달밤의 서정적 풍경은 허 생원의 스산한 삶을 아름다운 것으로 재발견하는 동시에 두 인물의 관계를 밝히기 위한 적절한 배경으로서 기능한다. 작품의 결말은 동이가 허 생원과 마찬가지로 왼손잡이임을 드러내어 둘의 관계를 분명히 한다. 이러한 결말은 왼손잡이의 유전 여부와 관련하여 약간의 논란이 있지만, 헤어진 아들과의 상봉을 감동적으로 그려내는 한편 벗어나기 어려운 혈연적 숙명이라는 인간적 진실을 형상화한다.

① 두 인물이 '부자 관계'라는 예상할 수 없는 결말로 독자의 놀라움을 유발하도록 했다는 점에서 작품의 결말을 일종의 의사 진술로 파악할 수 있겠군.
② '왼손잡이의 유전'은 과학적 사실과 맞지 않더라도 '헤어진 아들과의 상봉'으로 독자에게 감동을 불러일으킨다면 시적 허용의 대상이 될 수 있겠군.
③ '달밤의 서정적 풍경'은 '허 생원의 스산한 삶'을 역설적인 아름다움으로 드러낸다는 점에서 시적 진실의 가능성을 보여주는 사례라고 할 수 있겠군.
④ '치밀한 구성'과 '섬세한 묘사'가 작품 전체의 맥락에서 효과적으로 결합되었다는 점에서 작가가 창조한 세계의 내적 정합성이 확인된다고 할 수 있겠군.
⑤ 장돌뱅이 허 생원의 삶에 대한 허구적 이야기를 통해 '혈연적 숙명'이라는 보편적 주제를 제시했다는 점에서 작가가 추구한 시적 진실을 짐작할 수 있겠군.

[19~21] 다음 글을 읽고 물음에 답하시오.

인조의 비(妃) 인열왕후가 낳은 첫째 아들이 소현세자요, 효종이 둘째 아들이다. 적자(嫡子)로서 종통(宗統)을 잇는 맏아들이 장자(長子)이니 효종은 차자여서 차장자(次長子)라고들 한다. 장자였던 소현세자가 갑자기 죽자, 인조는 중자(衆子) 가운데 어진 이를 택하고자 효종을 세자로 세웠으니, 그 신성함과 자식을 알아보는 밝음은 종묘사직이 억만년 무궁하게 이어갈 터를 이룬 것이다. 그리하지 않았다면 어찌 이 나라가 오늘날 안팎으로 우환이 없고 위아래로 편안할 수 있겠는가. 더구나 신성한 왕손들이 보위를 계승하여 찬란한 광채가 이처럼 성대할 수 있겠는가.

효종이 세상을 떠나니 당시 대왕대비인 인조의 계비(繼妃) 자의대비는 어머니로서의 상복을 입어야 했다. 이에 논자들은 저마다 주장을 펼치며 치열하게 다투었다. ⓐ갑설은 "차장자라 함은, 비록 애초에는 장자가 아니었으나 장자의 죽음으로 말미암아 차자가 후사를 이어 장자가 됨으로써 그 명칭이 붙은 것이니, 삼년복(三年服)을 입어야 한다."라고 하였다. ⓑ을설은 "차장자가 중자라는 사실은 어쩔 수 없으니, 비록 장자가 죽어 차자가 후사를 이은 것이라 해도 원래 장자가 아니므로, 중자의 기년복(朞年服)을 입어야 한다."라고 하였다. 이처럼 하나의 설을 같이하면서 특별히 복제에서만 두 설로 갈라져 시끄럽게 다투며 서로 끊임없이 배척하니 ⓒ내 생각으로는 사뭇 괴이하다.

복(服)을 올리고 내리고가 어찌 종통에 영향이 있겠는가. 효종은 인조의 차자로서 적통을 이어 만백성에 군림하고 온 세대에 종통을 드리웠으니, 효종을 인조의 장자라 한다고 해서 어찌 선왕의 빛을 더하겠으며, 효종을 인조의 중자라 한다고 해서 또 어찌 선왕의 덕이 바래겠는가. 지금은 그저 효종이 인조의 차자라는 이유로 이렇듯 어지러이 다투는 결론 없는 분쟁이 있는 것이다. 이미 대통(大統)을 이었으면 둘째 아들인지 넷째나 다섯째 아들인지는 전혀 구별할 것 없는 일이다.

옛날 한(漢)의 문제(文帝)는 궁 밖에서 미앙궁으로 들어가 제위(帝位)를 받았다. 이때 스스로가 "짐은 황제의 측실에서 난 아들이다."라고 말하였고, 가의(賈誼)가 문제에게 "참여시킬 만한 측실의 인맥이 있지 않다."라고 말한 적도 있다. 당시에는 위에서도 스스로 서자(庶子)였던 사실을 숨기지 않았고 아래에서도 임금을 위해 숨기려 하지 않았다. 하물며 문제는 그 후사가 수십 대에 이어졌고 당 태종처럼 지금까지도 성군으로 칭송되는데, 누가 그런 것을 문제 삼는가. 더욱이 우리 효종과 인조는 주(周)의 ㉠무왕과 문왕에 비견되는데, 무왕이 문왕의 장자가 아니라는 것은 어린아이들도 안다. 그리하여 후세 사람들은, 문왕은 자식을 가리는 밝음이 있고 무왕은 뜻을 잇는 효가 있어서 주나라 팔백 년을 여는 대업을 이루고 대통을 전하였다고 여긴다. 이런 일은 무왕과 달리 적자였던 백읍고가 이었으면 못 했을 것이라고 모두가 한결같이 말한다. 광명이 빛나고 만세를 비추는 이 사실은 어인 일이란 말인가.

무왕이 붕어하고 그 어머니인 태사가 아직 살아 있다고 가정할 때 무왕을 위해 상복을 꼭 3년 입었을지 2년도 안 입었을지는 아무도 모른다. 그러나 복을 입지 않았다고 해서 무왕을 깎아 먹겠으며 복을 입었다고 해서 그 빛을 더하겠는가. 당시에 종통이 불명하다는 따위의 이야기가 있었을까. 똑똑한 사람은 판단할 수 있을 것이다. 무릇 인조가 효종에게 물려주고 효종이 인조를 이은 것은 충분히 주나라 무왕과 문왕의 경우와 같으니, 복제가 오르고 내리거나 가볍고 무겁거나 하는 것은 무슨 상관이겠는가. 차장자도 장자라는 이름이 붙으니 올려서 삼년복을 입어야 한다는 것도 하나의 주장이고, 차장자도 중자일 수밖에 없으니 내려서 1년의 기년복을 입어야 한다는 것도 하나의 주장이다. 고례(古禮)에도 그에 관한 정문(正文)이 없어서 주석들도 같고 다름이 있으니, 한때의 예(禮)는 실정을 참작하여 정하면 된다. 갑설을 따라도 을설을 적용해도 되는 것이다.

복을 올리고 내리고가 종통이 밝아지고 않고에 관계된다고는 인정할 수 없다. 왜냐하면 대왕대비가 기년복을 입어도 효종은 결국 인조의 종통을 이은 것이고, 대왕대비가 삼년복을 입어도 효종은 역시 결국 인조의 종통을 이은 것이기 때문이다. 종통이 여기에 있는데 어디로 가겠는가. 위로 삼백 년의 터전을 이어받고 아래로 몇천 년의 토대를 전할 명철한 일대 중흥 군주로 우뚝 섰으며 종묘가 인정하고 자손이 지키는데도, 복을 올리고 내리는 것을 가지고 종통이 밝아지지 않는다고 간주하려는가. 그러니 오늘날 전례(典禮)를 다투면서 종통이 뚜렷하지 못하다는 주장을 고집하는 것은 매우 어질지 못하다. 그것은 또한 흥분하여 일부러 빌려 온 주장이다. 그것은 또한 공격을 위해 꾸어 온 명분이다. 그 마음이야말로 위태롭고 위험하도다.

- 박세당, 「예송변」 -

19. 윗글의 내용과 일치하는 것은?

① 장자가 아니면서 종통을 계승할 수 있는지에 대하여 찬반이 갈린다.
② 전해 오는 예법에 규정된 차장자 관련 복제에 대한 해석에 논란이 있다.
③ 장자가 사망하였을 때 그 어머니의 상복은 삼년복이라는 데 대해 다툼이 있다.
④ 측실 소생이라는 사실은 황제로서의 종통 승계에 흠이 되는 요소라서 가려야 한다.
⑤ 대왕대비는 자신이 낳은 아들이 죽으면 종통에 상관없이 1년 이상 상복을 입어야 한다.

20. ㉠의 사례를 인용한 글쓴이의 의도로 볼 수 있는 것은?

① 국왕이 된 이상 장자의 지위는 자연스럽게 따라붙게 된다는 원리를 예를 들어 설명한다.
② 무왕의 어머니인 태사의 복제를 따짐으로써 효종의 어머니가 입을 상복의 종류를 결정한다.
③ 효종을 주의 문왕에 견줌으로써 효종이 적자가 되어 적법하게 종통을 계승하였다는 것을 밝힌다.
④ 인조가 밝은 덕으로 보위를 튼튼히 하고 후대에 이어가도록 한 것을 강조하여 종통의 본질을 환기한다.
⑤ 차장자로서 종묘사직의 기초를 닦은 중국의 실례를 들어 국가의 종통을 확고히 해야 한다는 지향을 드러낸다.

21. 윗글과 비교하여 <보기>를 이해한 것으로 적절하지 않은 것은?

<보 기>
집안의 적자 가운데 첫째 아들로서 종통을 이어받을 사람만을 장자라 하는 것은 변함없는 원칙입니다. 그가 죽었을 때 부모가 삼년복을 입는 것은 종통을 잇는 뜻을 중히 여기기 때문입니다. 장자가 종통을 계승할 자격을 잃거나 중자 중에서 종통을 잇도록 정한 경우에는, 이들이 죽었을 때 아버지나 어머니는 삼년복을 입지 않습니다. 왕가에서는 서자라도 세자로 책봉되면 임금이 될 때까지는 장자와 같이 대우해야 마땅합니다. 고례에서 말하는 장자란 종통을 계승하지 못한 경우에 따져 보도록 하는 것입니다. 마침내 대통을 계승하는 보위에 올랐다면, 그때에도 여전히 어머니가 있다고 하여 그저 아들일 뿐 임금이 아니라고야 할 수 있겠습니까.

① 효종에 대한 상복은 종통 승계를 우선하는 원칙으로 결정해야 하고 그에 따라 정해지는 기준은 나라 안 모든 질서에서 일관된다고 보는 점에서는 ⓐ와 일치한다.
② 효종은 중자로서 세자가 되었다는 사실이 바뀔 수 없는 것이라서 어찌해도 장자일 수 없다고 보는 점에서는 ⓑ와 일치한다.
③ 임금이 된 효종에 대해서는 장자인지를 문제 삼을 필요가 없다고 보는 점에서는 ⓒ와 일치한다.
④ 세자 시절의 효종이 장자의 대우를 받아야 한다고 보는 점에서는 ⓐ와 일치하고, 장자는 첫째 아들이어야 한다고 보는 점에서는 ⓑ와 일치한다.
⑤ 효종이 적실의 소생이 아니라면 차장자라 할 여지가 없다고 보는 점에서는 ⓐ, ⓑ, ⓒ와 일치한다.

[22~24] 다음 글을 읽고 물음에 답하시오.

20세기 초에 약학자 타파이너는 ㉠아크리딘 색소가 침착된 원생동물이 번개에 노출되자 죽는 현상을 우연히 관찰했고, 이어 피부 종양에 형광물질의 하나인 에오신을 바르고 빛을 쪼여 종양에 반응이 있음을 확인했다. 이후 연구자들은 빛과 화학물질 및 산소의 상호작용으로 세포가 죽는다는 것을 보였고, 타파이너는 이 현상을 산소 의존성 광반응 현상이라고 보고하면서 광역학 치료라는 용어를 최초로 사용하였다.

광역학 치료에는 빛 에너지, 감광제, 산소가 필수적이다. 외부에서 특정 파장의 빛을 쪼이면 감광제가 세포 및 조직 주변에 존재하는 산소와 반응하여 활성산소종을 짧은 시간 안에 국소적으로 발생시키고, 이들은 생체분자들을 산화시켜 기능을 파괴함으로써 세포를 사멸시킨다. 여기서 감광제의 종류에 따라 활성산소종을 최대로 발생시키는 빛의 파장, 즉 색깔이 다르다는 것이 주목된다. 특정 감광제는 특정 파장의 빛에 가장 효율적으로 반응하기 때문이다. 감광제가 어떤 파장의 빛에 의해 활성화되면 주변 산소에 전자 혹은 에너지를 전달하여 활성산소종을 생성시킨다. 활성산소종은 세포의 대사 과정에서도 일부 발생하는 것으로, 극소량으로 존재할 때는 생화학 반응에 도움을 주기도 하지만 과량으로 생성된 활성산소종이 오랫동안 지속될 경우 독성이 있어 활성산소종을 제거하는 항산화제의 투여가 필요한 경우도 있다. 감광제에 빛을 쪼여 발생한 활성산소종은 반감기가 약 $0.05\ \mu s$ 이하이기 때문에 생성 후 빨리 소멸되고, 그 영향이 미치는 유효거리는 발생점에서 약 $20\ nm$까지여서 감광제와 매우 가까운 주변부에서만 국소적 반응을 일으킨다.

광역학 치료에 사용하는 감광제는 포르피린계 화합물과 기타 형광 염색 시약으로 나눌 수 있다. 여드름균은 포르피린을 스스로 합성하는데 이 때문에 특정 파장의 빛을 쪼이면 여드름균만 사멸되어 효과적인 치료를 할 수 있다. 많은 형광 염색 시약들도 활성산소종 방출 능력을 가지고 있어 감광제로 사용할 수 있지만, 광 노출 시 활성산소종이 충분히 방출되어야 하고, 빛이 없을 경우에는 독성이 낮아야 하며, 생체 외부로 배출되는 능력도 커야 한다. 광역학 치료는 외부 빛이 체내 깊숙이 투과하지 못 할 경우 치료 효과의 제한이 있으며, 감광제의 농도, 빛의 세기와 노출 시간, 조직 내 산소 농도 등에 의해 치료 효율이 다르다. 또한 세포 안에는 특정 파장의 빛을 받고 그보다 긴 파장의 빛을 내어 놓는 형광물질이 존재할 수 있으므로, 이들에 의한 간섭효과를 감안하여 감광제와 이를 활성화하는 빛의 파장의 선택도 고려해야 한다. 높은 농도의 감광제를 주입할 경우 알레르기를 유발할 수 있고 완전히 분해 혹은 배출되지 않은 감광제가 잔류되었을 경우 햇빛 노출에 의해 피부세포가 손상될 수 있기 때문에, 잔류 감광제가 완전 분해되기까지 빛 차단을 위한 관리가 필요하다.

광역학 치료는 현재 각종 피부질환 치료에 널리 사용되고 있으며, 암 치료에도 효과가 있는 것으로 알려져 있다. 암 치료 시에는 감광제가 암 조직에 선택적으로 축적되는 기전을 이용한다. 정맥 주사로 투여되는 감광제는 대부분 물에 녹지 않기 때문에 혈액의 저밀도 지질단백질(LDL)과 강하게 결합한다. 암세포의 세포막에는 LDL과 결합하는 LDL 수용체가 많이 존재하기 때문에 정상세포에 비해 암세포에 감광제가 다량으로 축적된다. 광역학 치료 과정에서 암 조직에 손상을 주어 염증을 유발하면 암세포에 대한 면역반응을 활성화할 수 있어 치료 효율을 높일 수 있다. 항암제와 방사선 치료는 강한 독성 때문에 심각한 부작용을 초래하지만 감광제는 암 조직에만 선택적으로 축적되고 빛을 쪼여 준 부위에서만 국소적인 독성을 나타내므로 대안적 암 치료법으로 고려되고 있다.

22. 윗글의 내용에 대한 이해로 가장 적절한 것은?

① 포르피린을 합성하는 여드름균 때문에 생긴 여드름을 치료하려면 빛의 차단이 필요하다.
② 빛이 없이 세포독성을 유발하는 형광시약은 면역반응을 활성화하기 때문에 광역학 치료에 사용한다.
③ 감광제가 정상 피부 조직에 잔류하였을 경우 외부 빛이 체내 깊숙이 투과되지 않으면 알레르기가 발생하지 않는다.
④ 광역학 치료 시 발생하는 활성산소종은 반감기와 유효거리가 짧아, 암세포에서 멀리 떨어져 위치한 정상세포에 미치는 영향이 적다.
⑤ 감광제를 이용한 암 치료 시 감광제는 산소가 부족한 암 조직에 선택적으로 축적되므로 LDL과 결합할 수 있는 항산화제의 병행 투여가 필요하다.

23. ㉠을 바탕으로 수행한 <보기>의 실험 결과에 대해 평가한 것으로 적절하지 않은 것은?

<보 기>

어떤 원생동물을 빛이 차단된 조건에서 충분한 산소를 공급하면서 배양한 후 다음과 같은 처리를 하고 일정 시간 후 원생동물의 생존율을 조사하였다. (-는 없음, +는 있음을 뜻한다.)

광원	감광제	항산화제	생존율(%)
-	-	-	100
		+	100
	A	-	80
		+	80
	B	-	100
		+	100
자외선	-	-	0
		+	40
	A	-	0
		+	32
	B	-	0
		+	40
녹색 빛	-	-	100
		+	100
	A	-	0
		+	80
	B	-	70
		+	100
적색 빛	-	-	100
		+	100
	A	-	80
		+	80
	B	-	0
		+	100

① A는 활성산소종의 생성과는 무관한 독성을 가지고 있다.
② A는 적색 빛보다 녹색 빛에 의해 더 적은 양의 활성산소종을 발생시킨다.
③ B는 적색 빛뿐 아니라 녹색 빛에 의해서도 활성산소종을 발생시킨다.
④ A와 B는 빛이 존재하지 않으면 활성산소종을 발생시키지 않는다.
⑤ 자외선에 의하여 유발되는 활성산소종은 A나 B로부터 발생한 것은 아니다.

24. 윗글을 바탕으로 신물질 X, Y, Z를 이용한 <보기>의 실험 결과에 대해 추론한 것으로 가장 적절한 것은? (단, 실험에 사용된 X, Y, Z의 양은 모든 실험에서 동일하다.)

<보 기>

○ X가 있는 용액에 녹색 빛을 쪼이면 활성산소종이 발생하지 않았으나 강한 적색 형광의 방출이 관찰되었고 적색 빛을 쪼이는 것은 아무 영향이 없었다.
○ Y가 있는 용액에 적색 빛을 쪼이면 형광의 방출이 관찰되지 않았으나 활성산소종이 발생했고 녹색 빛을 쪼이는 것은 아무 영향이 없었다.
○ X는 쪼이는 빛의 유무나 빛의 색깔과 무관하게 암세포를 100% 사멸시켰고, Y는 적색 빛을 쪼인 경우에만 암세포를 100% 사멸시켰다.
○ Z가 감광제에 의해 발생한 활성산소종 용액에 존재하는 경우, Z는 활성산소종을 50% 제거했다.
○ X, Y, Z 사이에 빛, 활성산소종, 항산화제를 매개하지 않는 직접적인 상호작용은 없었다.

① X, Z 혼합용액에 녹색 빛을 쪼이면 Y, Z 혼합용액에 적색 빛을 쪼인 경우보다 적색 형광이 많이 방출되고 활성산소종도 많이 발생하겠군.
② Y, Z 혼합용액에 녹색 빛을 쪼이면 X, Y, Z 혼합용액에 녹색 빛을 쪼인 경우보다 적색 형광이 적게 방출되고 활성산소종도 적게 발생하겠군.
③ X, Z 혼합용액에 녹색 빛을 쪼이면 X, Y, Z 혼합용액에 적색 빛을 쪼인 경우보다 적색 형광이 적게 방출되고 활성산소종은 많이 발생하겠군.
④ X, Z를 동시에 암세포에 가하고 녹색 빛을 쪼이면 Y, Z를 동시에 가하고 녹색 빛을 쪼인 경우보다 적색 형광이 많이 방출되고 암세포가 적게 사멸하겠군.
⑤ Y, Z를 동시에 암세포에 가하고 적색 빛을 쪼이면 X, Z를 동시에 가하고 녹색 빛을 쪼인 경우보다 적색 형광이 적게 방출되고 암세포가 많이 사멸하겠군.

언어이해

[25~27] 다음 글을 읽고 물음에 답하시오.

당위 명제는 존재 명제에서 도출될 수 없다는 흄의 주장은 현대 도덕철학에 큰 영향을 미쳤다. 도덕 판단이 사실에 관한 참/거짓인 명제임을 부정하며 도덕적 지식은 존재할 수 없다고 주장하는 도덕철학자들에게 흄의 주장은 성서처럼 여겨진다. 하지만 흄의 주장이 진정으로 의미하는 바가 무엇인지에 대해서는 논쟁이 이어지고 있다.

매킨타이어는 흄의 주장이 모든 존재 명제가 아니라 일부의 존재 명제만을 겨냥하고 있다고 본다. 흄은 도덕 판단이 영원한 합목적성이나 신의 의지에 대한 신학적 명제에서 도출되는 것에 대해서만 그 불가능성을 인정한다는 것이다. 신학적 명제는 인간의 필요나 이익과 무관해서 신학적 명제와 도덕적 명제 간에는 간격이 있을 수밖에 없기 때문이다. 결국 매킨타이어는 인간의 필요나 이익과 진정으로 관련되는 존재 명제에서만 당위 명제를 도출할 수 있다고 보는 것이 흄의 진의라고 생각했다. 이런 생각은 흄이 도덕성을 인간에게 정념이나 정서를 불러일으키는 필요나 이익과 관련된 자연적 현상이라고 확신했다는 점에서 도출된다. 매킨타이어는 그 근거로, 흄이 정서에 관해 논의할 때 사회적 규칙이 어떻게 공공의 이익을 증진하는가의 문제와 관련해서 수많은 인류학적, 사회학적 사실을 인용했던 점을 제시한다.

이런 맥락에서 매킨타이어는 '연결 개념'을 제안한다. 이 개념에는 욕구와 필요, 쾌락 등이 포함되는데, 이것들은 사실적인 것인 동시에 도덕적 개념과 밀접하게 연결된 인간 본성의 여러 측면과도 관련된다. 매킨타이어는 연결 개념이 사실들을 그것들과 관련된 도덕적 요구에 연결한다고 보고, 이것이 곧 흄이 실제로 행한 바라고 주장한다.

헌터도 흄이 존재 명제에서의 당위 명제 도출을 전적으로 부정하지는 않았다고 해석한다. 흄은 도덕 판단을 존재 명제처럼 사실적 주장으로 인식했고 따라서 사실적 주장으로서의 도덕 판단은 다른 사실적 주장에서 도출될 수 있다고 생각했다는 것이다. 헌터는 "당신이 어떤 행위나 특성을 사악하다고 말할 때, 이는 당신이 당신의 본성에 의해 그것에 대한 비난 또는 경멸의 느낌이나 정서를 가지게 된다는 사실을 의미할 뿐이다."라는 흄의 언급에 주목한다. 흄의 이 언급은 인간 정서의 사실적 진술에 관한 것이며, 이 사실적 진술은 어떤 행위나 특성에 대한 관찰과 그것에 대한 느낌 간의 인과적 연결을 기술하는 것이다.

결국 헌터의 해석에 따르면, 흄의 당위 명제는 특정한 존재 명제, 즉 이성의 관계들이나 독립적인 외부의 대상들에 관한 명제에서는 도출될 수 없지만, 인간 정서와 관련된 사실적 진술로서의 존재 명제에서는 도출될 수 있다. 이 입장에서는 만일 도덕 판단이 정서의 기술이라면, 그것은 참이거나 거짓이 되며 도덕적 지식을 산출할 수 있을 것이라고 볼 수 있다. 이러한 지식의 내용이 주관적인 것이라 해도 그렇다.

플류와 허드슨은 매킨타이어와 헌터의 흄 해석을 비판하면서, 흄은 도덕 판단을 인간 정서에 관한 사실적 진술이 아니라 정서의 표현으로 보았다고 주장한다. 만일 플류와 허드슨의 주장이 옳다면, 흄은 정서주의의 직접적인 선구자가 될 것이다. 정서주의에서는 흄처럼 사실의 기술과 정서의 표현을 구별하며, 도덕 판단을 시인과 부인의 표현으로 간주하기 때문이다. 이 입장에서 도덕 판단은 정서적 의미를 지닐 뿐이고 단지 발화자의 태도를 표현하는 것에 불과하며, 사실의 기술에서 도출될 수 없다. 따라서 정서주의는 도덕적 논증의 타당성이나 도덕적 지식이 존재할 수 없다고 주장한다. 도덕 판단이 정서의 표현이라면, 그 판단은 참이거나 거짓일 수는 없고 기껏해야 솔직하거나 솔직하지 않은 것일 뿐이기 때문이다. 결국 플류와 허드슨에 따르면, 흄은 존재 명제에서의 당위 명제 도출을 부정하고 도덕적 지식의 불가능성을 주장하는 정서주의자로 해석될 수 있다.

25. 윗글의 내용과 일치하지 않는 것은?

① 도덕철학에서 흄의 주장은 도덕적 지식의 불가능성을 주장하는 철학자들에게 주된 근거로 활용되고 있다.
② 매킨타이어는 흄이 영원한 합목적성이나 신의 의지에 대한 신학적 명제를 존재 명제로 보았다고 해석한다.
③ 헌터는 흄이 존재 명제와 당위 명제를 모두 사실적 주장으로 보았다고 이해한다.
④ 플류와 허드슨은 흄이 인간 정서를 사실적 진술의 대상이 아니라고 보았다고 해석한다.
⑤ 정서주의는 인간 정서가 솔직하게 표현된다면 이를 근거로 존재 명제에서 당위 명제를 이끌어낼 수 있다고 본다.

26. 윗글을 바탕으로 철학자들의 판단을 이해한 것으로 적절한 것만을 있는 대로 고른 것은?

<보 기>

ㄱ. 매킨타이어에 따르면, 공익을 증진하는 사회적 규칙은 우리에게 쾌락을 유발한다면 도덕성을 지닌다는 것이 흄의 생각이다.
ㄴ. 헌터에 따르면, 인간 정서는 주관적이기 때문에 인간 정서에 대한 사실적 진술에서 도출된 도덕 판단은 도덕적 지식이 될 수 없다는 것이 흄의 생각이다.
ㄷ. 플류와 허드슨에 따르면, 도덕 판단은 정서의 표현이기 때문에 도덕적 지식이 될 수 없다는 것이 흄의 생각이다.

① ㄴ　　　　② ㄷ　　　　③ ㄱ, ㄴ
④ ㄱ, ㄷ　　　⑤ ㄱ, ㄴ, ㄷ

27. 윗글을 바탕으로 <보기>를 해석할 때, 가장 적절한 것은?

<보 기>

사악한 것으로 인정된 행위, 예를 들면 고의적 살인을 생각해 보자. 이 행위를 모든 측면에서 검토해 보라. 그리고 여기서 당신이 악덕이라고 부를 수 있는 어떤 사실 또는 진정한 존재를 발견할 수 있는지를 살펴보라. 당신이 그 행위를 어떤 방식으로 검토하든 간에 당신은 오직 어떤 정념과 동기, 의욕과 사고를 발견할 뿐이다. 당신이 그 행위를 대상으로 생각하는 한 그러한 행위에서는 악덕을 전혀 포착할 수 없을 것이다. 당신이 그 행위를 당신의 가슴으로 느껴서 그 행위에 대해 당신 안에 생겨나는 거부의 감정을 발견하기 이전에는 당신은 악덕을 발견할 수 없다. 이때 하나의 사실이 생기는데, 이것은 이성의 대상이 아니라 느낌의 대상이다. 그리고 이것은 당신 자신 안에 있는 것이지 대상에 있는 것이 아니다.

— 흄, 『인간 본성에 관한 논고』 —

① 헌터는 '고의적 살인'에 대한 도덕 판단이 사람들에게 불러일으킨 부정적 정서의 진술에서 도출된 것이라고 생각하겠군.
② '악덕'이라는 도덕 판단의 근거를 매킨타이어는 인간의 타고난 성질에서 찾겠지만, 헌터는 시인과 부인의 표현에서 찾겠군.
③ 플류와 허드슨은 '악덕'에 대해 '고의적 살인'이 어떤 사람에게 유발한 불쾌감을 기술한 것으로 간주하겠군.
④ 매킨타이어와 달리 헌터는 '거부의 감정'이 사실적 측면과 도덕적 요구를 연결하는 개념이라고 생각하겠군.
⑤ 매킨타이어는 '당신 자신 안에 있는 것'을, 플류와 허드슨은 '대상에 있는 것'을 도덕 판단으로 간주하겠군.

[28~30] 다음 글을 읽고 물음에 답하시오.

부부가 이혼할 때 한쪽이 양육친으로서 미성년 자녀에 대한 양육권을 행사하면 다른 쪽은 비양육친으로서 면접교섭권을 가진다. 양육권자는 합의로 정하며 합의가 되지 않은 때에는 법원의 재판으로 정한다. 부부의 국적이 다른 경우, 이 재판은 자녀가 생활하던 나라의 법원에서 진행되고, 대개 그 나라 국민인 사람이 양육친으로 지정된다. 자녀가 원래 살던 나라에서 그대로 살 수 있게 해 주는 것이 '자녀의 복리 원칙'에 부합하기 때문이다.

비양육친은 양육권을 가져오기 위해 자녀를 데리고 다른 나라에 가서 다시 재판을 받으려 할 수 있다. 이런 상황에 대처하기 위해 국제 협약이 마련되었다. 이 협약은 양육친과 비양육친의 국적이 같은 경우나 비양육친이 자신의 본국 아닌 제3국으로 자녀를 데려간 경우에도 적용되는데, 자녀의 생활환경 급변을 방지하는 한편 비양육친이 유리한 재판을 받을 때까지 자녀를 데리고 국제적 이동을 반복하는 것을 억제하기 위해서이다.

협약은 16세 미만인 자녀에 대한 위법한 국제적 이동이 발생한 경우에 자녀를 신속하게 반환시키는 것을 목적으로 한다. 양육친의 의사에 반해 자녀를 다른 나라로 이동시키면 양육권을 침해하여 위법한 행위가 된다. 비양육친이 양육친의 동의하에 귀국을 전제로 자녀를 국제적으로 이동시킨 후 자녀를 반환하기를 거부하는 경우 위법성이 인정된다. 이 협약에 특유한 전담기관 제도와 반환재판 제도가 모두 효과적으로 작동하므로 이 협약은 성공적으로 운영되고 있다고 평가된다. 다만 양육친과 비양육친의 본국이 모두 협약 가입국이어야만 적용되며, 면접교섭권이 침해되는 경우에는 전담기관의 지원을 받을 수 있을 뿐 그 구제를 위한 재판제도를 두지 않았다는 한계가 있다.

위법한 국제적 이동이 발생한 경우, 자녀를 반환시키려면 양육친은 재판에서 승소하여 강제집행 절차까지 마쳐야 한다. 양육친이 외국에서 이 절차를 진행하는 데 곤란을 겪을 경우, 전담기관의 지원을 받을 수 있다. 협약 가입국은 하나 이상의 전담기관을 지정해야 한다. 전담기관은 자녀의 소재 탐지, 반환재판 진행, 승소 후의 강제집행 절차에 이르는 전반적인 과정에서 양육친을 지원한다. 또한 양육친과 비양육친이 합의로 자녀의 반환 방법을 결정하도록 주선하고, 합의가 성립하면 그 실행을 지원한다. 협약에는 가입국들의 전담기관들 간 공조 체계도 마련되어 있어서 양육친은 자국 전담기관을 매개로 비양육친과 자녀가 머무는 외국의 전담기관의 지원을 받거나 외국 전담기관에 직접 지원을 신청할 수 있다. 물론 직접 외국의 법원에 반환재판을 청구할 수도 있다.

협약에 따르면, 자녀에 대한 위법한 국제적 이동 사실이 인정되면 법원은 자녀를 돌려보내도록 결정한다. 이때 부모 중 누가 양육권자로서 더 적합한지는 판단하지 못하도록 하고 있다. 이는 반환재판의 지연을 방지하고 자녀가 원래 살던 나라에서 양육권자를 정하는 재판을 하도록 하기 위해서이다. 다만 반환 예외 사유가 인정되면 법원은 반환청구를 받아들이지 않을 수 있다. 자녀가 1년 이상 체류 중인 나라에서의 생활에 적응한 경우나 자녀에게 위해가 발생할 중대한 위험이 있는 경우가 그 예이다. 위해에는 신체적 위해뿐 아니라 정신적 위해도 포함되므로 양육친이 비양육친에게만 폭력을 행사해도 자녀에게 정신적 위해가 발생한다고 볼 수 있다.

반환재판 사례가 축적되면서 협약 제정 당시 예상하지 못했던 현상이 나타났다. 비양육친이 양육친의 가정폭력으로 인해 양육친 몰래 자녀를 데리고 외국으로 도피하는 사례가 많아졌다. 이 경우 법원은 중대한 위험이 인정됨을 이유로 반환청구를 받아들이지 않을 수 있지만, 협약의 입법 취지가 무의미해지는 것을 방지하기 위해 자녀 보호에 필요한 조치를 명하면서 반환청구를 인용할 수도 있다.

28. 윗글에 대한 이해로 가장 적절한 것은?

① 전담기관 제도는 반환재판 제도와는 달리 효과적으로 작동하고 있다.
② 양육친이 반환재판에서 승소하더라도 그것만으로는 자녀의 반환이 실현되지 않는다.
③ 법원의 재판으로 양육권자가 정해지면 그 나라의 재판으로는 이를 번복할 수 없다.
④ 양육친과 비양육친의 합의로 반환 방법이 정해지면 전담기관은 더 이상 상황에 개입할 수 없다.
⑤ 양육친과 비양육친의 국적이 서로 다르면 전담기관은 타국 국민에 대해서는 지원을 제공하지 않아도 된다.

29. 윗글에서 추론한 내용으로 가장 적절한 것은?

① 협약의 목적은 양육권자 결정에 관한 재판이 자녀가 현재 머무는 나라에서 진행되게 하는 것이다.
② 협약 제정 당시의 예상과 달리, 신속한 반환이 자녀의 복리에 부합한다고 보기 어려운 사례가 늘고 있다.
③ 양육친과 비양육친의 국적이 같으면 비양육친이 위법하게 자녀를 국제적으로 이동시켜도 협약이 적용되지 않는다.
④ 비양육친의 본국만 협약에 가입한 경우에도 양육친은 비양육친의 본국에서 협약상의 지원 신청과 반환재판 청구를 할 수 있다.
⑤ 비양육친이 양육친의 동의하에 자녀를 외국으로 데려간 경우라면 이후의 상황 변화와 상관없이 적법한 국제적 이동으로 인정된다.

30. 윗글을 바탕으로 <보기>를 평가한 것으로 가장 적절하지 않은 것은?

<보 기>

X국 국적자인 갑과 Y국 국적자인 을이 X국에서 함께 살던 중 이들 사이에서 자녀 병이 태어났다. 갑과 을은 병이 8세 되던 해 이혼하였다. 그때 갑과 을이 병의 양육권에 관하여 합의에 이르지 못하여 X국 법원은 갑을 양육권자로 지정하고 을이 면접 교섭권을 행사하여 병을 방학 기간 동안 Y국으로 데려갈 수 있도록 하였다. 현재 병의 나이는 10세이고 을은 병을 데리고 출국하려고 한다. X국과 Y국은 모두 협약 가입국이다.

① 을이 갑의 동의 없이 병을 협약 가입국인 Z국으로 데려간 직후 갑이 Z국에서 반환재판을 청구하는 경우, Z국 법원은 병을 X국으로 돌려보낼 수 있다.
② 을이 갑의 동의 없이 병을 Y국으로 데려간 직후 갑이 Y국에서 반환재판을 청구하는 경우, 을이 양육권자 변경을 주장하더라도 Y국 법원은 을의 주장을 판단할 권한이 없다.
③ 을이 갑의 동의 없이 병을 Y국으로 데려간 후 3년이 지나도 병이 생활 적응에 실패한 상황에서 갑이 곧바로 Y국 법원에 반환청구를 하는 경우, Y국 법원은 갑의 반환청구를 받아들일 수 있다.
④ 을이 방학을 맞은 병을 Y국으로 데려가려 했으나 갑이 병의 소재를 알려주지 않는 경우, 을은 면접교섭권 행사에 대해 Y국에서 전담기관의 지원을 받을 수 없다.
⑤ 갑의 폭력 성향 때문에 을이 병을 Y국으로 데려간 직후 갑이 Y국에서 반환재판을 청구하는 경우, 병에 대한 위해가 발생할 중대한 위험이 인정되어도 Y국 법원은 갑의 반환청구를 받아들일 수 있다.

2027학년도 LEET 대비
기출문제 해설집

2023

영역별 출제 비중 분석

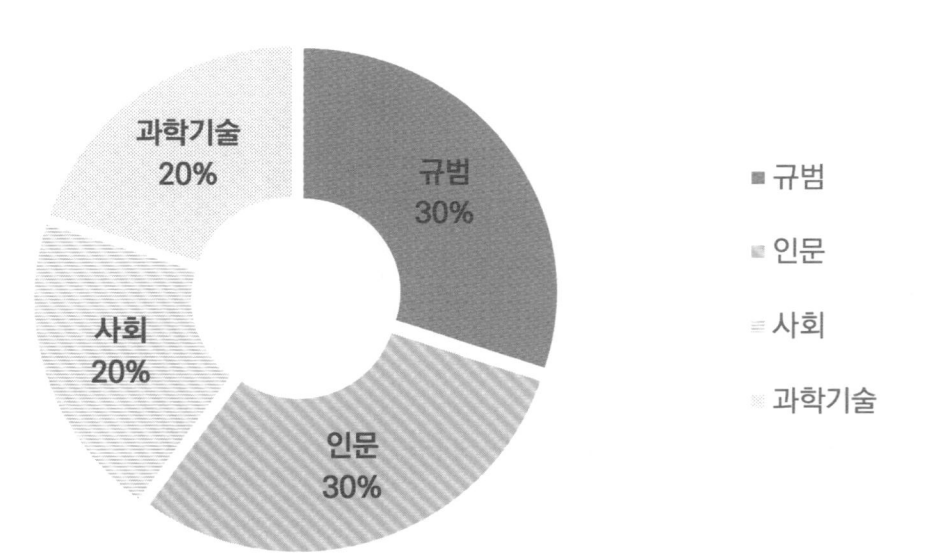

내용 영역	규범	인문	사회	과학기술	총
문항 수	9	9	6	6	30

2023학년도 언어이해

출제 경향 분석

2023학년도에는 전년도에 비해 제시문의 정보량은 다소 많아졌으나 소재는 평이하여 전반적인 독해 난이도는 무난하였다. 다만 일부 제시문의 경우 주요 개념들을 엄밀하게 범주화하여 독해할 것을 요구하고 있어 제시문의 내용을 명확하게 이해하는 것에 어려움이 있었을 것으로 보인다. 선택지 구성은 제시문의 정보를 세밀하게 파악해야 하거나 전체 내용을 종합적으로 이해해야 하는 경우가 많아 정오 판단이 다소 까다로웠을 것이다.

제 1 교시

홀수형

2023학년도 법학적성시험

언어이해 문제지

성 명

수험번호

수험생 유의사항

○ 이 문제지는 **30문항**으로 구성되어 있습니다.

○ **시험 시간은 09 : 00~10 : 10(70분)입니다.**

○ 문제지에 성명과 수험번호를 정확하게 기재하십시오.

○ 답안지는 반드시 컴퓨터용 사인펜을 사용하여 답을 표기하여야 합니다.

○ 답안지의 '필적확인란'에 제시된 문구를 정확히 정자로 기재하여야 합니다.

메가로스쿨

2023학년도 법학적성시험
언어이해

제 1 교시

홀수형

- 이 문제지는 **30문항**으로 구성되어 있습니다. 문항 수를 확인하십시오.
- 문제지의 해당란에 성명과 수험번호를 정확히 쓰십시오.
- 답안지에 수험번호, 문제유형, 성명, 답을 표기할 때에는 '답안 작성 시 반드시 지켜야 하는 사항'에 따라 표기하십시오.
- 답안지의 '필적확인란'에 해당 문구를 정자로 기재하십시오.

[1~3] 다음 글을 읽고 물음에 답하시오.

판사에게 진술함이 요구되는가 하는 문제가 논의되고 있다. 현대의 민주국가는 판사가 내리는 판결에 강제력을 부여하지만, 사법권의 행사에 민주적 통제가 미치도록 판결에 이유를 달 것을 요구한다. 이때 판사는 판결의 핵심적인 근거에 관해 흐나 감춤 없이 자신이 믿는 바와 판단 과정을 분명히 드러내야 한다. 이에 대해서는 '반대론'이 있다. 법원은 사회적 갈등과 긴장의 해소를 임무로 하므로 사형이나 낙태 문제와 같이 논란이 큰 사안을 다룰 때는 판사들의 의견이 일치된 것처럼 보이는 편이 바람직하며, 필요하면 내심의 근거와 다른 것을 판결 이유로 들거나 모호하게 핵심을 회피하는 편이 낫다는 견해가 대표적이다. 이런 반대론은 시민들이 진실을 다룰 능력이 부족하다고 전제하고 있어 민주주의 원리에 반하므로 동의하기 어렵다. 다만 판사도 거짓말을 선택해야 할 예외 상황이 존재한다는 주장은 검토해 볼 만하다.

법과 양심에 따라 재판해야 하는 판사에게 양심은 곧 법적 양심을 의미하므로 법과 양심이 충돌할 일은 거의 없다. 하지만 노예제도가 인정되던 시절에 노예제를 허용하지 않는 주(州)로 탈출한 노예에 대해 소유주가 소유권을 주장하는 것처럼 법적 권리와 도덕적 권리가 충돌할 뿐 아니라 법적 결론이 지극히 부정의한 결과를 초래하는 상황에서는 사정이 다르다. 이런 사안에서는 법적 권리를 무효로 할 근거는 찾기 어렵고, 그렇다고 법을 그대로 적용하는 것은 도덕적으로 옳지 않다. 판사는 도덕적 양심에 반해 법률을 적용하거나 도덕적 양심을 우선해 법률을 적용하지 않을 수 있을 것이다. 그러나 전자는 판사의 양심을 부정하고, 후자는 판사의 직업상 의무를 위반한다. 사임하는 것은 누구에게도 도움이 되지 않으므로 도덕적 권리를 지지하는 판사에게 남은 선택은 그 법적 권리를 자신이 믿는 바와 다르게 당사자에게 표명하는 것밖에 없다. 즉, 판사는 법적으로 인정되는 권리임을 부인할 수 없음에도 다른 합법적인 법해석을 만들어내고는 그런 법해석의 결과로 법적 권리가 부정되는 것처럼 판결함으로써 은밀하게 곤경에서 벗어나는 것이다.

하지만 이런 논의가 판사의 진술 의무를 부정하지는 못한다. 오늘날 법과 도덕의 극단적인 괴리 현상은 드물며, 진실을 분별하고 지지하는 민주사회라면 판사가 묘책을 찾아야 하는 상황을 만들어 내지 않을 것이다. 하지만 법-도덕의 딜레마와 진술 의무는 노예제와 함께 완전히 사라지지 않았다. 판사가 특정 법률에 도덕적 저항감을 느끼는 일은 현대에도 계속되고 있다. 여기서 판사의 선택은 정의와 민주주의, 사법의 정당성에 지속적으로 영향을 미친다.

진술함의 중요성은 최근에는 다른 차원에서 제기되고 있다. 먼저 판사의 진술함은 사법의 정당성을 수호하는 중요한 방책이 된다. ㉠어떤 판사는 법이 모호하고 선례도 없어 판단이 매우 어려운 사안에서 창의적인 법해석을 한 경우에도 그런 사정을 감춘다. 이때 판사는 자신이 진정으로 믿는 법해석을 근거로 판결한 것이지만, 패소한 당사자를 설득하기 위해 판사들 사이의 상투적 표현법을 써서 이렇게 말하는 편이 더 좋다고 생각한다. "판사는 법을 만들지 않으며, 법을 발견하고, 법률을 기계적으로 적용할 뿐이다." 더 심각한 것은 판사가 법 외적인 사정에 무관심하고 오직 법의 문언에 충실한 결과인 듯 판결 이유를 제시하지만, 실제로는 어떤 결과를 도출할 것인지 먼저 선택한 다음에 자신이 선호하는 결과를 보장하는 해석론을 개발해 제시하는 경우이다. 이때도 판사는 으레 동일한 표현법을 활용한다.

하지만 이런 방편에는 큰 위험이 도사리고 있다. 판사의 거짓말은 국민을 자율적 판단 능력을 갖춘 시민으로 존중하지 않음을 의미하며, 사법적 판단 과정의 실상이 드러나는 순간 사법의 권위와 정당성은 실추될 것이다. 법원이 이런 위험에서 벗어나는 길은 진술함으로 국민을 대하는 것이다. 이런 인식을 바탕으로 법-도덕 딜레마 상황에서 거짓이 정당화된다는 견해도 재검토되고 있다. 거짓으로 이룰 수 있는 것은 진술함으로도 이룰 수 있다.

---

1. 윗글의 내용과 일치하지 않는 것은?

① 판사의 진술함은 법-도덕 딜레마와 민주주의를 서로 연결 짓는다.
② 판사의 진술 의무를 지지하는 견해는 판사가 판결에 이르는 과정에서 법 외적인 요소들을 고려하는 것을 허용한다.
③ 법-도덕 딜레마 상황에서 거짓말하기를 선택한 판사는 정의를 위해 행동하는 듯하지만, 사실은 법을 위해 법에 더 충실한 선택을 한다.
④ 판사의 진술함이 사법의 정당성을 뒷받침한다는 견해에 의하면 법-도덕 딜레마 사안에서 판사는 더 이상 거짓말하기를 선택해서는 안 된다.
⑤ 판사가 판결 이유를 밝혀야 한다는 것과 판결 이유를 진술하게 작성해야 한다는 것은 별개이지만 모두 민주주의 원리에서 공통의 근거를 찾을 수 있다.

2. ㉠에 대한 설명으로 가장 적절한 것은?

① 판사의 법해석은 법적 판단이 어렵다는 사정 때문에 상당한 재량이 행사된 결과이지만, 판사는 공식적으로는 그렇게 말하지 않을 것이다.
② 판사의 법해석은 기존 판례의 답습이 아니라 새로운 해석을 통한 것이며, 또한 판사도 공식적으로 그렇게 말할 것이다.
③ 판사의 법해석은 합법적인 해석 권한을 벗어난 것이지만, 판사는 공식적으로는 벗어나지 않았다고 말할 것이다.
④ 판사의 법해석은 선례의 도움 없이도 충분히 가능한 법 발견이었으며, 또한 판사도 그렇게 말할 것이다.
⑤ 판사의 법해석은 법률을 기계적으로 적용한 결과이며, 또한 판사도 공식적으로 그렇게 말할 것이다.

3. <보기>의 입장에서 윗글에 대해 추론한 것으로 적절하지 않은 것은?

<보 기>

미국의 사법적 판단 과정을 설명하는 대표적인 이론으로 '법형식주의'와 '법현실주의'가 거론된다. 전자에 의하면 판사는 중립적 심판자로서 사안에 법을 그대로 적용할 뿐이다. 여기에는 어떤 정치적 고려의 여지가 없으며, 판사에게는 엄격하게 법을 적용할 의무만 있다. 후자에 의하면 법은 곧 정치이고 판사는 법복 입은 정치인이다. 판사는 재판 중에 법 외적 고려에 따라 자신이 만든 법을 적용한다. 하지만 이런 표현은 판사가 판결에 이르기까지 실제 사법적 판단 과정의 양면을 극단적으로 단순화한 것이며, 실제의 과정을 제대로 설명할 수 없다. 문제는 판사들이 사법의 권위와 정당성을 중립적 재판기구라는 점에서 찾으면서 단순화된 이론이 표방하는 문구를 그대로 사용한다는 점이다. 판사의 진술함이 판사의 권력 남용을 저지하는 필수불가결한 요소라고 보는 '비판론자'는 판사들이 실제 사법적 판단 과정을 사실대로 말한 것이 아니라는 점을 지적하기 위해 그런 문구를 '고상한 거짓말'이라고 비판한다.

① 사법적 판단 과정도 민주적 통제의 대상이 된다고 보는 입장에서는 대중이 사법적 판단 과정의 실제를 정확하게 알아야 한다고 볼 것이다.
② 법현실주의자는 특정한 정치적 성향이 밝혀진 판사가 특정한 사건에서 어떤 판결을 내릴지 예상되는 것을 자연스럽게 여길 것이다.
③ 법형식주의자는 판사의 기본적 역할이자 임무는 도덕의 지배가 아닌 법의 지배를 관철하는 것이라고 보는 견해를 지지할 것이다.
④ 비판론자는 결과를 먼저 선택한 다음 이를 지지하는 법해석을 찾아내는 판사가 사용한 표현 문구에 대해 '고상한 거짓말'이라고 비판할 것이다.
⑤ 비판론자는 타당한 결과를 도출했더라도 이를 감추기 위해 거짓을 선택하는 것을 법의 왜곡과 법 발전의 정체가 초래되지는 않는다는 이유로 수긍할 것이다.

[4~6] 다음 글을 읽고 물음에 답하시오.

도덕 공동체의 구성원은 도덕적 고려의 대상이 되는 존재로서 도덕 행위자와 도덕 피동자로 구분된다. 도덕 행위자는 도덕 행위의 주체로서 자신의 행위에 따른 결과에 대해 책임질 수 있는 존재이다. 반면에 도덕 피동자는 영유아처럼 이성이나 자의식 등이 없기에 도덕적 행동을 할 수 없는 존재이다. 그럼에도 영유아는 도덕적 고려의 대상이라는 것이 우리의 상식인데, 영유아라고 해도 쾌락이나 고통을 느끼는 감응력이 있기 때문이다. 쾌락이나 고통을 느끼기에 그것을 좇거나 피하려고 한다는 도덕적 이익을 가지고 있으므로 도덕적 고려의 대상이 되어야 한다는 것이다.

싱어와 커루더스를 비롯한 많은 철학자들은 이러한 이유로 감응력을 도덕적 고려의 기준으로 삼는다. 싱어는 영유아뿐만 아니라 동물도 감응력이 있으므로 동물도 도덕 공동체에 포함해야 한다고 주장한다. 반면에 커루더스는 고차원적 의식을 감응력의 기준으로 보아 동물을 도덕 공동체에서 제외하는데, 이 주장을 따르게 되면 영유아도 도덕적 고려의 대상에서 제외되고 만다. 영유아는 언젠가 그런 의식이 나타날 것이므로 잠재적 구성원이라고 주장할 수도 있다. 그러나 문제는 그런 잠재성도 없는 지속적이고 비가역적인 식물인간의 경우이다. 식물인간은 고차원적 의식은 물론이고 감응력도 없다고 생각되는데 그렇다면 도덕적 공동체에서 제외되어야 하는가?

식물인간을 흔히 의식이 없는 상태라고 판단하는 것은 식물인간이 어떤 자극에도 반응하지 못한다는 행동주의적 관찰 때문이다. 이런 관찰은 식물인간이 그 자극에 대한 질적 느낌, 곧 현상적 의식을 가지지 않는다고 결론 내린다. 어떤 사람이 현상적 의식이 없는 경우 그는 감응력이 없을 것이다. 그런데 거꾸로 감응력이 없다고 해서 꼭 현상적 의식을 가지지 못하는 것은 아니다. 즉, 현상적 의식과 감응력의 개념은 일치하지 않는다. 외부 자극에 좋고 싫은 적극적인 의미가 없어도 어떠한 감각 정보가 접수된다는 수동적인 질적 느낌을 가질 수 있기 때문이다. 반면 감응력은 수동적인 측면을 넘어서 그런 정보를 바라거나 피하고 싶다는 능동적인 측면을 포함한다. 이것은 자신이 어떻게 취급받는지에 신경 쓸 수 있다는 뜻이므로, 감응력을 도덕적 고려의 기준으로 삼는 철학자들은 여기에 도덕적 고려를 해야 한다고 생각하는 것이다. 행동주의적 기준으로 포착되지 않는 심적 상태는 도덕적 고려의 대상으로 여기지 않는 것이다.

그렇다면 감응력이 없고 현상적 의식만 있는 식물인간은 도덕적 고려의 대상이 아닐까? 도덕적 고려는 어떤 존재가 가지고 있는 도덕적 속성으로 결정되는 것이 아니라, 도덕 행위자가 그 존재와 맺는 구체적 관계에 의해 결정된다는 주장도 있다. 다양한 존재들은 일상에서 상호작용하는데, 도덕 공동체의 가입 여부는 그러한 관계에 따라 정해진다는 것이다. 그러나 이런 관계론적 접근은 우리와 더 밀접한 관계를 갖는 인종이나 성별을 우선해서 대우하는 차별주의를 옹호할 수 있다. 그리고 똑같은 식물인간이 구체적 관계의 여부에 따라 도덕 공동체에 속하기도 하고 속하지 않기도 하는 문제도 생긴다. 결국 식물인간을 도덕적으로 고려하려면 식물인간에게서 도덕적으로 의미 있는 속성을 찾아야 한다.

감응력이 전혀 없이 오직 현상적 의식의 수동적 측면만 가진 사람, 즉 '감응력 마비자'를 상상해 보자. 그는 현상적 의식을 가지고 있기는 하지만 못에 발을 찔렸을 때 괴로워하거나 비명을 지르지는 않는다. 그러나 안전한 상황에서 걸을 때와는 달리 발에 무언가가 발생했다는 정보는 접수할 것이다. 이런 상태는 얼핏 도덕적 고려의 대상이 되기에 무언가 부족해 보인다. 하지만 감응력 마비자는 사실상 감응력이 있는 인간의 일상생활의 모습을 보여 준다. 예컨대 컴퓨터 자판을 오래 사용한 사람은 어느 자판에 어느 글자가 있는지를 보지 않고도 문서를 작성할 수 있다. 이 사람은 특별한 능동적인 주의력이 필요한 의식적 상태는 아니지만, 외부의 자극에 대한 정보가 최소한 접수되는 정도의 수동적인 의식적 상태에 있다고 해야 할 것이다. 정도가 미약하다는 이유만으로는 그 상태를 도덕적으로 고려할 수 없다는 주장은 설득력이 부족하다. ㉠이와 마찬가지로 식물인간이 고통은 느끼지 못하지만 여전히 주관적 의식 상태를 가질 수 있다면, 이는 도덕 공동체에 받아들일 수 있는 여지가 있다는 것을 보여 준다.

4. 윗글에 대한 이해로 적절하지 않은 것은?

① 도덕적 행위를 할 수 없는 존재도 도덕 공동체에 들어올 수 있다.
② 도덕 피동자는 능동적인 주의력은 없지만 수동적인 의식적 상태는 있다.
③ 관계론적 접근에서는 동물이 도덕적 고려의 대상이 아닐 수도 있다.
④ 식물인간이 고통을 느끼지 못한다고 판단하는 것은 자극에 반응이 없기 때문이다.
⑤ 식물인간은 도덕 공동체의 구성원이 되어도 스스로 책임질 수 있는 존재는 아니다.

5. 현상적 의식 과 감응력 에 대해 추론한 것으로 가장 적절한 것은?

① '감응력 마비자'는 현상적 의식을 가지고 있지 못하다.
② 감응력은 정보 접수적 측면은 없지만 능동적 측면은 있다.
③ 현상적 의식과 달리 감응력은 행동주의적 기준으로 포착되지 않는다.
④ 커루더스는 현상적 의식이 있지만 감응력이 없는 존재를 고차원적 의식이 없다고 생각한다.
⑤ 싱어는 감응력 없이 현상적 의식의 상태에 있는 대상에게 위해를 가하는 것을 비윤리적이라고 주장할 것이다.

6. ㉠에 대한 비판으로 가장 적절한 것은?

① 감응력이 있는 현상적 의식을 가진 존재만을 도덕적으로 고려하면 고통과 쾌락을 덜 느끼는 사람을 차별하게 되지 않을까?
② 도덕 피동자가 책임질 수 있는 도덕적 행동을 할 수 없더라도 도덕 행위자는 도덕 피동자에게 도덕적 의무를 져야 하는 것 아닐까?
③ 외부의 자극에 대한 수동적인 의식적 상태는 자신이 어떻게 취급받는지에 신경 쓰지 않는다는 뜻인데 여기에 도덕적 고려를 할 필요가 있을까?
④ 식물인간의 도덕적 고려 여부는 식물인간이 누구와 어떤 관계를 맺느냐가 아니라 어떤 도덕적 속성을 가지고 있느냐를 보고 판단해야 하지 않을까?
⑤ 일상에서 특별한 능동적인 주의력이 필요한 의식 상태라고 하는 것도 알고 보면 외부 자극에 대한 정보가 최소한 접수되는 정도의 의식적 상태가 아닐까?

[7~9] 다음 글을 읽고 물음에 답하시오.

　세포는 현미경으로 관찰하면 작은 물방울처럼 보이지만 세포 내부는 기름 성분으로 이루어진 칸막이에 의해 여러 구획으로 나누어져 있다. 서랍 속의 칸막이가 없으면 물건이 뒤섞여 원하는 것을 찾기 힘들어지듯이 세포 안의 구획이 없으면 세포 안의 구성물, 특히 단백질이 마구 섞이게 되어 세포의 기능에 이상이 생길 수 있다. 그러므로 각각의 단백질은 저마다의 기능에 따라 세포 내 소기관들, 세포질, 세포 외부나 세포막 중 필요한 장소로 수송되어야 한다.

　세포 외부로 분비된 단백질은 호르몬처럼 다른 세포에 신호를 전달하는 역할을 하고, 세포막에 고정되어 위치하는 단백질은 외부의 신호를 안테나처럼 받아들이는 수용체 역할을 하거나 물질을 세포 내부로 받아들이는 통로 역할을 수행한다. 반면 세포 내 소기관으로 수송되는 단백질이나 세포질에 존재하는 단백질은 각각 세포 내 소기관 또는 세포질에서 수행되는 생화학 반응을 빠르게 진행하도록 하는 촉매 역할을 주로 수행한다.

　단백질은 mRNA의 정보에 의해 리보솜에서 합성된다. 리보솜은 세포 내부를 채우고 있는 세포질에 독립적으로 존재하다가 mRNA와 결합하여 단백질 합성이 개시되면 세포질에 머물면서 계속 단백질 합성을 진행하거나 세포 내부의 소기관인 소포체로 이동하여 소포체 위에 부착하여 단백질 합성을 계속한다. 리보솜이 이렇게 서로 다른 세포 내 두 장소에서 단백질 합성을 수행하는 이유는 합성이 끝난 단백질을 그 기능에 따라 서로 다른 곳으로 보내야 하기 때문이다. 세포질에서 독립적으로 존재하는 리보솜에서 완성된 단백질은 주로 세포질, 세포핵·미토콘드리아와 같은 세포 내 소기관으로 이동하여 기능을 수행한다. 반면 소포체 위의 리보솜에서 합성이 끝난 단백질은 세포 밖으로 분비되든지, 세포막에 위치하든지, 또는 세포 내 소기관들인 소포체나 골지체나 리소솜으로 이동하기도 한다. 소포체·골지체·리소솜은 모두 물리적으로 연결되어 있으므로 소포체 위의 리보솜에서 만들어진 단백질의 이동이 용이하다. 또한 세포막에 고정되어 위치하거나 세포막을 뚫고 분비되는 단백질은 소포체와 골지체를 거쳐 소낭에 싸여 세포막 쪽으로 이동한다.

　소포체 위의 리보솜에서 완성된 단백질은 소포체와 근접한 거리에 있는 또 다른 세포 내 소기관인 골지체로 이동하여 골지체에서 추가로 변형된 후 최종 목적지로 향하기도 한다. 이 단백질 합성 후 추가 변형 과정은 아미노산이 연결되어서 만들어진 단백질에 탄수화물이나 지질 분자를 붙이는 과정으로서 아미노산만으로는 이루기 힘든 단백질의 독특한 기능을 부여해준다. 일부 소포체에서 기능하는 효소는 소포체 위의 리보솜에서 단백질 합성을 완료한 후 골지체로 이동하여 변형된 다음 소포체로 되돌아온 단백질이다.

　과연 단백질은 어떻게 자기가 있어야 할 세포 내 위치를 찾아갈 수 있을까? 그것을 설명하는 것이 '신호서열 이론'이다. 어떤 단백질은 자기가 배송되어야 할 세포 내 위치를 나타내는 짧은 아미노산 서열로 이루어진 신호서열을 가지고 있다. 예를 들어 KDEL 신호서열은 소포체 위의 리보솜에서 합성된 후 골지체를 거쳐 추가 변형 과정을 거친 다음 소포체로 되돌아오는 단백질이 가지고 있는 신호서열이다. 또한 NLS는 세포질에 독립적으로 존재하는 리보솜에서 합성되어 세포핵으로 들어가는 단백질이 가지고 있는 신호서열이고 NES는 반대로 세포핵 안에 존재하다가 세포질로 나오는 단백질이 가지고 있는 신호서열이다. 그리고 세포질에 독립적으로 존재하는 리보솜에서 만들어진 단백질을 미토콘드리아로 수송하기 위한 신호서열인 MTS도 있다.

　이러한 신호서열 이론을 증명하는 여러 실험이 수행되었다. ㉠KDEL 신호서열을 인위적으로 붙여준 단백질은 원래 있어야 할 곳 대신 소포체에 위치하는 것으로 관찰되어 KDEL이 소포체로의 단백질 수송을 결정하는 신호서열이라는 결론이 내려졌다. ㉡소포체에 부착한 리보솜에서 만들어진 어떤 단백질이 특정한 신호서열이 있어서 세포 밖으로 분비되는 것인지, 아니면 그 단백질이 신호 서열을 전혀 가지고 있지 않아서 세포 밖으로 분비되는 것인지 확인하는 실험도 수행되었는데 세포의 종류에 따라 각기 다르다는 결론이 내려졌다. ㉢세포 내 특정 장소로 가기 위한 신호서열을 가지고 있지 않은 단백질이 어떻게 특정 장소로 이동하는지를 확인하는 실험을 한 결과 특정 장소로 수송하기 위한 신호서열을 가지고 있는 단백질과의 결합을 통해 신호서열이 지정하는 특정 장소로 이동할 수 있다는 결론을 얻었다.

7. 윗글의 내용과 일치하지 <u>않는</u> 것은?

① 세포막에서 수용체 역할을 하는 단백질은 소포체 위의 리보솜에서 합성된 것이다.
② 세포질 안에서 사용되는 단백질은 세포질에 독립적으로 존재하는 리보솜에서 합성된 것이다.
③ 골지체에서 변형된 후 소포체로 돌아온 단백질은 소포체 위의 리보솜에서 합성된 것이다.
④ 세포핵으로 수송되는 단백질은 세포 밖으로 분비되는 단백질과 다른 곳에 위치한 리보솜에서 합성된 것이다.
⑤ 미토콘드리아로 수송되는 단백질과 세포막에 위치하는 단백질은 같은 곳에 위치한 리보솜에서 합성된 것이다.

언어이해

홀수형

8. 윗글을 바탕으로 추론한 것으로 적절하지 <u>않은</u> 것은?

① KDEL 신호서열을 가지고 있는 단백질은 NLS가 없을 것이다.
② KDEL 신호서열을 가지고 있는 소포체로 최종 수송된 단백질은 골지체에서 변형을 거쳤을 것이다.
③ NLS가 없는 세포핵 안에 존재하는 단백질은 NLS가 있는 다른 단백질과 결합하여 세포핵 안으로 수송되었을 것이다.
④ NLS가 있으나 NES가 없는 단백질은 합성 후 세포핵에 위치한 다음 NES가 있는 단백질과 결합하면 다시 세포핵 밖으로 나갈 수 있을 것이다.
⑤ NLS와 NES를 모두 가졌으나 세포 외부에서 발견되는 단백질은 세포질에 독립적으로 존재하는 리보솜에서 합성된 단백질과 결합하여 세포 외부로 이동하였을 것이다.

9. ㉠~㉢에 대한 평가로 적절한 것만을 <보기>에서 있는 대로 고른 것은?

<보 기>

a. KDEL 신호서열이 있는 어떤 단백질의 KDEL 신호서열을 인위적으로 제거하면 소포체로 이동하지 않는다는 실험 결과는 ㉠의 결론을 강화한다.
b. NLS를 가진 어떤 단백질의 NLS를 인위적으로 제거하면 세포 밖으로 분비된다는 실험 결과는 ㉡의 결론을 강화한다.
c. MTS가 없는 어떤 단백질이 MTS가 있는 단백질과 결합하여 미토콘드리아에서 발견된다는 실험 결과는 ㉢의 결론을 강화한다.

① a ② b ③ a, c ④ b, c ⑤ a, b, c

[10~12] 다음 글을 읽고 물음에 답하시오.

농업 중심의 사회를 벗어나면서 급속한 산업화와 도시화에 따른 갈등이 나타나고 있던 19세기 말 미국에서는 터너가 이끌었던 혁신주의 역사학이 대두했다. 혁신주의 역사학의 특징은 역사의 핵심을 갈등이라고 본 점에 있다. 예컨대, 야만과 문명이 공존하는 프런티어야말로 미국 발전의 근원이라고 주장한 터너는 산업이 발달한 북부와 농업이 지배적인 남부 사이의 갈등을 강조했다. 혁신주의 역사가 베커는 미국혁명이 과세를 둘러싼 아메리카 식민지와 모국 간의 투쟁임과 동시에 상층 상인과 지주를 비롯한 보수적이고 봉건적인 식민지 유력자와 하층 수공업자 및 노동자 사이에서 벌어진 권력 다툼이었다는 사실을 밝혀냄으로써 이중혁명론을 제시했다. 혁신주의 역사학은 헌법을 금융업자, 상인 등으로 구성된 동산소유집단과 채무에 시달리던 소농 출신의 부동산소유집단 사이의 싸움에서 전자가 승리하면서 만들어진 비민주적 문서로 파악하였다. 혁신주의 역사학은 1940년대까지 미국 역사학의 주류를 이루었다.

제2차 세계대전 이후에 나치 독일의 인권 탄압과 공산주의의 팽창에 놀란 보수적 미국인들은 혁신주의 역사학이 비판했던 미국적 가치, 즉 사유재산의 신성시, 개인주의, 경제적 자유주의에 대해 재평가하기 시작했다. 게다가 냉전질서에서 미국의 정체성을 보존하기 위해서는 국민적 단결이 필요했다. 이러한 배경에서 합의사학이 등장했는데, 그것의 특징은 미국사를 합의와 연속성의 시각에서 이해했다는 점이다. 혁신주의 역사가는 보수적인 유산자들과 하층민 간의 극적인 투쟁으로 미국혁명을 파악했으나, 합의사학을 대변하는 호프스태터는 미국적 가치를 공동이념으로 삼은 미국인들은 사회적 동질성을 유지하면서 갈등을 극소화했다고 주장했다. 이처럼 미국사는 기본적으로 혁명으로 인한 단절이나 중단 없이 연속성을 보여주었다는 데 합의사학은 주목하였다. 그러므로 미국혁명은 상당히 제한적인 것이라고 평가되었다. 하츠가 미국에는 봉건적 과거가 없다는 토크빌의 지적에 공감하면서 주장하듯이, 구세계의 봉건적 압제로부터 도피한 사람들은 자유롭게 태어난 사람들이기에 자유로운 세계를 만들기 위해 굳이 혁명을 일으킬 필요는 없었기 때문이다. 비어드와 같은 혁신주의 역사가가 헌법의 제정을 계급적인 갈등으로 파악했다면, 합의사학은 헌법 제정이 중산층의 합의를 통해 이루어졌다는 데 보다 많은 주의를 기울였다. 합의사학은 제헌의회에 참가한 대표들의 경제적 이해관계보다는 그들의 합의를 강조한 셈이다. 부어스틴은 미국인의 관대함과 타협의 정신을 프런티어에서 찾기도 했다. 개혁 사상에 대해 비판적인 태도를 유지하면서 미국의 자유주의적 전통과 국민적 합의를 강조한 합의사학은 50~60년대 미국 사학계를 주도했다.

1960년대 중반 이후 미국은 베트남전쟁과 민권운동으로 대변되는 이념적 격동기를 맞이했다. 이 같은 현실은 합의사학이 제시했던 미국의 밝은 과거상과 현재상에 대해 회의심을 갖게 했다. 합의사학과는 달리, 하지만 혁신주의 역사학과 마찬가지로 갈등과 빈곤에 주목한 경향이 등장했는데, 이를 신좌파 역사학이라고 한다. 이러한 움직임을 선도한 역사가로는 외교사가 윌리엄스를 꼽을 수 있다. 합의사학은 정책 결정자들이 19세기 말엽 이후에는 제국주의적 팽창정책으로부터 거리를 두었다고 보면서 1898년 식민지를 둘러싼 미국-스페인 전쟁을 "거대한 일탈"이라고 규정했다. 윌리엄스는 이런 해석을 비판하며 정치인들이 국내의 분열을 호도

하기 위해 혹은 자본의 이익을 위해 문호개방이라는 이름으로 해외 팽창정책을 주도했다고 주장했다. 하워드 진과 같은 신좌파 역사가는 혁신주의 역사학에 동조하면서 역사학을 이데올로기적 요구에도 부응해야 하는 학문으로 보았다. 하지만 혁신주의 역사학과 달리 신좌파 역사학은 역사를 물질적인 조건이나 계급 갈등으로 환원시키지는 않았다. 미국혁명과 헌법에 대한 연구에서 다수의 신좌파 역사가들은 유산계급과 무산계급 사이의 갈등 이외에도 민중의 역사와 권력관계에 주목했다. 흑인들의 민권운동과 소수민족인 아메리카 원주민, 여성, 빈민들의 운동을 배경으로 태동했던 신좌파 역사학은 이러한 피지배집단이 혁명전쟁과 헌법 제정 과정에서 행한 능동적인 행위를 복원하는 데 주의를 기울였다.

10. 윗글의 내용과 일치하지 않는 것은?

① 19세기 후반 미국은 농업 중심의 사회에서 산업화 사회로의 이행이 진행되고 있었다.
② 19세기 말 국외로 세력을 확장하려는 미국의 정책은 스페인과 무력 충돌을 일으켰다.
③ 제2차 세계대전 직후에 보수 성향의 미국인들은 미국의 전통적 가치를 부활시키고자 했다.
④ 베트남전쟁은 미국인들이 경제적 자유주의에 대한 보편적 합의를 이루는 역사적 계기가 되었다.
⑤ 1960년대 이후 미국에서는 다양한 소수집단과 관련된 연구가 대두하였다.

11. 윗글을 바탕으로 추론한 것으로 가장 적절한 것은?

① 터너는 부어스틴과 마찬가지로 프런티어가 미국 역사 발전에서 긍정적인 역할을 하였다고 볼 것이다.
② 베커는 하츠와 달리, 혁신주의적 개혁을 위한 국민적 합의가 미국사의 원동력이라고 볼 것이다.
③ 호프스태터는 유력 세력이 혁명에서 승리함으로써 갈등이 극소화되었다고 볼 것이다.
④ 윌리엄스는 19세기 말 미국의 국제적 영향력 행사를 예외적 현상으로 파악할 것이다.
⑤ 하워드 진은 윌리엄스와 마찬가지로 역사적 분석범위를 넓히면서 역사학의 정치화를 경계했을 것이다.

12. 윗글을 바탕으로 <보기>를 평가한 것으로 적절하지 않은 것은?

<보 기>

영국이 시행한 인지세법 등에 맞서 1774년 식민지 대표들이 필라델피아에 모여 제1차 대륙회의를 개최하면서 영국에 대한 조직적인 저항이 시작되었다. 당시 식민지 뉴욕의 정치는 상층 상인과 지주들과 같은 유력자들이 장악하고 있었는데, 독립전쟁은 하층 수공업자와 노동자 출신의 급진주의자들이 정치의 장으로 들어가도록 문을 열어 주었다. 독립전쟁은 1781년 뉴욕 요크타운 전투에서 영국군이 패배하면서 막을 내리게 되었다. 전쟁 이후 미국은 1787년 필라델피아에 모여 헌법의 제정을 논의하기에 이르렀다. 당시 가장 중요한 전제는, 강력하지만 동시에 주정부의 권리를 침해하지 않는 연방정부를 수립하는 것이었다. 필라델피아 제헌의회에는 해밀턴, 매디슨 등 소위 연방주의자와 제퍼슨 등의 반연방주의자 간의 대립이 있었고, 현상적으로는 연방주의자들의 승리로 볼 만했다.

① 혁신주의 역사학자라면, 필라델피아 제헌의회는 새로운 헌법에 의해 경제적 이익을 받을 수 있는 집단이 지배하고 있었다는 사실을 덧붙이려 하겠군.
② 합의사학자라면, 제1차 대륙회의와 요크타운 전투에 대해 봉건적 체제를 타파하는 시민혁명에서 미국의 가치와 동질성이 실현되는 과정이었다고 파악하겠군.
③ 합의사학자라면, 제퍼슨, 매디슨, 해밀턴 사이의 차이를 과장하지 않고, 헌법 제정에 대하여 연방주의자들의 승리라기보다는 정치적 합의를 도출한 사건으로 보겠군.
④ 신좌파 역사학자라면, 독립전쟁 당시 하층민들의 급진주의적 정치에서 여성이 차지한 역할을 새롭게 규명할 필요성을 제기하겠군.
⑤ 혁신주의 역사학자나 신좌파 역사학자라면, 독립혁명에서 식민지 뉴욕의 상층 부르주아지와 하층 수공업자들의 대립을 주요하게 취급하는 데 대하여 반대하지 않겠군.

언어이해

[13~15] 다음 글을 읽고 물음에 답하시오.

나이의 정치적 효과를 분석하는 데 있어 가장 중요한 쟁점은 생애주기 효과(A), 기간 효과(P), 코호트 효과(C)를 구분하는 것이다. APC 효과의 관점에서 보면, 개인이 특정 시점에 갖는 정치 성향은 그가 속한 코호트, 조사 시점의 정치 사회 환경, 그리고 나이가 들며 변화해 가는 생애주기 효과에 의해 종합적으로 구성된다.

우선 생애주기 효과는 "나이가 들수록 보수화된다."는 가설에 기반한다. 생애주기 효과가 말하는 보수화에는 비단 정치적 보수화뿐만 아니라 인지적 경직성과 권위주의적 성향의 증가도 포함된다. 트루엣은 약 30,000명의 버지니아 주민들을 대상으로 생애 주기별 보수주의 점수를 측정하면서 50세 이후에는 보수화 성향이 지속되는 것을 확인하였다. 그에 따르면 성별, 거주지별. 교육 수준별로 약간의 차이는 있지만 20~30대에는 낮은 보수주의 점수가 안정적으로 이어지는 반면, 30~40대를 거치면서 이 점수가 급격히 높아지며, 50세 이후부터 생애주기의 끝까지 높은 보수주의 점수가 유지된다.

다음으로 기간 효과는 특정 조사 시점의 영향을 받아 나타나는 차이를 의미한다. 즉, 특정 시점에 발생한 역사적 사건이나 급격한 사회변동이 전 연령 집단의 사고방식이나 인식에 포괄적, 보편적 영향을 미치는 효과이다. 특정 시기의 사회화 과정이나 일부 세대에서 나타나는 효과가 아니라, 1987년 민주화나 1997년 IMF 구제금융 사례처럼 전 세대가 공유하는 경험에 따른 태도 변화를 지칭한다.

그리고 코호트 효과는 정치사회화가 주로 이루어지는 청년기에 유권자들이 특정한 역사적 경험을 공유하면서 유사한 정치적 성향을 형성하고 그 독특성이 해당 연령 집단을 중심으로 이후에도 유지되는 현상을 의미한다. 이렇게 형성된 정치 세대, 즉 코호트란 유사한 정치적 태도를 보이고 이념 성향을 공유하는 연령 집단을 의미한다. 정치사회화 과정에서 형성된 정치적 세대 의식은 나이가 들면서 완성도가 증가하여 큰 변화 없이 지속되게 된다. 이는 중장년기보다 성년 초기 시점이 사회 변화나 역사적 사건들로부터 영향을 받기 더 쉽다는 사실을 전제로 한다. 예컨대, 영국에서 2차 세계대전 이후 노동당 지지 성향이 강한 진보적 코호트가 등장하였다면 1980년대에는 대처 총리 집권기의 영향을 받아 보수적 코호트가 형성되었다는 연구들이 존재한다. 한편 국내 선행 연구에 따르면, 한국전쟁 직후 등장한 소위 전후세대는 여타 코호트 집단에 비해 권위주의적 성향과 보수적 정치 성향이 더 강하다고 알려져 있으며, 한국 민주화 운동의 대명사라 할 수 있는 86세대나 탈권위를 유행시켰던 X세대의 경우 나이가 들어서도 보수화되는 경향이 상대적으로 완만한 것으로 나타났다.

이 세 효과는 개념적으로는 쉽게 구분되지만, 경험적으로는 이들을 구별하기 어렵다. 세 개념 자체가 밀접하게 연관되어 있고, 독립적으로 개별 효과를 측정할 지표 역시 충분히 갖고 있지 않기 때문이다. 이러한 근본적 제약 속에서 나이 관련 변수들이 만들어내는 합성 효과를 구별하는 것이 지금까지 사회과학적 세대 연구의 핵심 과제였고 이를 해결하기 위한 다양한 연구 방법들이 고안되었다. APC의 합성 효과를 구분해 개별 효과를 비교하기 위해서는 동일 코호트의 시간 흐름에 따른 태도 차이를 측정하는 종단면 디자인, 동일 시점에서 정치 세대 간의 태도 차이를 측정하는 횡단면 디자인, 다른 시점의 동일 연령대 집단의 태도 차이를 측정하는 시차 연구 디자인의 조합이 필요하다.

일반적으로 연령 집단은 조사 당시 나이, 기간 효과는 조사 연도, 코호트는 출생 연도와 같은 변수들로 측정된다. 그러나 연구의 난관은 우리가 혼재된 나이 효과를 구별하는 데 있어 식별 문제에 직면하게 된다는 것이다. 즉, 셋 중 두 정보로부터 다른 항의 값이 자동 도출되므로, 3개의 미지수(효괏값)와 3개의 정보(변수)가 있는 듯 보이지만, 실제로는 정보 하나가 부족한 셈이 된다. 위의 연구 디자인을 적용하여 APC 효과를 통제된 하나의 개별 효과와 나머지 두 개가 이루는 합성 효과로 나누어 파악할 수는 있지만, 3개의 개별 효괏값으로 명확하게 구분해 내기 어렵다. 이러한 한계가 나이와 정치 성향의 관계에 대한 경험적 연구를 오랜 기간 가로막아 왔다. 기술적으로 완전한 극복 방안은 없으며, 불완전하나마 여러 가지 수단을 통해 이 관계를 엿볼 수 있었을 뿐이다. 대부분 추정 모형에 일정한 제약을 가해서 문제를 피해 갔다. 부가정보를 이용해 세 효과 중 하나를 제외하거나, 아니면 한 효과가 고정되도록 설정하여 개입을 통제하는 방식으로 이 문제에서 벗어날 수 있다. 그 밖에도 세 변수 중 하나를 다른 대리변수로 대체하는 방법도 있다. 하지만 이러한 방법 모두 임기응변일 뿐이고, 매우 특수한 조건에서만 활용 가능해 주의가 필요하다.

13. 윗글의 내용과 일치하지 않는 것은?

① 조사 시기와 조사 당시 연령을 알면 코호트 집단을 특정할 수 있다.
② 트루엣의 연구에 따르면 생애주기 효과는 개인의 사회경제적 배경과는 무관하다.
③ 식별 문제의 해결을 위한 방편으로 추정 모형에 제약 조건을 적용하기도 한다.
④ 문제 해결을 위해 세 변수 중 하나를 다른 대리변수로 대체하는 방법을 사용하기도 한다.
⑤ 나이와 정치 성향과의 관계 연구에서 APC의 개별 효과를 각각 구분해 내는 방법은 아직 없다.

14. 윗글을 바탕으로 추론한 것으로 적절한 것만을 <보기>에서 있는 대로 고른 것은?

―<보 기>―
ㄱ. 한국 유권자들을 대상으로 2022년 7월 24일에 정치의식 조사를 실시한다면, X세대의 권위주의 성향 점수가 한국 전후 세대보다 평균적으로 낮게 나올 것이다.
ㄴ. 1980년대에 50대였던 영국 전후 세대와 비교해 2010년대에 같은 50대가 된 대처 세대가 평균적으로 더 진보적 정치 성향을 드러내는 조사 결과가 존재한다면, 기간 효과가 주요하게 작용했다고 판단해 볼 수 있다.
ㄷ. 영국의 대처 세대가 30대 때였던 1990년도 조사에서보다 50대가 되어서인 2010년 조사에서 이념적으로 덜 보수적이라는 결과가 나왔다면, 2010년 조사 당시 영국의 다른 정치 코호트들 또한 진보적 분위기의 시대적 영향을 받았을 수 있다.

① ㄱ ② ㄷ ③ ㄱ, ㄴ
④ ㄴ, ㄷ ⑤ ㄱ, ㄴ, ㄷ

15. 윗글을 바탕으로 <보기>의 내용을 이해한 것으로 가장 적절한 것은?

―<보 기>―
아래 그림은 나이의 정치적 효과를 측정하기 위한 연구 디자인을 도식화한 것이다. 조사는 t1, t2의 시점에 이루어졌다. A(t1)와 B(t1)는 각각 t1 기준 청년 코호트와 중년 코호트를 나타내며, 시간이 경과한 t2에는 각각 중년기와 노년기에 이르게 된다.

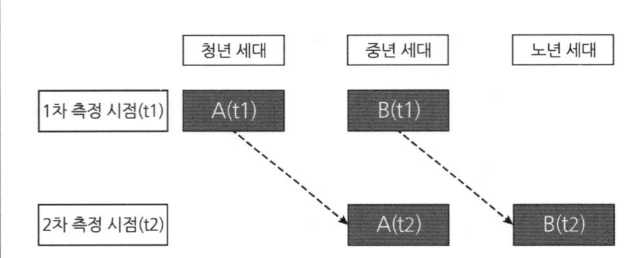

① A(t1)와 A(t2)의 차이는 코호트를 고정한 채 도출해 낸, 기간 효과와 코호트 효과의 합성 효과이다.
② A(t1)와 B(t1)의 차이는 동일 시간대의 다른 코호트 간 차이를 측정하는 종단면적 연구 디자인을 적용하여 알 수 있다.
③ A(t2)와 B(t2)의 차이는 조사 시점을 고정하여 얻은 코호트 간 차이로서 생애주기 효과의 개입이 통제되고 있다.
④ B(t1)와 A(t2)의 차이는 다른 시점의 동일 연령대 집단의 태도 차이를 비교하는 시차 연구 디자인을 적용하여 알 수 있지만, 기간 효과와 코호트 효과를 구분하기 어렵다.
⑤ B(t1)와 B(t2)의 차이는 동일 연령대 집단의 태도 차이를 측정하는 시차 연구 디자인을 적용하여 알 수 있다.

[16~18] 다음 글을 읽고 물음에 답하시오.

(가)
 1960년대 근대화 담론은 해방과 분단으로 공고화된 민족주의를 경제성장의 동력으로 동원한다. 민족주의에 기반한 근대화를 비판하는 것이 용인되지 않았던 분위기에서, 김자림의 희곡 「이민선」(1964)은 이민과 여성을 매개로 시대의 단층을 드러낸다.
 당시 브라질 영농 이민은 경제성장뿐 아니라 인구 억제를 위해 산업화 과정에서 도태된 국민들을 겨냥하고 있었다. 「이민선」의 중심 서사를 이루는 창수네 일가를 살펴보자. 창수에게 브라질은 사탕무를 심어 부를 일구는 미래다. 해방을 맞아 귀국하던 감격을 잊지 못하는 창수댁은 이민으로 고향을 떠나야 하는 회한에서 쉽게 벗어나지 못한다. 아들 만세는 농업에는 관심이 없고 이민을 통해 예술로 "세계 속에 한국을 이해시키는 정신적 지주"가 되기를 바란다. 딸 소라는 성인임에도 원숭이 인형을 들고 다니며 유년기의 감상에서 벗어나지 못한 인물로, 이민을 '속일 줄도 속을 줄도 모르는 그대로의' 존재인 인형의 고향에 가는 여정으로 생각한다. 창수의 처남 덕보는 제대 후 실업자로 있다가 속이고 미워하는 아수라장 같은 이 땅에 지쳐 이민을 결심한다. 이민단의 다른 가족도 사정이 있다. 득찬은 실업 상태를 견디다 못해 아내와 자식, 아버지와 동생까지 데리고 왔다. 월남민 피양댁은 이민을 위해 깡패 물개와 복덕방 영감을 끌어들여 가족을 급조하고 돈으로 좌지우지한다. 피양댁의 친딸 보비도 이민단에 동참하나 조국에서 추방되는 듯하여 소극적이다.
 세 일가가 부산에 도착해 이민을 축하하는 파티까지 열었지만, 창수네 일가는 빚보증 때문에, 피양댁 일가는 물개에 얽힌 투서 때문에 이민선을 타지 못하고 보름 가량을 보낸다. 그동안 보비는 만세의 포부에 감동하고 그의 연인이자 이민의 지지자가 된다. 창수는 피양댁의 요구대로 헐값에 땅을 팔려 하나 무산되었다. 이민선이 출항하기 전날, 창수는 다른 해결의 실마리를 찾았고, 소라는 그녀를 백치로 여기던 물개에게 겁탈당한 뒤 바다에 투신한다. 이에 이민을 포기하려 했던 만세는 이상을 포기하지 말라는 보비의 독려로 의지를 회복하지만, 창수댁은 이민선 탑승 직전 소라의 버려진 인형을 발견하고 착란을 일으켜 지금을 해방 후 귀국하던 날로 안다. 애국가의 주악 소리를 배경으로 창수 일가는 착란 상태의 창수댁을 부축하여 승선한다.
 「이민선」은 근대화를 이민으로 은유하면서도 여성에 대한 억압과 배제의 모습을 출항하는 이민선의 얼룩처럼 남겨둔다. 개인들의 합의를 유보한 채 미래의 환상을 내세워 이민을 이끌어가는 남성들의 강박이 암시되는 것이다. 여성인물들은 전쟁을 거치며 요구되었던 가정과 국가에 헌신하는 '좋은' 여성의 상과, 비난의 대상이던 성적 만족과 이익을 좇다 파멸하는 '나쁜' 여성의 상 사이의 다양한 빛깔로 남아 있다. 그럼에도 작품에서 여성인물들은 자기 안에 잠재된 사회·역사적 비판의 가능성을 충분히 펼치지는 못했다. 창수댁의 정신 착란이나 소라의 인형 등이 얼룩처럼 남지만 이민선은 가족을 태우고 출항한다. 바로 여기에서 여성인물을 통해 당대를 문제시하면서도, 한편으로 그에 대한 회의를 접어두고 근대화 논리에 수긍하는 여성 극작가의 모순된 정체성을 읽을 수 있다.

(나)
[부산에 도착한 첫날 밤 세 가족은 파티를 연다.]

창수댁: (한쪽이 터진 트렁크를 들고) 여보, 이것 좀 보세요. 뚜껑을 덮으니까 또 터지겠죠. (돌아보지 않는 창수를 보고) 아니 여보, 당신은 남의 것을 보듯 거들떠보지도 않는구려. (창수, 외면하고 서 있다.)

창　수: 인젠 제에발 그 구질구질한 짐짝을 끌구 다니지 말자구 했잖소. […] 바다 깊이 때 묻은 과거를 수장해 버리란 말요. 새로운 옷을 입으려거든 낡은 것을 미련 없이 벗어버려야 하는 거야.

창수댁: (트렁크를 뺏으며) 안 돼요. 하나두 버릴 수 없어요. 이것들은 지난 세월을 말해 주는 웃음과 울음과 한숨이 섞여 부서진 감정의 파편들이에요.

창　수: (끌어 올리며) 지지리 못난 여편네야. (점점 흥분된 어조로) 우리는 내일 새벽 떠나는 거야. 우리의 이민선 쨍카호를 타고 신천지를 향해 저 푸른 바다를 뚫구 나가는 거야. 예수가 죽음에서 부활하듯이 우리도 다시 사는 거야. (돌아보며) 그러니 그 구질구질한 과거는 저 바다에 처넣으란 말이야. (광적인 몸부림으로) 자 여러분 술, (컵을 들고) 이 번쩍이는 소망에 행운이 있으라.

모　두: (술잔을 쳐들고) 브라보!

창수댁: 만세야, 이 노끈으로 같이 얽어매 보자. 손을 빌어라.

득　찬: 자 누구든지 나와 춤을 춰요, 소리도 하구.

영　찬: 내 소리 한 마디 하겠어요.

모　두: 여―(좋아라 박수를 친다.)

영찬, 장타령*을 하며 신나게 엉덩이춤을 춘다. 모두들 손뼉으로 박자를 맞춘다.

창　수: 여보게들, 우리 이다음엔 상파울루 제일가는 호텔에서 만나세. 거기서 우린 샴페인을 펑펑 터뜨리구 갓 구운 칠면조 고기를 뜯으면서 우리들의 성공담을 신나게 지껄여 보세나, 하하 …….

일동, 왁자지껄 웃어 댄다.

덕　보: (불쑥 튀어나오더니 목멘 소리로) 그, 그만들 하슈, 그만. (괴로운 듯 머리를 움켜쥐며) 제에발 부탁이오. […] 그렇지 않아도 우린 거, 거지 떼…… (영찬, 천천히 일어선다.)

모　두: 뭐?

덕　보: (고개를 쳐들며) 유쾌한 거지 떼지 뭡니까?

― 김자림, 「이민선」 ―

*장타령: 동냥하는 사람이 돌아다니며 구걸을 할 때 부르는 노래

16. 윗글의 내용에 대한 이해로 적절하지 않은 것은?

① 만세는 이민선에 오를 때까지 적극적인 이민 의지로 일관한 반면, 보비는 이민에 소극적인 태도를 지녔다가 변화한다.
② 창수는 브라질에 대한 환상을 바탕으로 이민의 현실을 낙관하는 반면, 덕보는 이민의 현실을 비판적으로 본다.
③ 덕보는 사회의 비정함을 비관하며 이민에 접근하는 반면, 소라는 순수함을 동경하며 이민에 접근한다.
④ 창수는 경제적인 성공이 이민의 목표인 반면, 만세는 예술을 통한 국위 선양이 이민의 목표이다.
⑤ 피양댁은 이민을 위해 가족을 새로 구성하는 반면, 득찬은 기존의 가족 관계를 유지한다.

17. 여성인물을 형상화하는 극작가의 관점을 추론한 것으로 적절하지 않은 것은?

① 경제적 이해타산을 중시했던 피양댁을 통해 남성중심적 근대화가 요구하는 '좋은' 여성상을 형상화한다.
② 물개에게 폭력을 당한 소라를 통해 남성중심적 근대화에서 희생되는 전후 여성의 현실을 형상화한다.
③ 이민을 함께 하지 못하게 된 소라를 통해 성장 지향의 근대화에서 낙오된 전후 여성의 일면을 형상화한다.
④ 민족적 열정을 지닌 남성 주체와 관계를 맺고 있는 보비를 통해 근대화의 논리에 젖어드는 전후 여성의 양상을 형상화한다.
⑤ 정신 착란에 빠진 채 이민선에 타게 되는 창수댁을 통해 근대화 과정에 강제로 참여할 수밖에 없었던 전후 여성의 모습을 형상화한다.

18. (가)를 바탕으로 (나)를 감상할 때 가장 적절한 것은?

① '한쪽이 터진 트렁크'는 과거의 경험에 대한 등장인물들의 유사한 태도를 보여주는군.
② '바다'는 등장인물이 육체적 죽음을 극복하고 정신의 재생을 꿈꾸는 공간이군.
③ '이민선'은 격정적인 기억 속의 '신천지'로 등장인물을 인도하는 상징이군.
④ '노끈'은 등장인물의 파편화된 기억을 원래대로 복원하려는 의지를 보여주는군.
⑤ '장타령'은 낙관적인 기대에 부푼 등장인물들이 현재의 처지를 환기하도록 하는 계기이군.

[19~21] 다음 글을 읽고 물음에 답하시오.

제도의 선택에 대한 설명에는, 합리적인 주체인 사회 구성원들이 사회 전체적으로 가장 이익이 되는 제도를 채택한다고 보는 효율성 시각과 이데올로기·경로의존성·정치적 과정 등으로 인해 효율적 제도의 선택이 일반적이지 않다고 보는 시각이 있다. 효율성 시각은 어떤 제도가 채택되고 지속될 때는 그만한 이유가 있을 것이라는 직관적 호소력을 갖지만, 전통적으로는 특정한 제도가 한 사회에 가장 이익이 되는 이유를 제시하는 설명에 그치고 체계적인 모델을 제시하지는 못했다고 할 수 있다. 이런 난점들을 극복하려는 제도가능곡선 모델 은, 해결하려는 문제에 따라 동일한 사회에서 다른 제도가 채택되거나 또는 동일한 문제를 해결하기 위해 사회에 따라 다른 제도가 선택되는 이유를 효율성 시각에서도 설명할 수 있게 해준다.

바람직한 제도에 대한 전통적인 생각은 시장과 정부 가운데 어느 것을 선택해야 할 것인가를 중심으로 이루어졌다. 그러나 제도가능곡선 모델은 자유방임에 따른 무질서의 비용과 국가 개입에 따른 독재의 비용을 통제하는 데에는 기본적으로 상충관계가 존재한다는 점에 착안한다. 힘세고 교활한 이웃이 개인의 안전과 재산권을 침해할 가능성을 줄이려면 국가 개입에 의한 개인의 자유 침해 가능성이 증가하는 것이 일반적이라는 것이다. 이런 상충관계에 주목하여 이 모델은 무질서로 인한 사회적 비용(무질서 비용)과 독재로 인한 사회적 비용(독재 비용)을 합한 총비용을 최소화하는 제도를 효율적 제도라고 본다.

가로축과 세로축이 각각 독재 비용과 무질서 비용을 나타내는 평면에서 특정한 하나의 문제를 해결하기 위한 여러 제도들을 국가 개입 정도 순으로 배열한 곡선을 생각해 보자. 이 곡선의 한 점은 어떤 제도를 국가 개입의 증가 없이 도달할 수 있는 최소한의 무질서 비용으로 나타낸 것이다. 이 곡선은 한 사회의 제도적 가능성, 즉 국가 개입을 점진적으로 증가시키는 제도의 변화를 통해 얼마나 많은 무질서를 감소시킬 수 있는지를 나타내므로 ㉠제도가능곡선 이라 부를 수 있다. 이때 무질서 비용과 독재 비용을 합한 총비용의 일정한 수준을 나타내는 기울기 −1의 직선과 제도가능곡선의 접점에 해당하는 제도가 선택되는 것이 효율적 제도의 선택이다. 이 모델은 기본적으로 이 곡선이 원점 방향으로 볼록한 모양이라고 가정한다.

제도가능곡선 위의 점들 가운데 대표적인 제도들을 공적인 통제의 정도에 따라 순서대로 나열하자면 1) 각자의 이익을 추구하는 경제주체들의 동기, 즉 시장의 규율에 맡기는 사적 질서, 2) 피해자가 가해자에게 소(訴)를 제기하여 일반적인 민법 원칙에 따라 법원에서 문제를 해결하는 민사소송, 3) 경제주체들이 해서는 안 될 것과 해야 할 것, 위반 시 처벌을 구체적으로 명기한 규제법을 규제당국이 집행하는 정부 규제, 4) 민간 경제주체의 특정 행위를 금지하고 국가가 그 행위를 담당하는 국유화 등을 들 수 있다. 이 네 가지는 대표적인 제도들이고 현실적으로는 이들이 혼합된 제도도 가능하다.

무질서와 독재로 인한 사회적 총비용의 수준은 곡선의 모양보다 위치에 의해 더 크게 영향을 받는데, 그 위치를 결정하는 것은 구성원들 사이에 갈등을 해결하고 협력을 달성할 수 있는 한 사회의 능력, 즉 시민적 자본이다. 따라서 불평등이 강화되거나 갈등 해결 능력이 약화되는 역사적 변화를 경험하면 이 곡선이 원점에서 멀어지는 방향으로 이동한다. 이러한 능력이 일종의 제약 조건이라면, 어떤 제도가 효율적일 것인지는 제도가능곡선의 모양에 의해 결정된다. 그런데 동일한 문제를 해결하기 위한 제도가능곡선이라 하더라도 그 모양은 국가나 산업마다 다르기 때문에 같은 문제를 해결하기 위한 제도가 국가와 산업에 따라 다를 수 있다. 예컨대 국가 개입이 동일한 정도로 증가했을 때, 개입의 효과가 큰 정부를 가진 국가(A)는 그렇지 않은 국가(B)에 비해 무질서 비용이 더 많이 감소한다. 그러므로 전자가 후자에 비해 곡선의 모양이 더 가파르고 곡선상의 더 오른쪽에서 접점이 형성된다.

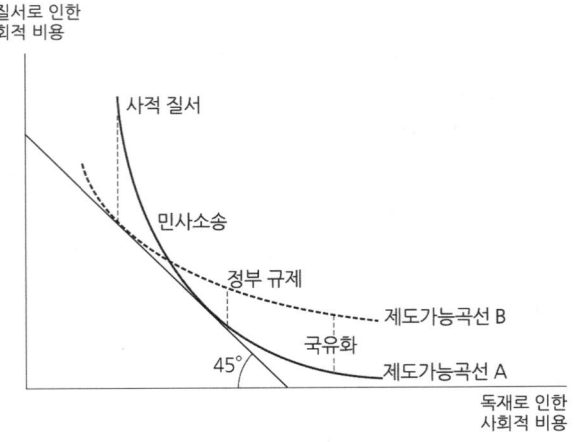

제도가능곡선 모델의 제안자들은 효율적 제도가 선택되지 않는 경우도 많다는 것을 인정한다. 그러나 자생적인 제도 변화의 이해를 위해서는 효율성의 개념을 재정립한 제도가능곡선 모델을 통해 효율성 시각에서 제도의 선택에 대해 체계적인 설명을 제시하는 것이 중요하다고 본다.

19. 윗글의 내용과 일치하는 것은?

① 제도가능곡선 모델은 시장과 정부를 이분법적으로 파악하는 전통에서 탈피하여 제도의 선택을 이해한다.
② 제도가능곡선 모델에 따르면 어떤 제도가 효율적인지는 문제의 특성이 아니라 사회의 특성에 의해 결정된다.
③ 제도가능곡선 모델 제안자들은 항상 효율적 제도가 선택된다고 보아 효율적 제도의 선택에 대한 설명에 집중한다.
④ 제도가능곡선 모델은 특정한 제도가 선택되는 이유를 설명하지만, 제도가 채택되는 일반적인 체계에 대한 설명을 제시하지는 않는다.
⑤ 제도가능곡선 모델은 효율성 시각에 속하지만, 사회 전체적으로 가장 이익이 되는 제도가 선택된다고 설명하지는 않는다는 점에서 효율성 개념을 재정립한다.

20. ⊙에 대한 설명을 바탕으로 추론한 것으로 적절하지 않은 것은?

① 민사소송과 정부 규제가 혼합된 제도가 효율적 제도라면, 민사소송이나 정부 규제는 이 제도보다 무질서 비용과 독재 비용을 합한 값이 더 클 수밖에 없다.
② 시민적 자본이 풍부한 사회에서 비효율적인 제도보다 시민적 자본의 수준이 낮은 사회에서 효율적인 제도가 무질서와 독재로 인한 사회적 총비용이 더 클 수 있다.
③ 정부에 대한 언론의 감시 및 비판 기능이 잘 작동하여 개인의 자유에 대한 침해 가능성이 낮은 사회는 그렇지 않은 사회보다 곡선상의 더 왼쪽에 위치한 제도가 효율적이다.
④ 교도소 운영을 국가가 아니라 민간이 맡았을 때 재소자의 권리가 유린되거나 처우가 불공평해질 위험이 너무 커진다면 곡선이 가팔라서 접점이 곡선의 오른쪽에서 형성되기 쉽다.
⑤ 경제주체들이 교활하게 사적 이익을 추구함으로써 평판이 나빠져 장기적인 이익이 줄어들 것을 염려해 스스로 바람직한 행위를 선택할 가능성이 큰 산업의 경우에는 접점이 곡선의 왼쪽에서 형성되기 쉽다.

21. 제도가능곡선 모델을 바탕으로 <보기>에 대해 반응한 것으로 적절하지 않은 것은?

───<보 기>───

19세기 후반에 미국에서는 새롭게 발달한 철도회사와 대기업들이 고객과 노동자들에게 피해를 주고 경쟁자들의 진입을 막으며 소송이 일어나면 값비싼 변호사를 고용하거나 판사를 매수하는 일이 다반사로 일어났다. 이에 대한 대응으로 19세기 말~20세기 초에 진행된 진보주의 운동으로 인해 규제국가가 탄생하였다. 소송 당사자들 사이에 불평등이 심하지 않았던 때에는 민사소송이 담당했던 독과점, 철도 요금 책정, 작업장 안전, 식품 및 의약품의 안전성 등과 같은 많은 문제들에 대한 사회적 통제를, 연방정부와 주정부의 규제당국들이 담당하게 된 것이다.

① 철도회사와 대기업이 발달하면서 제도가능곡선이 원점에 더 가까워지는 방향으로 이동했군.
② 철도회사와 대기업이 발달하기 전에는 많은 문제의 해결을 민사소송에 의존하는 것이 효율적이었군.
③ 규제국가의 탄생으로 인해 무질서 비용과 독재 비용을 합한 사회적 총비용이 19세기 후반보다 줄었군.
④ 규제국가는 많은 문제에서 제도가능곡선의 모양과 위치가 변화한 것에 대응하여 효율적 제도를 선택한 결과였군.
⑤ 철도회사와 대기업이 발달한 이후에 소송 당사자들 사이의 불평등과 사법부의 부패가 심해짐에 따라 제도가능곡선의 모양이 더욱 가팔라졌군.

[22~24] 다음 글을 읽고 물음에 답하시오.

헤겔에게서 '낭만'은 일차적으로는 예술의 형식과 역사 및 장르를 유형학적으로 단계화하는 미학적 맥락에서 등장하지만, 그 실질적 내용 면에서는 ⊙그의 정신철학 전체의 핵심을 적확하게 드러내는 개념이라 할 수 있다. 이 개념은 그 명칭이 주는 익숙함으로 인해 종종 오해를 불러일으킨다. 따라서 정확한 이해를 위해서는 이 개념을 '낭만적인 것'이라는 범주로 좀 더 엄밀하게 규정하고, 이것이 특히 예술적 내지 사상적 노선으로 공인된 '낭만주의'와 어떤 관계를 지니는지를 밝혀야 한다. 주목할 것은, '낭만적인 것'이 일차적으로 그 단어적 인접성에서 보이듯이 낭만주의를 하나의 하위범주로 포괄하지만, 궁극적으로는 낭만주의와 대립 관계를 보이기까지 한다는 점이다.

이성주의의 가장 강한 형태의 판본을 구축하려는 헤겔의 관점에서 볼 때 무한한 상상력과 감수성이 핵심인 낭만주의는 응당 극복되어야 할 전형적인 지적 미성숙의 상태이다. 그런데 흥미롭게도 그는 인간 지성이 정점에 이른 단계에 대해서도, 즉 엄밀한 개념에 의거하여 최고도의 사유를 수행하는 사변적 이성 및 그러한 이성의 활동장인 철학까지도 종종 '낭만적'이라고 부를 뿐 아니라, 사변적 이성과 철학을 가장 완전한 의미에서 '낭만적인 것'이라고 평가한다. '낭만적인 것'의 정점은 낭만주의의 대척인 이성적 사변인 반면, 낭만주의는 그 명칭이 무색하게 오히려 '낭만적인 것'의 저급한 미와 단계로 평가되는 것이다.

이러한 착종된 용어법을 이해하기 위해서는 그가 몇몇 지점에서 '낭만적인 것'을 '기독교적인 것'과 같은 의미로 사용하고 있다는 점에 유의해야 한다. '낭만적인 것'과 낭만주의의 관계에서와 유사하게, '기독교적인 것'은 비록 언어적으로 종교적 색채를 풍기기는 하지만, 제도화된 신앙 및 교리 체계로서의 기독교를 넘어서는 정신철학적 범주이다. 그에 따르면 정신의 가장 저급한 단계는 객체에 대한 주체의 의존성이 가장 지배적인 감각적 지각의 단계이며, 가장 고급한 단계는 그러한 대상 의존성을 완전히 극복한 정신적 주체의 순수하고 내면적인 재귀적 작동인 '반성', 즉 이성적 사유이다. 이는 절대자, 곧 '신'이 어떤 인격체가 아니라 세계의 근본 존재 구조 내지 원리로서의 '이성'이라고 보는 그의 절대적 관념론에 의거한다. 절대자 그 자체가 완전한 이성적 구조, 즉 개념의 엄밀하고도 완전한 자기 운동 체계이므로, 그것에 호응하는 인간 지성의 형식 역시 개념적 사유 능력인 이성이어야 한다는 것이다. 여기서 '기독교적인 것'이란, 어떤 물리적 대상을 매개로 절대자와 만나려는 원시적 지성성을 극복하여 순수한 내면적 정신성을 성취하는 지성의 단계를 통칭한다. 따라서 가장 완전한 의미에서 '기독교적인 것'은 순수한 개념적 반성을 통해 진리를 인식하는 철학에서 달성된다. 반면 기독교는 자연적 대상의 숭배 또는 매개를 넘어섰다는 점에서 '기독교적인 것'이기는 하지만, 개념적 반성을 필요조건으로 하는 지성의 완전한 순수 내면성에는 미치지 못하기에, '기독교적인 것'의 불완전한 단계로 평가된다. 이상을 근거로 할 때 '기독교적인 것'은 '내면적 지성성'으로 바꾸어 부를 때 그 본질적 의미가 제대로 드러난다. 내면적 지성성에는 여러 단계가 있고 그 완전한 단계는 개념적 사유를 통한 철학인 한에서, '기독교적인 것'은 '기독교'와 단순 등치될 수 없는 것이다.

'기독교적인 것'을 이렇게 이해할 때 '낭만적인 것'과 낭만주의의 관계가 밝혀진다. 감성과 상상력의 무제한적 발산, 즉 '가슴속의 모든 것을 표출할 수 있는 자유'를 지향하는 낭만주의가 주어진 경험 세계를 넘어서는 지적 주체의 내면적 작동을 중심 원리로 하는 것은 분명하기에 낭만주의는 의심할 바 없이 '낭만적인 것'의 하나이다. 그러나 낭만주의가 달성하는 정신의 내면성은 개념적 반성성에 의거한 철학적 사유의 내면성에는 아직 이르지 못한 열등한 것이며, 이에 낭만주의는 '낭만적인 것'의 완전한 전형이 될 수 없다. 진정으로 '낭만적인 것'은 철학적 사유에서 비로소 성취된다.

22. 헤겔의 관점을 이해한 것으로 가장 적절한 것은?
① '낭만주의'와 '기독교'는 서로 바꾸어 쓸 수 있는 동의어이다.
② '기독교'는 정신적 작동 방식의 측면에서 '낭만적인 것'에 속한다.
③ '낭만주의'와 '기독교'는 모두 완전한 형태의 내면적 지성성을 획득한다.
④ 최고도의 '기독교적인 것'은 예술사조로서의 '낭만주의'를 통해 성취된다.
⑤ '낭만적인 것'과 '기독교적인 것'은 모든 단계에서 순수한 개념적 반성을 통해 수행된다.

23. ㉠에 대해 추론한 것으로 가장 적절한 것은?
① 정신의 재귀적 작동은 신앙과 예술의 영역에서 최고도로 이루어진다고 생각할 것이다.
② 참된 인식의 수행 방식은 인식의 궁극적 대상의 존재 구조에 대응해야 한다고 생각할 것이다.
③ 개념의 연쇄를 통한 논리적 추론보다는 구체적 현실에 대한 체험을 인식의 출처로 평가할 것이다.
④ 절대적 진리에 대한 최고의 인식은 인격화된 절대자의 존재를 증명하는 데서 이루어진다고 여길 것이다.
⑤ 구체적 경험보다는 정신 내면의 자유로운 상상력의 작동에서 최고의 지적 탁월성이 달성된다고 여길 것이다.

24. 윗글을 바탕으로 <보기>를 해석한 것으로 가장 적절한 것은?

<보 기>

헤겔은 회화를 '낭만적' 예술 장르로 분류한다. 이는 일반적 장르 구분 관행과 큰 차이를 보이는 것으로서, 통상 건축·조각과 함께 조형예술 영역에 편성되던 회화를 음악·시문학과 동일한 장르군으로 위치 이동시킨 것이다. 그는 특히 17세기의 네덜란드 장르화를 높이 평가한다. 장르화에는 위대한 정신성, 즉 자연의 위협을 극복하고 외세의 침공을 격퇴하고 종교와 사상의 자유를 위해 투쟁하는 등의 역사적 과정을 통해 형성되고 강화된 네덜란드인들 고유의 자기 확신과 자유 지향성이 평범한 일상의 사실적 묘사 속에 깊이 스며듦으로써 '인간적인 것 그 자체'가 형상화되고 있다고 보기 때문이다. 이에 따라 양식적으로 사실주의 미술의 하나로 분류되는 네덜란드 장르화가 그에게서는 '낭만적인 것'으로 기술된다.

① 어떤 예술 장르를 '낭만적'이라고 부르는 것은 예술이 철학적 사변의 한계를 넘어섬으로써 '낭만적인 것'을 더욱 높이 추동시킨다는 생각에서 비롯된다.
② 네덜란드 장르화에서 '인간적인 것 그 자체'가 형상화된다는 진술은 인간의 본질을 세속의 미시적 현실에서 찾아야 한다는 인식의 전환을 사상적 모태로 한다.
③ 양식상 사실주의로 분류되는 장르화를 '낭만적인 것'으로 부르는 것은 일상의 사실적 묘사 속에 기독교의 교리가 확고부동한 삶의 규범으로 함축되어 있다는 판단에서 비롯된다.
④ 회화를 '낭만적' 장르로 분류하는 방식은 회화적 표현이 근본적으로 주체의 정신적 내면성에 의거한다는 점에서 건축·조각보다는 음악·시문학과 더 동질적이라는 생각을 근거로 한다.
⑤ 네덜란드 장르화를 '낭만적인 것'으로 설명하는 것은 상상력의 무제한적 발산을 추구하는 낭만주의의 미적 전략이 이 부류의 회화 작품에 가장 모범적으로 작용하고 있다는 평가에 바탕을 둔다.

언어이해

[25~27] 다음 글을 읽고 물음에 답하시오.

블랙홀 쌍성계와 같은 천체에서 발생한 중력파가 지구를 지나가는 동안, 지구 위에서는 중력파의 진행 방향과 수직인 방향으로 공간이 수축 팽창하는 변형이 시간에 따라 반복적으로 일어난다.

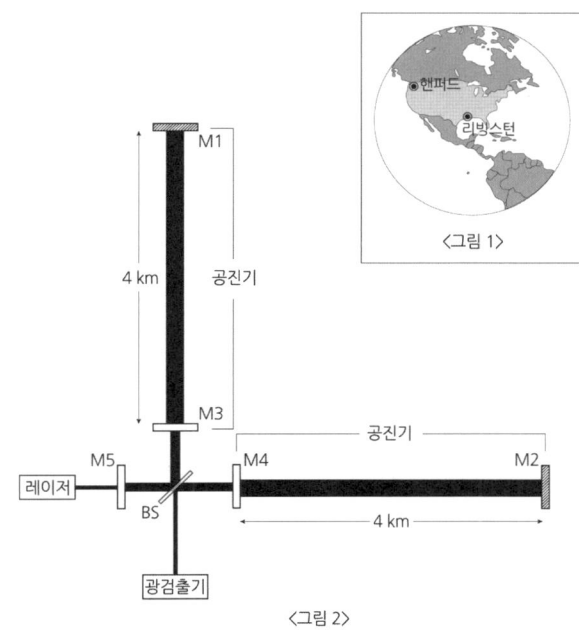

최초로 중력파를 검출한 '라이고(LIGO)'는 <그림 1>과 같이 미국 핸퍼드와 리빙스턴에 위치하며, <그림 2>와 같은 레이저 간섭계를 사용한다. 레이저에서 나온 빛은 빔가르개(BS)에 의해 두 개의 경로로 나뉘고 각 경로의 끝에 있는 거울(M1, M2)에 의해 반사되어 되돌아와 다시 BS에 의해 각각 두 갈래로 나뉘며 광검출기에서 서로 중첩된다. 두 경로 사이에 미세한 길이 차이가 발생하면 중첩된 빛의 세기에 차이가 발생하는데, 간섭계가 놓인 면을 중력파가 통과하며 공간의 수축과 팽창이 반복되면 빛이 지나는 두 경로의 길이 차가 시간에 따라 변화하고 광검출기에서 측정되는 빛의 세기가 그에 따라 변화한다. 이를 측정하면 중력파의 세기와 진동수를 알아낼 수 있다.

중력파는 공간을 일정한 비율로 변형시키므로 간섭계의 경로길이를 되도록 크게 하는 것이 길이의 변화량을 크게 할 수 있어 유리하지만 약 4km가 건설할 수 있는 한계이다. 이를 극복하기 위해 라이고에서는 기본적인 간섭계에 두 개의 거울(M3, M4)을 추가하여 '공진기'를 구성하고 각 공진기의 두 거울 사이를 빛이 여러 번 왕복하도록 함으로써 유효 경로 길이를 늘리는 방법을 사용하였다. <그림 2>에서 M1과 M3, M2와 M4 사이에 공진기가 형성되고, M1과 M2의 반사율은 100%인 반면 M3, M4는 약 1%의 투과율을 갖도록 하여 빛이 출입할 수 있도록 하였다. 이 경우 공진기 밖으로 나온 빛은 두 거울 사이를 수백 번 왕복한 셈이고 따라서 유효 길이가 1,000km 이상에 이른다. 하지만 유효 길이의 변화량은 여전히 원자 크기의 십만분의 일 정도에 불과한데, 어떻게 중력파의 검출이 가능하였던 것일까?

원자의 크기보다도 한참 작은 미세한 길이 변화의 측정이 가능한 이유는 여러 번 측정하여 평균을 취하면 측정값의 정확도를 향상할 수 있다는 사실에 있다. 간섭계는 결국 광검출기에서 빛의 세기를 측정하는 것인데 양자 물리에서 빛은 '광자'라고 부르는 입자로 여겨지며 이때 빛의 세기는 광자의 개수에 비례한다. 즉, 광검출기는 광자의 개수를 측정하는 것이며 측정할 때마다 무작위로 달라지는 광자 개수의 요동이 간섭신호의 잡음으로 나타나게 되는데 이를 '산탄 잡음'이라고 한다. 빛의 세기 측정에서 신호의 크기는 광자의 개수 N에 비례하고, 광자 개수의 요동에 의한 잡음은 N의 제곱근($\sqrt{N}$)에 비례한다. 따라서 '신호대잡음비(신호크기/잡음크기)'는 $\sqrt{N}$에 비례하여 증가한다. 예를 들어 광자의 개수가 1개일 때에 비해 100개일 때, 신호는 100배 증가하지만 잡음은 10배만 증가하므로 신호대잡음비는 10배 증가하게 된다. 따라서 광자의 개수를 늘리면 산탄 잡음에 의한 신호대잡음비를 증가시킬 수 있는데 공진기는 그 안에 레이저 빛을 가둠으로써 간섭계 내부의 광자 개수를 증가시키는 역할도 한다. 하지만 이 정도로는 원하는 신호대잡음비를 얻기에 부족하고 레이저의 출력을 높이는 데에 한계가 있다. 이를 해결하기 위해 <그림 2>에서와 같이 BS에서 레이저 쪽으로 되돌아가는 빛을 반사하여 다시 간섭계로 보내는 출력 재활용 거울(M5)을 설치하여 간섭계에 사용되는 유효 레이저 출력을 원하는 수준으로 높인다.

빛의 입자적 성질은 간섭신호에 '복사압 잡음'이라고 불리는 또 다른 잡음을 일으키는데, 광자가 거울에 충돌하며 '복사압'이라는 힘을 작용하여 거울이 미세하게 움직이기 때문이다. 광자 개수의 요동이 거울의 요동과 그에 따른 간섭계 경로 길이의 요동을 유발하여 간섭신호의 잡음으로 나타나는데, 거울의 질량이 클수록 거울의 요동이 작아진다. 그러므로 복사압 잡음에 의한 신호대잡음비는 광자 개수의 요동이 작을수록, 거울의 질량이 클수록 커진다. 또한 거울의 요동은 힘이 작용하는 시간이 길수록 더 커지므로 복사압 잡음에 의한 신호대잡음비는 진동수가 작을수록 급격히 감소하며, 산탄 잡음에 의한 신호대잡음비는 진동수가 클수록 완만히 감소한다. 따라서 두 잡음의 합으로 결정되는 신호대잡음비가 가장 크게 되는 진동수 대역이 존재하며, 중력파의 진동수가 이 영역에 들어올 때 중력파가 검출될 확률이 가장 높다.

25. 윗글의 내용과 일치하지 <u>않는</u> 것은?

① 중력파는 레이저 간섭계의 경로 길이 변화로 감지한다.
② 공진기는 간섭계 내부에서 빛의 세기를 증가시키는 역할을 한다.
③ 산탄 잡음에 의한 신호대잡음비는 레이저 출력이 클수록 작아진다.
④ 복사압 잡음은 광자 개수의 요동 때문에 발생한다.
⑤ 복사압 잡음에 의한 신호대잡음비는 진동수가 클수록 커진다.

26. 윗글을 바탕으로 추론한 것으로 적절한 것만을 <보기>에서 있는 대로 고른 것은?

<보 기>
ㄱ. 중력파가 검출될 때, 광검출기에서 측정되는 빛의 세기는 일정하다.
ㄴ. 출력 재활용 거울의 반사율을 감소시키면 간섭신호에서 복사압 잡음이 감소한다.
ㄷ. 각 공진기를 구성하는 두 거울 사이의 거리를 늘리면 중력파에 의한 경로 길이 변화량이 늘어난다.

① ㄱ   ② ㄴ   ③ ㄷ
④ ㄱ, ㄴ   ⑤ ㄴ, ㄷ

27. <보기>에서 특정한 물리량에 해당하는 것만을 있는 대로 고른 것은?

<보 기>
다음 그래프는 어떤 중력파검출기의 민감도(1/신호대잡음비)를 진동수에 따라 나타낸 것이다. 여기서 신호대잡음비는 산탄잡음과 복사압 잡음 모두에 의한 것이다. 특정한 물리량을 증가시킴으로써 현재 실선으로 나타난 민감도를 점선과 같은 민감도로 개선하고자 한다.

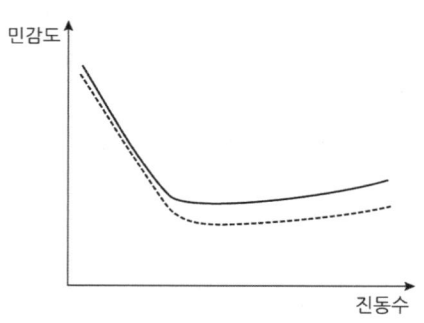

ㄱ. 거울의 질량
ㄴ. 레이저의 출력
ㄷ. 출력 재활용 거울의 투과율

① ㄱ   ② ㄷ   ③ ㄱ, ㄴ
④ ㄴ, ㄷ   ⑤ ㄱ, ㄴ, ㄷ

[28~30] 다음 글을 읽고 물음에 답하시오.

벤야민은 폭력이 모든 합법적 권력의 탄생과 구성 과정에 개입함을, 그리고 그것이 금지하고 처벌하는 방식뿐만 아니라 법 자체를 제정하고 부과하며 유지하는 방식으로도 작동함을 밝히고자 했다. 「폭력 비판을 위하여」에서 그는 목적의 정의로움과 수단의 정당성에 대한 ㉠자연법론과 ㉡법실증주의의 입장 차이를 논의의 출발점으로 삼았다.

벤야민에 따르면, 고전적인 자연법론은 법 창출과 존속의 근거를 신이나 자연, 혹은 이성과 같은 형이상학적이고 외부적인 실체의 권위로부터 구한다. 또한 합당한 자격을 부여받은 외적 실체의 정당한 목적을 위해 사용되는 폭력은 문제가 되지 않는다고 본다. 반면 법실증주의는 폭력을 수단으로 사용하기 위한 절차적 정당성이 확보되었는지 여부에 주목한다. 벤야민은 자연법론보다는 법실증주의가 폭력 비판의 가설적 토대로 더 적합하다고 판단했다. 근본규범으로 전제된 헌법으로부터 법 효력의 근거를 도출하는 법실증주의는 법체계의 자기정초적 성격을 강조함으로써 법 제정 과정의 폭력을 읽어낼 단서를 제공해 주어, 폭력 보존의 계보에 대한 비판적 탐색을 가능케 하기 때문이다.

그렇지만 벤야민은 법실증주의가 목적과 수단의 관계에 대한 잘못된 전제를 자연법론과 공유한다고 보았다. 정당화된 수단이 목적의 정당성을 보증한다고 보는 경우든 정당한 목적을 통해 수단이 정당화될 수 있다고 보는 경우든, 목적과 수단의 상호지지적 관계를 전제로 폭력의 정당성을 판단한다. 그러나 법의 관심은 이러저러한 목적 혹은 수단을 평가하는 데 있는 것이 아니라 법의 폭력 자체를 수호하는 데 있다고 파악했다. 또한 법이 스스로 저지르는 폭력만을 정당한 '강제력'으로 상정하고 다른 모든 형태의 폭력적인 것들은 '폭력'으로 치부하는 문제에 관해 양편 모두 충분한 관심을 두지 않아 왔음을 지적했다.

벤야민은 자연법과 법실증주의가 감추어 온 법의 내재적 폭력성을 설명하기 위해 법정립적 폭력과 법보존적 폭력을 새롭게 개념화했다. 전자의 사례로 무정부적 위력이나 전쟁 등을, 후자의 사례로 행형제도와 경찰제도 등을 제시한 점에서 이들이 각각 근대 국가의 입법 권력과 행정 권력에 대응하는 한정된 개념으로 사용되었다고 보기 어렵다. 법정립적 폭력은 법 목적을 위한 강제력이 정당화된 폭력의 위치를 독점하는 과정을 보여준다. 여기서 폭력은 법 제정의 수단으로 복무하지만, 목적한 바가 법으로 정립되는 순간 퇴각하는 것이 아니라 자신의 도구적 성격을 넘어서 힘 자체가 된다. 그렇기에 법과 폭력의 관계는 목적과 수단의 관계 또는 선후관계로 편입될 수 없다. 한편 법보존적 폭력은 이미 만들어진 법을 확인하고 적용하고자 하는, 그리고 이로써 법의 규율 대상에 대한 구속력을 유지하고자 하는 반복적이고 제도화된 노력들이다. 법은 구속적인 것으로 확언됨으로써 보존되며, 그 보존을 통한 재확언이 다시금 법을 구속하는 것이다. 더 나아가 그는 법 정립과 법 보존의 이러한 순환 회로를 신화적 폭력이라 명명하면서 그것을 신적 폭력과 구별 짓는다. 신적 폭력은 법을 허물어뜨리는 순수하고 직접적인 폭력이다. 벤야민은 이것이 신화적 폭력의 순환 회로를 폭파하고 새로운 질서로 나아가게끔 하는 적극적 동력임을 주장한다.

출간 당시엔 크게 주목받지 못한 「폭력 비판을 위하여」가 반세기 넘게 지나 법과 폭력의 관계를 규명하려는 연구자들의 관심을 끌게 된 데에는 데리다의 비판적 독해가 주요한 계기를 제공했다. 데리다는 「법의 힘」에서 합법화된 폭력을 소급적으로 정립하는 법의 발화 수반적 힘을 분석했다. 그는 법 언어 행위를 통해 적법한 권력과 부정의한 폭력 사이의 경계가 비로소 그어진다고 설명했다. 또한 법보존적 폭력은 법정립적 폭력에 이미 내재되어 있다고 보았다. 정립은 자기보존적인 반복에 대한 요구를 내포하며, 자신이 정립했다고 주장하는 것을 보존하기 위해 재정립되어야 하기 때문이다. 더 나아가 그는 법을 정립하고 보존하는 신화적 폭력과 법을 허물어뜨리는 신적 폭력이 뚜렷이 구분될 수 없으며, 만일 후자를 벤야민이 지지했던 방식으로 이해할 경우 자칫 메시아주의로 귀결되거나 전체주의에 복무하는 것으로 해석될 여지가 있음을 지적했다.

28. 윗글의 내용과 일치하는 것은?

① 벤야민은 법정립적 폭력을 신화적 폭력에, 법보존적 폭력을 신적 폭력에 각각 속하는 것으로 규정한다.
② 벤야민은 신적 폭력이 도래함으로써 법 정립과 법 보존의 순환 회로가 더 강고해질 수 있음을 우려한다.
③ 벤야민은 법의 수단으로 사용되는 폭력은 자신의 목적을 달성하는 순간 힘을 상실하여 소거된다고 주장한다.
④ 데리다는 폭력의 적법성이 법 언어 행위를 통해 사후적으로 정립되지 않는다고 본다.
⑤ 데리다는 법을 보존하기 위한 반복적이고 제도화된 폭력들이 법정립적 폭력에 포함되어 있다고 이해한다.

29. 윗글을 바탕으로 ㉠과 ㉡을 이해한 것으로 적절하지 않은 것은?

① ㉠은 정당성 판단의 준거가 될 법적 권위를 법 바깥에서 구한다.
② ㉡은 수단의 절차적 정당화 여부에 따라 법의 폭력성을 판단해야 한다고 주장한다.
③ ㉠과 ㉡은 목적이나 수단 중 어느 한쪽이 정당화되면 다른 쪽의 정당성도 보증된다고 전제한다.
④ ㉠보다 ㉡이 법의 정립과 보존 과정에 내재된 폭력을 발견하는 데 더 유용하다.
⑤ ㉠과 달리 ㉡은 법적으로 승인된 폭력이 자신을 법 바깥의 폭력들과 차등화하는 문제에 주목한다.

30. 윗글을 바탕으로 <보기>를 평가한 것으로 가장 적절한 것은?

<보 기>

A : 민주적 정치체제에서 법 제정 권력을 다룰 때, 논의 대상은 의회의 입법권으로 좁혀져야 한다. 정치적 자유의 행사를 통해 구성된 권력이 아닌 강제적 힘에 의해 정초된 법은 처음부터 불법이다. 따라서 국가법이 제정되고 유지되는 과정에 폭력이 난입할 여지는 없다.

B : 국가법은 불법체류자 등을 법적 보호로부터 배제하는 동시에 바로 그 배제를 통해 규율 대상으로 포획한다. 이때 법과 폭력은 안과 바깥이 구분되지 않는 '뫼비우스의 띠' 안에서 무한히 순환한다. 우리는 더 나은, 혹은 덜 나쁜 법의 정립을 입법권의 자장 안에서 고민하기보다는 신화적 폭력을 넘어서 국가법 자체를 탈정립할 신적 폭력을 지지할 필요가 있다.

① A는 법 정립 과정에 폭력이 개입하지 않는다고 본 데서, 벤야민과 관점을 같이한다.
② A는 적법한 강제력과 적법하지 않은 폭력이 처음부터 다른 기원을 가진다고 주장한 데서, 벤야민과는 견해를 달리하고 데리다와는 견해를 같이한다.
③ B는 법과 폭력의 순환 고리를 끊어낼 순수하고 직접적인 폭력을 지지한 데서, 벤야민과 입장을 같이한다.
④ B는 신적 폭력과 신화적 폭력의 구분을 전제한 데서, 벤야민과는 견해를 달리하고 데리다와는 견해를 같이한다.
⑤ A와 B는 모두 법 정립 권력을 입법 권력에만 한정 지은 데서, 벤야민과 입장을 같이한다.

2027학년도 LEET 대비
기출문제 해설집

2022

영역별 출제 비중 분석

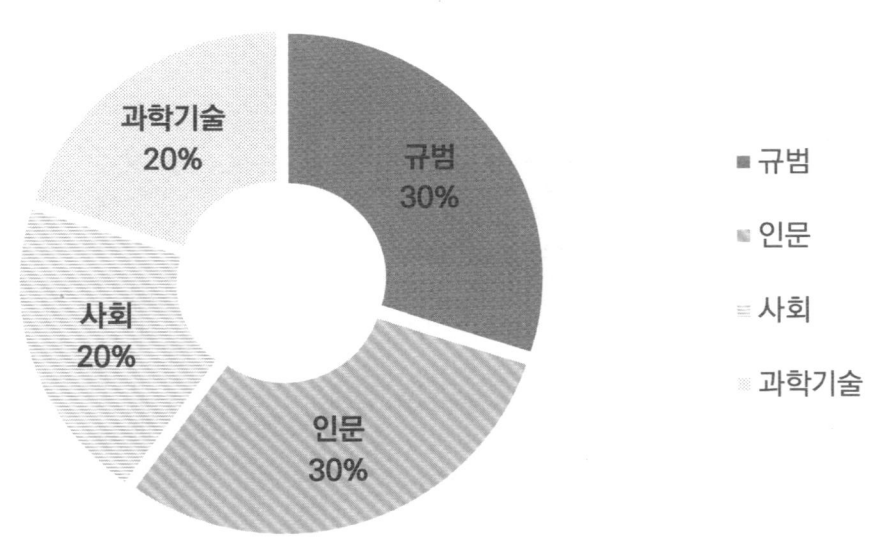

내용 영역	규범	인문	사회	과학기술	총
문항 수	9	9	6	6	30

2022학년도 언어이해

출제 경향 분석

2022학년도에는 전년도에 비해 평이하거나 익숙한 소재들이 출제되었고, 제시문의 길이 역시 대체로 짧았다. 다만 일부 제시문의 경우 정보량이 유난히 많았고, 개념 설명이 복잡하거나 개념 간 관계를 추론하는 과정이 어려워 독해하는 데 다소 까다로웠을 것으로 판단된다. 반면 선택지 구성은 전년도에 비해 제시문에 명시적으로 제시되어 있지 않은 경우가 줄어들었다. 선택지 난이도 역시 다소 평이하여 제시문의 구조나 정보들을 제대로 이해하였다면 큰 어려움 없이 정오 판단을 할 수 있었을 것으로 보인다.

제 1 교시

홀수형

2022학년도 법학적성시험

언어이해 문제지

성 명

수험번호

수험생 유의사항

─

○ 이 문제지는 **30문항**으로 구성되어 있습니다.

○ **시험 시간은 09 : 00~10 : 10(70분)입니다.**

○ 문제지에 성명과 수험번호를 정확하게 기재하십시오.

○ 답안지는 반드시 컴퓨터용 사인펜을 사용하여 답을 표기하여야 합니다.

○ 답안지의 '필적확인란'에 제시된 문구를 정확히 정자로 기재하여야 합니다.

메가로스쿨

2022학년도 법학적성시험
언어이해
홀수형

[1~3] 다음 글을 읽고 물음에 답하시오.

5·16 군사쿠데타 이후 집권세력은 '부랑인'을 일소하여 사회의 명랑화를 도모한다는 명분 아래 사회정화사업을 벌였다. 무직자와 무연고자를 '개조'하여 국토 건설에 동원하려는 목적으로 <근로보도법>과 <재건국민운동에 관한 법률>을 제정·공포했다. 부랑인에 대한 사회복지 법령들도 이 무렵 마련되기 시작했는데, <아동복리법>에 '부랑아보호시설' 관련 규정이 포함되었고 <생활보호법>에도 '요보호자'를 국영 또는 사설 보호시설에 위탁할 수 있음이 명시되었다.

실질적인 부랑인 정책은 명령과 규칙, 조례 형태의 각종 하위 법령에 의거하여 수행되었다. 특히 ㉠<내무부훈령 제410호>는 여러 법령에 흩어져있던 관련 규정들을 포괄하여 부랑인을 단속 및 수용하는 근거 조항으로 기능했다. 이는 걸인, 껌팔이, 앵벌이를 비롯하여 '기타 건전한 사회 및 도시 질서를 저해하는 자'를 모두 '부랑인'으로 규정했다. 헌법, 법률, 명령, 행정규칙으로 내려오는 위계에서 행정규칙에 속하는 훈령은 상급 행정기관이 하급 기관의 조직과 활동을 규율할 목적으로 발하는 것으로서, 원칙적으로는 대외적 구속력이 없으며 예외적인 경우에만 법률의 위임을 받아 상위법을 보충한다. 위 훈령은 복지 제공을 목적으로 한 <사회복지사업법>을 근거 법률로 하면서도 거기서 위임하고 있지 않은 치안 유지를 내용으로 한 단속 규범이다. 이를 통한 인신 구속은 국민의 자유와 권리를 필요한 경우 국회에서 제정한 법률로써 제한하도록 규정한 헌법에 위배되는 것이기도 하다.

1961년 8월 200여 명의 '부랑아'가 황무지 개간 사업에 투입되었고, 곧이어 전국 곳곳에서 간척지를 일굴 개척단이 꾸려졌다. 1950년대 부랑인 정책이 일제 단속과 시설 수용에 그쳤던 것과 달리, 이 시기부터 국가는 부랑인을 과포화 상태의 보호시설에 단순히 수용하기보다는 저렴한 노동력으로 개조하여 국토 개발에 활용하고자 했다. 1955년부터 통계 연보에 수록되었던 '부랑아 수용보호 수치 상황표'가 1962년에 '부랑아 단속 및 조치 상황표'로 대체된 사실은 이러한 변화를 시사한다.

이 같은 정책 시행의 결과로 부랑인은 과연 '개조'되었는가? 개척의 터전으로 총진군했던 부랑인 가운데 상당수는 가혹한 노동 조건이나 열악한 식량 배급, 고립된 생활 등을 이유로 중도에 탈출했다. 토지 개간과 간척으로 조성된 농지를 분배 받기를 희망하며 남아 있던 이들은 많은 경우 약속된 땅을 얻지 못했으며, 토지를 분배 받은 경우라도 부랑인 출신이라는 딱지 때문에 헐값에 땅을 팔고 해당 지역을 떠났다. 사회복지를 위한 제도적 기반이 충분히 갖추어져 있지 않은 상황에서 사회법적 '보호' 또한 구현되기 어려웠다. <아동복리법 시행령>은 부랑아 보호시설의 목적을 '부랑아를 일정 기간 보호하면서 개인의 상황을 조사·감별하여 적절한 조치를 취함'이라 규정했으나, 전문적인 감별 작업이나 개별적 특성과 필요를 고려한 조치는 드물었고 규정된 보호 기간이 임의로 연장되기도 했다. 신원이 확실하지 않은 자들을 마구잡이로 잡아들임에 따라 수용자 수가 급증한 국영 또는 사설 복지기관들은 국가보조금과 민간 영역의 후원금으로 운영됨으로써 결국 유사 행정기구로 자리매김했다. 그중 일부는 국가보조금을 착복하는 일도 있었다.

국가는 <근로보도법>과 <재건국민운동에 관한 법률> 등을 제정하여 부랑인을 근대화 프로젝트에 활용할 생산적 주체로 개조하고자 하는 한편, 그러한 생산적 주체에 부합하지 못하는 이들은 <아동복리법>이나 <생활보호법>의 보호 대상으로 삼았다. 또한 각종 하위 법령을 통해 부랑인을 '예비 범죄자'나 '우범 소질자'로 규정지으며 인신 구속을 감행했다. 갱생과 보호를 지향하는 법체계 내부에 그 갱생과 보호의 대상을 배제하는 기제가 포함되어 있었던 것이다.

국가는 부랑인으로 규정된 개개의 국민을 경찰력을 동원해 단속·수용하고 복지기관을 통해 규율했을 뿐만 아니라, 국민의 인권과 복리를 보장할 국가적 책무를 상당 부분 민간 영역에 전가시킴으로써 비용 절감을 추구했다. 당시 행정당국의 관심은 부랑인 각각의 궁극적인 자활과 갱생보다는 그가 도시로부터 격리된 채 자활·갱생하고 있으리라고 여타 사회구성원이 믿게끔 하는 데에 집중되었던 것으로 보인다. 부랑인은 사회에 위협을 가하지 않을 주체로 길들여지는 한편, 국가가 일반 시민으로부터 치안 관리의 정당성을 획득하기 위한 명분을 제공했다.

1. 윗글의 내용과 일치하는 것은?

① 부랑인 정책은 갱생 중심에서 격리 중심으로 초점이 옮겨갔다.
② 부랑아의 시설 수용 기간에 한도를 두는 규정이 법령에 결여되어 있었다.
③ 부랑인의 수용에서 행정기관과 민간 복지기관은 상호 협력적인 관계였다.
④ 개척단원이 되어 도시를 떠난 부랑인은 대체로 개척지에 안착하여 살아갔다.
⑤ 부랑인 정책은 치안 유지를 목적으로 하여 사회복지 제공의 성격을 갖지 않았다.

2. ㉠에 대한 비판으로 적절하지 않은 것은?

① 상위 규범과 하위 규범 사이의 위계를 교란시켰다.
② 근거 법령의 목적 범위를 벗어나는 사항을 규율했다.
③ 법률을 제정하는 국회의 입법권을 행정부에서 침해하는 결과를 초래했다.
④ 부랑인을 포괄적으로 정의함으로써 과잉 단속의 근거로 사용될 여지가 있었다.
⑤ 부랑인 단속을 담당하는 하급 행정기관이 훈령을 발한 상급 행정기관의 지침을 위반하도록 만들었다.

3. <보기>의 내용을 윗글에 적용한 것으로 적절하지 않은 것은?

<보 기>

국가는 방역과 예방 접종, 보험, 사회부조, 인구조사 등 각종 '안전장치'를 통해 인구의 위험을 계산하고 조절한다. 그 과정에서 삶을 길들이고 훈련시켜 효용성을 최적화함으로써 '순종적인 몸'을 만들어내는 기술이 동원된다. 이를 통해 정상과 비정상, 건전 시민과 비건전 시민의 구분과 위계화가 이루어지고 '건전 사회의 적'으로 상정된 존재는 사회로부터 배제된다. 이는 변형된 국가인종주의의 발현으로 이해할 수도 있다. 고전적인 국가인종주의가 선천적이거나 역사적으로 구별되는 인종을 기준으로 이원 사회로 분할하는 특징이 있다면, 변형된 국가인종주의는 단일 사회가 스스로의 산물과 대립하며 끊임없이 '자기 정화'를 추구한다는 점에서 차이가 있다.

① 부랑인을 '우범 소질'을 지닌 잠재적 범죄자로 규정한 것은 한 사회의 '자기 정화'를 보여준다고 할 수 있다.
② 부랑인을 '개조'하여 국토 개발에 동원하고자 한 것은 삶을 길들이고 훈련시키는 기획을 보여준다고 할 수 있다.
③ 부랑인을 생산적 주체와 거기에 이르지 못한 주체로 구분 지은 것은 변형된 국가인종주의의 특징을 보여준다고 할 수 있다.
④ 치안관리라는 명분을 위해 부랑인의 존재를 이용한 것은 건전 시민과 비건전 시민의 구분과 위계화를 보여준다고 할 수 있다.
⑤ 부랑인의 갱생을 지향하는 법체계에 배제의 기제가 내재된 것은 '순종적인 몸'을 만들어내는 기술과 '안전장치'가 배척 관계임을 보여준다고 할 수 있다.

[4~6] 다음 글을 읽고 물음에 답하시오.

현대의 환경 위기는 인류의 생존 문제일 뿐 아니라 근대 이후 구현되어 온 인본주의적 가치들을 위협할 수 있는 요인이기도 하다. 즉 그것은 '생존'을 빌미로 하는 신유형의 독재나 제국주의를 유발함으로써 자유, 인권, 평등의 가치에 근거한 민주주의나 세계 시민주의 등의 이념들을 위기에 처하게 할 수 있다는 점에서도 문제인 것이다. 환경 위기는 특히 '철학적 근대'에 관한 담론에서 중요 주제로 부각된다. 이 위기는 자연과 인간을 근본적으로 차별하는 세계관을 사상적 토대로 하고, 또한 그러한 세계관은 인간의 이성적 주체성을 전면에 등장시킨 근대의 철학적 혁명에서 비롯되었기에, 사상사적 맥락에서 가장 큰 책임을 져야 하는 것이 바로 철학적 근대라고 지적되기 때문이다. 그러나 철학적 근대는 경시할 수 없는 미덕을 동시에 지니기 때문에, 그대로의 수용도 원천적 거부도 선택할 수 없는 딜레마적 문제이다. 저 숭고한 인본주의적 가치들은 무엇보다도 인간의 지성적·실천적 자율성을 주창한 철학적 근대를 통해 정초되었기 때문이다.

철학적 근대는 ㉠데카르트주의의 발흥 및 완성의 과정으로 이루어진다는 것이 일반적 통념이다. 이성적 사유 주체의 절대적 확실성을 철학의 제1 원리로 논증하는 이 사상 체계에서 자연은 주체에 대해 근본적 타자로서, 그 어떤 자기 목적이나 내면도 없는 단적인 물질적 실체, 즉 '길이, 넓이, 깊이로 연장된 것'이라는 열등한 존재로 인식된다. 인간과 자연의 이러한 위계적 이원화는 인간의 자연 지배를 정당화하는 토대가 되거니와, 기계론적으로 양화되는 연장의 영역으로 정위된 자연은 인간 마음대로 사용할 수 있는 유용한 자재 창고로 여겨지게 될 것이다.

자연과학적 실험의 보편화는 더욱 과격화된 철학적 자연관의 출현을 촉발한다. 자연은 '인식'과 '사용'의 대상이던 것에서 나아가 '제작'의 대상으로까지 여겨지게 된다. 진리를 발견되는 것이 아니라 만들어지는 것으로 보는 이러한 노선은 ㉡칸트주의에서 특히 전형적으로 대두한다. 즉 의지의 규범인 도덕 준칙과 마찬가지로 지성의 대상인 자연 법칙 또한 그 입법권이 자율적 주체인 인간에게 부여되는 것이다. 자연은 한낱 조야한 질료로서 주어질 뿐, 그 구체적 존재 형식은 인식 주체로서의 인간의 지적 틀에 의해 결정된다는 것이다. 물론 이 사상에서 자연의 자기 목적이 중요한 화두로 제기되기도 하지만, 이 역시 세계를 대하는 인간의 심적 태도의 차원에서 상정될 뿐이다.

이러한 추이로부터 짐작하면, 철학적 근대의 완성판이라 불리는 객관적 관념론은 어떤 노선보다도 강한 이성주의적 면모를 지니는 까닭에, 자연에 대한 억압적 지배를 정당화하는 궁극의 사조라는 죄명을 뒤집어쓸 개연성이 클 것이다. 하지만 이 철학 사조는 그러한 혐의가 근본적 몰이해에서 비롯된 것이라고 항변할 수 있는 상당한 근거를 지니는데, 흥미롭게도 그 근거는 이 사조가 철학적 근대의 핵심 원리인 '이성'의 위상을 극한으로 강화한다는 점에 있다. 객관적 관념론은 문자 그대로 관념의, 구체적으로는 이성의 객관적 진리치를 정당화하고자 한다. 중요한 것은 여기서 '이성'이 이전의 근대 철학에서와는 사뭇 다른 층위의 의미를 지닌다는 점이다. 즉 '이성'은 단지 지적 능력의 특정한 형식이나 단계를 지칭하는 것에서 나아가 근본적으로는 존재론적·형이상학적 위상까지 지니는 최상위의 범주 또는 섭리를 가리킨다. '모든 것은 개념, 판단, 추론이다'라는 헤겔의 말처럼, 이성은 '세계의 모든 것에 선행하면서 동시에 그 모든 것을 가능케 하는 조건', 즉 '삼라만상의 선험적인 논리적 구조 내지 원리'라는 절대적 위상을 지니며, 이에 모든 자연사와 인간사는 이러한 절대적 이성이 시공간의 차원으로 외화한 현상적 실재로 설명된다. 즉 자연은 절대적 이성에 따라 존재하고 변화하는 사물 양태의 이성이고, 지성적 주체인 인간은 절대적 이성에 따라 사유하고 성숙하여 절대적 이성의 인식에 도달해 가는 의식 양태의 이성이기에, 양자는 본질적으로 동근원적이라는 것이다.

객관적 관념론은 오히려 최고도로 강화된 이성주의를 통해 철학적 근대의 딜레마에 대한 해결을 모색할 수 있음을 보여준다. 그것은 이성적 주체의 위상을 정당화하면서도 동시에 무분별한 자연 지배를 경계할 수 있는 논거를 제시한다. 그 때문에 현대의 환경 철학 담론에서 근대를 원천으로 거부하는 포스트모더니즘이 상당한 공감을 얻고 있는 와중에도 객관적 관념론에 기반을 둔 자연철학의 계발이 주목을 받는 것이다.

4. 윗글에 대한 이해로 가장 적절한 것은?

① 가장 강화된 이성주의는 인간에 대한 자연의 형이상학적 우위를 정초한다.
② 현대의 환경 위기는 새로운 억압적 정치 체제의 대두와 함께 도래한 것이다.
③ 포스트모더니즘은 철학적 근대의 딜레마를 이성에 근거하여 해소하고자 한다.
④ 인본주의적 이념들의 사상적 토대를 제공한 것은 철학적 근대의 주목할 만한 성과이다.
⑤ 인간의 이성적 주체성을 옹호하는 철학사적 흐름은 억압적 자연관으로 귀결될 수밖에 없다.

5. ㉠과 ㉡을 비교한 것으로 적절하지 않은 것은?

① ㉠은 ㉡과 달리 자연의 자기 목적을 이성적 인식의 기준으로 설정한다.
② ㉡은 ㉠과 달리 인간을 자연 법칙을 수립하는 주체로 승인한다.
③ ㉠과 ㉡은 모두 자연을 인식과 사용의 대상으로 생각한다.
④ ㉠과 ㉡은 모두 자연에 대한 인간 이성의 우위를 주장한다.
⑤ ㉠과 ㉡은 모두 환경 위기에 대한 철학적 책임이 있는 것으로 평가된다.

6. 객관적 관념론에 대해 추론한 것으로 적절하지 않은 것은?

① 자연 법칙을 탐구하는 자연과학은 의식 양태의 이성이 사물 양태의 이성을 인식하는 것이라고 여길 수 있을 것이다.
② 이성의 위상을 지고의 형이상학적 차원까지 높임으로써 자연 법칙도 인간 의식의 투영을 통해 만들어지는 것으로 여길 것이다.
③ 삼라만상이 절대적 이성의 발현이므로 반이성으로 보이는 어떤 것도 궁극적으로는 이성 영역에 포섭된다고 설명할 수 있을 것이다.
④ 이성이 절대적 진리치를 지닌다는 관점에 의거하여 모든 역사적 사건도 이성의 법칙에 따라 진행되는 것으로 이해할 수 있을 것이다.
⑤ 억압적 자연 지배의 책임을 져야 한다는 비판이 제기된다면 자연과 인간의 동근원성을 강조하는 일원론적 관점을 근거로 반박할 수 있을 것이다.

[7~9] 다음 글을 읽고 물음에 답하시오.

 소설을 읽는다는 것은 이야기를 하는 누군가의 목소리를 듣는다는 것을 뜻한다. 독자에게 특정한 배경 속에서 여러 인물들이 펼치는 사건에 대해 '말하는 주체'를 우리는 화자라고 부른다. 그래서 독자는 항상 화자의 목소리를 통해서 허구 세계에 대한 정보를 얻는다. 가령 등장인물의 대화가 직접화법으로 표현된 장면을 떠올려보자. 드라마가 화자 없이 등장인물의 대사로 진행된다는 점에서 이 장면도 드라마와 유사하게 느낄 수 있겠지만, 사실은 화자가 의도적으로 간접화법 대신 직접화법을 채택한 것이어서 독자에게 대화를 직접 듣는다는 착각을 이끌어내려는 책략이라고 보아야 한다. 독자는 화자가 자신의 말로 바꾸었는가 혹은 그렇지 않았는가 상관없이 언제나 그의 목소리를 들을 뿐이다.
 화자가 사건에 대해 말하기 위해서는 먼저 사건을 보는 것이 필요하다. ㉠브룩스와 워렌은 순전히 화자가 보는 위치를 기준으로 일인칭과 삼인칭을 구분한 뒤, 목격자로서 사건을 관찰하는지 그렇지 않으면 탐구자로서 사건을 분석하는지에 따라 일인칭 주인공 시점과 일인칭 관찰자 시점, 작가 관찰자 시점과 전지적 작가 시점으로 구분한다. 그렇지만 이들의 논의는 삼인칭 시점에서 '화자'의 시점을 '작가'의 시점으로 치환하였고, 특정 인물의 내면을 그려내는 것과 모든 인물의 내면을 그려내는 것을 전지적 작가 시점으로 뭉뚱그렸다는 비판을 받았다.
 '보는 주체'로서의 화자의 역할에 대한 또 다른 접근은 ㉡랜서에 의해 이루어졌다. 그는 화자의 역할을 이야기의 내용이나 주제와 결합시켰다. 기존 논의가 '시점'이라는 말에서 짐작할 수 있듯이 사건을 보는 위치에 치중했던 것을 반성하고, 사건을 보는 입장도 고려하고자 했다. 화자가 다른 공간적 위치에 서거나 다른 이념적 입장을 가질 때, 같은 사건도 다르게 인식되어 다르게 재현된다는 것이다. 그래서 랜서는 화자를 작가가 창조한 세계를 보여주는 인식틀이라고 언급했다. 독자가 화자를 통해서 이야기를 접한다는 점을 고려할 때, 독자가 바라볼 수 있는 시선과 들을 수 있는 목소리는 항상 화자에 의존한다는 것을 알려준 셈이다.
 이와 관련하여 화자가 작품에 개입하는 것과 독자에게 진실을 전달하는 방식을 둘러싼 ㉢플라톤의 고전적인 문제제기는 흥미롭다. 그는 모방을 논하면서 영혼의 진정성 문제를 연결시킨다. 화자의 개입을 최소화하여 독자들이 실재와 가상을 착각하게 만들수록 진정성을 의심한 반면, 주관적인 논평을 섞는 방식으로 화자를 떠올리게 할수록 좀 더 진정성을 지닌 것으로 평가했던 것이다. 이러한 관점을 소설에 비추어 보면 화자를 이야기에 개입하여 객관성을 훼손하는 존재로 바라보던 태도에서 벗어나야 한다는 것을 시사한다. 즉 소설은 화자 때문에 객관성에 도달할 수 없는 것이 아니라 화자 덕분에 다른 양식과 구별되는 독자성을 획득할 수 있었던 것이다.
 이렇듯 소설의 화자에 대해 지금까지 다양한 논의가 진행되었지만, 수많은 소설작품을 포괄할 만큼 충분히 정교하지 못한 것은 사실이다. 그리고 개별 작품의 경우에도 하나의 시점을 처음부터 끝까지 유지한 작품을 찾는 것이 쉽지 않다. 우리가 훌륭하다고 손꼽는 작품들 또한 그러하다. 따라서 화자의 위치나 입장, 역할 등을 이론적으로 따지기보다 구체적인 작품 감상과 결부시키는 편이 훨씬 현명하다. 작가 또한 메시지를 전달하는 데 가장 효과적인 방법이 무엇인지를 고민하는 것이다. 소설을 읽는 것을 등장인물, 화자, 독자가 정보량을 둘러싸고 벌이는 일종의 게임으로 바라보는 견해가 바로 그것이다. 이 견해에 따르면 동일한 사건이라도 누가 정보를 더 많이 갖느냐에 따라 다른 이야기로 변주될 수 있다. 가령 화자가 등장인물이 모르는 정보를 독자에게 제공하는 경우, 자신이 처한 위기를 모르는 등장인물을 지켜보며 독자는 마음을 졸일 수밖에 없다. 하지만 등장인물과 독자가 동일한 정보를 공유하는 경우, 독자는 인물과 같은 수준으로 작중의 상황을 이해하고 함께 퍼즐을 풀어가는 기분으로 사건을 경험할 것이다. 그리고 등장인물이 독자에게 공개하지 않은 비밀을 숨기고 있는 경우, 독자는 결말에 이르러서야 사건의 전모를 파악하면서 반전의 효과를 체험할 수도 있다. 이처럼 어떤 메시지를 전달하는 데 어울리는 화자를 창조하는 일은 작품의 성공과 실패를 가르는 첫걸음이다.

7. 윗글의 내용과 일치하는 것은?

① 독자가 소설을 감상하고자 할 때, 독자와 접촉하며 정보를 제공하는 존재는 화자이다.
② 소설이 진행되는 동안 하나의 시점을 유지하는 것이 예술적으로 성공하는 지름길이다.
③ 소설에서 등장인물의 대화를 직접화법으로 묘사할 때에는 화자의 목소리가 개입하지 않는다.
④ 드라마에서는 통상 등장인물의 목소리뿐만 아니라 '말하는 주체'의 목소리도 관객에게 직접 들린다.
⑤ 이야기되는 사건이 같다면 작가가 화자의 위치나 입장, 독자와의 관계를 변화시켜도 다른 소설로 만들기 어렵다.

8. ㉠~㉢에 대한 이해로 적절하지 않은 것은?

① ㉠은 현실에 존재하는 작가와 작가가 창조한 화자를 개념적으로 구분하지 않고 있다.
② ㉡은 화자에 대해 이야기를 수용하는 독자의 입장에 영향을 미치는 인식틀로 작용한다고 보고 있다.
③ ㉢은 독자들이 실재와 가상을 혼동하지 않도록 하는 것이 진정성 있는 태도라고 판단하고 있다.
④ ㉠과 ㉡은 '말하는 주체'에 선행하는 '보는 주체'로서의 화자의 역할을 소설의 내용적 측면에서 분석하고 있다.
⑤ ㉡과 ㉢은 화자를 통해서 작가의 입장이나 태도를 파악할 수 있다고 믿고 있다.

9. 윗글을 바탕으로 <보기>를 평가한 것으로 적절하지 않은 것은?

<보기>

시내에 나갔다 왔다. 그사이 누군가가 집에 다녀간 흔적이 있다. 조심스러운 손길이었지만 분명히 집을 뒤졌다. 몇몇 물건들은 도저히 찾을 수가 없다. 가져간 것이 분명하다. 도둑일까? 집에 도둑이 든 일은 지금껏 없었다.

저녁에 퇴근한 은희에게 집에 도둑이 들었다고 말했다. 은희는 딱한 얼굴로 나를 바라보며 그런 일은 없었다고 한다. 뭐가 없어졌느냐고 묻는데 생각이 나지 않았다. 그러나 분명히 뭐가 없어졌다. 느낄 수 있다. 그런데 입 밖으로 꺼내 말할 수가 없다.

"치매에 걸리면 다들 그런대요. 며느리도 도둑이라고 하고 간호사도 도둑이라고 하고"

그래, 그걸 도둑망상이라고들 하지. 나도 그건 알아. 그런데 이건 망상이 아니야. 분명히 뭔가 없어졌다고. 일지와 녹음기를 몸에 지니고 있으니 무사했지만 다른 무언가가 사라졌다.

"그래, 개가 없어졌다. 개가 없어졌어."

"아빠, 우리 집에 개가 어디 있어요?"

이상하다. 분명히 개가 있었던 것 같은데.

— 김영하, 『살인자의 기억법』—

① 화자가 주인공과 동일한 인물이기 때문에, 독자들은 주인공의 내면 변화를 파악할 수 있겠군.

② 화자가 다른 등장인물과 함께 허구세계에 있기 때문에, 독자들은 사건의 전모를 모른 채 상황이 발생할 때마다 긴장감을 경험할 수 있겠군.

③ 주인공과 화자와 독자의 정보가 일치하기 때문에, 독자들은 주인공과 등장인물들에 대한 화자의 정보를 객관적 사실로 받아들일 수 있겠군.

④ 주인공인 화자가 다른 등장인물의 내면을 파악할 수 없기 때문에, 독자들은 자신의 상황을 정확히 알지 못하는 주인공을 안타깝게 느낄 수 있겠군.

⑤ 모든 등장인물에 대한 정보가 화자의 시선과 목소리로 전달되기 때문에, 독자들은 다른 등장인물의 진실이 뒤늦게 알려지면 이야기의 흐름이 달라지리라 기대할 수 있겠군.

[10~12] 다음 글을 읽고 물음에 답하시오.

개체의 생존을 위해서는 움직이는 물체의 시각 정보를 효율적으로 처리하는 것이 중요하다. 예를 들어 숲 속을 걸을 때 특별한 주의를 기울이지 않았음에도 복잡한 형태의 나무들 사이에서 작은 동물의 움직임을 재빨리 알아챌 수 있다. 나무는 움직이지 않으므로 시간차를 두고 획득한 두 이미지의 차이를 통해 그 움직임을 간단히 알아챌 수 있을 것 같지만, 실제로는 가만히 한곳을 응시하더라도 안구가 끊임없이 움직이고 있어 망막에 맺히는 이미지 전체가 시간에 따라 변하므로 더 정교한 정보 처리가 필요하다. 최근 미세전극이 일정한 간격으로 촘촘히 배열된 마이크로칩을 이용하여 망막에서 발생하는 전기적 신호를 실시간으로 관찰할 수 있게 되면서 이러한 고차원 시각 정보 처리가 뇌에서 전적으로 이루어지는 것이 아니라 망막에서 시작된다는 증거들이 발견되었다.

망막은 어떻게 전체 이미지가 흔들리는 속에서 작은 동물의 움직임에 대한 정보를 골라내는 것일까? 망막에는 빛에 반응하는 광수용체세포와 일정한 영역에 분포한 여러 광수용체세포에 연결되어 최종 신호를 출력하는 신경절세포가 존재한다. 신경절세포 가운데 특정 종류는 각 세포가 감지하는 부분이 이미지 전체의 이동 경로와 같은 경로를 따라 움직일 때는 전기적 신호를 발생하지 않고 다른 경로를 따라 움직일 때만 신호를 발생한다. 안구의 움직임에 의한 상의 떨림은 망막 위에서 전체 이미지가 같은 방향으로 움직이는 변화를 만드는데, 작은 동물의 상은 이와는 이동 경로가 다르므로 그 부분에 분포한 특정 종류의 신경절세포만이 신호를 발생하게 되어 작은 움직임도 잘 볼 수 있게 된다.

망막의 또 다른 신호 처리의 예로 움직이는 테니스공을 치는 경우를 생각해 보자. 충분한 밝기의 빛이 도달하더라도 망막에서 시각 정보가 처리되는 데 수십 분의 1초가 걸린다. 강하게 친 테니스공은 이 시간 동안 약 2m를 이동할 수 있어서 라켓을 벗어 나기에 충분한데도 어떻게 그 공을 정확히 쳐 낼 수 있을까?

이를 알아보기 위해 연구자들은 ㉠마이크로칩 위에 올려진 도롱뇽의 망막에 막대 모양의 상을 맺히게 하고 상의 밝기와 이동 속도 등을 변화시켜가며 망막에서 발생하는 신호를 측정하였다. 폭이 0.13mm인 막대 모양의 상을 1/60 초 동안만 맺히게 한 후에 상 아래에 위치한 하나의 신경절세포에서 출력되는 신호를 측정한 실험의 경우, 광수용체에서 전기 신호가 발생하고 여러 신경세포를 거치는 과정에서 시간 지연이 일어나므로, 상이 맺힌 순간부터 약 1/20 초 후에 신경절세포에서 신호가 발생하기 시작하여 약 1/20 초 동안 지속되었다. 상을 일정한 속도로 움직이며 상의 이동 경로에 위치한 여러 신경절세포에서 발생하는 신호를 측정한 실험의 경우, 실제 상이 도달한 위치보다 더 앞에 위치한 신경절세포에서 신호가 발생하기 시작하여 상의 앞쪽 경계와 같은 위치 혹은 이보다 앞선 위치에서 신호가 최대가 되었다.

개별 신경절세포의 시간 지연에도 불구하고 상의 앞쪽 경계에서 최대가 되는 모양의 신호를 만들기 위해서는 특별한 기제가 필요하다. 첫째는 신경절세포 반응의 시간 의존성이다. 즉, 밝기가 변화한 직후 신경절세포의 출력 신호가 최대가 되고 이후 점차 작아진다. 둘째, 신경절세포 신호증폭률의 동적 조절이다. 즉, 물체가 이동할 때 신경절세포는 물체의 이동 방향으로 가장 먼저 자극되는 광수용체의 신호를 크게 증폭하여 받아들이고 곧바로 증폭률을 떨어뜨려 신호의 세기를 줄여버린다. 상의 이동 경로에 위치한 신경절세포들에서 각각 이러한 기제에 따라 발생한 신호들이 합쳐져서 만들어지는 출력 신호는, 그 형태가 상의 앞쪽 경계면 혹은 그보다 앞선 지점에 대응하는 위치에서 그 세기가 최대가 되는 비대칭적인 모양이 된다.

물체와 주변의 밝기 차이가 작거나 속력이 너무 커서 증폭률의 변화가 물체의 이동 속력에 맞추어 재빨리 이루어지지 못하면, 이러한 기제가 잘 작동하지 못하여 시간 지연에 대한 보상이 잘 이루어지지 않는다. 어두울수록, 그리고 테니스공이 빠르게 움직일수록 정확하게 맞히기 어려운 이유도 이와 관련이 있다.

10. 윗글의 내용과 일치하는 것은?

① 신경절세포는 광수용체에서 발생한 전기적 신호를 원래 세기대로 출력한다.
② 한곳을 가만히 응시할 때는 망막에 형성된 이미지의 떨림이 발생하지 않는다.
③ 정지한 물체의 상에 대해 전기적 신호를 출력하지 않는 신경절세포가 존재한다.
④ 마이크로칩은 망막에 도달한 빛을 전기적 신호로 변환시켜 관찰 가능하게 만든다.
⑤ 빛의 밝기가 일정할 때 하나의 신경절세포에서 발생하는 신호의 세기는 일정하다.

11. <보기>의 실험에 대한 설명으로 적절한 것만을 있는 대로 고른 것은?

<보 기>

다음 그림은 ⊙의 실험에서 어느 순간 망막에 형성된 빛의 밝기 분포와 신경절세포의 출력 신호를 위치에 따라 나타낸 것이다. 그래프 a, b, c는 각각 서로 다른 조건에서 측정한 결과로서, b와 c는 속력이 같고 상과 주변의 밝기 차가 다르고, a는 속력이 다르다. a, b, c 모두 상의 이동 방향은 같다.

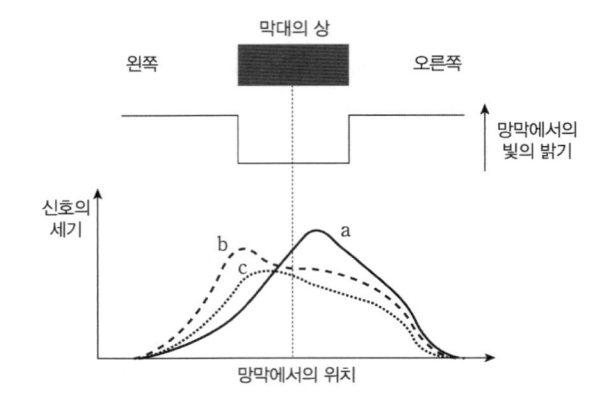

ㄱ. 상은 오른쪽에서 왼쪽으로 이동하고 있다.
ㄴ. 상의 속력은 a가 b보다 크다.
ㄷ. 상과 주변의 밝기 차는 b가 c보다 작다.

① ㄱ   ② ㄴ   ③ ㄷ
④ ㄱ, ㄴ   ⑤ ㄴ, ㄷ

12. 윗글을 바탕으로 '도롱뇽이 파리를 응시하는 상황'을 이해한 것으로 가장 적절한 것은?

① 날아가는 파리가 속력을 줄이면 상이 맺힌 위치의 개별 신경절세포에서의 시간 지연이 감소한다.
② 아래위로 천천히 움직이는 물체 위에 앉아 있는 도롱뇽은 수평으로 날아가는 파리의 움직임을 알아채지 못한다.
③ 배경이 밝고 파리의 색이 어두울수록 상의 위치와 신경절세포의 출력 신호가 최대가 되는 위치 사이의 오차가 크다.
④ 망막에 맺힌 날아가는 파리의 상에서 머리 부분에서 발생하는 신호의 증폭률은 몸통 부분에서 발생하는 신호의 증폭률보다 작다.
⑤ 도롱뇽이 눈을 깜박일 때, 정지한 파리의 상이 1/60초 동안 사라지면 파리의 상이 있던 위치의 신경절세포에서는 1/60초보다 오래 신호가 지속된다.

언어이해

[13~15] 다음 글을 읽고 물음에 답하시오.

파시즘을 규정하기란 쉽지 않다. 본디 파시즘은 1919년에서 1945년까지 무솔리니가 이끈 정치 운동, 체제, 이념만을 지칭하는 용어였다. 그러나 얼마 후 히틀러의 나치즘 역시 파시즘의 하나로 취급되었고, 점차 그 용어가 가리키는 대상도 다양해져 갔다. 이에 따라 파시즘에 대한 해석 및 정의는 용어의 대상만큼이나 넓은 스펙트럼을 가지게 되었다.

비교적 일찍 나타난 것은 기본적으로 계급투쟁 개념에 바탕을 둔 마르크스주의적 해석인데, 대표적인 것은 '코민테른 테제'이다. 이에 따르면, 파시즘이란 "금융 자본의 가장 반동적이고 국수주의적이며 제국주의적인 분파의 공공연한 테러 독재"이다. 즉, 파시즘이 자본주의의 도구이며, 대자본의 대리인이라고 파악한 것이다. 하지만 모든 마르크스주의자들이 이 해석을 받아들인 것은 아니다. 톨리아티는 파시즘이 소부르주아적 성격의 대중적 기반 위에 있었다고 파악했으며, 나아가 탈하이머와 바이다는 파시즘이 계급으로부터 상대적으로 자유로운 현상이라고 보았다. 그들에 따르면, 자본과 노동이 대립하면서 어느 한쪽이 절대 우위를 갖추지 못하면 제3의 세력이 등장하는데, 파시즘이 그 예라는 것이다. 이러한 마르크스주의적 해석에 대해 오늘날의 연구는 대체로 파시즘과 거대 자본 사이의 조화와 협력보다는 긴장과 갈등 국면을 강조한다. 또한 코민테른 테제는 지나친 단순화의 산물이라는 비판도 제기되었다.

한편 2차 대전 이후에는 냉전의 분위기 속에서 이탈리아의 파시즘, 독일의 나치즘, 소련의 스탈린주의를 뭉뚱그려 전체주의로 범주화하는 경향이 나타났다. 이 경향을 '전체주의 이론'으로 칭할 수 있는데, 이 이론은 전체주의의 특징을 메시아 이데올로기, 유일 정당, 비밀경찰의 테러, 대중 매체의 독점, 무력 장악, 경제의 통제로 꼽았다. 이는 전체주의를 '문제화'하고 그 위험성을 경고했다는 점에서는 의미가 있었으나, 파시즘과 스탈린주의는 전혀 다른 계급적 토대 위에서 서로 다른 목표를 추구하므로 동일한 범주로 묶일 수 없다는 비판이 제기되었다.

이와 같은 연구사적 전통 속에서 1970년대 이후에는 파시즘을 아예 개별적 사례로만 미시적으로 연구하는 경향이 나타났다. 그러다가 1990년대 말, ㉠그리핀이 새로운 시각에서 일반화된 개념을 제시하여 각국의 유사한 사례들에 적용할 수 있게 했다. 그에 따르면, 파시즘은 근대적 대중 정치의 한 부류로서, 특정한 민족 혹은 종족 공동체의 정치 문화와 사회 문화에 대한 혁명적인 변화를 목적으로 삼는다. 그리고 '신화'를 수단으로 삼아 내적 응집력과 대중의 지지라는 추동력을 얻어낸다. 그 '신화'란 자유주의 몰락 이후의 질서라는 고난 속에서 쇠퇴의 위기에 처한 민족공동체가 새로운 엘리트의 지도 아래 부활한다는 것이다. 파시스트는 이 신화의 틀 내에서 민족공동체의 구성원을 적대적인 세력과 구분하고, 후자에 대해 폭력을 행사하는 것을 의무로 믿었다. 그들에게 폭력은 곧 죽어가는 민족의 '치유'였기 때문이다. 그러나 '치유'만으로는 부족했고, 신화가 실현되기 위해서는 구성원이 오직 역동성과 민족에 대한 헌신으로만 무장한 '파시즘적 인간'으로 거듭나는 것이 필요했다. 그는 또 신화의 궁극적인 실현, 즉 '민족의 유토피아'를 건설하기 위해 자본주의 경제 질서를 수용하고 과학 문명의 성과를 환영하는 근대적 성격을 보여준 것에 주목하여 파시즘을 일종의 '근대적 혁명'이라고 보았다.

물론 그리핀의 주장에 동의하지 않는 연구자들도 있다. 예를 들어 ㉡팩스턴은 파시즘이 근대적 혁명이라는 주장을 거부하면서, 파시즘을 전통적인 권위주의적 독재의 변종으로 규정한다. 그는 혁명으로 보이는 파시즘이 실은 기성 제도 및 전통적 엘리트 계층과 연합했다는 점을 중시하기 때문이다. 그는 '이중 국가' 개념을 파시즘 체제 분석에 적용시켰다. '이중 국가'는 합법성에 따라 관료적으로 움직이는 '표준 국가'가 당의 '동형 기구'로 만들어진 독단적 '특권 국가'와 갈등을 빚으면서도 협력 속에 공존한다는 개념이다. 이탈리아의 경우, 당 지부장은 임명직 시장에, 당 서기는 지사에, 파시스트 민병대는 군대에 해당했다. 팩스턴에 따르면, 파시즘 정권은 형식적 관료주의와 독단적 폭력이 혼합된 기묘한 형태였다. 세부적 차이가 있다면, 특권 국가가 결국 우위를 점한 나치와 달리 무솔리니는 표준 국가의 영역에 더 큰 권력을 허용하였다는 점이다. 최종적으로 1943년 7월 연합국의 진격으로 파시즘이 국가 이익에 더는 부합하지 않는다고 판단한 표준 국가는 '지도자' 무솔리니를 권좌에서 끌어내렸다.

13. 윗글의 내용과 일치하지 않는 것은?

① 마르크스주의자들의 해석 중에는 계급 간 대립을 부인하면서 파시즘을 해석하는 경우도 있다.
② 이탈리아와 독일, 소련의 억압적 체제들을 하나의 범주로 파악한 것은 냉전 상황을 배경으로 하고 있다.
③ 파시즘이라는 용어는 이탈리아에서 특정 시기에 있었던 정치 현상을 가리켰지만, 지시 대상이 점차 확장되었다.
④ 전체주의 이론은 파시즘과 스탈린주의의 서로 다른 기반과 목적을 간과하고 표면적 특징만을 추출했다는 비판을 받았다.
⑤ 파시즘을 국수주의적이며 제국주의적인 성향의 대자본이 폭력을 수단으로 정권을 유지하려 한 정치 체제로 보는 것이 마르크스주의의 대표적 해석이다.

14. ㉠과 ㉡에 대한 설명으로 적절하지 않은 것은?

① ㉠은 파시즘의 최종 목표가 '파시즘적 인간'을 완성해 내는 것이고, 폭력의 사용 및 자본과의 협력은 이를 위한 도구였다고 보았다.
② ㉠은 파시즘이 역사적 상황의 변화로 인해 맞이한 민족적 고난을 지도적 엘리트에 의해 극복한다는 '신화'를 세력의 단결과 체제 유지의 수단으로 삼았다고 보았다.
③ ㉡은 독일 나치즘에서는 독단적 폭력이, 이탈리아 파시즘에서는 형식적 관료주의가 두드러졌다고 보았다.
④ ㉡은 파시즘 치하에서 이중적 권력 기구가 갈등 속에서도 병존하는 현상을 권위주의적 독재에서 파생한 것이라고 파악하였다.
⑤ ㉠은 파시즘에서 나타난 근대적 성격에 주목하여 혁명적 성격을 가졌다고 파악했고, ㉡은 기득권층과의 연합에 주목하여 혁명적 성격을 가지지 않았다고 파악했다.

15. 윗글을 바탕으로 <보기>의 (가)~(다)의 입장을 추론한 것으로 가장 적절한 것은?

<보 기>

(가) 이탈리아 파시즘 치하에서 소유 관계와 계급 구조는 바뀌지 않았다. 그렇기에 파시스트 '혁명'을 굳이 혁명이라고 한다면 아마 문화 혁명 정도가 될 것이다. 동시에 파시즘이 전통 문화와 타협하며 대중의 수동적 동의를 확보하려고 한 점을 보면, 그 문화 혁명이라는 것의 한계도 분명했다.

(나) 무솔리니 내각을 통상의 다른 행정부처럼 분석하는 사람도 있다. 그러나 파시즘은 사회 개혁의 실패, 즉 이탈리아 고유의 민족적 모순의 발현이며, 따라서 '민족의 자서전'이다. 투쟁과 경쟁을 통한 진보가 아니라, 나태하게 계급 협력이 가능하다고 믿는 민족은 존중받을 수 없기 때문이다.

(다) 파시즘은 소부르주아의 '정치적 육화'이다. 소부르주아는 의회를 파괴한 후에 부르주아 국가도 파괴하고 있다. 그것은 항상 더 큰 규모로 법의 권위를 사적 폭력으로 대체하고, 이 폭력을 혼란스럽게, 더 난폭하게 행사한다.

① (가)는 '소유 관계'와 '계급 구조'에 주목하는 것으로 보아 탈하이머와 바이다의 주장에 동의하는 입장을 보일 것이다.
② (가)는 '전통문화와 타협'하는 대중의 '수동적 동의'를 강조하는 것으로 보아 그리핀의 주장을 비판하는 입장을 보일 것이다.
③ (나)는 '사회 개혁'을 중시하고 '민족적 모순'을 언급하는 것으로 보아 그리핀의 주장에 동의하는 입장을 보일 것이다.
④ (다)는 '의회'와 '부르주아 국가'를 파괴한다는 점에 주목하는 것으로 보아 팩스튼의 주장에 동조하는 입장을 보일 것이다.
⑤ (다)는 '정치적 육화'라는 말로 '소부르주아'가 파시즘의 수단이라고 강조하는 것으로 보아 톨리아티의 주장을 비판하는 입장을 보일 것이다.

[16~18] 다음 글을 읽고 물음에 답하시오.

대규모 데이터를 분석하여 데이터 속에 숨어 있는 유용한 패턴을 찾아내기 위해 다양한 기계학습 기법이 활용되고 있다. 기계학습을 위한 입력 자료를 데이터 세트라고 하며, 이를 분석하여 유용하고 가치 있는 정보를 추출할 수 있다. 데이터 세트의 각 행에는 개체에 대한 구체적인 정보가 저장되며, 각 열에는 개체의 특성이 기록된다. 개체의 특성은 범주형과 수치형으로 구분되는데, 예를 들어 '성별'은 범주형이며, '체중'은 수치형이다.

기계학습 기법의 하나인 클러스터링은 데이터의 특성에 따라 유사한 개체들을 묶는 기법이다. 클러스터링은 분할법과 계층법으로 나뉘는데, 이 둘은 모두 거리 개념에 기초하고 있다. 가장 많이 사용되는 거리 개념은 기하학적 거리이며, 두 개체 사이의 거리는 n차원으로 표현된 공간에서 두 개체를 점으로 표시할 때 두 점 사이의 직선거리이다. 거리를 계산할 때 특성들의 단위가 서로 다른 경우가 많은데, 이런 경우 특성 값을 정규화할 필요가 있다. 예를 들어 특정 과목의 학점과 출석 횟수를 기준으로 학생들을 묶을 경우 두 특성의 단위가 다르므로 두 특성 값을 모두 0과 1 사이의 값으로 정규화하여 클러스터링을 수행한다. 또한 범주형 특성에 거리 개념을 적용하려면 이를 수치형 특성으로 변환해야 한다.

분할법은 전체 데이터 개체를 사전에 정한 개수의 클러스터로 구분하는 기법으로, 모든 개체는 생성된 클러스터 가운데 어느 하나에 속한다. <그림 1>에서 (b)는 (a)에 제시된 개체들을 분할법을 통해 세 개의 클러스터로 묶은 예이다. 분할법에서는 클러스터에 속한 개체들의 좌표 평균을 계산하여 클러스터 중심점을 구한다. 고전적인 분할법인 K-민즈 클러스터링 (K-means clustering)에서는 거리 개념과 중심점에 기반하여 다음과 같은 과정으로 알고리즘이 진행된다.

1) 사전에 K개로 정한 클러스터 중심점을 임의의 위치에 배치하여 초기화한다.
2) 각 개체에 대해 K개의 중심점과의 거리를 계산한 후 가장 가까운 중심점에 해당 개체를 배정하여 클러스터를 구성한다.
3) 클러스터 별로 그에 속한 개체들의 좌표 평균을 계산하여 클러스터의 중심점을 다시 구한다.
4) 2)와 3)의 과정을 반복해서 수행하여 더 이상 변화가 없는 상태에 도달하면 알고리즘이 종료된다.

분할법에서는 이와 같이 개체와 중심점과의 거리를 계산하여 클러스터에 개체를 배정하므로 두 개체가 인접해 있더라도 가장 가까운 중심점이 서로 다르면 두 개체는 상이한 클러스터에 배정된다.

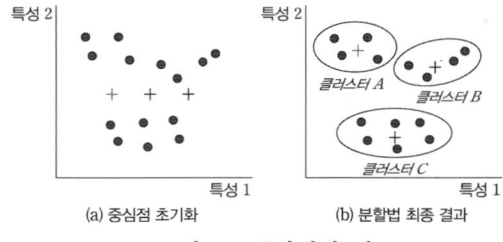

<그림 1> 분할법의 예

클러스터링이 잘 수행되었는지 확인하려면 클러스터링 결과를 평가하는 품질 지표가 필요하다. K-민즈 클러스터링의 경우 품질 지표는 개체와 그 개체가 해당하는 클러스터의 중심점 간 거리의

평균이다. K-민즈 클러스터링에서 K가 정해졌을 때 개체와 해당 중심점 간 거리의 평균을 최소화하는 '전체 최적해'는 확정적으로 보장되지 않는다. 알고리즘의 첫 번째 단계인 초기화를 어떻게 하느냐에 따라 클러스터링 결과가 달라질 수 있으며, 경우에 따라 좋은 결과를 찾는 데 실패할 수도 있다. 따라서 전체 최적해를 얻을 확률을 높이기 위해, 서로 다른 초기화를 시작으로 클러스터링 알고리즘을 여러 번 수행하여 나온 결과 중에 좋은 해를 찾는 방법이 흔히 사용된다. 그런데 K-민즈 클러스터링 알고리즘의 한 가지 문제는 클러스터의 개수인 K를 미리 정해야 한다는 것이다. K가 커질수록 각 개체와 해당 중심점 간 거리의 평균은 감소한다. 극단적으로 모든 개체를 클러스터로 구분할 경우 개체가 곧 중심점이므로 이들 사이의 거리의 평균값은 0으로 최소화되지만, 클러스터링의 목적에 부합하는 유용한 결과라고 보기 어렵다. 따라서 작은 수의 K로 알고리즘을 시작하여 클러스터링 결과를 구한 다음 K를 점차 증가시키면서 유의미한 품질 향상이 있는지 확인하는 방법이 자주 사용된다.

한편, 계층법은 클러스터 개수를 사전에 정하지 않아도 되는 장점이 있다. <그림 2>와 같이 개체들을 거리가 가까운 것들부터 차근차근 집단으로 묶어서 모든 개체가 하나로 묶일 때까지 추상화 수준을 높여가는 상향식으로 알고리즘이 진행되어 계통도를 산출한다. 따라서 계층법은 개체들 간에 위계 관계가 있는 경우에 효과적으로 적용될 수 있다. 계통도에서 점선으로 표시된 수평선을 아래위로 이동해 가면서 클러스터링의 추상화 수준을 변경할 수 있다.

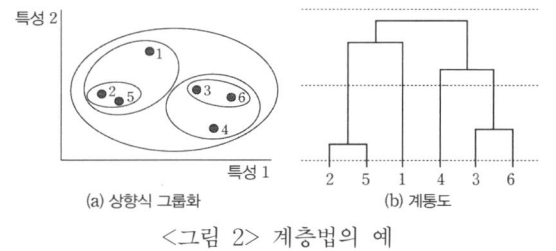

<그림 2> 계층법의 예

16. 윗글의 내용과 일치하는 것은?

① 클러스터링은 개체들을 묶어서 한 개의 클러스터로 생성하는 기법이다.
② 분할법에서는 클러스터링 수행자가 정확한 계산을 통해 초기 중심점을 찾아낸다.
③ 분할법은 하향식 클러스터링 기법이므로 한 개체가 여러 클러스터에 속할 수 있다.
④ 계층법으로 계통도를 산출할 때 클러스터 개수는 미리 정하지 않는다.
⑤ 계층법의 계통도에서 수평선을 아래로 내릴 경우 추상화 수준이 높아진다.

17. K-민즈 클러스터링 에 대해 추론한 것으로 적절하지 <u>않은</u> 것은?

① 특성이 유사한 두 개체가 서로 다른 클러스터에 배치될 수 있다.
② 초기 중심점의 배치 위치에 따라 클러스터링의 품질이 달라질 수 있다.
③ 클러스터 개수를 감소시키면 클러스터링 결과의 품질 지표 값은 증가한다.
④ 초기화를 다르게 하면서 알고리즘을 여러 번 수행하면 전체 최적해가 결정된다.
⑤ K를 정하여 알고리즘을 진행하면 각 클러스터의 중심점은 결국 고정된 점에 도달한다.

18. <보기>의 사례에 클러스터링을 적용할 때 적절하지 <u>않은</u> 것은?

─< 보 기 >─
○○기업에서는 표적 시장을 선정하여 마케팅을 실행하기 위해 전체 시장을 세분화하고자 한다. 시장 세분화를 위해 특성이 유사한 고객을 묶는 기계학습 기법 도입을 검토 중이다. 이 기업에서는 고객의 거주지, 성별, 나이, 소득 수준 등 인구통계학적인 정보와 라이프 스타일에 관한 정보 등을 보유하고 있다.

① 고객 정보에는 수치형이 아닌 것도 있어 특성의 유형 변환이 요구된다.
② 고객 특성은 세분화 과정을 통해 계통도로 표현 가능하므로 계층법이 효과적이다.
③ K-민즈 클러스터링 알고리즘을 실행하려면 세분화할 시장의 개수를 먼저 정해야 한다.
④ 나이와 소득수준과 같이 단위가 다른 특성을 기준으로 시장을 세분화할 경우 정규화가 필요하다.
⑤ 모든 고객을 별도의 세분화된 시장들로 구분하여 1:1 마케팅을 할 경우 K-민즈 클러스터링의 품질 지표 값은 0이다.

[19~21] 다음 글을 읽고 물음에 답하시오.

　오늘날 교과서적 견해에서 '소유와 지배의 분리'라는 개념은 전문 경영인 체제의 확립을 가리키지만 그로 인한 주주와 경영자 사이의 이해 상충을 내포한다. 다시 말해 주식 소유의 분산으로 인해 창업자 가족이나 대주주의 영향력이 약해져 경영자들이 회사 이윤에 대한 유일한 청구권자인 주주의 이익보다 자신들의 이익을 앞세우는 문제의 심각성을 강조하는 개념이다. 그러나 ⓐ벌리가 이 개념을 처음 만들었을 때 그 의미는 달랐다. 그는 '회사체제'라는 현대 사회의 재산권적 특징을 포착하고자 이 개념을 고안했다. 그에게 있어서 '소유', 지배, '경영'은 각각 (1) 사업체에 대한 이익을 갖는 기능, (2) 사업체에 대한 권력을 갖는 기능, (3) 사업체에 대한 행위를 하는 기능을 지칭하는 개념이지 각 기능의 담당 주체를 지칭하는 것이 아니다.
　벌리에 따르면 산업혁명 이전에는 이 세 기능이 통합된 경우가 일반적이었는데 19세기에 많은 사업체들에서 소유자가 (1)과 (2)를 수행하고 고용된 경영자들이 (3)을 수행하는 방식으로 분리가 일어났다. 20세기 회사체제에서는 많은 사업체들에서 (2)가 (1)에서 분리되었다. 이제 (1)은 사업체의 소유권을 나타내는 증표인 주식을 소유하는 것, 즉 비활동적 재산의 점유가 되었고, (2)는 물적 자산과 사람들로 조직된 살아 움직이는 사업체를 어떻게 사용할지 결정하는 것, 즉 활동적 재산의 점유가 되었다. 주식 소유가 다수에게 분산된 회사에서 (2)는 창업자나 그 후손, 대주주, 경영자, 혹은 모회사나 지주회사의 지배자 등 이사를 선출할 힘을 가진 다양한 주체에 의해 수행될 수 있다. 사기업에서는 통합되어 있던 위험 부담 기능과 회사 지배 기능이 분리되어 주주와 지배자에게 각각 배치됨으로써 회사라는 생산 도구는 전통적인 사유재산으로서의 의미를 잃게 되었다. 이런 의미에서 벌리는 소유와 지배가 분리된 현대 회사를 준공공회사라고 불렀다.
　소유와 지배가 분리된 회사는 누구를 위해 운영되어야 하는가? 벌리는 이 질문에 대해 가능한 세 가지 답을 검토한다. 첫째, 재산권을 불가침의 권리로 간주하는 전통적인 법학의 논리에 입각한다면 회사가 오로지 주주의 이익을 위해서만 운영되어야 한다는 견해가 도출될 수밖에 없다. 그러나 자신의 재산에 대한 지배를 수행하는 소유자가 그 재산으로부터 나오는 이익을 전적으로 수취하는 것이 보호되어야 한다고 해서, 자신의 재산에 대한 지배를 포기한 소유자도 마찬가지로 이익의 유일한 청구권자가 되어야 한다는 결론을 도출하는 것은 잘못이다.
　둘째, 전통적인 경제학의 논리에 입각하면 회사는 지배자를 위해 운영되어야 한다는 견해가 도출될 수밖에 없다. 왜냐하면 경제학은 전통적인 법학과 달리 재산권의 보호 자체를 목적으로 보는 것이 아니라 재산권의 보호를 사회적으로 바람직한 목적을 위한 수단으로 보기 때문이다. 재산권을 보호하는 이유가 재산의 보장 자체가 아니라 부를 얻으려는 노력을 유발하는 사회적 기능 때문이라면, 회사가 유용하게 사용되도록 하기 위해서는 회사를 어떻게 사용할지를 결정하는 지배자의 이익을 위해 회사가 운영되어야 한다. 그러나 위험을 부담하지 않는 지배자를 위해 회사가 운영되는 것은 최악의 결과를 낳는다.
　셋째, 이처럼 법학과 경제학의 전통적인 논리를 소유와 지배가 분리된 회사체제에 그대로 적용했을 때 서로 다른 그릇된 결론들이 도출된다는 것은 두 학문의 전통적인 논리들이 전제하고 있는 19세기의 자유방임 질서가 회사체제에 더 이상 타당하지 않음을 보여준다. 자유방임 질서가 기초하고 있던 사회가 회사체제 사회로 변화된 상황에서는, 회사가 '지배자를 위해 운영되어야 한다'는 견해는 최악의 대안이고 '주주를 위해 운영되어야 한다'는 견해는 차악의 현실적인 대안일 뿐이다. 결국 회사체제에서 회사는 공동체의 이익을 위해 운영되어야 한다는 것이 벌리의 결론이다.
　하지만 이를 뒷받침할 법적 근거가 마련되지 않거나, 이를 실현할 합리적인 계획들을 공동체가 받아들일 준비가 안 된 상황에서는, 회사법 영역에서 경영자의 신인의무의 대상, 즉 회사를 자신에게 믿고 맡긴 사람의 이익을 자신의 이익보다 우선해야 하는 의무의 대상을 주주가 아닌 다른 이해 관계자들로 확장해서는 안 된다고 벌리는 주장했다. 이 때문에 그는 회사가 주주를 위해 운영되어야 한다는 견해를 지지했던 것으로 흔히 오해된다. 그러나 회사법에서 주주 이외에 주인을 인정하지 않아야 한다고 그가 주장한 이유는 주인이 여럿이면 경영자들이 누구도 섬기지 않게 되고 회사가 경제적 내전에 빠지게 될 것이며 경제력이 집중된 회사 지배자들의 사회적 권력을 키워주는 결과를 낳을 것이라고 보았기 때문이다. 그는 회사법 영역에서 주주에 대한 신인의무를 경영자뿐 아니라 지배자에게도 부과하여 지배에 의한 회사의 약탈로부터 비활동적 재산권을 보호하는 것이 회사가 공동체의 이익을 위해 운영되도록 하기 위한 출발점이라고 보았다. 그리고 소득세법이나 노동법, 소비자보호법, 환경법 등과 같은 회사법 바깥의 영역에서 공동체에 대한 회사의 의무를 이행하도록 하는 현실적인 시스템을 마련하고 정착시킴으로써 사회의 이익에 비활동적 재산권이 자리를 양보하도록 만들 수 있다고 보았다.

19. 윗글의 내용에 비추어 볼 때 적절하지 <u>않은</u> 것은?

① 소유와 지배의 분리에 대한 오늘날 교과서적 견해는 전통적인 법학 논리에 입각한 견해를 받아들이고 있다.
② 벌리는 회사법에서 회사의 사회적 책임을 강조할 경우 회사 지배자들의 권력을 키워 주는 결과를 낳는다고 보았다.
③ 전통적인 경제학의 논리에 따르면 사회적으로 가장 좋은 결과를 낳을 수 있도록 재산권이 인정되는 것이 바람직하다.
④ 벌리에 따르면 주주가 회사 이윤에 대한 유일한 청구권자가 아니기 때문에 경영자의 신인의무 대상을 주주로 한정해서는 안 된다.
⑤ 벌리와 달리 오늘날 교과서적 견해에 따르면 대주주의 영향력이 강해지는 것이 소유와 지배의 분리에 따른 문제를 해결하는 데 도움이 될 수 있다.

20. 지배 에 대한 ⊙의 생각으로 적절하지 않은 것은?

① 준공공회사에서는 공동체의 이익을 위해 수행되는 기능이다.
② 전통적인 의미의 사유재산에서는 소유자가 수행하는 기능이다.
③ 회사체제의 회사에서 이 기능의 담당자는 위험을 부담하지 않는다.
④ 회사체제의 회사에서는 활동적 재산을 점유한 자가 수행하는 기능이다.
⑤ '경영'의 담당자에 의해 수행될 수도 있다고 인정하지만 '경영'과 동일시하지 않는다.

21. <보기>의 '뉴딜'에 대해 ⊙이 보일 반응으로 적절하지 않은 것은?

<보 기>

금융개혁에 초점을 맞춘 1차 뉴딜은 경영자들과 지배자들에게 주주에 대한 신인의무를 부과함으로써 주주의 재산권을 엄격하게 보호하는 원칙을 확립했다. 노사관계와 사회보장 등의 분야로 개혁을 확장했던 2차 뉴딜은 노동조합을 통한 노동자들의 제반 권리를 합법화했고 실업수당의 보장 수준과 기간을 강화했으며 사회보장제도를 확립했다. 이러한 1차 뉴딜과 2차 뉴딜의 차이점 때문에 뉴딜은 흔히 체계적인 청사진 없이 임기응변식으로 마련된 일관성 없는 정책들의 연속이었다고 평가받는다.

① 1차 뉴딜은 지배에 의해 회사가 약탈되는 것을 막기 위한 회사법 영역의 개혁이라고 볼 수 있다.
② 1차 뉴딜은 주주의 이익을 위해 회사가 운영되도록 하는 원칙을 확립한 개혁이라고 볼 수 있다.
③ 2차 뉴딜은 주주의 재산권이 사회의 이익에 자리를 양보하도록 만드는 개혁이라고 볼 수 있다.
④ 2차 뉴딜은 회사가 공동체의 이익을 위해 운영되도록 하기 위한 회사법 바깥 영역의 개혁이라고 볼 수 있다.
⑤ 1차 뉴딜과 2차 뉴딜은 준공공회사로의 변화를 추구한다는 점에서 일관성이 있다고 볼 수 있다.

[22~24] 다음 글을 읽고 물음에 답하시오.

미국 헌법은 권력 기관 간 견제와 균형의 원리에 기초한 대통령제를 규정하고 있다. 이는 특정 정치인이나 집단이 권력을 독식하거나 남용하지 못하도록 하여 민주주의를 지키도록 설계된 것이다. 이러한 제도 설계는 미국 역사에서 상당 기간 성공적으로 기능했다. 그러나 헌법이라는 보호 장치는 그 자체로 민주주의 정치 체제를 지키기에 충분치 않다. 여기에는 헌법이나 법률에 명문화되지 않은 민주주의 규범도 중요한 역할을 해왔다.

민주주의 규범이 무너지면 민주주의도 위태로워진다. 민주주의 유지에 핵심적 역할을 하는 규범은 민주주의보다 오랜 전통을 가진 '상호 관용'과 '제도적 자제'이다. 상호 관용은 경쟁자가 권력을 차지할 권리를 나와 동등하게 가진다는 사실을 인정하는 것이다. 반면 상대를 위협적인 적으로 인식할 때는 모든 수단을 동원해 이기려 한다. 제도적 자제는 제도적으로 허용된 권력을 신중하게 행사하는 태도이다. 합법적 권력 행사라도 자제되지 않을 경우 기존 체제를 위태롭게 할 수 있다. 제도적 자제의 반대 개념은 '헌법적 권력의 공격적 활용'이다. 이는 규칙을 벗어나지 않으면서도 그것을 최대한 활용하여 경쟁자를 경쟁의 장 자체에서 제거하려는 태도를 의미한다.

이 두 가지 규범은 상호 연관되어 있다. 상대를 경쟁자로 받아들일 때, 제도적 자제도 기꺼이 실천한다. 제도적 자제의 실천은 관용적인 집단이라는 이미지를 갖게 함으로써 선순환이 이뤄진다. 반면 서로를 적으로 간주할 때 상호 관용의 규범은 무너진다. 이러한 상황에서 정치인은 제도가 부여한 법적 권력을 최대한 활용하려 하며, 이는 상호 관용의 규범을 잠식해 경쟁자가 적이라는 인식을 심화하는 악순환을 가져온다.

민주주의 규범이 붕괴하면 견제와 균형에 기초한 민주주의는 두 가지 상황에서 위기를 맞게 된다. 첫 번째 상황은 야당이 입법부를 장악하면서 행정부 권력과 입법부 권력이 분열되었을 때이다. 이 경우 야당은 대통령을 공격하기 위해 헌법에서 부여한 권력을 최대한 휘두른다. 두 번째는 여당이 입법부를 장악함으로써 권력이 집중되는 상황이다. 여당은 민주주의 규범을 무시하고 대통령의 권력 강화를 위해 노력하며, 야당을 제거하기 위한 대통령의 탄압적 행위를 묵인하기도 한다.

미국 민주주의는 건국 이후 두 번의 큰 위기를 겪는다. ⊙첫 번째 위기는 남북 전쟁으로 초래되었다. 노예제를 찬성한 남부의 백인 농장주들, 그리고 그들과 입장을 같이 한 민주당은 당시 노예제 폐지를 주장한 공화당을 심각한 위협으로 인식했다. 남부는 미국 연방에서 탈퇴했고 결국 내전이 일어났다. 민주주의 규범이 다시 형성되기 시작한 것은 북부의 공화당과 남부의 민주당이 인종 문제를 전후 협상 대상에서 제외하면서부터이다. 전쟁에서 승리한 북부는 연방의 유지 등 정치적 필요에 의해 남부에서 군대를 철수하고 흑인의 인권 보장 노력도 중단한다. 민주당은 남부에서 흑인 인권을 억누르면서 그 지역에서 일당 지배의 기반을 구축한다. 이러한 일련의 사건으로 공화당에 대한 민주당의 적대감은 완화되었고, 그 결과 상호 관용의 규범도 회복된다. 역설적이게도 남북 전쟁 이후의 민주주의 규범은 인종 차별을 묵인한 비민주적인 타협의 산물이었다. 그리고 오랜 기간 백인 중심으로 작동했던 민주주의를 유지하는 데 기여했다.

ⓒ두 번째 위기는 1960년대 이후 민주주의의 확대와 함께 일어났

다. 흑인의 참정권이 제도적으로 보장되었고, 대규모 이민으로 다양한 민족과 인종이 정치 체제로 유입되었다. 공화당과 민주당은 각기 다른 집단의 이익과 가치를 대변하게 되었다. 이후 양당 간 경쟁은 '당파적 양극화'로 치달았다. 보수와 진보 간 정책적 차이뿐만 아니라 인종과 종교, 삶의 방식을 기준으로 첨예하게 나뉘어 정당 간 경쟁이 적대적 갈등으로까지 확대되었다. 이러한 상황에서 인종 차별에 의존한 기존의 민주주의 규범은 한계를 보이면서 붕괴했다. 따라서 미국 민주주의가 건강하게 작동하기 위해서는 새로운 민주주의 규범을 확립할 필요가 있다.

22. 윗글의 내용과 일치하는 것은?
① 상호 관용이 강화되면 제도적 자제는 약화되고 상호 관용이 약화되면 제도적 자제는 강화된다.
② 대통령과 입법부의 권력 행사가 합법적인 한, 민주주의 정치 체제 보호에 긍정적으로 작용한다.
③ 민주주의 규범은 민주주의 이념으로부터 탄생한 것으로 민주주의 제도의 확립을 통해 발전된다.
④ 민주주의 규범은 헌법이나 법률로 성문화될 때 민주주의 정치 체제를 보호하는 효과가 극대화된다.
⑤ 견제와 균형의 원리를 통해 민주주의를 보호하고자 한 헌법의 목적을 실현 가능하게 한 것은 민주주의 규범이다.

23. ㉠, ㉡에 대한 설명으로 가장 적절한 것은?
① ㉠을 거치면서 상호 관용과 제도적 자제의 규범이 건국 이후 처음으로 형성되었다.
② ㉠ 이후 형성된 민주주의 규범은 인종 차별적 특성으로 인해 정치 체제를 안정시키는 역할을 하지 못했다.
③ ㉡은 민주주의의 확대로 촉발된 당파적 양극화가 기존의 민주주의 규범을 붕괴시켰다는 데 그 원인이 있다.
④ ㉡은 다양한 집단의 정치 참여를 제도적으로 보장하는 방향으로 민주주의가 확대되면서 점차 완화되었다.
⑤ ㉠에서는 ㉡에서와는 달리 정당별 지지 집단이 뚜렷이 구분되는 현상이 나타났다.

24. 윗글을 바탕으로 <보기>에 대해 반응한 것으로 적절하지 <u>않은</u> 것은?

<보 기>

칠레는 성공적인 대통령제 민주주의 국가였다. 좌파에서 우파에 이르기까지 다양한 정당이 있었지만, 20세기 초 이후 민주주의 규범이 자리 잡고 있었기 때문이다. 그러나 1960년대에 이념적 대립에 따른 ⓐ 당파적 양극화가 심화되었다. ⓑ 좌파와 우파 정당은 서로를 위협적인 적으로 인식했다. 대통령으로 선출된 좌파 정당의 아옌데는 사회주의 정책 추진을 위해 의회의 협조가 필요했으나 여당은 의회 과반 의석을 확보하지 못한 상태였다. ⓒ 그는 의회를 우회하여 국민투표를 실시하고자 했다. 이에 ⓓ 좌파 야당은 과반 의석을 바탕으로 불신임 결의안을 잇달아 통과시켜 장관들을 해임했다. 칠레 헌법은 의회가 불신임 결의를 극히 예외적인 상황에서만 사용하도록 규정하고 있었고, ⓔ 1970년 이전까지 그것이 사용된 적은 거의 없었다. 결국 1973년 8월 칠레 의회는 아옌데 행정부가 헌법을 위반했다는 결의안을 통과시켰고, 곧이어 군부 쿠데타가 발생함으로써 칠레 민주주의는 붕괴했다.

① ⓐ는 좌·우 이념을 중심으로 심화되었다는 점에서 1960년대 이후 미국에서 심화된 당파적 양극화와 성격이 다르군.
② ⓑ로 인해 1960년대 이후 칠레에서는 상호 관용의 규범이 붕괴되는 과정이 일어났겠군.
③ ⓒ로 볼 때, 아옌데 대통령은 권력을 법의 테두리 내에서 행사함으로써 제도적 자제 규범을 실천하고자 했군.
④ ⓓ로 볼 때, 민주주의 규범이 붕괴된 상황에서 대통령 소속 정당이 의회 소수당인 경우 야당이 헌법적 권력을 공격적으로 활용할 가능성이 높군.
⑤ ⓔ로 볼 때, 1970년 이전의 칠레 정치인들은 민주주의 규범을 존중함으로써 민주주의 정착에 기여했겠군.

언어이해

[25~27] 다음 글을 읽고 물음에 답하시오.

알파고가 인간 바둑 최고수를 꺾은 사건은 자연 세계에서 인간의 특권적 지위를 문제 삼고, 윤리학의 인간 중심적 전통에 도전한다. 우리는 이제 인간과 같은 또는 더 뛰어난 지능을 지닌 인공 지능도 도덕적 고려의 대상으로 인정해야 하느냐는 물음에 직면하는 것이다. 이 물음에 선뜻 동의하지 못하는 사람들은 인간성의 핵심을 지적인 능력이 아니라 기쁨과 슬픔, 공포와 동정심 등의 감정적인 부분에서 찾으려 한다. 예컨대 알파고는 경쟁에서 이겨도 승리를 기뻐하지 못하며, 우리도 알파고를 축하하며 함께 축배를 들 수 없다. 인간의 특정 작업이 인공 지능을 갖춘 로봇에 의해 대체되더라도 인간의 감정을 읽고 인간과 상호작용하는 작업은 대체되지 못하리라는 것이다.

하지만 최근에는 감정을 가진 로봇, 곧 인공 감정을 제작하려는 열망이 뜨겁다. 인간의 돌봄과 치료 과정을 돕는 로봇은 사용자의 세밀한 필요에 더 잘 부응할 것이다. 사람들은 인간과 정서적 교감을 하는 로봇을 점점 가족 구성원처럼 여기게 될지도 모른다. 그러면 로봇은 인간과 같은 감정을 가지고 인간과 상호작용하는 존재가 될 것인가? 로봇을 도덕 공동체에 받아들여야 하는가? 이 물음에 답하려면 인간에게 감정의 핵심적인 역할은 무엇인지 생각해 보아야 한다. 인공 지능의 연구도 그렇지만, 인공 감정의 연구도 인간의 감정을 닮은 기계를 만들려는 시도이면서 동시에 감정 과정에 대한 계산 모형을 통해 인간의 감정을 더 깊이 이해하는 과정이기도 하다.

감정은 인지 과정과는 달리 적은 양의 정보로도 개체의 생존과 항상성 유지를 가능하게 해 주는 역할을 한다. 또 무엇을 추구하고 회피할지 판단하도록 하는 동기의 역할을 한다. 한편 우리는 사회적 상호작용에서 서로의 신체 반응이나 표정을 통해 미묘한 감정을 읽어내고 그에 적절히 반응하며, 그런 정서적 교감을 통해 공동체를 유지한다.

그러나 로봇이 정말로 이러한 감정 경험을 하는지 판단하기는 쉽지 않다. 철학자들은 인공 지능이 인간과 똑같은 인지적 과제를 수행했다고 하더라도 그것은 의미를 이해하지 못하기 때문에 진정한 지능이 아니라고 주장했다. 인공 감정에 대해서도 마찬가지로, 감정을 입력 자극에 대한 적절한 출력을 내놓는 행동들의 패턴이 아니라 내적인 감정 경험으로 이해한다면 인공 감정이 곧 인간의 감정이라고 말할 수 없다. 인간만 보더라도 행동의 동등성은 심성 상태의 동등성을 함축하지 않기 때문에, 동일한 행동을 하는 두 사람이 서로 다른 감정을 느낄 수 있고 그 역도 가능하다. 로봇의 경우에는 행동의 동등성이 곧 심성 상태의 존재성조차도 함축하지 않는다.

로봇이 감정을 가지기 위해서는 감정을 인식하고 표현하는 데 그쳐서는 안 되고 내적인 감정을 생성할 수 있어야 한다. 그러나 거기에는 현실적으로 상당히 어려운 전제 조건이 만족되어야 한다. 첫째, 감정을 가진 개체는 기본적인 충동이나 욕구를 가진다고 전제된다. 목마름, 배고픔, 피로감 등의 본능이나 성취욕, 탐구욕 등이 없다면 감정도 없다. 둘째, 인간과 사회적으로 상호작용하기 위해 인간이 가지는 것과 같은 감정을 가지려면, 로봇은 최소한 고등 동물 이상의 일반 지능을 가지고, 생명체들처럼 복잡하고 예측 불가능한 환경에 적응할 수 있어야 한다. 그런데 복잡한 환경에 적응하여 행위할 수 있는 일반 지능을 가진 인공 지능에 도달하는 길은 아직 멀다. 현재 인공 지능이 제한적인 영역에서 주어진 과제를 얼마나 효율적으로 산출하는지 이외의 문제들은 부차적인 것으로 치부되고 있기 때문이다. 그렇다면 ㉠ 진정한 감정이 없는 로봇을 도덕 공동체에 받아들일 이유는 없다.

25. 윗글에 대한 이해로 적절하지 않은 것은?

① 인공 지능과 인공 감정을 연구하면 인간의 지능과 감정까지 더 잘 알게 된다.
② 인공 지능에서 행동이 하는 역할은 인공 감정에서 내적인 감정 경험이 맡는다.
③ 인공 지능에 회의적인 철학자는 의미의 이해가 지능의 본질적 요소라고 생각한다.
④ 인간성의 핵심이 로봇에게도 있다면 로봇을 도덕적 고려의 대상으로 인정해야 한다.
⑤ 인공 감정은 현실적으로 만들기가 어렵고 만들어도 인간과 같은지 판단하기가 어렵다.

26. 윗글을 바탕으로 <보기>의 상황에 대해 추론한 것으로 적절하지 않은 것은?

<보 기>

로봇 A가 바둑에서 최고수를 꺾고 우승한 뒤 기뻐하는 모습을 보고 인간 B가 함께 기쁨을 표현했다.

① A에게 누군가를 이기려는 본능이 있다면 A의 기쁨이 진정한 감정일 가능성이 있겠군.
② A의 기쁨이 적절한 입력 자극과 출력에 의한 것이라면 A의 기쁨은 진정한 감정이라고 말할 수 있겠군.
③ A가 바둑 이외의 다양한 영역에서도 인간처럼 업무를 잘 수행한다면 A의 기쁨이 진정한 감정일 가능성이 있겠군.
④ A나 B 모두 기쁘지 않으면서도 겉으로는 기뻐하는 행동을 보일 수 있겠군.
⑤ B가 A의 기쁨을 알게 된 것은 A의 신체 반응이나 표정 때문이겠군.

27. ㉠에 대해 문제를 제기한 것으로 가장 적절한 것은?

① 로봇이 감정에 휩싸인다면 복잡하고 예측 불가능한 환경에 잘 적응할 수 없지 않을까?
② 인간처럼 감정을 인식하고 표현하는 인공 감정 연구는 이미 상당한 수준에 올라 있지 않을까?
③ 인공 지능도 인간의 감정을 이해하고 배려한다면 인공 지능이 도덕적 고려를 할 수 있지 않을까?
④ 도덕 공동체에 있으면 내적 감정을 갖겠지만, 내적 감정을 갖는다고 해서 꼭 도덕 공동체에 포함해야 할까?
⑤ 비행기와 새의 비행 방식이 다르듯, 로봇은 인간과 다른 방식으로 감정의 핵심 역할을 수행할 수 있지 않을까?

[28~30] 다음 글을 읽고 물음에 답하시오.

 윤리규범과 법규범은 인간에게 요구되는 행위가 무엇인지를 단순히 기술하는 것이 아니라 그러한 행위로 나아갈 것을 지시하는 규정적 성격을 지닌다는 점에서 유사하다. 하지만 보다 구체적인 측면에서는 양자가 서로 명확하게 구별되는 특징을 지니고 있는 것도 사실이다. 칸트는 이 점을 매우 분명한 형태로 지적하고 있다. 그의 설명에 따르면 법규범은 윤리규범과 달리 행위의 외적인 측면에 대해서만 관여할 뿐, 행위자가 어떤 심정에서 그러한 행위로 나아간 것인지에 대해서는 상관하지 않는다. 법은 결국 모든 사람이 공존하는 가운데 각자의 의지가 자유로이 표출될 수 있게 보장하기 위한 외적인 형식에 관심이 있을 뿐이다.
 ㉠칸트의 설명 체계에 의하면 법규범에 대하여 다음과 같은 세부 명제가 성립하게 된다. 첫째, 법규범은 사람들에게 무엇을 해야 하고 무엇을 하지 말아야 하는지를 지시해 주는 처방을 담고 있다는 규정성 명제, 둘째, 법규범은 사람들에게 오로지 외적으로 그것에 부합하게끔 행동할 것을 요구할 뿐, 그것을 따르는 것 자체가 행위의 이유가 될 것까지 요구하지는 않는다는 외면성 명제, 셋째, 법규범은 특정한 목적을 공유하는 사람만이 아니라 그 관할 아래 놓여 있는 모든 사람을 구속한다는 무조건성 명제가 바로 그것이다.
 하지만 칸트의 설명 체계에서 외면성 명제는 심각한 역설을 유발하는 것으로 보인다는 지적이 있다. 이 점은 법규범이 어떤 종류의 명령으로 표현될 수 있을 것인지를 생각하는 과정에서 드러난다. 우선 법규범은 그것을 따르는 사람들의 실질적 목적이나 필요를 전제로 하지 않으며, 오로지 외적인 자유만을 전제로 한다는 점에서 무조건적이며 단적으로 효력을 지닌다. 따라서 일견 정언 명령만이 법규범을 표현할 수 있을 듯하다.
 그런데 정언 명령에 복종하는 유일한 방식은 그것이 명령하고 있다는 이유에서 그것에 따르는 것이다. 명령이기 때문에 하는 행위와 그저 명령에 부합하는 행위는 구별되어야 한다. 가령 형벌의 두려움 때문에 어쩔 수 없이 정언 명령이 요구하는 행위로 나아갔다면, 이를 정언 명령에 복종한 것이라고 말할 수는 없다. 따라서 외면성 명제가 성립하는 한, 법규범이 정언 명령으로 표현된다는 것은 불가능할 것이다. 법규범은 그것을 따르는 내면의 동기까지 요구하지는 않는다는 점에서 윤리규범과 달라야 하기 때문이다.
 그렇다면 법규범은 가언 명령으로 발하여질 것인가? 그렇지 않을 것이다. 가언 명령이란 "만일 당신이 강제와 형벌의 위험을 피하고자 한다면, 법이 지시하는 바를 행하라."와 같은 구조를 취하게 될 텐데, 이 경우 사실상 법규범은 강제와 형벌의 위험을 피하고자 하는 사람들에 대해서만 그것이 지시하는 바를 행하게 할 뿐이어서, 앞에서 살펴본 무조건성 명제에 반하게 되기 때문이다.
 결국 윤리규범과 법규범에 대해 일견 통용되는 것으로 보이는 규정성 명제와 무조건성 명제 외에 법규범에 특유한 외면성 명제를 도입하는 순간, 법규범은 정언 명령으로도 가언 명령으로도 표현될 수 없게 됨으로써 종국적으로는 법규범에 한하여 규정성 명제를 인정할 수 없게 되는 역설적인 결과를 낳는다. 다시 말해서 법규범이 어떤 행위가 요구되고 어떤 행위가 금지되는지를 단순히 기술하는 수준에 머물지는 않는다 하더라도, 역설적이게도 그에 따라 행하도록 지시·명령·요구할 수는 없게 된다는 것이다.
 하지만 윤리규범과 법규범의 차이를 오로지 법칙 수립 형식 내지

의무 강제 방식에서의 자율성과 타율성에서 찾는 칸트의 설명 체계에서 외면성 명제의 도입을 포기하기도 쉽지 않다. 그는 법칙 수립의 개념 자체를 규범과 동기라는 두 요소를 통해 정의하고 있기 때문에, 법규범에 관해서도 모종의 동기 자체는 제시될 수 있어야 한다. 그리고 그가 말하는 법규범에 어울리는 동기란 바로 타율적 강제라는 외적인 동기이다. 따라서 법규범은 윤리규범과 달리 누가 스스로 그것을 지키지 않을 때 그것을 지키도록 다른 사람이 강제할 수 있게 되는 것이다. 이렇듯 외면성이 법규범의 핵심적 징표를 이루고 있는 한, 칸트의 설명 체계에서 이를 무시하기는 어려울 것이며, 결국 외면성 명제의 도입에 따른 법적 명령의 역설도 쉽사리 해소될 수는 없을 것이다.

28. 외면성 명제 에 관한 내용으로 적절하지 <u>않은</u> 것은?

① 외면성 명제는 윤리규범과 법규범의 차이를 나타내는 것이다.
② 외면성 명제가 법규범을 기술적 명제로 환원시키는 것은 아니다.
③ 외면성 명제와 규정성 명제를 유지하는 한 무조건성 명제를 유지하기 어렵다.
④ 외면성 명제와 무조건성 명제를 유지하는 한 규정성 명제를 유지하기 어렵다.
⑤ 외면성 명제에 따르면 법칙 수립 과정에서 윤리규범은 의무 강제와 결합하지 않게 된다.

29. ㉠에 대해 추론한 것으로 적절하지 <u>않은</u> 것은?

① 윤리규범과 법규범의 내용은 서로 동일할 수 있을 것이다.
② 규범의 규정적 성격은 명령의 형태로 표현되어야 할 것이다.
③ 정언 명령에 부합하는 행위를 아무 이유 없이 할 수는 없을 것이다.
④ 윤리적 이유가 아닌 다른 이유에서 법규범을 준수할 수 있어야 할 것이다.
⑤ 윤리규범과 법규범은 공동체의 모든 구성원에 대하여 효력을 지닐 것이다.

30. 윗글을 바탕으로 <보기>를 설명한 것으로 가장 적절한 것은?

<보 기>

칸트는 외면성 명제를 현실 세계의 법규범에 관한 실용적 지식이 아니라 법규범의 개념에 내재한 필연성을 밝히는 분석적 진리로서 의도한 것이었지만, 이후의 전체주의 체제에 대한 역사적 경험에 비추어 볼 때, 그것은 정당한 국가 권력이 갖추어야 할 실질적 조건을 의미하는 것으로 드러났다.

① 칸트의 외면성 명제는 법적 명령의 역설을 초래함으로써 국가 권력의 정당성 기반을 약화시켰다.
② 칸트의 외면성 명제는 국가 권력이 사람들의 내면의 자유에 개입하려 해서는 안 된다는 것을 함의한다.
③ 칸트는 법규범의 독자성을 인정하고 이를 국가 권력의 정당성을 확보하기 위한 정치적 지도 원리로 삼고자 했다.
④ 칸트에 의거할 때 사람들이 법에 대한 심정적 지지 없이 단지 법에 부합하는 행위만을 할 때 전체주의 체제가 도래할 위험이 있다.
⑤ 칸트에 의거할 때 국가 권력의 행사는 사람들이 실제로 어떠한 이유에서 법을 준수하거나 위반하는지를 정확히 파악한 토대 위에서 이루어질 필요가 있다.

2027학년도 LEET 대비
기출문제 해설집

2021

영역별 출제 비중 분석

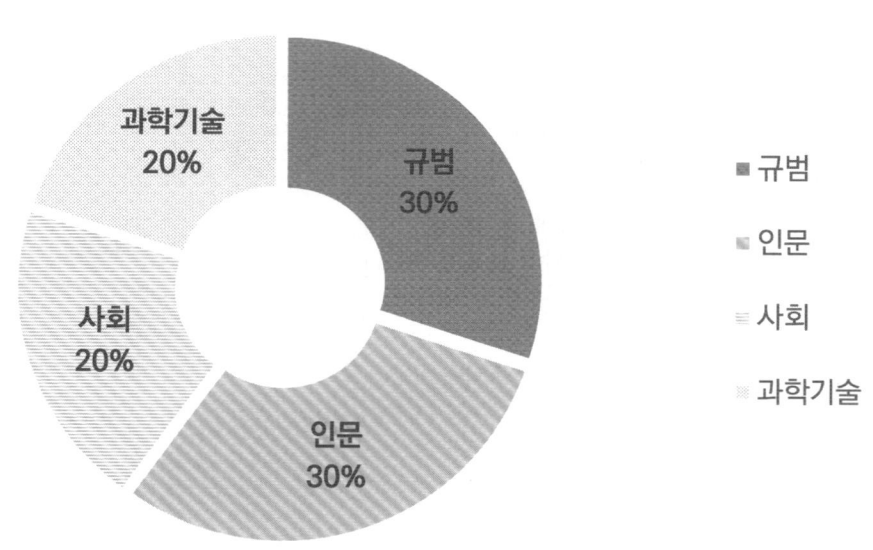

내용 영역	규범	인문	사회	과학기술	총
문항 수	9	9	6	6	30

2021학년도 언어이해

출제 경향 분석

2021학년도 역시 전년도와 같은 문항 수로 출제되었지만, 최근 출제되지 않던 소재의 제시문들이 많이 등장하였다. 또한 제시문 배치 순서에 있어서 최근 경향과 달리 기술 제시문이 첫 번째 제시문으로 배치되는 변화가 있었으나, 제시문의 정보량이나 난이도는 평이하여 제시문 독해 자체는 크게 어렵지 않았을 것으로 판단된다. 그러나 선택지 구성이 제시문에 명시적으로 제시되어 있지 않거나 출제자의 의도를 파악하기 어려운 경우가 많아 정오를 판단하는 데에 어려움이 있었을 것으로 보인다.

제 1 교시

홀수형

2021학년도 법학적성시험

언어이해 문제지

성 명

수험번호

수험생 유의사항

- 이 문제지는 **30문항**으로 구성되어 있습니다.
- **시험 시간은 09 : 00~10 : 10(70분)입니다.**
- 문제지에 성명과 수험번호를 정확하게 기재하십시오.
- 답안지는 반드시 컴퓨터용 사인펜을 사용하여 답을 표기하여야 합니다.
- 답안지의 '필적확인란'에 제시된 문구를 정확히 정자로 기재하여야 합니다.

메가로스쿨

2021학년도 법학적성시험
언어이해

제1교시 홀수형

- 이 문제지는 **30문항**으로 구성되어 있습니다. 문항 수를 확인하십시오.
- 문제지의 해당란에 성명과 수험번호를 정확히 쓰십시오.
- 답안지에 수험번호, 문제유형, 성명, 답을 표기할 때에는 '답안 작성 시 반드시 지켜야 하는 사항'에 따라 표기하십시오.
- 답안지의 '필적확인란'에 해당 문구를 정자로 기재하십시오.

[1~3] 다음 글을 읽고 물음에 답하시오.

비즈니스 프로세스는 고객 가치 창출을 위해 기업 또는 조직에서 업무를 처리하는 과정을 말한다. 업무 처리 과정을 업무흐름도로 도식화하는 과정을 프로세스 모델링이라 하며, 그 결과물을 프로세스 모델이라고 한다. 프로세스 모델은 업무 처리 활동 및 활동들 간의 경로로 구성된다. 프로세스 모델이 효율적으로 작동하고 있는지를 확인, 분석, 수정·보완, 개선하는 작업이 필요한데, 프로세스 마이닝은 그중 한 기법이다. 프로세스 마이닝은, 시뮬레이션처럼 실제 이벤트 로그 수집 이전에 정립한 프로세스 모델 중심 분석기법과, 데이터 마이닝처럼 프로세스를 고려하지 않는 데이터 중심 분석기법을 연결하는 역할을 한다.

프로세스 마이닝은 정보시스템을 통해 확보한 이벤트 로그에서 프로세스에 관련된 가치 있는 정보를 추출하는 것이다. 이벤트 로그란 정보시스템에 축적된 비즈니스 프로세스 수행 기록인데, 이것이 프로세스 마이닝의 출발점이 된다. 이벤트 로그는 행과 열로 표현되는 이차원 표 형태이다. 업무 활동으로 발생한 이벤트는 행으로 추가되며, 각 열에는 이벤트의 속성들이 기록된다. 이때 기록되는 속성으로 필수적인 것은 사례 ID, 활동명, 발생 시점이며, 다양한 분석을 위해 그 외 속성들도 추가될 수 있다. 이벤트 로그는 사용자에게 도움이 되는 정보를 직접 제공할 수 없는 원데이터이므로, 그것을 우리가 사용할 수 있는 정보로 변환해 주어야 한다. 프로세스 마이닝에는 프로세스 발견, 적합성 검증, 프로세스 향상의 세 가지 유형이 있다.

프로세스 발견이란 프로세스 분석가가 알고리즘을 통해 이벤트 로그로부터 프로세스 모델을 도출하는 것을 말하는데, 이때 분석가는 별다른 업무 지식 없이도 작업을 수행할 수 있다. 만일 도출된 프로세스 모델이 복잡하여 유의미한 분석이 곤란할 경우, 퍼지 마이닝이나 클러스터링 기법을 활용할 수 있다. 퍼지 마이닝은 실행 빈도가 낮은 활동을 제거 또는 병합하거나, 그 활동들 간의 경로를 제거함으로써 프로세스 모델을 단순화해 주는 기법이다. 이때 프로세스 모델에 나타난 활동과 경로에 대한 임곗값을 설정하여 모델의 복잡도를 조절할 수 있다. 클러스터링은 특성이 유사한 사례들을 같은 그룹으로 묶어주는 기법이다. 전체 이벤트 로그를 대상으로 프로세스를 도출할 때 복잡한 프로세스 모델이 도출될 경우, 이 기법을 적용하여 이벤트 로그를 여러 개로 나눌 수 있다. 이렇게 세분화된 이벤트 로그에 프로세스 발견 기법을 적용하면, 프로세스 모델의 복잡도가 줄어든다.

적합성 검증이란 기존의 프로세스 모델과 이벤트 로그 분석에서 도출된 결과를 비교하여 어느 정도 일치하는지를 확인하는 것이다. 이때 기존의 프로세스 모델과 이벤트 로그에서 도출된 결과물이 불일치하는 경우가 발생하는데, 먼저 기존의 프로세스 모델이 적절함에도 불구하고 업무 담당자가 이를 준수하지 않는 경우를 들 수 있다. 이 경우에는 현실 세계의 실제 업무 수행 실태를 교정해야 한다. 이와 달리 이벤트 로그의 분석 결과물이 더 적절한 것으로 판단되는 경우에는 기존의 프로세스 모델을 수정할 필요가 있다.

프로세스 향상에는 두 유형이 있다. 하나는 기존의 프로세스 모델을 '수정'하는 것이며, 다른 하나는 업무 수행 시간 및 담당자 등 이벤트 로그 분석에서 얻은 부가적 정보를 추가하여 발견된 프로세스 모델을 '확장'하는 것이다. 확장의 예로는 이벤트 로그로부터 도출된 프로세스 모델에 프로세스 내 병목지점과 재작업 흐름을 시각화하는 것을 들 수 있다.

프로세스 마이닝은 데이터 과학에 근거를 두고 프로세스 분석가가 업무 전문가와 협업하여 기업이 수행하는 비즈니스 프로세스에 대한 문제점을 진단하고 개선 방안을 도출하는 데 기여할 수 있다.

1. 윗글과 일치하는 것은?

① 이벤트 로그는 프로세스 마이닝의 출발점이지만 그 자체로는 유용한 정보라 할 수 없다.
② 업무 전문가의 충분한 지식 없이 이벤트 로그로부터 프로세스 모델을 도출하기는 어렵다.
③ 프로세스 발견은 프로세스에 내재된 업무 관련 규정을 이벤트 로그로부터 도출하는 것이다.
④ 클러스터링은 복잡한 프로세스 모델을 여러 개의 세부 프로세스 모델로 구분해 주는 기법이다.
⑤ 이벤트 로그에서 업무 담당자를 파악하여 기존의 프로세스 모델에 활동과 경로를 추가하는 것은 프로세스 수정이다.

2. '프로세스 마이닝'에 대해 추론한 것으로 적절하지 않은 것은?

① 프로세스 마이닝을 도입하면 내부 규정의 준수 여부에 대한 감독이 용이해진다.
② 프로세스 마이닝을 통해 기존의 프로세스 모델이 실제로 어떻게 수행되는가를 파악할 수 있다.
③ 프로세스 마이닝은 판에 박힌 단순한 업무뿐 아니라 비정형적인 업무 처리 과정의 분석에도 활용된다.
④ 프로세스 마이닝은 예상된 이벤트 로그에 적용할 프로세스 모델 중심의 업무 성과 분석 및 개선 기법이다.
⑤ 프로세스 마이닝은 기존의 프로세스 모델뿐 아니라 발견으로 도출된 프로세스 모델을 향상하는 데에도 활용된다.

3. <보기>의 사례에 프로세스 마이닝을 적용할 때 가장 적절한 것은?

―――――――<보 기>―――――――
○○병원에서는 외래 환자의 과도한 대기 시간을 줄이고 의료 서비스의 품질을 개선하기 위해 외래 환자 진료 프로세스를 분석하고자 한다. 이 병원에서는 질환별로 진행해야 하는 표준 진료 프로세스를 임상진료 지침으로 수립해 두고 있다. 프로세스 마이닝 도구를 사용하여 프로세스 모델을 도출하였더니 지나치게 복잡한 프로세스 모델이 도출되어 분석이 곤란한 상황이다. 또한 환자의 민감한 개인 의료정보가 저장된 이벤트 로그를 프로세스 분석가에게 제공할 경우 정보 보호 및 프라이버시 이슈가 존재하고, 병원의 기밀이 유출될 우려가 제기되어 이를 해결하고자 한다.

① 복잡도 문제를 해결하기 위해 연령 및 질환을 기준으로 이벤트 로그의 사례를 클러스터링 하려면 필수적 속성만 이벤트 로그에 있어도 된다.
② 적합성 검증 결과 기존의 프로세스 모델과 이벤트 로그 분석 결과가 불일치하면 의료진에 대한 제재 조치나 지침 재교육이 필수적이다.
③ 이벤트 속성의 임곗값을 조절하여 빈번하게 수행되는 진료 프로세스 수행 패턴을 파악할 수 있다.
④ 환자의 개인정보 보호를 위해 사례 ID를 제외하고 이벤트 로그를 작성해야 한다.
⑤ 외래 환자의 대기 시간 분석을 위해서는 프로세스 확장이 필요하다.

[4~6] 다음 글을 읽고 물음에 답하시오.

15세기 초 브루넬레스키가 제안한 선원근법은 서양의 풍경화에 큰 변화를 가져왔다. 고정된 한 시점에서 대상을 통일적으로 배치하는 기하학적 투시도법으로 인간의 눈에 보이는 대로 자연을 화폭에 담을 수 있게 된 것이다. 문학 비평가 가라타니 고진은 이러한 풍경화의 원리를 재해석한 '풍경론'을 통해 특정 문학 사조를 추종하는 문단의 관행을 비판했다.

고진에 따르면, 풍경이란 고정된 시점을 가진 한 사람에 의해 통일적으로 파악되는 대상이다. 내 눈 앞에 펼쳐진 풍경은 있는 그대로 존재하는 자연이 아니라 내가 보았기 때문에 여기 있는 것이며, 그런 점에서 모든 풍경은 내가 새롭게 발견한 대상이 된다. '풍경'은 단순히 외부에 존재해서가 아니라 주관에 의해 지각될 때 비로소 풍경이 된다.

고진은 이러한 과정을 '풍경의 발견'이라 부르고, 이를 근대인의 고독한 내면과 연결시켰다. 가령, 작가 구니키다 돗포의 소설에는 외로움을 느끼지만 정작 자기 주변의 이웃과 사귀지 않고 산책길에 만난 이름 모를 사람들이나 이제는 만날 일이 없는 추억 속의 존재들을 회상하며 그들에게 자신의 감정을 일방적으로 투사하는 주인공이 등장한다. 죽어갈 운명이라는 점에서는 모두가 동일하다면서, 주인공은 인간이란 누구든 다 친근한 존재들이라 말한다. 실제 이웃과의 관계 맺기를 기피한 채, 주인공은 현실적으로 아무 상관이 없는 사람들과 하나의 세계를 이루어 살고 있다. 고진은 인간마저도 하나의 풍경으로 취급해 버리는 주인공으로부터, 전도(顚倒)된 시선을 통해 풍경을 발견하는 '내적 인간'의 전형을 읽는다. 이로부터 고진은 "풍경은 오히려 외부를 보지 않는 자에 의해 발견된 것"이라는 결론을 얻는다.

고진의 풍경론은 한쪽에서는 내면성이나 자아라는 관점을, 다른 한쪽에서는 대상의 사실적 묘사라는 관점을 내세우며 대립하는 문단의 세태를 비판하기 위해 제시되었다. 주관의 재현과 객관의 재현을 내세우기에 마치 상반된 듯 보이지만 사실 두 관점은 서로 얽혀 있다는 것이다. 이미 풍경에 익숙해진 사람은 주관에 의해 배열된 세계를 벗어나지 못하고, 눈에 보이는 것이 본래적인 세계의 모습이라 믿는다. 풍경의 안에 놓여 있으면서도 풍경의 밖에 있다고 믿는 것이다. 고진은 만일 이러한 믿음에서 나온 외부 세계의 모사(模寫)를 리얼리즘이라 부른다면 그것이 곧 전도된 시선에서 비롯된 것임을 알아야 한다고 말한다. 리얼리즘의 본질을 '낯설게 하기'에서 찾는 러시아 형식주의의 견해 또한 마찬가지이다. 너무 익숙해서 실은 보고 있지 않은 것을 보게 만들어야 한다는 이 견해를 따른다면, 리얼리즘은 항상 새로운 풍경을 창출해야 한다. 따라서 리얼리스트는 언제나 '내적 인간'일 수밖에 없다.

물론 자신이 풍경 안에 갇혀 있다는 사실을 자각하는 이가 있을 수도 있다. 작가 나쓰메 소세키는 '문학이란 무엇인가'라는 질문을 던졌을 때, 자신이 참고해 온 문학책들이 자신의 통념을 만들고 강화했을 뿐이라는 사실을 깨닫고는 책들을 전부 가방에 넣어 버렸다. "문학 서적을 읽고 문학이 무엇인가를 알려고 하는 것은 피로 피를 씻는 일이나 마찬가지라고 생각했기 때문"이다. 고진은 소세키야말로 자신이 풍경에 갇혀 있다는 사실을 자각했던 것이라 본다. 일단 고정된 시점이 생기면 그에 포착된 모든 것은 좌표에 따라 배치되며 이윽고 객관적 세계의 형상을 취한다. 이 세계를 의심하기 위해서는 결국 자신의 고정된 시점 자체에 질문을 던지며 회의할 수밖에 없다. 이른바 '풍경 속의 불안'이 시작되는 것이다.

그렇다면 만일 선원근법에 의존하지 않는 풍경화, 예컨대 서양의 풍경화가 아닌 동양의 산수화를 고려한다면 고진의 풍경론은 달리 해석될까. 기하학적 투시도법을 따르지 않은 산수화에는 그야말로 자연이 있는 그대로 재현된 것처럼 보이니 말이다. 그러나 산수화의 소나무조차도 화가의 머릿속에 있는 소나무라는 관념을 묘사한 것이지 특정 시공간에 실재하는 소나무가 아니다. 요컨대 질문을 던지며 회의한들 그 외의 방식으로는 세계와 대면하는 방법을 알지 못하기에 막연한 불안이 생기는 사태를 막을 수는 없다. 그럼에도 불구하고 문학을 다루는 사람은 자신의 전도된 시선을 의심하는 일에 게을러서는 안 된다. 전도된 시선의 기만적 구도는 풍경 속의 불안을 느끼는 이들에 의해서만 감지될 수 있다. 이 미묘한 앞뒷면을 동시에 살피려는 시도가 없다면, 우리는 풍경의 발견이라는 상황을 보지 못할 뿐 아니라 단지 풍경의 눈으로 본 문학만을 쓰고 해석하게 될 것이다.

4. 윗글과 일치하지 <u>않는</u> 것은?
① 브루넬레스키의 선원근법은 풍경화에 사실감을 부여했다.
② 러시아 형식주의자들은 익숙한 세계를 새롭게 인식해야 한다고 주장했다.
③ 산수화와 풍경화는 기하학적 투시도법의 적용 여부에 따라 대상의 재현 양상이 대비된다.
④ 나쓰메 소세키는 문학 서적을 통해서 문학을 연구하는 작업이 자기 반복이라고 보았다.
⑤ 구니키다 돗포는 공적 관계를 기피하고 사적 관계에 몰두하는 인물을 소설의 주인공으로 삼았다.

5. '전도된 시선'을 설명한 것으로 가장 적절한 것은?
① 세계의 미묘한 앞뒷면을 동시에 살피는 것이다.
② 내면의 세계를 외부자의 시선으로 발견하는 것이다.
③ 현실을 취사선택하여 비현실적 세계를 만드는 것이다.
④ 실재로서 존재했지만 아무도 보지 못했던 풍경을 보는 것이다.
⑤ 주관적 시각을 통해 구성된 세계를 객관적 현실이라 믿는 것이다.

6. 윗글에 따를 때 고진의 관점에서 <보기>에 나타난 최재서의 입장을 해석한 것으로 가장 적절한 것은?

<보 기>
최재서는 내면성과 자아의 실험적 표현을 추구하는 이상의 소설을 사실적 묘사라는 관점에서 '리얼리즘의 심화'라고 비평한 바 있다. 이상의 「날개」에는 돈을 사용하는 법도 모르고 친구를 사귀지도 않으며 자신의 작은 방을 벗어나지 않는 주인공이 등장한다. 최재서에 따르면, 자폐적으로 자기 세계에 갇혀 지내는 사내의 심리에 주목한 「날개」는 특정 대상의 내면까지도 '주관의 막을 제거한 카메라'를 들이대어 투명하게 조망한 사례이다. 대상에 따라 관점은 이동할 수 있다는 것, 문학 작품의 해석에 미리 확정된 관점이나 범주란 없다는 것이 최재서의 결론이다.

① 대상에 따라 관점이 이동할 수 있다는 의견은, 고진에게는 작가의 머릿속에 있는 관념이 서양 풍경화의 방식으로 재현되는 것이라 해석되겠군.
② 작품 해석에서 미리 확정된 범주란 없다는 의견은, 고진에게는 주관이 외부를 적극적으로 파악하여 풍경 속의 불안을 벗어난 것이라 해석되겠군.
③ 내면성과 자아의 실험적 표현을 추구하는 작품도 리얼리즘에 속할 수 있다는 의견은, 고진에게는 풍경 안에 갇혀 있음을 자각한 것이라 해석되겠군.
④ 「날개」가 대상의 내면에 '주관의 막을 제거한 카메라'를 들이댔다는 의견은, 고진에게는 주관의 재현과 객관의 재현을 내세우며 대립하는 것이라 해석되겠군.
⑤ 이상이 「날개」에서 자폐적으로 자기 세계에 갇혀 지내는 사내를 그렸다는 의견은, 고진에게는 풍경을 지각하지 못하는 '내적 인간'의 전형을 그린 것이라 해석되겠군.

[7~9] 다음 글을 읽고 물음에 답하시오.

평등은 자유와 더불어 근대 사회의 핵심 이념으로 자리 잡고 있다. 인간은 가령 인종이나 성별과 상관없이 누구나 평등하다고 생각한다. 모든 인간은 평등하다고 말하는데, 이 말은 무슨 뜻일까? 그리고 그 근거는 무엇인가? 일단 이 말을 모든 인간을 모든 측면에서 똑같이 대우하는 절대적 평등으로 생각하는 이는 없다. 인간은 저마다 다르게 가지고 태어난 능력과 소질을 똑같게 만들 수 없기 때문이다. 절대적 평등은 개인의 개성이나 자율성 등의 가치와 충돌하기도 한다.

평등에 대한 요구는 모든 불평등을 악으로 보는 것이 아니라 충분한 이유가 제시되지 않은 불평등을 제거하는 데 목표를 두고 있다. '이유 없는 차별 금지'라는 조건적 평등 원칙은 차별 대우를 할 때는 이유를 제시할 것을 요구하고 있다. 이것은 어떤 이유가 제시된다면 특정한 부류에 속하는 사람들에게는 평등한 대우를, 그 부류에 속하지 않는 사람들에게는 차별적 대우를 하는 것을 허용한다. 그렇다면 사람들을 특정한 부류로 구분하는 기준은 무엇인가? 이것은 바로 평등의 근거에 대한 물음이다.

근대의 여러 인권 선언에 나타난 평등 개념은 개인들 사이의 평등성을 타고난 자연적 권리로 간주하였다. 하지만 이러한 자연권 이론은 무엇이 자연적 권리이고 권리의 존재가 자명한 이유가 무엇인지 등의 문제에 부딪히게 된다. 그래서 롤스는 기존의 자연권 사상에 의존하지 않는 방식으로 인간 평등의 근거를 마련하려고 한다. 그는 어떤 규칙이 공평하고 일관되게 운영되며, 그 규칙에 따라 유사한 경우는 유사하게 취급된다면 형식적 정의는 실현된다고 본다. 하지만 롤스는 형식적 정의에 따라 규칙을 준수하는 것만으로는 정의를 담보할 수 없다고 생각한다. 그 규칙이 더 높은 도덕적 권위를 지닌 다른 이념과 충돌할 수 있기에, 실질적 정의가 보장되기 위해서는 규칙의 내용이 중요한 것이다.

롤스는 인간 평등의 근거를 설명하면서 영역 성질(range property) 개념을 도입한다. 예를 들어 어떤 원의 내부에 있는 점들은 그 위치가 서로 다르지만 원의 내부에 있다는 점에서 동일한 영역 성질을 갖는다. 반면에 원의 내부에 있는 점과 원의 외부에 있는 점은 원의 경계선을 기준으로 서로 다른 영역 성질을 갖는다. 그는 평등한 대우를 받기 위한 영역 성질로서 '도덕적 인격'을 제시한다. 도덕적 인격이란 도덕적 호소가 가능하고 그런 호소에 관심을 기울이는 능력이 있다는 것인데, 이 능력을 최소치만 갖고 있다면 평등한 대우에 대한 권한을 갖게 된다. 도덕적 인격이라고 해서 도덕적으로 훌륭하다는 뜻이 아니라 도덕과 무관하다는 말과 대비되는 뜻으로 쓰고 있다. 그런데 어린 아이는 인격체로서의 최소한의 기준을 충족하고 있는지가 논란이 될 수 있다. 이에 대해 롤스는 도덕적 인격을 규정하는 최소한의 요구 조건은 잠재적 능력이지 그것의 실현 여부가 아니기에 어린 아이도 평등한 존재라고 말한다.

싱어는 위와 같은 롤스의 시도를 비판한다. 도덕에 대한 민감성의 수준은 사람에 따라 다르다. 그래서 도덕적 인격의 능력이 그렇게 중요하다면 그것을 갖춘 정도에 따라 도덕적 위계를 다르게 하지 말아야 할 이유가 분명하지 않다고 말한다. 그리고 평등한 권리를 갖는 존재가 되기 위한 최소한의 경계선을 어디에 그어야 하는지도 문제로 남는다고 본다. 한편 롤스에서는 도덕적인 능력을 태어날 때부터 가지고 있지 않거나 영구적으로 상실한 사람은 도덕적 지위를 가지고 있지 못하게 되는데, 이는 통상적인 평등 개념과 어긋난다. 그래서 싱어는 평등의 근거로 '이익 평등 고려의 원칙'을 내세운다. 그에 따르면 어떤 존재가 이익, 즉 이해관계를 갖기 위해서는 기본적으로 고통과 쾌락을 느낄 수 있는 능력을 갖고 있어야 한다. 그리고 그 능력을 가진 존재는 이해관계를 가진 존재이기 때문에 평등한 도덕적 고려의 대상이 된다. 이때 이해관계가 강한 존재를 더 대우하는 것이 가능하다. 반면에 그 능력을 갖지 못한 존재는 아무런 선호나 이익도 갖지 않기 때문에 평등한 도덕적 고려의 대상이 되지 않는다.

7. '평등'을 설명한 것으로 가장 적절한 것은?
① 형식적 정의에서는 차별적 대우가 허용되지 않는다.
② 조건적 평등과 달리 절대적 평등은 결과적인 평등을 가져온다.
③ 불평등은 충분한 이유가 있더라도 평등의 이념에 부합하지 않는다.
④ 규칙에 따라 유사한 경우는 유사하게 취급해도 결과는 불평등할 수 있다.
⑤ 인간의 능력은 절대적으로 평등하게 만들 수 있지만 자율성에 어긋날 수 있다.

8. 롤스와 싱어를 이해한 것으로 적절하지 않은 것은?
① 롤스에서 평등의 근거가 되는 특성을 가지지 못한 존재는 부도덕하다.
② 롤스에서 영역 성질은 정도의 차를 감안하지 않는 동일함을 가리킨다.
③ 싱어에서는 인간이 아닌 존재가 느끼는 고통과 쾌락도 도덕적으로 고려해야 한다.
④ 싱어에서는 도덕적으로 평등하다고 인정받는 사람들도 차별적 대우를 받을 수 있다.
⑤ 롤스와 싱어는 도덕에 대한 민감성이 사람마다 다름을 인정한다.

9. <보기>에 대한 반응으로 적절하지 않은 것은?

─────<보 기>─────
○ 갑은 고통을 느끼는 능력과 도덕적 능력을 회복 불가능하게 상실하였다.
○ 을은 도덕적 능력을 선천적으로 결여했지만 고통을 느낄 수 있다.
○ 병은 질병으로 인해 일시적으로 도덕적 능력을 상실하였다.

① 갑에 대해 싱어는 도덕적 고려의 대상이 아니라고 보겠군.
② 을이 도덕적 능력이 있는 사람보다 더 고통을 느낀다면 싱어는 더 대우를 받아야 한다고 생각하겠군.
③ 을이 도덕적 고려의 대상임을 설명할 수 있다는 점에서 싱어는 자신의 설명이 통상적인 평등 개념에 부합한다고 생각하겠군.
④ 병에 대해 롤스는 그 질병에 걸리지 않은 사람과 달리 평등하지 않게 생각하겠군.
⑤ 갑과 을에 대해 싱어는 롤스가 도덕적 인격임을 설명하지 못할 것이라고 보겠군.

[10~12] 다음 글을 읽고 물음에 답하시오.

　살펴보건대, ㉠상고 시대 법에서 오형(五刑)은 중죄인에 대하여 이마에 글자를 새기고(묵형) 코나 팔꿈치, 생식기를 베어 내고(의형, 비형, 궁형), 죽이는(대벽) 형벌이었다. 다만 정상이 애처롭거나 신분과 공로가 높은 경우에는 예외적으로 오형 대신 유배형을 적용하였다. 나머지 경죄는 채찍이나 회초리를 쳤는데 따져볼 여지가 있는 경우에는 돈으로 대속할 수 있도록, 곧 속전(贖錢)할 수 있도록 하였다. 또 과실로 저지른 행위는 유배나 속전 할 것 없이 처벌하지 않았다. 그러나 배경을 믿고 범행을 저질렀거나 재범한 경우에는 유배나 속전 할 사유에 해당하더라도 형을 집행하였다.
　형법은 선왕들이 통치에서 전적으로 믿고 의지하는 도구는 아니었지만 교화를 돕는 수단이었고, 백성들이 그른 짓을 하지 않도록 역할을 해 왔다. 그렇다면 신체를 상하게 하여 악을 징계한 것도 당시에는 고심 끝에 차마 어쩔 수 없이 행하는 하나의 통치였던 것이다. ㉡지금의 법을 보면, 유배형과 노역형이 간악한 이를 효과적으로 막지 못하고 있다. 그렇다고 해서 그보다 더 무거운 형벌로 과도하게 적용하면 죽이지 않아도 될 범죄자를 죽일 수 있어 적당하지 않다. 따라서 예전처럼 의형, 비형을 적용한다면, 신체는 다쳐도 목숨은 보전될 뿐만 아니라 뒷사람에게 경계도 되니 선왕의 뜻과 시의에 알맞은 일이다.
　지금은 살인과 상해에 대하여도 속전할 수 있도록 하여, 재물 있는 이들이 사람을 죽이거나 다치게 하도록 만드니, 무고한 피해자에게는 이보다 더 큰 불행이 있겠는가? 그리고 살인자가 마을에서 편안히 살고 있으면, 부모의 원수를 갚으려는 효자가 어떻게 그대로 보겠는가? 변방으로의 유배를 그대로 집행하는 것이 양쪽을 모두 보전하는 일이다. 선왕들이 중죄인에 대하여 죽이거나 베면서 조금도 용서하지 않은 것은 그 죄인도 또한 피해자에게 잔혹히 했기 때문이니, 그 형벌의 시행이 매우 참혹해 보이지만 실상은 마땅히 해야 할 일을 집행한 것이다.
　어떤 이가 말하기를, 신체에 가하는 형벌인 육형(肉刑)으로 오형만 있었던 상고 시대에 순임금이 그 참혹함을 차마 볼 수 없어서 유배, 속전, 채찍, 회초리의 형벌을 만들었다고 한다. 그렇다고 하면 요임금 때까지는 채찍이나 회초리에 해당하는 죄에도 묵형이나 의형을 집행했다는 말인가? 그러니 오형에 처하던 것을 순임금이 법을 바로잡아 속전할 수 있도록 하였다는 말은 옳지 않다. 의심스럽다든가 해서 중죄를 속전할 수 있도록 한다면, 부자들은 처벌을 면하고 가난한 이들만 형벌을 받을 것이다.
　지금의 사법기관은 응보에 따라 화복(禍福)이 이루어진다는 말을 잘못 알고서, 죄의 적용을 자의적으로 하여 복된 보답을 구하려는 경향이 있다. 죄 없는 이가 억울함을 풀지 못하고 죄 지은 자가 되려 풀려나게 하는 것은 악을 행하는 일일 뿐이니 무슨 복을 받겠는가? 지금의 사법관들은 죄수를 신중히 살핀다는 흠휼(欽恤)을 잘못 이해하여서, 사람의 죄를 관대하게 다루어 법 적용을 벗어나도록 해 주는 것으로 안다. 그리하여 죽여야 할 이들을 여러 구실을 들어 대부분 감형되도록 한다. 참형에 해당하는 것이 유배형이 되고, 유배될 것이 노역형이 되고, 노역할 것이 곤장형이 되고, 곤장 맞을 것을 회초리로 맞게 되니, 이는 뇌물을 받아 법을 가지고 논 것이지 어찌 흠휼이겠는가?
　인명은 지극히 중한 것이다. 만약 무고한 사람이 살해되었다면,

법관은 마땅히 자세히 살피고 분명히 조사하여 더는 의심의 여지가 없게 해야 할 것이다. 그리고 이렇게 한 뒤에는 반드시 목숨으로 갚도록 해야 한다. 이로써 죽은 자의 원통한 혼령을 위로할 뿐 아니라, 과부와 고아가 된 이가 원수 갚고자 하는 마음을 위로할 수 있으며, 또한 천리를 밝히고 나라의 기강을 떨치는 일이다. 보는 이들의 마음을 통쾌하게 할 뿐 아니라 후대의 징계도 되니, 또한 좋지 않겠는가.

지금은 교화가 쇠퇴하여 인심이 거짓을 일삼으며, 저마다 자신의 잇속만 챙기면서 풍속도 모두 무너졌다. 극악한 죄인은 죄를 받지 않고, 선량한 백성들은 자의적인 형벌의 적용을 면치 못하기도 한다. 또 강자에게는 법을 적용하지 않고 약자에게는 잔인하게 적용한다. 권문세가에는 너그럽고 한미한 집에는 각박하다. 똑같은 일에 법을 달리하고 똑같은 죄에 논의를 달리하여, 간사한 관리들이 법조문을 농락하고 기회를 잡아 장사하니, 그것은 단지 살인자를 죽이지 않고 형법을 방기하는 잘못에 그치는 일이 아니다. 이 통탄스러움을 이루 말로 다할 수 있겠는가.

― 윤기, 「논형법(論刑法)」 ―

10. 글쓴이의 입장과 일치하는 것은?

① 교화를 중시하고 형벌의 과도한 적용을 삼가야 한다고 생각한다.
② 살인을 저지른 중죄인이 유배되는 일은 없어야 한다고 주장한다.
③ 인명이 소중하므로 사형과 같은 참혹한 형벌의 폐지에 찬성한다.
④ 형벌로 보복을 대신하려고 하는 응보적인 경향에 대해 반대한다.
⑤ 무고하게 살해된 피해자를 고려하면 의형은 합당한 처벌이라고 본다.

11. 윗글에 따라 ㉠, ㉡을 설명한 것으로 가장 적절한 것은?

① ㉠에서는 경미한 죄에도 오형을 적용하도록 되어 있었다.
② ㉠에서는 중죄에 대한 형벌을 육형으로 하는 것이 원칙이었다.
③ ㉡에서는 유배형도 정식의 형벌이므로 속전의 대상이 되지 않는다.
④ ㉠에서 오형에 해당하지 않는 형벌은 ㉡에서도 집행하지 않는다.
⑤ ㉠에서의 오형은 잔혹한 형벌이라 하여 ㉡에서는 모두 사라지게 되었다.

12. 윗글과 <보기>를 비교 평가한 것으로 적절하지 않은 것은?

<보기>

상고 시대에 유배형은 육형을 가해서는 안 되는 관료에게 베푸는 관용의 수단으로서 공식적인 형벌이 아니라 임시방편과 같은 것이었다. 또 속전은 의심스러운 경우에 적용한 것이지 꼭 가벼운 형벌에만 해당했던 것도 아니었다. 여기서 속은 잇는다[續]는 데서 따다가 대속한다[贖]는 의미로 된 것이니, 육형으로 끊어진 팔꿈치를 다시 붙일 수 없는 참혹함을 받아들이지 못하는 어진 정치에서 비롯한 것임을 알 수 있다. 지금의 법에서 속전은 정황이 의심스럽거나 사면에 해당하는 경우에만 비로소 허용된다. 그에 해당하는 경우가 아니라면 부유함으로 처벌을 요행히 면해서는 안 되며, 해당하는 경우이면 가난뱅이는 속전도 필요 없다. 죽여야 할 사람을 끝없이 살리려고만 한다면 어찌 덕이 되겠는가. 흠휼은 한 사람이라도 죄 없는 자를 죽이지 않으려는 것이지 살리기만 좋아하는 것이 아니다.

① 법을 엄격하게 집행해야 한다고 보는 점은 두 글이 같은 태도이다.
② 속전의 남용에 대해 흠휼을 오해한 소치로 보는 점은 두 글이 같은 태도이다.
③ 상고 시대에 중죄를 속전할 수 있었는지에 대해서는 두 글이 서로 달리 보고 있다.
④ 중죄에 대한 속전이 부자들의 전유물이므로 폐지하자는 것에 대해서는 두 글이 다른 태도를 보일 것이다.
⑤ 유배의 효과가 없을 때 의형이나 비형을 되살릴 수 있다는 것에 대해서는 두 글이 같은 태도를 보일 것이다.

[13~15] 다음 글을 읽고 물음에 답하시오.

68혁명 이후 구조에서 차이로, 착취에서 자유나 배제로 문제 설정이 변화하고, 신자유주의적 반(反)정치의 경향이 강화되었던 1980년대에 르포르는 '정치적인 것'의 활성화를 제기하였다. 그에 앞서 아렌트가 고대 아테네의 시민적 덕성의 복원을 통한 정치적인 것의 활성화를 제기했다면, 르포르는 근대 민주주의 자체의 긴장에 주목하면서 '인권의 정치'를 통한 정치적인 것의 부활을 시도하였다. 그는 인권을 공적 공간의 구성 요소로 파악하면서 개인에 내재된 자연권으로 보거나 개인의 이해관계에 기반한 소유권적 관점에서 파악하려는 자유주의적 입장을 거부한다. 르포르는 자유주의가 인간의 권리를 개인의 권리로 환원시킴으로써 사회적 실체에 접근하지 못하고, 결국 민주주의를 개인과 국가의 표상관계를 통해 개인들의 이익의 총합으로서 국가의 단일성을 확보하기 위한 수단으로 볼 뿐이라고 비판한다.

르포르는 1789년 「인권선언」의 조항들이 '개인적 자유'보다 '관계의 자유'를 의미한다고 본다. 선언의 제4조에서 언급한 '타인에게 해를 끼치지 않는 모든 것을 할 수 있는 자유'는 사회적 공간이 권력에 대해 권리들의 자율성을 향유한다는 의미이자, 어떤 것도 그 공간을 지배할 수 없다는 의미이다. 그리고 제11조에서 언급한 '생각과 의견의 자유로운 소통의 자유' 역시 근대 사회의 시민이 자신의 생명과 재산에 대한 위협을 느끼지 않고 의견을 표현할 수 있는 권리를 의미한다. 르포르는 이러한 권리가 개인과 개인의 존엄성에 대한 보호라기보다는 개인들끼리의 공존 형태, 특히 권력의 전능으로 인해 인간 간의 관계가 침탈될 우려에서 비롯된 특정한 공존 형태에 대한 정치적 개념이라고 본다.

르포르는 ㉠권리와 권력의 관계에 주목한다. 18세기에 형성된 인간의 권리는 사회 위에 군림하는 권력의 표상을 붕괴시키는 자유의 요구로부터 출현했다. 근대에 '인간의 권리'는 '시민의 권리'로서 존재해 왔다. 인간은 특정 국민국가의 성원으로서 국가권력에 의해 인정될 때, 즉 이방인이었던 아렌트가 포착했던 '권리들을 가질 수 있는 권리'가 전제될 때 비로소 권리를 향유할 수 있다. 하지만 르포르가 제기하는 것은 권력이 권리에 순응해야 한다는 점이다. 특히 저항권은 시민 고유의 것이지 결코 국가에게 그것의 보장을 요구할 수 없는 것이다. 그것은 권력에 대한 권리의 선차성이며, 권력이 권리에 어떤 영향도 미칠 수 없다는 것을 의미한다.

하지만 그의 비판자들은 권리가 권력을 통해서만 존재해 온 역사를 르포르가 간과하고 있다고 지적한다. 인권의 정치를 통한 권리의 확장은 권력의 동시적인 확장, 나아가 전체주의적 권력의 등장을 가져올 수 있다는 것이다. 근대 민주주의의 속성인 인민과 대표의 동일시에 따른 대표의 절대화를 통해 '하나로서의 인민'과 '사회적인 것의 총체로서의 당'에 대한 표상의 일치, 당과 국가의 일치, 결국 '일인' 통치로 귀결된 전체주의가 그 예라고 르포르를 비판한다.

물론 르포르도 새로운 권리의 발생이 국가권력을 강화시킬 수 있음을 인정한다. 따라서 국가권력에 대한 제어와 감시가 필요하며, 억압에 대한 저항으로서 정치적 자유가 강조된다. 공적 영역에서 실현되는 정치적 자유는, 시민들의 관계를 표현하는 장치이자 권력에 대한 통제 수단으로서 정치적인 것의 활성화를 통해 공론장과 같은 민주적 공간을 구성한다. 그러한 민주적 공간을 구성하는 권리로부터 법률이 형성된다. 따라서 권리의 근원은 그 누구에 의해서도 독점되지 않는 권력이어야 한다. 국가권력은 상징적으로는 단일하지만 실제적으로는 민주적으로 공유되어야 함에도, 이를 오해한 것이 전체주의이다.

결국 르포르는 권력이 제어할 수 있는 틀을 넘어 쟁의가 발생하는 장소로서 민주주의 국가를 제시함으로써 법이 인정하는 한에서 권리를 사유하는 자유주의적 법치국가의 한계를 넘어서고자 하며, 역사적으로 다양한 권리들이 권력이 정한 경계를 넘어서 생성되어 왔다는 점을 강조한다. 이때 인권의 정치는 차별과 배제에 대한 저항과 새로운 주체들의 자유를 위한 무기가 된다. 나아가 '권리들을 가질 수 있는 권리'라는 관념은 인간의 권리의 실현 조건으로서 국가권력이라는 틀 자체를 거부하면서, 자신이 거주하는 곳에서 권리의 실현을 요구하는 급진적 흐름으로서 세계시민주의의 가능성을 보여준다.

13. 윗글과 일치하지 않는 것은?

① 아렌트는 시민적 덕성의 복원을 통해, 르포르는 인권의 정치를 통해 공적 공간의 민주화에 대해 사유한다.
② 르포르는 근대 국가권력의 상징적 측면에서, 자유주의자들은 개인과 국가의 표상관계를 통해 권력의 단일성을 이해한다.
③ 자유주의자들은 자연권 혹은 소유권적 관점에서 개인의 권리를 파악하면서 민주주의를 개인의 권리들의 관계가 만들어 내는 쟁의의 공간으로 이해한다.
④ 전체주의는 근대 민주주의가 피통치자로서의 인민과 통치자로서의 대표를 동일시하는 경향이 극단화될 때 나타난다.
⑤ 세계시민주의는 인간의 권리가 실현되는 조건으로 국민국가의 성원이라는 전제를 거부할 필요가 있음을 주장한다.

14. 윗글에 따를 때 ㉠에 대한 르포르의 관점을 이해한 것으로 적절하지 않은 것은?

① 국가권력이 보장할 수 없는 시민 고유의 권리가 존재할 수 있다고 본다.
② 근대의 민주적 권력은 상징적 및 실제적 권력의 단일성에 근거하여 권리를 확장시켜 왔다고 본다.
③ 근대국가에서는 국가권력이 개인을 국민이라는 성원으로 인정하는 한에서 권리를 부여해 왔다고 본다.
④ 국가권력이 설정한 권리의 한계를 극복하면서 국민국가 초기에 인정되지 않았던 권리들이 인정받았다고 본다.
⑤ 권리를 사회적 관계의 산물로 이해함으로써 권리는 누구도 독점할 수 없는 민주적 공간을 구성하는 동력이 된다고 본다.

15. 르포르와 <보기>의 푸코를 비교한 것으로 가장 적절한 것은?

<보 기>

푸코는 개인의 삶 자체가 위험이라는 인식하에서 국가가 출생에서 죽음에 이르기까지의 개인의 삶 전체를 관리하는 '생명관리권력의 시대'가 등장하였다고 주장한다. 근대에 개인의 권리의 확대는 개인을 위험으로부터 보호하려는 문제의식에서 비롯되었지만, 그것은 동시에 국가가 더 깊이 개인의 삶에 침투하는 권력으로 전환되는 역설을 낳았다. 개인이 권력의 시선, 즉 규율을 내면화함으로써 권력이 만들어 낸 주체가 되어간다는 점에서, 근대의 자율적 주체는 사라져 버렸다. 푸코는 개인에 대한 억압을 강조했던 기존의 권력 관념을 대신하여 국가권력이 생산적 권력임을 강조한다.

① 르포르는 권리에 대한 권력의 종속을 비판했다면, 푸코는 개인의 삶에 침투하는 권력의 특성에 주목했다.
② 르포르는 인권의 정치를 통해 민주주의의 확장을 주장했다면, 푸코는 권리에 대한 요구를 통해 권력을 제한하려 했다.
③ 르포르는 권리의 확장이 가져올 수 있는 권력의 비대화 및 독점화를 우려했다면, 푸코는 자율적 주체에 의한 권리의 확장을 주장했다.
④ 르포르는 권력이 설정한 경계를 넘어 권리의 주체를 형성할 것을 주장했다면, 푸코는 국가권력이 권력의 시선을 내면화하는 주체를 생산하고 관리한다는 점에 주목했다.
⑤ 르포르는 전체주의가 될 위험에서 벗어나기 위한 해결책을 근대 민주주의 내에서 찾으려 했다면, 푸코는 권력으로부터 개인의 안전을 확보하기 위한 해결책을 권력 내에서 찾으려 했다.

[16~18] 다음 글을 읽고 물음에 답하시오.

18세기 후반 이후, 이슬람 세계는 제국주의 침략을 받기 시작했고, 이슬람 신자들은 그에 맞서 저항하였다. 그중 눈에 띄는 것은 수피 종단들이 여러 지역에서 군사적 저항을 주도했다는 점이다. 대표적인 것이 알제리, 리비아, 수단에서의 항쟁이었다. 어떻게 이들이 상당한 기간 동안 열강에 맞서 저항할 수 있었을까?

수피즘은 신과의 영적 합일을 통한 개인적 구원을 추구한다. 수피즘을 따르는 이들인 수피는 속세의 욕심에서 벗어나 모든 것을 신께 의탁하며, 금욕적으로 살고자 했다. 8세기 초에 수피즘이 싹텄고, 9세기에는 독특한 신비주의 의식이 나타났다. 수피가 걷는 개인적인 영적 도정은 길을 잃을 수도, 자아도취에 빠져 버릴 수도 있었기에 위험하기도 했다. 그 때문에 그들은 영적 선배들을 스승으로 모시게 되었고, 거의 맹목적으로 스승을 따라야 했다. 10세기 말 수피들은 종단을 구성하기 시작했다. 수피 종단은 지역과 시기에 따라 성쇠를 거듭했지만, 점차 많은 동조자를 얻었다.

북아프리카의 경우, 수피 종단들은 한동안 쇠락하다가 18세기 이후 강력하게 재조직되어 선교와 교육기관의 역할도 담당했고, 지역 밀착을 통해 생활 공동체를 형성하는 구심점이 되면서 항쟁에 필요한 기반을 이미 갖추고 있었다. 이 지역에서 수피즘 지도자들이 외세에 맞서 부족들 간 이견을 봉합하고 결집시킬 수 있었던 요인 중 하나는 종교적 권위였다. 특히 알제리 항쟁을 이끌었던 압드 알 카디르와 리비아 항쟁 지도자였던 아흐마드 알 샤리프가 성인으로 존경받은 것은 정치적 권위를 확보하는 데 큰 도움이 되었다.

수니파에서 가장 엄격한 와하비즘은 성인을 인정하지 않고, 심지어 은사를 받기 위해 예언자 무함마드의 묘소에서 기도하는 것도 알라 외의 신성을 인정하는 것이라고 보아 배격했다. 하지만 수피즘에서는 성인의 존재를 인정했다. 성인은 왈리라고 불리는데, 질병과 불임을 치료하고 액운을 막는 등의 이적을 행할 수 있다는 것이다. 성인들의 묘소는 순례의 대상이 되었고, 이를 중심으로 설립된 수피즘 수도원은 지역 공동체의 중심이 되는 경우가 많았다.

한편 북서 아프리카의 수피즘 신자들은 혈통을 중시하는 베르베르 토속 신앙의 영향을 짙게 받아 무라비트를 성인으로 숭배했다. 무라비트는 코란 학자, 종교 교사 등을 통칭하는 용어였지만, 이 지역에서는 특정 수피 종단을 이끄는 왈리를 가리킨다. 무라비트는 신의 은총인 바라카를 가졌다고 여겨져 존경을 받았다. 무라비트는 특정 가문 출신 중 영적으로 선택된 소수만이 될 수 있었는데, 대표적으로는 예언자 무함마드의 후손인 샤리프 가문이 있다. 압드 알 카디르와 아흐마드 알 샤리프는 모두 이 가문 출신의 무라비트였다.

북동 아프리카에서 일어난 수단 항쟁의 주역인 무함마드 아흐마드의 경우는 달랐다. 그는 성인 가문 출신은 아니었지만, 당시 만연한 마흐디의 도래에 대한 기대감을 충족시켜 종교적 권위를 얻고 이를 다시 정치적 권위로 전환시킴으로써 항쟁의 중심이 되었다. 이슬람교에서 마흐디란 종말의 순간 인류를 올바른 길로 인도하고 정의와 평화의 시대를 가져오는 구원자이다. 또한 마흐디는 부정의를 제거하고 신정주의 국가를 건설하는 개혁적 지도자이기도 하다. 마흐디 사상은 민간 신앙에서 출발하여 퍼진 것이었고, 특히 토속 신앙의 영향을 많이 받았던 수피들은 종단 지도자를 마흐디로 쉽게 받아들였다. 1881년, 무함마드 아흐마드는 자신이 예언자 무함마드의 생애와 사건을 재현하는 존재인 마흐디라고 선언했고, 이를 통해 여러 수피 종단과 부족 간의 갈등을 수습하여 외세에 맞서는 결속력을 만들었다.

더불어 수피즘의 의식에 참여한 이들 간에 생기는 형제애는 초국가적 조직망의 형성과 상호 협조를 가능하게 했다. 항쟁의 중심이었던 수피 종단들은 여러 나라에 수도원 중심의 조직을 가지고 있었다. 이들은 정보 교환, 물자 조달, 은신처 제공을 통해 항쟁을 뒷받침했다. 이처럼 영적 권위와 물질적 기반이 어우러져 비폭력 평화주의를 지향하던 종교 집단이 열강에 맞서 오랜 동안 저항할 수 있었던 것이다.

16. 윗글과 일치하지 않는 것은?

① 수피 종단들이 행했던 선교 활동은 알제리와 리비아, 수단에서 성공을 거두었다.
② 와하비즘 신봉자들은 예언자 무하마드를 특별한 존재로 받들면 일신교적 원칙을 어긴다고 보았다.
③ 수피들은 고유한 영적 의식의 참여를 통해 만들어진 연대 의식을 바탕으로 국제적 조직망을 구성했다.
④ 수피즘은 세속을 떠나 신에게 모든 것을 맡기는 삶을 추구하면서도 지역 공동체와의 협조를 중시했다.
⑤ 개인적 구원의 희구와 지도자에 대한 추종 간의 모순은 수피즘의 결과적 쇠락을 초래한 주요 원인이었다.

17. 마흐디 에 대한 이해로 가장 적절한 것은?

① 수단의 수피즘에서 마흐디는 무하마드의 후손으로 받아들여지는 구원자를 의미했다.
② 마흐디는 신비주의적 의식을 통해 알라와 하나가 되는 경지에 이르렀을 때 완성된다.
③ 탁월한 군사적 능력을 지녀 외세를 막아 내는 국가 지도자로 존경받는 인물이 마흐디이다.
④ 마흐디가 신정주의 국가를 건설할 것이라는 개혁적 개념은 이슬람 경전에서 그 기원을 찾을 수 있다.
⑤ 무함마드 아흐마드가 마흐디로 인정받은 것은 당시가 종말의 시대로 여겨지고 있었음을 알려준다.

18. <보기>를 바탕으로 윗글에 관해 추론한 것으로 적절하지 않은 것은?

<보 기>

"창조주시여, 당신은 현세와 내세에서 나의 반려자이십니다."라는 코란의 구절을 바탕으로 '알라의 반려자'라는 뜻의 왈리를 추앙하는 사상인 윌라야가 나타났다. 성인은 인류와 알라를 가로막는 욕망에서 초탈한 인물이어서 알라와 인류의 중재자로서 권능을 지닌다고 여겨졌고, 사후에도 권위가 남아 있었다. 묘소는 중립 지대였으며, 적대적 부족들도 함께 모이는 장터 역할도 했다. 일부 사람들은 최후의 심판일에 예언자 무하마드가 중재자로서 신도들을 구원할 것이라고 믿었다. 그가 예언자이면서 왈리라고 생각한 것이다.

① 초월적 능력은 지니지 않아도 무라비트가 될 수 있는 것은 예언자 무하마드의 혈통을 지녔기 때문일 것이다.
② 왈리가 특별한 능력을 시현한다고 믿어졌던 것은 윌라야에 의거해 신과 인간 사이에 중재자가 있다고 믿었기 때문일 것이다.
③ 왈리의 묘소를 중심으로 설립된 수피즘 수도원이 종종 지역 공동체의 중심이 된 것은 사후에도 권위가 남았기 때문일 것이다.
④ 압드 알 카디르가 부족 간의 이견을 봉합하고 결집할 수 있었던 것은 그가 욕망에서 초탈한 인물이라고 여겨졌기 때문일 것이다.
⑤ 샤리프 가문이 바라카를 지닐 수 있다고 인정되는 가문이 된 것은 예언자 무하마드가 최후의 심판에서 맡을 역할 때문일 것이다.

[19~21] 다음 글을 읽고 물음에 답하시오.

조선 시대를 관통하여 제례는 왕실부터 민간에 이르기까지 폭넓게 시행되었으며, 그 중심에는 유학자들이 있었다. 그런 만큼 유학자들에게 제사의 대상이 되는 귀신은 주요 논제일 수밖에 없었고, 이들의 귀신 논의는 성리학의 자연철학적 귀신 개념에 유의하여 유학의 합리성과 윤리성의 범위 안에서 제례의 근거를 마련하는 데 비중을 두었다.

성리학의 논의가 본격화되기 전에는 대체적으로 귀신을 인간의 화복과 관련된 신령한 존재로 여겼다. 하지만 15세기 후반 남효온은 귀신이란 리(理)와 기(氣)로 이루어진 자연의 변화 현상으로서 근원적 존재의 차원에 있지는 않지만 천지자연 속에 실재하며 스스로 변화를 일으키는 존재라고 설명하여, 성리학의 자연철학적 입장에서 귀신을 재해석하였다. 이에 따라 귀신은 본체와 현상, 유와 무 사이를 오가는 존재로 이해되었고, 이 개념은 인간의 일에 적용되어 인간의 탄생과 죽음에 결부되었다. 성리학의 일반론에 따르면, 인간의 몸은 다른 사물과 마찬가지로 기로 이루어져 있고, 생명을 다하면 그 몸을 이루고 있던 기가 흩어져 사라진다. 기의 소멸은 곧바로 이루어지지 않고 일정한 시간을 두고 진행된다. 흩어지는 과정에 있는 것이 귀신이므로 귀신의 존재는 유한할 수밖에 없었고, 이는 조상의 제사를 4대로 한정하는 근거가 되었다.

기의 유한성에 근거한 성리학의 귀신 이해는 먼 조상에 대한 제사와 관련하여 문제의 소지를 안고 있었기에 귀신의 영원성에 대한 근거 마련이 필요했다. 이와 관련하여 ㉠서경덕은 기의 항구성을 근거로 귀신의 영원성을 주장하였다. 모든 만물은 기의 작용에 의해 생성 소멸한다고 전제한 그는 삶과 죽음 사이에는 형체를 이루는 기가 취산(聚散)하는 차이가 있을 뿐 그 기의 순수한 본질은 유무의 구분을 넘어 영원히 존재한다고 설명하였다. 기를 취산하는 형백(形魄)과 그렇지 않은 담일청허(湛一淸虛)로 구분한 그는 기에 유무가 없는 것은 담일청허가 한결같기 때문이라 주장하였다. 나아가 담일청허와 관계하여 인간의 정신이나 지각의 영원성도 주장하였다. 이 같은 서경덕의 기 개념은 우주자연의 보편 원리이자 도덕법칙인 불변하는 리와, 존재를 구성하는 질료이자 에너지인 가변적인 기라는 성리학의 이원적 요소를 포용한 것이었으며, 물질성과 생명성도 포괄한 것이었다.

㉡이이는 현상 세계의 모든 존재는 리와 기가 서로 의존하여 생겨난다는 입장을 분명히 하는 한편, 귀신이라는 존재가 지나치게 강조되면 불교의 윤회설로 흐를 수 있고, 귀신의 존재를 무시하면 제사의 의의를 잃을 수 있다는 점에 주목하였다. 그는 불교에서 윤회한다는 마음은 다른 존재와 마찬가지로 리와 기가 합쳐져 일신(一身)의 주재자가 된다고 규정하였다. 마음의 작용인 지각은 몸을 이루는 기의 작용이기 때문에 그 기가 한 번 흩어지면 더 이상의 지각 작용은 있을 수 없다고 지적하여 윤회 가능성을 부정하였다. 아울러 그는 성리학의 일반론을 수용하여 가까운 조상은 그 기가 흩어졌더라도 자손들이 지극한 정성으로 제사를 받들면 일시적으로 그 기가 모이고 귀신이 감통의 능력으로 제사를 흠향할 수 있다고 보았다. 기가 완전히 소멸된 먼 조상에 대해서는 서로 감통할 수 있는 기는 없지만 영원한 리가 있기 때문에 자손과 감통이 있을 수 있다고 주장하였다. 하지만 감통을 일으키는 것이 리라는 그의 주장은 작위 능력이 배제된 리가 감통을 일으킨다는 논리로 이해될 수 있어 논란의 소지가 있는 것이었다.

이이의 계승자인 낙론계 유학자들은 귀신을 리와 기 어느 쪽으로 해석하는 것이 옳은가라는 문제의식으로 논의를 전개하였다. 김원행은 귀신이 리와 기 어느 것 하나로 설명될 수 없으며, 리와 기가 틈이 없이 합쳐진 묘처(妙處), 즉 양능(良能)에서 그 의미를 찾아야 한다고 주장하였다. 그는 양능이란 기의 기능 혹은 속성이지만 기 자체의 무질서한 작용이 아니라 기에 원래 자재(自在)하여 움직이지 않는 리에 따라 발현하는 것이라 설명하여 귀신을 리나 기로 지목하더라도 상충되는 것이 아니라고 보았다. 김원행의 동문인 송명흠도 모든 존재는 리와 기가 혼융한 것이라고 전제하고, 귀신을 리이면서 기인 것, 즉 형이상에 속하고 동시에 형이하에 속하는 것이라고 설명하였다. 그는 사람들이 귀신을 리로 보지 않는 이유는 양능을 기로만 간주하였기 때문이라 비판하고, 제사 때 귀신이 강림할 수 있는 것은 기 때문이지만 제사 주관자의 마음과 감통하는 주체는 리라고 설명하였다. 이처럼 기의 취산으로 귀신을 설명하면서도 리의 존재를 깊이 의식한 것은 조상의 귀신을 섬기는 의례 속에서 항구적인 도덕적 가치에 대한 의식을 강화하고자 한 것이었다.

19. 윗글에 대한 이해로 적절하지 <u>않은</u> 것은?

① 성리학적 귀신론은 신령으로서의 귀신 이해를 대체하는 것이었다.
② 조선 성리학자들은 먼 조상에 대한 제사가 단순한 추념이 아니라고 보았다.
③ 생성 소멸하는 기를 통해 귀신을 이해하는 것은 윤회설을 반박하는 논거였다.
④ 귀신의 기가 항구적인 감통의 능력을 가진다는 것은 제사를 지내는 근거였다.
⑤ 조선 성리학자들은 귀신이 자연 현상과 관계된 것이라는 공통적인 인식을 가졌다.

언어이해

20. ㉠, ㉡에 대한 설명으로 가장 적절한 것은?

① ㉠은 형체의 존재 여부를 기의 취산으로 설명하면서 본질적인 기는 유와 무를 관통한다고 보았다.
② ㉠은 기를 형백과 담일청허로 이원화하여 삶과 죽음에 각각 대응시켜 인간과 자연을 일원적으로 구조화하였다.
③ ㉡은 생명이 다하면 기는 결국 흩어져 사라지기 때문에 제사의 주관자라 하더라도 결국에는 조상과 감통할 수 없게 된다고 보았다.
④ ㉡은 인간의 지각은 리에 근거한 기이지만 기는 소멸하더라도 리는 존재하기 때문에 지각 자체는 사라지지 않는다고 파악하였다.
⑤ ㉠과 ㉡은 모두 기의 취산을 통해 삶과 죽음의 영역을 구분하였기 때문에 귀신의 영원성에 대한 근거를 물질성을 지닌 근원적 존재에서 찾았다.

21. 낙론계 유학자들 의 입장과 부합하는 진술을 <보기>에서 고른 것은?

<보 기>

ㄱ. 귀신을 기의 유행으로 말하면 형이하에 속하고, 리가 실린 것으로 말하면 형이상에 속하는 것이다.
ㄴ. 리가 있으면 기가 있고 기가 있으면 리가 있으니 어찌 혼융하여 떨어지지 않는 지극한 것이 아니겠는가.
ㄷ. 기가 오고 가며 굽고 펼치는 것은 기가 스스로 그러한 것이니 귀신이 없음에 어찌 의심이 있을 수 있겠는가.
ㄹ. 제사 때 능히 강림할 수 있게 하는 것은 리이고, 강림하는 것은 기이니, 귀신의 강림은 기의 강림이라 할 수 있지 않겠는가.

① ㄱ, ㄴ ② ㄱ, ㄷ ③ ㄴ, ㄷ
④ ㄴ, ㄹ ⑤ ㄷ, ㄹ

[22~24] 다음 글을 읽고 물음에 답하시오.

빈곤 퇴치와 경제성장에 관해 다양한 견해가 제시되고 있다. 빈곤의 원인으로 지리적 요인을 강조하는 삭스는 가난한 나라의 사람들이 '빈곤의 덫'에서 빠져나오기 위해 외국의 원조에 기초한 초기 지원과 투자가 필요하다고 주장한다. 그가 보기에 대부분의 가난한 나라들은 열대 지역에 위치하고 말라리아가 극심하여 사람들의 건강과 노동성과가 나쁘다. 이들은 소득 수준이 너무 낮아 영양 섭취나 위생, 의료, 교육에 쓸 돈이 부족하고 개량종자나 비료를 살 수 없어서 소득을 늘릴 수 없다. 이런 상황에서는, 초기 지원과 투자로 가난한 사람들이 빈곤의 덫에서 벗어나도록 해주어야만 생산성 향상이나 저축과 투자의 증대가 가능해져 소득이 늘 수 있다. 그런데 가난한 나라는 초기 지원과 투자를 위한 자금을 조달할 능력이 없기 때문에 외국의 원조가 필요하다는 것이다.

제도의 역할을 강조하는 경제학자들의 견해는 삭스와 다르다. 이스털리는 정부의 지원과 외국의 원조가 성장에 도움이 되지 않는다고 본다. 그는 '빈곤의 덫' 같은 것은 없으며, 빈곤을 해결하기 위해 경제가 성장하려면 자유로운 시장이 잘 작동해야 한다고 본다. 가난한 사람들이 필요를 느끼지 않는 상태에서 교육이나 의료에 정부가 지원한다고 해서 결과가 달라지지 않으며 개인들이 스스로 필요한 것을 선택하도록 해야 한다고 보기 때문이다. 마찬가지 이유로 이스털리는 외국의 원조에 대해서도 회의적인데, 특히 정부가 부패할 경우에 원조는 가난한 사람들의 처지를 개선하지는 못하고 부패를 더욱 악화시키는 결과만 초래한다고 본다. 이에 대해 삭스는 가난한 나라 사람들의 소득을 지원해 빈곤의 덫에서 빠져나오도록 해야 생활 수준이 높아져 시민사회가 강화되고 법치주의가 확립될 수 있다고 주장한다.

빈곤의 원인이 나쁜 제도라고 생각하는 애쓰모글루도 외국의 원조에 대해 회의적이지만, 자유로운 시장에 맡겨 둔다고 나쁜 제도가 저절로 사라지는 것도 아니라고 본다. 그는 가난한 나라에서 경제성장에 적합한 좋은 경제제도가 채택되지 않는 이유가 정치제도 때문이라고 본다. 어떤 제도든 이득을 얻는 자와 손실을 보는 자를 낳으므로 제도의 채택 여부는 사회 전체의 이득이 아니라 정치권력을 가진 세력의 이득에 따라 결정된다는 것이다. 따라서 그는 지속적인 성장을 위해서는 사회 전체의 이익에 부합하는 경제제도가 채택될 수 있도록 정치제도가 먼저 변화해야 한다고 주장한다.

제도의 중요성을 강조한 나머지 외국의 역할과 관련해 극단적인 견해를 내놓는 경제학자들도 있다. 로머는 외부에서 변화를 수입해 나쁜 제도의 악순환을 끊는 하나의 방법으로 불모지를 외국인들에게 내주고 좋은 제도를 갖춘 새로운 도시로 개발하도록 하는 프로젝트를 제안한다. 콜리어는 경제 마비 상태에 이른 빈곤국들이 나쁜 경제제도와 정치제도의 악순환에 갇혀 있으므로 좋은 제도를 가진 외국이 군사 개입을 해서라도 그 악순환을 해소해야 한다고 주장한다.

배너지와 뒤플로 는 일반적인 해답의 모색 대신 "모든 문제에는 저마다 고유의 해답이 있다."는 관점에서 빈곤 문제에 접근해야 한다고 주장하고 구체적인 현실에 대한 올바른 이해에 기초한 정책을 강조한다. 두 사람은 나쁜 제도가 존재하는 상황에서도 제도와 정책을 개선할 여지는 많다고 본다. 이들은 현재 소득과 미래 소득 사이의 관계를 나타내는 곡선의 모양으로 빈곤의 덫에 대한 견해들을 설명한다. 덫이 없다는 견해는 이 곡선이 가파르게 올라가다가 완만해지는 '뒤집어진 L자 모양'이라고 생각함에 비해, 덫이 있다는 견해는 완만하다가 가파르게 오른 다음 다시 완만해지는 'S자 모양'이라고 생각한다는 것이다. 현실 세계가 뒤집어진 L자 모양의 곡선에 해당한다면 아무리 가난한 사람이라도 시간이 갈수록 점점 부유해진다. 이들을 지원하면 도달에 걸리는 시간을 조금 줄일 수 있을지 몰라도 결국 도달점은 지원하지 않는 경우와 같기 때문에 도움이 필요하다고 보기 어렵다. 그러나 S자 곡선의 경우, 소득 수준이 낮은 영역에 속하는 사람은 시간이 갈수록 소득 수준이 '낮은 균형'으로 수렴하므로 지원이 필요하다. 배너지와 뒤플로는 가난한 사람들이 빈곤의 덫에 갇혀 있는 경우도 있고 아닌 경우도 있으며, 덫에 갇히는 이유도 다양하다고 본다. 따라서 빈곤의 덫이 있는지 없는지 단정하지 말고, 특정 처방 이외에는 특성들이 동일한 복수의 표본집단을 구성함으로써 처방의 효과에 대한 엄격한 비교 분석을 수행하고, 지역과 처방을 달리하여 분석을 반복함으로써 이들이 어떻게 살아가는지, 도움이 필요한지, 처방에 대한 이들의 수요는 어떠한지 등을 파악해야 빈곤 퇴치에 도움이 되는 지식을 얻을 수 있다고 본다. 빈곤을 퇴치하지 못하는 원인이 빈곤에 대한 경제학 지식의 빈곤이라고 생각하는 것이다.

22. 윗글과 일치하지 않는 것은?

① 지리적 요인의 역할을 강조하는 경제학자라면 외국의 원조에 대해 긍정적이다.
② 제도의 역할을 강조하는 경제학자라 하더라도 자유로운 시장의 역할을 중시하는 경우도 있다.
③ 제도의 역할을 강조하는 경제학자라면 정치제도 변화가 경제성장을 위한 전제조건이라고 생각한다.
④ 제도의 역할을 강조하는 경제학자라 하더라도 외국이 성장에 미치는 역할을 중시하지 않는 경우도 있다.
⑤ 지리적 요인의 역할을 강조하는 경제학자만이 빈곤의 덫에서 빠져나오려면 초기 지원이 필요하다고 생각하는 것은 아니다.

23. 배너지와 뒤플로 의 입장을 설명한 것으로 가장 적절한 것은?

① 제도보다 정책을 중시한다는 점에서 애쓰모글루에 동의한다.
② 가난한 사람들의 수요를 중시한다는 점에서 이스털리에 동의한다.
③ 거대한 문제를 우선해서는 안 된다고 보는 점에서 콜리어에 동의한다.
④ 정부가 부패해도 정책이 성과를 낼 수 있다고 보는 점에서 삭스에 반대한다.
⑤ 빈곤 문제를 해결하는 일반적인 해답이 있다고 보는 점에서 로머에 동의한다.

24. 윗글을 바탕으로 <보기>를 이해한 것으로 적절하지 않은 것은?

<보 기>

아래 그래프에서 S자 곡선은 현재 소득과 미래 소득의 관계를 표시한 것이다(45°선은 현재 소득과 미래 소득이 같은 상태를 나타낸다). 특정 시기 t의 소득이 a1이라면 t+1 시기의 소득은 a2이고, t+2 시기의 소득은 a3임을 알 수 있다. S자 곡선에서는 복수의 균형이 존재한다. 여기서 '균형'이란 한 번 도달하면 거기서 벗어나지 않을 상태를 말한다. 물론 외부적 힘이 가해질 경우에는 균형에서 벗어날 수도 있다.

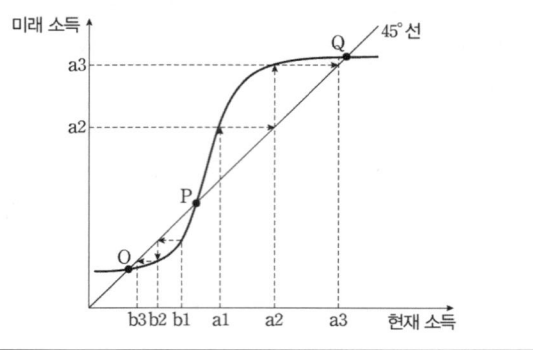

① 배너지와 뒤플로는 점 O를 '낮은 균형'이라고 보겠군.
② 삭스라면 지원으로 소득을 b3에서 b1으로 이동하도록 해야 한다고 보겠군.
③ 삭스라면 지원이 없을 경우에는 b3에서는 생산성이 향상되지 않는다고 보겠군.
④ 이스털리라면 점 P의 왼쪽 영역이 없는 세계를 상정하므로 점 P가 원점이라고 보겠군.
⑤ 이스털리라면 a1에서 지원이 이루어진다 해도 균형 상태의 소득 수준은 변하지 않는다고 보겠군.

[25~27] 다음 글을 읽고 물음에 답하시오.

　암세포의 대사 과정은 정상 세포와 다른 것으로 알려져 있다. 오토 바르부르크가 발표한 '바르부르크 효과'에 따르면 암세포는 '해당작용'을 주된 에너지 획득 기전으로 수행하고 또 다른 에너지 획득 방법인 '산화적 인산화'는 억제한다.
　세포는 영양분으로 섭취한 큰 분자를 작은 분자로 쪼개는 과정을 통해 ATP를 생성하는데 이 과정을 '이화작용'이라고 한다. 또한 ATP와 같은 고에너지 분자의 에너지를 이용하여 세포의 성장과 분열을 위해 작은 분자로부터 단백질, 핵산과 같은 거대 분자를 합성하는 과정을 '동화작용'이라고 한다. 이화작용을 통해 ATP를 생산하기 위해 세포는 영양 물질을 내부로 수송하는데, 가장 대표적인 영양 물질인 포도당은 세포 내부로 이동하여 해당작용과 산화적 인산화를 통해 작은 분자로 분해된다. 이론적으로 포도당 1개가 가지고 있는 에너지가 전부 ATP로 전환될 경우 36개 또는 38개의 ATP가 만들어진다. 이 중 2개의 ATP는 세포질에서 일어나는 해당작용을 통해, 나머지는 미토콘드리아에서 대부분 산화적 인산화를 통해 만들어진다.
　해당작용과 산화적 인산화는 수행되는 장소도 다르지만 요구 조건도 다르다. 해당작용에는 산소가 필요하지 않지만, 산화적 인산화에는 필수적이다. 세포 내부에 산소가 부족하면 산화적 인산화는 일어나지 못하고 해당작용만 진행되며, 이 경우에는 해당작용의 최종 산물인 피루브산이 젖산으로 바뀌는 젖산 발효가 일어난다. 심폐 기능에 비해 과격한 운동을 하였을 때 근육 세포에서 생성된 젖산이 근육에 축적된다. 젖산 발효 과정은 해당작용에 필요한 조효소 NAD^+의 재생산을 위해 필수적이다. NAD^+로부터 해당작용의 또 다른 생성물인 조효소 NADH가 생성되기 때문이다. 해당작용에서 포도당 1개가 2개의 피루브산으로 분해될 때 NADH가 2개 만들어지고, NADH 1개당 3개의 ATP를 산화적 인산화를 통해 만들 수 있는데, 젖산 발효를 하는 세포는 NADH를 에너지가 낮은 상태인 NAD^+로 전환하는 손해를 감수한다.
　바르부르크 효과는 산소가 있어도 해당작용을 산화적 인산화에 비해 선호하는 암세포 특이적 대사 과정인 '유산소 해당작용'을 뜻한다. 암세포가 더 빨리 분열하는 악성 암세포로 변하면 산화적 인산화에 대한 의존을 줄이고 해당작용에 대한 의존이 증가한다. 약물 처리 등으로 그 반대의 경우가 되면, 해당작용에 대한 의존이 줄고 산화적 인산화에 대한 의존이 증가한다. 유산소 해당작용을 수행하는 암세포는 포도당 1개당 ATP 2개만을 생산하는 효율이 떨어지는 해당작용에 에너지 생산을 대부분 의존하므로 정상 세포에 비해 포도당을 더 많이 세포 내부로 수송하고 젖산을 생산한다.
　바르부르크 효과의 원인에 대해 다음 세 가지 설명이 있다. 첫 번째는 암세포의 빠른 성장 때문에 세포의 성장에 필요한 거대 분자를 동화작용을 통해 만들기 위해 해당작용의 중간 생성 물질을 동화작용의 재료로 사용하려고 해당작용에 집중한다는 것이다. 두 번째는 체내에서 암세포의 분열로 암 조직의 부피가 커져서 산소가 그 내부까지 충분히 공급되지 못하기 때문에 암세포가 산소가 없는 환경에 적응하도록 진화했다는 것이다. 세 번째는 미토콘드리아의 기능을 암세포가 억제하여 미토콘드리아에 의해 유발되는 세포 자살 프로그램의 실행을 방해함으로써 스스로의 사멸을 막으려 한다는 이론이다. 바르부르크는 이러한 암세포 특이적 대사과정의 변이를 발암의 원인으로 설명하였다. 그러나 최근의 연구에서는 발암 유전자의 활성화와 암 억제 유전자에 생기는 돌연변이가 주된 발암 원인이고, 바르부르크 효과는 암의 원인이라기보다는 그러한 돌연변이에 의한 결과로 발생하는 것으로 밝혀졌다.

25. 윗글과 일치하는 것은?
① 해당작용의 산물 중 NADH는 미토콘드리아에서 ATP를 추가로 생산하는 데 사용되지 않는다.
② 해당과정 중 소비되는 NADH의 재생산은 해당작용의 지속적 수행에 필수적이다.
③ 심폐기능에 비해 과격한 운동을 하면 근육에서 젖산은 늘어나고 NAD^+는 줄어든다.
④ 동화작용에서 거대 분자를 만들 때 해당작용의 중간 생성물이 사용된다.
⑤ 바르부르크 효과에 의해 암 억제 유전자의 돌연변이가 유발된다.

26. 윗글에서 추론한 것으로 적절하지 않은 것은?
① 미토콘드리아의 기능이 상실되면 NADH로부터 ATP를 만들지 못한다.
② 유산소 해당작용을 수행하는 암세포는 산소가 충분히 존재할 때에도 해당과정의 산물을 NAD^+와 젖산으로 전환시킨다.
③ 포도당 1개가 가지고 있는 에너지가 전부 ATP로 전환될 때 미토콘드리아에서 34개 또는 36개의 ATP가 만들어진다.
④ 포도당 1개가 피루브산 2개로 분해되었고 이때 생성된 조효소의 에너지도 모두 미토콘드리아에서 ATP로 전환되었다면, 이 과정에서 생성된 ATP는 모두 8개이다.
⑤ 암세포의 유산소 해당작용 과정 중 포도당 1개당 생산되는 ATP의 개수는 정상세포의 산소가 있을 때 수행되는 해당작용의 과정 중 포도당 1개당 생산되는 NADH의 개수보다 많다.

27. 윗글과 <보기>를 바탕으로 한 설명으로 가장 적절한 것은?

<보 기>
암을 진단하기 위해 사용되는 PET(양전자 방출 단층촬영)는 방사성 포도당 유도체를 이용하는 핵의학 검사법이다. 방사성 포도당 유도체는 포도당과 구조적으로 유사하여 암 조직과 같은 포도당의 흡수가 많은 신체 부위에 수송되어 축적되므로 단층촬영을 통해 체내에서 양전자를 방출하는 방사성 포도당 유도체의 분포를 추적할 수 있다.

① 피루브산이 젖산으로 전환되는 양이 증가하면 방사성 포도당 유도체의 축적이 줄어들 것이다.
② 포도당이 피루브산으로 전환되는 양이 감소하면 방사성 포도당 유도체의 축적이 늘어날 것이다.
③ 세포 내부의 산소가 줄어들어도 동일한 양의 ATP를 생성하려면 방사성 포도당 유도체의 축적이 늘어날 것이다.
④ ATP의 생성을 해당작용에 좀 더 의존하도록 대사 과정의 변화가 일어난다면 방사성 포도당 유도체의 축적이 줄어들 것이다.
⑤ ATP의 생성을 산화적 인산화에 좀 더 의존하도록 대사 과정의 변화가 일어난다면 방사성 포도당 유도체의 축적이 늘어날 것이다.

[28~30] 다음 글을 읽고 물음에 답하시오.

법을 해석할 때 반드시 그 문언에 엄격히 구속되어야 하는가를 놓고 오랫동안 논란이 있어 왔다. 한편에서는 법의 제정과 해석이 구별되어야 함을 이유로 이를 긍정하지만, 다른 한편에서는 애초에 법의 제정 자체가 완벽할 수 없는 이상, 사안에 따라서는 문언에 구애되지 않는 편이 더 바람직하다고 본다.

전통적인 법학방법론은 이 문제를 법률 문언의 한계 내에서 이루어지는 해석 외에 '법률의 문언을 넘은 해석'이나 '법률의 문언에 반하는 해석'을 인정할지 여부와 관련지어 다루고 있다. 학설에 따라서는 이들을 각각 '법률내재적 법형성'과 '초법률적 법형성'이라 부르며, 전자를 특정 법률의 본래적 구상 범위 내에서 흠결 보충을 위해 시도되는 것으로, 후자를 전체 법질서 및 그 지도 원리의 관점에서 수행되는 것으로 파악하기도 한다. 하지만 이러한 설명이 완전히 만족스러운 것은 아니다. 형식상 드러나지 않는 법률적 결함에 대처하는 것도 일견 흠결 보충이라 할 수 있지만, 이는 또한 법률이 제시하는 결론을 전체 법질서의 입장에서 뒤집는 것과 별반 다르지 않기 때문이다.

한편 종래 법철학적 논의에서는 문언을 이루고 있는 언어의 불확정성에 주목하는 경향이 두드러졌다. 단어는 언어적으로 확정적인 의미의 중심부와 불확정적인 의미의 주변부를 지니며, 중심부의 사안에서는 문언에 엄격히 구속되어야 하지만 주변부의 사안에서는 해석자의 재량이 인정될 수밖에 없다고 보는 견해가 대표적이다. 가령 ㉠<u>주택가에서 야생동물을 길러서는 안 된다는 규칙</u>이 있을 때, 초원의 사자가 '야생동물'에 해당한다는 점에 대해서는 의문이 없지만, 들개나 길고양이, 혹은 여러 종류의 야생동물의 유전자를 조합하여 실험실에서 창조한 동물이 그에 해당하는지는 판단하기 어렵기 때문에 결국 해석자가 재량껏 결정해야 한다는 것이다.

[A] ┌ 그러나 이러한 견해에 대해서는 주변부의 사안을 해석자의 재량에 맡기기보다는 규칙의 목적에 구속되게 해야 할 뿐 아니라, 심지어 중심부의 사안에서조차 규칙의 목적에 대한 조회 없이는 문언이 해석자를 온전히 구속할 수 없다는 반론이 제기되고 있다. 인근에서 잡힌 희귀한 개구리를 연구·보호하기 위해 발견 장소와 가장 유사한 환경의 주택가 시설에 둘 수 있을까? 이를 긍정하는 경우에도 그러한 개구리가 의미상 '야생동물'에 해당한다는 점 자체를 부인할 수는 └ 없을 것이다.

최근에는 기존의 법학방법론적 논의와 법철학적 논의를 하나의 연결된 구성으로 제시함으로써 각각의 논의에서 드러났던 난점을 극복하려는 시도가 이루어지고 있다. 이에 따르면 문언이 합당한 답을 제공하는 표준적 사안 외에 아무런 답을 제공하지 않는 사안이나 부적절한 답을 제공하는 사안도 있을 수 있는데, 이들이 바로 각각 문언을 넘은 해석과 문언에 반하는 해석이 시도되는 경우라 할 수 있다. 양자는 모두 이른바 판단하기 어려운 사안 이라는 점에서는 공통적이지만, 전자를 판단하기 어려운 까닭은 문언의 언어적 불확정성에 기인하는 것인 반면, 후자는 문언이 언어적 확정성을 갖추었음에도 불구하고 그것이 제공하는 답을 올바른 것으로 받아들일 수 없어 보이는 탓에 판단하기 어려운 것이라는 점에서 서로 구별되어야 한다.

그렇다면 판단하기 어려운 사안에서는 더 이상 문언을 신경 쓰지 않아도 되는 것일까? 그렇지는 않다. 문언이 답을 제공하지 않기 때문에 해석을 통한 보충이 필요한 경우라 하더라도 규칙의 언어 그 자체가 해석자로 하여금 규칙의 목적을 가늠하도록 인도해 줄 수 있으며, 문언이 제공하는 답이 부적절하고 어리석게 느껴질 경우라 하더라도 그러한 평가 자체가 어디까지나 해석자의 주관이라는 한계 속에서 이루어지는 것임을 부정할 수 없기 때문이다. 뻔히 부적절한 결과가 예상되는 경우에도 문언에 구속될 것을 요구하는 것은 일견 합리적이지 않아 보일 수 있다. 그럼에도 불구하고 문언을 강조하는 입장은 '재량'이 연상시키는 '사람의 지배'에 대한 우려와, 민주주의의 본질에 대한 성찰을 배경으로 하는 것임을 이해할 필요가 있다. 법률은 시민의 대표들이 지난한 타협의 과정 끝에 도출해 낸 결과물이다. 엄밀히 말해 오로지 법률의 문언 그 자체만이 민주적으로 결정된 것이며, 그 너머의 것에 대해서는, 심지어 입법 의도나 법률의 목적이라 해도 동등한 권위를 인정할 수 없다. 이러한 입장에서는 법률 적용의 결과가 부적절한지 여부보다 그것이 부적절하다고 결정할 수 있는 권한을 특정인에게 부여할 것인지 여부가 더 중요한 문제일 수 있다. 요컨대 해석자에게 그러한 권한을 부여하는 것이 바람직하지 않다고 생각하는 한, 비록 부적절한 결과가 예상되는 경우라 하더라도 여전히 문언에 구속될 것을 요구하는 편이 오히려 합리적일 수도 있는 것이다.

28. 윗글과 일치하는 것은?

① 전통적인 법학방법론 학설의 입장에서는 결국 문언을 넘은 해석과 문언에 반하는 해석을 구별하지 않는다.
② 종래의 법철학 학설 중 의미의 중심부와 주변부의 구별을 강조하는 입장에서는 해석에 있어 법률의 목적보다 문언에 주목한다.
③ 민주주의의 본질을 강조하는 입장에서는 비록 법률의 적용에 따른 것이라도 실질적으로 부적절한 결과를 인정할 수는 없다고 본다.
④ 법률 적용 결과의 합당성을 강조하는 입장에서는 문언이 제공하는 답이 부적절한지 여부는 해석자의 주관에 따라 달라질 수 있다고 주장한다.
⑤ 법학방법론과 법철학의 논의를 하나의 연결된 구성으로 제시하는 입장에서는 언어적 불확정성으로 인해 법률이 부적절한 답을 제공하는 사안에 주목한다.

29. 판단하기 어려운 사안에 대한 진술로 가장 적절한 것은?

① 법률의 문언이 극도로 명확한 경우에는 판단하기 어려운 사안이 발생하지 않는다.
② 판단하기 어려운 사안의 해석을 위해 법률의 목적에 구속되어야 하는 것은 아니다.
③ 문언을 넘은 해석은 문언이 해석자를 전혀 이끌어 주지 못할 때 비로소 시도될 수 있다.
④ 문언에 반하는 해석은 법률의 흠결이 있을 때 이를 보충하기 위한 것인 한 정당화될 수 있다.
⑤ 형식상 드러나 있는 법률의 흠결을 보충하기 위해서도 해당 법률의 본래적 구상보다는 전체 법질서를 고려한 해석이 필요하다.

30. [A]의 입장에서 ㉠을 해석한 것으로 가장 적절한 것은?

① 규칙의 목적이 야생의 생물 다양성을 보존하기 위한 것이라면, 멸종 위기 품종의 길고양이를 입양하는 것이 허용될 것이다.
② 야성을 잃어버린 채 평생을 사람과 함께 산 사자가 '야생동물'의 언어적 의미에 부합한다면, 그것을 기르는 것도 허용되지 않을 것이다.
③ 규칙의 목적이 주민의 안전을 확보하는 것이라면, 길들여지지 않는 야수의 공격성을 지닌 들개를 기르는 것이 금지될 수도 있을 것이다.
④ 인근에서 잡힌 희귀한 개구리를 관상용으로 키우는 것이 허용되었다면, '야생동물'의 언어적 의미를 주거에 두고 감상하기에 적합하지 않은 동물로 보았을 것이다.
⑤ 여러 종류의 야생동물의 유전자를 조합하여 실험실에서 창조한 동물을 기르는 것이 금지되었다면, '야생동물'의 언어적 의미를 자연에서 태어나 살아가는 동물로 보았을 것이다.

2027학년도 LEET 대비
기출문제 해설집

2020

영역별 출제 비중 분석

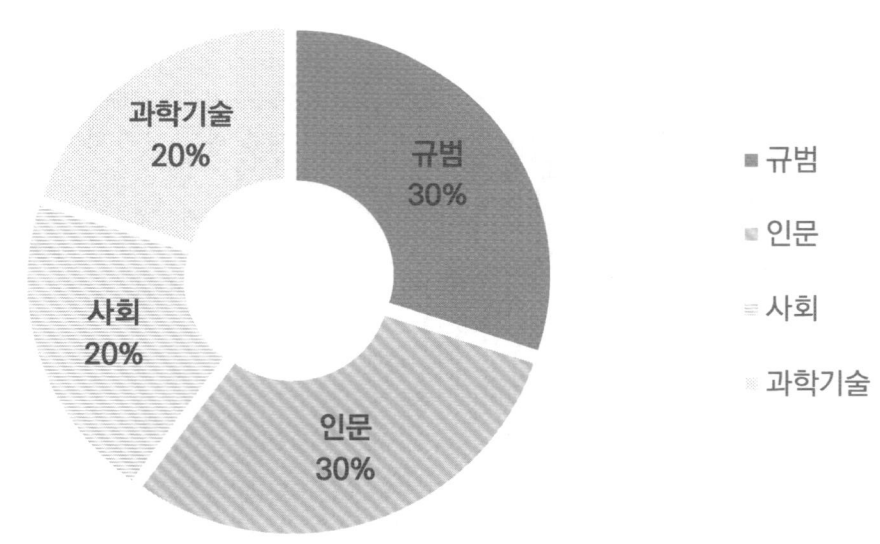

내용 영역	규범	인문	사회	과학기술	총
문항 수	9	9	6	6	30

2020학년도 언어이해

출제 경향 분석

2020학년도에는 전년도와 같은 문항 수로 출제되었지만, 복합적인 영역을 다루는 제시문들이 출제되었고, 정치 제시문이 출제되지 않는 등 제시문의 구성에 변화된 부분이 있었다. 또한 제시문의 정보량은 이전에 비해 줄어들었지만, 생소한 소재를 다루거나 개념 설명이나 문장 표현이 복잡한 제시문이 늘어나 독해 난도는 높은 편이었다. 반면 선택지의 구성은 간결해져서 전년도처럼 제시문의 세세한 정보를 확인해야 하거나 복잡한 추론을 요구하는 문제는 줄어들었다. 따라서 상대적으로 전년도에 비해 수험생들이 선택지의 정오 판단보다는 제시문의 이해에 많은 시간을 소요했을 것으로 판단된다.

제 1 교시

홀수형

2020학년도 법학적성시험

언어이해 문제지

성 명

수험번호

수험생 유의사항

- 이 문제지는 **30문항**으로 구성되어 있습니다.
- **시험 시간은 09 : 00 ~ 10 : 10(70분)입니다.**
- 문제지에 성명과 수험번호를 정확하게 기재하십시오.
- 답안지는 반드시 컴퓨터용 사인펜을 사용하여 답을 표기하여야 합니다.
- 답안지의 '필적확인란'에 제시된 문구를 정확히 정자로 기재하여야 합니다.

메가로스쿨

2020학년도 법학적성시험
언어이해

제1교시

홀수형

○ 이 문제지는 **30문항**으로 구성되어 있습니다. 문항 수를 확인하십시오.
○ 문제지의 해당란에 성명과 수험번호를 정확히 쓰십시오.
○ 답안지에 수험번호, 문제유형, 성명, 답을 표기할 때에는 '답안 작성 시 반드시 지켜야 하는 사항'에 따라 표기하십시오.
○ 답안지의 '필적확인란'에 해당 문구를 정자로 기재하십시오.

[1~3] 다음 글을 읽고 물음에 답하시오.

법률은 언어로 기술되어 있다. 따라서 법조문의 의미도 원칙적으로 그 사회의 언어 문법에 따라 이해되어야 한다. 하지만 필요에 따라 법조문의 문법 단위들은 일반적 의미를 넘어서는 개념으로 나아가기도 한다. '-물(物)'은 물건이나 물질이라는 사전적 의미를 갖는 형태소인데, '창문(窓門)'의 '창'이나 '문'같이 독자적으로 쓰일 수 있는 자립형태소가 아니라 '동화(童話)'의 '동'과 '화'처럼 다른 어근과 결합할 필요가 있는 의존형태소이다. 이 '물'의 의미가 학설과 판례에서 그리고 입법에서도 새롭게 규정되어 가는 모습을 법의 세계에서 발견할 수 있다.

형사소송법은 압수의 대상을 "증거물 또는 몰수할 것으로 사료되는 물건"으로 정하고 "압수물"이라는 표현도 사용하고 있어서, 전통적으로 압수란 유체물(有體物)에 대해서만 가능한 것으로 이해되었다. 그런데 디지털 증거가 등장하고 그 중요성이 날로 높아짐에 따라 변화가 일게 되었다. 디지털 증거는 유체물인 저장 매체가 아니라, 그에 담겨 있으면서 그와 구별되는 무형의 정보 자체가 핵심이다. 또한 저장 매체 속에는 특정 범죄 사실에 관련된 정보 외에 온갖 사생활의 비밀까지 담긴 일도 많다. 그리하여 정보 그 자체를 압수해야 한다는 인식이 생겨났고, 마침내 출력이나 복사도 압수 방식으로 형사소송법에 규정되었다. 민사소송에서 증거조사의 대상이 되는 문서는 문자나 기호, 부호로써 작성자의 일정한 사상을 표현한 유형물이라 이해된다. 이 때문에 문자 정보를 담고 있는 자기 디스크 등을 문서로 볼 수 있는지에 대한 논쟁이 일었다. 이를 해결하기 위해 민사소송법 제374조에 "정보를 담기 위하여 만들어진 물건"에 대한 규정을 두게 되었지만, 여전히 매체 중심의 태도를 유지하고 있어서, 일찍이 정보 자체를 문서로 인정한 다른 여러 법률들과 대비된다. 최근에 제정된 법률에서는 위 조항에 대한 특칙을 두어 정보 자체를 문서로서 증거조사할 수 있는 근거도 마련되었다.

형법은 문서, 필름 등 물건의 형태를 취하는 음란물의 제조와 유포를 처벌하도록 하고 있다. 판례는 음란한 영상을 수록한 디지털 파일 그 자체는 유체물이 아니므로 음란물로 볼 수 없다고 보았다. 하지만 사회 문제로 대두된 아동 포르노그래피의 유포를 차단하기 위해 신설된 법령에서는 필름·비디오물·게임물 외에 통신망 내의 음란 영상에 대하여도 '아동·청소년 이용 음란물'로 규제한다. 비디오물과 게임물의 개념도 변화를 겪어 왔다. 과거에 게임 관계 법령에서 비디오물은 "영상이 고정되어 있는 테이프나 디스크 등의 물체"로 정의되었고, 게임물은 이에 포함되었다. 이후에 게임 산업이 발전하면서 새로운 법률을 제정하여 게임물에 대한 독자적 정의를 마련할 때, 유체물에 고정되어 있는지를 따지지 않는 영상물로 규정하기 시작하였다. 이 과정에서 게임물과 개념적으로 분리된 비디오물은 종전처럼 다루어질 수밖에 없었다. 하지만 곧이어 관련 법령이 정비되어 이 또한 "연속적인 영상이 디지털 매체나 장치에 담긴 저작물"이라 정의하게 되었다.

판례는 또한 재산 범죄인 장물죄에서 유통이 금지된 장물의 개념을 재물, 곧 취득한 물건 그 자체로 본다. 그러면서 전기와 같이 '관리할 수 있는 동력'은 장물이 될 수 있다고 한다. 그런데 동력에 대하여 재물로 간주하는 형법 제346조를 절도와 강도의 죄, 사기와 공갈의 죄, 횡령과 배임의 죄, 손괴죄에서는 준용하고 있지만, 장물죄에서는 그렇지 않다. 판례는 위 조문이 주의를 불러일으키는 기능을 할 뿐이라 보는 것이다. 그런데 재물을 팔아서 얻은 무언가는 이미 동일성을 상실한 탓에 더 이상 장물이 아니라 하였다. 또한 물건이 아닌 재산상 가치인 것을 취득했다고 해도 그 역시 장물은 아니라고 보았는데, 이에 대해서는 ⊙ 비판이 있다. 오늘날 금융 거래 환경에서 금전이 이체된 예금계좌상의 가치가 유체물인 현금과 본질적으로 다르지 않다는 것이다. 언어의 의미는 사전에 쓰인 정의대로 고정되어 있기만 한 것이 아니라, 사람들이 그것을 사용하기에 따라 항상 새롭게 규정되는 것이며, 언어를 통해 비로소 인식되는 법의 의미도 마찬가지라 할 수 있다.

1. 윗글의 내용과 일치하는 것은?

① 디지털 정보는 그것을 담고 있는 매체와 결합되어 있다는 특성 때문에 저장 장치를 압수하는 방식으로 압수 절차가 이루어져야 한다는 한계가 있다.
② 전자적 형태의 문자 정보는 문자나 기호로 되어 있지 않은 문서이기 때문에 정보 자체만을 증거조사의 대상으로 삼을 수 없다.
③ 형법상 음란물은 유체물인 반면에 아동·청소년 이용 음란물은 무체물이란 점에서 양자의 차이가 있다.
④ 비디오물은 영상이 매체나 장치에 담긴 저작물이라 정의되면서 유체물에 고정되어 있는지를 따질 필요가 없게 되었다.
⑤ 게임물에 관한 입법의 변천 과정은 규제의 중심이 콘텐츠에서 매체로 옮겨갔음을 보여 준다.

2. ㉠의 대상으로 가장 적절한 것은?

① 장물을 팔아서 생긴 현금을 장물죄의 적용 대상으로 보지 않는다는 태도
② 장물의 개념을 범죄로 취득한 물건 그 자체로 한정하여서는 안 된다는 태도
③ 관리할 수 있는 전기도 현행 형법상 장물죄에서 규율하는 재물로 인정한다는 태도
④ 은행 계정에 기록된 자산 가치에 대해서 장물죄의 규정을 적용하지 않는다는 태도
⑤ 장물죄에서 형법 제346조의 준용이 없더라도 그 죄에서 규정하는 재물에는 동력이 포함된다는 태도

3. 윗글을 바탕으로 <보기>를 설명할 때, 가장 적절한 것은?

<보 기>

형법 제129조 제1항은 "공무원 또는 중재인이 그 직무에 관하여 뇌물을 수수, 요구 또는 약속한 때에는 5년 이하의 징역 또는 10년 이하의 자격정지에 처한다."라고 규정한다. 이에 대한 근래의 판결에 "뇌물죄에서 뇌물(賂物)의 내용인 이익이라 함은 금전, 물품 기타의 재산적 이익뿐만 아니라 사람의 수요·욕망을 충족시키기에 족한 일체의 유형·무형의 이익을 포함하며, 제공된 것이 성적 욕구의 충족이라고 하여 달리 볼 것이 아니다."라는 판시가 있었다.

① '뇌물'에서의 '물'은 사전적 의미보다 축소된 개념으로 해석되는 문법 단위이다.
② '뇌물'과 '장물'에서의 '물'은 자립형태소와 결합하지 않았다는 점에서, '증거물'에서의 '물'과 차이가 있다.
③ '게임물'에서의 '물'은 물건에 한정되는 개념으로 변화함으로써 '뇌물'에서의 '물'보다 좁은 의미를 갖게 되었다.
④ '뇌물'로 보는 대상에는 재물뿐 아니라 광범위한 이익까지 인정되므로, '뇌물'에서의 '물'과 '장물'에서의 '물'은 동일한 의미를 가진다.
⑤ '압수물'의 개념 변화는 압수 방식을 새롭게 해석한 결과라는 점에서, '뇌물'에서 '물'의 의미 변화가 입법으로 규정한 결과라는 것과 차이가 있다.

[4~6] 다음 글을 읽고 물음에 답하시오.

고려 말에는 관료들이 동시에 여러 처를 두는 경우나 처와 첩의 구분이 모호한 경우가 많았다. 이 때문에 토지나 봉작(封爵) 등을 누가 받을 것인가를 두고 친족 사이에 소송이 빈번하였다. 이러한 분쟁을 해결하고 성리학적 가족 윤리를 확립하기 위해 조선 태종 때부터 본격적으로 중혼 규제 방침을 정하였다.

1413년(태종 13)에 사헌부에서는, "부부는 인륜의 근본이니 적처와 첩의 분수를 어지럽히면 안 됩니다. 전 왕조 말에 이러한 기강이 무너졌으니 이제라도 바로잡아야 합니다. 앞으로는 혼서(婚書)의 유무와 혼례식 여부로 처와 첩을 구분하고, 처와 첩의 지위를 바꾼 경우에는 처벌 후 원래대로 바꾸며, 처가 있는데도 다시 처를 취한 자는 처벌 후 후처를 이혼시키십시오. 만약 당사자가 이미 죽어 바꾸거나 이혼할 수 없는 경우에는 선처(先妻)를 적처로 삼아 봉작하고 토지를 지급해야 할 것입니다."라고 아뢰었다. 이것이 받아들여져 ㉠규제가 시작되었다.

그런데 다음 해인 1414년(태종 14)에 대사헌 유헌 등은 위 규제를 기본으로 다음과 같이 몇 가지 ㉡수정 보완 기준을 제시하였다. "세월이 많이 지나 증빙 자료가 많지 않습니다. 이제 은의(恩義)가 깊고 얕음과 동거 여부를 고려하여, 선처와는 은의가 약하고 후처와 종신토록 같이 살았다면, 후처라도 작첩(爵牒)과 수신전(守信田)을 주고 노비는 자식에게 균분(均分)하게 하십시오. 만약 처첩의 자식들 사이에 적통을 다투는 경우에는 신분, 혼서 및 혼례를 조사하여 판결하며, 처인지 첩인지에 따라 그 자식에게 노비를 차등 분급하게 하고, 세 명의 처를 둔 경우에는 선후를 논하지 말고, 그중 종신토록 같이 산 자에게 작첩과 수신전을 주되 노비는 세 처의 자식에게 균분하게 하십시오. 영락 11년(태종 13) 3월 11일 이후부터 처가 있는데 또 처를 얻은 자는 엄히 징계하여 후처와 이혼시키되, 그중 드러나지 않다가 아버지가 죽은 후 자손들이 적통을 다투면 선처를 적통으로 삼으십시오."

이상의 기준은 이후 「육전등록」에도 수록되어 실시되었다. 그런데 이제 자식이 아버지의 다른 처와 어떤 관계로 설정되어야 하는지에 논란이 발생하였다. 세종 때 이담 아들의 사례가 대표적이었다. 이담은 백 씨와 혼인한 상태에서 다시 이 씨에게 장가들었다. 이는 태종 13년 이전의 일이어서 처벌의 대상은 아니었으나, 1448년(세종 30) 이 씨가 사망하면서 새로운 문제가 발생하였다. 백 씨의 아들인 이효손이 이 씨를 위한 상복을 입지 않자, 이 씨의 아들인 이성손이 사헌부에 고발한 것이다. 이효손이 상복을 어떻게 입어야 하는지를 두고 다음과 같이 조정 관료들의 의견이 갈렸다.

ⓐ집현전에서 아뢰기를, "예에는 두 명의 처를 두지 않는 것이 정도(正道)이지만, 전 왕조 말에 여러 명의 처를 두는 것이 너무 일반적이었으므로 한시적으로 모두 적처로 인정하였습니다. 「육전등록」에서 이미 여러 처를 인정하였으니 이효손은 이 씨를 위해서도 상복을 3년 입어야 합니다."라고 하였다.

ⓑ예조에서 아뢰기를, "「육전등록」에서 여러 처를 모두 인정하기는 하였으나 국가에서 주는 작첩과 수신전은 한 사람에게 그쳤습니다. 이는 국가가 정도를 지향하였음을 보여주는 것입니다. 백 씨는 선처이고 이담과 평생 동거하였으니 그 의리가 이 씨와 같지 않습니다. 이효손이 이 씨를 위해 친모와 똑같이 한다면 친모를 내치는 꼴이 될 것이므로 상복은 1년 입어야 합니다. 이렇게 한다고

해서 이 씨를 첩모로 대우하는 것에 이르지는 않을 것입니다."라고 하였다.

ⓒ 이조판서 정인지는 아뢰기를, "예에는 두 명의 처를 두지 않는데, 『육전등록』에서 은의와 동거 여부를 고려함으로써 문란함을 방기하게 되었습니다. 이를 항구적인 법식으로는 삼을 수는 없으니, 두 아내의 아들들은 각각 자기 어머니에 대해서만 상복을 입게 해야 할 것입니다."라고 하였다.

ⓓ 경창부윤 정적은 아뢰기를, "이 씨가 이효손에게 계모가 되는 것은 아니지만, 『육전등록』상 선처·후처의 법에 의거해서 이를 계모에 견주어 상복을 3년 입고, 훗날 백 씨의 상에는 이성손이 3년을 입게 하는 것이 좋겠습니다."라고 하였다.

ⓔ 어떤 이는 "이제라도 이 씨를 강등하여 첩모로 대우하여 첩모를 위한 상복을 입는 것이 마땅합니다."라고 하였다.

4. 윗글의 내용과 일치하는 것은?

① ㉠에서는 처와 첩을 구분할 때 생사 여부를 기준으로 하였다.
② ㉡에서는 처인지 첩인지에 따라 그 자식들에게 노비를 차등 분급하였다.
③ ㉠과 달리 ㉡에서는 처를 첩으로 바꾸거나 첩을 처로 바꾸면 처벌을 받았다.
④ ㉡과 달리 ㉠에서는 다처일 경우 모든 처와 이혼해야 하였다.
⑤ ㉠과 ㉡ 모두에서 영락 11년 3월 11일 이후부터 은의와 동거 여부를 중혼 허용의 기준으로 삼았다.

5. ⓐ~ⓔ에 대한 설명으로 적절하지 않은 것은?

① ⓐ의 논리에 따르면 이성손은 백 씨 사후에 백 씨를 위해 3년간 상복을 입어야 한다.
② ⓑ의 논리에 따르면 아버지의 적처라도 경우에 따라 어머니로서의 대우에 대한 판단이 달라야 한다.
③ ⓑ와 ⓒ 중 어느 쪽의 논리를 따르더라도 백 씨와 이 씨는 모두 적처로 인정된다.
④ ⓒ와 ⓓ 중 어느 쪽의 논리를 따르는지에 따라 이효손이 이 씨를 위해 상복을 입는 여부가 달라진다.
⑤ ⓓ와 ⓔ 중 어느 쪽의 논리에 따르더라도 이효손은 이 씨를 위해 상복을 입지 않아도 된다.

6. 윗글을 바탕으로 <보기>에 대해 추론할 때, 적절하지 않은 것은?

<보기>

1415년(태종 15) 박일룡은 자신의 어머니를 적처로 인정하고 자신을 적자로 인정해달라며 소(訴)를 제기하였다. 그의 아버지 박길동은 이조판서를 지낸 인물로, 1390년(고려 공양왕 2) 상인(商人) 노덕만의 서녀(庶女)인 노 씨를 혼례 없이 들여 박일룡을 낳았다. 이후 박길동은 1395년(태조 4) 현감 김거정의 딸인 김 씨와 혼서를 교환하고 혼례를 거친 후 그 사이에 박이룡을 낳았다. 한편 김 씨와 혼인한 상태에서 1402년 대사헌 허생의 딸인 허 씨와 혼서를 교환하고 혼례를 거친 후 그 사이에 박삼룡을 낳았다. 김 씨는 친정인 창녕에 거주하였으며, 박길동은 허 씨와 한양에서 평생 동거하였다. 박이룡과 박삼룡 모두 어려서, 집안의 큰일은 첫아들인 박일룡이 실질적으로 도맡았다. 1413년 5월 박길동이 죽었는데, 이때에 이르러 박일룡이 소를 제기한 것이었다.

① 박길동 사망 직후에 소가 제기되어 그 해에 판결되었다면, 작첩과 수신전은 김 씨에게 주어졌을 것이다.
② 박길동이 소가 제기될 당시까지 생존해 있었다고 해도 중혼에 대해 처벌받지는 않았을 것이다.
③ 박일룡이 집안의 일을 주관하는 아들이라는 점은 판결에 영향을 주지 않았을 것이다.
④ 이 소송에서 작첩과 수신전은 은의나 동거 여부를 따져 허 씨에게 주어졌을 것이다.
⑤ 이 소송에서는 세 명의 처를 둔 경우의 규정을 적용하여 판결이 내려졌을 것이다.

[7~9] 다음 글을 읽고 물음에 답하시오.

현대 생명과학의 핵심적인 키워드들 중 하나는 오믹스(omics)이다. 단일 유전자, 단일 단백질의 기능과 구조 분석에 집중하였던 과거의 생명과학과 달리, 오믹스는 거시적인 관점에서 한 개체, 혹은 하나의 세포가 가지고 있는 유전자 전체의 집합인 '유전체'를 연구하는 유전체학, RNA 전체 즉 '전사체'에 대한 연구인 전사체학, 단백질 전체의 집합인 '단백질체'를 연구하는 단백질체학 등의 연구를 통칭한다.

분자생물학 이론에 따르면 DNA가 가지고 있는 유전자 정보의 일부만이 전사 과정을 통해 RNA로 옮겨진다. 그리고 RNA 중의 일부만이 번역 과정을 통해 단백질로 만들어진다. 어떠한 생물 개체나 어떠한 세포와 같은 특정 생명 시스템의 유전체는 그 시스템이 수행 가능한 모든 기능에 대한 유전 정보를 총괄하여 가지고 있다. 한 인간이라는 시스템과 그 인간의 간(肝)세포라는 또 다른 시스템의 유전체는 동일한 정보를 가지고 있지만, 인간의 간세포와 생쥐의 간세포의 유전체는 각각 서로 다른 정보를 가지고 있다. 한편 전사체는 유전체 정보의 일부분 즉 유전체 정보들 중 현재 수행 중일 가능성이 큰 기능에 대한 정보를 가지고 있고, 단백질체는 전사체의 일부분 즉 실제로 수행 중인 기능에 대한 정보를 담고 있다. ㉠생명체에서 생화학 반응의 촉매 작용과 같은 필수적인 '일'을 직접 수행하는 물질은 단백질체를 이루는 단백질들이다.

인간에게는 2만 종 이상의 단백질이 있고, 인체의 세포들은 종류에 따라 전체 단백질 중 일부를 서로 다른 조합으로 가지고 있다. 즉 피부 세포, 신경 세포, 근육 세포 등에서 공통으로 발견되는 단백질도 있고, 한 종류의 세포에서만 발견되는 단백질도 있다. 세포는 외부의 자극이나 내재된 프로그램에 의해 한 종류에서 다른 종류의 세포로 변화하는 과정을 겪는데, 이러한 현상을 '분화'라고 한다. 분화를 통해 다른 세포로 변하게 되면 가지고 있는 단백질의 조합도 달라진다. 세포의 분화는 개체 발생 과정에서 주로 관찰되지만, 정상 세포가 암세포로 바뀌는 과정도 분화 과정이라 할 수 있다.

어떤 환자의 암세포와 정상 세포를 대상으로 단백질체학 응용 연구를 수행하는 경우를 생각해 보자. 암세포의 단백질체와 정상 세포의 단백질체를 서로 비교해 보면, 정상 세포에 비하여 암세포에서 양이 변화되어 있는 단백질을 발견할 수 있다. 과학자들은 이러한 단백질을 새로운 암 치료 표적 단백질 후보로 찾아내어 연구를 진행한다. ㉡암세포에서 정상 세포보다 양이 늘어나 있는 단백질은 발암 단백질의 후보가 될 수 있고, 암세포에서 정상 세포보다 양이 줄어든 단백질은 암 억제 단백질의 후보가 될 수 있다.

그렇다면 이렇게 찾아낸 단백질이 2만 종 이상의 단백질 중 어느 것인지 알아내는 과정은 어떻게 진행될까? 단백질은 20종류의 아미노산이 일렬로 연결된 형태를 가지며, 단백질 하나의 아미노산 개수는 평균 500개 정도이다. 서로 다른 단백질은 서로 다른 아미노산 서열을 가지기 때문에 특정 단백질의 아미노산 서열을 알면 그 단백질이 어떤 단백질인지 알아낼 수 있다.

단백질의 아미노산 서열을 알기 위한 실험 방법은 여러 가지가 있는데, 그중의 하나가 펩타이드의 분자량 분석이다. 미지의 단백질에 트립신을 가하여 평균 10개 정도의 아미노산으로 이루어진 조각인 펩타이드로 자른 후 분자량을 측정한다. 트립신은 특정 아미노산을 인지하여 자르므로 어떤 아미노산과 아미노산 사이가 잘릴 것인지 예측할 수 있다. 실제로 단백질체를 분석한 데이터는 펩타이드의 분자량 값과 펩타이드들 간의 상대적인 양을 숫자로 표현한 값으로 나타난다. 모든 인간 단백질의 아미노산 서열, 아미노산의 분자량이 이미 알려져 있으므로, 암세포 단백질체와 정상 세포 단백질체에 트립신을 가하여 얻은 ㉢펩타이드의 분자량 분석을 통해 치료용 표적 후보 단백질을 알아낼 수 있다.

7. 윗글의 내용과 일치하는 것은?
① 신경 세포의 모든 RNA는 단백질로 번역된다.
② 인간 간세포의 유전체 정보는 인간 간세포의 단백질체 정보의 일부이다.
③ 인간 간세포의 단백질체 정보는 생쥐 간세포의 단백질체 정보와 동일하다.
④ 암세포는 피부나 근육의 세포와 달리 정상 세포에서 분화한 것이 아니다.
⑤ 암세포의 단백질체 정보는 정상 세포의 단백질체 정보와 동일하지 않다.

8. 윗글에서 추론한 내용으로 적절하지 않은 것은?
① 세포의 분화 과정 동안 세포의 유전체 정보는 변화하지 않는다.
② 어떤 단백질에 트립신을 첨가한 후에 생성되는 펩타이드들의 아미노산 서열은 동일하다.
③ 인간의 신경 세포와 근육 세포의 기능이 서로 다른 이유는 단백질체 정보가 서로 다르기 때문이다.
④ 어떤 단백질의 아미노산 서열을 알면 트립신 처리 후 그 단백질에서 생성될 펩타이드들의 분자량을 예측할 수 있다.
⑤ 어떤 단백질에서 유래한 특정 펩타이드의 양이 정상 세포에서보다 암세포에서 더 많다면 그 단백질은 발암 단백질의 후보이다.

9. ㉠~㉢에 대한 <보기>의 설명 중 적절한 것만을 있는 대로 고른 것은?

―――<보 기>―――
ㄱ. 최초의 생명체가 DNA나 단백질을 가지고 있지 않고 RNA만 가지고 있었다면, ㉠의 설득력은 약화된다.
ㄴ. 양이 많아지면 덩어리를 이루어 오히려 기능이 비활성화되는 단백질이 있다면, ㉡의 설득력은 약화된다.
ㄷ. 트립신을 첨가한 서로 다른 단백질에서 같은 분자량을 지닌 펩타이드가 생성된다면, ㉢의 설득력은 강화된다.

① ㄱ   ② ㄷ   ③ ㄱ, ㄴ
④ ㄴ, ㄷ   ⑤ ㄱ, ㄴ, ㄷ

[10~12] 다음 글을 읽고 물음에 답하시오.

 채만식의 소설 「탁류」는 1935년에서 1937년에 이르는 2년간의 이야기로, 궁핍화가 극에 달해 연명에 관심을 가질 수밖에 없었던 조선인의 현실을 중요한 문제로 삼은 작품이다. 그런데 채만식이 「탁류」에서 현실을 대하는 태도에는 식민지 근대화 과정에 대한 작가의 민감한 시선이 들어 있었다. 그는 전 지구적 자본주의 시스템과 토착적 시스템의 갈등에 의해서 만들어진, 게다가 식민지적 상황 때문에 더욱더 굴곡진 수많은 우여곡절에 주목하였다. 채만식의 민감한 시선은 「탁류」에서 집중적으로 그려진 '초봉'의 몰락 과정에서도 구체적으로 드러난다. 그것은 인간과 사물을 환금의 가능성으로만 파악하는 자본주의의 기제가 인간의 순수한 영혼을 잠식해 들어가고, 그러면서 그 이윤 추구의 원리를 확대 재생산하는 과정을 보여 준다.
 소설의 앞부분에서 초봉은 경제적 어려움에 시달리는 가족을 위해서라면 자기희생을 마다하지 않는 순수한 영혼의 소유자로 등장한다. 태수는 그런 초봉에게 끊임없이 베풀면서 초봉을 그녀의 ㉠고유한 영토로부터 끌어낸다. 그런 베풂을 순수 증여라고 해도 될까. 아니, 꽤나 검은 의도를 숨기고 행한 증여이니 그것은 사악한 증여라고 해야 할 터이다. 하여간 태수는 끊임없이 증여하고 선물하면서 초봉의 고유한 모럴, 그러니까 노동을 통해 조금씩 무언가를 축적해 가는 삶의 방식을 회의에 빠뜨린다. 그리고 그 증여 행위를 집요하게 반복함으로써 초봉의 호의적인 시선을 얻어낸다. 하지만 그 순간이란 ㉡하나의 변곡점과도 같은 것이었다. 그때부터 그는 초봉에게 증여한 것의 대가로 무언가를 요구함으로써 초봉을 타락한 교환가치의 세계 속으로 끌어들인다.
 초봉이 교환의 정치경제학에 익숙해질 무렵, 제호가 초봉에게 접근한다. 제호는 객관적인 지표를 가지고 초봉의 육체를 돈으로 측량하고 그와의 거래를 제안한다. 초봉 또한 제호가 자신의 상품성을 그만치 높게 봐 주자 이 거래를 흔쾌하게 받아들인다. 비록 그 교환이 서로 간의 의지가 관철된 것이었어도 이 거래 이후로 초봉은 상품으로 전락하게 된다. 그리고 그런 초봉에게 형보가 나타나 초봉과 송희 모녀의 호강을 구실로 가학성을 노골적으로 드러내면서 잉여의 성적 착취를 반복한다. 형보는 이 타락한 사회에 동화된 초봉이 어떠한 고통을 겪게 될지라도 이 세계 바깥으로 나갈 용기를 낼 수 없을 것이라고 확신하고 있었기에 초봉의 거부감을 아랑곳하지 않았다.
 '초봉의 몰락'은 이렇듯 초봉이 교환의 정치경제학을 자기화함으로써 ㉢영혼이 없는 자동인형으로 전락하는 것으로 귀결되었다. 그리고 그 과정에서 초봉은 아버지 정주사가 미두*로 일확천금을 꿈꾸듯 자신의 인격을 버리고 스스로를 상품으로 만들어 나갔다. 자신에 대한 착취에 강렬한 거부감을 가지기도 하였지만 결국에는 모든 것을 상품화하는, 특히 여성의 몸을 상품화하는 자본주의 기제의 ㉣노회함과 집요함 앞에 굴복하고 말았다. 그렇다면 「탁류」에는 추악한 세상의 탁류에서 벗어날 가능성이 전혀 없는 것일까? 채만식은 「탁류」에서 그 특유의 냉정한 태도로 한편으로는 부정적인 삶의 양태들을 냉소하고 풍자하는가 하면, 다른 한편으로는 보다 의미 있는 삶의 형식 혹은 보다 나은 미래를 가능케 할 잠재적 가능성이나 가치들을 끈질기게 탐색해 내었다.
 "위험이 있는 곳에 구원의 힘도 함께 자란다."라는 ㉤횔덜린의 말을 좀 뒤집어 말하자면, 「탁류」가 세상을 위험이 가득한 곳으로 묘사할 수 있었던 것은 아마도 그 위험 속에 같이 자라는 구원의 힘을 어느 정도 감지했기 때문이리라. 그 구원의 가능성은 소설의 결말 부분에서 초봉이 형보를 죽였다는 점으로만 한정되지는 않는다. 「탁류」에는 개념의 위계를 갖춰 계기가 제시되는 것은 아니나 타락한 교환의 질서 바깥으로 나갈 수 있는 여러 계기들이 곳곳에 흩어져 있다. 딸 송희를 낳으면서 초봉이 어머니 마음을 갖게 되는 것도, 자유주의자이자 냉소주의자인 계봉이 일하는 만큼의 대가를 얻어야 한다는 철칙을 지니고 살아가는 것도, 승재가 남에게 그저 베풀려고 하는 것도 모두 그에 해당하는 것들이다. 이것들 중에서도 초봉과 승재의 삶에서 드러나는 증여의 삶은 「탁류」가 타락한 세계를 넘어설 수 있는 길로 제시하는 것이며, 이를 우리는 '증여의 윤리'라고 부를 수 있을 터이다.

* 미두(米豆) : 미곡의 시세를 이용하여 약속으로만 거래하는 일종의 투기 행위

10. 윗글에 대한 설명으로 가장 적절한 것은?
① 시대의 특수성을 고려하여 삶의 양태에 대한 소설가의 비판적 인식을 추적한다.
② 인물의 내면 심리에 대한 세밀한 분석을 통해 소설가의 내면 심리를 천착한다.
③ 궁핍으로 인한 연명의 문제보다 윤리의 문제를 중시한 소설가의 인식을 비판한다.
④ 인간의 존재론적 모순에 대한 소설가의 염세적 시선에 주목하여 삶의 의미를 반추한다.
⑤ 현실을 대하는 소설가의 이중적 태도를 인물들이 표방하는 이념의 분석을 통해 통찰한다.

11. '초봉'의 몰락 과정과 관련하여 ㉠~㉤을 이해할 때, 적절하지 않은 것은?
① ㉠은 자본주의 기제로부터 영향을 받기 이전에 가족에 대한 증여자로서 '초봉'이 지녔던 순수한 영혼을 환기한다.
② ㉡은 '초봉'이 노동에 의해 빈곤에서 벗어날 수 있다는 믿음을 되찾으면서 교환의 정치경제학이라는 틀 속에 빠져들기 시작한다는 점을 알려준다.
③ ㉢은 '초봉'이 물신주의적 가치관을 수용하게 됨으로써 인간과 사물을 환금의 가능성으로만 파악하게 되었음을 나타낸다.
④ ㉣은 '초봉'의 몰락 과정이 순진성의 세계를 끈덕지고도 교활하게 파괴하는 식민지 근대화 과정과 상통함을 보여 준다.
⑤ ㉤은 구원의 힘이 역설적 방식으로 존재함을 강조하는 것으로, 왜곡된 자본주의 논리를 벗어날 힘이 '초봉'의 몰락 과정에서 생성되어 가기도 함을 시사해 준다.

12. 윗글을 바탕으로 <보기>를 감상할 때, 적절하지 않은 것은?

<보 기>
계봉이는 승재가 오늘도 아침에 밥을 못하는 눈치를 알고 가서, 더구나 방세가 밀리기는커녕 이달 오월 치까지 지나간 사월달에 들여왔는데, 또 이렇게 돈을 내놓는 것인 줄 잘 알고 있다.
계봉이는 승재의 그렇듯 근경 있는 마음자리가 고맙고, 고마울 뿐 아니라 이상스럽게 기뻤다. 그러나 그러면서도 한편으로는 얼굴이 꼿꼿하게 들려지지 않을 것같이 무색하기도 했다.
"이게 어인 돈이고?"
계봉이는 돈을 받는 대신 뒷짐을 지고 서서 준절히 묻는다.
"그냥 거저……."
"그냥 거저라니? 방세가 이대지 많을 리는 없을 것이고……."
"방세구 무엇이구 거저, 옹색하신데 쓰시라구……."
계봉이는 인제 알았다는 듯이 고개를 두어 번 까댁까댁하더니,
"나는 이 돈 받을 수 없소."
하고는 입술을 꽉 다문다. 장난엣말로 듣기에는 음성이 너무 강경했다.
승재는 의아해서 계봉이의 얼굴을 짯짯이 건너다본다. 미상불, 여전한 장난꾸러기 얼굴 그대로는 그대로지만, 그러한 중에도 어디라 없이 기색이 달라진 게, 일종 오만한 빛이 드러났음을 볼 수가 있었다.
승재는 분명히 단정하기는 어려우나, 혹시 나의 뜻을 무슨 불순한 사심인 줄 오해나 받은 것이 아닌가 하는 생각도 들었다. 그렇게 생각하고 보니, 비록 마음이야 담담하지만 일이 좀 창피한 것도 같았다. (중략)
계봉이는 문제된 오 원짜리 지전을 내려다본다. 아무리 웃고 말았다고는 하지만 그대로 집어 들고 들어가기가 좀 안되었다. 그러나 그렇다고 종시 안 가지고 가기는 더 안되었다. 잠깐 망설이다가 할 수 없이 그는 돈을 집어 든다.

– 채만식,「탁류」–

① 초봉을 전락시킨 돈은 이윤 추구 원리의 작동을, 승재가 계봉에게 건네는 '돈'은 순수 증여를 표상하는 것으로 볼 수 있겠군.
② 제호는 속물주의적 논리를 통해 자신의 의지를 관철하고, 승재는 '마음'의 가치를 통하여 자신의 선의를 드러낸다고 볼 수 있겠군.
③ 형보는 돈의 위력을 믿고 초봉의 고통을 아랑곳하지 않고, 계봉은 자존심 때문에 '근경 있는 마음자리'에 대해 양가적인 태도를 보인다고 볼 수 있겠군.
④ 태수의 과잉 증여와는 달리, 승재의 증여는 대가를 바라는 '불순한 사심'을 지니지 않은 것이기에 타락한 교환 세계에서 벗어날 희망의 표지로 볼 수 있겠군.
⑤ 교환의 정치경제학을 무의식적으로 자기화한 초봉과는 달리, '입술'을 꽉 다무는 계봉의 모습은 '증여의 윤리'를 의식적으로 수용하려는 태도를 나타낸 것으로 볼 수 있겠군.

[13~15] 다음 글을 읽고 물음에 답하시오.

'좋은 세금'의 기준과 관련하여 조세 이론은 공정성과 효율성을 거론하고 있다. 경제주체들이 경제적 능력 혹은 자신이 받는 편익에 따라 세금을 부담하는 경우 공정한 세금이라는 것이다. 또한 조세는 경제주체들의 의사 결정을 왜곡하여 조세 외에 추가로 부담해야 하는 각종 손실 또는 비용, 즉 초과 부담이라는 비효율을 초래할 수 있는데 이러한 왜곡을 최소화하는 세금이 효율적이라는 것이다.

19세기 말 ㉠헨리 조지가 제안했던 토지가치세는 이러한 기준에 잘 부합하는 세금으로 평가되고 있다. 그는 토지 소유자의 임대 소득 중에 자신의 노력이나 기여와는 무관한 불로소득이 많다면, 토지가치세를 통해 이를 환수하는 것이 바람직하다고 주장했다. 토지에 대한 소유권은 사용권과 처분권 그리고 수익권으로 구성되는데, 사용권과 처분권은 개인의 자유로운 의사에 맡기고 수익권 중 토지 개량의 수익을 제외한 나머지는 정부가 환수하여 사회 전체를 위해 사용하자는 것이 토지가치세의 기본 취지이다. 조지는 토지가치세가 시행되면 다른 세금들을 없애도 될 정도로 충분한 세수를 올려줄 것이라고 기대했다. 토지가치세가 토지단일세라고도 지칭된 것은 이 때문이다. 그는 토지단일세가 다른 세금들을 대체하여 초과 부담을 제거함으로써 경제 활성화에 크게 기여할 것으로 보았다. 토지단일세는 토지를 제외한 나머지 경제 영역에서는 자유 시장을 옹호했던 조지의 신념에 잘 부합하는 발상이었다.

토지가치세는 불로소득에 대한 과세라는 점에서 공정성에 부합하는 세금이다. 조세 이론은 수요자와 공급자 중 탄력도가 낮은 쪽에서 많은 납세 부담을 지게 된다고 설명한다. 토지는 세금이 부과되지 않는 곳으로 옮길 수 없다는 점에서 비탄력적이며 따라서 납세 부담은 임차인에게 전가되지 않고 토지 소유자가 고스란히 떠안게 된다는 점에서 토지가치세는 공정한 세금이 된다. 한편 토지가치세는 초과 부담을 최소화한다는 점에서 효율적이기도 하다. 통상 어떤 재화나 생산요소에 대한 과세는 거래량 감소, 가격 상승과 함께 초과 부담을 유발한다. 예를 들어 자동차에 과세하면 자동차 거래가 감소하고 부동산에 과세하면 지역 개발과 건축업을 위축시켜, 초과 부담이 발생하게 된다. 그러나 토지가치세는 토지 공급을 줄이지 않아 초과 부담을 발생시키지 않는다. 토지가치세 도입에 따른 여타 세금의 축소가 초과 부담을 줄여 경제를 활성화한다는 G7 대상 연구에 따르면, 이러한 세제 개편으로 인한 초과 부담의 감소 정도가 GDP의 14~50%에 이른다.

하지만 토지가치세는 일부 국가를 제외하고는 현실화되지 못했는데, 여기에는 몇 가지 이유가 있다. 토지가치세는 이론적인 면에서 호소력이 있으나 현실에서는 복잡한 문제가 발생한다. 토지에 대한 세금이 가공되지 않은 자연 그대로의 토지에 대한 세금이어야 하나 이러한 토지는 현실적으로 찾기 어렵다. 토지 가치 상승분과 건물 가치 상승분의 구분이 쉽지 않다는 것도 어려움을 가중한다. 토지를 건물까지 포함하는 부동산으로 취급하여 그에 과세하는 국가에서는 부동산 거래에서 건물을 제외한 토지의 가격이 별도로 인지되는 것이 아니므로, 건물을 제외한 토지의 가치 평가가 어렵다. 조세 저항도 문제가 된다. 재산권 침해라는 비판이 거세지면 토지가치세를 도입하더라도 세율을 낮게 유지할 수밖에 없어, 충분한 세수가 확보되지 않을 수 있다. 토지가치세는 빈곤과 불평등 문제에 대한 조지의 이상을 실현하는 데에도 적절한 해법이 되지 못한다는 비판에 직면하고 있다. 백 년 전에는 부의 불평등이 토지에서 비롯되는 부분이 컸지만, 오늘날 전체 부에서 토지가 차지하는 비중이 19세기 말에 비해 크게 감소했다. 토지 소유의 집중도 또한 조지의 시대에 비해 낮다. 따라서 토지가치세의 소득 불평등 해소 능력에도 의문이 제기된다.

오늘날 토지가치세는 새롭게 주목받고 있는데, 이는 '외부 효과'와 관련이 깊다. 첨단산업 분야의 대기업들이 자리를 잡은 지역 주변에는 인구가 유입되고 일자리가 늘어난다. 하지만 임대료가 급등하고 혼잡도 또한 커진다. 이 과정에서 해당 지역의 부동산 소유자들은 막대한 이익을 사유화하는 반면, 임대료 상승이나 혼잡비용 같은 손실은 지역민 전체에게 전가된다. 이러한 상황에서 높은 세율의 토지가치세가 본격적으로 실행에 옮겨질 수 있다면 불로소득에 대한 과세를 통해 외부 효과로 인한 피해를 보상하는 방안이 될 수 있다.

13. ㉠에 대한 설명으로 가장 적절한 것은?

① 개량되지 않은 토지에서 나오는 임대료 수입은 불로소득으로 여겼다.
② 토지가치세로는 재정에 필요한 조세 수입을 확보할 수 없다고 보았다.
③ 토지의 처분권은 보장하되 사용권과 수익권에는 제약을 두자고 주장하였다.
④ 토지가치세는 경제적 효율성 제고를 통하여 공정성을 높이는 방안이라고 보았다.
⑤ 모든 경제 영역에서 시장 원리를 사회적 가치에 부합하게 규제해야 한다고 주장하였다.

14. 윗글에서 추론한 내용으로 적절하지 않은 것은?

① 정부가 높은 세율의 토지가치세를 도입한다면, 외부 효과로 발생한 이익의 사유화를 완화할 수 있을 것이다.
② 자동차세의 인상이 자동차 소비자들의 의사 결정에 영향을 미치지 않는다면, 자동차세는 세수 증대에 효과적일 것이다.
③ 토지가치세가 단일세가 되어 누진세인 근로소득세가 폐지된다면, 고임금 근로자가 저임금 근로자보다 더 많은 혜택을 얻게 될 것이다.
④ 조지의 이론을 계승하는 학자라면, 부가가치 생산에 기여한 부분에 대해서는 세금을 부과하지 않는 것이 바람직하다고 보았을 것이다.
⑤ 부동산에 대해 토지와 건물을 구분하여 과세할 수 있다면, 토지가치세의 도입으로 토지의 공급 감소와 가격 상승 문제가 해소되어 조세 저항이 줄어들 것이다.

15. 윗글을 바탕으로 <보기>의 사례를 평가할 때, 적절하지 않은 것은?

―――<보 기>―――

○ X국은 요트 구매자에게 높은 세금을 부과하는 사치세를 도입하여 부유층의 납세 부담을 늘리려고 하였다. 그러나 부자들은 요트 구매를 줄이고 지출의 대상을 바꾸었다. 반면 요트 생산 시설은 다른 시설로 바꾸기 어려웠고 요트 공장에서 일하던 근로자들은 대량 해고되었다. 아울러 X국은 근로소득세를 인상해서 부족한 세수를 보충하였다.
○ Y국은 국민의 건강 증진을 위해 담배 소비를 줄이려는 목표로 담배세를 인상하였다. 그러나 담배세 인상으로 인한 담배 가격 상승에도 불구하고 담배 소비는 거의 감소하지 않았다. 정부의 조세 수입은 크게 증가하였지만 소비자들의 불만이 고조되었다.

① 공급자에게 부과되는 토지가치세와 달리, X국의 '사치세' 및 Y국의 '담배세'는 소비자에게 부과되고 있군.
② 초과 부담을 발생시키는 X국의 '사치세'와는 달리, Y국의 '담배세' 및 토지가치세는 초과 부담을 거의 발생시키지 않는군.
③ 과세 대상자 이외의 타인에게 납세 부담이 추가되는 X국의 '사치세'와 달리, Y국의 '담배세'와 토지가치세에서는 납세 부담이 과세 대상자에게 집중되는군.
④ 탄력도가 낮은 쪽에서 납세 부담을 지게 만들 수 있는 토지 가치세와 달리, X국의 '사치세' 및 Y국의 '담배세'는 탄력도가 높은 쪽에서 납세 부담을 지게 하는군.
⑤ 조세 개편의 정책 목표를 달성하지 못한 X국의 '사치세' 및 Y국의 '담배세'와 달리, 토지가치세는 도입할 때 거둘 수 있는 경제 활성화 효과가 최근 연구에서 확인되고 있군.

[16~18] 다음 글을 읽고 물음에 답하시오.

20세기 초 프랑스에서 발생한 드레퓌스 사건은 지식인이라는 집단을 조명하고, 억압적 권력에 저항하는 비판적 지식인이라는 이상을 부각하는 계기가 되었다. 신학을 중심으로 지식이 축적되고 수도원의 사제들이 권력을 행사하는 전문가 지식인으로 존재했던 중세에도 아벨라르와 같은 비판적 지식인이 존재했다. 계몽주의 시대에는 특정 분야를 깊이 파고들지 못하더라도 모든 분야를 두루 섭렵할 수 있는 능력을 지닌 사람을 지식인으로 정의하기도 했다. 한 예로 18세기의 백과전서파는 근대적 분류 체계로 지식을 생산해 개인이 시각 매체에 의존하여 지식을 소비하는 문자 문화시대의 지평을 열었다. 이런 과정에서 지식 권력은 지식의 표준 장악을 둘러싸고 중앙 집중화되었다.

드레퓌스 사건은 근대적 지식인상에 대한 논쟁을 불러일으켰다. ⓘ만하임은 지식인 가운데도 출신, 직업, 재산, 정치적·사회적 지위 등에 차이가 있는 경우가 많기에 지식인을 단일 계급으로 간주할 수 없으며, 지식인은 보편성에 입각해 사회의 다양한 계급적 이해들을 역동적으로 종합하여 최선의 길을 모색해야 한다고 보았다. 반면 ⓒ그람시는 계급으로부터 독립적인 지식인이란 신화에 불과하다고 지적하면서 계급의 이해에 유기적으로 결합하여 그것을 당파적으로 대변하는 유기적 지식인을 대안으로 제시하였다. 이때 소외 계급의 해방을 위한 과제는 역사적 보편성을 지니며, 지식인은 소외 계급에게 혁명적 자의식을 불어넣고 조직하는 역할을 자임한다. ⓒ사르트르는 만하임과 그람시의 지식인 개념 사이에서 긴장을 유지했다. 부르주아 계급에 속한 지식인은 지배 계급이 요구하는 당파적 이해와 지식인이 추구해야 할 보편적 지식 간의 모순을 발견하고, 보편성에 입각하여 소외 계급의 해방을 추구해야 한다. 하지만 그 지식인은 결코 유기적 지식인이 될 수 없는 존재이다. 결국 소외 계급에서 출현한 전문가가 유기적 지식인이 되도록 계급의식을 일깨우는 계몽적 역할이 지식인에게 부여되는 것이다.

오늘날 인터넷의 발달로 가상공간이 열려 탈근대적 지식 문화 와 사회 공간이 창조되면서 지식의 개념도 변하고 있다. 또한 디지털화된 다양한 정보들이 연쇄적으로 재조합되면서 하이퍼텍스트 형태를 띠게 된다. 정해진 시작과 끝이 없고 미로나 뿌리줄기같이 얽혀 있어 독자의 입장에서 어떤 길을 선택하느냐에 따라 텍스트의 복수성이 무한해졌다. 그 결과 지식 생산자에 해당하는 저자의 권위는 사라지고 지식 권력은 탈중심화된다. 하이퍼텍스트와 새로운 독자의 탄생은 집단적이고 감정이입적인 구술 문화가 지녔던 특성들을 지식 문화에서 재활성화한다. 특히 가상공간에서 정보와 지식이 공유와 논박을 거쳐 소멸 또는 확산되는 과정은 새로운 지식을 생산해 내는 기제로서 집단 지성을 출현시킨다. 집단 지성은 엘리트 집단으로부터 지식 권력을 회수하고 새로운 민주주의의 가능성을 열어놓기도 한다. 그러나 이는 대중의 자율성에 기초한 참여와 협업을 전제할 때 가능하며, 참여와 협업이 결여될 때 순응주의가 등장하고 집단 지성은 군중심리로 전락할 수도 있다.

하이퍼텍스트 시대에 집단 지성이 출현함에 따라 기존의 지식인상은 재조명될 필요가 있다. 특히 프랑스 68혁명 이후 등장했던 이론가들을 소환할 만하다. 예를 들어 ⓔ푸코는 대중의 대변자로서의 지식인이 불필요한 시대에서도 여전히 대중의 지식 및 담론을 금지하고 봉쇄하는 권력 체계와 이 권력 체계의 대리인 역할을 자임하는 고전적 지식인의 존재에 주목했다. 푸코는 이들을 보편적 지식인으로 규정한 후 이를 대체할 새로운 지식인상으로 특수적 지식인을 제시했다. 그가 말하는 특수적 지식인은 거대한 세계관이 아니라 특정한 분야에서 전문적인 지식을 지니고 있는 존재이다. 그리고 자신의 분야에 해당하는 구체적인 사안에 정치적으로 개입하면서 일상적 공간에서 투쟁한다. 푸코에 따르면 진실한 담론은 지식과 미시권력 간의 관계에서 발견될 뿐이다.

한편 지식인상의 탈근대적 모색에 있어 근대론적 시각을 더하려는 시도도 있다. ⓜ부르디외에 따르면, 지식인은 사회 총자본의 관점에서 볼 때에는 지배 계급에 속하지만, 경제 자본보다 문화 자본의 비중이 더 큰 문화생산자적 속성을 지니며, 시장의 기제에 따라 부르주아지에 의해 지배받는다. 이런 점에서 볼 때 지식인은 피지배 분파에 속한다. 따라서 이 문화생산자들은 각자의 특수한 영역에 대한 상징적 권위를 가지고 지식인의 자율성을 위협하는 권력에 저항하며 사회 전체에 보편적인 가치를 전파해 나가는 투쟁을 전개할 때에만 비로소 지식인의 범주에 들 수 있다. 부르디외는 이 과정에서 역사적인 따라서 한시적인 보편을 개념화한다. 그리고 지식인은 정치활동을 통하여 권력이 보편적인 것처럼 제시하는 특수성들을 역사화하는 역할과, 보편적인 것, 예컨대 과학·철학·문학·법 등에 접근하는 조건들을 보편화하는 역할을 함께 수행한다.

16. 윗글의 내용과 일치하는 것은?

① 권력에 대한 비판적 지식인은 드레퓌스 사건과 함께 비로소 출현했다.
② 계몽주의 시대의 지식인은 특정 분야의 전문가라는 특권적 위상을 지녔다.
③ 근대의 지식인은 개개인의 차이에도 불구하고 보편성을 추구해야 하는 존재로 인식되었다.
④ 탈근대의 지식인은 자신의 전문 분야에서 제기되는 문제의 정치적 특성을 인정하지 않으려는 존재이다.
⑤ 탈근대의 대중은 자율적인 참여와 협업에 기초하여 권력에 대한 순응주의로부터 벗어났다.

17. 탈근대적 지식 문화에 관한 설명으로 가장 적절한 것은?

① 구술 문화적 특성을 공유하는 다양한 텍스트들이 형성되고 지식이 전파된다.
② 지식의 표준을 장악하려는 경쟁을 통해 중앙 집중적 지식 권력의 영향력이 커진다.
③ 사회적 지식의 형성에서 지식을 처음 생산한 자의 권위가 이전 시대보다 강화된다.
④ 문화생산자적 속성을 지닌 지식인의 사회적 지위가 부르주아 계급에서 피지배 계급으로 전락한다.
⑤ 집단 지성이 엘리트로부터 지식 권력을 회수하여 대중의 지식 및 담론을 규제하는 새로운 권력 체계를 형성한다.

18. ㉠~㉢에 대한 이해로 가장 적절한 것은?

① ㉠은 지식인이 전문 지식과 보편적 지식의 종합을 통해 동질적인 계급으로 형성될 수 있는 존재라고 여겼을 것이다.
② ㉡은 지식인이 계급적 이해관계와 이성적 사유 사이의 모순으로부터 출발하여 보편성을 향해 부단히 나아가야 하는 불안정한 존재라고 여겼을 것이다.
③ ㉢은 지식인이 서로 적대 관계에 있는 계급들 중 어느 쪽과 제휴해 있어도 개별 계급의 한계를 딛고 계급적 이해들을 종합할 수 있는 존재라고 여겼을 것이다.
④ ㉣은 지식인이 자신의 특수 분야와 관계된 미시권력에 저항해 보편적 지식을 전파하는 운동을 전개해야 하는 존재라고 여겼을 것이다.
⑤ ㉤은 지식인이 범주의 측면에서 보편적 지식인과 특수적 지식인으로 명확하게 구분할 수 없는 존재라고 여겼을 것이다.

[19~21] 다음 글을 읽고 물음에 답하시오.

세상은 변화를 겪는다. 사람이 그렇게 여기는 이유는 시간이 흐른다고 생각하기 때문이다. 그런데 4차원주의자는 시간이 흐르지 않는다고 주장한다. 시간이 흐르지 않는다면, 과거, 현재, 미래는 똑같이 존재할 것이다. 이러한 견해를 가진 사람을 ㉠영원주의자라고 한다. 시간의 흐름 여부에 대한 인식의 차이는 과거, 현재, 미래에 대한 개념 혹은 표상의 차이를 가져 온다. 영원주의자들에게 매 순간은 시간의 퍼즐을 이루는 하나의 조각처럼 이미 주어져 있다. 영원주의자에게 시제는 특별한 의미를 가지지 않으며, 과거, 현재, 미래 사이에는 앞 또는 뒤라는 관계만이 존재한다. 현재는 과거의 뒤이고 동시에 미래의 앞일 뿐이다. 영원주의 세계에서 한 사람은 각 시간 단계를 가지는데, 그 사람이 없던 수염을 기르면 이는 시간의 흐름에 따른 변화가 아니다. 외모의 차이는 단지 그 사람의 서로 다른 단계 사이의 차이일 뿐이다. 반면에 3차원주의자는 시간이 흐른다는 견해를 내세운다. 시간이 흐른다면, 과거, 현재, 미래 시제는 모두 다른 의미나 표상을 지닌다. 이러한 생각을 지니는 이들 중에 오직 현재만이 존재한다고 보는 사람이 바로 현재주의자이다. 그들에게는 이미 지나간 과거와 아직 도래하지 않은 미래는 존재하지 않으므로, 지금 주어진 현재만이 존재한다.

시간여행은 시간에 관한 견해가 첨예하게 대립하는 주제이다. 현재주의자에 따르면, 현재에서 과거, 미래의 특정 시점을 찾아가는 것은 영원주의자의 생각처럼 시간 퍼즐의 여러 조각 중 하나를 찾아가는 것이 아니다. ㉡현재주의자 중에 다수는 시간여행이 불가능하다고 주장한다. 누군가가 시간여행을 하려면 과거나 미래로 이동할 수 있어야 하지만, 이미 흘러간 과거와 아직 오지 않은 미래는 실재하지 않는다. 이를 도착지 비존재의 문제라고 할 수 있다.

현재주의자 중에도 시간여행이 가능하다고 보는 사람이 있다. 과거로의 시간여행을 시작하는 현재 시점 T_n에서 과거의 특정 시점 T_{n-1}은 실재가 아니다. 그러나 시간여행자가 T_{n-1}에 도착할 때 그 시점은 그에게 현재가 되어 존재하지 않을까? 하지만 이는 과거를 마치 현재인 양 여기게 하는 속임수라고 보는 사람도 있다. 과거 시점 T_{n-1}에 도착한다면, 과거는 이제 현재가 된다. 그러나 시간여행의 가능성을 따질 때 우리가 관심을 가지는 현재는 애초에 출발하는 시점인 T_n이지 과거의 도착지인 T_{n-1}이 아니다. 만일 T_{n-1}이 현재가 된다는 것이 중요하다면, T_{n-1}에 도착한 사람에게 T_n은 이제 미래가 된다는 것 역시 중요하다. 그런데 현재주의자는 미래의 비존재를 주장하므로, T_{n-1}에 도착한 시간여행자는 존재하지 않는 미래에서 출발하여 현재에 도착한 셈이다. 이것이 바로 출발지 비존재의 문제이다. 결국 3차원주의 세계에서 시간여행이 가능하다는 점을 보여주려면 출발지 비존재의 문제를 해소해야 한다.

시간여행의 가능성을 믿는 3차원주의자는 '출발지 비존재'를 '출발지 미결정'으로 보게 되면 문제가 해소된다고 주장할 수 있다. 시간여행자가 과거 T_{n-1}에 도착하는 순간, 그는 실재하지 않는 미래로부터 현재로 이동한 것이 아니라 미결정된 미래로부터 현재로 이동한 것이 된다. 그렇다고 하더라도 출발지 비존재의 문제와 마찬가지로, 미래는 아직 존재하지 않기에 전혀 결정되지 않았으며 아직 결정되지 않은 것이 다른 어떤 것의 원인이 될 수 없으므로 시간여행은 여전히 불가능하다는 비판에 직면할 수 있다. 그러나 T_{n-1}에 도착하는 사건의 원인이 T_n에서의 출발이라는 점을 고려한다면, T_{n-1}에 도착하는 순간 미래 사건이 되는 시간여행은 도착 시점에서 이미 결정된 사건으로 여겨질 수 있다. 즉 미래는 계속 미결정된 것이 아니라, 시간여행 여부에 따라 미결정되었다고도 할 수 있고 결정되었다고도 할 수 있다. 이에 ㉢조건부 결정론자는 출발지 미결정의 문제가 해소되어 시간여행에 걸림돌이 없다고 주장한다. 그러나 시간여행이 3차원주의와 양립할 수 없음을 고수하는 이들은 출발지 비존재의 문제를 출발지 미결정의 문제로 대체하여 이를 해소하는 전략을 받아들이지 않을 것이다.

19. ㉠~㉢에 관한 설명으로 가장 적절한 것은?
① ㉠과 ㉡은 모두 미래가 이미 결정되어 있는 시간이라고 본다.
② ㉠과 ㉡은 모두 시간여행에서 과거에 도착하는 순간 출발지는 더 이상 존재하지 않는다고 본다.
③ ㉠과 ㉢은 모두 과거로 출발하는 시간여행이 가능하다고 본다.
④ ㉡과 달리 ㉢은 시제가 특별한 의미를 가지지 않는다고 본다.
⑤ ㉢과 달리 ㉡은 시간여행에 필요한 도착지가 존재한다고 본다.

20. 윗글에서 추론한 내용으로 적절하지 않은 것은?
① 3차원주의자 중에는 과거를 거슬러 올라갈 수 없는 시간으로 여기는 사람이 있을 것이다.
② 현재주의자는 누군가의 외모가 변한 것을 보면 이는 시간이 흘렀기 때문이라고 생각할 것이다.
③ 4차원주의자는 도래하지 않은 시간으로부터 이미 지나간 시간으로 시간의 흐름을 거슬러 올라갈 수 있다고 생각할 것이다.
④ 시간여행이 가능하다고 믿는 3차원주의자는 출발지 미결정의 문제가 해결되면 출발지 비존재의 문제가 해소된다고 생각할 것이다.
⑤ 시간여행의 가능성을 부인하는 3차원주의자는 우리가 미래에 도착하는 순간 도착지가 생겨난다는 주장에 대해, 그 경우에도 출발지 비존재의 문제가 남아 있다고 비판할 것이다.

21. 윗글을 바탕으로 <보기>를 설명할 때, 적절하지 않은 것은?

<보 기>

밴드 결성 전, 존 레논은 자신이 유명한 가수가 될 것이라는 예언을 듣는다. 자신의 미래가 궁금해진 레논은 마침 타임머신 실험 소식을 듣고 10년 후의 미래로 가고자 자원하였다. 10년 후, 그의 밴드는 유명해지고 데뷔 이전 머리가 짧았던 그는 긴 머리를 가지게 된다. 만일 10년 후로의 시간여행이 가능하다면, 미래를 방문한 무명의 레논은 장발의 록 스타인 자신을 직접 보게 될 것이다. 그러나 이는 '동일한 것은 서로 구별될 수 없다.'라는 ⓐ원리에 위배된다. 즉 '동일한 사람이 무명이면서 동시에 스타이다.'라는 ⓑ논리적 모순이 발생하는 것이다. 이 문제가 해소되지 않으면 레논은 10년 후로 시간여행을 할 수 없다.

① 시간여행의 도착지가 존재하지 않는다는 논리에 따를 경우, ⓐ에 위배되는 사건은 아예 일어나지 않겠군.
② 레논의 서로 다른 단계 중에 현재 단계가 뒤의 단계를 방문할 수 있다고 가정하면, 영원주의자에게 ⓑ는 문제가 되지 않겠군.
③ 조건부 결정론자의 논리에 따를 경우, 레논이 미래에 도착하면 자신의 10년 후 모습을 직접 보기 이전이라도 도착 순간에 이미 출발지 비존재의 문제가 해소되겠군.
④ 미래에 도착하는 시점의 레논과 미래에 있던 레논이 동일한 외모를 가질 수 있다고 가정하면, 현재주의자는 ⓐ에 위배되는 일이 발생하지 않았다고 주장할 수 있겠군.
⑤ 두 사람이 만나는 시간은 제3의 관찰자가 볼 때는 동시인 것처럼 보이지만 각자의 시간 흐름에서는 동시가 아니라고 가정하면, 현재주의자 중에는 ⓑ가 해소될 수 있다고 보는 사람도 있겠군.

[22~24] 다음 글을 읽고 물음에 답하시오.

우리 행위의 가치를 평가할 때 언제나 우선적이어서 여타의 모든 가치들의 조건을 이루는 선의지라는 개념이 있다. 이 선의지 개념을 발전시키기 위해, 먼저 도덕적 의무라는 개념에 대해 생각해 보자. '의무에 어긋나는' 것으로 인식된 모든 비도덕적인 행위에 대해서는 비록 그런 행위들이 이런저런 의도에는 유용하다고 할지라도 여기서는 고려하지 않겠다. 이런 행위는 의무와 충돌하므로, 과연 그 행위들이 '의무에서 비롯하는' 것일 수 있느냐는 물음이 이 행위 자체에서 아예 발생할 수 없기 때문이다. 의무에서 비롯하는 행위는 어떤 조건도 없이 오로지 당위(當爲)에 의거한 행위이다. 의무에 어긋나는 행위를 의무에서 비롯하는 행위와 구별하는 것은 쉽다. 이와 달리 '의무에 맞는' 행위를 의무에서 비롯하는 행위와 구별하는 것은 어렵다. 의무에 맞는 행위를 유발하는 동인은 다양해서, 어떤 것은 행위자의 이해관계에서 출발하기도 하고, 다른 어떤 것은 사랑이나 동정심 등의 감정에 의해 나타나기도 한다.

예컨대 자신의 이득이 우선인 ⊙의사가 수입을 늘리기 위해 최선을 다해 진료한다면, 그의 행위는 의무에 맞는 일이다. 하지만 환자가 정당하게 대우받는 것처럼 보인다고 해서 이 행위가 의무에서 비롯하여 행해졌다고 말할 수는 없다. 한편 공감 능력이 뛰어나 이웃의 불행에 발 벗고 나서서 돕는 ⓒ사람이 있다. 그의 행위는 의무에 부합하며 매우 칭찬받을 만하지만 아무런 도덕적 가치를 갖지 못하며 단지 성격적 특성이 발현된 것일 뿐이다. 공감하는 행위가 의무에 맞고 칭찬과 격려를 받을 만하더라도 도덕적 존경의 대상은 아니다. 하지만 이 박애주의자가 뇌 손상으로 공감 능력을 상실하고도 다만 의무로 인식하여 타인을 돕는 경우라면, 그 행위는 비로소 진정한 도덕적 가치를 갖게 된다.

의무에서 비롯하는 행위는 그 도덕적 가치를 행위에서 기대되는 결과에 의존하지 않으며 대신에 행위를 결정하는 동기인 의지에서 구한다. 결과는 다른 원인으로 성취될 수도 있으며, 이성적 존재자의 의지가 요구되지도 않는다. 반면에 무조건적인 최고선은 이성적 존재자의 의지에서 만날 수 있을 뿐이다. 이런 연유로 오직 법칙에 대한 표상, 즉 법칙 자체에 대한 생각만이 우리가 도덕적이라고 부르는 탁월한 선을 이룬다. 물론 기대된 결과가 아닌 법칙의 표상이 의지를 규정하는 근거가 되는 한, 이 표상은 이성적 존재자에게서만 발생한다. 이 탁월한 선은 이미 법칙에 따라 행동하는 인격 자체에 있으므로 우리는 결과에서 이 선을 기대해서는 안 된다. 이러한 탁월한 선에 따르면, ⓒ거짓 약속을 하는 사람의 주관적 원리는 모든 사람을 위한 보편적 법칙이 될 수 없다. 거짓 약속을 하는 행위를 보편적 법칙으로 삼고자 한다면, 그 어떤 약속도 있을 수 없는 모순이 발생한다. 즉 행위자의 주관적 원리는 보편적 법칙이 되자마자 자기 파괴를 겪게 된다.

행위를 규정하는 의지를 단적으로 그리고 제한 없이 선하다고 할 수 있으려면 법칙을 표상할 때 이로부터 기대되는 결과를 고려하지 않고 표상하는 것이 의지를 규정해야만 한다. 어떤 법칙을 준수할 때 의지에서 일어날 수 있는 모든 충동을 의지에서 빼앗는다면, 이제 남아 있는 것이라곤 행위 일반의 보편적 합법칙성뿐이므로, 이것만을 의지를 일으키는 원리로 사용해야 한다. 다시 말해 나는 내 주관적 원리가 보편적 법칙이 되어야 한다고 바랄 수 있도록 오로지 그렇게만 행위를 해야 한다.

22. 윗글의 내용과 일치하는 것은?

① 결과가 이성적 존재자의 공감을 얻는다면 그 행위는 도덕적이다.
② 도덕적 가치 판단은 동기인 의지와 품성인 덕을 모두 고려해야 한다.
③ 어떤 행위가 만인의 보편적 이익을 지향한다면 그 행위는 도덕적이다.
④ 감정에서 우러나는 자발적 행위라야 진정한 도덕적 가치를 가진다.
⑤ 이타적인 동기에서 유발되는 행위 자체는 도덕적 존경의 대상이 될 수 없다.

23. 윗글에 대한 이해로 적절하지 않은 것은?

① '의무에 맞는' 행위는 '의무에 어긋나는' 행위가 될 수도 있다.
② '의무에 맞는' 행위는 '의무에서 비롯하는' 행위가 아닐 수도 있다.
③ '의무에서 비롯하는' 행위는 '의무에 맞는' 행위가 될 수밖에 없다.
④ '의무에 어긋나는' 행위는 '의무에 맞는' 행위와 유발 동인이 동일할 수도 있다.
⑤ '의무에서 비롯하는' 행위는 '의무에 어긋나는' 행위와 달리 이성적 존재자의 선의지에 따른다.

24. 윗글의 입장에서 ㉠~㉢을 평가할 때, 가장 적절한 것은?

① ㉠이 자신의 평판을 위해서일지라도 모든 환자를 똑같이 대우한다면, 그의 행위는 탁월한 선이 발현된 것으로서 도덕적으로 정당하다.
② ㉡이 법칙에 대한 표상만으로 자신의 의지를 규정하여 이웃을 돕는다면, 그의 행위는 도덕적으로 정당하다.
③ ㉡이 보편적 합법칙성에 부합하도록 인격의 탁월성을 극대화할 수 있다면, 그의 행위는 도덕적으로 정당하다.
④ ㉢의 주관적 원리가 보편적 법칙과 최고선 사이의 모순을 극복할 수 있다면, 그의 행위는 도덕적으로 정당할 수 있다.
⑤ ㉢이 친구를 도우려는 선한 의도에서 자신의 이익에 대한 고려를 완전히 배제할 수 있다면, 그의 행위는 도덕적으로 정당할 수 있다.

언어이해

[25~27] 다음 글을 읽고 물음에 답하시오.

　1965년 제미니 4호 우주선은 지구 주위를 도는 궤도에서 최초의 우주 랑데부를 시도했다. 궤도에 진입하여 중력만으로 운동 중이던 우주선은 같은 궤도상 전방에 있는 타이탄 로켓과 랑데부하기 위해 접근하고자 했다. 조종사는 속력을 높이기 위해 우주선을 목표물에 향하게 하고 후방 노즐을 통하여 일시적으로 연료를 분사하였다. 하지만 이 후방 분사를 반복할수록 목표물과의 거리는 점점 더 멀어졌고 연료만 소모하자 랑데부 시도를 포기했다.

　연료를 분사하면 우주선은 분사 방향의 반대쪽으로 추진력을 받는다. 이는 뉴턴의 제3법칙인 '두 물체가 서로에게 작용하는 힘은 항상 크기가 같고, 방향은 반대이다.'로 설명할 수 있다. 질량이 큰 바위를 밀면, 내가 바위를 미는 힘이 작용이고, 바위가 나를 반대 방향으로 미는 힘이 반작용이다. 똑같은 크기의 힘을 주고받았는데 내 몸만 움직이는 이유는 뉴턴의 제2법칙인 '같은 크기의 힘을 물체에 가했을 때, 물체의 질량과 가속도는 반비례한다.'로 설명할 수 있다. 연료를 연소해 기체를 분사하는 힘은 작용이고, 그 반대 방향으로 우주선에 작용하는 추진력은 반작용이다. 우주선에 비해 연료 기체의 질량은 작더라도 연료 기체를 고속 분사하면 우주선은 충분한 가속도를 얻는다.

　지구 궤도를 도는 우주선은 우주에 자유롭게 떠 있는 것 같지만, 기체 분사에 의한 힘 외에 중력이 작용하고 있어서 그 영향을 고려해야 한다. 우주선은 지구의 중력을 받으며 원 또는 타원 궤도를 빠르게 돈다. 이때 궤도를 한 바퀴 도는 데 걸리는 시간인 주기는 궤도의 지름이 클수록 더 길다. 우주선은 속력과 관련된 운동 에너지(K)와 중력에 관련된 중력 위치 에너지(U)를 가진다.

$$K = \frac{1}{2}mv^2, \quad U = -\frac{GMm}{r},$$

G : 만유인력 상수, M : 지구의 질량, m : 우주선의 질량,
r : 지구중심과 우주선의 거리, v : 우주선의 속력.

　운동 에너지는 우주선 속력의 제곱에 비례한다. 우주선의 중력 위치 에너지는 우주선이 지구에서 무한대 거리에 있으면 0으로 정의되고, 지구에 가까워지면 그 값은 작아지므로 음수이다. 즉, 우주선이 지구에 가까울수록 중력 위치 에너지는 작아지고, 멀수록 중력 위치 에너지는 커진다. 운동 에너지와 중력 위치 에너지의 합인 역학적 에너지(E)는 $E = K + U$로 표현된다. 지구의 중력만 작용할 때, 궤도 운동하는 우주선의 역학적 에너지는 크기가 일정하게 보존된다. 역학적 에너지가 보존될 때, 궤도 운동하는 우주선이 지구 중심에서 멀어지면 속력이 느려지고 가까워지면 속력이 빠르게 된다. 또한 원 궤도에서 작용하는 중력의 크기가 클수록 속력이 빨라진다. 우주선의 궤도는 연료 분사로 속력을 조절해 <그림>과 같이 바뀔 수 있다. 우주선이 운동하는 방향을 전방, 반대 방향을 후방이라 하자. <그림>의 원 궤도에 있는 우주선이 궤도의 접선 방향으로 후방 분사하여 운동 에너지를 증가시키면, 그만큼 역학적 에너지도 증가하여 우주선은 기존의 원 궤도보다 지구로부터 더 멀리 도달할 수 있는 <그림>의 큰 타원 궤도로 진입한다. 하지만 전방 분사하면, 운동 에너지가 감소하고 <그림>의 작은 타원 궤도로 진입하여 우주선은 기존보다 지구에 더 가까워진다.

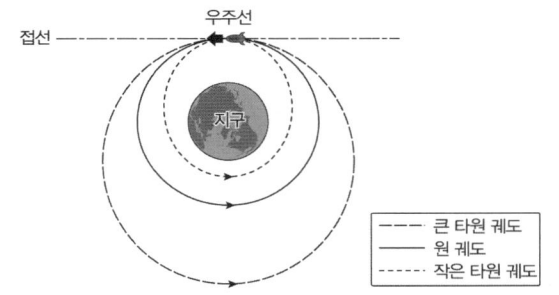

<그림> 우주선의 궤도와 접선

　목표물과 우주선이 같은 원 궤도에서 같은 방향으로 운동할 때, 목표물이 전방에 있는 경우, 우주선이 후방 분사를 하면 궤도의 접선 방향으로 우주선의 속력이 빨라져서 큰 타원 궤도로 진입하게 된다. 따라서 분사가 끝나면, 속력이 주기적으로 변화하고 목표물과의 거리가 멀어진다. 반대로, 목표물이 후방에 있는 경우 전방 분사를 하면 <그림>의 작은 타원 궤도로 진입한 우주선의 속력은 원 궤도에서보다 더 느려진 진입 속력과 더 빨라진 최대 속력 사이에서 변화한다. 이때 목표물과의 거리는 더 멀어진다.

　랑데부에 성공하려면 우주선을 우리의 직관과 반대로 조종해야 한다. 우주선과 목표물이 같은 원 궤도에서 같은 운동 방향일 때 목표물이 전방에 있다고 하자. 이때 우주선이 일시적으로 전방 분사하면 속력이 느려지고, 기존보다 더 작은 타원 궤도로 진입해서 목표물보다 더 빠른 속력으로 운동할 수 있다. 하지만 궤도가 달라서, 진입한 타원 궤도의 주기가 기존 원 궤도의 주기보다 더 짧다는 것을 이용하여 한 주기 혹은 여러 주기 후 같은 위치에서 만나도록 속력을 조절한다. 목표물보다 낮은 위치에서 충분히 가까워지면, 우주선이 접근하여 랑데부한다.

25. 윗글의 내용과 일치하지 <u>않는</u> 것은?

① 뉴턴의 제3법칙은 우주선 추진의 원리 중 하나이다.
② 원 궤도의 지름이 클수록 우주선의 속력이 더 빨라진다.
③ 타원 궤도 운동 중인 우주선은 역학적 에너지가 보존된다.
④ 우주선이 분사하는 연료 기체는 우주선보다 가속도가 크다.
⑤ 원 궤도에 있는 우주선이 속력을 늦추면 회전 주기가 짧아진다.

26. 윗글을 바탕으로 추론할 때, <보기>에서 적절한 것만을 있는 대로 고른 것은?

<보 기>
ㄱ. 제미니 4호가 원 궤도상에서 후방 분사를 한 경우라면, 후방 분사 이후의 궤도는 지구로부터 더 멀어질 수 있다.
ㄴ. 타원 궤도에 있는 우주선의 운동 에너지 크기와 중력 위치 에너지 크기는 일정하게 유지된다.
ㄷ. 원 궤도에 있는 우주선이 궤도의 접선 방향 분사로 역학적 에너지를 증가시키면, 진입한 궤도에서 우주선의 최대 중력 위치 에너지는 커진다.

① ㄱ ② ㄴ ③ ㄱ, ㄷ
④ ㄴ, ㄷ ⑤ ㄱ, ㄴ, ㄷ

27. 윗글을 바탕으로 <보기>를 이해할 때, 적절하지 않은 것은?

<보 기>

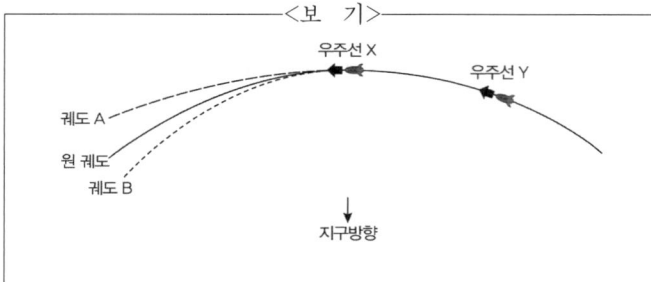

* 단, 두 우주선의 질량은 같으며, 우주선 Y는 계속 원 궤도로 움직이고 있다.

① 전방 분사한 우주선 X가 진입한 궤도에서 가지는 최대 운동 에너지는 우주선 Y보다 더 크다.
② 우주선 X는 궤도 A에서의 최소 중력 위치 에너지가 궤도 B에서의 최소 중력 위치 에너지보다 크다.
③ 후방 분사한 이후의 우주선 X의 중력 위치 에너지의 최솟값은 우주선 Y의 중력 위치 에너지와 같다.
④ 우주선 X가 궤도 A로 진입한 경우, 지구를 한 바퀴 도는 동안 우주선 Y와 같은 운동 에너지를 가지는 궤도상의 지점은 하나이다.
⑤ 우주선 X와 우주선 Y의 가능한 거리 중 최댓값은 우주선 X가 궤도 B로 진입한 경우가 궤도 A로 진입한 경우보다 작다.

[28~30] 다음 글을 읽고 물음에 답하시오.

과학 기술이 발달하고 일상의 삶에 미치는 영향이 점점 커짐에 따라 법정에서 과학 기술 전문가의 지식을 필요로 하는 사례도 늘고 있다. 유전자 감식에 의한 친자 확인, 디지털 포렌식을 통한 범죄 수사 등은 이미 낯설지 않고, 최근에는 연륜연대학에 기초한 과학적 증거의 활용도 새롭게 관심을 끌고 있다.

연륜연대학이란, 나이테를 분석하여 나무의 역사를 재구성하는 과학이다. 온대림에서 자라는 대부분의 수목은 매년 나이테를 하나씩 만들어 내는데, 그것의 폭, 형태, 화학적 성질 등은 수목이 노출되어 있는 환경의 영향을 받는다. 예를 들어 나이테의 폭은 강수량이 많았던 해에는 넓게, 가물었던 해에는 좁게 형성된다. 따라서 연속된 나이테가 보여 주는 지문과도 같은 패턴은 나무의 생육 연대를 정확히 추산하기 위한 단서가 된다.

[A] 2005년에 400개의 나이테를 가진 400년 된 수목을 베어냈는데, 그 단면에서 1643년부터 거슬러 1628년까지 16년 동안 넓은 나이테 5개, 좁은 나이테 5개, 넓은 나이테 6개 순으로 연속된 특이 패턴이 보였다고 하자. 한편 인근의 역사 유적에 대들보로 사용된 오래된 목재는 나무의 중심부와 그것을 둘러싼 332개의 나이테를 보여 주지만 베어진 시기를 알 수 없었는데, 만일 그 가장자리 나이테에서 7개째부터 앞서의 수목과 동일한 패턴이 발견된다면 그 목재로 사용된 나무는 1650년경에 베어졌고 1318년경부터 자란 것이라는 결론을 내릴 수 있다. 나아가 그 목재를 유적의 기둥 목재와 비슷한 방식으로 비교하여, 나이테 기록을 보다 먼 과거까지 소급할 수 있다.

이와 같이 나이테를 통한 비교 연대 측정은 예술 작품이나 문화재 등의 제작·건립 시기를 추정하는 과학적 기법을 제공하기도 하지만, 종종 법률적 사안의 해결에 도움을 주기도 한다. 수목으로 소유지 경계를 표시하던 과거에는 수목의 나이를 확인하는 것이 분쟁 해결에 중요한 역할을 담당하였다. 형사 사건에서도 나이테 분석을 활용한 적이 있다. 1932년 린드버그의 아기를 납치·살해한 범인을 수목 과학자인 콜러가 밝혀낸 일화는 잘 알려져 있다. 그는 범행 현장에 남겨진 수제 사다리의 목재를 분석함으로써, 그것이 언제 어느 제재소에서 가공되어 범행 지역 인근의 목재 저장소로 운반되었는지를 추적하는 한편, 용의자의 다락방 마루와 수제 사다리의 일부가 본래 하나의 목재였다는 사실도 입증해 냈다.

나이테 분석의 활용 잠재성이 가장 큰 영역은 아마도 환경 소송 분야일 것이다. 과학자들은 나이테에 담긴 환경 정보의 종단 연구를 통해 기후 변동의 역사를 고증하고, 미래의 기후 변화를 예측하는 데 주로 관심을 기울여 왔다. 하지만 나이테에 담긴 환경 정보에는 비단 강수량이나 수목 질병만이 아니라 중금속이나 방사성 오염 물질, 기타 유해 화학 물질에 대한 노출 여부도 포함되므로 이를 분석하면 특정 유해 물질이 어느 지역에 언제부터 배출되었는지를 확인할 수 있을 것이다. 넓은 의미의 연륜연대학 중에서 이처럼 수목의 화학적 성질에 초점을 맞춘 연구만을 따로 연륜화학이라 부르기도 한다.

[B] 한편 과학 기술 전문가의 견해가 법정에서 실제로 유의미하게 활용되기 위해서는 일정한 기준을 충족해야 하는데, 이 점은 나이테 분석도 마찬가지다. 법원으로서는 전문가의 편견 및 오류 가능성이나 특정 이론의 사이비 과학 여부 등에도 신경을 쓸 수밖에 없기 때문이다. 나이테 분석을 통한 환경오염의 해석은 분명 물리적 환경 변화의 해석에서보다 고려해야 할 변수도 많고, 아직 그 역사도 상당히 짧다. 하지만 이 같은 해석 기법이 환경 소송을 주재할 법원의 요구에 부응할 수 있는 과학 기술적 토대를 갖추었다고 평가하는 견해가 점차 늘어나고 있다.

28. 윗글로 보아 적절하지 않은 것은?

① 나이테 분석이 이미 생성된 나이테만을 대상으로 할 수밖에 없다면, 아직 발생하지 않은 변동을 예측하는 데는 사용되지 못할 것이다.
② 특정 수목이 소유지 경계 획정 시 성목(成木)으로 심은 것이라면, 그 나이테의 개수가 경계 획정 시기까지 소급한 햇수보다 적지 않을 것이다.
③ 발생 연도가 확실한 사건에 대한 지식이 추가되면, 비교할 다른 나무가 없어도 특정 수목의 생육 연대를 비교적 정확하게 추산하는 것이 가능하다.
④ 배후지의 나무와 달리 차로변의 가로수만 특정 나이테 층에서 납 성분이 발견되었다면, 그 시기에는 납을 함유한 자동차 연료가 사용되었다고 추정하는 것이 가능하다.
⑤ 가장자리 나이테 층뿐 아니라 심부로도 수분과 양분이 공급되는 종류의 나무라면, 나이테 분석을 통해 유해 화학 물질의 배출 시기를 추산할 때 오차가 발생할 것이다.

29. [A]에 대해 추론한 내용으로 옳지 않은 것은?

① 2005년에 베어 낸 수목은 1605년경부터 자랐을 것이다.
② 대들보로 사용된 목재의 가장자리에서 10번째 나이테는 폭이 넓을 것이다.
③ 대들보로 사용된 목재의 가장자리에서 20번째 나이테는 폭이 좁을 것이다.
④ 대들보로 사용된 목재의 가장자리에서 15번째 나이테는 1635년경에 생겼을 것이다.
⑤ 대들보로 사용된 목재와 기둥 목재의 나이테 패턴 비교 구간은 1318년경에서 1650년경 사이에 있을 것이다.

30. [B]를 참조하여 <보기>의 입장들을 설명할 때, 적절하지 않은 것은?

<보 기>

X국에는 과학적 연구 자료를 법적으로 활용하는 기준에 대하여 다음과 같은 입장들이 있다. 각각의 입장에서 전문가의 '나이테 분석에 근거한 연구 결과'가 어떻게 이용될지 생각해 보자.

A : 관련 분야 전문가들의 일반적 승인을 얻은 것만을 증거로 활용한다.
B : 사안에 대한 관련성이 인정되는 한 모두 증거로 활용하되, 전문가의 편견 개입 가능성이나 쟁점 혼란 또는 소송 지연 등의 사유가 있을 경우에는 활용하지 않는다.
C : 사안에 대한 관련성이 인정되고, 일정한 신뢰성 요건(검증 가능성, 적정 범위 내의 오차율 등)을 갖춘 것은 모두 증거로 활용한다.

① A를 따르는 법원이 수목의 병충해 피해 보상을 판단할 때 해당 연구 결과를 유의미하게 활용한다면, 나이테를 통한 비교 연대 측정 방법은 대체로 인정된다고 추정할 수 있군.
② A를 따르는 법원이 공장의 유해 물질 배출로 인한 피해의 배상을 판단할 때 해당 연구 결과를 유의미하게 활용한다면, 연륜화학의 방법은 대체로 인정된다고 추정할 수 있군.
③ B를 따르는 법원이 방사능 피해 보상 문제에서 해당 연구 결과를 유의미하게 활용한다면, 그 연구의 수행자가 피해 당사자의 입장을 적극 대변하는 인물이라고 추정할 수 있군.
④ C를 따르는 법원이 장기간의 가뭄으로 인한 농가 피해의 보상을 판단할 때 해당 연구 결과를 유의미하게 활용한다면, 나이테 분석은 사이비 과학이 아니라고 추정할 수 있군.
⑤ C를 따르는 법원이 홍수로 인한 농가 피해의 보상을 판단할 때 해당 연구 결과를 유의미하게 활용하지 않는다면, 연륜연대학의 방법이 일정한 신뢰성의 요건을 충족하지 못한다고 추정할 수 있군.

2027학년도 LEET 대비
기출문제 해설집

2019

영역별 출제 비중 분석

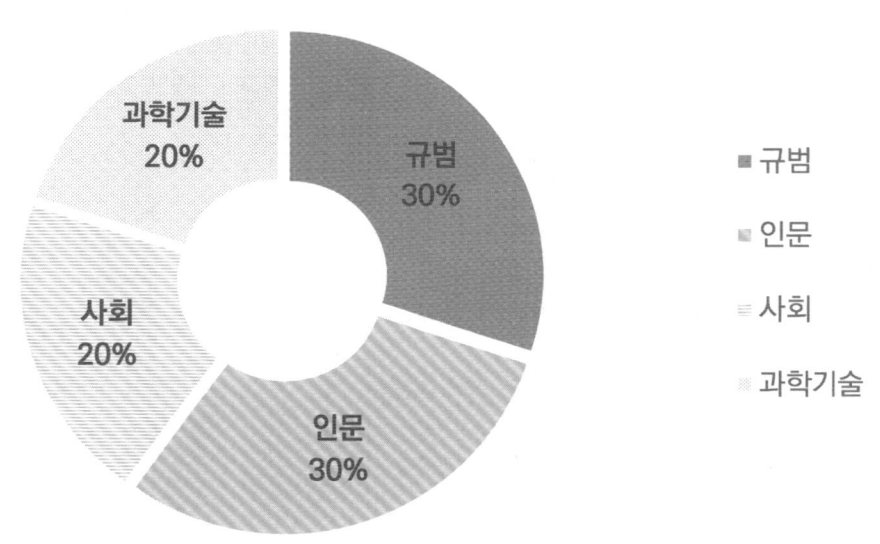

내용 영역	규범	인문	사회	과학기술	총
문항 수	9	9	6	6	30

2019학년도 언어이해

출제 경향 분석

2019학년도는 전년도에 비해 제시문 수와 문항 수가 줄었지만 수험생들의 체감 난도는 오히려 상승하였다. 선택지와 보기의 길이가 전반적으로 길어졌고, 제시문의 내용을 단순하게 확인하는 선택지보다 복잡한 추론과정을 필요로 하는 선택지가 많아졌기 때문이다. 이로 인해 수험생들이 선택지의 정오를 가리는 기준을 찾는 것이 쉽지 않았을 것이며, 선택지의 선택에 확신을 가지지 못하는 문항이 많았을 것으로 판단된다.

제 1 교시

홀수형

2019학년도 법학적성시험

언어이해 문제지

성 명

수험번호

수험생 유의사항

—

○ 이 문제지는 **30문항**으로 구성되어 있습니다.

○ **시험 시간은 09 : 00 ~ 10 : 10(70분)입니다.**

○ 문제지에 성명과 수험번호를 정확하게 기재하십시오.

○ 답안지는 반드시 컴퓨터용 사인펜을 사용하여 답을 표기하여야 합니다.

○ 답안지의 '필적확인란'에 제시된 문구를 정확히 정자로 기재하여야 합니다.

메가로스쿨

2019학년도 법학적성시험
언어이해

제1교시 홀수형

[1~3] 다음 글을 읽고 물음에 답하시오.

법의 본질에 대해서는 많은 논의들이 있어 왔다. 그 오래된 것들 가운데 하나가 사회에 형성된 관습에서 그 본질을 파악하려는 견해이다. 관습이론에서는 이런 관습을 확인하고 재천명하는 것이 법이 된다고 본다. 곧 법이란 제도화된 관습이라고 보는 것이다. 관습을 재천명하는 역할은 원시 사회라면 족장 같은 권위자가, 현대 법체계에서는 사법기관이 수행할 수 있다. 입법기관에서 이루어지는 제정법 또한 관습을 확인한 결과이다. 예를 들면 민법의 중혼 금지 조항은 일부일처제의 사회적 관습에서 유래하였다고 설명한다. 나아가 사회의 문화와 관습에 어긋나는 법은 성문화되어도 법으로서의 효력이 없으며, 관습을 강화하는 법이어야 제대로 작동할 수 있다고 주장한다. 성문법이 관습을 변화시킬 수 없다는 입장을 취하는 것이다.

법을 사회구조의 한 요소로 보고 그 속에서 작용하는 기능에서 법의 본질을 찾으려는 구조이론이 있다. 이 이론에서는 관습이론이 법을 단순히 관습이나 문화라는 사회적 사실에서 유래한다고 보는 데 대해 규범을 정의하는 개념으로 규범을 설명하는 오류라 지적한다. 구조이론에서는 교환의 유형, 권력의 상호 관계, 생산과 분배의 방식, 조직의 원리들이 모두 법의 모습을 결정하는 인자가 된다. 이처럼 법은 구조화의 결과물이며, 이 구조를 유지하고 운영할 수 있는 합리적 방책이 필요하기에 도입한 것이다. 따라서 구조이론에서는 상이한 법 현상을 사회 구조의 차이에 따른 것으로 설명한다.

1921년 팔레스타인 지역에 세워진 모샤브 형태의 정착촌 A와 키부츠 형태의 정착촌 B는 토지와 인구의 규모가 비슷한 데다, 토지 공유를 바탕으로 동종의 작물을 경작하였고, 정치적 성향도 같았다. 그런데도 법의 모습은 서로 판이했다. A에서는 공동체 규칙을 강제하는 사법위원회가 성문화된 절차에 따라 분쟁을 처리하고 제재를 결정하였지만, B에는 이러한 기구도, 성문화된 규칙이나 절차도 없었다. 구조이론은 그 차이를 이렇게 ㉠분석한다. B에서는 공동 작업으로 생산된 작물을 공동 소유하는 형태를 지니고 있어서 구성원들 사이의 친밀성이 높고 집단 규범의 위반자를 곧바로 직접 제재할 수 있었다. 하지만 작물의 사적 소유가 인정되는 A에서는 구성원이 독립적인 생활 방식을 바탕으로 살아가기 때문에 비공식적인 규율로는 충분하지 않고 공식적인 절차와 기구가 필요했다.

법의 존재 이유가 사회 전체의 필요라는 구조이론의 전제에 의문을 제기하면서, 법과 제도로 유지되고 심화되는 불평등에 주목하여야 한다는 갈등이론도 등장한다. 갈등이론에서 법은 사회적 통합을 위한 합의의 산물이 아니라, 지배 집단이 억압 구조를 유지·강화하여 자신들의 이익을 영위하려는 하나의 수단이라고 주장한다. 19세기 말 미국에서는 아동의 노동을 금지하는 아동 노동 보호법을 만들려고 노력하여 20세기 초에 제정을 보았다. 이것은 문맹, 건강 악화, 도덕적 타락을 야기하는 아동 노동에 대한 개혁 운동이 수십 년간 지속된 결과이다. 이에 대해 관습이론에서는 아동과 가족생활을 보호하여야 한다는 미국의 전통적 관습을 재확인하는 움직임이라고 해석할 것이다. 구조이론에서는 이러한 법 제정을 사회구조가 균형을 이루는 과정으로 설명하려 할 것이다. 하지만 갈등이론에서는 법 제정으로 말미암아 값싼 노동력에 근거하여 생존하는 소규모 기업이 대거 퇴출되었다는 점, 개혁 운동의 많은 지도자들이 대기업 사장의 부인들이었고 운동 기금도 대기업의 기부에 많이 의존하였다는 점을 지적한다.

이론 상호 간의 비판도 만만찮다. 관습이론은 비합리적이거나 억압적인 사회·문화적 관행을 합리화해 준다는 공격을 받는다. 구조이론은 법의 존재 이유가 사회적 필요에서 나온다는 단순한 가정을 받아들이는 것일 뿐이고, 갈등이론은 편향적인 시각으로 흐를 수 있을 것이라고 비판받는다.

1. 윗글에 대한 이해로 가장 적절한 것은?
① 관습이론은 지배계급의 이익을 위한 억압적 체계를 합리화한다는 비판을 받는다.
② 구조이론은 법이 그런 모습을 띠는 이유보다는 법이 발생하는 기원을 알려 주려 한다.
③ 구조이론은 규범을 정의하는 개념으로 규범을 설명하기 때문에 논리적 문제가 있다고 공격을 받는다.
④ 갈등이론은 사회관계에서의 대립을 해소하는 역할에서 법의 기원을 찾는다.
⑤ 갈등이론은 법 현상에 대한 비판적 접근을 통해 전체로서의 사회적 이익을 유지하는 기능적 체계를 설명한다.

2. ㉠의 내용으로 적절하지 않은 것은?

① A의 사법위원회가 지닌 사회 구조 유지의 기능이 사적 소유제의 도입에 따른 가정 간 빈부 격차를 고착시키는 역할을 수행하였다고 규명한다.
② B의 공동생활 방식은 구성원들이 일상적인 비난과 제재의 가능성에 놓이도록 만들기 때문에 천명되지 않은 관습도 법처럼 지켜졌다고 파악한다.
③ A와 B는 사회의 조직이나 구조가 상이하기 때문에 서로 다른 법체계를 가졌다고 설명한다.
④ B와 달리 A에서 성문화된 규칙이 발전한 모습을 보고 사회 관행과 같은 비공식적 규율은 독립적인 생활 방식의 규율에 적합하지 않았다고 해석한다.
⑤ B와 달리 A는 구성원이 함께 하는 생활 속에서 규범을 체득하는 구조가 아니라서 규율 내용을 명시하여야 규범을 둘러싼 갈등을 억제할 수 있었다고 이해한다.

3. 관습이론 에 관한 추론으로 적절하지 않은 것은?

① 구조이론이나 갈등이론이 법을 자연적으로 발생한 것이 아니라고 보는 데 대하여 관습이론도 동의할 것이다.
② 상이한 법체계를 가진 두 사회에 대하여 구조이론이 조직 원리상의 차이로 그 원인을 설명할 때, 관습이론은 관습이 서로 다르기 때문이라고 이를 반박할 것이다.
③ '여성발전기본법', '남녀차별금지및구제에관한법률'의 제정이 한국 사회에서 여성에 대한 차별 관행의 전환을 이끌어 냈다는 평가는 관습이론의 논거를 강화할 것이다.
④ 과거 남계 혈통 중심의 호주제가 현재의 변화된 가족 문화에 맞지 않기 때문에 개정 민법으로 폐지되었다는 분석에 대해, 관습 이론은 관습을 재천명하는 법의 역할을 보여 준다고 하여 지지할 것이다.
⑤ 허례허식을 일소하기 위하여 1993년 제정된 '가정의례에관한법률'이 금지한 행위들이 국민들 사이에서 여전히 지속되다가 1999년에 그 법률이 폐지되었다는 사실에서, 성문법이 관습을 변화시킬 수 없다는 주장은 힘을 얻을 것이다.

[4~6] 다음 글을 읽고 물음에 답하시오.

서기 2세기 중엽, 로마의 속주 출신 그리스인 아리스티데스는 로마 통치의 특징을 묘사하는 「로마 송사(頌辭)」라는 연설문을 남긴다. 이 글은 로마 제국에 대한 동시대인의 증언이자, 정복자가 아닌 속주, 즉 식민지 지식인의 논평이라는 점에서 흥미롭다. 그렇지만 로마의 통치 원리에 대한 그의 설명은 정작 로마인에게는 익숙한 것이 아니었다. 예를 들어 그는 '보편 시민'을 구현하려는 시민권 정책의 개방성 원리를 칭찬하지만, 로마인은 그 정책 배후의 이념을 숙고하지 않았다. 로마인에게 속주 엘리트들에 대한 시민권 개방은 분리 통치를 위한 '지배 비결'이었을 뿐이다.

하지만 아리스티데스는 로마의 정책을 이념의 측면에서 볼 필요가 있었다. 이미 300여 년간 그리스 지식인들은 로마 권력의 속성과 그리스인이 로마 통치에 관해 취할 태도에 대한 담론을 지속해 왔기 때문이다. 우선 로마의 지배에 들어간 기원전 2세기 중엽 이래 그리스 지식인들은 그리스인의 대처 자세에 대해 고민했다. 가장 먼저 이를 논의한 이들은 기원전 2~1세기의 철학자 파나이티오스와 포세이도니오스였다. 그들의 논리는 최선자(最善者)의 지배가 약자에게 유익하다는 것이었다. 그로써 그리스인은 로마인에 대해 지배의 도덕적 정당성을 인정하면서 ㉠순응주의를 드러냈다. 하지만 과연 로마인은 최선자였던가? 속주에 배치된 군 지휘관과 관리들에 대한 속주민의 고발이 잦았던 당시 현실에서 보면 그 대답은 어렵지 않다.

한편 서기 1세기 초 로마의 정체(政體)가 공화정에서 제정으로 바뀐 뒤, 그때까지 통치하기보다는 그저 점령해 온 지역에서 실질적 행정이 시작되었다. 그 결과 로마의 통치가 공고해지고, 로마가 가져온 평화의 혜택이 자명해졌다. 그리스 문화를 존중하는 로마 황제들의 배려가 늘어가면서, 그리스인의 자유 상실감은 상당히 약화되었다. 이제 그들은 문학과 철학에서의 문화 권력을 인정받는 대가로 권력과 타협할 준비가 되어 있었다. 이를 ㉡타협주의라고 부를 수 있을 것이다. 예컨대 서기 1세기 초의 역사가 디오니시우스는 실체적 근거도 없이 로마인의 뿌리는 사실 그리스인이라며 일종의 동조론(同祖論)을 제기했다. 그렇지만 이는 로마인에 대한 아부가 아니라 그리스인을 위한 타협의 신호였다. 정복자로 성공한 로마인을 불편하게 대할 이유가 없다는 것이었다. 거의 같은 시기의 수사학자 디오는 황제들이 타락하지 않으면, 로마가 관대한 통치를 펴고 그리스인의 이상인 '화합'을 실현할 것이라고 전망하였다. 아직까지는 자신들의 정체성을 지키기 위한 노력을 포기하지 않았기 때문이다.

그러나 아리스티데스의 시기에 이르면 속주 지식인들의 기조는 ㉢동화주의로 변했다. 역사가 아피아누스는 제정이 안정과 평화, 풍요를 안겨 주었다고 보았고, 그런 의미에서 로마가 공화정에서 제정으로 전환된 것을 축복이라고 묘사했다. 이는 그가 아직도 옛 정체에 대한 향수를 짙게 간직하고 있던 로마의 전통적 지배 계층보다 새로운 체제와 일체감을 더 지녔음을 보여 준다. 그리고 아리스티데스는 「로마 송사」에서 그리스에 대한 혜택과 배려를 더 이상 논하지 않고, 제국 시민으로서의 관점을 강조한다. 그리고 제국 통치가 가져다 준 평화의 전망 속에서 그리스의 지역 엘리트들은 더 이상 통치할 권리를 두고 서로 싸우지 않는다고 말한다. 요컨대 아리스티데스는 식민지 엘리트들의 탈정치화를 상정하고 있다. 그는 모든 속주 도시의 정치적 자립성이 세계 제국 안에서 소멸되는 상태를 꿈꾸는 것이다.

게다가 그가 보기에 로마는 이전의 다른 제국인 페르시아에 비해 행정 조직과 지배 이념에 있어서 비교 우위를 지녔다. 로마의 행정 조직은 거대하지만 동시에 체계적인 점이 특징이라는 것이다. 이 체계적인 면이란 곧 통치의 탈인격성을 가리키며, 바로 페르시아 왕의 전횡과 대척을 이루는 것이다. 이렇게 「로마 송사」는 '팍스로마나'가 절정에 달해 있던 서기 2세기 중엽의 로마 정책에 대해 공감하고 동조하며 결국 동화되었던 그리스 지식인들의 자세를 잘 보여 주고 있다.

4. 윗글의 내용과 일치하는 것은?

① 공화정 말기에 로마의 속주 행정은 페르시아와 달리 전횡성을 극복하였다.
② 공화정 말기에 속주민은 로마 군 지휘관과 관리들의 통치에 이견을 표하지 못했다.
③ 제정 초기에 로마의 상류층은 평화와 안정을 보장하는 체제의 변화를 환영하였다.
④ 제정 초기에 그리스 지식인들은 로마의 그리스 문화 존중을 바탕으로 자존감을 지켰다.
⑤ '팍스 로마나' 절정기의 시민권 정책은 '보편 시민' 양성이라는 통치 원리의 산물이었다.

5. ㉠~㉢에 대한 설명으로 적절하지 않은 것은?

① ㉠에서는 지배의 정당성을 윤리적 정당성과 일치시키는 논리를 내세웠다.
② ㉡에서는 그리스 정체성의 유지를 중시한다는 특징을 갖고 있다.
③ ㉢에서는 제국 행정 시스템의 체계적인 면을 높이 평가했다.
④ ㉡과 ㉢에서는 자유보다 평화와 안전을 중시한다는 공통점을 지녔다.
⑤ ㉠, ㉡, ㉢ 모두 로마의 정체 변화를 긍정적으로 파악하고 있다.

6. 윗글을 바탕으로 <보기>를 평가한 내용으로 가장 적절한 것은?

<보 기>

정치가는 자신과 출신 도시가 로마 통치자들에게 책잡히지 않도록 해야 함은 물론, 로마의 고위 인사 중에 친구를 가지도록 해야만 한다. 로마인은 친구들의 정치적 이익을 증대시켜 주는 데 열심이기 때문이다. 우리가 거물들과의 우정에서 이득을 보게 되었을 때, 그 이점이 우리 도시의 복지에 이어지도록 하는 것도 좋다. …… 우리 그리스 도시들이 누리는 축복들인 평화, 번영, 풍요, 늘어난 인구, 질서, 화합을 생각해 보라. 그리스인이 이민족들과 싸우던 모든 전쟁은 자취를 감추었다. 자유에 관한 한, 우리 도시 주민들은 통치자들이 허용해 주는 커다란 몫을 누리고 있다. 아마 그 이상의 자유는 주민들을 위해서도 좋지 않을 것이다.

– 플루타르코스, 「정치가 지망생을 위한 권고」

① '우리 도시'와 '화합'을 말하고 있다는 점에서, 그리스인의 정체성 지키기를 포기하지 않은 디오와 같은 자세를 견지한다고 보아야겠군.
② '자신과 출신 도시', '평화'와 '풍요'를 거론하고 있다는 점에서, 황제의 통치를 환영한 아피아누스와 동시대인의 주장이라고 보아야겠군.
③ 로마는 '친구들'의 '정치적 이익'을 지켜 준다고 한다는 점에서, 시민권 확대에 주목한 아리스티데스와 같은 태도를 보이고 있다고 보아야겠군.
④ 그리스인이 '이민족들'과 싸우던 전쟁이 사라졌음을 강조한다는 점에서, 로마인과 그리스인이 한 뿌리를 가졌다고 보는 디오니시우스의 주장을 지지한다고 보아야겠군.
⑤ '통치자들'의 눈치를 보고 그들이 준 '번영'과 '질서'를 상기시킨다는 점에서, 약자에게 유익한 점을 고민한 파나이티오스, 포세이도니오스와 동시대인의 견해라고 보아야겠군.

[7~9] 다음 글을 읽고 물음에 답하시오.

첨단 소재 분야의 연구에서는 마이크로미터 이하의 미세한 구조를 관찰할 수 있는 전자 현미경이 필요하다. 전자 현미경과 광학 현미경의 기본적인 원리는 같다. 다만 광학 현미경은 관찰의 매체로 가시광선을 사용하고 유리 렌즈로 빛을 집속하는 반면, 전자 현미경은 전자빔을 사용하고 전류가 흐르는 코일에서 발생하는 자기장을 이용하여 전자빔을 집속한다는 차이가 있다.

광학 현미경은 시료에 가시광선을 비추고 시료의 각 점에서 산란된 빛을 렌즈로 집속하여 상(像)을 만드는데, 다음과 같은 이유로 미세한 구조를 관찰하는 데 한계가 있다. 크기가 매우 작은 점광원에서 나온 빛은 렌즈를 통과하면서 회절 현상에 의해 광원보다 더 큰 크기를 가지는 원형의 간섭무늬를 형성하는데 이를 '에어리 원반'이라고 부른다. 만약 시료 위의 일정한 거리에 있는 두 점에서 출발한 빛이 렌즈를 통과할 경우 스크린 위에 두 개의 에어리 원반이 만들어지게 되며, 이 두 점의 거리가 너무 가까워져 두 에어리 원반 중심 사이의 거리가 원반의 크기에 비해 너무 작아지면 관찰자는 더 이상 두 점을 구분하지 못하고 하나의 점으로 인식하게 된다. 이 한계점에서 시료 위의 두 점 사이의 거리를 '해상도'라 부른다. 일반적으로 현미경에서 얻을 수 있는 최소의 해상도는 사용하는 파동의 파장, 렌즈의 초점 거리에 비례하며 렌즈의 직경에 반비례한다. 따라서 사용하는 파장이 짧을수록 최소 해상도가 작아지며, 더 또렷한 상을 얻을 수 있다. 광학 현미경의 경우 파장이 가장 짧은 가시광선을 사용하더라도 그 해상도는 파장의 약 절반인 200 nm보다 작아질 수가 없다. 반면 전자 현미경에 사용되는 전자빔의 전자도 양자역학에서 말하는 '입자-파동 이중성'에 따라 파동처럼 행동하는데 이 파동을 '드브로이 물질파'라고 한다. 물질파의 파장은 입자의 질량과 속도의 곱인 운동량에 반비례하는데 전자 현미경에서 가속 전압이 클수록 전자의 속도가 크고 수십 kV의 전압으로 가속된 전자의 물질파 파장은 대략 0.01 nm 정도이다. 하지만 전자 현미경의 렌즈의 성능이 좋지 않아 해상도는 보통 수 nm이다.

전자 현미경의 렌즈는 전류가 흐르는 코일에서 발생하는 자기장을 사용하여 전자의 이동 경로를 휘게 하여 전자를 모아 준다. 전하를 띤 입자가 자기장 영역을 통과할 때 속도와 자기장의 세기에 비례하는 힘을 받는데 그 방향은 자기장에 대해 수직이다. 전자 렌즈는 코일을 적절히 배치하여 특별한 형태의 자기장을 발생시켜 렌즈를 통과하는 전자가 렌즈의 중심 방향으로 힘을 받도록 만든다. 코일에 흐르는 전류를 증가시키면 코일에서 발생하는 자기장의 세기가 커지고 전자가 받는 힘이 커져 전자빔이 더 많이 휘어지면서 초점 거리가 줄어드는 효과를 얻을 수 있다. 대물렌즈의 초점 거리가 작아지면 현미경의 배율은 커진다. 따라서 광학 현미경에서는 배율을 바꿀 때 대물렌즈를 교체하지만 전자 현미경에서는 코일에 흐르는 전류를 조절하여 일정 범위 안에서 배율을 마음대로 조정할 수 있다. 하지만 렌즈의 중심과 가장자리를 통과하는 전자가 받는 힘을 적절히 조절하여 한 점에 모이도록 하는 것이 어려우므로 광학 현미경에 비해 초점의 위치가 명확하지 않다.

전자 현미경은 고전압으로 가속된 전자빔을 사용하므로 현미경의 내부는 기압이 대기압의 $1/10^{10}$ 이하인 진공 상태여야 한다. 전자는 공기와 충돌하면 에너지가 소실되거나 굴절되는 등 원하는 대로 제어하기 어렵기 때문이다. 또한 절연체 시료를 관찰할 때 전자빔의 전자가 시료에 축적되어 전자빔을 밀어내는 역할을 하게 되므로 이미지가 왜곡될 수 있다. 이 때문에 보통 절연체 시료의 표면을 금 또는 백금 등의 도체로 얇게 코팅하여 사용한다.

광학 현미경에서는 실제의 상을 눈으로 볼 수 있지만, 전자 현미경에서는 시료에서 산란된 전자의 물질파를 검출기에 집속하여 상이 맺힌 지점에서 전자의 분포를 측정함으로써 시료 표면의 형태를 디지털 영상으로 나타낸다. 이러한 전자 현미경의 특성을 활용하면 다양한 검출기 및 주변 기기를 장착하여 전자 현미경의 응용 분야를 확장할 수 있다.

7. 윗글의 내용과 일치하는 것은?
① 광학 현미경의 해상도는 시료에 비추는 빛의 파장에 의존하지 않는다.
② 전자 현미경에서 진공 장치 내부의 기압이 높을수록 선명한 상을 얻을 수 있다.
③ 전자 현미경에서 렌즈의 중심과 가장자리를 통과한 전자는 같은 점에 도달한다.
④ 전자 현미경에서 시료의 표면에 축적되는 전자가 많을수록 상의 왜곡이 줄어든다.
⑤ 광학 현미경과 전자 현미경은 모두 시료에서 산란된 파동을 관찰하여 상을 얻는다.

8. 윗글에서 이끌어 낼 수 있는 전자 현미경의 특성만을 <보기>에서 있는 대로 고른 것은?

<보 기>
ㄱ. 전자의 물질파 파장이 길수록 전자가 전자 렌즈를 지날 때 더 큰 힘을 받는다.
ㄴ. 전자의 가속 전압을 증가시키면 상에서 에어리 원반의 크기를 더 작게 할 수 있다.
ㄷ. 전자 렌즈의 코일에 흐르는 전류를 감소시키면 상의 해상도를 더 작게 할 수 있다.

① ㄱ　　　　② ㄴ　　　　③ ㄷ
④ ㄱ, ㄴ　　　⑤ ㄱ, ㄴ, ㄷ

9. <보기>에 대한 설명으로 가장 적절한 것은?

───<보 기>───

(가)와 (나)는 크기가 일정한 미세 물체가 일정한 간격으로 배치된 구조를 전자 현미경으로 각각 찍은 사진이며 (나)는 (가)에서 사각형 부분에 해당한다.

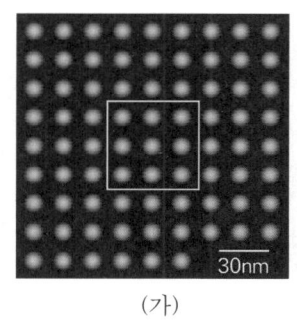
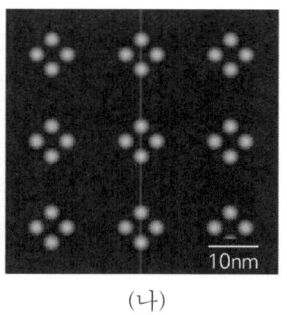

(가)   (나)

① (가)의 해상도는 30 nm보다 크다.
② (가)에서 전자 현미경 내부의 기압은 대기압보다 크다.
③ (나)에서 사용된 전자의 물질파 파장은 20 nm보다 크다.
④ (나)에서 렌즈의 코일에 흐르는 전류는 (가)의 경우보다 크다.
⑤ (나)에서 사용된 전자의 속력은 (가)에서 사용된 전자의 속력보다 3배 작다.

[10~12] 다음 글을 읽고 물음에 답하시오.

현대 문학의 주요 비평 개념 중 하나인 멜랑콜리는 본래 '검은 담즙'을 뜻하는 고대 그리스의 의학 용어였다. 그 당시 검은 담즙은 '우울과 슬픔에 젖는 기질'의 원인으로 간주되었고, 나태함, 게으름, 몽상 등은 '우울질'의 표현이자 멜랑콜리의 속성이라 분류되었다. 이런 속성들은 열정처럼 적극적으로 분출되는 감정이 아니라 열정의 결여 상태, 즉 감정을 느낄 수 있는 능력이 쇠락해진 상태와 관련된다는 공통점이 있다. 멜랑콜리가 야기하는 정신적 무능에 대해 키르케고르는 "멜랑콜리는 무사태평한 웃음 속에서 메아리치는 이 시대의 질병이며, 우리로부터 행동과 희망의 용기를 앗아간다."라고 평가하기도 했다.

멜랑콜리는 상실을 인식하고 그 상실감에 자발적으로 침잠하는 태도이다. 일회적이고 찰나적이어서 다시는 돌이킬 수 없는 대상들을 향한 상실감에서 멜랑콜리는 유래한다. 그럼에도 멜랑콜리는 다만 어둡지만은 않으며 매혹적인 면을 가지고 있다. 삶과 죽음, 사랑과 이별처럼 인식 불가능한 타자성을 외면하기보다 차라리 자기 안에 가두려는 욕망이기 때문이다. 멜랑콜리는 대상의 상실에 따른 퇴행적 반응이라기보다는 오히려 상실된 대상을 살아 있게 만드는 몽환적인 능력이다. 따라서 이처럼 타자성을 자기 속에 가두고 관조하면서 자기만의 세계로 빠져 들려는 자, 즉 멜랑콜리커(Melancholiker)가 진정으로 추구하는 것은 상실된 대상 자체가 아니라 그 대상의 부재이며, 이 대상이 현존하지 않는 한에서 그것은 늘 점유를 향한 멜랑콜리커의 욕망을 추동하는 힘으로 작용한다.

멜랑콜리의 몽환적 능력은 현실을 대하는 태도의 측면에서 여러 견해를 낳았다. 벤야민이 "멜랑콜리커의 고독과 침잠, 즉 외면적 부동성(不動性)은 단순한 무기력이 아니라 사물을 꿰뚫어 보는 깊이 있는 사유를 상징"한다고 한 것은 대표적이다. 그는 멜랑콜리커의 고독이 곧 사물에 대한 통찰의 깊이를 나타낸다고 본다. 프로이트는 충분히 슬퍼한 후에 일상으로 귀환하는 애도와 달리 멜랑콜리는 "상실한 대상과 자아가 하나가 되어 버리는 감정"이라 말하면서, 결과적으로 자아를 일상에서 격리한다는 점을 강조했다. 물론 무기력한 슬픔이라는 멜랑콜리의 특성은 이성적인 절제를 강조해 온 근대 사회에서는 결코 환영받을 만한 것이 못 되었다. 하이데거가 근대에 유일하게 남은 열정이 있다면 '열정의 소멸에 대한 열정'이라고 말한 것도 근대 사회의 이러한 이성주의적 특성과 밀접한 관련이 있다.

그러므로 멜랑콜리는 미래에 대한 낙관과 혁신에 대한 자신감 위에 설립된 근대의 진보적 세계관의 필연적인 그림자가 되었다. 근대가 창출한 ㉠사회적 모더니티는 국민국가, 자본주의 그리고 시민주의를 축으로 하는 공적 제도의 영역에서, 베버의 언급을 따르자면 '정신(Geist) 없는 전문가'와 '가슴 없는 향락가'들을 양산해 낸다. 그러나 사회적 모더니티의 지배적 가치들에 저항하는 태도라 할 ㉡문화적 모더니티는 진보하는 부르주아지의 공적세계가 은폐한 사적 공간에서 멜랑콜리커들을 키워 낸다. 문화적 모더니티는 부르주아지의 근대가 아니라 소위 사회적 부적응자들, 즉 몰락한 귀족, 룸펜 프롤레타리아트, 실패한 예술가, 부유(浮遊)하는 지식인들처럼 세계의 바깥에서 떠도는 존재들의 근대이다. 사회적 모더니티의 주체는 계산적 합리성에 근거하여 세계와 대면하고, 규율의 엄격성에 따라 세계에 질서를 부여함으로써 세계의 주인이 된다.

그러나 멜랑콜리커들은 세계의 주인이 되기보다는 자신이 상실했다고 생각하는 그 무엇을 찾는 데에 몰두하고자 한다. 이에 멜랑콜리커는 흔히 탐구자 혹은 수집가의 모습으로 나타난다. 사회적 모더니티는 과학과 기술의 힘으로 외적 자연을 탈신비화하고, 열정을 이해관계로 치환하여 인간의 내적 자연마저 감정의 횡포로부터 해방시켰다. 그러나 문화적 모더니티는 이러한 해방의 역설적 결과로 나타난 환멸감 속에서, 도리어 잃어버린 것들을 우울의 감정으로 보존하려고 한다.

이로써 멜랑콜리는 일종의 문명 비판적인 태도가 된다. 멜랑콜리는 사회적 모더니티가 빠른 속도로 일소한 근원적 가치들과 대상들을 문화적 모더니티의 영역에서 보존한다. 더 이상 지상에 존재하지 않는 것들 앞에서 우리는 우울하다. 그러나 더 정확하게 표현하자면, 우울한 자들에게만 이러한 가치들은 부재하는 현존이라는 역설적 방식으로 살아남는다. 상실된 가치와 대상들을 아직 신앙하는 자는 우울하지 않다. 또한 이들이 완벽하게 소멸되었다고 믿는 자 역시 우울할 수 없다. 멜랑콜리커는 그 중간에 머물면서 '소멸됨으로써 살아있는 어떤 것'을 끝없이 추구하는 것이다.

10. 윗글의 내용과 일치하는 것은?
① 키르케고르는 멜랑콜리의 정신적 무능이 실존적 세계관을 형성하고 절망을 해소하는 요인이 된다고 보았다.
② 벤야민은 고독과 침잠에 빠진 멜랑콜리커의 무기력에서 사물의 본질에 도달할 수 있는 사유의 가능성을 발견하였다.
③ 프로이트는 상실된 대상과 자아가 통합된 애도를 그것이 분리된 멜랑콜리와 구분함으로써 근대인의 몽환적 능력을 강조하였다.
④ 하이데거는 능동적 절제를 통해 감정을 억누르는 것이 감정에 대한 근대인의 근본적 자세가 되어야 한다고 주장하였다.
⑤ 베버는 근대 사회의 모든 영역이 숙련된 기술을 갖춘 엘리트들로 채워져야 한다고 보았다.

11. ㉠과 ㉡에 대한 설명으로 적절하지 않은 것은?
① ㉠은 외적 자연과 내적 자연을 구분하지만 이들 모두를 계산적 합리성으로 지배한다.
② ㉡은 이성으로부터의 해방이 가져온 역설적 결과로 나타난 환멸감을 근간으로 성립된다.
③ ㉠과 ㉡은 세계에 질서를 부여하려는 주체가 존재하느냐의 유무에서 차이를 보인다.
④ ㉠과 ㉡은 공적 영역과 사적 영역에서 근대가 만들어낸 대립적 인간상이 출현하는 양상과 관련된다.
⑤ ㉠은 외적 자연을 변화의 대상으로 삼고, ㉡은 근대적 발전이 앗아간 것들을 부재하는 현존의 상태로 보존한다.

12. 윗글을 바탕으로 <보기>를 이해한 내용으로 적절하지 않은 것은?

<보 기>

최명익의 「비 오는 길」(1936)은 식민지 근대화가 진행되는 도시의 풍경을 그린다. 표제는 주인공 병일의 내면을 '우울한 장맛비'로 비유한 것이다. 작가는 정치적 저항이 불가능해진 상황에서 과거의 이상을 잃고 슬퍼하는 청년을 주인공으로 선택했다. 병일의 상실감은 특정 대상에 집착하는 증세인 독서벽(讀書癖)으로 나타난다. 그의 독서벽은 독서회를 조직하여 삶의 목표와 정치의식을 고민하던 학생 시절의 유산이다. 궁핍하게 살아가는 병일에게 이웃 사내는 책 살 돈으로 저축하라 훈계하지만, 병일은 책이 없으면 최소한의 자기 생활도 없을 것이라고 답한다. 그의 태도는 돈을 모아 '세상살이'를 하는 것이 행복이라는 이웃 사내의 인생관과 대조를 이룬다. 병일은 자신의 무능력을 인정하지만 이웃 사내의 생활이 행복은 아니라고 생각한다. 군중 속에서 홀로 '방향 없이 머뭇거리는 고독감'에 잠기면서도 병일은 책을 읽는다.

① 병일이 느끼는 '방향 없이 머뭇거리는 고독감'에서, 상실된 가치에 대한 믿음과 불신 사이에 끼어 있는 중간자의 모습을 엿볼 수 있군.
② 병일이 '세상살이'를 외면하고 독서에 집착한다는 사실에서, 과거에 지향했던 가치에서 여전히 벗어나지 못하는 탐구자로서의 면모를 찾아볼 수 있군.
③ 이웃 사내가 병일에게 저축의 중요성을 훈계하는 모습에서, 식민지 근대 도시의 일상적 가치에 순응하는 보통 사람의 모습을 떠올릴 수 있군.
④ 이웃 사내가 '세상살이'의 중요성을 강조하고 있다는 사실에서, 그가 '감정'을 느낄 수 있는 능력이 쇠약해진 상태의 인물임을 확인할 수 있군.
⑤ 작가는 정치적 저항이 불가능한 상황에서 방황하는 청년을 통해, 근원적 가치가 부재의 상태로 보존된다는 창작 의도를 드러내려 했다고 해석할 수 있군.

언어이해

[13~15] 다음 글을 읽고 물음에 답하시오.

동물은 쾌락, 고통 등을 느낄 수 있는 만큼 그들도 윤리적으로 대우해야 한다는 주장이 ㉠ 동물감정론이다. 한편 ㉡ 동물권리론에 따르면 동물도 생명권, 고통받지 않을 권리 등을 지닌 존재인 만큼 그들도 윤리적으로 대우해야 한다. 하지만 동물도 윤리적 대상으로 고려해야 한다는 두 이론을 극단적으로 전개하면 새로운 윤리적 문제가 발생한다. ㉢ 포식에 관련한 비판은 그러한 문제를 지적하는 대표적인 입장이다.

인간은 동물을 음식, 의류 등으로 이용해 왔지만, 인간만이 동물에게 고통을 주며 권리를 침해한 것은 아니다. 야생의 포식 동물 또한 피식 동물을 잔인하게 잡아먹는다. 피식 동물이 느끼는 고통은 도살에서 동물이 느끼는 고통보다 훨씬 클 수도 있다. 동물의 권리에 대한 침해 문제 또한 마찬가지로 설명할 수 있다. 인간의 육식이나 실험 등이 고통 유발이나 권리 침해 때문에 그르다면, 야생 동물의 포식이 피식 동물의 고통을 유발하거나 그 권리를 침해하는 것 또한 그르다고 해야 할 것이다. 그른 것은 바로잡아야 한다는 점에서 인간의 육식 등은 막아야 하는 것일 수 있다. 그렇다 해도 동물의 포식까지 막아야 한다고 하는 것은 터무니없다. 예컨대 사자가 얼룩말을 잡아먹지 못하도록 일일이 막는 것은 우선 우리의 능력을 벗어난다. 설령 가능해도 그렇게 하는 것은 자연 질서를 깨뜨리므로 올바르지 않다. 동물감정론과 동물권리론이 야생 동물의 포식을 방지해야 한다는 과도한 의무까지 함축할 수 있다는 점만으로도 그 이론을 비판할 충분한 이유가 된다.

동물감정론은 윤리 결과주의에 근거한다. 이것은 행동의 올바름과 그름 등은 행동의 결과에 의거하여 평가되어야 한다는 입장이다. 전형적 윤리 결과주의인 공리주의에 따르면 행동의 효용, 곧 행동이 쾌락을 극대화하는지의 여부가 그 평가에서 가장 주요한 기준이 된다. 이때 효용은 발생할 것으로 기대되는 고통의 총량을 차감한 쾌락의 총량에 의해 계산한다. 동물감정론이 포식 방지와 같은 의무를 부과한다는 지적에 대한 공리주의자의 응답은 다음과 같다. 포식 동물의 제거 등을 통해 피식 동물을 보호함으로써 얻을 수 있는 쾌락의 총량보다 이러한 생태계의 변화를 통해 유발될 고통의 총량이 훨씬 클 것이다. 따라서 동물을 이유 없이 죽이거나 학대하지 않는 것으로 인간이 해야 할 바를 다한 것이며 동물의 행동까지 규제해야 할 의무는 없다.

하지만 공리주의를 동원한 동물감정론은 포식 방지가 인간의 의무가 될 수 없음을 증명하는 데 성공하지 못한다. 기술 발전 등으로 인해 포식에 대한 인간의 개입이 더욱 수월해지고, 그로 인해 기대할 수 있는 쾌락의 총량이 고통의 총량보다 실제 더 커질 수 있기 때문이다. 쾌락 총량의 극대화를 기치로 내건 동물감정론에서의 효용 계산으로 포식 방지의 의무가 산출될 수도 있다.

한편 동물권리론은 행동의 평가가 '의무의 수행' 등 행동 그 자체의 성격에 의거해야 한다는 윤리 비결과주의를 근거로 내세운다. 전형적 윤리 비결과주의인 의무론에 따르면 행위의 도덕성은 행위자의 의무가 적절히 수행되었는지의 여부에 따라 결정된다. 동물권리론이 포식 방지와 같은 의무를 부과한다는 지적에 대한 의무론자의 응답은 다음과 같다. 도덕 행위자는 자신의 행동을 조절하고 설명할 수 있는 능력을 지닌 반면, 포식 동물과 같은 도덕 수동자는 그런 능력이 결여된 존재이다. 의무를 지니려면 그렇게 할 수 있는 능력을 지녀야 한다. 도덕 수동자는 도덕에 맞춰 자신의 행동을 조절할 수 없으므로 그런 의무를 지니지 않는 것이다. 인간의 육식에서나 동물의 포식에서도 동물의 권리가 침해된 것이기는 마찬가지다. 그러나 동물은 자신의 행동을 조절할 능력을 갖지 않기에 다른 동물을 잡아먹지 않을 의무도 없다. 결국 사자가 얼룩말을 잡아 포식하는 것을 막을 인간의 의무 또한 없다는 것이다.

하지만 의무론을 동원한 동물권리론은 포식에 관련한 비판을 오해했다는 문제점을 갖는다. 포식 방지에 대한 비판의 핵심은 사자가 사슴을 잡아먹는다고 할 때 우리가 그것을 그만 두게 할 의무가 있는지의 문제이지, 사자가 그만 두어야 할 의무가 있는지의 여부는 아니기 때문이다. 그저 재미로 고양이를 괴롭히는 아이는 도덕 수동자이니 그 행동을 멈춰야 할 의무가 없다고 하더라도 과연 그 부모 또한 이를 막을 의무가 없다고 하겠는가?

13. ㉠~㉢에 대한 설명으로 가장 적절한 것은?

① ㉠에서는 동물의 포식 때문에 생겨나는 야생의 고통은 효용 계산에서 무시해도 된다고 본다.
② ㉡에서는 인간이 동물에 대해 의무가 있는지를 판단할 때 인간의 도덕 행위자 여부를 고려해야 한다고 본다.
③ ㉢에서는 인간의 육식은 그르지만 야생 동물의 포식은 그르지 않다고 본다.
④ ㉠과 ㉡에서는 모두 동물에게 포식 금지의 의무가 있다고 본다.
⑤ ㉠과 ㉢에서는 모두 포식을 방지하는 행동이 그른 까닭을 생명 공동체의 안정성 파괴에서 찾는다.

14. 윗글을 바탕으로 추론할 때, 적절한 것만을 <보기>에서 있는 대로 고른 것은?

<보 기>

ㄱ. 공리주의에 따르면, 포식 동물의 제거로 늘어날 쾌락의 총량이 고통의 총량보다 커지면 포식 동물을 제거해야 할 것이다.
ㄴ. 공리주의에 따르면, 동물에 대한 윤리적 대우의 범위는 야생에 개입할 수 있는 인간의 기술 발전 수준에 반비례할 것이다.
ㄷ. 의무론에 따르면, 인간에게 피식 동물을 구출할 수 있는 능력이 있다면 인간은 반드시 그렇게 할 의무가 있을 것이다.
ㄹ. 의무론에 따르면, 동물을 대하는 인간 행동의 올바름, 그름 등은 결과가 아닌 행동 그 자체의 성질에서 찾을 수 있을 것이다.

① ㄱ, ㄴ ② ㄱ, ㄹ ③ ㄴ, ㄷ
④ ㄱ, ㄷ, ㄹ ⑤ ㄴ, ㄷ, ㄹ

15. 문제점의 내용으로 가장 적절한 것은?

① 도덕 수동자에게는 책임이 없다는 사실로부터 도덕 행위자에게도 도덕 수동자의 행동에 대한 책임이 없다고 단정했다.
② 어린 아이가 도덕 수동자라는 사실로부터 어린 아이에게는 도덕적 책임을 물을 수 없다고 단정했다.
③ 포식 동물도 어린 아이와 마찬가지로 행동 조절 능력을 결여한 도덕 수동자라는 점을 간과했다.
④ 야생에서의 권리 침해가 인간 세계에서의 그것에 비해 더욱 잔인하다는 점을 간과했다.
⑤ 피식 동물도 인간과 마찬가지로 쾌락과 고통을 느끼는 능력이 있다는 점을 간과했다.

[16~18] 다음 글을 읽고 물음에 답하시오.

경제 이론은 경제 주체들의 행동에 관한 예측을 시도하는데, 현실에서 관찰되는 사람들의 행동이 이론에서의 예측과 다르게 나타나는 경우도 적지 않다. 경제학은 이들 '이상 현상'을 분석하고 토론하는 과정에서 발전했는데, 최근 이 흐름은 사람들의 행동에 관한 ㉠전통적 경제학의 가정을 문제 삼는 ㉡행동경제학에 의해 주도되었다.

전통적 경제학과 행동경제학의 차이가 본격적으로 확인되는 대표적 영역이 저축과 소비에 관련한 분야이다. 전통적 경제학에서는 사람들이 자신에게 무엇이 최선인지를 잘 알면서 전 생애 차원에서 최적의 소비 계획을 세우고 불굴의 의지로 실행한다고 가정한다. 이들은 또한 돈에는 사용 범위를 제한하는 꼬리표 같은 것이 붙어 있지 않아 전용(轉用)이 가능하다고 가정하며, 이러한 '전용 가능성'이 자유롭고 유연한 선택을 촉진함으로써 후생을 높여준다고도 믿는다. 전통적 경제학은 이러한 인식을 근거로 사람들이 일생 동안 소비 수준을 비교적 고르게 유지할 것이며 소득의 경우 나이가 들면서 점점 증가하다가 퇴직 후 급속히 감소하는 패턴을 보인다는 점에 착안해, 연령에 따른 소비 패턴은 연령에 따른 소득 패턴과 독립적으로 유지될 것이라고 예측했다. 그러나 사람들의 연령에 따른 실제 소비 패턴은 연령에 따른 소득 패턴과 상당히 유사하게 나타났다. 전통적 경제학에서는 이러한 이상 현상을 '유동성 제약' 개념을 통해 해명했다. 즉 금융 시장이 완전치 않아 미래 소득이나 보유 자산 등을 담보로 현재 소비에 충분한 유동성을 조달하는데 제약이 존재하므로, 소비 수준이 이론의 예측에 비해 낮다는 것이다.

행동경제학에서는 청년 시절과 노년 시절의 소비가 예측보다 적은 것은 외부 환경의 제약에 따른 어쩔 수 없는 행동이 아니라 자발적 선택의 결과물이라며, 이를 '심적 회계'에 의해 설명한다. 사람들은 현금, 보통 예금, 저축 예금, 주택 등 각종 자산을 마음속 별개의 계정에 배치하고 그 사용에도 상이한 원리를 적용한다는 것이다. 자산의 피라미드 중 맨 아래층에는 지출이 가장 용이한 형태인 현금이 있는데, 이는 대부분 지출에 사용된다. 많은 이들은 급전이 필요할 경우 저축 예금이 있는데도 연리 20%가 넘는 신용카드 현금 대출 서비스를 받아 해결한다. 금융적으로 바람직한 방법은 예금을 인출해 지출을 하는 것임에도, 높은 금리로 돈을 빌리고 낮은 금리로 저축을 하는 비합리적 행동을 하는 것이다. 마음속 가장 신성한 계정에는 퇴직 연금이나 주택과 같이 노후 대비용 자산들이 놓여 있는데, 이들은 최악의 사태가 발생하지 않는 한 마지막까지 인출이 유보되는 자산들이다. 심적 회계가 이런 방식으로 작동하는 경우 자산의 전용 가능성은 현저히 떨어지며, 특정 연도에 행하는 소비는 일생 동안의 소득 총액뿐 아니라 그 소득을 낳는 자산들이 마음속 어느 계정에 있는가에 따라서도 달라진다.

행동경제학에 따르면, 사람들은 자신에게 무엇이 최선인지 잘 알고 전 생애에 걸친 최적의 소비 계획을 세우지만, 미래보다 현재를 더 선호하고 유혹에 빠지기 쉽다. 사람들은 자신과 가족의 장기적 안전을 지키기 위해 행동을 제약하기 위한 속박 장치를 마음속에 만들어 내는데, 이러한 자기 통제 기제가 바로 심적 회계이다. 심적 회계의 측면에서 본다면, 전통적 경제학이 주목했던 유동성 제약은 장기적으로 자신에게 불리한 지출 행위를 사전에 차단하기 위한 자발적 선택의 결과로 이해될 수 있다. 심적 회계가 당장의 유혹을 억누르고 현재의 지출을 미래로 미루는 행위, 곧 저축을 스스로 강제하는 기제라면, 퇴직 연금이나 국민 연금 제도는 이런 기제가 사회적 차원에서 구현된 것이다.

16. 윗글의 내용과 일치하지 않는 것은?

① 이상 현상에 대한 분석은 경제학을 발전시키는 자양분으로 작용했다.
② 퇴직 연금 제도는 개인의 심적 회계가 사회적 차원으로 확장된 것이다.
③ 저축은 현재의 소비를 미룸으로써 미래의 지출 능력을 높이려는 행위이다.
④ 심적 회계는 미래보다 현재를 중시하는 본능을 억제하려는 자기 통제 기제이다.
⑤ 자산 피라미드의 하층부에 있는 자산일수록 인출을 하지 않으려는 계정에 배치된다.

17. ㉠과 ㉡을 비교한 내용으로 가장 적절한 것은?

① ㉠과 ㉡에서는 사람들이 유혹에 취약한 존재라고 여긴다는 점에서 의견을 같이할 것이다.
② ㉠에서는 연령대별 소비의 특성을 자발적 선택으로 이해하고, ㉡에서는 그 특성을 외부적 제약 요인에서 찾을 것이다.
③ ㉠에서는 유동성 제약의 원인을 금융 시장의 불완전성에서 찾고, ㉡에서는 그 원인을 개인의 심리적 요인에서 찾을 것이다.
④ ㉠에서는 ㉡에서와 달리 유동성 제약이 심화되면 소비가 자유롭고 원활하게 행해진다고 볼 것이다.
⑤ ㉠과 ㉡에서는 모두 급전이 필요한 상황에서 신용카드 현금 대출 서비스를 받는 대신 저축 예금을 인출하는 선택이 금융적으로 바람직한 방법이라는 것을 부정적으로 판단할 것이다.

18. 윗글을 바탕으로 <보기>를 설명한 내용으로 적절하지 않은 것은?

<보 기>

A 국가에서는 1980년대 후반에 세법을 개정하여, 세금 공제대상을 줄였다. 자동차·카드·주택 등 여러 영역에서 허용되던 공제 대상을 주택 담보 대출로 제한함으로써 주택 소유의 확대를 유도했다. 은행들은 주택가액과 기존 담보 대출액의 차액을 담보로 한 2차 대출 상품을 내놓는 방식으로 이에 대응하였다. 그 결과 다양한 대출 상품들이 생겨나고 주택 가격 거품이 부풀어 오름에 따라 주택을 최후의 보루로 삼던 사회적 규범이 결국 붕괴했고 노인 가구들도 2차 주택 담보 대출을 받는 상황이 초래되었다. 또한 주택 가격 상승에 따른 미실현 이익을 향유하며 지출을 늘리는 가구가 늘어나면서 경제의 불안정성은 커졌고 마침내 20여 년 후 금융 위기 사태가 발발했다. 그 결과 가계의 소득 감소와 소비 위축 등으로 경기 침체가 나타났다.

① 1980년대 후반의 새로운 조세 정책이 촉진한 새로운 대출 상품에 대한 A 국가 국민들의 대응으로 볼 때, 주택 자산이 전통적으로 지니던 '마음속 가장 신성한 계정'으로서의 성격이 약화되었겠군.
② 정부 정책과 금융 관행의 변화가 야기한 위기로 볼 때, 금융위기 이후의 A 국가는 주택 소유자들이 '유동성 제약'을 완화하게끔 '심적 회계'의 작동 방식을 바꾸도록 유도하는 정책을 필요로 했겠군.
③ '자산의 전용 가능성' 제고가 경제의 불안정성 심화로 이어졌던 것으로 볼 때, A 국가에서 '자발적 선택 가능성'의 확대는 장기적으로 경제 활동을 위축시키는 부정적 결과를 낳았다고 평가할 수 있겠군.
④ 부동산 거품 현상으로 초래된 '사회적 규범'의 변화로 볼 때, 금융 위기 이전의 은행들은 주택을 저축이 아닌 소비 확대의 수단으로 바꾸도록 유도함으로써 A 국가 국민들이 장래를 대비할 여력을 약화시켰겠군.
⑤ 현재 소득이 없는 경제 주체들도 2차 주택 담보 대출 상품을 통해 추가적인 지출을 했던 것으로 볼 때, 전통적 경제학에서는 '소비 패턴은 연령에 따른 소득 패턴과 독립적으로 유지'되리라는 예측이 실현되었다고 여겼겠군.

[19~21] 다음 글을 읽고 물음에 답하시오.

심신 문제는 정신과 물질의 관계에 대해 묻는 오래된 철학적 문제이다. 정신 상태와 물질 상태는 별개의 것이라고 주장하는 이원론이 오랫동안 널리 받아들여졌으나, 신경 과학이 발달한 현대에는 그 둘은 동일하다는 동일론이 더 많은 지지를 받고 있다. 그러나 똑같은 정신 상태라고 하더라도 사람마다 그 물질 상태가 다를 수 있고, 인간과 정신 상태는 같지만 물질 상태는 다른 로봇이 등장한다면 동일론에서는 그것을 설명할 수 없다는 문제가 생긴다. 그래서 어떤 입력이 들어올 때 어떤 출력을 내보낸다는 기능적·인과적 역할로써 정신을 정의하는 기능론이 각광을 받게 되었다. 기능론에서는 정신이 물질에 의해 구현되므로 그 둘이 별개의 것은 아니라고 주장한다는 점에서 이원론과 다르면서도, 정신의 인과적 역할이 뇌의 신경 세포에서든 로봇의 실리콘 칩에서든 어떤 물질에서도 구현될 수 있음을 보여 준다는 점에서 동일론의 문제점을 해결할 수 있기 때문이다.

그래도 정신 상태에는 물질 상태와 다른 무엇인가가 있다고 생각하는 이원론에서는 '내가 어떤 주관적인 경험을 할 때 다른 사람에게 그 경험을 보여줄 수는 없지만 나는 분명히 경험하는 그 느낌에 주목한다. 잘 익은 토마토를 봤을 때의 빨간색의 느낌, 시디신 자두를 먹었을 때의 신 느낌, 꼬집힐 때의 아픈 느낌이 그런 예이다. 이런 질적이고 주관적인 감각 경험, 곧 현상적인 감각 경험을 철학자들은 '감각질'이라고 부른다. 이 감각질이 뒤집혔다고 가정하는 사고 실험을 통해 기능론에 대한 비판이 제기된다. 나에게 빨강으로 보이는 것이 어떤 사람에게는 초록으로 보이고 나에게 초록으로 보이는 것이 그에게는 빨강으로 보인다는 사고 실험이 그것이다. 다만 각자에게 느껴지는 감각질이 뒤집혀 있을 뿐이고 경험을 할 때 겉으로 드러난 행동과 하는 말은 똑같다. 예컨대 그 사람은 신호등이 있는 건널목에서 똑같이 초록 불일 때 건너고 빨간 불일 때는 멈추며, 초록 불을 보고 똑같이 "초록 불이네."라고 말한다. 그러나 그는 자신의 감각질이 뒤집혀 있는지 전혀 모른다. 감각질은 순전히 사적이며 다른 사람의 감각질과 같은지를 확인할 수 있는 방법이 없기 때문이다. 그렇다면 나와 어떤 사람의 정신 상태는 현상적으로 다르지만 기능적으로는 같으므로, 현상적 감각 경험은 배제하고 기능적·인과적 역할만으로 정신 상태를 설명하는 기능론은 잘못된 이론이라는 논박이 가능하다.

㉠ 뒤집힌 감각질 사고 실험에 의한 기능론 논박이 성공하려면 감각질이 뒤집힌 사람이 그렇지 않은 사람과 색 경험이 현상적으로는 다르지만 기능적으로 다르지 않다는 조건이 성립해야 한다. 두 경험이 기능적으로 다르지 않다면 두 사람의 색 경험 공간이 대칭적이어야 한다. 다시 말해서 색들이 가지는 관계들의 구조는 동일한 패턴을 가져야 하는 것이다. 예를 들어 나의 빨간색 경험과 노란색 경험 사이의 관계를 보여 주는 특성들이 다른 사람의 빨간색 경험(사실은 초록색 경험)과 노란색 경험 사이의 관계를 보여 주는 특성들과 동일해야 한다. 그래야 두 사람이 현상적으로 다른 경험을 하더라도 기능적으로 동일하기에 감각질이 뒤집혔다는 것이 탐지 불가능하다. 그러나 색을 경험한다는 것은 색 외적인 속성들, 예컨대 따뜻함과 생동감 따위와도 복잡하게 관련되어 있는데, 그것 때문에 색 경험 공간이 비대칭적이게 된다. ㉡ 빨강-초록의 감각질이 뒤집힌 사람은 익지 않은 초록색 토마토가 빨간색으로 보일 것인데, 이 경우 그가 초록이 가지는 생동감 대신 빨강이 가지는 따뜻함을 지각할 것이기 때문에 감각질이 뒤집히지 않은 사람과 다른 행동을 보일 것이다.

뒤집힌 감각질 사고 실험은 색 경험 공간이 대칭적이어야 성공하지만, 앞에서 제시한 문제점을 안고 있어서 비판 을 받기도 한다. 그런 까닭에 이 사고 실험에 의한 기능론 논박은 성공하지 못한다고 평가할 수 있다.

19. 윗글의 내용과 일치하는 것은?
① 동일론에서는 물질 상태가 같으면 정신 상태도 같다는 것을 설명할 수 없다.
② 이원론에서는 어떤 사람의 행동과 말을 통해서 그 사람의 감각질이 어떠한지 확인한다.
③ 기능론에서는 인간과 로봇이 물질 상태는 달라도 정신 상태는 같을 수 있음을 설명할 수 있다.
④ 뒤집힌 감각질 사고 실험은 기능론으로는 정신의 인과적 측면을 설명할 수 없다는 것을 보여 주려고 한다.
⑤ 이원론과 기능론은 정신 상태를 갖는 존재의 물질 상태를 인정하지 않는다는 점에서 일치한다.

20. 비판 의 내용으로 가장 적절한 것은?
① 색 경험 공간은 대칭적이어서, 감각질이 뒤집힌 사람이 그렇지 않은 사람과 현상적으로 동등하고 기능적으로 다를 경우는 발생할 수 없다.
② 색 경험 공간은 비대칭적이어서, 감각질이 뒤집힌 사람이 그렇지 않은 사람과 현상적으로 다르고 기능적으로 동등할 경우는 발생할 수 없다.
③ 감각질이 뒤집히지 않은 사람은 입력이 같으면 출력도 같으므로, 그의 감각질이 뒤집히지 않았다는 사실은 탐지할 수 없다.
④ 감각질이 뒤집힌 사람은 입력이 같아도 출력이 다르므로, 그의 감각질이 뒤집혔다는 사실은 탐지할 수 없다.
⑤ 정신 상태의 현상적 감각 경험을 배제할 수 없으므로, 기능적 역할만으로 정신 상태를 설명할 수 없다.

21. 윗글과 <보기>를 바탕으로 ㉠과 ㉡을 설명할 때, 적절하지 <u>않은</u> 것은?

<보 기>

빨강과 초록의 감각질이 뒤집힌 사람이 따뜻한 물로 손을 씻으러 세면대로 갔다. 세면대에는 따뜻한 물이 나오는 꼭지는 빨간색으로, 차가운 물이 나오는 꼭지는 파란색으로 되어 있었다.

① ㉠이 성공한다는 측은 ㉡에게는 빨간색 꼭지가 초록색으로 보인다고 설명하겠군.
② ㉠이 성공한다는 측은 ㉡이 빨간색 꼭지를 보고 "이게 빨간색이구나."라고 말한다고 설명하겠군.
③ ㉠이 실패한다는 측은 ㉡이 빨간색 꼭지를 보고 따뜻함을 지각하지 못할 것이라고 설명하겠군.
④ ㉠이 성공한다는 측과 실패한다는 측 모두 ㉡이 빨간색 꼭지를 틀지 않을 것이라고 설명하겠군.
⑤ ㉠이 성공한다는 측과 실패한다는 측 모두 ㉡이 빨간색 꼭지와 파란색 꼭지를 구별할 수 있다고 설명하겠군.

[22~24] 다음 글을 읽고 물음에 답하시오.

1990년대 이후 온톨로지(ontology)는 인공지능 연구에서 각광을 받고 있다. 연구자들마다 '온톨로지'란 용어를 조금씩 다른 의미로 사용하고 있지만, 널리 받아들여지는 정의는 "관심 영역 내 공유된 개념화에 대한 형식적이고 명시적인 명세"다. 여기서 '관심 영역'은 특정 영역 중심적이라는 것을, '공유된'은 관련된 사람들의 합의에 의한 것이라는 것을, '개념화'는 현실 세계에 대한 모형이라는 것을 뜻한다. 즉 특정 영역의 지식을 모델링하여 구성원들의 지식 공유 및 재사용을 가능하게 하는 것이 바로 온톨로지인 것이다. 또 '형식적'은 기계가 읽고 처리할 수 있는 형태로 온톨로지를 표현해야 한다는 것을 뜻한다. 그 결과로서 얻어지는 '명시적인 명세'는 일종의 공학적 구조물로서 다양한 용도로 사용된다.

온톨로지를 사전과 비교하면 '개념화'를 쉽게 이해할 수 있다. 사전에는 각각의 표제어에 대해 뜻풀이, 동의어, 반대어 등 언어적 특성들이 정리되어 있다. 온톨로지에는 표제어 대신 개념이, 그리고 언어적 특성들 대신 개념들 간 논리적 특성들이 기록된다. '개념(class)'은 어떤 공통된 속성들을 공유하는 '개체들(instances)'의 집합이고, 개체는 세상에 존재하는 구체적인 개별자이다. 온톨로지에서 개념은 관계를 통해 다른 개념들과 연결된다. 필수적인 관계는 개념 간의 계층 구조를 형성하는 상속 관계이다. 상속 관계에서 하위 개념은 상위 개념의 모든 속성을 물려받는다. 예컨대 '스누피'라는 특정 개체가 속한 견종 '몰티즈'라는 개념은 '개'의 하위 개념이므로, '몰티즈'는 상위 개념인 '개'가 가진 모든 속성을 물려받는다. 널리 사용되는 또 다른 관계로 부분-전체 관계가 있다. 이외에도 온톨로지에는 관계를 포함한 다양한 논리적 특성들을 기록할 수 있다.

온톨로지 표현 언어는 대부분 일차 술어 논리에 기초를 두고 있다. 일차 술어 논리는 '모든'과 '어떤'을 변수와 함께 사용하는 언어로 표현력이 매우 뛰어나다. 예컨대 "진짜 이탈리아 피자는 오직 얇고 바삭한 베이스만을 갖는다."를 일차 술어 논리로 옮기면 "모든 x에 대해, 만약 x가 진짜 이탈리아 피자라면, 얇고 바삭한 베이스인 어떤 y가 존재하고 x는 y를 베이스로 갖는다."가 된다. 그런데 이것이 반드시 장점인 것은 아니다. 일차 술어 논리로 정교하고 복잡하게 표현된 온톨로지를 막상 기계는 효율적으로 다룰 수 없는 경우가 발생하기 때문이다. 따라서 온톨로지 표현 언어는 일차 술어 논리에 각종 제약을 두어 표현력을 줄이는 대신 취급을 용이하도록 한 것이 대부분이다. 예컨대 월드 와이드 웹 컨소시움의 권고안인 '웹 온톨로지 언어' OWL에는 Lite, DL, Full의 세 가지 버전이 있는데, 후자로 갈수록 표현력이 커진다. 즉 OWL DL은 OWL Lite의 확장이고 OWL Full은 OWL DL의 확장이다. OWL DL까지는 계산학적 완전성과 결정 가능성이 보장된다. 이는 OWL DL로 표현된 온톨로지에서는 추론 엔진이 유한한 시간 내에 항상 해를 찾을 수 있음을 뜻한다.

OWL을 쓰면 복잡하고 다양한 논리적 특성들을 표현할 수 있지만 논리학에 익숙하지 않은 사용자에게 OWL은 너무 어렵다. 이로 인해 그 이름과는 달리, 웹에서 OWL이 널리 쓰이는 것은 아직까지 요원해 보인다. 오히려 전문 지식에 대한 정교한 논리적 표현이 요구되는 영역에서는 OWL이 이용되는 경우가 있다. 예컨대 미국 국립암센터에서 개발한 의료 영역 온톨로지인 NCI시소러스는 OWL

포맷으로도 제공되는데, 이것은 약 4만 개의 개념과 백 개 이상의 관계로 이루어져 있다. 이외에도 의료 영역은 일찍부터 여러 그룹에서 각기 목적에 맞는 온톨로지를 발전시켜 왔다. 대표적인 것으로는 UMLS, SNOMED-CT 등이 있다.

온톨로지는 일반적으로 특정 영역 종사자들의 관심과 필요에 의해 구축되나 반드시 그런 것은 아니다. 1984년 개발이 시작된 Cyc는 인간의 모든 지식을 담고자 하는 대규모 온톨로지다. 지식공학자 소와(Sowa)는 철학의 연구 성과를 적극적으로 수용한 상위 수준 온톨로지를 제시한 바 있다. 세상에 존재하는 모든 것을 분류하려면 시간, 공간과 같은 일반적인 개념들을 다루어야만 하는데, 이는 철학자들이 이런 개념들에 대해 가장 오랫동안 깊이 사유했기 때문이다.

22. 온톨로지 에 대한 설명으로 적절하지 않은 것은?
   ① 지식의 공유와 재사용을 위해 설계된 인공물이다.
   ② 대상 체계의 개념 구조를 명시적으로 드러내고자 한다.
   ③ 실제 사용되려면 기계가 처리할 수 있는 형태로 표현되어야 한다.
   ④ 개념과 그 개념에 속한 개체들은 상속 관계에 의해 서로 연결된다.
   ⑤ 동일한 영역에서도 종사자들의 관심과 필요에 따라 서로 다른 온톨로지가 구축될 수 있다.

23. 온톨로지 표현 언어에 대해 추론한 내용으로 적절한 것만을 <보기>에서 있는 대로 고른 것은?

   <보 기>
   ㄱ. 동일한 온톨로지를 서로 다른 두 개의 언어로 각각 표현하기 위해서는 이들 언어의 표현력이 동등해야 한다.
   ㄴ. 일차 술어 논리 표현 "모든 x에 대해, x가 빵이면 x는 장미이다."는 '빵'이 상위 개념, '장미'가 하위 개념인 상속 관계를 나타낸다.
   ㄷ. 계산학적 완전성에 대한 보장 없이 최대의 표현력을 활용하여 온톨로지 구축을 원하는 사용자는 OWL Lite보다는 OWL Full을 사용할 것이다.

   ① ㄱ ② ㄴ ③ ㄷ
   ④ ㄱ, ㄴ ⑤ ㄴ, ㄷ

24. 윗글과 <보기>를 바탕으로 소와의 상위 수준 온톨로지에 대해 이해한 것으로 적절하지 않은 것은?

   <보 기>
   소와의 상위 수준 온톨로지를 그림으로 나타내면 다음과 같다.

   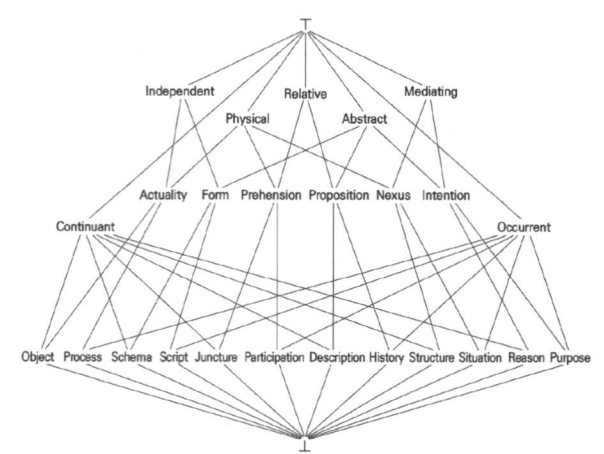

   ⊤는 세상에 존재하는 모든 것들의 집합을, ⊥는 공집합을 뜻한다. ⊤ 바로 아래 원초적 개념으로 'Independent'와 'Relative'와 'Mediating', 'Physical'과 'Abstract', 'Continuant'와 'Occurrent' 이렇게 7가지가 있다. 하나의 선으로 연결된 두 개념 중 위쪽이 상위 개념, 아래쪽이 하위 개념이다.

   한편 상속 관계는 추이성(transitivity)을 갖는 대표적인 관계다. 즉 A, B, C가 각각 개념이라 할 때, 하위 개념 A가 상위 개념 B와 상속 관계를 맺고 하위 개념 B가 상위 개념 C와 상속 관계를 맺으면, 하위 개념 A는 상위 개념 C와 상속 관계를 맺는다.

   ① 상위 개념으로 원초적 개념을 단 한 개만 갖는 개념은 없고, 오직 2개의 원초적 개념을 갖는 개념은 모두 6개다.
   ② ⊤는 세상에 존재하는 모든 것들이므로 이 개념은 존재하는 모든 속성을 다 가지고 있고, ⊥에는 어떠한 개체도 속하지 않으므로 이 개념은 어떠한 속성도 갖지 않는다.
   ③ 'Continuant'와 'Occurrent'의 공통 하위 개념은 오직 ⊥뿐이므로, 'Continuant'의 속성과 'Occurrent'의 속성을 모두 갖는 개체는 존재하지 않는다.
   ④ 'Object'는 'Actuality'의 하위 개념이고 또한 'Continuant'의 하위 개념이기도 하므로, 'Actuality'의 속성과 'Continuant'의 속성을 모두 물려받는다.
   ⑤ 'Process'는 'Actuality'의 하위 개념이고 'Actuality'는 'Physical'의 하위 개념인데, 상속 관계는 추이성을 가지므로, 'Process'는 'Physical'의 하위 개념이다.

언어이해

[홀수형]

[25~27] 다음 글을 읽고 물음에 답하시오.

최근 프랑스 극우민족주의 세력인 국민연합은 과거의 인종주의적 경향에서 탈피하여 프랑스 공화주의의 수호자로 자처하기 시작했다. 국민연합은 공화주의의 핵심적 원칙이라고 할 수 있는 '라이시테', 즉 정치와 종교의 엄격한 분리라는 세속화를 새롭게 강조하고 있다. 1905년 법률로 확정된 라이시테 원칙은 당시 보수적 가톨릭이 정치 및 교육에 개입하는 것을 제어하기 위해 제시된 것이다. 그런데 최근 프랑스 사회에서는 이 원칙에 의거하여 공공장소에서 종교적 표지를 드러내는 것을 금지하여 결과적으로 무슬림에 대한 억압이 이루어지고 있다. 이와 더불어 시민권 획득에서 프랑스어 및 프랑스 법과 가치에 대한 의무가 강조됨으로써 통합을 위한 국가의 역할보다는 통합되는 자의 책임과 의지가 중시되기 시작했다.

원래 국민국가 시기에 인민은 동일성에 기반한 '네이션(nation)', 즉 '민족/국민'이라는 틀을 통해 권리를 부여받으면서 민주주의적 주체로서 구성되었다. 네이션의 동일성은 문화적 기반을 강조하는 폐쇄적 '민족' 개념과 정치적 원칙에 대한 동의만을 조건으로 하는 개방적 '국민' 개념으로 구분되어 형성되어 왔다. 후자가 전자보다 공화주의적 논리에 기반하고 있다는 점 때문에 바람직한 것으로 여겨져 왔다. 하지만 최근의 극우민족주의에서 제시하는 네이션은 문화적 개념과 시민적 개념 사이의 차이를 없애고 경계를 갖는 포섭과 배제의 논리로만 작동하고 있다. 극우민족주의는 네이션을 새로운 상징, 가치 등을 중심으로 재구성하면서 네이션에 대한 호명을 시도한다. 네이션의 구성에서 극우민족주의자들은 과거처럼 종교, 문화 등의 기준을 통한 적극적 방식이 아니라 소극적 방식, 즉 이러저러한 것은 네이션의 특성이 될 수 없으며, 그렇기 때문에 네이션의 구성원이 아니라는 방식으로 네이션을 재구성한다. 그들에게 네이션은 존재하지 않는 '망령'일 뿐이다.

또한 그렇게 구성된 네이션은 시민들의 집합체, 연대와 삶의 공동체로서 국민국가의 주권자라는 위상을 잃고, 정치적 주체로서보다는 치안과 통치의 대상으로 전락하고 있다. 오늘날 국가는 시장이 야기한 삶의 불확실성과 불안에 대한 개입을 중단하고, 비경제적 유형의 개인 안전에 대한 책임을 수행함으로써 자신의 정당성을 확보하고자 한다. 결국 정치(politics)는 사라지고 치안(police)만이 남는다. 국민국가 수준에서 '사회적인 것'을 해결하기 위해 밑바탕이 되었던 공화주의와 케인즈주의의 사회적 국민 국가는 후퇴하고, 이민 노동자 등 잉여 노동력의 공급을 통한 노동 유연성 확대와 그 관리를 위한 방편으로 사회적 배제의 정치 전략이 작동한다. 즉 극우민족주의는 신자유주의와의 동거를 통하여 국민/비국민 혹은 시민/비시민의 구분 전략을 구사하고 있다. 극우민족주의자들은 신자유주의적 세계에 '잉여'로서 존재하는 이민 노동자나 '위험한 외국인'을 통합 불가능한 자들로 여겨 배제의 대상으로 삼았다. 신자유주의 속에서 유색 인종 노동자들은 사회의 안전을 위협할 수 있는 잠재적 범죄자이자 위험한 계급으로서 국가 권력이 수행하는 '안전의 정치'의 대상으로 확정된다. 안전의 위협이라는 비상 상황이 일상적인 것이라고 강조되면서 '위험한 계급'으로서 이주 노동자에 대한 권력의 예외적인 행사 역시 일상화된다.

극우민족주의는 기존 좌우 정당의 틀을 넘어서 특정 집단을 공동의 적으로 만들면서 세력화를 추구한다. 극우민족주의 정당에 대한 지지 세력의 30~40%가 과거 좌파 정당을 지지했던 노동자 계급이라는 사실에서도 그것을 알 수 있다. 또한 극우민족주의는 포퓰리즘의 한 유형으로 볼 수 있는데, 이는 포퓰리즘의 출발이 근대 대의제의 거부와 인민의 직접적 정치 실천에 대한 욕망의 발현이기 때문이다. 하지만 극우민족주의자들은 여전히 근대 대의제 정치가 '상징적'으로 전제하는 대표되는 자의 단일성을 위해 내부의 타자를 부정하고 있다. 하지만 국가가 구성하는 주권적 인민의 배치 안에는 국민과 같은 형태의 공식적 인민으로 실존하지 않는 많은 인민이 존재한다. 두 차례 세계 대전 전후에 등장했던 전체주의적 권력은 단일성을 위한 상징적 권력과 사회적, 계급적 분할에 의해 단일화될 수 없는 실재적 권력을 동일시함으로써 인류 역사에 불행한 결과를 초래하였다.

25. 윗글의 내용과 일치하지 않는 것은?

① 최근 프랑스 극우민족주의는 공화주의 원칙을 무슬림에 대한 배제의 기준으로 활용하고 있다.
② 최근 프랑스 시민권 획득의 조건에서 통합을 위한 국가의 역할보다는 이주자의 책임이 강조되고 있다.
③ 최근 극우민족주의는 기존에 좌파 정당을 지지했던 노동자 계급을 흡수하면서 세력을 확장하고 있다.
④ 국민국가 시기에 정치적 원칙에 기반한 국민 개념은 문화적 민족 개념보다 개방적인 것으로 간주되었다.
⑤ 신자유주의 시대에 들어와 네이션은 주권자로서의 위상을 강화하면서 직접적 정치 실천을 확대하고 있다.

26. 윗글을 바탕으로 최근의 극우민족주의를 이해한 내용으로 가장 적절한 것은?

① 문화적 민족 개념과 시민적 국민 개념의 차이를 없애면서 국민적 동일성에 기반한 정치를 제거하려고 시도하고 있다.
② 위험한 계급에 대한 새로운 호명을 통해 치안을 위한 장치이자 연대의 공동체로서 국민국가의 위상을 강조하고 있다.
③ 네이션을 재구성하여 근대의 대의제 정치를 폐기하고 직접적 정치를 통해 민주주의의 위기를 극복하고자 한다.
④ 이주 노동자 등을 공동의 '적'으로 호명하여 사회의 안전에 대한 위협을 강조함으로써 국가 권력의 예외적 행사를 정당화하려 한다.
⑤ '사회적인 것'을 해결하기 위해 시민들의 경제적 삶의 안정성을 확보하고 실종된 정치를 회복함으로써 안전의 정치를 확대하고자 한다.

27. 윗글을 바탕으로 <보기>의 ⓐ를 평가할 때, 가장 적절한 것은?

<보 기>

근대 정치에 대해 문제 제기하면서 인민을 정치의 전면에 등장시킨 포퓰리즘은 대중 영합적 정치로의 변질 가능성뿐만 아니라 ⓐ 민주주의적 정치의 확장 가능성도 지닌다. 신자유주의 시대에 새롭게 출현하는 '사회적인 것', 예를 들어 비정규직 노동자, 불법 체류자 등의 문제를 해결하고 편협한 동일성의 정치를 극복하기 위해 정치에 대한 새로운 사유와 실천이 필요하다. 국민국가라는 경계를 가로질러 새로운 민주주의를 실천할 주체를 모색하고 민주주의를 재구성할 수 있어야 한다. 이 과정에서 포퓰리즘은 편협한 국가주의 이념을 극복하고 신자유주의에 대항하는 새로운 공동체와 국제적 연대를 이끌어 낼 가능성을 함축하고 있다.

① 국민과 계급, 인종의 경계를 넘어서는 새로운 대중이 정치의 전면에 등장한다면, 대중의 안전을 최우선하는 치안의 정치가 실현될 수 있다.
② 정치적·경제적 동기에 의해 생겨나는 이주민을 포용하는 통합의 장치를 작동시킨다면, 국민적 단일성을 강화하는 새로운 형태의 전체주의가 등장할 위험이 있다.
③ 대중이 정치체의 단일성을 확보하기 위한 상징적 권력과 단일화될 수 없는 실재적 권력을 구별한다면, 동일화될 수 없는 인민을 배제하는 동일성의 정치가 구현될 가능성이 높아질 것이다.
④ 공화주의의 정치적 원칙을 기반으로 네이션을 적극적으로 구성하여 새로운 국민국가의 민주주의 정치를 위한 주체로 삼는다면, 신자유주의로 인해 훼손된 국민국가의 이념과 민주주의의 가치가 복원될 것이다.
⑤ 비정규직, 난민, 이주 노동자 등에 의해 생겨난 '사회적인 것'의 해결을 위해 사회적 국민국가 방식의 해결을 넘어서는 민주주의적 실천을 모색한다면, 경계 구분을 통한 배제의 정치를 극복하고 새로운 공동체와 세계 질서가 도래할 수 있다.

[28~30] 다음 글을 읽고 물음에 답하시오.

프랑스 혁명 이후에는 법관의 자의적 해석의 여지를 없애기 위하여 법률을 명확히 기술하여야 한다는 생각이 자리 잡았다. 이러한 근대법의 기획 에서 법은 그 적용을 받는 국민 개개인이 이해할 수 있게끔 제정되어야 한다. 법이 정하고 있는 바가 무엇인지를 국민이 이해할 수 있어야 법을 통한 행위의 지도와 평가도 가능하기 때문이다. 이에 따라 형사법 분야에서는 형벌 법규의 내용을 사전에 명확히 정해야 하고, 법문이 의미하는 한계를 넘어선 해석을 금지한다. 법치국가라는 헌법 이념에서도 자의적인 법 집행을 막기 위하여 ㉠ 법률의 내용은 명확해야 한다는 원리가 정립되었다. 여기서 법률의 내용이 명확해야 한다는 것은 법문이 절대적으로 명확한 상태여야만 한다는 것까지 뜻하지는 않는다. 입법 당시에는 미처 예상치 못했던 사태가 언제든지 생길 수 있을 뿐 아니라, 바로 그러한 이유 때문에라도 법률은 일반적이고 추상적인 형식을 띨 수밖에 없는 탓이다. 따라서 법률의 명확성이란 일정한 해석의 필요성을 배제하지 않는 개념이다.

일반적으로 해석을 통하여 법문의 의미를 구체화할 때에는 입법자의 의사나 법률 그 자체의 객관적 목적까지 참조하기도 한다. 그러나 이러한 해석 방법은 언뜻 타당한 것처럼 보이지만, 실제로 이에 대해서는 많은 비판이 제기되고 있다. 우선 입법자의 의사나 법률 그 자체의 객관적 목적이 과연 무엇인지를 확정하는 작업부터 녹록하지 않을 것이다. 더욱 심각한 문제는 그것까지 고려해서 법이 요구하는 바가 무엇인지 파악할 것을 법의 전문가가 아닌 여느 국민에게 기대할 수는 없다는 점이다. 법률의 명확성이 말하고 있는 바는 법문의 의미를 구체화하는 작업이 국민의 이해 수준의 한계 내에서 이루어져야 한다는 것이지, 구체화한 만큼 실제로 국민이 이해할 것이라고 추정할 수 있다는 것은 아니기 때문이다. 나아가 입법자의 의사나 법률 그 자체의 객관적 목적을 고려한 해석은 법문의 의미를 구체화하는 데 머물지 않고 종종 법문의 한계를 넘어서는 방편으로 활용되며 남용의 위험에 놓이기도 한다.

한편 법의 적용을 위한 해석을 이미 주어져 있는 대상에 대한 인식에 지나지 않는 것으로 여기는 시각이 아니라, 법문의 의미를 구성해 내는 활동으로 보는 시각에서는 근본적인 문제를 제기한다. 입법자가 법률을 제정할 때 그 규율 내용이 불분명하여 다의적으로 해석될 수 있게 해서는 안 되는데, 이러한 기대와 달리 법률의 규율 내용이 실제로는 법관의 해석을 거친 이후에야 비로소 그 의미가 구성되는 것이라면 국민이 행위 당시에 그것을 알고 자신의 행동 지침으로 삼는다는 것은 원천적으로 불가능하기 때문이다. 이뿐만 아니라 법률의 제정과 그 적용은 각각 입법기관과 사법기관의 영역이라는 권력 분립 원칙 또한 처음부터 실현 불가능하다.

그렇다면 근대법의 기획은 그 자체가 허구적이거나 불가능한 것으로 포기되어야 하는가? 이 물음에 대해서는 다음과 같이 대답할 수 있다. 첫째, 법의 해석이 의미를 구성하는 기능을 갖는다는 통찰로부터 곧바로 그와 같은 구성적 활동이 해석자의 자의와 주관적 판단에 완전히 맡겨져 있다는 결론을 내릴 수는 없다. 단어의 의미는 곧 그 단어가 사용되는 방식에 따라 확정되는 것이지만, 이 경우의 언어 사용은 사적인 것이 아니라 집단적인 것이며, 따라서 언어 사용 그 자체가 사회적 규칙에 의해 지도된다는 사실과 마찬가지로 법의 해석과 관련한 다양한 방법론적 규칙들 또한 해석자의 자유를 적절히 제한하기 때문이다. 둘째, 해석의 한계나 법률의 명확성 원칙은 법의 해석을 담당하는 법관과 같은 전문가를 겨냥한 것으로 파악함으로써 문제를 감축하거나 해소할 수 있다. 다시 말해서 법률이 다소 모호하게 제정되어 평균적인 일반인이 직접 그 의미 내용을 정확히 파악할 수 없다 하더라도 법관의 보충적인 해석을 통해서 그 의미 내용을 확인할 수 있다면 크게 문제되지 않는다는 것이다.

[A] 다만 이와 같은 대답에 대하여는 여전히 의문이 생긴다. 국민 각자가 법이 요구하는 바를 이해할 수 있어야 된다는 이념은 사실 '일반인'이라는 추상화된 개념의 도입을 통해 한 차례 타협을 겪은 것이었다. 그런데 '전문가'라는 기준을 도입함으로써 입법자의 부담을 재차 줄이면 근대법의 기획이 제기한 문제의 본질로부터 너무 멀어져 버릴 수도 있는 것이다.

28. 근대법의 기획 에 관한 설명으로 가장 적절한 것은?

① 사법 권력으로 입법 권력의 통제를 꾀하였다.
② 금지된 행위임을 알고도 그 행위를 했다는 점을 형사 처벌의 기본 근거로 삼는다.
③ 법관의 해석 없이도 잘 작동하는 법률을 만들고자 했던 기획은 마침내 성공하였다.
④ 이해 가능성이 없는 법률에 대한 해석의 부담을 법관이 아니라 국민에게 전가하고 있다.
⑤ 자의적 해석 가능성만 없다면 국민이 이해할 수 없는 법률로도 국민의 행위를 평가할 수 있다고 본다.

29. 윗글을 바탕으로 ㉠을 비판할 때, 논거로 사용하기에 적절하지 않은 것은?

① 전문가인 법관에 의해 법문의 의미가 구성되지 않으면 자의적 법문 해석에서 벗어나기 어렵다.
② 법관의 해석을 통해서야 비로소 법의 의미가 구성될 경우에는 권력 분립 원칙이 훼손될 수 있다.
③ 법의 객관적 목적을 고려한 법문 해석은 법문 의미의 한계를 넘어서는 방편으로 남용되기도 한다.
④ 법관의 해석을 통해서야 비로소 법의 의미가 구성된다고 하면 법을 국민의 행동 지침으로 삼기 어렵다.
⑤ 국민이 입법자의 의사까지 일일이 확인하여 법문의 의미를 이해한다는 것은 현실적으로 기대하기 어렵다.

30. [A]로부터 추론한 내용으로 가장 적절한 것은?

① 가장 이상적인 법은 '일반인'이 이해할 수 있는 법일 것이다.
② 법치국가의 이념을 구현하기 위해서는 법률 전문가의 역할이 확대되어야 할 것이다.
③ '일반인'이 이해할 수 있는 입법은 국민 각자가 이해할 수 있는 입법보다 입법자의 부담을 경감시킬 것이다.
④ 입법 과정에서 일상적인 의미와는 다른 법률 전문 용어의 도입을 확대하여 법문의 의미를 명확히 해야 할 것이다.
⑤ 행위가 법률로 금지되는 것인지 여부를 행위 당시에 알 수 있었는지에 대하여 법관은 입법자의 입장에서 판단해야 할 것이다.

2027학년도 LEET 대비
기출문제 해설집

2018

영역별 출제 비중 분석

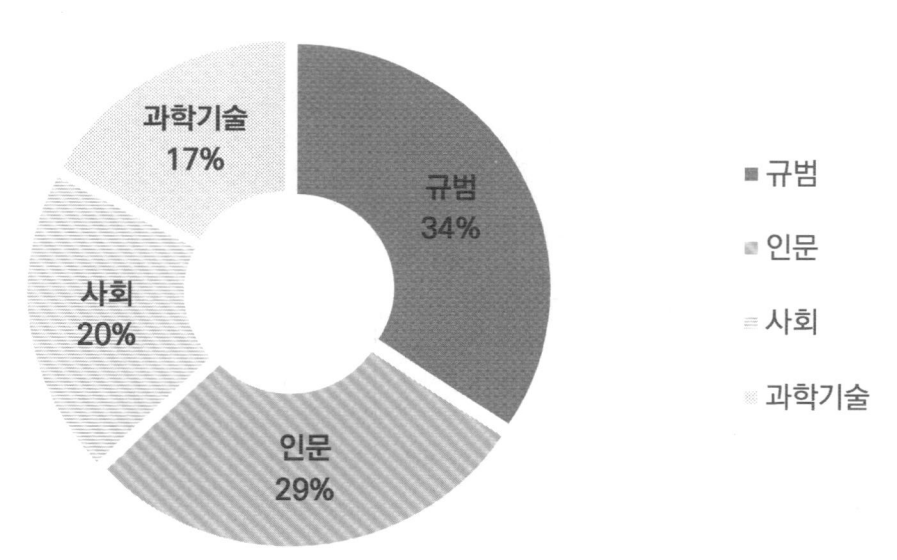

내용 영역	규범	인문	사회	과학기술	총
문항 수	12	10	7	6	35

※ 출제 비중은 소수점 첫째 자리에서 반올림하였습니다.

2018학년도 언어이해

출제 경향 분석

2018학년도는 전년도와 마찬가지로 제시문의 길이는 짧았으나, 제시문에 제시된 개념들 간의 관계가 다소 복잡하여 제시문의 내용을 상세하게 이해하는 것이 쉽지 않았을 것이다. 제시문의 소재는 수험생들에게 익숙한 것이 많았으나, 전년도에 비해 논리적 추론을 요구하는 문항과 비판적 평가 혹은 사례 적용 능력을 측정하는 문항이 다수 출제되어 문항을 해결하는 데 상당한 집중력과 시간이 필요했을 것으로 보인다. 이로 인해 수험생들이 체감한 난도는 높았을 것이며, 수험생들의 평균 점수 또한 전년도에 비해 다소 하락하였다.

제 1 교시

홀수형

2018학년도 법학적성시험

언어이해 문제지

성 명

수험번호

수험생 유의사항

- 이 문제지는 **35문항**으로 구성되어 있습니다.
- **시험 시간은 09 : 00 ~ 10 : 20(80분)입니다.**
- 문제지에 성명과 수험번호를 정확하게 기재하십시오.
- 답안지는 반드시 컴퓨터용 사인펜을 사용하여 답을 표기하여야 합니다.
- 답안지의 '필적확인란'에 제시된 문구를 정확히 정자로 기재하여야 합니다.

메가로스쿨

2018학년도 법학적성시험

언어이해

제1교시   성명 □□□   수험번호 □□□□□   **홀수형**

- 이 문제지는 **35문항**으로 구성되어 있습니다. 문항 수를 확인하십시오.
- 문제지의 해당란에 성명과 수험번호를 정확히 쓰십시오.
- 답안지에 수험번호, 문제유형, 성명, 답을 표기할 때에는 '답안 작성 시 반드시 지켜야 하는 사항'에 따라 표기하십시오.
- 답안지의 '필적확인란'에 해당 문구를 정자로 기재하십시오.

[1~3] 다음 글을 읽고 물음에 답하시오.

전통적인 의미에서 차별은 성별, 인종, 종교, 사상, 장애, 사회적 신분 등에 따라 특정 집단을 소수자로 낙인찍고 불리하게 대우하는 것을 말한다. 일반적으로 민주 국가의 헌법 질서에는 인권 보호의 취지에서 위와 같은 사유에 따른 차별을 금지해야 한다는 가치 판단이 포함되어 있다. 이에 따라 우리 헌법도 선언적 의미에서, "누구든지 성별·종교 또는 사회적 신분에 의하여 정치적·경제적·사회적·문화적 생활의 모든 영역에 있어서 차별을 받지 아니한다."라고 규정했다. 특히 고용과 관련된 분야는 소수자에 대한 차별의 문제가 첨예하게 대두하는 대표적인 규범 영역이다. 고용 관계에서의 차별 금지 역시 근로자의 인권 보호가 무엇보다 강조된다. 따라서 노동 시장의 공정한 경쟁과 교환 질서의 확립을 위한 정책적 목적에 의존하더라도, 근로자에 대한 인권 보호의 취지에 부합하지 않는 경우에는 근로자에 대한 차별 금지 입법은 그 정당성이 상실된다.

차별 금지 원칙 내지 평등의 개념은 고용 관계에서도 같은 것을 같게 대우해야 한다는 것이다. 다만 무엇이 같은지를 제시해 주는 구체적인 기준이 존재하지 않는 한, 차별을 금지하는 사유가 어떤 속성을 갖는지에 따라 차별 금지 원칙으로부터 근로자가 보호되는 효과는 달라질 수 있다. 즉 장애인은 그에 대한 차별 금지 법규가 존재함에도 근로의 내용과 관련된 장애의 속성 때문에 근로자로 채용되는 데 차별을 받을 수도 있다. 그리고 구체적인 고용 관계의 근로 조건이 강행 규정에 의하여 제한되는 경우와 당사자의 자유로운 의사에 의거하여 결정되는 경우 중 어디에 해당하는지에 따라, 차별 금지로 인한 근로자의 보호 정도가 달라진다. 강행 규정이 개별 근로자에 대한 임금 차별을 금지하고 있는 경우, 그 차별의 시정을 주장하는 근로자는 비교 대상자와 자신의 근로가 동등하다는 것을 증명함으로써 평등한 대우를 받을 권리를 확인받을 수 있다. 반면 개별 근로자의 임금 차이가 사용자와 근로자 사이의 자유로운 계약에 따른 것이라면, 동일 조건의 근로자에 대한 임금 차별을 금지하는 강행 규정이 없는 한, 그러한 계약이 개별 근로자에 대한 임금 차이를 정당화하는 합리적 이유가 될 수도 있다.

차별 금지 법규가 강행 규정이어서 근로자에 대한 보호가 강화되는 영역에서도, 다시 차별 금지 법규의 취지에 따라 근로자에 대한 보호 정도는 달라진다. 예를 들어, 「남녀고용평등과 일·가정 양립 지원에 관한 법률」에 있는 '남녀의 동일 가치 노동에 대한 동일 임금 지급 규정'이 사용자가 설정한 임금의 결정 요소 중 단지 여성이라는 이유로 불리하게 작용하는 임금 체계를 소극적으로 수정하기 위한 것이라면, 이는 여성에 대한 차별 금지의 보호 정도가 상대적으로 약하게 적용되는 국면으로 볼 수 있다. 반면 위 규정의 취지가 실제 시장에서 여성 노동자의 가치가 저평가되어 있음을 감안하여, 이에 대한 보상을 상향 조정함으로써 남녀 간 임금의 결과적 평등을 도모하려는 것이라면, 이는 차별 금지 원칙의 보호 정도가 강한 범주에 포함된다고 할 수 있다.

같은 근로관계라도 연령이나 학력·학벌에 따른 근로자의 차별 금지는 성별 등 전통적 차별 금지 사유들에 비하여 차별의 금지로 인한 근로자의 보호 정도가 약하다고 보아야 한다. 물론 고령자나 저학력자에 대한 차별 금지 법규나 원칙의 취지 역시 전통적인 차별 금지 사유의 취지와 다를 바 없다. 그러므로 특정 연령대의 근로자를 필요로 하는 사용자의 영업 활동을 과도하게 제한하지 않는 한, 노동 시장의 정책적 목적을 달성하기 위하여 차별 금지 법규를 제정하는 것은 가능하다. 그러나 연령에 따른 노동 능력의 변화는 모든 인간이 피할 수 없는 운명이므로 ㉠<u>연령을 이유로 한 차별을 금지하는 것은 정당하지 않다는 주장</u>도 있다.

---

1. 윗글의 내용과 부합하는 것은?

① 종교적 신념의 차별을 금지하는 법규가 정당하다면 인권 보호라는 취지를 지닌다.
② 장애를 이유로 하는 차별의 금지는 장애의 유형이 다르더라도 보호되는 효과가 달라지지는 않는다.
③ 사회적 신분을 이유로 하는 차별의 금지는 우리 헌법 질서에서 가치 판단의 대상에 포함되지 않는다.
④ 성별에 대한 차별 금지 법규와 연령에 대한 차별 금지 법규는 근로자에 대한 보호의 정도가 동일하다.
⑤ 여성 근로자에 대한 차별 금지 법규는 여성에 대한 차별을 소극적으로 수정하기 위한 경우에는 적용되지 않는다.

2. 윗글을 바탕으로 추론할 때, 적절하지 않은 것은?

① 특정 종교를 갖고 있다는 이유로 기업에서 고용을 거부하는 것은 우리나라의 헌법 질서에 반한다.
② 고령의 전문직 종사자의 노동 시장 참여를 촉진할 목적으로 연령에 대한 차별 금지 법규를 제정하는 것은 가능하다.
③ 동일 조건의 개별 근로자에 대한 임금 차별을 금지하는 강행 규정이 있더라도 당사자들이 자유롭게 계약을 한다면 임금의 차이가 정당화될 수 있다.
④ 근로자에 대한 인권 보호의 취지 및 정책적 목적 없이 연령에 따른 차별을 획일적으로 금지하는 법규는 사용자의 영업에 대한 자유를 침해할 여지가 있다.
⑤ 학력·학벌에 대한 차별 금지 법규가 인권 보호의 취지를 고려하지 않고 특정한 정책적 목적에만 의존하여 제정된 경우에는 그 정당성이 보장되지 않는다.

3. ㉠과 부합하는 진술만을 <보기>에서 있는 대로 고른 것은?

<보 기>
ㄱ. 특정 연령층에게 취업 특혜를 부여함으로써 결과적으로 60대 이상 고령자의 취업 기회를 상대적으로 제한하게 된 법규는 국민의 평등권을 침해하지 않을 것이다.
ㄴ. 사용자와 근로자가 자유로운 계약을 통해 정년을 45세로 정했다면 차별 금지 원칙을 위반하지 않을 것이다.
ㄷ. 50세를 넘은 퇴역 군인은 예비군 관련 직책을 맡을 수 없다는 법규를 제정하더라도 차별 금지 원칙에 위배되지 않을 것이다.

① ㄱ   ② ㄴ   ③ ㄱ, ㄷ
④ ㄴ, ㄷ   ⑤ ㄱ, ㄴ, ㄷ

[4~6] 다음 글을 읽고 물음에 답하시오.

1989년 냉전 체제가 해체되면서 동유럽사, 특히 폴란드의 역사 서술은 더 복잡해졌다. 예컨대 소련-폴란드 전쟁을 거론하지 않을 만큼 강했던, '사회주의 모국'을 비판해서는 안 된다는 금기는 사라졌다. 미래보다 과거가 더 변화무쌍하고 예측하기 힘들다는 농담은 실로 그럴듯했다. 당시 동유럽의 '벨벳 혁명'은 가까운 과거에 대한 사회적 이해를 크게 바꾸었기 때문이다. '사회주의 형제애'라는 공식적 기억의 장막이 걷히자, 개인사와 가족사의 형태로 사적 영역에 숨어 있던 기억들이 양지로 나왔다.

이 현상은 폴란드 연대 노조의 민주화 운동이 시작된 1980년부터 지하 출판되었던 역사서들에서 이미 찾아볼 수 있다. 그 역사 해석은 다양했는데, 특히 전투적 반공주의 역사가들은 민족주의를 내세우며 사회주의가 외래 이데올로기라는 점을 강조했다. 그들은 폴란드 공산당 특히 국제주의 분파를 소련의 이익을 위해 민족을 판 배반자라고 하여 주공격 대상으로 삼았다. 이 분파 지도부의 상당수가 유대계임을 감안하면, 전투적 반공주의가 반유대주의로 이어지는 것은 자연스러웠다. 흥미롭게도 이들의 입장과 1968년을 전후한 폴란드 공산당의 공식적 입장은 공통분모를 가진다. 당시 권력을 장악한 애국주의 분파 역시 민족주의와 반유대주의를 내세웠기 때문이다. 그러나 '사회주의 모국'에 대한 공격을 용납할 수 없는 것은 국제주의 분파와 마찬가지였다. 그들은 반독일 감정을 키워 소련에 대한 대중적 반감을 해소하려 했다.

이 시기 ⓐ공산당의 공식적 역사 서술과 ⓑ전투적 반공주의 역사 서술을 엮는 끈이 민족주의와 반유대주의였다면, 19세기부터 21세기 초까지 좌우를 막론하고 폴란드의 역사 문화를 아우르는 집단 심성은 희생자 의식이었다. 폴란드 낭만주의가 처음 내세운 '십자가에 못 박힌 민족'이라는 이미지는 폴란드 인이 공유하는 역사 문화 코드였다. 그리고 이차 대전에서 독일의 침공에 의해 오백여만 명이 희생된 사실은 이 의식을 강화했다. 하지만 그 중 삼백여만 명이 유대계였다는 것은 공식적으로 언급되지 않았다.

이 코드가 본격적으로 흔들린 분기점은 2000년의 스톡홀름 선언이었다. 여기에 참여한 유럽 정상들은 홀로코스트 교육의 의무화에 합의했고, 이는 동유럽 국가들이 나토에 가입하는 전제 조건이 되었다. 이 시기 동유럽에서 뒤늦은 홀로코스트 책임론이 제기된 것도 이와 무관하지 않다. 동유럽 국가들은 나토와 유럽 연합에 가입함으로써 서구화를 추진했다. 정치적 서구화는 문화적 서구화를 낳고, 문화적 서구화는 역사학의 경우 전 유럽적 기억의 공간에 과거를 재배치하는 것을 의미했다. 이를 전통적인 역사 서술 단위인 민족과 국가를 넘어선다는 의미에서 ⓒ'트랜스내셔널 역사 서술'이라고 부를 수 있다. 이제 트랜스내셔널 역사와 충돌하는 민족적, 국가적 기억은 재구성되거나 수정되어야 했다. 폴란드의 경우, 일방적으로 희생당했다는 의식이 재검토되어야 했다. 나치 점령 당시 폴란드 인의 협력이나 방관, 유대인에 대한 공격 등은 어느 정도 자발적이었기 때문이다. 실제로 아우슈비츠 등지에서의 유대인 희생은 공산 정권 시기에 비판적 자기 성찰의 계기는 고사하고 아예 '말소된 기억'이었다. 유대인의 비극을 강조하다가 다른 이들의 고통을 소홀히 할 수 있다는 것이 한 가지 구실이었고, 일부 서구 자본가들의 나치 지지가 더 중요하다는 것이 또 다른 구실이었다. 더구나 빨치산의 반파시즘 투쟁을 강조하는 데 홀로코스트 가담 혹은 방관 문제는 방해가 되는 주제였다.

그러나 폴란드에서 과거에 대한 자기반성이 자동적으로 나타나지는 않았다. 1941년 같은 마을에 살았던 유대인들을 폴란드 인 주민들이 학살했던 사건을 다룬 『이웃들』이 2000년에 출간되자, 민족의 명예가 손상되었다고 느낀 민족주의자들의 분노가 확산되었다. 그리고 학살의 주체가 나치 비밀경찰이었다거나, 생존자의 증언만으로는 신뢰성이 부족하다는 등의 민족주의에 입각한 반론들이 나타났다. 이와 함께 독일 극우파들이 연합군의 독일 민간인 폭격 등을 역사적 맥락에서 분리하여 강조함으로써 민족주의를 정당화할 때마다, 역설적으로 폴란드에서의 자기 성찰은 약화되었다. 상충하는 민족적 기억들이 적대적 갈등 관계를 유지함으로써 서로의 존재 이유를 정당화해 주는 '민족주의의 적대적 공존 관계'가 형성되었던 것이다.

4. 윗글에 대한 이해로 가장 적절한 것은?

① 1960년대 후반에 폴란드가 소련에 대한 반감을 반독일 감정으로 해소하려 한 것은 '민족주의의 적대적 공존 관계'를 보여 주는 사례이다.
② 1980년대에 나타난 폴란드의 다양한 역사 해석은 냉전 체제가 해체되면서 일원화되었다.
③ 1980년대 말의 벨벳 혁명을 계기로 폴란드 역사 서술에서는 소련과의 관계 재설정이 본격화되었다.
④ 1989년 이후에도 사회주의 종주국에 대한 폴란드의 신뢰 관계는 나토 가입 시기까지 이어졌다.
⑤ 2000년에 출간된 『이웃들』에 대한 폴란드 민족주의자들의 반응은 전 유럽적 기억 공간으로의 기억 재배치 작업이 완료되었음을 보여 준다.

5. 희생자 의식 에 대한 글쓴이의 견해로 적절하지 않은 것은?

① 폴란드 인은 '희생자 의식'을 벗어나 비판적으로 자기 성찰을 해야 한다.
② 전투적 반공주의 역사가들은 지하 출판한 역사서를 통해 '희생자 의식'을 전복하려 했다.
③ '희생자 의식'을 수정하기 위해서는 나치에 대한 자발적 협력을 역사 서술의 대상으로 삼아야 한다.
④ 이차 대전 시기의 폴란드 인의 희생 중 과반수가 유대계였다는 사실의 공표는 '희생자 의식'을 약화시킬 수 있었다.
⑤ 19세기와 20세기의 폴란드 인의 정서적 기저에는 자신들이 '십자가에 못 박힌 민족'이라는 '희생자 의식'이 자리 잡고 있었다.

6. 윗글을 바탕으로 <보기>의 사건들에 대한 ⓐ~ⓒ의 서술 방향을 추론한 것으로 가장 적절한 것은?

<보 기>
㉠ 1943년 나치 점령 하에 있던 폴란드 바르샤바의 유대인 게토에서 나치에 저항하는 봉기가 일어났다.
㉡ 1979년 폴란드 출신 교황이 비르케나우 강제수용소 자리에서 미사를 집전한 것을 계기로 1984년 가스 저장실 터의 끝자락에 세운 카르멜 수도원은 폴란드 국민의 자부심의 장소가 되었다.

① ⓐ는 국제주의 분파와의 협력이 필요하다고 보아, 유대계 폴란드 인이 ㉠에서 나치에 대한 투쟁을 선도했다고 서술했을 것이다.
② ⓑ는 강제수용소 자리를 역사적 교육의 터로 온전히 활용해야 한다고 보아, ㉡에 대해 비판적으로 서술했을 것이다.
③ ⓒ는 홀로코스트 교육에 필요하다고 보아, ㉠의 봉기 지역이 유대인 구역이라는 점을 객관적으로 서술했을 것이다.
④ ⓐ와 ⓒ는 모두 정치적인 이유에서 ㉠에 대해서는 사실을 왜곡하여 서술하고, ㉡에 대해서는 찬성하는 논조로 서술했을 것이다.
⑤ ⓐ, ⓑ, ⓒ는 모두 역사 서술의 기본 원칙을 준수하기 위하여, ㉠, ㉡에 대해서 있는 그대로 서술했을 것이다.

[7~9] 다음 글을 읽고 물음에 답하시오.

한 가닥의 DNA는 아데닌(A), 구아닌(G), 시토신(C), 티민(T)의 네 종류의 염기를 가지고 있는 뉴클레오티드가 선형적으로 이어진 사슬로 볼 수 있다. 보통의 경우 <그림 1>과 같이 두 가닥의 DNA가 염기들 간 수소 결합으로 서로 붙어 있는 상태로 존재하는데, 이를 '이중나선 구조'라 부른다. 이때 A는 T와, G는 C와 상보적으로 결합한다. 온도를 높이면 두 가닥 사이의 결합이 끊어져서 각각 한 가닥으로 된다.

```
G G A A G G C C
| | | | | | | |
C C T T C C G G
```

<그림 1> 염기들 간 상보적 결합의 예

정보과학의 관점에서는 DNA도 정보를 표현하는 수단으로 볼 수 있다. 한 가닥의 DNA 염기서열을 4진 코드로 이루어진 특정 정보로 해석할 수 있기 때문이다. 즉, 'A', 'G', 'C', 'T'만을 써서 순서가 정해진 연속된 n개의 빈칸을 채울 때, 총 4^n개의 정보를 표현할 수 있고 이 중 특정 연속체를 한 가지 정보로 해석할 수 있다.

DNA로 정보를 표현한 후, DNA 분자들 간 화학 반응을 이용하면 연산도 가능하다. 1994년 미국의 정보과학자 에이들먼은 『사이언스』에 DNA를 이용한 연산에 대한 논문을 발표했고, 이로써 'DNA 컴퓨팅'이라는 분야가 열리게 되었다. 이 논문에서 에이들먼이 해결한 것은 정점(예 : 도시)과 간선(예 : 도시 간 도로)으로 이루어진 그래프에서 시작 정점과 도착 정점이 주어졌을 때 모든 정점을 한 번씩만 지나는 경로를 찾는 문제, 즉 '해밀턴 경로 문제(HPP)'였다. HPP는 정점의 수가 많아질수록 가능한 경로의 수가 급격하게 증가하기 때문에 소위 '어려운 문제'에 속한다.

DNA 컴퓨팅의 기본 전략은, 주어진 문제를 DNA를 써서 나타내고 이를 이용한 화학 반응을 수행하여 답의 가능성이 있는 모든 후보를 생성한 후, 생화학적인 실험 기법을 사용하여 문제 조건을 만족하는 답을 찾아내는 것이다. 에이들먼이 HPP를 해결한 방법을 <그림 2>의 그래프를 통해 단순화하여 설명하면 다음과 같다. <그림 2>는 V0이 시작 정점, V4가 도착 정점이고 화살표로 간선의 방향을 표시한 그래프를 보여 준다. 즉, V0에서 V1로는 갈 수 있으나 역방향으로는 갈 수 없다. 먼저 그래프의 각 정점을 8개의 염기로 이루어진 한 가닥 DNA 염기서열로 표현한다. 그리고 각 간선을 그 간선이 연결하는 정점의 염기서열로부터 취하여 표현한다. 즉, V0(<CCTTGGAA>)에서 출발하여 V1(<GGCCAATT>)에 도달하는 간선의 경우는 V0의 뒤쪽 절반과 V1의 앞쪽 절반을 이어 붙인 염기서열 <GGAAGGCC>의 상보적 코드 <CCTTCCGG>로 나타낸다. 이렇게 6개의 간선 각각을 DNA 코드로 표현한다.

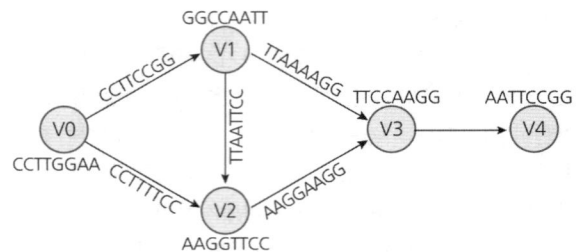

<그림 2> 정점 5개로 구성된 그래프

이제 DNA 합성 기술을 사용하여 이들 코드를 종류별로 다량합성한다. 이들을 하나의 시험관에 넣고 서로 반응을 시키면 DNA 가닥의 상보적 결합에 의한 이중나선이 형성되는데, 이것을 '혼성화 반응(hybridization)'이라 한다. 혼성화 반응의 결과로 경로, 즉 정점들의 연속체가 생성된다. 시험관 안에는 코드별로 막대한 수의 DNA 분자들이 있기 때문에, 이들 사이의 이러한 상호 작용은 대규모로 일어난다. ㉠ 이상적인 실험을 가정한다면, 혼성화 반응을 통해 <그림 2> 그래프의 가능한 모든 경로에 대응하는 DNA 분자들이 생성된다. 경로의 예로 (V0, V1), (V1, V2), (V0, V1, V2) 등이 있다. 이와 같이 생성된 경로들로부터 해밀턴 경로를 찾아 나가는 절차는 다음과 같다.

[1단계] V0에서 시작하고 V4에서 끝나는지 검사한 후, 그렇지 않은 경로는 제거한다.
[2단계] 경로에 포함된 정점의 개수가 5인지 검사한 후, 그렇지 않은 경로는 제거한다.
[3단계] 경로에 모든 정점이 포함되었는지 검사한다.
[4단계] 지금까지의 과정을 통해 취한 경로들이 문제에 대한 답이라고 결정한다.

에이들먼은 각 단계를 적절한 분자생물학 기법으로 구현했다. 그런데 DNA 분자들 간 화학 반응은 시험관 내에서 한꺼번에 순간적으로 일어난다는 특성을 갖고 있다. 요컨대 에이들먼은 기존 컴퓨터의 순차적 연산 방식과는 달리, 대규모 병렬 처리 방식을 통해 HPP의 해결 방법을 제시한 것이다. 이로써 DNA 컴퓨팅은 기존의 소프트웨어 알고리즘이나 하드웨어 기술로는 불가능했던 문제들의 해결에 대한 잠재적인 가능성을 보여 주었다.

7. DNA 컴퓨팅에 대한 설명으로 적절하지 않은 것은?

① 창시자는 미국의 정보과학자 에이들먼이다.
② DNA로 정보를 표현하고 이를 이용하여 연산을 하는 것이다.
③ 기본적인 해법은 가능한 모든 경우를 생성한 후, 여기서 답이 되는 것만을 찾아내는 것이다.
④ 기존 컴퓨터 기술의 발상을 전환하여 분자생물학적인 방법으로 접근함으로써 정보 처리 방식의 개선을 모색했다.
⑤ DNA 컴퓨팅을 이용하여 HPP를 풀 때, 간선을 나타내는 DNA의 염기 개수는 정점을 나타내는 DNA의 염기 개수의 두 배다.

8. ㉠에 대한 설명으로 적절하지 <u>않은</u> 것은?

① (V1, V2, V3, V4)는 정점이 네 개이지만, 에이들먼의 해법 [1단계]에서 걸러진다.
② V3에서 V4로 가는 간선으로 한 가닥의 DNA <TTCCTTAA>가 필요하다.
③ 정점을 두 개 이상 포함하고 있는 경로는 두 가닥 DNA로 나타내어진다.
④ 정점을 세 개 포함하고 있는 경로는 모두 네 개이다.
⑤ 해밀턴 경로는 (V0, V1, V2, V3, V4)뿐이다.

9. <보기>의 ⓐ에 대한 설명으로 적절한 것만을 있는 대로 고른 것은?

―――――<보 기>―――――

DNA 컴퓨팅의 실용화를 위해서는 여러 기술적인 문제점들을 해결해야 한다. 그중 하나는 정보 처리의 정확도다. DNA 컴퓨팅은 화학 반응에 기반을 두는데, ⓐ<u>반응 과정상 오류가 발생</u>할 경우 그릇된 연산을 수행하게 된다.

ㄱ. ⓐ가 발생하지 않는다면, <그림 2> 그래프에서는 에이들먼의 해법 [3단계]가 불필요하다.
ㄴ. 혼성화 반응에서 엉뚱한 분자들이 서로 붙는 것을 방지할 수 있도록 DNA 코드를 설계하는 것은 ⓐ를 최소화하기 위한 방법이다.
ㄷ. DNA 컴퓨팅의 원리를 적용한 소프트웨어를 개발하면, ⓐ를 방지하면서도 대규모 병렬 처리를 통한 문제 해결이 기존 컴퓨터에서 가능하다.

① ㄱ ② ㄴ ③ ㄱ, ㄴ
④ ㄱ, ㄷ ⑤ ㄴ, ㄷ

[10~12] 다음 글을 읽고 물음에 답하시오.

예이츠는 어느 편지에서 "내게 지상 목표는 비극 한가운데서 사람을 환희하게 만드는 신념과 이성에서 우러나오는 행위"라고 하면서, "동양은 언제나 해결이 있고, 그러므로 비극에 대해선 아무 것도 모르오. 영웅적인 절규를 발해야 하는 것은 우리지 동양은 아니오."라고 말한 바 있다. 이러한 대조는 기실 동서양론에 기초를 둔 흔한 관념 이상의 것은 아니다. 이 대조가 어떤 진실을 담고 있음을 인정하면서도 우리는 예이츠의 견해를 다시 검토할 필요가 있는 것이다. 근대 한국시의 몇몇 순간들은 비극적 황홀을 볼 수 있는 예이츠의 만년의 시 「유리」에 비길 만하기 때문이다.

햄릿과 리어는 즐겁다
두려움을 송두리째 변모시키는 즐거움
모든 사람들이 노리고 찾고 그리곤 놓쳤다
암흑, 머릿속으로 타들어 오는 천국
비극이 절정에 달할 때

근대 한국시사에서 황매천과 이육사와 윤동주가 보여주는 비극적 황홀의 순간들은 그들이 상황에 참여한 방식에 따라 그 성격이 다소 다르다. 유생이며 전통적 원칙주의자인 황매천은 소극적 저항의 삶을 살면서 비극적인 최후를 선택한다. 그는 일제의 국권 강탈에 항거하여, "난리를 겪어 나온 허여센 머리 / 죽재도 못 죽는 게 몇 번이더뇨. / 오늘에는 어찌할 길이 없으니 / 바람 앞의 촛불이 창공 비추네."라는 절명시를 남기고 자결했다. '바람 앞의 촛불'의 이미지로 자신이 성취한 비극적 황홀의 순간을 표현했던 것이다.

어려서 한학을 배운 이육사의 시는 겉으로는 형식적인 균형과 절제에 바탕을 둔 고전적인 풍격을 보여준다. 동시에 그의 시는 현대적인 혁명가로서의 이상주의를 품고 있다. 혁명가로서의 삶을 가장 힘차게 나타낸 작품 「절정」에서 시인은 자신이 부딪치게 된 식민지 상황을 한계상황으로 표현한다. 시인은 자신이 비극 한가운데 놓여 있음을 깨닫고 '겨울' 즉 '매운 계절'을 '강철로 된 무지개'로 본 것이다. 이 비극적인 비전은 또 하나의 비극적 황홀의 순간을 나타내거니와 여기서 우리는 시인이 자기가 놓인 상황에서 거리를 두고 하나의 객관적인 이미지를 발견함을 본다.

기독교 집안에서 자란 윤동주는 비록 비극적인 종말을 맞기는 했지만, 황매천처럼 가차 없는 비평가도 아니었고, 이육사처럼 두려움을 모르는 투사도 아니었다. 그 대신 그는 자신의 시대를 괴롭게 살다 죽어간 외롭고 양심적인 문학도였다. 그의 생애의 수동적인 외관과는 달리 그는 그리스도와 같은 죽음을 일종의 황홀 가운데서 꿈꿀 정도로 민족주의적이었다. 그의 소원이 실현될 때까지 "모가지를 드리우고 / 꽃처럼 피어나는 피"(「십자가」)를 흘림으로써 비극적인 상황에서 놓여나기까지 때를 기다리는 것이다.

그러나 이 시인들의 비극적인 비전은 공통된 특징을 가지고 있다. 그 비전은 사유와 관조 또는 명상의 산물이었다. 말을 바꾸면 그것은 시인이 상황을 객관적으로 바라봄으로써 얻은 충분히 자각된 비전이다. 그런데 이것을 가능케 한 것은 동양인의 정신에 특유한 초연함과 달관의 상태로 생각된다. 동양에서 비극적인 순간은 흔히 주인공의 신념에 찬 행위보다 초연한 관조 속에서 드러났던 것이다. 예이츠가 생각한 것처럼 동양에는 비극이 없는 것이 아니라 서양처럼 열정적이거나 야단스럽지는 않을지라도 그 나름의 비극을 가지고 있는 셈이다.

　우리가 다룬 모든 시인에게 공통된 또 하나의 특징은 시인이 그러한 비극적 순간의 작자일 뿐만 아니라 그들 자신이 비극의 주인공이라는 점이다. 이것은 동양에 있어서 시의 전통적인 개념 및 성질과 무관하지 않은 듯하다. 중국에서 시에 관한 오래된 정의는 '마음속에 있는 바의 발언', 즉 ㉠<u>언지(言志)</u>이다. 이러한 뜻에서의 시는 작품과 시인 사이의 구별을 용납하지 않는 개인적이며 서정적인 시이다. 허구로서의 '포에시스'의 개념과는 반대로 동양에서 시는 시인 자신의 삶과 하나가 되어 있었다. 그것은 전통적으로 수양의 일부이며 내면생활의 직접적인 음성으로 생각되었다.

　그러므로 동양에서는 비극이 허구적인 세계에 형상화된 경우로 존재하지 않고, 비극이 있다면 시인 자신이 주인공이 되는 비극으로 존재한다. 이것은 분명 예이츠가 만년에 시적 계획으로뿐만 아니라 또한 개인적인 이상으로서 매우 골몰했던 바이다. 그것은 그의 '지상 목표'였으며, 그가 "모든 사람들이 노리고 찾고 그리곤 놓쳤다"라고 말하고 있는 것으로 보아 지극히 달성하기 어려운 목표이기도 했다. 그러나 우리가 살펴 본 세 사람의 한국 시인들은 이 어려운 이상을 그들의 삶과 시에서 실현했으며, 적어도 황매천과 이육사의 경우 그들의 비극적 황홀의 시적 가치는 기이하게도 예이츠의 인식과 흡사했다.

10. 윗글의 내용과 일치하는 것은?

① 황매천은 시대 현실에 초연한 덕분에 시적 성취에 성공했다.
② 이육사는 전통적인 것과 현대적인 것의 갈등을 자신의 한계상황으로 인식했다.
③ 황매천과 이육사는 예이츠가 추구했던 시적 계획을 실제 삶에서 구현했다.
④ 황매천과 윤동주는 원칙과 신념에 따라 능동적으로 죽음을 맞이했다.
⑤ 황매천, 이육사, 윤동주는 모두 종교로 인해 빚어지는 내적갈등을 창작에 담아냈다.

11. ㉠에 대한 설명으로 가장 적절한 것은?

① 시를 시인의 도야된 인격을 담는 언어적 구성물로 본다.
② 시를 시인의 개인적인 서정을 담은 허구적 표현물로 본다.
③ 시를 현실을 초월하려는 시인의 의지를 표현한 정신적 생산물로 본다.
④ 시를 세련된 언어를 통해 독자들에게 즐거움을 주는 심미적 구조물로 본다.
⑤ 시를 시인이 살고 있는 현실을 사실적으로 형상화한 문화적 창조물로 본다.

12. <u>비극적 황홀</u>에 대한 글쓴이의 입장으로 가장 적절한 것은?

① 시인의 비극적 삶은 시에서의 비극적 황홀에 도달하기 위한 필수 조건이다.
② 비극적 황홀은 작품 속에 등장하는 주인공의 삶 외에 작품을 창작하는 작자의 삶에서도 발견할 수 있다.
③ 비극적 상황에 놓인 주인공의 비극적 황홀을 통해 독자들의 현실 참여를 이끌어내는 것이 이상적인 서정시이다.
④ 비극적 황홀은 주인공의 신념에 찬 행위에 바탕을 두고 있기 때문에 상황에 대한 관조만으로는 도달할 수 없다.
⑤ 햄릿이나 리어 같은 주인공이 도달한 비극적 황홀은 절망적 상황을 극적으로 해결함으로써 얻어지는 체험이다.

언어이해

[13~15] 다음 글을 읽고 물음에 답하시오.

서양 근대 윤리학에서 칸트의 도덕 철학과 헤겔의 윤리 이론은 각기 도덕성과 인륜성의 개념으로 대표되며 오늘날에도 여전히 논란거리를 제공하고 있다.

이 가운데 칸트의 도덕 철학이 갖는 우선적 목표는 '보편도덕'을 확립하는 것이다. 그는 신과 같은 초월적 존재의 권위에 기대지 않고, 인간 존재에게 '이성'이 그 자체로 이미 주어졌다는 사실에 의거하여 '보편도덕'을 세운다. 그는 인간과 도덕으로부터 ㉠경험 세계의 모든 우연적 요소들을 제거한다. 인간이 피와 살을 가진 물리적 세계의 존재이고, 감정이나 취향과 같은 경향성을 가지며, 다른 사람들과 함께 살아가는 존재라는 사실을 모두 소거한다. 이로써 인간이 이성적 존재라는 단 하나의 사실에 초점을 맞춘다. '이성' 이외에 그 어떤 것도 필요로 하지 않는 '의지'의 개념을 도출하고 그것을 '이성적 의지'라고 부른다. 이성적 의지는 순수한 의지이며 자유로운 의지이자 자율적 의지이다. 여기서 자유란 스스로 법칙을 제정하고 동시에 자신이 제정한 법칙에 스스로 예속되는 '자기입법'과 '자기예속'으로서 '자율'의 능력을 의미한다. 그리고 행위를 강제하는 의무는 ㉡법칙에 대한 존경으로부터 생겨난 행위의 필연성에서 비롯하며, 도덕적 행위의 유일한 판단 기준이 된다.

'이성적 주체'로서 개인은 인류 전체를 대표하고 나아가서 모든 이성적 존재를 대변할 수 있는 '자기 완결적' 존재이고, 그의 주관적 행위 원리인 준칙이 도덕 세계의 필연적 보편 법칙이 됨으로써 ㉢도덕적 주체가 된다. 칸트는 도덕 원리이자 의무를 ㉣'정언 명법'이라 부르며 다음과 같이 정식화한다. "네 의지의 준칙이 동시에 보편적 입법의 원리로서 타당하도록 행위하라." 이에 따르면 도덕성의 핵심은 ㉤'보편화 가능성'에 있다.

헤겔은 칸트의 도덕성 개념을 비판하며 '윤리적 삶'의 가치를 높이 평가한다. 윤리적 삶은 진정한 자유의 실현이며, 이는 끝없이 전진하는 자기의식이 도달하는 지점이다. 도덕적 질서와 달리 윤리적 질서는 실재하는 내용을 지닌다. 그리하여 추상적인 또는 형식적인 이성의 원리에 기초하여 무엇이 의무인지 결정할 수 없는 어려움이 윤리의 수준에서는 사라진다. 가족이나 시민사회, 국가와 같은 윤리적 공동체에 참여한다는 것은, 인간 본성의 이성적인 본질이 외적으로 실현되는 것이며, 이 공동체의 구성원으로서 특정 역할을 받아들여 그에 따른 의무와 책임을 인정하게 됨을 의미한다. 그리고 각자가 지닌 특수한 의지가 보편적 의지로서의 윤리적 질서와 일치하게 됨을 확인하기만 하면, 윤리적 질서 안에서 의무와 권리는 하나가 되어 의무는 더 이상 강제가 아니게 된다.

헤겔은 윤리적 삶의 영역을 ⓐ인륜이라 부른다. 인륜이 발전하는 계기는 세 단계로 이루어진다. 첫 번째 단계는 가족이다. 개인은 가족을 통해서 윤리적 삶으로 들어간다. 가족 안에서 개체성에 대한 자기의식을 비로소 얻게 되며 독립적인 개인이 아니라 가족의 한 구성원임을 알게 되고, 부부 간 그리고 부모와 자식 간에 존재하는 권리와 의무를 받아들이게 된다. 두 번째 단계는 시민 사회이다. 시민사회는 스스로 존재하는 개인들의 필요에 따른 연합과 법률적 체계화 그리고 그들의 특수한 공통 이익을 얻기 위한 외적인 조직체를 통해서 발생한다. 개인은 자기 자신의 실재하는 정신이 시민사회 안에 구체화되어 있음을 발견할 때, 일정 수준의 자유에 도달한다. 시민사회에서 개인은 각자의 사회적 지위에 따라 특수하게 구체화된 존재이지만, 법적 체계에서는 모두 동등한 권리를 지닌 존재이다. 세 번째 단계는 국가이다. 개인의 개체성과 특수한 관심은 자신의 완전한 발전의 성취와 권리의 분명한 인식을 추구한다. 이와 함께 개인은 자기 이익을 넘어서서 보편의 이익과 일치하려 하며, 보편을 인식하고 의욕하려 한다. 개인이 국가 안에서 진정한 개체성을 지니고 보편을 자기 자신의 실재하는 정신으로 인식하며 보편을 자신의 목표로 간주하여 적극적으로 추구할 때, 국가란 그에게 자유의 실현이 된다.

13. ㉠~㉤에 관한 설명으로 가장 적절한 것은?

① ㉠을 제거하기 위해 도덕적 주체는 개인적 취향, 전통과 관행, 추론 능력과 무관하게 도덕 법칙을 정초한다.
② ㉡에 따른 행위란 이성의 요구에 따라 우리가 하여야 할 바를 행하는 것으로 이런 행위만 진정한 도덕적 행위가 된다.
③ ㉢은 외부의 사건이나 다른 행위자가 원인이 되어 행위를 하지 않으며 자신의 경향성을 행위의 동기로 한다.
④ ㉣은 '네가 어떤 목적을 성취하고 싶다면 그 목적에 맞는 수단으로 행위하면 된다'는 뜻이다.
⑤ ㉤을 통해 초월적 존재에 의해 선험적으로 주어진 권위로부터 행위의 도덕성이 확보된다.

14. 비판의 내용으로 적절하지 않은 것은?

① 이성의 형식에만 호소하기에 이성의 내용을 실질적으로 갖추지 못하고 있다.
② 도덕 원리를 구성할 때 의무와 권리를 함께 고려하지 않고 일방적으로 의무를 부각하고 있다.
③ 인간의 자유를 이성적 존재의 보편성으로 한정하여 윤리적 삶의 구체적인 자유를 설명하지 못하고 있다.
④ 인간에게 본성으로 주어진 이성 능력을 발휘하여 보편의지를 함양하는 과정에 논증이 편중되어 균형을 잃고 있다.
⑤ 고립적인 자기동일성의 차원에 머무름으로써 윤리적 삶의 각 단계를 거쳐 자기의식에 도달하는 자아 형성의 가능성을 도외시하고 있다.

15. ⓐ에 대한 설명으로 적절하지 않은 것은?

① 가족의 단계에서 자녀들은 양육될 권리를 지닌다.
② 시민사회의 단계에서 모든 구성원들의 사회적 지위는 동등하다.
③ 국가의 단계에서 개체성은 사유와 구체적 현실 모두에서 보편성으로 통일된다.
④ 시민사회보다 국가에서 개인의 자유는 고양된 형태로 구현된다.
⑤ 가족, 시민사회, 국가는 이성이 외적으로 발현되는 단계들을 나타낸다.

[16~18] 다음 글을 읽고 물음에 답하시오.

일반적이고 추상적인 형태의 법을 개별 사례에 적용하려 한다면 이른바 해석을 통해 법의 의미 내용을 구체화하는 작업이 필요하다. 어떤 새로운 사례가 특정 법의 규율을 받는지 판단하기 위해서는 선례들, 즉 이미 의심의 여지없이 그 법의 규율을 받는 것으로 인정된 사례들과 비교해 볼 필요가 있는데, 그러한 비교 사례들을 제공할 뿐 아니라 구체적으로 어떤 비교 관점이 중요한지를 결정하는 것도 바로 해석의 몫이다.

넓은 의미에서는 법이 명료한 개념들로 쓰인 경우에 벌어지는 가장 단순한 법의 적용조차도 해석의 결과라 할 수 있지만, 일반적으로 문제 되는 것은 법이 불확정적인 개념이나 근본적으로 규범적인 개념, 혹은 재량적 판단을 허용하는 개념 등을 포함하고 있어 그것의 적용이 법문의 가능한 의미 범위 내에서 이루어지고 있는지 여부가 다투어질 경우이다. 그러한 범위 내에서 이루어지는 해석적 시도는 당연히 허용되지만, 그것을 넘어선 시도에 대해서는 과연 그 같은 시도가 정당화될 수 있는지를 따로 살펴봐야 한다.

하지만 언어가 가지는 의미는 고정되어 있는 것이 아니기 때문에, 애초에 법문의 가능한 의미 범위라는 것은 존재하지 않는다고 볼 수도 있다. 따라서 그것을 기준선으로 삼아, 당연히 허용되는 '법의 발견'과 별도의 정당화를 요하는 이른바 '법의 형성'을 구분 짓는 태도 또한 논란으로부터 자유롭다고 말할 수는 없다. 더욱이 가장 단순한 것에서 매우 논쟁적인 것까지 모든 법의 적용이 해석적 시도의 결과라는 공통점을 지니고 있는 한, 기준선의 어느 쪽에서 이루어지는 것이든 법의 의미 내용을 구체화하려는 활동의 본질에는 차이가 없을 것이다.

예컨대 법의 발견과 형성 과정에서 동일하게 법의 축소와 확장을 두고 고민하게 된다. 이를 통해서 특정 사례에 그 법의 손길이 미치는지 여부가 결정될 것이기 때문이다. 다만 그것이 법문의 가능한 의미 범위 내에서 이루어지는 경우와, 법의 흠결을 보충하기 위해 불가피하게 그 범위를 넘어서는 경우의 구분에 좀 더 주목하는 견해가 있을 뿐이다. 이렇게 보면 결국 법의 적용을 위한 해석적 시도란 법문의 가능한 의미 범위 안팎에서 법을 줄이거나 늘림으로써 그것이 특정 사례를 규율하는지 여부를 정하려는 것이라 할 수 있다.

흥미로운 점은 ⊙법의 축소와 확장이라는 개념마저 그다지 분명한 것이 아니라는 데 있다. 특히 형벌 법규와 관련해서는 가벌성의 범위가 줄어들거나 늘어나는 것을 가리킬 경우가 있는가 하면, 법규의 적용 범위가 좁아지거나 넓어지는 것을 지칭할 경우도 있다. 혹은 법문의 의미와 관련하여 언어적으로 매우 엄격하게 새기는 것을 축소로 보는가 하면, 명시되지 않은 요건을 덧붙이게 되는 탓에 확장이라 일컫기도 한다. 한편 이른바 법의 실질적 의미에 비추어 시민적 자유와 권리에 제약을 가하거나 법적인 원칙에 예외를 두는 것을 축소로 표현하기도 하며, 학설에 따라서는 입법자의 의사나 법 그 자체의 목적과 비교함으로써 축소와 확장을 판정하기도 한다.

가령 법은 단순히 '자수를 하면 형을 면제한다'라고만 정하고 있는데, 이를 '범행이 발각된 후에 수사기관에 자진 출두하는 것은 자수에 해당하지 않는다'라고 새기는 경우를 생각해 보자. 그러한 해석적 시도는 가벌성을 넓힌다는 점에서는 확장이지만, 법규의 적용 범위를 좁힌다는 점에서는 축소에 해당한다. 한편 자수의 일차적이고도 엄격한 의미는 '범행 발각 전'의 그것만을 뜻한다고 할 수 있다면, 그와 같은 측면에서는 법문의 의미를 축소하는 것이지만, 형의 면제 요건으로 단순히 자수 이외에 '범행 발각 전'이라고 하는 명시되지 않은 요소를 추가하여 법문의 의미를 파악하고 있는 점에서는 확장이다. 나아가 형의 면제 기회가 줄어드는 만큼 시민적 자유의 제약을 초래한다는 점에서는 축소이지만, 자수를 통한 형의 면제가 어디까지나 자신의 행위 결과에 대하여 책임을 져야 한다는 대원칙의 예외에 불과하다면, 그와 같은 예외의 폭을 줄이고 원칙으로 수렴한다는 점에서는 확장이라 말할 수 있다.

이렇듯 법의 해석과 적용을 인도하는 주요 개념들, 즉 법문의 가능한 의미 범위 및 그 안팎에서 시도되는 법의 축소와 확장은 대체로 정체가 불분명할 뿐 아니라 그 존재론적 기초를 의심받기도 하지만, 여전히 많은 학설과 판례가 이들의 도구적 가치를 긍정하고 있다. 그것은 규범적 정당성과 실천적 유용성을 함께 추구하는 법의 논리가 법적 사고의 과정 자체에 남긴 유산인 것이다.

16. 해석 에 관한 윗글의 입장과 일치하는 것은?

① 법의 발견과 법의 형성 사이에 본질적인 차이는 없다.
② 법의 해석은 법의 흠결을 보충하는 활동에서 비롯한다.
③ 법문의 가능한 의미 범위를 넘어선 해석적 시도는 정당화될 수 없다.
④ 법문이 명료한 개념들로만 쓰인 경우라면 해석이 개입할 여지가 없다.
⑤ 법이 재량적 판단을 허용하는 개념을 도입함으로써 해석적 논란을 차단할 수 있다.

17. 윗글을 바탕으로 <보기>의 견해를 평가한 것으로 적절하지 않은 것은?

<보 기>

엄밀히 말해서 모든 면에서 동일한 두 사례란 있을 수 없다. 다양한 사례들은 서로 어떤 면에서는 유사하지만, 다른 면에서는 그렇지 않다. 따라서 법관이 참조하는 과거의 유사 사례들 중 해결해야 할 새로운 사례와 동일한 사례는 어떤 것도 없으며, 심지어 제한적인 유사성 탓에 서로 상반된 해결 지침을 제시하기 일쑤다. 법관의 역할이란 결국 어느 유사 사례가 관련성이 더 높은지를 정하는 데 있으며, 사례 비교를 통한 법의 구체화란 과거의 유사 사례들로부터 새로운 사례에 적용할 지혜를 빌리는 일일 뿐이다. 진정한 의미에서 법관을 구속하는 선례는 없으며, 법의 해석이라는 것은 실상 유추에 불과한 것이다.

① 법의 발견에 대해 추가적 정당화를 요구하고 있다.
② 법관의 임의적인 법 적용을 사실상 허용하고 있다.
③ 규범 대 사례의 관계를 사례 대 사례의 관계로 대체하고 있다.
④ 선례로 확립된 사례들과 단순한 참조 사례들을 구별하지 않고 있다.
⑤ 참조 사례들 간의 차이가 법적으로 의미가 있을지 판단하는 것은 해석의 몫임을 간과하고 있다.

18. <보기>의 ⓐ에서 ⓑ로의 변화에 대하여 ㉠을 판단할 때, 적절하지 않은 것은?

<보 기>

"공공연히 사실을 적시하여 사람의 명예를 훼손한 자도, 오로지 공익을 위해 진실한 내용만을 적시했다면 처벌하지 않는다."라는 법은 ⓐ 언론의 공익적인 활동을 보호하려는 취지로 제정·적용되었으나, ⓑ 이후 점차 일반 시민들에게도 적용되는 것으로 해석되어 왔다.

① 가벌성의 범위를 기준으로 삼으면, 처벌의 대상이 줄어든다는 점에서 법의 축소라고 할 수 있다.
② 시민적 자유의 제약 가능성을 기준으로 삼으면, 시민이 누리는 표현의 자유를 제한한다는 점에서 법의 축소라고 할 수 있다.
③ 법규의 적용 범위를 기준으로 삼으면, 언론에서 일반 시민으로 적용 범위가 넓어진다는 점에서 법의 확장이라고 할 수 있다.
④ 입법자가 의도했던 법의 외연을 기준으로 삼으면, 법의 보호를 받는 대상이 늘어난다는 점에서 법의 확장이라고 할 수 있다.
⑤ 법문에 명시된 요건을 기준으로 삼으면, 명시되지 않은 부가조건이 더 이상 적용되지 않는다는 점에서 법의 축소라고 할 수 있다.

[19~21] 다음 글을 읽고 물음에 답하시오.

사람의 성염색체에는 X와 Y 염색체가 있다. 여성의 난자는 X 염색체만을 갖지만, 남성의 정자는 X나 Y 염색체 중 하나를 갖는다. 인간의 성은 여성의 난자에 X 염색체의 정자가 수정되는지, 아니면 Y 염색체의 정자가 수정되는지에 따라 결정된다. 전자의 경우는 XX 염색체의 여성으로, 후자의 경우는 XY 염색체의 남성으로 발달할 수 있게 된다.

인간과 같이 두 개의 성을 갖는 동물의 경우, 하나의 성이 성 결정의 기본 모델이 된다. 동물은 종류에 따라 기본 모델이 되는 성이 다르다. 조류의 경우 대개 수컷이 기본 모델이지만, 인간을 포함한 포유류의 경우 암컷이 기본 모델이다. ⊙기본 모델이 아닌 성은 성염색체 유전자의 지령에 의해 조절되는 일련의 단계를 거쳐, 개체 발생 과정 중에 기본 모델로부터 파생된다. 따라서 남성의 형성에는 여성 형성을 위한 기본 프로그램 외에도 Y 염색체에 의해 조절되는 추가적인 과정이 필요하다. Y 염색체의 지령에 의해 생성된 남성 호르몬의 작용이 없다면 태아는 여성이 된다.

정자가 난자와 수정된 초기에는 성 결정 과정이 억제되어 일어나지 않는다. 약 6주가 지나면, 고환 또는 난소가 될 단일성선(單一性腺) 한 쌍, 남성 생식 기관인 부고환·정관·정낭으로 발달할 볼프관, 여성 생식 기관인 난관과 자궁으로 발달할 뮐러관이 모두 생겨난다. 볼프관과 뮐러관은 각기 남성과 여성 생식 기관 일부의 발생에만 관련이 있으며, 두 성을 구분하는 외형적인 기관들은 남성과 여성 태아의 특정 공통 조직으로부터 발달한다. 이러한 공통 조직이 남성의 음경과 음낭이 될지, 아니면 여성의 음핵과 음순이 될지는 태아의 발생 과정에서 추가적인 남성 호르몬 신호를 받느냐 받지 못하느냐에 달려 있다.

임신 7주쯤에 Y 염색체에 있는 성 결정 유전자가 단일성선에 남성의 고환 생성을 명령하는 신호를 보내면서 남성 발달 과정의 첫 단계가 시작된다. 단일성선이 고환으로 발달하고 나면, 이후의 남성 발달 과정은 새로 형성된 고환에서 생산되는 호르몬에 의해 조절된다. 적절한 시기에 맞춰 고환에서 분비되는 호르몬 신호가 없다면 태아는 남성의 몸을 발달시키지 못하며, 심지어 정자를 여성에게 전달하는 데 필요한 음경조차 만들어내지 못한다.

고환이 형성되고 나면 고환은 먼저 항뮐러관형성인자를 분비하여 뮐러관을 없애라는 신호를 보낸다. 이 신호에 반응하여 뮐러관이 제거될 수 있는 때는 발생 중 매우 짧은 시기에 국한되기 때문에 이 신호의 전달 시점은 매우 정교하게 조절된다. 그 다음에 고환은 남성 생식기의 발달을 촉진하기 위해 볼프관에 또 다른 신호를 보낸다. 주로 대표적인 남성 호르몬인 테스토스테론이 이 역할을 담당하는데 이 호르몬이 수용체에 결합하면 볼프관은 부고환·정관·정낭으로 발달한다. 이들은 모두 고환에서 음경으로 정자를 내보내는 데 관여하는 기관이다. 만약 적절한 시기에 고환으로부터 이와 같은 호르몬 신호가 볼프관에 전달되지 않으면 볼프관은 임신 후 14주 이내에 저절로 사라진다. 이외에도 테스토스테론이 효소의 작용에 의하여 변화되어 생긴 호르몬인 디하이드로테스토스테론은 전립선, 요도, 음경, 음낭 등과 같은 남성의 생식 기관을 형성하도록 지시한다. 형성된 음낭은 임신 후기에 고환이 복강에서 아래로 내려오면 이를 감싼다.

여성 태아에서 단일성선을 난소로 만드는 변화는 남성 태아보다 늦은 임신 3~4개월쯤에 시작한다. 이 시기에 남성의 생식 기관을 만드는 데 필요한 볼프관은 호르몬 신호 없이도 퇴화되어 사라진다. 여성 신체의 발달은 남성에서처럼 호르몬 신호에 전적으로 의존하지는 않지만, 여성 호르몬인 에스트로젠이 난소의 적절한 발달과 정상적인 기능 수행에 필수적인 요소로 작용한다고 알려져 있다.

19. 윗글의 내용과 일치하는 것은?

① 포유류는 X 염색체가 없으면 수컷이 된다.
② 사람의 고환과 난소는 각기 다른 기관으로부터 발달한다.
③ 항뮐러관형성인자의 분비는 테스토스테론에 의해 촉진된다.
④ Y 염색체에 있는 성 결정 유전자가 없으면 볼프관은 퇴화된다.
⑤ 뮐러관이 먼저 퇴화되고 난 후 Y 염색체의 성 결정 유전자에 의해 고환이 생성된다.

20. 윗글을 바탕으로 <보기>의 '사람'에 대해 추론한 것으로 가장 적절한 것은?

<보 기>

'남성 호르몬 불감성 증후군'을 가진 사람은 XY 염색체를 가지고 있어 항뮐러관형성인자와 테스토스테론을 만들 수 있다. 하지만 이 사람은 남성 호르몬인 테스토스테론과 디하이드로테스토스테론이 결합하는 수용체에 돌연변이가 일어나 남성 호르몬에 반응하지 못하여 음경과 음낭을 만들지 못한다. 그리고 부신에서 생성되는 에스트로젠의 영향을 받아 음핵과 음순이 만들어져 외부 성징은 여성으로 나타난다.

① 몸의 내부에 고환을 가지고 있다.
② 부고환과 정관, 정낭을 가지고 있다.
③ 난소가 생성되어 발달한 후에 배란이 진행된다.
④ Y 염색체의 성 결정 유전자가 발현하지 않는다.
⑤ 뮐러관에서 발달한 여성 내부 생식기관을 가지고 있다.

21. ㉠의 이론을 강화하는 내용으로 볼 수 있는 것은?

① 한 마리의 수컷과 여러 마리의 암컷으로 이루어진 물고기 집단에서 수컷을 제거하면 암컷 중 하나가 테스토스테론을 에스트로젠으로 전환하는 효소인 아로마테이즈 유전자의 발현을 줄여 수컷으로 성을 전환한다.
② 붉은귀거북의 경우 28℃ 이하의 온도에서는 수컷만, 31℃ 이상의 온도에서는 암컷만 태어나고 그 중간 온도에서는 암컷과 수컷이 50 : 50의 비율로 태어난다.
③ 제초제 아트라진에 노출된 수컷 개구리는 테스토스테론이 에스트로젠으로 전환되어 암컷 개구리로 성을 전환한다.
④ 생쥐의 수컷 성 결정 유전자를 암컷 수정란에 인위적으로 삽입하면 고환과 음경을 가진 수컷 생쥐로 발달한다.
⑤ 피리새 암컷에 테스토스테론을 인위적으로 투여하면 수컷처럼 노래한다.

[22~25] 다음 글을 읽고 물음에 답하시오.

결혼을 하면 자연스럽게 아이를 낳지만, 아이들은 이 세상에 태어남으로써 해를 입을 수도 있다. 원하지 않는 병에 걸릴 수도 있고 험한 세상에서 살아가는 고통을 겪을 수도 있다. 이렇게 출산은 한 인간 존재에게 본인의 동의를 얻지 않은 부담을 지운다. 다른 인간을 존재하게 하여 위험에 처하게 만들 때는 충분한 이유를 가져야 할 도덕적 책임이 있다. 출산이 윤리적인가 하는 문제에 대해, 아이를 낳으면 아이를 기르는 즐거움과 아이가 행복하게 살 것이라는 기대가 있어 아이를 낳아야 한다고 주장하는 사람도 있고, 반면에 아이를 기르는 것은 괴로운 일이며 아이가 이 세상을 행복하게 살 것 같지 않다는 생각으로 아이를 낳지 말아야 한다고 주장하는 사람도 있다. 그러나 이것은 개인의 주관적인 판단에 따른 것이니 이런 근거를 가지고 아이를 낳는 것과 낳지 않는 것 중 어느 한쪽이 더 낫다고 주장할 수는 없다. 철학자 베나타는 이렇게 경험에 의거하는 방법 대신에 쾌락과 고통이 대칭적이지 않다는 논리적 분석을 이용하여, 태어나지 않는 것이 더 낫다고 주장하는 논증을 제시한다.

베나타의 주장은 다음과 같은 생각에 근거한다. 어떤 사람의 인생에 좋은 일이 있을 경우는 그렇지 않은 인생보다 풍요로워지긴 하겠지만, 만일 존재하지 않는 경우라도 존재하지 않는다고 해서 잃을 것은 하나도 없을 것이다. 무엇인가를 잃을 누군가가 애초에 없기 때문이다. 그러나 그 사람은 존재하게 됨으로써 존재하지 않았더라면 일어나지 않았을 심각한 피해로 고통을 받는다. 이 주장에 반대하고 싶은 사람이라면, 부유하고 특권을 누리는 사람들의 혜택은 그들이 겪게 될 해악을 능가할 것이라는 점을 들 것이다. 그러나 베나타의 반론은 선의 부재와 악의 부재 사이에 비대칭이 있다는 주장에 의존하고 있다. 고통 같은 나쁜 것의 부재는 곧 선이다. 그런 선을 실제로 즐길 수 있는 사람이 있을 수 없더라도 어쨌든 그렇다. 반면에 쾌락 같은 좋은 것의 부재는 그 좋은 것을 잃을 누군가가 있을 때에만 나쁘다. 이것은 존재하지 않음으로써 나쁜 것을 피하는 것은 존재함에 비해 진짜 혜택인 반면, 존재하지 않음으로써 좋은 것들이 없어지는 것은 손실이 결코 아니라는 뜻이다. 존재의 쾌락은 아무리 커도 고통을 능가하지 못한다. 베나타의 이런 논증은 아래 <표>가 보여 주듯 시나리오 A보다 시나리오 B가 낫다고 말한다. 결국 이 세상에 존재하지 않는 것이 훨씬 더 낫다.

<표>

시나리오 A : X가 존재한다	시나리오 B : X가 존재하지 않는다
(1) 고통이 있음 (나쁘다)	(2) 고통이 없음 (좋다)
(3) 쾌락이 있음 (좋다)	(4) 쾌락이 없음 (나쁘지 않다)

베나타의 주장을 반박하려면 선의 부재와 악의 부재 사이에 비대칭이 있다는 주장을 비판해야 한다. ㉠첫 번째 비판을 위해 천만 명이 사는 어떤 나라를 상상해 보자. 그중 오백만 명이 끊임없는 고통에 시달리고 있고, 다른 오백만 명은 행복을 누리고 있다. 이를 본 천사가 신에게 오백만 명의 고통이 지나치게 가혹하다고 조치를 취해 달라고 간청한다. 신도 이에 동의하여 시간을 거꾸로 돌려 불행했던 오백만 명이 고통에 시달리지 않도록 다시 창조했다. 하지만 베나타의 논리에 따르면 신은 시간을 거꾸로 돌려 천만 명이

사는 나라를 아예 존재하지 않게 할 수도 있다. 그러나 신이 천만 명을 아예 존재하지 않게 하는 식으로 천사의 간청을 받아들이면 천사뿐만 아니라 대부분의 사람들은 공포에 질릴 것이다. 이 사고 실험은 베나타의 주장과 달리 선의 부재가 나쁘지 않은 것이 아니라 나쁠 수 있다는 점을 보여 준다. 생명들을 빼앗는 것은 고통을 제거하기 위한 대가로는 지나치게 크다.

첫 번째 비판은 나쁜 일의 부재나 좋은 일의 부재는 그 부재를 경험할 주체가 없는 상황에서조차도 긍정적이거나 부정적인 가치를 지닐 수 있다는 베나타의 전제를 받아들였지만, ⓒ두 번째 비판은 그 전제를 비판한다. 평가의 용어들은 간접적으로라도 사람을 언급함으로써만 의미를 지닌다. 그렇다면 좋은 것과 나쁜 것의 부재가 그 부재를 경험할 주체와는 관계없이 의미를 지닌다고 말하는 것은 무의미하고 바람직하지도 않다. 베나타의 이론에서는 '악의 부재'라는 표현이 주체를 절대로 가질 수 없다. 비존재의 맥락에서는 나쁜 것을 피할 개인이 있을 수 없기 때문이다.

만일 베나타의 주장이 옳다면 출산은 절대로 선이 될 수 없으며 출산에 관한 도덕적 성찰은 반드시 출산의 포기로 이어져야 한다. 그리고 우리는 이 세상에 태어나게 해 준 부모에게 감사할 필요가 없게 된다. 따라서 그 주장의 정당성은 비판적으로 논의되어야 한다.

22. 베나타의 생각과 일치하지 <u>않는</u> 것은?

① 누군가에게 해를 끼치는 행위에는 윤리적 책임을 물을 수 있다.
② 아이를 기르는 즐거움은 출산을 정당화하는 근거가 되지 못한다.
③ 태어나지 않는 것보다 태어나는 것이 더 나은 이유가 있어야 한다.
④ 고통보다 행복이 더 많을 것 같은 사람도 태어나게 해서는 안 된다.
⑤ 좋은 것들의 부재는 그 부재를 경험할 사람이 없는 상황에서조차도 악이 될 수 있다.

23. 베나타가 ⓒ에 대해 할 수 있는 재반박으로 가장 적절한 것은?

① 전적으로 고통에 시달리는 사람도, 전적으로 행복을 누리는 사람도 없다.
② 쾌락으로 가득 찬 삶인지 고통에 시달리는 삶인지 구분할 객관적인 방법이 없다.
③ 삶을 지속할 가치가 있는지 묻는 것은 삶을 새로 시작할 가치가 있는지 묻는 것과 다르다.
④ 경험할 개인이 존재하지 않는 까닭에 부재하게 된 쾌락은 이미 존재하는 인간의 삶에 부재하는 쾌락을 능가한다.
⑤ 어떤 사람이 다른 잠재적 인간에게 존재에 따를 위험을 안겨주는 문제와 어떤 사람이 그런 위험을 스스로 안는가 하는 문제는 동일한 문제가 아니다.

24. ⓒ이 <표>에 대해 생각하는 것으로 가장 적절한 것은?

① (2)와 (4) 모두 좋다고 생각한다.
② (2)와 (4) 모두 좋지도 않고 나쁘지도 않다고 생각한다.
③ (2)는 좋지만 (4)는 좋기도 하고 나쁘기도 하다고 생각한다.
④ (2)는 좋지만 (4)는 좋지도 않고 나쁘지도 않다고 생각한다.
⑤ (2)는 좋기도 하고 나쁘기도 하다고 생각하지만 (4)는 나쁘다고 생각한다.

25. <보기>와 같은 주장의 근거로 가장 적절한 것은?

<보 기>
다음 두 세계를 상상해 보자. 세계 1에는 갑과 을 단 두 사람만 존재하는데, 갑은 일생 동안 엄청난 고통을 겪고 쾌락은 조금만 경험한다. 반대로 을은 고통을 약간만 겪고 쾌락은 엄청나게 많이 경험한다. 그러나 세계 2에는 갑과 을 모두 존재하지 않는데, 그들의 고통이 없다는 것은 좋은 반면, 그들의 쾌락이 없다는 것은 나쁘지 않다. 베나타에 따르면 세계 2가 갑에게만 아니라 을에게도 언제나 분명히 더 좋다. 그러나 나는 적어도 을에게는 세계 1이 훨씬 더 좋다고 생각한다.

① 나쁜 것이라면 그것이 아무리 작아도 언제나 좋은 것을 능가할 수 있기 때문이다.
② 쾌락은 단순히 고통을 상쇄하는 것이 아니라 고통을 훨씬 능가할 수 있기 때문이다.
③ 고통의 없음은 좋기는 해도 매우 좋지는 않지만 쾌락의 없음은 매우 좋기 때문이다.
④ 인간은 고통이 쾌락에 의해 상쇄되지 않아 고통이 쾌락을 능가하는 시점이 있기 때문이다.
⑤ 고통의 없음은 매우 좋지만 쾌락의 없음은 나쁘기는 해도 매우 나쁜 것은 아니기 때문이다.

[26~29] 다음 글을 읽고 물음에 답하시오.

 주어진 조건에서 자신의 이익을 최대화하는 합리적인 경제 주체들의 선택에서 출발하여 경제 현상을 설명하는 신고전파 경제학의 방법론은 오랫동안 경제학에서 주류의 위치를 지켜 왔다. 신고전파 기업 이론은 이 방법론에 기초하여 생산의 주체인 기업이 주어진 생산 비용과 기술, 수요 조건에서 이윤을 극대화하는 생산량을 선택한다고 가정하여 기업의 행동과 그 결과를 분석한다. 그런데 이런 분석은 한 사람의 농부의 행동과, 생산을 위해 다양한 역할을 담당하는 사람들이 참여하는 기업의 행동을 동일한 것으로 다룬다. 이에 대해 여러 의문들이 제기되었고 이를 해결하기 위해 다양한 기업 이론이 제시되었다.

 ㉠코즈는 가격에 기초하여 분업과 교환이 이루어지는 시장 시스템과 권위에 기초하여 계획과 명령이 이루어지는 기업 시스템은 본질적으로 다르다고 보았다. 이 때문에 그는 모든 활동이 시장에 의해 조정되지 않고 기업이라는 위계 조직을 필요로 하는 이유를 설명해야 한다고 생각했다. 예를 들어 기업이 생산에 필요한 어떤 부품을 직접 만들어 조달할 것인지 아니면 외부에서 구매할 것인지 결정한다고 생각해 보자. 생산 비용 개념만 고려하는 신고전파 기업 이론에 따르면, 분업에 따른 전문화나 규모의 경제를 생각할 때 자체 생산보다 외부 구매가 더 합리적인 선택이다. 생산에 필요한 모든 활동에 이런 논리가 적용된다면 기업이 존재해야 할 이유를 찾기 어렵다. 따라서 기업이 존재하는 이유는 생산 비용이 아닌 ㉡거래 비용에서 찾아야 한다는 것이 코즈의 논리이다.

 코즈는 거래 비용을 시장 거래에 수반되는 어려움으로 정의했다. 그리고 수요자와 공급자가 거래할 의사와 능력이 있는 상대방을 만나기 위해 탐색하거나, 서로 가격을 흥정하거나, 교환 조건을 협상하고 합의하여 계약을 맺거나, 계약의 이행을 확인하고 강제하는 모든 과정에서 겪게 되는 어려움을 그 내용으로 들었다. 거래 비용이 너무 커서 분업에 따른 이득을 능가하는 경우에는 외부에서 구매하지 않고 기업 내부에서 자체 조달한다. 다시 말해 시장의 가격이 아니라 기업이라는 위계 조직의 권위에 의해 조정이 이루어진다는 것이다. 코즈가 제시한 거래 비용 개념은 시장 시스템으로만 경제 현상을 이해하지 않는 새로운 방법론의 가능성을 제공했다. 그러나 코즈의 설명은 거래 비용의 발생 원리를 명확하게 제시하지 않았고, 주류적인 경제학 방법론도 '권위'와 같은 개념을 수용할 준비가 되어 있지 않았다.

 윌리엄슨은 거래 비용 개념에 입각한 기업 이론을 발전시키기 위해 몇 가지 새로운 개념들을 제시했다. 먼저 '합리성'이라는 가정을 '기회주의'와 '제한적 합리성'이라는 가정으로 대체했다. 경제 주체들은 교활하게 자기 이익을 최대화하고자 하지만, 정보의 양이나 정보 처리 능력 등의 이유로 항상 그렇게 할 수 있는 것은 아니라는 것이다. 그리고 코즈가 시장 거래라고 뭉뚱그려 생각한 것을 윌리엄슨은 현물거래와 계약으로 나누어 설명하면서 계약의 불완전성이란 개념을 제시했다. 계약은 현물거래와 달리 거래의 합의와 이행 사이에 상당한 시간이 걸린다. 그런데 제한적 합리성으로 인해 사람들은 미래에 발생할 수 있는 모든 상황을 예측할 수 없고, 예측한 상황에 대해 모든 대비책을 계산할 수도 없으며, 언어는 원래 모호할 수밖에 없다. 따라서 계약의 이행 정도를 제삼자에게 입증할 수 있는 방식으로 사전에 계약을 맺기 어렵기 때문에 통상적으로 계약에는 빈구석이 있을 수밖에 없다.

 상대방이 계약을 이행하지 않을 경우에는, 그가 계약을 이행할 것이라고 신뢰하고 행했던 준비, 즉 관계특수적 투자의 가치는 떨어질 것이다. 이 때문에 윌리엄슨은 계약 이후에는 계약 당사자들 사이의 관계에 근본적인 전환이 일어난다고 말했다. 그 가치가 많이 떨어질수록, 즉 관계특수성이 클수록 계약 후에 상대방이 변화된 상황을 기회주의적으로 활용할 가능성에 대한 우려가 커져 안전장치가 마련되지 않을 경우 관계특수적 투자가 이루어지기 어렵다. 윌리엄슨은 이를 '관계특수적 투자에 따른 속박 문제'라고 부르고, 계약의 불완전성으로 인해 통상적인 수준의 단순한 계약을 통해서는 사전에 이 문제를 방지하기 어렵다고 보았다. 따라서 이 문제가 심각한 결과를 초래하는 경우에는 단순한 계약과는 다른 복잡한 계약을 통해 안전장치를 강구할 것이고, 그런 방식으로도 해결할 수 없다면 아예 자체 조달을 선택할 것이라고 보았다.

 이렇게 본다면 안전장치가 필요 없는 거래만 존재하는 상황이 신고전파 경제학이 상정하는 세계이고, 다양한 안전장치를 고려하지 않고 기업의 자체 생산만 대안으로 존재하는 상황이 코즈가 상정하는 세계라고 할 수 있다. 윌리엄슨의 기업 이론이 거둔 성과 덕분에 거래 비용 경제학이 서서히 경제학 방법론의 주류적 위치를 넘볼 수 있게 되었다.

26. ㉠이 신고전파 기업 이론의 비판을 통해 해결하려고 한 의문으로 가장 적절한 것은?

① 누가 기업의 의사 결정을 담당하는 것이 바람직한가?
② 분석해야 할 기업의 행동에는 생산량의 선택밖에 없는가?
③ 기업에 참여하는 모든 사람들이 기업의 이윤 극대화를 추구하는가?
④ 왜 어떤 활동은 기업 내부에서 일어나고 어떤 활동은 외부에서 일어나는가?
⑤ 다수가 참여하는 기업과 한 사람의 생산자 사이에 생산량의 차이는 없는가?

27. ⓒ에 대한 진술로 가장 적절한 것은?

① 거래량과 반비례 관계이다.
② 현물거래의 경우에는 발생하지 않는다.
③ 계약 제도의 발달을 통해 줄일 수 있다.
④ 기업 내부에서 권위의 행사에 수반되는 비용이다.
⑤ 거래되는 재화의 시장 가치가 확실할수록 더 커진다.

28. 윌리엄슨의 기업 이론 에 대한 평가로 적절하지 않은 것은?

① 권위의 원천에 대한 설명을 제시하는 데까지 나아가지는 못했다.
② 경제 주체의 합리성을 대체하는 새로운 가정을 제시하는 수준으로 나아갔다.
③ 현물거래와 자체 생산 이외에도 다양한 계약들이 존재하는 현실을 이해하게 해주었다.
④ 관계특수성이나 계약의 불완전성이 큰 거래일수록 거래 비용이 적어진다는 것을 알게 해주었다.
⑤ 시장 거래를 현물거래와 계약으로 구분하여 새로운 측면에서 거래 비용의 속성을 이해하게 해주었다.

29. 윗글을 바탕으로 <보기>의 조사 결과를 해석할 때, 적절하지 않은 것은?

<보 기>

화력 발전소의 설비는 특정 종류의 석탄에 맞춰 설계되며, 여러 종류의 석탄을 사용하려면 추가적인 건설 비용이 많이 소요된다. 한편 탄전(炭田) 근처에 발전소를 건설한 전력 회사는 송전 비용을 많이 부담해야 하고, 소비지 근처에 발전소를 세운 전력 회사는 석탄 운반 비용을 많이 부담해야 한다. 다음은 1980년대 초에 미국에서 화력 발전 전력 회사들의 석탄 조달 방법을 조사한 결과이다.

[조사 결과]
ⓐ 미국 화력 발전에 쓰인 석탄 가운데 15% 정도는 전력 회사가 자체 조달한 것이었다.
ⓑ 전체 계약 건수 가운데 1년 미만의 초단기 계약은 10%에 못 미쳤고, 1년 이상의 계약 건수 가운데 6년 이상의 장기 계약이 83%였고, 21년 이상의 계약도 34%였다.
ⓒ 특정 탄광에 접한 곳에 발전소를 건설한 경우에는 예외 없이 자체 조달 또는 복잡한 장기 계약을 통한 조달이었는데, 이 경우 평균 계약 기간은 35년, 최대 계약 기간은 50년이었다.
ⓓ ⓒ에서 복잡한 장기 계약의 경우, 품질과 가격에 관한 조건은 매우 복잡하게 설정하면서도 최소 공급 물량은 단순하게 명시했다.

① ⓐ는 탄광의 직접 경영에 따르는 문제보다 복잡한 장기 계약으로도 대처하기 어려운 문제에 대한 우려가 더 커서 거래 비용을 줄이는 방안을 모색한 결과이겠군.
② ⓑ에서 1년 미만의 초단기 계약은, 거래 당사자들 간의 신뢰가 형성되지 않아서 관계특수적 투자에 따른 속박이 심각한 문제를 초래할 가능성이 가장 높은 경우에 맺은 것이겠군.
③ ⓒ는 특정 탄광으로부터 석탄을 공급받을 것을 전제하고 행한 투자의 가치가 떨어질 가능성을 우려하여 특정 탄광과의 계속적인 거래를 보장받고자 한 것이겠군.
④ ⓓ에서 품질과 가격의 계약 조건이 복잡한 것은, 공급되는 석탄의 품질과 가격에 관련된 기회주의적 행동을 제삼자가 판단하기 어렵다고 우려했기 때문이겠군.
⑤ ⓓ에서 최소 공급 물량의 계약 조건이 단순한 것은, 공급 물량의 경우에는 예측 가능성이나 언어의 모호성에 따른 문제가 크지 않아서 계약을 이행하지 않았을 때 법원과 같은 제삼자에게 쉽게 입증할 수 있다고 생각했기 때문이겠군.

[30~32] 다음 글을 읽고 물음에 답하시오.

민주주의 체제는 권력의 집중과 분산 혹은 공유의 정도에 따라 ㉠합의제 민주주의와 ㉡다수제 민주주의로 분류된다. 전자는 주로 권력을 공유하는 정치 주체를 늘려 다수를 최대화하고 그들 간의 동의를 기반으로 정부를 운영하는 제도이다. 이에 반해 후자는 주로 과반 규칙에 의해 집권한 단일 정당 정부가 배타적인 권력을 행사하며 정부를 운영하되 책임 소재를 분명하게 하는 제도이다.

레이파트는 민족, 종교, 언어 등으로 다원화되고 이를 대표하는 정당들에 의한 연립정부가 일상화된 국가들을 대상으로 합의제 민주주의에 대해 연구했다. 그는 '당-집행부(행정부)' 축과 '단방제-연방제' 축을 적용해 권력이 집중되거나 분산되는 양상을 측정했다. 전자의 경우 정당 체계, 선거 제도, 정부 구성 형태, 입법부-행정부 관계, 이익집단 체계가 포함되고 후자의 경우 지방 분권화 정도, 단원제-양원제, 헌법 개정의 난이도, 위헌 재판 기구의 독립성 유무, 중앙은행의 존재가 고려되었다. 각 요인들은 제도 내에 내포된 권력의 집중과 분산 정도에 따라 대조적인 경향성을 띤다. 예를 들면, 정당 수가 상대적으로 많고, 의회 구성에서 득표와 의석 간의 비례성이 높고, 연립정부의 비율이 높고, 행정부의 권한이 약하며, 지방의 이익집단들의 대표 체계가 중앙으로 집약된 국가는 합의제적 경향을 더 많이 띤다고 평가된다. 반대로 단방제와 같이 중앙 정부로의 권력이 집중되고, 의회가 단원제이고, 헌법 개정의 난이도가 일반 법률 개정과 유사하고, 사법부의 독립적 위헌 심판 권한이 약하며, 중앙은행의 독립성이 약한 국가는 다수제적 경향을 더 많이 띤다고 평가된다.

두 제도는 정책 성과에서 차이를 보였다. 합의제는 경제 성장에서는 의미 있는 차이를 보이지 않지만 사회·경제적 평등, 정치 참여, 부패 감소 등에서는 우월하다는 평을 받고 있다. 자칫 불안정해 보일 수 있는 권력 공유가 오히려 민주주의 본연의 가치에 더 충실하다는 경험적 발견은 관심을 끌었다. 합의제 정치 제도를 채택하기 위한 시도가 사회 분열이 심한 신생 독립 국가나 심지어 다수제 민주주의로 분류되던 선진 국가에도 다양하게 나타났다.

그러나 권력의 분산과 공유가 권력의 집중보다 반드시 나은 것은 아니다. 오히려 한 나라의 정치 제도를 설계할 때 각 제도들이 내포한 권력의 원심력과 구심력 그리고 제도들의 상호 작용 효과를 고려해야 한다. 대통령제에서의 헌정 설계를 예로 들어 살펴보자. 여기에서는 '대통령의 단독 권한'이라는 축과 대통령과 의회 간의 '목적의 일치성/분리성'이라는 축이 주요하게 고려된다. 첫째, 대통령의 (헌)법적 권한은 의회와의 협력에 영향을 미친다. 권한이 강할수록 대통령이 최후의 정책 결정권자임을 의미하고 소수당의 입장에서는 권력 공유를 통해 정책 영향력을 확보하기 어렵게 된다. 반면, 권한이 약한 대통령은 효율적 정책 집행을 위해 의회의 협력을 구하는 과정에서 소수당도 연합의 대상으로 고려하게 된다.

둘째, 목적의 일치성/분리성은 대통령과 의회의 다수파가 유사한 정치적 선호를 지니고 사회적 다수의 요구에 함께 반응하며 책임을 지는 정도를 의미한다. 의회의 의석 배분 규칙, 대통령과 의회의 선거 주기 및 선거구 규모의 차이, 대통령 선거 제도 등이 대표적인 제도적 요인으로 거론된다. 예를 들어, 의회의 단순 다수 소선거구 선거 제도, 동시선거, 대통령과 의회의 지역구 규모의 일치, 대통령 결선투표제 등은 목적의 일치성을 높이는 경향을 지니며, 상호 결합될 때 정부 권력에 다수제적 구심력을 강화한다. 결과적으로 효율적인 책임정치가 촉진되지만 단일 정당에 의한 배타적인 권력 행사가 증가되기도 한다. 반면, 비례대표제, 분리선거, 대통령과 의회 선거구 규모의 상이함, 대통령 단순 다수제 선거 제도 등은 대통령이 대표하는 사회적 다수와 의회가 대표하는 사회적 다수를 다르게 해 목적의 분리성을 증가시키며, 상호 결합될 때 정부 권력의 원심력은 강화된다. 이 경우 정치 주체들 간의 합의를 통한 권력 공유의 필요성이 증가하나 과도한 권력 분산으로 인해 거부권자의 수를 늘려 교착이 증가할 위험도 있다.

기존 연구들은 대체로 목적의 분리성이 높을 경우 대통령의 권한을 강화할 것을, 반대로 목적의 일치성이 높을 경우 대통령의 권한을 축소할 것을 권고하고 있다. 그러나 제도들의 결합이 낳은 효과는 어떤 제도를 결합시키는지와 어떤 정치적 환경에 놓여 있는지에 따라 다르게 나타날 수 있다.

30. ㉠을 ㉡과 비교하여 설명할 때, 가장 적절한 것은?

① 다당제 국가보다 양당제 국가에서 더 많이 발견된다.
② 선진 국가보다 신생 독립 국가에서 더 많이 주목받고 있다.
③ 사회 평등 면에서는 유리하나 경제 성장 면에서는 불리하다.
④ 권력을 위임하는 유권자의 수를 가능한 한 최대화할 수 있다.
⑤ 거부권자의 수가 늘어나서 정치적 교착 상태가 빈번해질 수 있다.

31. '합의제'를 촉진하는 효과를 지닌 제도 개혁으로 가장 적절한 것은?

① 의회가 지닌 법안 발의권을 대통령에게도 부여한다.
② 의회 선거 제도를 비례대표제에서 단순 다수 소선거구제로 변경한다.
③ 이익집단 대표 체계의 방식을 중앙 집중에서 지방 분산으로 전환한다.
④ 헌법 개정안의 통과 기준을 의회 재적의원 2/3에서 과반으로 변경한다.
⑤ 의회와 대통령이 지명했던 위헌 심판 재판관을 사법부에서 직선제로 선출한다.

32. 윗글을 바탕으로 <보기>의 A국 상황을 개선하기 위한 방안을 추론한 것으로 적절하지 않은 것은?

<보 기>

A국은 4개의 부족이 35%, 30%, 20%, 15%의 인구 비율로 구성되어 있으며, 각 부족은 자신이 거주하는 지리적 경계 내에서 압도적 다수이다. 과거에는 국가 통합을 위해 대통령제를 도입하고 대통령은 단순 다수제로 선출하되 전체 부족을 대표하게 했으며, 의회 선거는 전국 단위의 비례대표제로 대통령 임기 중반에 실시했었다. 아울러 대통령에게는 내각 구성권, 법안 발의권, 대통령령 제정권 등의 권한을 부여했고, 의회는 과반 규칙을 적용해 정책을 결정했었다.

그런데 부족들 간의 갈등이 증가하면서 각 부족들은 자신의 부족을 대표하는 정당을 압도적으로 지지하는 경향을 보였다. 이에 따라 정책 결정과 집행 과정에서 의회 내 정당 간, 그리고 행정부와 의회 간에 교착 상태가 일상화되었다. 이를 극복하기 위해 정치 개혁이 요구되었고 정치 주체들도 서로 협력하기로 했지만 현재는 대통령제의 유지만 합의한 상태이다.

① 의회의 과반 동의로 선출한 총리에게 내치를 담당하게 하면, 의회 내 정당 연합을 유도해 교착 상태를 완화할 수 있겠군.
② 대통령령에 법률과 동등한 효력을 부여하면, 의회와의 교착에도 불구하고 대통령이 국가 차원에서 책임정치를 효율적으로 실현할 수 있겠군.
③ 의회 선거를 대통령 선거와 동시에 실시하면, 대통령 당선자의 인기가 영향을 끼쳐 여당의 의석이 증가해 정책 결정과 집행에 있어 효율성이 증가하겠군.
④ 상위 두 후보를 대상으로 한 대통령 결선투표제를 도입하면, 결선투표 과정에서 정당 연합을 통해 연립정부가 구성되어 정치적 갈등을 완화할 수 있겠군.
⑤ 비례대표제를 폐지하고 부족의 거주 지역에 따라 단순 다수 소선거구제로 의회를 구성하면, 목적의 일치성이 증가해 정책 결정이 신속하게 이루어질 수 있겠군.

[33~35] 다음 글을 읽고 물음에 답하시오.

사유재산 제도에서 개인은 자기 재산을 임의로 처분할 수 있다. 다만 생전의 제한 없는 재산 처분은 유족의 생존을 위협할 수 있다. 이에 재산 처분의 자유와 상속인 보호를 조화시키기 위해 최소한의 몫이 상속인에게 유보되도록 보호할 필요가 있는데, 이를 위한 제도가 유류분(遺留分) 제도이다.

프랑스는 대혁명을 거치면서도 예전처럼 유언에 의한 재산 처분의 자유를 크게 인정하는 것이 일반적인 사회 관념이었다. 그러나 가부장의 전횡을 불러오는 이런 자유는 가정불화의 원인이 되기도 했다. 이로 인해 혁명기의 입법자는 유언의 자유에 대해 적대적인 태도를 취했다. 입법자는 피상속인의 재산을 임의처분이 가능한 자유분과 상속인들을 위해 유보해야 하는 유류분으로 구분하여 자유분을 최소한으로 규정했다.

1804년의 나폴레옹 민법전에서는 배우자와 형제자매를 제외하고 직계비속 및 직계존속에 한해 유류분권을 인정했다. 유류분은 상속인의 자격과 수에 따라 달라지게 했다. 피상속인의 생전 행위 또는 유언에 의한 무상처분은 자녀를 한 명 남긴 경우에는 재산의 절반을, 두 명을 남기는 경우에는 1/3을 초과할 수 없도록 했다. 상속을 포기한 자녀는 유류분권자에서 배제되지만 유류분 계산 시 피상속인의 자녀 수에는 포함되도록 하여, 상속 포기가 있어도 자유분에는 변동이 없었다. 유류분권은 피상속인이 가족에 대한 의무를 이행하는 것이었으며, 특히 직계비속을 위한 유류분 제도는 젊은 상속인의 생활을 위한 것이었다.

2006년에는 큰 변경이 있었다. 피상속인의 생전 처분이 고령화로 인해 장기에 걸쳐 진행되므로, 유류분 부족분을 상속 재산 자체로 반환하는 방식을 고수할 경우 영향 받는 제삼자가 그만큼 더 많아졌다. 상속 개시 시기가 늦어졌어도 상속인들이 생활 기반을 갖춘 경우가 일반화되었다. 또 이혼이나 재혼으로 가족이 재편되는 경우도 많아졌다. 이를 배경으로 유류분의 사전 포기를 허용하고, 직계존속에 대한 유류분을 폐지했다. 피상속인의 처분의 자유도 증대시켰다. 상속을 포기한 자녀는 유류분 계산 시 피상속인의 자녀 수에서 제외되어 상속 포기가 있으면 자유분이 증가하도록 했다. 유류분 반환 방식도 제삼자를 고려하여 유류분 부족액만큼을 금전으로 반환하는 방식으로 변경하였다.

우리의 유류분 제도는 1977년에 신설되었다. 우리 민법은 상속을 포기하지 않고 상속 결격 사유도 없는 한, 피상속인의 직계비속과 배우자, 직계존속, 형제자매까지를 유류분권자의 범주에 포함하되 최우선 순위인 상속권자를 유류분권자로 인정한다. 그리고 직계비속은 1순위, 직계존속은 2순위, 형제자매는 3순위, 배우자는 직계비속·직계존속과는 동일 순위이지만 형제자매에 대해서는 우선 순위의 상속인으로 인정한다. 유류분권자가 된 상속인의 법정 상속분 중 일정 비율을 유류분 비율로 정한다. 법정 상속분은 직계비속들 사이에서는 균분이고, 이들의 유류분 비율은 법정 상속분의 반이다. 구체적 유류분액을 확정하여 실제 받은 상속 재산이 이에 미달하는 경우에 그 부족분 한도에서 유증(遺贈) 또는 증여 받은 자에게 부족분에 해당하는 상속재산 자체의 반환을 청구하게 된다.

최근 우리의 유류분 제도에 대해서도 개정 필요성이 제기되고 있다. 도입 당시에는 호주 상속인만의 재산 상속 풍조가 만연한 탓에 다른 상속인의 상속권을 보장해 주어야 한다는 점이 강조되었고, 법 적용에서도 배우자와 자녀들에게 유류분권을 보장하는 점이 중시되었다. 하지만 현재는 호주제가 폐지되고 장자 단독상속 현상이 드물어졌다. 이와 관련하여 대법원도 판례를 통해 유류분 제도가 상속인들의 상속분을 보장한다는 취지 아래 피상속인의 자유의사에 따른 재산 처분을 제한하는 것인 만큼, 제한 범위를 최소한으로 그치게 하는 것이 피상속인의 의사를 존중하는 의미에서 바람직하다고 보았다.

33. 윗글의 내용과 일치하지 않는 것은?

① 프랑스 혁명기 입법자의 유언의 자유에 대한 태도는 자유분의 최소화로 나타났다.
② '1804년 나폴레옹 민법전'은 젊은 상속인의 생활을 보장하는 것이 피상속인의 의무라는 점을 들어 생전 재산 처분의 자유에 대한 제한을 정당화했다.
③ '2006년 프랑스 민법전'은 고령화 및 이혼·재혼 가정의 증가 현상에 대처하기 위해 피상속인의 재산 처분의 자유를 강화했다.
④ 우리 민법에 따르면 직계비속 및 배우자가 유류분권을 주장할 수 있는 경우에는 형제자매도 유류분권을 주장할 수 있다.
⑤ 우리의 유류분 제도 입법 취지는 호주 상속인이 단독으로 재산을 상속하여 배우자 등 상속인들의 권익이 보호받지 못하는 문제에 대처하기 위한 것이었다.

34. 윗글에 제시된 각 입장에 따라 우리의 유류분 제도에 대한 개정 방향을 논의할 때, 추론의 내용으로 가장 적절한 것은?

① 프랑스 혁명기의 사회 관념에 따를 경우, 유류분권자의 권익은 현재보다 강화될 것이다.
② '1804년 나폴레옹 민법전'의 입장에 따를 경우, 배우자가 지니는 유류분권자로서의 권익은 현재보다 강화될 것이다.
③ '2006년 프랑스 민법전'의 입장에 따를 경우, 직계존속이 지니는 유류분권자로서의 권익은 현재보다 강화될 것이다.
④ '2006년 프랑스 민법전'의 입장에 따를 경우, 피상속인의 생전 처분으로 증여받은 제삼자의 권익은 현재보다 강화될 것이다.
⑤ 우리 대법원의 판례에 따를 경우, 상속 개시 전에 이해관계를 형성했던 제삼자가 고려해야 하는 유류분권자의 권익이 현재보다 강화될 것이다.

35. 윗글을 바탕으로 <보기>에 대해 평가할 때, 적절한 것을 고른 것은?

<보 기>

A가 사망했고 장남 B, 차남 C, A의 동생 D가 남아 있다. B는 사업에 실패하여 극심한 생활 곤란을 겪고 있고, C는 경제 능력을 갖추고 있으며, D는 고령으로 인해 생활 위기에 직면해 있다.

ㄱ. '1804년 나폴레옹 민법전'에 의하면, B가 상속을 포기할 경우 B는 유류분 계산시 A의 자녀 수에서 제외되지 않는다.
ㄴ. '1804년 나폴레옹 민법전'에 의하면, D는 유류분권을 주장할 수 없다.
ㄷ. '2006년 프랑스 민법전'에 의하면, C가 상속을 포기하더라도 자유분에는 변동이 없다.
ㄹ. 우리 현행 민법에 의하면, B와 C가 모두 유류분권자라고 할 때 두 사람의 유류분 비율은 동일하지 않다.

① ㄱ, ㄴ ② ㄱ, ㄷ ③ ㄴ, ㄷ
④ ㄴ, ㄹ ⑤ ㄷ, ㄹ

2027학년도 LEET 대비
기출문제 해설집

2017

영역별 출제 비중 분석

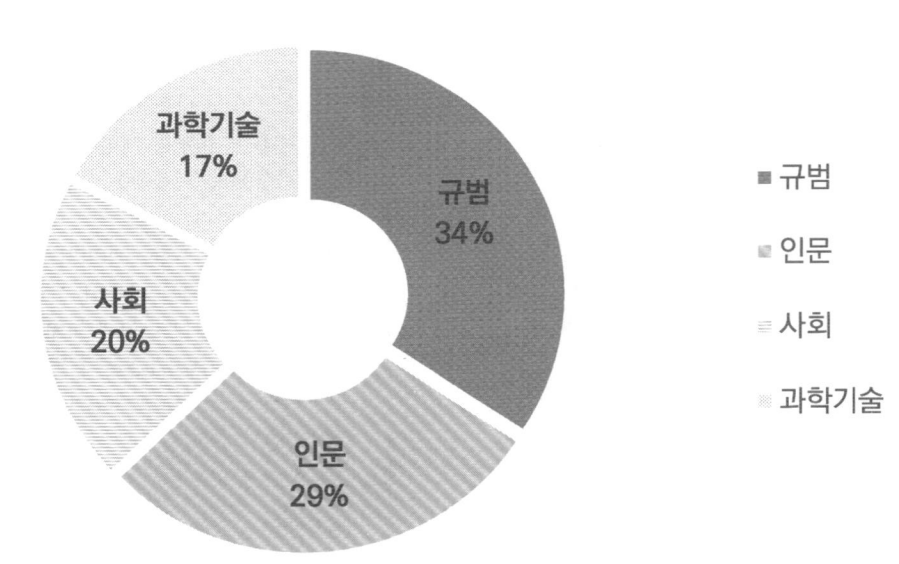

- 규범
- 인문
- 사회
- 과학기술

내용 영역	규범	인문	사회	과학기술	총
문항 수	12	10	7	6	35

※ 출제 비중은 소수점 첫째 자리에서 반올림하였습니다.

2017학년도 언어이해

출제 경향 분석

2017학년도는 제시문의 길이가 대체로 짧고, 제시문의 주제가 명확하여 제시문 내용을 이해하는 데 큰 어려움은 없었을 것이다. 다만 특정 문항에서 정보 간의 관계를 세밀하게 추론하고, 종합적 사고력을 요구하는 선택지들이 있어 선택지 판단은 다소 까다로웠을 것으로 보인다. 또한 최근 2년간 출제되지 않았던 소설 작품이 문학 영역으로 출제되어 이에 대한 대비가 부족했던 수험생이라면 체감 난도는 높았을 것이다. 이로 인해 수험생들의 평균 점수는 예년에 비해 하락하였다.

제1교시

홀수형

2017학년도 법학적성시험

언어이해 문제지

성 명 ☐　　　수험번호 ☐☐☐☐☐☐

수험생 유의사항
―

○ 이 문제지는 **35문항**으로 구성되어 있습니다.

○ **시험 시간은 09 : 00 ~ 10 : 20(80분)입니다.**

○ 문제지에 성명과 수험번호를 정확하게 기재하십시오.

○ 답안지는 반드시 컴퓨터용 사인펜을 사용하여 답을 표기하여야 합니다.

○ 답안지의 '필적확인란'에 제시된 문구를 정확히 정자로 기재하여야 합니다.

메가로스쿨

2017학년도 법학적성시험

언어 이해

제1교시

성명 □ 수험번호 □□□□□ **홀수형**

- 이 문제지는 **35문항**으로 구성되어 있습니다. 문항 수를 확인하십시오.
- 문제지의 해당란에 성명과 수험번호를 정확히 쓰십시오.
- 답안지에 수험번호, 문제유형, 성명, 답을 표기할 때에는 '답안 작성 시 반드시 지켜야 하는 사항'에 따라 표기하십시오.
- 답안지의 '필적확인란'에 해당 문구를 정자로 기재하십시오.

[1~3] 다음 글을 읽고 물음에 답하시오.

 넓은 바다에서 여러 사람을 태운 배가 난파하였다. 바다에 빠진 선원 A는 바다 위에 떠 있는 널판을 발견하였다. 널판은 한 사람을 겨우 지탱할 만큼밖에 되지 않았다. 선원 A가 널판으로 헤엄쳐 갈 때, 마침 미처 붙잡을 만한 것을 찾지 못한 선원 B도 널판 쪽으로 헤엄쳐 왔다. 선원 A와 선원 B는 동시에 그 널판을 붙잡게 되었다. 두 사람이 계속 붙잡고 있다가는 널판이 가라앉을 것이기 때문에 선원 A는 둘 다 빠져 죽을까 걱정하여 선원 B를 널판에서 밀어내었다. 선원 B는 결국 물에 빠져 죽었고 선원 A는 구조되었다. 이는 고대 그리스의 철학자 카르네아데스가 만든 가상의 사건 '카르네아데스의 널'을 바탕으로 재구성한 사례이다. 이 사례는 윤리적으로 허용될 수 있는지도 논란거리가 되지만, 형법상 처벌되어야 하는지도 따져 볼 만하다.

 범죄는 '(1) 구성요건에 해당하고, (2) 위법하며, (3) 유책한 행위'라고 정의된다. 이 세 가지 요소 가운데 하나라도 빠지면 범죄는 성립하지 않는다. 이 중 구성요건이란 형벌을 부과할 대상이 되는 위법한 행위를 형법에 유형화하여 기술해 놓은 것을 말한다. 예를 들면, 형법 제250조 제1항은 "사람을 살해한 자는 사형, 무기 또는 5년 이상의 징역에 처한다."라고 규정하는데, 여기서 사람을 살해한다는 것이 구성요건이다. 따라서 구체적인 사실이 구성요건에 해당할 때에는 일반적으로 위법하다.

 구성요건에 해당하더라도 위법하다고 볼 수 없을 때가 있다. 잘 알려진 것으로는 정당방위, 긴급피난에 해당하는 경우가 있다. 정당방위는 자기 또는 타인의 법익을 현재의 위법한 침해로부터 방위하기 위하여 상당한 이유가 있는 행위를 하는 것을 말한다. 여기에는 법이 불법에 양보할 필요가 없다는 전제가 깔려 있다. 긴급피난은 자기 또는 타인의 법익에 대한 현재의 위난을 피하기 위하여 상당한 이유가 있는 행위를 하는 것을 말한다. 생명과 같이 대체할 수 없는 큰 법익을 지키기 위해 어쩔 수 없이 재산과 같은 법익을 희생시킨 일을 가지고 사회적인 해악을 일으킨 위법한 행위라 하지 않는 것이다. 긴급피난은 꼭 위법한 침해 행위로 일어난 위난에 대하여만 인정하는 것이 아니라는 점에서 정당방위와 다르다.

 앞의 사례에서 선원 A와 선원 B가 동시에 널판을 잡은 행위는 저마다의 생명을 생각할 때 불가피한 일이었다. 이 상황은 선원 A의 입장에서 급박한 위난이었고, 선원 A의 이어진 행위는 위난을 피하는 데 절실한 것이었다. 이러한 선원 A의 행위에 대해 ㉠ 정당방위가 인정된다고 생각하는 이나, ㉡ 긴급피난이 성립하여 위법성이 없다고 파악하는 이가 있을지 모른다. 그러나 그 어느 쪽도 해당하지 않는다고 해야 한다.

 우선 정당방위의 요건을 생각할 때 위난에 빠진 선원 B의 행위에 대한 선원 A의 행위를 정당방위로 볼 수는 없으며, 또한 긴급피난이 성립하려면 보호한 법익이 침해한 법익보다 훨씬 커야 하는데 이 사례는 여기에 해당하지 않는다. 그렇다고 해서 곧바로 선원 A에게 범죄가 성립한다고 단정할 수는 없다. 범죄가 성립하기 위해서는 '책임'이라고 하는 점도 고려해야 하기 때문이다. 범죄는 유책한 행위, 곧 행위자에게 책임을 물을 수 있는 행위여야 성립할 수 있는 것이다. 따라서 유책하지 않은 행위를 들어 형벌을 부과할 수 없다.

 위법성은 개인의 행위를 법질서와의 관계에서 판단하는 것이어서, 행위자 개인의 특수성은 위법성 판단의 기준이 되지 않는다. 형법에서 위법한 행위를 한 행위자 개인을 비난할 수 있는가 하는 것이 바로 책임의 문제이다. 형법상 책임은 행위자에 대한 법적 비난 가능성의 문제인 것이다. 이는 구체적인 상황에서 행위자가 위법한 행위 말고 다른 행위를 할 수 있었겠는가 하는 기대 가능성으로 볼 수 있다. 적법한 행위를 할 수 있었는데도 위법한 행위를 한 데에 대하여는 윤리적인 비판뿐만 아니라 법적인 비난이 가해져야 하기 때문이다. '카르네아데스의 널'을 재구성한 사례에서 선원 A가 자신의 목숨을 희생하는 쪽을 선택하였다면 숭고한 선행임에 틀림없지만, 그렇게 하지 않은 데 대하여 윤리적인 비판은 몰라도 법적인 비난을 하기는 어렵다고 보는 것이 일반적이다.

---

1. 사례 에 관한 윗글의 이해로 적절한 것은?

① 선원 A나 선원 B의 행위는 모두 위난을 벗어나고자 한 것이라 할 수 있다.
② 선원 B가 만약 선원 A를 밀어 빠져 죽게 하였다면 그 행위는 범죄가 된다.
③ 선원 A와 선원 B의 행위는 형법상 살인죄의 구성요건에 해당하지 않는다.
④ 선원 B에 대한 선원 A의 행위는 윤리적으로 타당하기 때문에 형법상 비난받지 않는 것이다.
⑤ 선원 A가 선원 B를 살리는 선택을 하였더라도 그것을 윤리적으로 드높은 덕행이라 할 수 없다.

2. ㉠, ㉡에 대해 추론한 내용으로 적절하지 않은 것은?

① ㉠은 선원 B의 행위가 위법한 침해라고 주장할 것이다.
② ㉠은 선원 A의 행위가 현재 자기에게 닥친 침해를 해결하려 한 것이라고 주장할 것이다.
③ ㉡은 선원 B의 행위가 위법한 침해라고 주장하지 않아도 된다.
④ ㉡은 선원 A의 행위에 대한 범죄 성립 여부는 그의 책임에 대한 문제까지 따져야 결정될 것이라고 볼 것이다.
⑤ ㉠과 ㉡은 모두 선원 A의 행위가 현재 직면한 위난을 해결하는 데 상당한 이유가 있는 것이었다고 볼 것이다.

3. 윗글에 따를 때, 선원 A의 '책임'에 대한 설명으로 가장 적절한 것은?

① 구성요건에 해당하지 않는 행위는 책임을 따질 필요가 없기 때문에, 선원 A의 책임은 인정되지 않는다.
② 형법상 책임이 있다는 것은 적법한 다른 행위를 할 수 있는 상황임을 전제하기 때문에, 선원 A는 책임이 있다.
③ 선원 A의 책임 유무를 따지는 것은, 자신의 생명에 대한 위난을 피하기 위해 남의 생명을 침해한 행위가 위법하다고 인정되기 때문이다.
④ 유책하지 않은 행위에 대하여는 정당방위가 성립할 수 없기 때문에, 선원 A의 행위에 대하여는 정당방위를 따지지 않고 책임의 문제를 검토하는 것이다.
⑤ 선원 A의 행위가 위법한지는 따져 보지 않아도 되는 것은, 위법성은 행위에 대한 법규범적 판단인 데 반하여 책임은 행위자에 대한 윤리적인 비난 가능성을 검토하는 것이기 때문이다.

[4~6] 다음 글을 읽고 물음에 답하시오.

개인의 복지 수준이 향상되었다거나 또는 한 개인의 복지 수준이 다른 사람들보다 높다고 할 때, 이는 무엇을 의미하는가? 이 물음에 대한 답변은 인간 복지의 본성이나 요건에 대한 이해를 요구하는데, 이와 관련된 대표적인 도덕철학적 입장은 다음과 같다.

첫째, '쾌락주의적 이론'은 긍정적인 느낌으로 구성된 심리 상태인 쾌락의 정도가 복지 수준을 결정한다고 본다. 어떤 개인이 느끼는 쾌락이 증진될 때 그의 복지가 향상된다는 것이다. 둘째, '욕구 충족 이론'은 개인이 욕구하는 것이 충족되는 정도에 따라 복지 수준이 결정된다고 본다. 어떤 개인이 지닌 욕구들이 좌절되지 않고 더 많이 충족될 때 그의 복지가 향상된다는 것이다. 셋째, '객관적 목록 이론'은 개인의 삶을 좋게 만드는 목록을 기준으로 그것이 실현되는 정도에 따라 복지 수준이 결정된다고 본다. 그러한 목록에는 통상적으로 자율적 성취, 지식, 친밀한 인간관계, 미적 향유 등이 포함되는데, 그것의 내재적 가치는 그것이 개인에게 쾌락을 주는지 또는 그것이 개인에 의해 욕구되는지 여부와는 직접적 관련이 없다. 이 중에서 '쾌락주의적 이론'과 '객관적 목록 이론'은 어떤 것들이 내재적 가치가 있는지를 말해 준다는 점에서 실질적인 복지 이론이며, '욕구 충족 이론'은 사람들에게 좋은 것들을 찾아내는 방법을 알려주지만 그것들이 무엇인지를 말해 주지 않는다는 점에서 형식적인 복지 이론이라고 할 수 있다.

이러한 복지 이론들 중에서 많은 경제학자들의 지지를 받는 것은 '욕구 충족 이론'이다. 그들은 이 이론을 바탕으로 복지 수준의 높고 낮은 정도를 평가할 수 있다고 본다. 그리고 우리가 직관적으로 복지의 증가에 해당한다고 믿는 모든 활동과 계기들이 쾌락이라는 심리 상태를 항상 동반하는 것은 아니기 때문에 '쾌락주의적 이론'은 복지에 관해서 너무 협소하다고 비판하면서 더 개방적인 입장을 가져야 한다고 주장한다. 욕구의 대상이 현실에서 구현되는 것이 중요하지 그 구현 사실이 인식되어 개인들이 어떤 느낌을 갖게 되는 것이 필수적이지는 않다고 보기 때문이다. 그 이론의 옹호자들은 '객관적 목록 이론'도 한계를 지니고 있다고 비판한다. 복지 목록에 있는 항목들이 대체로 개인들의 복지에 기여한다는 점은 인정할 수 있지만 그 항목들이 복지에 기여하는 이유에 대해서는 제대로 해명하지 못하고 있다는 것이다. 또한 개인들이 실제로 욕구하는 것들 중에는 그 목록에 포함되지 않지만 복지에 기여하는 경우도 있다는 것이다.

하지만 이러한 '욕구 충족 이론'도 다음과 같은 문제점을 갖고 있다. 첫째, 욕구의 충족과 복지가 어느 정도 연관성이 있기는 하지만 모든 욕구의 충족이 복지에 기여하는 것은 아니라는 문제가 있다. 사람들이 정보의 부족이나 잘못된 믿음으로 자신에게 나쁜 것을 욕구할 수 있으며, ㉠타인의 삶에 대해 내가 원하는 것이 이루어졌다고 할지라도 그것이 나의 복지 증진과는 무관할 수 있기 때문이다. 둘째, 사람들이 타인에 대한 가학적 욕구와 같은 반사회적인 욕구를 추구하는 경우도 문제가 된다. 셋째, ㉡개인이 일관된 욕구 체계를 갖고 있지 않아서 욕구들 사이에 충돌이 발생할 때 이를 해결하기 어렵다는 문제가 있다.

이러한 문제들에 대응하는 방식으로는 '욕구 충족 이론'을 버리고 다른 복지 이론을 수용하는 방식도 있지만 그 이론을 변형하는 방식도 있다. '욕구 충족 이론'과 구별되는 '합리적 욕구 충족 이론'은 개인들이 가진 모든 욕구들의 충족이 아니라, 관련된 정보에 입각하여 타인이 아닌 자기에게 이익이 되는 합리적인 욕구의 충족만이 복지에 기여한다고 본다. 이것은 사람들이 욕구하는 것이 합리적이라면 그것이 바로 좋은 것이라는 입장이다. 이 이론은 '욕구 충족 이론'이 봉착한 난점들을 상당히 해결해 준다는 점에서 장점을 갖고 있다. 하지만 이 이론은 어떤 욕구가 합리적인지에 대해 답변을 해야 하는 부담을 안고 있다. 만약 이 이론의 옹호자가 이에 대한 답변을 시도한다면 이 이론은 형식적 복지 이론에서 실질적 복지 이론으로 한 걸음 나아가게 된다.

4. 윗글에서 이끌어낼 수 있는 내용으로 적절하지 않은 것은?
① '쾌락주의적 이론'은 개인의 쾌락이 감소하면 복지도 감소한다고 본다.
② '욕구 충족 이론'은 개인들 간의 복지 수준을 서로 비교할 수 없다고 본다.
③ '객관적 목록 이론'은 쾌락이 증가하더라도 복지 수준은 불변할 수 있다고 본다.
④ '객관적 목록 이론'은 내재적 가치를 지닌 것들이 복지를 증진할 수 있다고 본다.
⑤ '합리적 욕구 충족 이론'은 모든 욕구의 충족이 복지에 기여하는 것은 아니라고 본다.

5. '욕구 충족 이론'의 관점과 부합하는 주장만을 <보기>에서 있는 대로 고른 것은?

<보 기>
ㄱ. 욕구를 충족하는 것은 복지 증진의 필요조건이기는 하지만 충분조건은 아니다.
ㄴ. 복지에 기여하는 행위는 그 전후로 개인의 심리 변화를 유발하지 않아도 된다.
ㄷ. 미적 향유가 복지에 기여한다면 그 자체가 좋은 것이기 때문이 아니라 그것이 내가 원하는 것이기 때문이다.

① ㄱ ② ㄴ ③ ㄷ
④ ㄱ, ㄴ ⑤ ㄴ, ㄷ

6. <보기>의 사례들에 대한 반응으로 적절하지 않은 것은?

<보 기>
(가) '갑'은 기차에서 우연히 만난 낯선 사람의 질병이 낫기를 간절히 원하였는데, 그 후에 그를 다시 만난 적이 없어서 그의 질병이 나았다는 것을 전혀 모른다. 그래서 그의 질병이 나았다는 사실은 갑에게 아무런 영향도 주지 않았다.
(나) '을'은 A학점을 받기 위해 시험 전날 밤에 밤새워 공부하기를 원하면서도, 친구들과 어울리는 것이 좋아 밤늦게까지 파티에 참석하기도 원한다. 그래서 그는 어떻게 해야 할지 갈등하고 있다.
(다) '병'은 인종 차별적 성향 때문에, 의약품이 더 필요한 흑인보다는 그렇지 않은 백인에게 의약품을 분배하기를 원한다. 그래서 그는 백인에게만 그 의약품을 분배하였다.

① (가)는 '욕구 충족 이론'의 문제점과 관련하여 ㉠의 사례로 활용할 수 있겠군.
② (가)는 '쾌락주의적 이론'과 '합리적 욕구 충족 이론' 모두의 관점에서는 갑의 복지가 증진된 사례로 활용할 수 없겠군.
③ (나)는 '욕구 충족 이론'의 문제점과 관련하여 ㉡의 사례로 활용할 수 있겠군.
④ (나)에 나타난 갈등은 항목들 간의 우선순위를 설정하지 않은 '객관적 목록 이론'에서는 해결하기 어렵겠군.
⑤ (다)는 '욕구 충족 이론'의 관점에서는 병의 복지가 증진된 사례가 될 수 없겠군.

[7~10] 다음 글을 읽고 물음에 답하시오.

　명식의 밤 외출은 날이 갈수록 잦아 갔다. 2층 서재로 숨어 들어가 그의 가면 뒤에서 이상스런 휴식에 젖는 것도 마찬가지였다. 그렇게 하여 그는 사무실에서 묻어 온 피곤기를 가면 뒤에서 말끔히 씻어낸 다음 지연을 찾아 ⓐ밤늦은 2층 계단을 내려오곤 했다.

[A] ┌ 명식은 분명 그 가면 뒤에서라야 비로소 휴식을 얻을 수 있는 듯했다. 그것은 어쩌면 자기 변신의 연극기 같은 것에서 오는, 그 가면 뒤에서 세상을 바라보고 새삼스럽게 자기를 느끼는 시간이 되고 있는지도 모를 일이었다.

　그것은 어쨌든, 이제 지연이 명식을 속속들이 다 만나는 것은 그가 그 밤 외출에서 이상스런 방법으로 피로를 씻고 새 힘을 얻어 돌아오는 날뿐이었다.
　이윽고 지연에게도 한 가지 변화가 생기기 시작했다. 명식을 만나고 싶은 밤의 소망은 반드시 그의 가면을 연상시켜 주곤 했다. 지연은 명식의 가면을 사랑하기 시작했다. 그녀는 명식의 가면을 만나고 싶어 하고 있었다. 그녀에게는 명식의 가면이 어느새 그렇게 익숙하게 느껴지기 시작하고 있었고, 어찌된 셈인지 그녀는 명식의 동기까지를 포함하여 그러는 자신을 스스로 수긍해 버리고 있었던 것이다. 명식에게서도 혹시 그런 기미가 엿보이고 있었기 때문일까. ㉠지연은 이제 오히려 명식의 맨얼굴 쪽에서 어떤 불편스런 가면이 느껴지고 있을 지경이었다. 그녀에게는 명식이 맨얼굴로 대문을 들어설 때의 표정이야말로 영락없이 가면을 쓰고 있는 것처럼 뻣뻣하고 변화 없고 그리고 어떤 뻔뻔스런 피곤기 같은 것이 온통 그를 가려 버리고 있는 듯한 느낌이 들곤 했다.
　그러나 지연은 그토록 익숙해진 명식의 가면을 아직도 똑똑히 본 일이 없었다.
　그 첫날 한 번밖엔 명식이 자기의 가면 뒤에서 편안히 쉬고 있는 모습을, 그것이 진짜 자기의 얼굴이나 되는 양 익숙해져 버린 가면으로 의기양양 밤 외출에서 돌아오곤 한 명식을 다시 본 일이 없었다.
　지연은 보지 않아도 그것을 알고 있었다. 그리고 이미 그 명식의 얼굴을 자신 속에다 깊이 지녀 버리고 있었다. 문득문득 그것을 만나고 싶은 밤이 많았다. 이날도 지연은 그런 명식을 기다리고 있었다.

[중략 부분의 줄거리] 잠시 후 명식이 밤 외출에서 돌아온다.

　한참을 기다렸다. 역시 기척이 없다. 이상한 일이었다.
　㉡오늘 밤에도 또?
　지연은 갑자기 초조해지기 시작했다. 문득 어떤 별난 밤의 일이 떠올랐다. 그날도 명식은 썩 오랜만의 밤 외출에서 돌아와 소리 없이 2층으로 올라간 다음이었다. 지연은 물론 그녀의 침대 속에서 명식을 기다리고 있었다. 아무리 기다려도 그가 계단을 내려오는 기척이 없었다. 지연은 불쑥 상서롭지 못한 예감이 들었다. 술이 너무 지나쳤다 싶기도 했고, 그런 일이 워낙 처음이라 다른 심상찮은 변고가 생기지 않았나 싶기도 했다. 그녀는 기다리다 못해 결국 자기가 먼저 침대를 내려오고 말았다. 여자가 먼저 남편을 찾는 것처럼 보이기가 여간 쑥스럽지 않았지만, 어쨌든 그녀는 명식을 살피고 와야 한다고 생각했다. 마루에서 잠깐 발길을 망설이던 그녀는 ⓑ가만가만 2층 계단을 올라갔다.
　㉢지연이 명식의 방문 앞까지 다가갔을 때 방안의 반응은 그녀가 예상했던 것과는 너무도 딴판이었다.
　"좀 들어오지그래."
　기다리고 있기나 했었던 듯 문을 열기도 전에 명식의 소리가 먼저 흘러나왔다. 술이 취해 있기는커녕 너무도 정연하고 조용한 목소리였다. 지연은 쑥스러움도 잊고 끌리듯 문을 열고 방안으로 들어섰다.
　명식은 불을 켜지 않은 채 창문 근처의 어둠 속에 조용히 파묻혀 있었다.
　"앉지 않구."
　어둠 속이라 모습은 잘 보이지 않고 목소리만 들려왔다.
　"오늘 밤은 여기서 좀 이렇게 지내다 가."
　어떤 분명한 의미가 담긴 말이었다. 지연은 감히 명식의 곁으로는 갈 수가 없었다. 공연히 그가 두려웠다. 변장을 하고 있을 그의 얼굴을 만나 버리기가 두려웠다. 그녀는 명식과 멀찌감치 떨어져 있는 등 없는 둥글의자 위로 몸을 주저앉혔다. 그러나 지연은 그러고 앉아서도 명식의 어떤 분명한 얼굴을 보고 있었다.

[B] ┌ 명식은 아직 변장을 풀지 않고 있었다. 그는 목소리가 너무 잔잔했다. 어딘가 한숨 같은 것이 묻어 있는 잔잔한 음성이었다.

　지연은 명식의 그 음성으로 그가 지금 자기는 보지도 않고 창밖으로 시선을 내보낸 채, 그녀로서는 도저히 알 수도 없고 설명할 수도 없는 어떤 깊은 갈망에 젖어 있다는 것을 어슴푸레 느낄 수 있었다.
　― 이렇게 불을 끄고 앉아 있으니 밤이 좋군. ㉣대낮은 얼굴이 너무 따가워서…… 누구나 결국은 그렇게 되는 거지만 사실 사람들이 얼굴 가득히 그 엄청난 대낮의 햇빛을 스스럼없이 견디어 낼 수 있도록 잘 단련이 되고 있는 건 다행한 일이지.
　― 하지만 그건 다행스럽다고만 할 수가 없다면…… 그런 식으로 사람들은 제각기 자기의 가면을 든든하게 단련시켜 가고 있거든. 눈물을 흘릴 수가 없어…….
　― 가면이 우는 걸 보았을까. 물론 그런 일은 있을 수가 없지. 가면의 눈물은 속으로만 흐르게 마련이거든.
　명식은 역시 취기가 좀 숨어 있었던 모양이었다. 그는 어둠 속에서 혼잣말처럼 띄엄띄엄 중얼거리고 있었는데 앞뒤가 닿는 소리만 추려 보면 대강 그런 식이었다. ㉤지연이 보아 온 대로였다. 대낮을 다니는 맨얼굴에서 가면을 느끼는 대신, 가발과 콧수염으로 변장을 하고 있는 당장의 자신에 대해서는 전혀 이질감을 느끼지 않고 있는 기미였다. 그리고, 그래서 명식은 그러한 변장 속에서 비로소 자신의 고뇌를 가장 정직하게 안을 수 있는 듯한 태도였다.
　지연은 아무 말도 하지 않았다. 조용히 입을 다물고 앉아서 어둠에 싸인 명식의 희미한 모습만 더듬고 있었다. 그러다가 방을 나오고 말았다.

　　　　　　　　　　　　　　　　　　― 이청준, 「가면의 꿈」

언어이해

7. [A]와 [B]에 대한 설명으로 가장 적절한 것은?

① [A]는 인물 자신이 보고 들은 사건을 주관적 시각에서 직접적으로 서술한다.
② [A]는 인물의 독백적 발화를 통해 다른 인물의 내면 심리를 생생하게 제시한다.
③ [B]는 사건을 작중 상황 안에서 목격하는 인물과 그 사건을 전달하는 서술자가 서로 다르다.
④ [B]는 작중 상황 안의 서술자가 인물의 심리를 추측하여 전달함으로써 독자의 상상력을 제한한다.
⑤ [B]는 서술자가 인물의 행동과 심리를 작중 상황 밖에서 전달하다가 작중 상황 안으로 이동하여 전달한다.

8. ㉠~㉤의 문맥적 의미로 가장 적절한 것은?

① ㉠: 귀가할 때 다른 가면을 지어내는 '명식'에게 불편을 느끼고 있다.
② ㉡: 가면을 쓴 '명식'과의 대화가 누차 반복되었음을 나타내고 있다.
③ ㉢: '명식'에 대한 불길한 예감이 들어맞지 않았음을 보여 주고 있다.
④ ㉣: 타인들의 시선 때문에 낮에도 변장을 하게 되었음을 나타내고 있다.
⑤ ㉤: '명식'의 사회적 지위에 대한 '지연'의 부정적 인식을 드러내고 있다.

9. ⓐ와 ⓑ에 제시된 행위에 대한 설명으로 가장 적절한 것은?

① ⓐ는 아래층 인물이 위층 인물을 전과 달리 대하는 결과를 낳는다.
② ⓐ는 위층 인물이 자신의 가면을 보여 주기 위하여 하는 행위이다.
③ ⓐ는 위층 인물이 일상의 고단함을 탈피하기 위하여 하는 행위이다.
④ ⓑ는 아래층 인물의 내적 욕망과 행동의 괴리가 일어나게 한다.
⑤ ⓑ는 아래층 인물이 부부에 대한 전통적 관념을 비판적으로 인식하게 한다.

10. <보기>를 바탕으로 윗글을 감상할 때, 적절하지 <u>않은</u> 것은?

<보 기>

소설 속 인물의 변신 모티프는 그가 겪는 갈등의 크기를 드러내고 그것을 해소하려는 깊은 소망을 내보이는 방편일 뿐, 소망의 실현을 목적으로 하지 않는다. 변신은 갈등의 일시적 해소 효과가 없지 않지만, 가짜 해결의 속임수이고 상상적 희망의 기호에 불과하다. 결국 갈등을 극복할 수 있는 길은 참된 자아의 진실을 근거로 하여 그것에 맞서는 것뿐이다.

– 작가의 말 중에서

① '지연'이 '명식'과 멀찍감치 떨어져 있는 의자에 앉은 것은 '명식'의 참된 자아를 발견할까 두려웠기 때문이다.
② '명식'의 밤 외출이 잦아지는 것은 현실 세계와의 불화로 인하여 갈등이 고조되었음을 우회적으로 나타낸다.
③ '명식'이 가면의 눈물은 속으로만 흐른다고 말한 것은 참된 자아를 숨긴 채 살아가는 자기 삶에 대한 고백이다.
④ '명식'의 가면을 똑똑히 보지 않고도 그를 기다리는 '지연'의 행위는 '명식'의 상상적 희망을 자기화한 것이다.
⑤ '명식'이 가면을 쓴 자신에게 이질감을 느끼지 않는 것처럼 보였던 것은 그가 일시적 속임수에 도취되었음을 의미한다.

[11~13] 다음 글을 읽고 물음에 답하시오.

공화주의란 공동선을 추구하는 시민의 정치 참여에 기초하여 공동체적 삶에서 자의적 권력에 의한 지배를 배제하고 자치를 실현하고자 하는 사상이다. 이에 적합한 형태의 공동체에 관해서는 주로 그 규모와 관련하여 오랫동안 논의가 이어져 왔다. 시민적 덕성이 제대로 발휘되어 파벌이 통제되기 위해서는 공화국의 크기가 작아야 하지만, 외세의 침략 위험에 맞서 충분한 안전을 시민에게 제공하기 위해서는 그 크기가 커야 할 것이다. 미국 헌법 제정기의 연방주의자인 『페더럴리스트 페이퍼』(1787. 10~1788. 8)의 저자들은 바로 연방 공화국의 형태가 공동체 내부의 부패와 대외적 취약성을 둘러싼 공화주의의 딜레마를 해결해 줄 수 있다고 보았다. 그것은 파벌 지도자의 영향력이 확산되지 못하게 막는 분할의 이익과, 한데 뭉쳐 외부의 적에 대항하도록 하는 결집의 이익을 함께 가져다준다는 것이다.

공동체에 대한 시민들의 이해관계가 복잡해지는 것을 나쁘게 볼 것만은 아니지만, 가까이 있어서 서로를 잘 아는 사람들보다 불가피하게 소원한 거리에 놓인 사람들이 우정과 연대의 공적 정신을 유지하기란 더 어려울 수 있다. 광대한 영토 위에서 공화주의 정부가 유지되기 위해서는 시민들로 하여금 사익의 추구를 자제하고 공동선을 지향하도록 하는 보다 강력한 조치가 필요할 것이다. 결국 연방주의자들은 대의제와 권력분립 등 헌정주의의 요소를 가미함으로써 이성과 법의 지배를 통하여 파벌과 전제적(專制的) 다수의 출현을 방지하고자 했다. 자치에 대한 시민들의 열정이 사그라지거나 폭주하지 않도록 헌법의 틀을 씌웠던 것이다.

그런데 헌법이라는 것에 대한 공화주의자들의 이해는 오늘날의 지배적인 견해와는 매우 다른 것이었다. 오늘날 헌법은 주로 정치 공동체의 실질적인 가치 기준과 운영 원칙을 정하는 견고한 문서로 이해되고 있다. 여기서 헌법은 헌법적 논쟁들에 대해 판단해 줄 누군가를 필요로 하게 된다. 그의 해석과 판단에 따라 헌법과 충돌하는 것으로 보이는 행정작용이나 법률은 그 효력을 잃게 될 것이다. 이처럼 지극히 법적인 의미로 이해된 헌법과는 달리, 공화주의자들이 생각하고 있던 헌법이란 단순히 정치 공동체 내에서 권력이 분할되는 방식을 나타내거나 그렇게 구성된 특수한 정부 형태를 지칭하는 정치적인 의미의 것이었다. 통치자의 선출과 정치적 지분의 할당을 통해 경쟁적 사회 집단 사이에 이해관계의 균형을 도모하는 것은 로마의 혼합정체 이래 지속 가능한 공화국의 골자를 이루게 되었다고 할 수 있다. 따라서 18세기 후반에 비로소 등장한 법적 의미의 헌법 개념은 당시 미국의 공화주의적 헌법을 구상하는 과정에서조차 의도되었던 바가 아니며, 성문의 헌법을 채택하면서도 여전히 그것은 사법적 헌장이라기보다는 시민의 헌장을 갖는다는 의미였을 것이다.

공화주의와 관련하여 우리가 헌법의 의미에 주목해야 하는 이유는 법적 의미의 헌법 개념을 과거의 공화주의 사상가들이 알지 못했기 때문만은 아니다. 그것은 오히려 헌법을 법적인 의미로 이해하는 전제에서 공화주의를 위하여 제안되는 이른바 ㉠헌정주의적 수단들이 역으로 공화주의의 핵심적 목적과 충돌하게 된다는 문제 때문이다. 예컨대, 그러한 수단의 하나로 제안되는 법률의 헌법 기속 개념은 기본적으로 시민의 대표들이 다수결로 도출하는 합의를 불신한다는 면에서 공동체적 삶의 향배를 시민들의 손에 맡기고자 하는 공화주의의 이상에 반하는 것이며, 그보다는 차라리 국가로부터 개인의 권리를 보호하고자 하는 자유주의적 사고의 장치에 가깝다는 비판을 받고 있다. 바꿔 말해서 소수의 현자들에 의한 사법 심사의 과정으로 뒷받침되는 헌법은 더 이상 공화주의적이지 않으며, 나아가 미국의 민주정치가 발전하는 데도 방해가 되어 왔다는 것이다.

그러나 현대 민주정치의 상황에서 시민의 정치 참여는 통치자의 선출이나 할당된 지분의 행사에서처럼 투표 과정을 중심으로 이루어져야 하는 것은 아니며, 오히려 공적인 토론의 과정을 중심으로 이루어질 수도 있다. 만약 사법 심사의 장이 그와 같은 토론의 과정을 촉발시키고 이끎으로써 궁극적으로 법의 지배에 기여하는 것이라면 그에 대한 평가는 달라질 것이다. 무엇보다 여기서 민주주의의 가치를 공동선에 관한 이성적 숙의에서 찾고자 했던 공화주의자들의 관점을 다시 발견할 수 있기 때문이다.

11. 윗글의 내용과 일치하는 것은?
① 공화국의 광대한 영토는 대외적 방어에 불리하다.
② 공화주의자는 시민으로서의 삶보다 개인으로서의 삶을 중시한다.
③ 『페더럴리스트 페이퍼』의 저자들은 안전보다 연대를 추구하였다.
④ 연방주의자는 공화주의의 딜레마가 지닌 정치적 함의를 간과하였다.
⑤ 로마의 혼합정체는 공화국의 대내적 균형을 확보해 주는 장치였다.

12. 연방주의자의 생각으로 적절하지 않은 것은?
① 연방 공화국의 정부 형태를 출범시키기 위해서 헌법의 개념이 변해야 하는 것은 아니다.
② 선출된 대표가 파벌 지도자로 변질되는 것을 연방이라는 헌정체제를 통해 견제할 수 있다.
③ 공화국에 대한 내부 위협은 소규모의 파벌이 광대한 영역 기반의 대규모 파벌로 커질 때 오히려 줄어들게 된다.
④ 규모가 커진 공화국은 구성원들의 사회적 다양성도 커져서 정치적 분열이 초래되어 전제적 다수가 형성되기 어렵다.
⑤ 인간 본성에 자리하고 있는 파벌의 싹은 근절될 수 없으므로 그것의 발호를 통제하는 제도적 장치를 갖추어 대응해야 한다.

13. ㉠에 대한 진술로 적절하지 않은 것은?

① 공적인 토론의 과정을 정치적 대표를 선출하는 투표 과정으로 대체한다.
② 헌법적 가치의 선언을 통해 의회의 결정 권한에 대한 제한을 공식화한다.
③ 성문화된 헌법은 최고법적 효력으로 인해 민주주의와 긴장 관계에 놓일 수 있다.
④ 대통령의 법률안 거부권을 인정하여 상호 견제를 통한 권력의 제한을 꾀한다.
⑤ 법의 지배는 그 누구의 지배도 아니라는 점에서는 자의적 권력의 지배를 거부하는 공화주의 이념과 연결된다.

[14~17] 다음 글을 읽고 물음에 답하시오.

　과거에 일어난 금융위기에 대해 많은 연구가 진행되었어도 그 원인에 대해 의견이 모아지지 않는 경우가 대부분이다. 이것은 금융위기가 여러 차원의 현상이 복잡하게 얽혀 발생하는 문제이기 때문이기도 하지만, 사람들의 행동이나 금융 시스템의 작동 방식을 이해하는 시각이 다양하기 때문이기도 하다. 은행위기를 중심으로 금융위기에 관한 주요 시각을 다음과 같은 네 가지로 분류할 수 있다. 이들이 서로 배타적인 것은 아니지만 주로 어떤 시각에 기초해서 금융위기를 이해하는가에 따라 그 원인과 대책에 대한 의견이 달라진다고 할 수 있다.

　우선, 은행의 지불능력이 취약하다고 많은 예금주들이 예상하게 되면 실제로 은행의 지불능력이 취약해지는 현상, 즉 ㉠'자기 실현적 예상'이라 불리는 현상을 강조하는 시각이 있다. 예금주들이 예금을 인출하려는 요구에 대응하기 위해 은행이 예금의 일부만을 지급준비금으로 보유하는 부분준비제도는 현대 은행 시스템의 본질적 측면이다. 이 제도에서는 은행의 지불능력이 변화하지 않더라도 예금주들의 예상이 바뀌면 예금 인출이 쇄도하는 사태가 일어날 수 있다. 예금은 만기가 없고 선착순으로 지급하는 독특한 성격의 채무이기 때문에, 지불능력이 취약해져서 은행이 예금을 지급하지 못할 것이라고 예상하게 된 사람이라면 남보다 먼저 예금을 인출하는 것이 합리적이기 때문이다. 이처럼 예금 인출이 쇄도하는 상황에서 예금 인출 요구를 충족시키려면 은행들은 현금 보유량을 늘려야 한다. 이를 위해 은행들이 앞다투어 채권이나 주식, 부동산과 같은 자산을 매각하려고 하면 자산 가격이 하락하게 되므로 은행들의 지불능력이 실제로 낮아진다.

　둘째, ㉡은행의 과도한 위험 추구를 강조하는 시각이 있다. 주식회사에서 주주들은 회사의 모든 부채를 상환하고 남은 자산의 가치에 대한 청구권을 갖는 존재이고 통상적으로 유한책임을 진다. 따라서 회사의 자산 가치가 부채액보다 더 커질수록 주주에게 돌아올 이익도 커지지만, 회사가 파산할 경우에 주주의 손실은 그 회사의 주식에 투자한 금액으로 제한된다. 이러한 ⓐ비대칭적인 이익 구조로 인해 수익에 대해서는 민감하지만 위험에 대해서는 둔감하게 된 주주들은 고위험 고수익 사업을 선호하게 된다. 결과적으로 주주들이 더 높은 수익을 얻기 위해 감수해야 하는 위험을 채권자에게 전가하는 것인데, 자기자본비율이 낮을수록 이러한 동기는 더욱 강해진다. 은행과 같은 금융 중개 기관들은 대부분 부채비율이 매우 높은 주식회사 형태를 띤다.

　셋째, ㉢은행가의 은행 약탈을 강조하는 시각이 있다. 전통적인 경제 이론에서는 은행의 부실을 과도한 위험 추구의 결과로 이해해 왔다. 하지만 최근에는 은행가들에 의한 은행 약탈의 결과로 은행이 부실해진다는 인식도 강해지고 있다. 과도한 위험 추구는 은행의 수익률을 높이려는 목적으로 은행의 재무 상태를 악화시킬 위험이 큰 행위를 은행가가 선택하는 것이다. 이에 비해 은행 약탈은 은행가가 자신에게 돌아올 이익을 추구하여 은행에 손실을 초래하는 행위를 선택하는 것이다. 예를 들어 은행가들이 자신이 지배하는 은행으로부터 남보다 유리한 조건으로 대출을 받는다거나, 장기적으로 은행에 손실을 초래할 것을 알면서도 자신의 성과급을 높이기 위해 단기적인 성과만을 추구하는 행위 등은, 지배 주주나 고위 경영자의 지위를 가진 은행가가 은행에 대한 지배력을 사적인 이익을 위해 사용한다는 의미에서 약탈이라고 할 수 있다.

 넷째, ㉢이상 과열을 강조하는 시각이 있다. 위의 세 가지 시각과 달리 이 시각은 경제 주체의 행동이 항상 합리적으로 이루어지는 것은 아니라는 관찰에 기초하고 있다. 예컨대 많은 사람들이 자산 가격이 일정 기간 상승하면 앞으로도 계속 상승할 것이라 예상하고, 일정 기간 하락하면 앞으로도 계속 하락할 것이라 예상하는 경향을 보인다. 이 경우 자산 가격 상승은 부채의 증가를 낳고 이는 다시 자산 가격의 더 큰 상승을 낳는다. 이러한 상승작용으로 인해 거품이 커지는 과정은 경제 주체들의 부채가 과도하게 늘어나 금융 시스템을 취약하게 만들게 되므로, 거품이 터져 금융 시스템이 붕괴하고 금융위기가 일어날 현실적 조건을 강화시킨다.

14. ㉠~㉣에 대한 설명으로 적절하지 <u>않은</u> 것은?
① ㉠은 은행 시스템의 제도적 취약성을 바탕으로 나타나는 예금주들의 행동에 주목하여 금융위기를 설명한다.
② ㉡은 경영자들이 예금주들의 이익보다 주주들의 이익을 우선한다는 전제 하에 금융위기를 설명한다.
③ ㉢은 은행의 일부 구성원들의 이익 추구가 은행을 부실하게 만들 가능성에 기초하여 금융위기를 이해한다.
④ ㉣은 경제 주체의 행동에 대한 귀납적 접근에 기초하여 금융위기를 이해한다.
⑤ ㉠과 ㉣은 모두 경제 주체들의 예상이 그대로 실현된 결과가 금융위기라고 본다.

15. ⓐ와 관련한 설명으로 적절하지 <u>않은</u> 것은?
① 파산한 회사의 자산 가치가 부채액에 못 미칠 경우에 주주들이 져야 할 책임은 한정되어 있다.
② 회사의 자산 가치에서 부채액을 뺀 값이 0보다 클 경우에, 그 값은 원칙적으로 주주의 몫이 된다.
③ 회사가 자산을 다 팔아도 부채를 다 갚지 못할 경우에, 얼마나 많이 못 갚는지는 주주들의 이해와 무관하다.
④ 주주들이 선호하는 고위험 고수익 사업은 성공한다면 회사가 큰 수익을 얻지만, 실패한다면 회사가 큰 손실을 입을 가능성이 높다.
⑤ 주주들이 고위험 고수익 사업을 선호하는 것은, 이런 사업이 회사의 자산 가치와 부채액 사이의 차이가 줄어들 가능성을 높이기 때문이다.

16. 윗글에 제시된 네 가지 시각으로 <보기>의 사례를 평가할 때 가장 적절한 것은?

<보 기>
 1980년대 후반에 A국에서 장기 주택담보 대출에 전문화한 은행인 저축대부조합들이 대량 파산하였다. 이 사태와 관련하여 다음과 같은 사실들이 주목받았다.
○ 1970년대 이후 석유 가격 상승으로 인해 부동산 가격이 많이 오른 지역에서 저축대부조합들의 파산이 가장 많았다.
○ 부동산 가격의 상승을 보고 앞으로도 자산 가격의 상승이 지속될 것을 예상하고 빚을 얻어 자산을 구입하는 경제 주체들이 늘어났다.
○ A국의 정부는 투자 상황을 낙관하여 저축대부조합이 고위험 채권에 투자할 수 있도록 규제를 완화하였다.
○ 예금주들이 주인이 되는 상호회사 형태였던 저축대부조합들 중 다수가 1980년대에 주식회사 형태로 전환하였다.
○ 파산 전에 저축대부조합의 대주주와 경영자들에 대한 보상이 대폭 확대되었다.

① ㉠은 위험을 감수하고 고위험채권에 투자한 정도와 고위 경영자들에게 성과급 형태로 보상을 지급한 정도가 비례했다는 점을 들어, 은행의 고위 경영자들을 비판할 것이다.
② ㉡은 부동산 가격 상승에 대한 기대 때문에 예금주들이 책임질 수 없을 정도로 빚을 늘려 은행이 위기에 빠진 점을 들어, 예금주의 과도한 위험 추구 행태를 비판할 것이다.
③ ㉢은 저축대부조합들이 주식회사로 전환한 점을 들어, 고위험채권 투자를 감행한 결정이 궁극적으로 예금주의 이익을 더욱 증가시켰다고 은행을 옹호할 것이다.
④ ㉢은 저축대부조합이 정부의 규제 완화를 틈타 고위험채권에 투자하는 공격적인 경영을 한 점을 들어, 저축대부조합들의 행태를 용인한 예금주들을 비판할 것이다.
⑤ ㉣은 차입을 늘린 투자자들, 고위험채권에 투자한 저축대부조합들, 규제를 완화한 정부 모두 낙관적인 투자 상황이 지속될 것이라고 예상한 점을 들어, 그 경제 주체 모두를 비판할 것이다.

17. ㉠~㉣에 따른 금융위기 대책에 대한 설명으로 적절하지 <u>않은</u> 것은?
① 은행이 파산하는 경우에도 예금 지급을 보장하는 예금 보험 제도는 ㉠에 따른 대책이다.
② 일정 금액 이상의 고액 예금은 예금 보험 제도의 보장 대상에서 제외하는 정책은 ㉠에 따른 대책이다.
③ 은행들로 하여금 자기자본비율을 일정 수준 이상으로 유지하도록 하는 건전성 규제는 ㉡에 따른 대책이다.
④ 금융 감독 기관이 은행 대주주의 특수 관계인들의 금융 거래에 대해 공시 의무를 강조하는 정책은 ㉢에 따른 대책이다.
⑤ 주택 가격이 상승하여 서민들의 주택 구입이 어려워질 때 담보 가치 대비 대출 한도 비율을 줄이는 정책은 ㉣에 따른 대책이다.

언어이해

[18~20] 다음 글을 읽고 물음에 답하시오.

우주의 크기는 인류의 오랜 관심사였다. 천문학자들은 이를 알아내기 위하여 먼 별들의 거리를 측정하려고 하였다. 18세기 후반에 허셜은 별의 '고유 밝기'가 같다고 가정한 뒤, 지구에서 관측되는 '겉보기 밝기'가 거리의 제곱에 비례하여 어두워진다는 사실을 이용하여 별들의 거리를 대략적으로 측정하였다. 그 결과 별들이 우주 공간에 균질하게 분포하는 것이 아니라, 전체적으로 납작한 원반 모양이지만 가운데가 위아래로 볼록한 형태를 이루며 모여 있음을 알게 되었다. 이 경우, 원반의 내부에 위치한 지구에서 사방을 바라본다면 원반의 납작한 면과 나란한 방향으로는 별이 많이 관찰되고 납작한 면과 수직인 방향으로는 별이 적게 관찰될 것인데, 이는 밤하늘에 보이는 '은하수'의 특징과 일치한다. 이에 착안하여 천문학자들은 지구가 포함된 천체들의 집합을 '은하'라고 부르게 되었다. 별들이 모여 있음을 알게 된 이후에는 그 너머가 빈 공간인지 아니면 또 다른 천체가 존재하는 공간인지 의문을 갖게 되었으며, '성운'에 대한 관심도 커졌다.

성운은 망원경으로 보았을 때, 뚜렷한 작은 점으로 보이는 별과는 다르게 얼룩처럼 번져 보인다. 성운이 우리 은하 내에 존재하는 먼지와 기체들이고 별과 그 주위의 행성이 생성되는 초기 모습인지, 아니면 우리 은하처럼 수많은 별들이 모인 또 다른 은하인지는 오랜 논쟁거리였다. 앞의 가설을 주장한 학자들은 성운이 은하의 납작한 면 바깥에서는 많이 관찰되지만 정작 그 면의 안에서는 거의 관찰되지 않는다는 사실을 근거로 내세웠다. 그들에 따르면, 성운이란 별이 형성되는 초기의 모습이므로 이미 별들의 형성이 완료되어 많은 별들이 존재하는 은하의 납작한 면 안에서는 성운이 거의 관찰되지 않는다. 반면에 이들과 반대되는 가설을 주장한 학자들은 원반 모양의 우리 은하를 멀리서 비스듬한 방향으로 보면 타원형이 되는데, 많은 성운들도 타원 모양을 띠고 있으므로 우리 은하처럼 독립적인 은하일 것이라고 생각하였다. 그들에 따르면, 성운이 우주 전체에 고루 퍼져 있음에도 우리 은하의 납작한 면 안에서 거의 관찰되지 않는 이유는 납작한 면 안의 수많은 별과 먼지, 기체들에 의해 약한 성운의 빛이 가려졌기 때문이다.

두 가설 중 어느 것이 맞는지는 지구와 성운 사이의 거리를 측정하면 알 수 있다. 이 거리를 측정하는 방법은 밝기가 변하는 별인 변광성의 연구로부터 나왔다. 주기적으로 밝기가 변하는 변광성 중에는 쌍성이 있는데, 밝기가 다른 두 별이 서로의 주위를 도는 쌍성은 지구에서 볼 때 두 별이 서로를 가리지 않는 시기, 밝은 별이 어두운 별 뒤로 가는 시기, 어두운 별이 밝은 별 뒤로 가는 시기마다 각각 관측되는 밝기에 차이가 생긴다. 이 경우에 별의 밝기는 시간에 따라 대칭적으로 변화한다. 한편, 또 다른 특성을 지닌 변광성도 존재하는데, 이 변광성의 밝기는 시간에 따라 비대칭적으로 변화한다. 이와 같은 비대칭적 밝기 변화는 두 별이 서로를 가리는 경우와 다른 것으로, 별의 중력과 복사압 사이의 불균형으로 인하여 별이 팽창과 수축을 반복할 때 방출되는 에너지가 주기적으로 변화하며 발생한다. 이러한 변광성을 세페이드 변광성이라고 부른다.

1910년대에 마젤란 성운에서 25개의 세페이드 변광성이 발견되었다. 이들은 최대 밝기가 밝을수록 밝기의 변화 주기가 더 길고, 둘 사이에는 수학적 관계가 있음이 알려졌다. 이러한 관계가 모든 세페이드 변광성에 대해 유효하다면, 하나의 세페이드 변광성의 거리를 알 때 다른 세페이드 변광성의 거리는 그 밝기 변화 주기로부터 고유 밝기를 밝혀내어 이를 겉보기 밝기와 비교함으로써 알 수 있다. 이를 바탕으로 ㉠어떤 성운에 속한 변광성을 찾아 거리를 알아냄으로써 그 성운의 거리도 알 수 있게 되었는데, 1920년대에 허블은 안드로메다 성운에 속한 세페이드 변광성을 찾아내어 그 거리를 계산한 결과 지구와 안드로메다 성운 사이의 거리가 우리 은하 지름의 열 배에 이른다고 밝혔다. 이로부터 성운이 우리 은하 바깥에 존재하는 독립된 은하임이 분명해지고, 우주의 범위가 우리 은하 밖으로 확장되었다.

18. 윗글에서 알 수 있는 사실로 적절하지 않은 것은?

① 성운은 우주 전체에 고루 퍼져 분포한다.
② 안드로메다 성운은 별 주위에 행성이 생성되는 초기의 모습이다.
③ 밤하늘을 관찰할 때 은하수 안보다 밖에서 성운이 더 많이 관찰된다.
④ 밤하늘에 은하수가 관찰되는 이유는 우리 은하가 원반 모양이기 때문이다.
⑤ 타원 모양의 성운은 성운이 독립된 은하라는 가설을 뒷받침하는 증거이다.

19. ㉠과 같이 우리 은하 밖의 어떤 성운과 지구 사이의 거리를 알아내는 데 이용되는 사실만을 <보기>에서 있는 대로 고른 것은?

<보 기>
ㄱ. 성운의 모양이 원반 형태이다.
ㄴ. 별의 겉보기 밝기는 거리가 멀수록 어둡다.
ㄷ. 밝기가 시간에 따라 대칭적으로 변하는 변광성이 성운 안에 존재한다.

① ㄱ　　② ㄴ　　③ ㄷ
④ ㄱ, ㄴ　　⑤ ㄴ, ㄷ

20. 두 변광성 A와 B의 시간에 따른 밝기 변화를 관측하여 <보기>와 같은 결과를 얻었다. 이에 대한 설명으로 가장 적절한 것은?

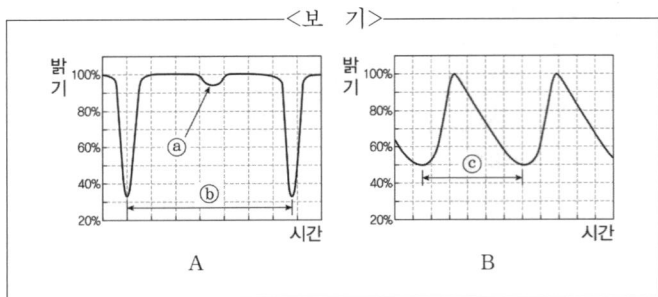

① A는 세페이드 변광성이다.
② B는 크기와 밝기가 비슷한 두 별로 이루어져 있다.
③ ⓐ는 밝은 별이 어두운 별을 가리고 있는 시기이다.
④ ⓑ를 측정하여 A의 거리를 알 수 있다.
⑤ ⓒ를 알아야만 B의 최대 겉보기 밝기를 알 수 있다.

[21~23] 다음 글을 읽고 물음에 답하시오.

조선 성종 8년(1477) 조정에서는 여성의 재가(再嫁)를 둘러싸고 토론이 벌어졌다. 그 계기가 된 것은 이심의 처 조 씨 사건이었다. 이 사건은 조 씨의 오빠인 조식이 전 칠원현감 김주가 과부인 누이집에 와서 유숙한 것을 두고 강간이라고 고발하면서 시작되었다. 조사 결과 김주와 조 씨는 이미 성혼한 사이였으나, 중매를 거치지는 않았다. 조식은 과부가 된 누이를 돌보지 않다가 그 누이의 재산을 차지하려고 무고한 것이었다. 이렇게 끝날 뻔했던 사건이 부녀자의 재가 문제로 논제가 옮겨가면서 양상이 달라졌다. 당시 성종이 전·현직 고위 관료 46명을 불러 부녀자의 재가에 대한 의견을 들었는데, 다음이 대표적인 의견들이었다.

㉠ 영돈녕부사 노사신 등이 아뢰기를, "부인의 덕은 한 남편을 섬기는 것보다 더 큰 것이 없습니다. 그러나 젊은 나이에 과부가 된 자에게 재가를 허락하지 않는다면, 부모와 자식이 없어 의지할 곳이 없는 사람은 오히려 절개를 잃게 될 것입니다. 그런 이유로 국가에서 부녀자가 재가하는 것을 금하지 않았으니 그전대로 하는 것이 편하겠습니다."라고 하였다.

㉡ 지중추부사 구수영 등이 아뢰기를, "사족(士族)의 여자가 일찍 과부가 되어 생계가 막막해서 부득이 재가한 경우와 부모의 명으로 재가한 경우는 형세상 어쩔 수 없는 것이므로 <경국대전>에서도 세 번 시집가는 것에 대해서만 금지하고 있습니다. 그러나 자식이 있고, 집이 가난하지 않은데도 스스로 재가하는 자가 있으니 이는 정욕을 이기지 못한 것입니다. 금후 이 경우는 세 번 시집간 사례로 적용하는 것이 어떻겠습니까?"라고 하였다.

㉢ 예조참판 이극돈 등이 아뢰기를, "<경국대전>에, '재가한 부녀자에게는 작위를 주지 않고, 세 번 시집간 자는 실행(失行)한 자와 한가지로 아들과 손자에게 과거 응시와 현관(顯官: 특정한 요직) 제수를 허락하지 않는다'고 하였으니, 이는 정상을 참작하여 법을 만든 것으로 풍속을 경계하고 장려하기에 족합니다. 결혼한 여자가 한 남편을 끝까지 섬기는 것이 마땅하지만, 불행히 일찍 과부가 되어서 의탁할 곳이 없으면 그 재가가 부득이한 데서 나온 것입니다. 국가에서 사람마다 절의를 가지고 책임지우는 것은 마땅한 일이지만, 일일이 논죄한다면 또한 어려울 것이니 <경국대전>에 따라서 시행함이 어떻겠습니까?"라고 하였다.

㉣ 무령군 유자광 등이 아뢰기를, "예전에 정자(程子)가 가로되, '재가는 후세에 굶어 죽을 것을 두려워하여 하는 것이다. 절개를 잃는 것은 지극히 큰 일이고, 굶어 죽는 것은 지극히 작은 일이다'고 하였습니다. 세상 풍속이 절의를 돌아보지 않고 재가하고, 국가에 금령이 없어 절개를 잃은 자의 자손이 현관의 직에 오르는 일이 풍속을 이루며, 혼인을 주선하는 자가 없는데도 스스로 지아비를 구하는 자까지 있습니다. 금후로는 부녀자들의 재가를 금지하고, 이를 어기는 자가 있으면 모두 실행한 것으로 처벌하고, 그 자손도 관직에 오르지 못하게 해야 합니다."라고 하였다.

유자광의 의견에 동조한 사람은 세 명뿐이었다. 성종은, "전(傳)에 이르기를 '신(信)은 부녀자의 덕이니 한 번 함께 하였으면 종신토록 고치지 않는다'고 하였다. 그리하여 삼종지의(三從之義)라는 말이 있는 것인데 세상의 도리가 날로 비속해져 사족의 여자가 예의를 돌보지 않고 스스로 중매하여 다른 사람을 따르니, 이는 가풍을 무너뜨릴 뿐 아니라 유학의 가르침을 더럽히는 것이다. 이제부터는 재가한 여자의 자손은 관직에 임용되지 못하도록 하여 풍속을 바로 잡도록 하라."라고 명하였다. 그에 따라 성종 16년(1485)에 수정된 <경국대전>에서는 재가한 여자의 아들과 손자는 과거에 응시하지 못하고 어떤 관직에도 임용되지 못하도록 규정되었다.

한편, 이심의 처 조 씨는 친척이 혼인을 주선하지 않았음에도 스스로 시집간 죄로, 김주와 조 씨와 혼인하되 예를 갖추지 않은 죄로 <대명률>의 "화간(和姦)한 자는 장 80에 처한다."라는 조항에 따라 모두 처벌하고 이혼시켰다. 조 씨 사건으로 촉발된 논의는 결과적으로 여성의 지위가 하락하게 되는 결정적 계기가 되었다. 이 논의 과정에서, 재가의 상대가 된 남성이나 재혼한 남성에 대한 처벌은 언급조차 되지 않은 점도 당시 사회 분위기를 잘 보여 준다고 할 것이다.

21. 윗글의 내용으로 보아 적절하지 않은 것은?
① 당시에는 <경국대전>에 직접적인 처벌 조항이 없어도 다른 법률을 이용하여 처벌하는 것이 가능하였다.
② 수정된 <경국대전>은 세 번 시집간 여자에 대한 제재 규정을 두 번 시집간 여자에게 그대로 적용한 것이었다.
③ <경국대전>에서 재가를 규제하는 조항은 관직에 오를 자격이 없는 신분의 사람에게는 실효성이 없었을 것이다.
④ 성종은 부녀자의 재가가 유학의 기준으로 볼 때 풍속을 타락시키는 것이라고 판단하여 소수 의견을 받아들였다.
⑤ <경국대전>에서는 여자가 세 번 시집가는 것에 대해 실행의 경우와 마찬가지로 그 자손들에게 불이익을 주도록 하였다.

22. ㉠~㉣의 주장에 대한 설명으로 가장 적절한 것은?
① ㉠과 ㉡은 재가를 금지할 경우 과부들이 절개를 잃는 일이 더 많아질 것이라고 보는 점에서 일치한다.
② ㉠은 새로운 법령을 만드는 것에 대해 긍정적인 입장이지만, ㉣은 새로운 법령을 만드는 것에 회의적인 입장이다.
③ ㉡은 부득이하지 않은 재가에 대해 기존 법률을 확대 적용하는 의견이지만, ㉢은 기존 법률의 확대 적용에 반대하는 의견이다.
④ ㉡과 ㉢은 재가의 정황을 참작하지 않고 법률을 일률적으로 적용해야 한다고 보는 점에서는 동일한 입장이다.
⑤ ㉢과 ㉣은 국가가 현실을 고려하기보다 형벌을 강화함으로써 풍속을 지키는 데 적극 개입해야 한다는 입장이다.

23. 윗글의 논의를 바탕으로 <보기>의 사례에 대해 추론한 것으로 적절하지 않은 것은?

<보 기>
사족의 딸인 목 씨는 첫 남편 강철호가 죽자 오빠 목인수의 중매로 남예건과 혼례를 올렸다. 재혼 당시 목 씨는 부모가 모두 사망하고 친족으로는 목인수만이 있는 상황이었으며, 남예건에게도 자식이 없었다.

① 이심의 처 조 씨 사건과 같은 시기에 일어난 일이라도 목 씨는 조 씨와 같은 죄목으로 처벌받지 않았을 것이다.
② <경국대전>이 수정되지 않았다면 목 씨와 남예건 사이에서 태어날 아들은 관직 진출에 법령상 제한을 받지 않을 것이다.
③ 수정된 <경국대전>에 따르면 목 씨와 남예건의 손자는 과거에 응시하는 것이 불가능할 것이다.
④ <경국대전>이 수정된 뒤에는 목 씨의 유죄 여부를 판정하기 위해 목 씨의 나이와 형편을 살폈을 것이다.
⑤ <경국대전>이 수정된 뒤에도 목 씨의 남편 남예건 본인에게 적용될 처벌 규정은 생겨나지 않았을 것이다.

[24~26] 다음 글을 읽고 물음에 답하시오.

근대 민주주의는 국민국가라는 정치 공동체 속에서 민족주의, 국민적 정체성, 국적에 수반되는 시민권 등을 중심으로 발전해 왔다. 하지만 최근의 세계화는 국민국가를 기반으로 하는 민주주의와 국제 관계의 질서에 변화를 가져오고 있다. 이 과정에서 국민국가 시대의 전쟁과는 다른 모습의 '새로운 전쟁'이 나타나고 있으며, 그 전쟁은 국민국가의 질서를 동요시키고 있다.

새로운 전쟁은 우선 경계가 불분명한 양상을 띤다. 국민국가시기처럼 국가들 간에 전쟁이 발생하고 전쟁이 끝난 후 국제법을 통해 평화를 안착시키는 것이 아니라, 전후방 구분 없이 전투가 발생하고 전투원과 민간인, 공과 사의 구분이 사라지며 전쟁의 시작과 끝이 불명확해진 경우가 많다. 또한 현대 사회에서의 용병이라고 할 수 있는 민간 군사 기업이 군사 훈련에서 전후 처리까지 거의 모든 군사 서비스를 제공한다.

이와 함께 정치적, 이데올로기적 원인이 아닌 다양한 원인에 의해 전쟁이 발발하기도 한다. 동유럽에서는 사회주의 체제가 붕괴한 이후 종교, 언어, 문자, 민족 문제가 부각되고, 중동에서는 종교 갈등이 다양한 문제를 발생시키며, 아프리카에서는 부족과 식민지, 신생국들이 얽히고 자원 문제가 개입된다.

그리고 네트워크전, 비대칭전, 게릴라전, 테러 등의 전쟁 형태가 나타나고 있다. 네트워크전은 관료적 명령보다는 공유된 가치나 목표 속에서 움직이는 수평적 조정 메커니즘에 의존하며, 게릴라전은 전선이 불분명하지만 정교하게 조직된다. 1990년대 초 제1차 걸프전에서 보았듯이 미국의 공격으로 이라크 정부의 신경체계가 몇 시간 만에 무력화되었지만 정작 이라크군은 연합군이 어디에 있는지조차 알지 못한 것에서도 새로운 전쟁의 양상을 알 수 있다.

마지막으로 전쟁 경제도 새로운 양상을 드러낸다. 새로운 전쟁은 국가의 통제 하에 놓이는 공식 경제와 조세를 통한 국가 수입뿐만 아니라 비공식 경제를 통해서도 전쟁 자금을 조달한다. 생산이 붕괴되고 징세가 어려운 상황에서 전투 집단은 약탈, 납치 등과 무기·마약·자원 등의 불법 거래, 국외 이주자의 송금, 인도적 원조에 대한 '과세', 타국 정부의 후원 등을 통해 자금을 조달한다.

이러한 새로운 전쟁에서 '새롭다'고 제시되는 현상들이 결코 새로운 것이 아니라, 기존 전쟁에서도 존재했지만 주목되지 않았을 뿐이라고 ㉠비판하는 이들도 있다. 비판자들은 새로운 전쟁론을 펴는 이들이 그러한 현상에 초점을 맞추고, 미디어 발달로 전쟁의 다양한 측면들이 부각되고 있을 뿐이라고 말한다. 또한 '새로운 전쟁'을 주장하는 연구들이 경험 자료가 불명확하고 자료의 양도 부족한데도 유리한 예만 선택하고 있을 뿐이라고 비판하면서, 오히려 1992년 이래 내전은 감소했으며 '새로운' 현상이 나타난 정도도 제2차 세계 대전과 비교할 때 통계적으로 유의미하지 않다고 주장한다.

그럼에도 '새로운 전쟁' 개념은 국제정치의 새로운 위협 요소와 최근 변화를 인식할 수 있게 한다. 왜냐하면 '새로운 전쟁'은 국가를 만들기보다는 해체하는 경향을 갖기 때문이다. 전쟁으로 인해 '실패한 국가'의 예로 거론되는 소말리아의 경우를 보면 국가 붕괴 이후에도 우려되었던 무질서는 나타나지 않았으며, 오히려 사람들의 삶이 개선되어 가는 조짐마저 보인다. 국가 대신 국제 협력, 전통 경제 등을 통해 공공재를 공급하고, 관습법과 부족 네트워크 등이 사회 질서 유지에 도움을 주고 있다. 한편, 중동에서는 종교나 부족 같은 요소가 부각된 새로운 민족주의의 양상도 나타난다. 이는 민족주의가 반드시 국가와 결합해야만 작동하는 것이 아님을 보여 준다. 그렇게 본다면 국민국가란 특정한 시기에 한정된 유럽 중심의 모델이며, 역사가 보여주듯이 다양한 정치체들이 존재하며 그것들의 공존도 가능하다. 아프리카나 중동에서 빈발하는 새로운 전쟁은 세계를 도시공동체·국가·제국 등 다양한 공동체가 공존하던 근대 이전의 혼란스러운 유럽과 같은 모습으로 회귀시키는 듯하다.

[A] 하지만 이는 새로운 공동체의 다양한 가능성을 구체화하기 위한 계기가 될 수 있다. 민주주의는 극우민족주의처럼 국민국가를 강화시키는 방향보다는 국민국가의 한계와 틀을 벗어나 그것들을 가로지르는 방향으로 추구되어야 한다. 다중적 정체성을 지닌 세계시민들이 동등한 시민권을 바탕으로 공존하는 글로벌 시티와 그 네트워크, 그리고 EU와 같은 초국가적 공동체에 이르는 다층적 공간은 민주주의를 위한 새로운 공간이 될 수 있다. 국민국가 시대에 성취한 민주주의는 이제 새로운 공동체들에서 보존되고 동시에 전환되어 새로운 시민과 그들이 만들어 내는 공동체 속에서 더욱 확장되어야 한다.

24. '새로운 전쟁'의 양상으로 적절하지 않은 것은?
① 민간 군사 업체들이 전쟁 수행에 관여하는 정도가 높아진다.
② 전쟁의 원인이 다양해지고 전쟁 행위자들은 전투원에 한정되지 않는다.
③ 전쟁의 시작과 끝이 불분명해지면서 국제법을 통한 평화 안착이 어려워진다.
④ 전쟁 수행을 위해 국가 공식 경제 이외에도 다양한 재원 마련 방식이 동원된다.
⑤ 전후방이 없는 전투와 게릴라전 등으로 네트워크에 의존하면서 비조직적으로 전개된다.

25. ㉠이 활용할 수 있는 근거로 적절하지 않은 것은?
① 근대 국가의 경우에도 이민족 용병을 활용한 전쟁의 사례가 있었다.
② 근대 이전의 국가는 물론 근대 국가의 경우에도 내전이 빈번하게 발생하였다.
③ 게릴라전은 제2차 세계 대전 이전에 중국 공산당에 의해 전쟁의 형태로 활용되었다.
④ 국가에 의해 총력전 형태로 수행되는 전쟁이 이미 제1차 세계대전 당시부터 보편화되었다.
⑤ 최근 IS가 벌인, 민간인과 전투원을 구별하지 않는 무차별 공격의 사례가 기존 전쟁에서도 이미 있었다.

26. [A]의 주장과 <보기>의 입장들을 비교한 내용으로 가장 적절한 것은?

<보 기>
(가) 절대적 환대, 즉 어디에서 온 누구인지를 묻지 않고 보답을 요구하지 않으며, 상대방의 적대에도 불구하고 지속되는 환대에 기초한 사회를 상상해야 한다.
(나) 새로 이주한 사람이 본래 따르는 특정한 종교적 관습이 이주한 국가의 보편적인 가치를 해칠 우려가 있다고 판단될 경우, 공공장소에서 그 관습을 표출하는 것을 금지해야 한다.
(다) 새로운 시대의 애국주의는 민주주의적 헌정 질서의 가치와 원리 및 제도에 대한 사랑과 충성에서 성립해야 규범적으로 정당하며, 결코 기존의 사례처럼 지배적인 문화 양식이나 특정한 윤리적 지향과 결합되어서는 안 된다.

① [A]와 달리 (가)는 특정 공동체가 자기 사회에 새로 편입된 이주민의 정체성을 어떻게 동화시킬 것인지를 중요한 요소로 고려한다.
② [A]와 (나)는 모두 공동체의 유지와 발전을 위해서는 공동체의 구성원들이 단일한 문화적 정체성을 가져야 한다고 판단한다.
③ [A]와 달리 (다)는 기존에 명확하게 정해져 있는 정치적 규범과 질서를 준수하는 것이 민주주의 실현의 전제 조건이라고 판단한다.
④ [A]와 (가)는 새로운 공동체는 정체성을 근거로 사람을 차별하지 않는다는 점에서 공통되며, [A]와 (다)는 공동체에서 국가를 대하는 관점이 바뀌어야 한다고 보는 점에서 공통된다.
⑤ [A]와 (나)는 이주민의 종교적 관습을 존중한다는 점에서 공통되며, [A]와 (다)는 구성원들이 지닌 윤리적 지향의 차이를 용납하지 않는다는 점에서 공통된다.

[27~29] 다음 글을 읽고 물음에 답하시오.

우리는 빨갛게 잘 익은 사과를 보고서, "그래, 저 사과 맛있겠으니 가족과 함께 먹자."라는 판단을 내린다. 이때 우리는 빨간 사과에 대한 감각 경험을 먼저 한다. 그러고 나서, "저기 빨간 사과가 있네."라거나, "사과가 잘 익었으니 함께 먹으면 좋겠다."라는 판단을 내린다. 이것은 보는 것이 믿는 것에 대한 선행 조건임을 의미한다. 감각 경험에 대한 판단과 추론은 고차원의 인지 과정이며 개념적 절차이고, 판단과 추론이 개입하기 이전의 감각 경험은 비개념적 내용을 가질 뿐이다. 이와 같이 비개념적인 감각 경험이 먼저 주어진 후에 판단과 추론이 이어지는 것을 정상적인 과정으로 보는 견해를 '비개념주의'라고 부른다.

비개념주의는 우리가 알아채는 것보다 실제로 더 많은 것을 본다는 점에 주목한다. 예를 들어 우리는 퇴근 후 아내와 즐겁게 대화를 나누며 저녁 식사를 하면서도 아내가 그날 노랗게 염색한 것을 알아채지 못할 수 있다. 아내의 핀잔을 들은 후 염색한 사실을 새삼스럽게 깨닫고서 어떻게 이를 모를 수 있었는지 의아해 한다. 이렇게 현저한 변화를 알아보지 못하는 현상을 변화맹(change blindness)이라고 부른다. 우리가 이러한 특징적인 변화를 정말 보지 못했다고 생각하긴 어렵다. 새로운 시각 경험이 주어졌으나 이 경험을 인지하지 못했으며, 따라서 판단과 추론으로 이어지지 못했다는 설명이 자연스럽다. 우리는 아내의 노란 머리를 단지 알아차리지 못했을 뿐이지 보지 못했다고 말할 수는 없다.

그러나 '개념주의'는 시각 경험과 판단·추론이 별개의 절차가 아니라고 본다. 우리가 무엇인가를 볼 때 여기에는 배경 지식이나 판단 및 추론 같은 고차원의 인지적 요소들이 이미 개입하고 있다는 것이다. 개념주의에서는 우리가 빨간 사과를 지각할 때 일종의 인지 작용으로서 해석이 일어난다고 여긴다. 식탁에 놓인 것을 '빨간 사과'로 보는 것 자체가 일종의 해석이다. 우리가 이 해석 작용 자체를 인식하는 것은 아니지만, 이 작용은 두뇌 곳곳에서 분산되어 일어나는데 이것도 일종의 판단이나 추론이라는 것이다.

개념주의는 베르나르도 벨로토가 그린 ⊙<엘베 강 오른편 둑에서 본 드레스덴>을 통해서도 설명된다. 미술관에 걸려 있는 이 그림을 적당한 거리에서 바라볼 때, 원경으로 그려진 다리 위에는 조금씩 다른 모습의 여러 사람들이 보인다. 우리는 작가가 아마도 확대경을 이용하여 그 사람들을 매우 정교하게 그렸을 것이라 생각할지도 모른다. 그런데 그 티끌같이 작은 사람들이 정말 사람의 형태를 하고 있을까? 이 그림의 다리 위 부분을 확대해서 보면 놀랍게도 사람들은 사라지고, 물감 방울과 얼룩과 터치만이 드러난다. 어떻게 보면 작가는 다리를 건너는 사람들을 직접 그렸다기보다는 단지 암시했을 뿐이지만, 우리의 두뇌는 사람과 비슷한 암시를 사람이라고 해석하여 경험한다. 이와 같은 과정을 비유적으로 '채워 넣기'라고 부를 수 있다. 두뇌는 몇몇 단서를 가지고서 세부 사항을 채워 넣으며 이를 통해 다채로운 옷을 입고 여러 동작을 하면서 다리를 건너는 사람들을 보게 되는 것이다. 채워 넣기도 일종의 판단 작용이다. 우리의 시각 경험에 이미 판단 작용이 들어와 있기 때문에, 시각 경험과 판단 작용은 구분되지 않는다. 우리가 이 그림에서 사람들을 지각할 때 이는 이미 해석을 전제한다.

개념주의는 변화맹을 어떻게 설명할까? 개념주의에 따르면 나의 감각 경험에 주어진 두 장면 사이의 차이를 알아채지 못하는 변화맹은 불합리하다. 비개념주의에서는 판단 및 추론에서 독립된 감각 경험이 존재한다고 주장하는데, 판단이나 추론과 달리 나의 감각에 대해서는 나 자신이 특권을 가지므로 내가 나의 감각에 대해서 오류를 범할 수 없어야 한다. 그런데도 나의 감각의 변화를 내가 알아보지 못한다고 주장하는 것은 말이 되지 않는다. 변화를 알아볼 수 있을 때에야 감각하기 때문이다.

결국 개념주의는 비개념주의가 아는 것보다 실제로 더 많은 것을 본다는 근거 없는 자신감을 가지고 있다고 비판하는 셈이다. 반면에 비개념주의는 개념주의가 실제로는 더 많은 것을 보았는데 보지 못했다고 과소평가한다고 생각할 것이다.

27. '비개념주의'와 '개념주의'가 모두 동의하는 주장은?

① 알아채지 못하는 감각은 불가능하다.
② 판단 과정에 개념적 내용이 들어간다.
③ 무엇인가를 본 뒤에야 믿는 것이 가능하다.
④ 판단 및 추론에 대해 오류를 범하지 않는다.
⑤ 감각 경험이 판단 작용으로 전환될 때 정보의 손실이 발생한다.

28. '비개념주의'가 ㉠을 설명한다고 할 때 가장 적절한 것은?

① 사람임을 알고서 확대경으로 들여다보면 여전히 사람으로 보인다.
② 다리 위의 사람과 달리 물감 방울과 얼룩은 비개념적으로 인지해야 한다.
③ 해석이 되지 않은 감각 경험이 다리 위 무엇인가를 사람으로 인지하는 데 필요하다.
④ 가까이서 본 것과 멀리서 본 것의 차이를 통해 다리 위의 사람들을 사람으로 알아차린다.
⑤ 다리 위 무엇인가를 사람으로 인지하기 위해서는 그것이 물감 방울과 얼룩으로 이루어진 것임을 알아차려야 한다.

29. <보기>에 대한 설명으로 적절하지 않은 것은?

―<보 기>―
(가) 관객이 마술사의 화려한 손동작에 집중하느라 조수가 바뀐 것을 알아차리지 못했다.
(나) 개념적 일반화나 언어적 조작을 하지 못하는 갓난아이나 동물도 감각 경험을 한다.
(다) 오타가 있는 단어를 볼 때 무엇이 잘못되었는지 알아채지 못하고 제대로 읽는다.
(라) 같은 상황에서 변화를 알아차린 사람과 알아차리지 못한 사람의 뇌를 비교했을 때, 뇌의 시각 영역이 유사한 정도로 활성화된 것으로 밝혀졌다.

① 개념주의는 (가)에서 관객이 조수가 바뀌는 것을 보지 못했다고 말할 것이다.
② 개념주의는 (다)에서 제대로 읽은 까닭을 채워 넣기가 있었기 때문이라고 설명할 것이다.
③ 비개념주의는 (나)가 감각 경험에 비개념적 내용이 존재함을 보여주는 사례라고 말할 것이다.
④ 비개념주의는 (다)를 추론 및 판단에서 독립된 감각 경험이 존재한다는 주장을 지지하는 근거로 삼을 것이다.
⑤ 비개념주의는 (라)를 사람들이 실제로는 더 많은 것을 본다는 사례로 활용할 것이다.

[30~32] 다음 글을 읽고 물음에 답하시오.

양분을 흡수하는 창자의 벽은 작은 크기의 수많은 융모로 구성되어 있다. 융모는 창자 내부의 표면적을 넓혀 영양분의 효율적인 흡수를 돕는다. 융모는 아래의 그림에서 볼 수 있듯이, 한 층으로 연결된 상피세포로 이루어져 있다. 이 상피세포들은 융모의 말단 부위에서 지속적으로 떨어져 나가고, 이 공간은 융모의 양쪽 아래에서 새롭게 만들어져 밀고 올라오는 세포로 채워진다. 새로운 세포를 만드는 역할은 융모와 융모 사이에 움푹 들어간 모양으로 존재하는 소낭의 성체장줄기세포가 담당한다. 소낭의 성체장줄기세포는 판네스세포를 비롯한 주변 세포로부터 자극을 받아 지속적으로 자신과 동일한 성체장줄기세포를 복제하거나, ㉠새로운 상피세포로 분화하는 과정을 거친다.

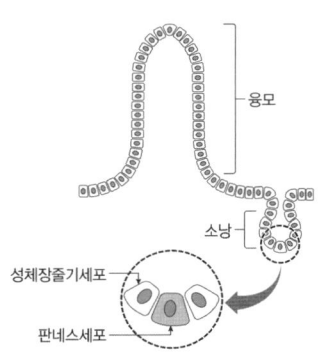

세포의 복제나 분화 과정에서 세포는 주변으로부터 다양한 신호를 받아서 처리하는 신호전달 과정을 거쳐 그 운명이 결정된다. 세포가 외부로부터 받는 신호의 종류와 신호전달 과정은 초파리에서 인간에 이르기까지 대부분의 동물에서 동일하다. 세포 내 신호전달의 일종인 'Wnt 신호전달'은 배아 발생 과정과 성체 세포의 항상성 유지에 중요한 역할을 한다. 이 신호전달의 특이한 점은 세포에서 분비되는 단백질의 하나인 Wnt를 분비하는 세포와 그 단백질에 반응하는 세포가 서로 다르다는 것이다. Wnt 분비 세포 주변의 세포들 중 Wnt와 결합하는 'Wnt 수용체'를 가진 세포는 Wnt 신호전달을 통해 여러 유전자를 발현시켜 자신의 분열과 분화를 조절한다. 그런데 Wnt 신호전달에 관여하는 유전자에 돌연변이가 생길 경우 다양한 종류의 질병이 발생할 가능성이 있다. 만약 Wnt 신호전달이 비정상적으로 활성화되면 세포 증식을 촉진하여 암을 유발하며, 이와 달리 지나치게 불활성화될 경우 뼈의 형성을 저해하여 골다공증을 유발한다.

Wnt 분비 세포의 주변 세포가 Wnt의 자극을 받지 않을 때, APC 단백질이 들어 있는 단백질 복합체 안에서 GSK3β가 β-카테닌에 인산기를 붙여 주는 인산화 과정이 그 주변 세포 내에서 수행된다. 이렇게 인산화된 β-카테닌은 분해되어 세포 내의 β-카테닌의 농도를 낮게 유지하는 기능을 한다. 이와는 달리, Wnt 분비 세포의 주변에 있는 세포 표면의 Wnt 수용체에 Wnt가 결합하게 되면 GSK3β의 활성이 억제되어 β-카테닌의 인산화가 더 이상 일어나지 않는다. 인산화되지 않은 β-카테닌은 자신을 분해하는 단백질과 결합할 수 없으므로 β-카테닌이 분해되지 않아 세포 내의 β-카테닌의 농도가 높게 유지된다. 이렇게 세포 내에 축적된 β-카테닌은 핵 안으로 이동하여 여러 유전자의 발현을 촉진하게 된다. 이런 식으로 유전자 발현이 촉진되면 암이 발생할 수도 있는데, 예를 들어 대장암 환자들은 APC 단백질을 만드는 유전자에 돌연변이가 생긴 경우가 많다. β-카테닌을 인산화하는 복합체가 형성되지 않아 β-카테닌이 많아지고, 그에 따라 세포 증식이 과도하게 일어나기 때문에 암이 생기는 것이다.

한편, 창자의 융모와 융모 사이에 존재하는 소낭에서도 Wnt 신호전달이 일어난다. 판네스세포는 Wnt를 분비하고 그 주변에 있는 성체장줄기세포는 Wnt 수용체를 가진다. 판네스세포에 가장 인접한 성체장줄기세포가 Wnt를 인식하면, 세포 내 β-카테닌의 농도가 높아져 이 단백질에 의존하는 유전자가 발현됨으로써 자신과 똑같은 세포를 지속적으로 복제하도록 한다. 반면에 성체장줄기세포가 분열하면서 생긴 세포가 나중에 생긴 세포에 밀려 판네스세포에서 멀어지면, 상대적으로 Wnt 자극을 덜 받아서 낮은 농도의 β-카테닌을 갖게 된다. 그 결과 자신과 똑같은 세포를 지속적으로 복제하는 데 관여하는 유전자는 더 이상 발현하지 않게 되어 성체장줄기세포가 분열하면서 생긴 세포는 상피세포로 분화한다.

30. 윗글의 내용과 일치하는 것은?
① 창자 내부의 표면적은 융모의 개수와 반비례한다.
② 성체장줄기세포의 위치는 소낭에서 융모로 바뀐다.
③ 성체장줄기세포는 Wnt를 분비하여 상피세포로 분화한다.
④ 융모를 이루는 세포는 소낭의 성체장줄기세포가 분화하여 만들어진다.
⑤ 융모에서 만들어지는 세포는 소낭 쪽으로 이동하여 성체장줄기세포로 전환된다.

31. ㉠을 유도하는 현상이 아닌 것은?

① 판네스세포에 돌연변이가 생겨 Wnt 분비가 중단된다.
② 판네스세포와 성체장줄기세포의 물리적 거리가 멀어진다.
③ 성체장줄기세포에서 β-카테닌의 인산화가 활발하게 일어난다.
④ 성체장줄기세포에 GSK3β의 활성을 억제하는 물질을 첨가한다.
⑤ 성체장줄기세포의 Wnt 수용체에 돌연변이가 생겨 Wnt와 결합하지 못한다.

32. 윗글에서 추론한 내용으로 가장 적절한 것은?

① 성체장줄기세포의 수가 감소하면 창자에서 양분의 흡수가 증가하게 될 것이다.
② Wnt 신호전달을 조절하여 골다공증을 치료하는 약물은 β-카테닌의 양을 증가시킬 것이다.
③ GSK3β의 활성을 위해 필요한 APC 단백질은 인산화된 β-카테닌 단백질의 분해를 막을 것이다.
④ APC에 돌연변이가 일어난 대장암 세포에 Wnt를 처리하면 β-카테닌 단백질의 양이 줄어들 것이다.
⑤ β-카테닌 유전자에 돌연변이가 일어나서 β-카테닌 단백질에 GSK3β에 의한 인산화가 일어나지 않으면 성체장줄기세포의 수가 감소하게 될 것이다.

[33~35] 다음 글을 읽고 물음에 답하시오.

형사절차에서 변호인은 단순히 '소송대리인'에 그치지 않고 검사에 비하여 열악한 지위에 있는 피고인의 정당한 이익을 보호하는 자이다. 공정한 재판을 위해서는 검사와 피고인이 실질적으로 대등해야 하기 때문에 변호인은 형식적인 존재가 아니라 효과적인 변호를 수행하는 존재이어야 한다. 특히 미국의 형사절차는 당사자인 검사와 피고인이 증거를 신청하지 않는 한 법관이 직권으로 증거조사를 할 수 없는 등 당사자주의 소송 구조로 되어 있어서 변호인의 역할이 매우 중요하다.

미국의 연방대법원은 이미 1965년 ㉠미란다 판결에서, 기소된 피고인뿐 아니라 기소 전에 수사를 받는 피의자도 국선 변호인의 조력을 받을 권리가 있다고 하였다. 하지만 효과적인 변호를 받아야 한다는 데까지는 이르지 않았다. 효과적이지 못해 논란을 일으키는 변호의 유형으로는 (1) 변호인과 피고인의 이익이 충돌하는 변호, (2) 변호가 일정한 기준에 미치지 못하는 불충분하고 불성실한 경우가 있다. (1)의 경우, 미국 판례는 물론 우리 판례도 피고인의 권리 침해를 인정하고 유죄 판결을 파기하였다. 더욱 문제가 되고 있는 것은 (2)의 경우이다.

변호인의 '성실 의무'에는 성실한 업무 처리뿐만 아니라 법률전문가다운 유능한 업무 수행이 포함된다. 미국에서는 변호인이 불성실한 변호를 하면 징계를 받거나 위임 계약 위반에 따른 배상 책임을 진다. 그런데 성실 의무의 준수 여부에 대한 판단이 주관적이고 성실 의무의 내용도 유동적이어서 그 위반 여부를 사후에 판정하는 것은 곤란하기 때문에 성실 의무 위반이 이른바 효과적인 변호를 받을 피고인의 권리를 침해하는 것인지에 대해서는 논란이 있어 왔다.

1958년 연방대법원은 ㉡미첼 판결에서, '변호의 효과'는 변론 기술의 문제이므로 변호를 받을 권리의 내용에 포함되지 않는다고 하였다. 더구나 변호는 고도의 전문성을 발휘하는 임기응변적 기술이기 때문에 변호의 효과는 변호인이 소송 중에 그때그때 상황에 맞추어 적절하게 대응했는지에 따라 결정되는 것이다. 따라서 그 재판이 끝난 후에 변호인의 성실 의무 준수 여부를 다른 재판부가 평가하는 것은 문제가 있다고 하였다.

이후 1984년 연방대법원은 ㉢스트릭랜드 판결에서, 변호의 효과를 객관적 합리성의 기준에 따라 판단할 수 있다고 하였다. 다만 변호인이 성실 의무를 위반하였다는 점과 그 위반이 재판의 결과에 영향을 주었다는 점을 피고인이 입증해야 유죄 판결을 파기할 수 있다고 하였다. 나아가 1986년 플로리다 주 대법원은 ㉣메이켐슨 판결에서, 변호의 질은 변호인의 보수에 영향을 받는다고 하면서, 정부가 효과적인 변호를 받을 권리를 보장하기 위해 국선 변호인의 보수를 더욱 적극적으로 지원하여야 한다고 하였다.

우리나라의 경우, 헌법재판소는 헌법상 국선 변호인의 조력을 받을 권리가 피고인에게만 인정된다고 좁게 해석하였다. 그리고 변호사법 등에는 변호인의 성실 의무가 규정되어 있다. 따라서 성실 의무를 지키지 않는 것은 윤리 규범뿐만 아니라 실정법을 위반하는 행위이다. 성실 의무의 위반이 재판에 영향을 미치면 형사절차의 공정성과 기본권 보장에 대한 침해가 될 수 있는데도, 우리나라는 이 문제를 변호인 개인에 대한 징계나 손해 배상의 문제로만 취급하고 있다. 이는 변호인의 조력을 받을 권리와 공정한 재판을 받을 권리를 경시하는 태도이다. 헌법이 보장하는 변호인의 조력을 받을 권리는 효과적인 변호를 받을 권리이다. 이제부터 우리나라도 불성실한 변호로 인해 효과적인 변호를 받을 권리가 침해당한 경우 피고인에 대한 유죄 판결을 파기할 수 있어야 한다. 또한 국가는 국선 변호인에 대한 재정 지원도 확대해야 한다. 효과적인 변호의 보장은 국가의 의무이기 때문이다.

33. 윗글의 내용과 일치하지 <u>않는</u> 것은?

① 국선 변호인이 받은 보수가 매우 적어서 성실하지 않은 변호를 하였더라도 징계를 받지 않는다.
② 변호인의 성실 의무에는 변호인이 전문가로서 변호 기술을 충분히 발휘하는 것도 포함된다.
③ '변호인의 조력을 받을 권리'는 조력을 받는 대상의 확대에서 변호의 질 보장으로 발전하여 왔다.
④ 형사절차에서 변호인은 피고인이 실질적으로 검사와 대등한 지위에서 재판을 받을 수 있도록 돕는다.
⑤ 당사자주의 소송 구조에서 법관은 검사나 피고인의 증거 신청 없이 직권으로 증거 조사를 할 수 없다.

34. ㉠~㉣에 대한 이해로 적절하지 <u>않은</u> 것은?

① ㉠에서는 효과적이지 않은 변호로 피의자가 국선 변호인의 조력을 받을 권리를 침해당하는 것을 방지하려고 하였다.
② ㉡에서는 변호인이 소송 과정에서 성실했는지의 여부를 상급법원의 재판부가 판단하기 어렵다고 보았다.
③ ㉢에서는 변호가 불성실했다는 것을 피고인이 입증하는 것만으로는 유죄 판결이 파기되지 않는다고 하였다.
④ ㉣에서는 변호와 보수의 관계를 고려하여 국선 변호인에 대한 정부의 재정 지원 의무와 노력을 강조하였다.
⑤ ㉢과 ㉣에서 변호인의 조력을 받을 권리라는 말의 '조력'은 효과적인 변호에 따른 조력임을 전제한다.

35. 변호에 관한 우리나라와 미국의 공통점으로 가장 적절한 것은?

① 변호인의 불성실한 변호를 이유로 하여 유죄 판결을 파기한 사례가 있다.
② 불성실한 변호를 할 경우 그 변호인은 민사상 손해 배상 책임을 질 수 있다.
③ 기소되기 전의 모든 피의자는 국선 변호인의 조력을 제공받을 권리가 있다.
④ 불성실한 변호는 윤리 규범을 위반한 것이지만 실정법을 위반한 것은 아니다.
⑤ 국선 변호인과 피고인의 이익이 충돌하는 변호의 경우 유죄 판결을 파기할 수 없다.

2027학년도 LEET 대비
기출문제 해설집

2016

영역별 출제 비중 분석

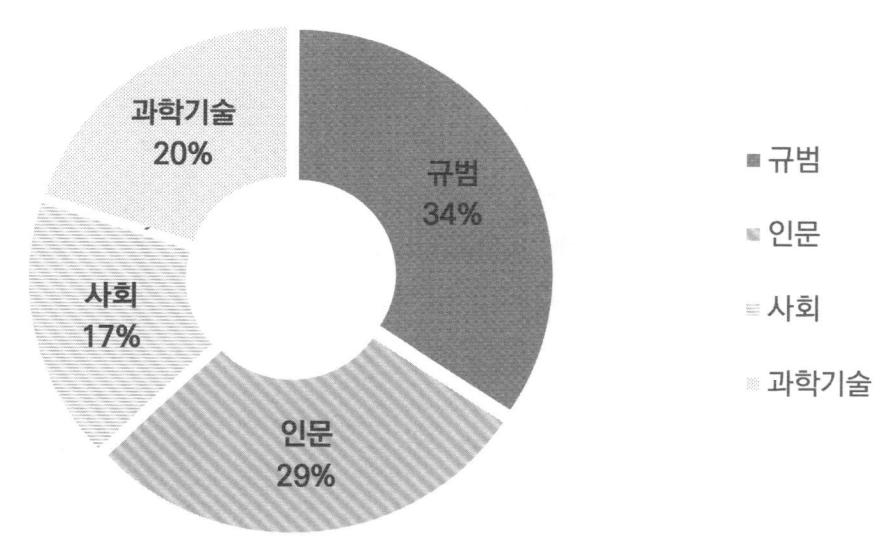

내용 영역	규범	인문	사회	과학기술	총
문항 수	12	10	6	7	35

※ 출제 비중은 소수점 첫째 자리에서 반올림하였습니다.

2016학년도 언어이해

출제 경향 분석

2016학년도 시험은 전년도와 크게 다르지 않은 평이한 수준으로 출제되었다. 전년도와 마찬가지로 문학비평 제시문이 출제되었고, 특정 정보나 핵심 내용에 대한 이해만으로도 해결 가능한 문항들이 적지 않았으며 정답 선택지와 오답 선택지의 구별 역시 명확하였다. 제시문의 길이나 제시문에 담긴 정보의 양 또한 전년도에 비해 크게 늘지 않아 수험생들이 체감한 난이도는 전년도와 유사했다고 볼 수 있다.

제 1 교시

홀수형

2016학년도 법학적성시험

언어이해 문제지

성 명

수험번호

수험생 유의사항

- 이 문제지는 **35문항**으로 구성되어 있습니다.
- **시험 시간은 09 : 00～10 : 20(80분)입니다.**
- 문제지에 성명과 수험번호를 정확하게 기재하십시오.
- 답안지는 반드시 컴퓨터용 사인펜을 사용하여 답을 표기하여야 합니다.
- 답안지의 '필적확인란'에 제시된 문구를 정확히 정자로 기재하여야 합니다.

메가로스쿨

2016학년도 법학적성시험
언어이해

제1교시   홀수형

- 이 문제지는 **35문항**으로 구성되어 있습니다. 문항 수를 확인하십시오.
- 문제지의 해당란에 성명과 수험번호를 정확히 쓰십시오.
- 답안지에 수험번호, 문제유형, 성명, 답을 표기할 때에는 '답안 작성 시 반드시 지켜야 하는 사항'에 따라 표기하십시오.
- 답안지의 '필적확인란'에 해당 문구를 정자로 기재하십시오.

[1~3] 다음 글을 읽고 물음에 답하시오.

　범죄 사건을 다루는 언론 보도의 대부분은 수사기관으로부터 얻은 정보에 근거하고 있고, 공소제기 전인 수사 단계에 집중되어 있다. 따라서 언론의 범죄 관련 보도는 범죄사실이 인정되는지 여부를 백지상태에서 판단하여야 할 법관이나 배심원들에게 유죄의 예단을 심어줄 우려가 있다. 이는 헌법상 적법절차 보장에 근거하여 공정한 형사재판을 받을 피고인의 권리를 침해할 위험이 있어 이를 제한할 필요성이 제기된다. 실제로 피의자의 자백이나 전과, 거짓말 탐지기 검사 결과 등에 관한 언론 보도는 유죄판단에 큰 영향을 미친다는 실증적 연구도 있다. 하지만 보도 제한은 헌법에 보장된 표현의 자유에 대한 침해가 된다는 반론도 만만치 않다.
　미국 연방대법원은 ⊙어빈 사건 판결에서 지나치게 편향적이고 피의자를 유죄로 취급하는 언론 보도가 예단을 형성시켜 실제로 재판에 영향을 주었다는 사실이 입증되면, 법관이나 배심원이 피고인을 유죄라고 확신하더라도 그 유죄판결을 파기하여야 한다고 했다. 이 판결은 이른바 '현실적 예단'의 법리를 형성시켰다. 이후 ⓒ리도 사건 판결에 와서는, 일반적으로 보도의 내용이나 행태 등에서 예단을 유발할 수 있다고 인정이 되면, 개개의 배심원이 실제로 예단을 가졌는지의 입증 여부를 따지지 않고, 적법절차의 위반을 들어 유죄판결을 파기할 수 있다는 '일반적 예단'의 법리로 나아갔다. ⓒ셰퍼드 사건 판결에서는 유죄판결을 파기하면서, '침해 예방'이라는 관점을 제시하였다. 즉, 배심원 선정 절차에서 상세한 질문을 통하여 예단을 가진 후보자를 배제하고, 배심원이나 증인을 격리하며, 재판을 연기하거나, 관할을 변경하는 등의 수단을 언급하였다. 그런데 법원이 보도기관에 내린 '공판 전 보도금지명령'에 대하여 기자협회가 연방대법원에 상고한 ⓔ네브래스카 기자협회 사건 판결에서는 침해의 위험이 명백하지 않은데도 가장 강력한 사전 예방 수단을 쓰는 것은 위헌'이라고 판단하였다.
　이러한 판결들을 거치면서 미국에서는 언론의 자유와 공정한 형사절차를 조화시키면서 범죄 보도를 제한할 수 있는 방법을 모색하였다. 그리하여 셰퍼드 사건에서 제시된 수단과 함께 형사재판의 비공개, 형사소송 관계인의 언론에 대한 정보제공금지 등이 시행되었다. 하지만 ⓐ예단 방지 수단들의 실효성을 의심하는 견해가 있고, 여전히 표현의 자유와 알 권리에 대한 제한의 우려도 있어, 이 수단들은 매우 제한적으로 시행되고 있다.
　그런데 언론 보도의 자유와 공정한 재판이 꼭 상충된다고만 볼 것은 아니며, 피고인 측의 표현의 자유를 존중하는 것이 공정한 재판에 도움이 된다는 입장에서 네브래스카 기자협회 사건 판결의 의미를 새기는 견해도 있다. 이 견해는 수사기관으로부터 얻은 정보에 근거한 범죄 보도로 인하여 피고인을 유죄로 추정하는 구조에 대항하기 위하여 변호인이 적극적으로 피고인 측의 주장을 보도기관에 전하여, 보도가 일방적으로 편향되는 것을 방지할 필요가 있다고 한다. 일반적으로 변호인이 피고인을 위하여 사건에 대해 발언하는 것은 범죄 보도의 경우보다 적법절차를 침해할 위험성이 크지 않은데도 제한을 받는 것은 적절하지 않다고 보며, 반면에 수사기관으로부터 얻은 정보를 기반으로 하는 언론 보도는 예단 형성의 위험성이 큰데도 헌법상 보호를 두텁게 받는다고 비판한다.
　미국과 우리나라의 헌법상 변호인의 조력을 받을 권리는 변호인의 실질적 조력을 받을 권리를 의미한다. 실질적 조력에는 법정 밖의 적극적 변호 활동도 포함된다. 따라서 형사절차에서 피고인 측에게 유리한 정보를 언론에 제공할 기회나 반론권을 제약하지 말고, 언론이 검사 측 못지않게 피고인 측에게도 대등한 보도를 할 수 있도록 해야 한다. 이를 위해 우리나라도 미국과 같이 '법원-수사기관-변호사회-보도기관'의 자율 협정을 체결할 필요가 있다.

1. 윗글을 이해한 것으로 적절하지 <u>않은</u> 것은?

① 범죄 관련 언론 보도를 접한 사람들은 피의자를 범죄자라고 생각하기 쉽다.
② 언론에 제공된 변호인의 발언은 공정한 형사재판을 침해할 우려가 상대적으로 적다.
③ 공판 전 보도금지명령은 공정한 형사재판을 위한 최소한의 사전 예단 방지 수단이다.
④ 언론의 범죄에 관한 보도가 재판에 영향을 미칠 가능성은 법관 재판의 경우에도 존재한다.
⑤ 소송 당사자 양측에게 보도 기관에 대한 정보 제공 기회를 대등하게 주어 피고인이 공정한 형사재판을 받을 권리를 보장하여야 한다.

2. ㉠~㉣에 대한 진술로 적절하지 않은 것은?

① ㉠과 ㉡ 모두 공정한 형사재판을 통해서 진실이 발견되어야 한다고 보았다.
② ㉡은 예단에 대한 피고인의 입증 책임을 완화하였다.
③ ㉢은 적법절차를 보장하기 위하여 형사절차 내에서 예단의 사전 방지 수단을 제시하였다.
④ ㉡에서 ㉢으로 이행은 공정한 형사재판의 측면에서 보면 후퇴한 것이다.
⑤ ㉣은 표현의 자유에 대한 과도한 제한을 경계한 것이다.

3. ⓐ를 뒷받침하는 경우로 보기 어려운 것은?

① 법원이 배심원을 격리하였으나 격리 전에 보도가 있었던 경우
② 법원이 관할 변경 조치를 취하였으나 이미 전국적으로 보도가 된 경우
③ 법원이 재판을 장기간 연기하였으나 재판 재개에 임박하여 다시 언론 보도가 이어진 경우
④ 검사가 피의자의 진술거부권 행사 사실을 공개하려고 하였으나 법원이 검사에게 그 사실에 대한 공개 금지명령을 내린 경우
⑤ 변호사가 배심원 후보자에게 해당 사건에 대한 보도를 접했는지에 대해 질문했으나 후보자가 정직하게 답변하지 않은 경우

[4~6] 다음 글을 읽고 물음에 답하시오.

민족의 성쇠는 매양 그 사상이 지향하는 바에 달린 것이며 사상이 지향하는 바의 혹 좌, 혹 우는 매양 모종 사건의 영향을 입는 것이다. 그러면 조선 근세에 종교나 학술이나 정치나 풍속이 사대주의의 노예가 됨이 무슨 사건에 원인함인가? 나는 일언으로 대답하여 가로되 고려 인종 13년 서경(西京)의 전역(戰役), 즉 묘청이 김부식에게 패함이 그 원인이라 한다.

서경 전역을 역대의 사가(史家)들이 다만 국왕의 군대가 반적(反賊)을 친 전역으로 알았을 뿐이었으나 이는 근시안의 관찰이다. 그 실상은 이 전역이 즉 낭가(郞家)·불가(佛家) 대 유가(儒家)의 싸움이며, 국풍파(國風派) 대 한학파(漢學派)의 싸움이며, 독립당 대 사대당의 싸움이며, 진취사상 대 보수사상의 싸움이니, 묘청은 곧 전자의 대표요 김부식은 곧 후자의 대표였던 것이다. 이 전역에 묘청 등이 패하고 김부식이 이겼으므로 조선사가 사대적, 보수적, 속박적 사상 즉 유교사상에 정복되고 말았거니와, 만일 이와 반대로 김부식이 패하고 묘청 등이 이겼더라면 조선사가 독립적, 진취적 방면으로 진전하였을 것이니, ㉠이 전역을 어찌 '조선역사상 일천년래 제일대사건'이라 하지 않으랴?

인종이 즉위하매 낭가와 불가와 기타 무장과 시인(詩人)의 무리가 분기하여 황제를 칭하고 북쪽으로 금나라를 정벌하기를 강경히 주장함에 이르렀다. 칭제북벌론의 영수는 첫째 윤언이니, 윤언이는 곧 윤관의 아들로 유일한 낭가의 계통이라 본 논(論)의 영수됨이 필연코 당연한 일이며, 둘째 묘청이니, 묘청은 서경 승도(僧徒)로 도참(圖讖)의 설을 유포하여 서경에 천도하고 제호(帝號)를 칭한 후 북으로 금을 치자는 자이며, 셋째 정지상이니, 정지상은 당시에 이름을 떨치던 시인이요 강토의 확대를 몽상하던 인물이다. 이 삼인이 칭제북벌에 대한 의견은 동일하나, 다만 묘청과 정지상은 서경 천도까지를 주장하였고, 윤언이는 거기 부동의하던 바이다.

『고려사』에 묘청을 요적(妖賊)이라 하였다. 이는 묘청이 음양가의 풍수설로 평양 천도를 앞장서 주장하였기 때문이라 한다. 대개 신라 말엽부터 평양 임원역은 대화(大華)의 세라 여기에 천도하면 36국이 와서 조공을 바치리라는 비결이 유행하였다. 평양을 도읍으로 삼음은 역대 왕조에서 기도하던 바이나 기실은 평양에 천도하면 북쪽 오랑캐에 가까워지니 만일 적기(敵騎)가 압록강을 건너는 때에는 도성이 먼저 병화의 요충(要衝)이 되므로 실로 당시 도성될 지점에 결코 마땅치 않거늘, 칭제북벌론자가 매양 평양 천도를 전제로 함은 비상한 실책이니 윤언이가 전자를 주장하고 후자에 부동의함은 과연 탁견이라 이를 것이다. 그러나 비결과 풍수설로 평양 천도를 주장함은 묘청으로 시작된 것이 아니니 이로써 묘청을 요적이라 함은 너무 억울한 판결이다.

당시 칭제북벌론에 경향(傾向)한 자가 거의 전국인의 반이 지나며 군주 인종도 10의 9분은 묘청을 믿었다. 이같이 성숙한 시기를 선용치 못하고 서경에서 거병하여 국호를 대위라 하고 연호를 천개라 하고 인종에게 서경으로 천도하여 그 국호와 연호를 받기를 요구하니, 그 시대 신하의 예로 그 얼마나 발호(跋扈)한 행동인가? 이같이 발호한 행동을 할 것 같으면 반드시 그 내부가 공고하고 실력이 웅후한 뒤에 발표할 것이 아닌가? 인종이 비록 나약하나 어찌 대위국 황제의 허명을 탐하여 서경으로 즐겨 이어(移御)하였을 것인가? 윤언이가 비록 묘청의 칭제북벌론에 동의하던 일인이나, 어찌 이같이 광망한 거동에야 일치할 수 있을 것인가? 윤언이는 고사하고 묘청의 친당들도 거병의 소식이 처음 송도에 이르렀을

때에는 그런 일이 절대 없을 것이라고 믿었다. 그러나 사실이 차차 분명하여 오매 칭제북벌론자는 모두 와해되고, 반대자 등이 작약하여 김부식이 원수로 묘청 토벌의 길에 오르며 정지상 등은 출병 전에 김부식에게 피살되고, 윤언이는 김부식의 닥하가 되어 묘청 토벌자의 일인이 되게 되었다.

묘청이 불교도로서 낭가의 이상을 실현하려다가 패망하고 드디어 사대주의파의 천하가 되어 낭가의 윤언이 등은 겨우 유가의 압박 하에서 그 잔명을 구차히 보존하게 되고, 그 뒤에 몽고의 난을 지나매 더욱 유가의 사대주의가 득세하게 되고, 조선은 창업이 곧 이 주의로 성취되매 낭가는 아주 멸망하여 버렸다. 정치가 이렇게 되매, 종교나 학술이나 기타가 모두 사대주의의 노예가 되어 비특 갑오・을미개혁의 시기를 만날지라도 진흥대왕과 같은 경세가가 일어나지 않고 외세를 따라 바뀌는 사회가 될 뿐이니, 아아 서경 전역의 지은 원인을 어찌 중대하다 아니하랴.

— 신채호, 「조선역사상 일천년래 제일대사건」에서

4. 윗글의 내용과 일치하지 <u>않는</u> 것은?

① 묘청이 거병하자 송도의 칭제북벌론자들도 호응해 봉기하였다.
② 갑오・을미개혁은 자주적인 근대화 개혁으로 나아가지 못하였다.
③ 조선 왕조는 건국부터 유교사상에 의한 사대주의로 일관하였다.
④ 묘청 이전에도 평양에 천도하면 국운이 흥성한다는 비결이 퍼져 있었다.
⑤ 묘청의 거병 당시 칭제북벌에 찬성하는 사람이 반대하는 사람보다 많았다.

5. 각 인물들에 대한 글쓴이의 평가로 적절하지 <u>않은</u> 것은?

① 묘청이 서경에서 군사를 일으킨 것은 성급한 행동이었다.
② 윤언이가 서경 천도에 동의하지 않은 것은 탁월한 판단이었다.
③ 정지상이 칭제북벌을 꿈꾼 것은 당대 상황을 오판한 결과였다.
④ 묘청이 국호와 연호를 세운 것은 신하로서 잘못된 행동이었다.
⑤ 풍수설로 서경 천도를 주장했다고 해서 묘청을 요적이라고 하는 것은 지나친 비판이다.

6. ㉠과 같이 주장한 핵심적인 이유는?

① 낭가와 불가가 힘을 합쳐 보수적인 유교사상에 대한 저항을 표출했기 때문이다.
② 북진 정책이 좌절되어 고구려의 옛 영토를 회복하지 못하게 되었기 때문이다.
③ 서경 천도의 실패로 음양가의 풍수설이 쇠퇴하는 계기가 되었기 때문이다.
④ 낭가의 독립적이고 진취적인 사상이 소멸하는 계기가 되었기 때문이다.
⑤ 우리 역사상 처음으로 칭제하고 연호를 세운 사건이기 때문이다.

[7~10] 다음 글을 읽고 물음에 답하시오.

김춘수와 김수영은 대척되는 위치에서 한국 시의 현대성을 심화시킨 시인들이다. 김춘수는 순수시론의 일종인 ㉠무의미시론으로 새로운 해체시를 열어젖혔고, 김수영은 '온몸의 시학'으로 알려진 ㉡참여시론으로 현실참여시의 태도가 되었다. 비슷한 시기에 태어나 활동했던 두 시인은 개인의 자유와 실존이 위협을 받던 1960년대의 시대 현실을 비판적으로 인식하고 각자의 실존 의식과 윤리관을 예각화하면서 시적 언어와 창작 방법에 대한 성찰을 제시하였다. 하지만 두 모더니스트가 선택한 미학적 실험은 그 방향이 사뭇 달랐다.

김춘수는 「꽃」과 같은 자신의 1950년대 시가 '관념에의 기갈'에 사로잡혀 있었다고 진단한다. 그 결과 시적 언어는 제 구실의 가장 좁은 한계, 즉 관념과 의미 전달의 수단에 한정되었고 시는 대상의 재현과 모방에 머물렀다는 것이다. 추상적인 관념을 전달하는 이미지·비유·상징과 같은 수사에 대한 집착은 이런 맥락과 관련이 깊다. 하지만 김춘수는 말의 피안에 있는 관념이나 개인의 실존을 짓누르는 이데올로기로 인해 공포를 느꼈다. 이 공포에서 벗어나 자아를 보존하려는 충동이 그를 '생의 구원'으로서의 시 쓰기로 이끈 것이다. 그 방법으로 김춘수는 언어와 이미지의 유희, 즉 기의(記意) 없는 기표(記標)의 실험을 시도하였다. 기의에서 해방된 기표의 유희는 시와 체험, 시와 현실의 연속성을 끊는 것은 물론 역사 현실과 화해할 수 없는 자율적인 시를 만드는 원천이라고 믿었기 때문이다. 이 믿음은 비유와 상징은 물론 특정한 대상을 떠올리게 하는 이미지까지 시에서 배제하는 기법 및 형식 실험으로 이어졌다. 구체적으로 그는 이미지를 끊임없이 새로운 이미지로 대체하여 의미를 덧씌울 중심 대상을 붕괴시키고, 마침내 대상이 없는 이미지 그 자체가 대상이 되게 함으로써 무의미 상태에 도달하고자 했다. 물론 대상의 구속에서 벗어나 자유를 얻는 과정에는 창작자의 의식과 의도가 개입해야 한다. 이 점에서 무의미시는 인간의 무의식을 강조한 초현실주의와 차이가 있지만 자유연상 혹은 자동기술과 예술적 효과가 흡사한 결과를 얻을 수 있었다. 한편 김춘수는 언어 기호를 음소 단위로까지 분해하거나 시적 언어를 주문이나 염불 소리 같은 리듬 혹은 소리 이미지에 근접시키기도 하였다. 김춘수의 「처용단장」 제2부는 이런 시적 실험들의 진면목을 드러낸 작품이다.

김춘수에게 시 쓰기란 현실로 인해 빚어진 내면의 고뇌와 개인적 실존의 위기를 벗어던지고 자신의 생을 구원하는 현실 도피의 길이었다. 이와 달리 김수영에게 시 쓰기란 자유를 억압하는 군사 정권과 대결하고 정치적 자유의 이행을 촉구하며 공동체의 운명을 노래하는 것이었다. 4·19 직후의 풍자시는 참여시 실험을 알리는 신호탄이었던 셈이다. 참여시론의 핵심은 진정한 자유의 이행을 위해 ⓐ'온몸으로 온몸을 밀고나가는 것'이란 모순어법으로 집약된다. 이는 내용과 형식은 별개가 아니며 시인의 사상과 감성을 생활(현실) 속에서 언어로 표현할 때 그것이 바로 시의 형식이 된다는 의미이다. 그런 까닭에 시의 현대성은 실험적 기법의 우열보다는 현실에 대해 고민하는 시인의 양심에서 찾아야 한다.

물론 김수영도 김춘수가 추구한 무의미시의 의의를 일부 인정했다. 그 역시 '무의미'란 의미 너머를 지향하는 욕망, 즉 우리 눈에 보이는 것 이상을 보려는 것이고 시와 세계의 화해 불가능성을 드러내려는 것이라고 생각했다. 하지만 그는 김춘수가 시의 무의미성에 도달하기 위해 선택한 방법을 너무 협소한 것이라고 여겼다. 이런 점에서 "'의미'를 포기하는 것이 무의미의 추구도 되겠지만, '의미'를 껴안고 들어가서 그 '의미'를 구제함으로써 무의미에 도달하는 길"도 있다는 김수영의 말은 주목된다. 그는 김춘수처럼 시어의 무의미성에 대한 추구로 시의 무의미성에 도달하는 것도 현대시가 선택할 수 있는 유효한 실험이라고 보았다. 하지만 그는 시어의 의미성을 적극적으로 수용함으로써 마침내 시의 무의미성에 도달하는 것이 더 바람직한 시인의 태도라고 생각했던 것이다. 김수영은 김춘수의 궁극적인 꿈이기도 했던 시와 예술의 본질 혹은 존재 방식으로서의 무의미성까지 도달하기 위해 오히려 시어의 범위를 적극적으로 확대하고 시와 현실의 접촉을 늘려 세계 변혁을 꾀하는 현실 참여의 길로 나아갔던 것이다. 실제로 그의 참여시는 시와 산문의 언어적 경계를 허물어 산문적 의미까지 시에 담아내려 했다. 이를 통해 그는 일상어·시사어·관념어, 심지어 비속어와 욕설까지 폭넓게 시어로 활용하여 세계의 의미를 개진하고 당대 현실을 비판할 수 있었다.

사실 김춘수의 시적 인식은 김수영의 그것에 대한 대타 의식의 소산이다. 김춘수는 김수영을 시와 생활을 구별하지 못한 '로맨티스트'였지만 자신의 죽음까지도 시 쓰기의 연장선상에 있었던 훌륭한 시인이라고 평가했다. 김춘수는 세계에 대한 허무감에서 끝내 벗어날 수 없었던 자신과 달리 김수영이 현대 사회의 비극적 운명에 '온몸'으로 맞서는 시인의 윤리를 실천한 점에 압박감을 느끼고 있었지만, 김수영의 시와 시론에서 시와 예술에 대한 공유된 인식 을 발견했던 것이다.

7. ㉠과 ㉡에 대한 설명으로 적절하지 않은 것은?
① ㉠은 언어유희를 활용하여 세계에 대한 허무 의식을 극복했다.
② ㉠은 시에서 중요한 것은 내용이나 의미가 아니라 형식이나 기법이라고 여겼다.
③ ㉡은 해체시 실험에 치중하면 현실 극복이 불가능하다고 인식했다.
④ ㉡은 시어의 범위와 시의 내용을 확장하여 시의 현실성을 강화했다.
⑤ ㉠과 ㉡은 모더니스트였던 시인의 예술관과 현실 대응 방식을 보여준다.

8. 윗글의 김수영에 대한 서술을 근거로 ⓐ를 설명할 때, 적절하지 않은 것은?

① ⓐ는 동일한 존재가 행위의 수단이자 행위의 대상이 됨을 의미한다.
② ⓐ는 현실 도피 대신에 현실 참여를 시인의 윤리로 받아들이는 태도를 보인다.
③ ⓐ는 정치 현실로 인해 억압된 자유를 되찾으려 했던 시인의 고뇌를 담고 있다.
④ ⓐ의 행위 자체가 형식인 시에서 내용은 시인이 느끼는 사상과 감성에 관련된다.
⑤ ⓐ는 실험적 기법이 시의 현대성을 성취하는 근본 요건이라는 인식을 담고 있다.

9. 김춘수와 김수영의 공유된 인식 에 해당하지 않는 것은?

① 공동체적인 삶의 지향을 통한 자아의 보존
② 개인의 실존을 억압하는 현실의 부조리성
③ 의미가 제거된 시어의 활용 가능성
④ 시의 존재 방식으로서의 무의미성
⑤ 시와 세계의 화해 불가능성

10. 윗글에 비추어 <보기>의 시 쓰기 방법을 평가할 때, 가장 적절한 것은?

―<보 기>―

불러다오, 멕시코는 어디 있는가
사바다는 사바다, 멕시코는 어디 있는가,
사바다의 누이는 어디 있는가,
말더듬이 일자무식 사바다는 사바다,
멕시코는 어디 있는가,
사바다의 누이는 어디 있는가,
불러다오
멕시코 옥수수는 어디 있는가

― 김춘수, 「처용단장」 제2부에서

① 김춘수는 <보기>에 외래어와 관념어를 사용하면 시적 언어를 확장하고 시와 산문의 경계를 허물 수 있다고 보았을 것이다.
② 김춘수는 <보기>의 염불 소리 같은 강렬한 청각 영상과 리듬감은 현실이 초래했던 고뇌와 공포를 상징한다고 여겼을 것이다.
③ 김수영은 <보기>가 '사바다'를 비하하여 '말더듬이 일자무식'에 비유함으로써 당대 현실을 풍자한다고 평가했을 것이다.
④ 김수영은 <보기>의 무의미성이 시어의 의미를 포기한 결과이므로 진정한 자유의 이행이 어려울 것으로 평가했을 것이다.
⑤ 김춘수와 김수영은 모두 <보기>가 의미를 덧씌울 대상을 붕괴시킴으로써 새로운 내용적 요소를 담을 여지가 생겼다고 평가했을 것이다.

[11~13] 다음 글을 읽고 물음에 답하시오.

윤리학에서는 선(善, good) 즉 좋음과 관련하여 여러 쟁점이 있다. 선이란 무엇인가? 선을 쾌락이라고 간주해도 되는가? 선은 도덕적으로 옳음 또는 정의와 어떤 관계에 있는가? 이러한 쟁점 중의 하나가 바로 "선은 객관적으로 존재하는가?"의 문제이다.

플라톤은 우리가 감각으로 지각하는 현실 세계는 가변적이고 불완전하지만, 우리가 이성으로 인식할 수 있는 이데아의 세계는 불변하고 완전하다고 보았다. 그에 따르면, 현실 세계는 이데아 세계를 모방한 것이기에 현실 세계에서 이루어지는 인간들의 행위도 불완전할 수밖에 없다. 이데아 세계에는 선과 미와 같은 여러 이데아가 존재한다. 그중에서 최고의 이데아는 선의 이데아이며, 인간 이성의 최고 목표는 선의 이데아를 인식하는 것이다. 선은 말로 표현할 수 없고, 신성하며, 독립적이고, 오랜 교육을 받은 후에만 알 수 있는 것이다. 우리는 선을 그것이 선이기 때문에 욕구한다. 이렇게 인간의 관심 여부와는 상관없이 선이 독립적으로 존재한다고 보는 입장을 선에 대한 ㉠'고전적 객관주의'라고 한다.

이러한 플라톤적 전통을 계승한 무어도 선과 같은 가치가 객관적으로 실재한다고 주장한다. 그에 따르면 선이란 노란색처럼 단순하고 분석 불가능한 것이기에, 선이 무엇인지에 대해 정의를 내릴 수 없으며 그것은 오직 직관을 통해서만 인식될 수 있다. 노란색이 무엇이냐는 질문에 노란색이라고 답할 수밖에 없듯이 선이 무엇이냐는 질문에 "선은 선이다."라고 답할 수밖에 없다는 것이다. 무어는 선한 세계와 악한 세계가 있을 때 각각의 세계 안에 욕구를 지닌 존재가 있는지 없는지와 관계없이 전자가 후자보다 더 가치 있다고 믿었다. 선은 인간의 욕구와는 상관없이 그 자체로 존재하며 그것은 본래부터 가치가 있다는 것이다. 그는 선을 최대로 산출하는 행동이 도덕적으로 옳은 행동이라고 보았다.

반면에 ㉡'주관주의'는 선을 의식적 욕구의 산물에 불과한 것으로 간주한다. 페리는 선이란 욕구와 관심에 의해 창조된다고 주장한다. 그에 따르면 가치는 관심에 의존하고 있으며, 어떤 것에 관심이 주어졌을 때 그것은 비로소 가치를 얻게 된다. 대상에 가치를 부여하는 것은 관심이며, 인간이 관심을 가지는 대상은 무엇이든지 가치의 대상이 된다. 누가 어떤 것을 욕구하든지 간에 그것은 선으로서 가치를 지니게 된다. 페리는 어떤 대상에 대한 관심이 깊으면 깊을수록 그것은 그만큼 더 가치가 있게 되며, 그 대상에 관심을 표명하는 사람의 수가 많을수록 그것의 가치는 더 커진다고 말한다. 이러한 주장에 대해 고전적 객관주의자는 우리가 욕구하는 것과 선을 구분해야 한다고 비판한다. 만약 쾌락을 느끼는 신경 세포를 자극하여 매우 강력한 쾌락을 제공하는 쾌락 기계가 있다고 해 보자. 그런데 누군가가 쾌락 기계 속으로 들어가서 평생 살기를 욕구한다면, 우리는 그것이 선이 아니라고 말할 수 있다. 쾌락 기계에 들어가는 사람이 어떤 불만도 경험하지 못한다고 하더라도, 그것은 누가 보든지 간에 나쁘다는 것이다.

이러한 논쟁과 관련하여 두 입장을 절충한 입장도 존재한다. ㉢'온건한 객관주의'는 선을 창발적인 속성으로서, 인간의 욕구와 사물의 객관적 속성이 결합하여 생기는 것이라고 본다. 이 입장에 따르면 물의 축축함이 H_2O 분자들 안에 있는 것이 아니라 그 분자들과 우리의 신경 체계 간의 상호 작용을 통해 형성되듯이, 선도 인간의 욕구와 객관적인 속성 간의 관계 속에서 상호 통합적으로 형성된다. 따라서 이 입장은 욕구를 가진 존재가 없다면 선은 존재하지 않을 것이라고 본다. 그러나 일단 그러한 존재가 있다면, 쾌락, 우정, 건강 등이 가진 속성은 그의 욕구와 결합하여 선이 될 수 있을 것이다. 하지만 이러한 입장에서는 우리의 모든 욕구가 객관적 속성과 결합하여 선이 되는 것은 아니기에 적절한 욕구가 중시된다. 결국 여기서는 적절한 욕구가 어떤 것인지를 구분할 기준을 제시해야 하는 문제가 발생한다.

이와 같은 객관주의와 주관주의의 논쟁을 해결하기 위한 한 가지 방법은 불편부당하며 모든 행위의 결과들을 알 수 있는 ⓐ'이상적 욕구자'를 상정하는 것이다. 그는 편견이나 무지로 인한 잘못된 욕구를 갖고 있지 않기에 그가 선택하는 것은 선이 될 것이고, 그가 선택하지 않는 것은 악이 될 것이기 때문이다.

11. 윗글의 내용과 일치하지 <u>않는</u> 것은?
① 플라톤은 선의 이데아를 이성을 통해 인식할 수 있다고 본다.
② 플라톤은 인간이 행한 선이 완전히 선한 것은 아니라고 본다.
③ 무어는 선이 단순한 것이어서 그것을 정의할 수 없다고 본다.
④ 무어는 도덕적으로 옳은 행동을 판별할 기준을 제시할 수 없다고 본다.
⑤ 페리는 더 많은 사람이 더 깊은 관심을 가질수록 가치가 증대한다고 본다.

12. ㉠에 대한 ㉡과 ㉢의 공통된 문제 제기로 적절한 것은?
① 사람들이 선호한다고 그것이 항상 선이라고 할 수 있는가?
② 선은 욕구하는 주관에 전적으로 의존하여 형성되지 않는가?
③ 선과 악을 구분할 수 없다면 어떤 행위라도 옳다는 것인가?
④ 사람들이 선을 인식할 수 없다고 보는 것은 과연 타당한가?
⑤ 선을 향유하는 존재가 없다면 그것이 무슨 가치가 있겠는가?

13. ⓐ를 상정한 이유로 가장 적절한 것은?
① 선을 직관할 수 없다고 보는 '고전적 객관주의'의 문제점을 해결하기 위해서이다.
② 욕구의 주체가 없어도 선이 존재한다는 '고전적 객관주의'의 주장을 강화하기 위해서이다.
③ 욕구하는 사람이 존재해야만 선이 형성된다는 '주관주의'의 주장을 약화하기 위해서이다.
④ 무엇을 욕구하더라도 모두 선이라고 간주해야 하는 '주관주의'의 문제점을 해결하기 위해서이다.
⑤ 선의 형성에서 인간과 사물의 상호 통합 작용이 필수적이라는 '주관주의'의 입장을 보완하기 위해서이다.

[14~16] 다음 글을 읽고 물음에 답하시오.

생명체가 다양한 구조와 기능을 갖는 기관을 형성하기 위해서는 수많은 세포들 간의 상호 작용을 통해 세포의 운명을 결정하는 과정이 필요하다. 사람의 경우 눈은 항상 코 위에, 입은 코 아래쪽에 위치한다. 이렇게 되기 위해서는 특정 세포군이 위치 정보를 획득하고 해석한 후 각 세포가 갖고 있는 유전 정보를 이용하여 자신의 운명을 결정함으로써 각 기관을 정확한 위치에 형성되게 하는 과정이 필수적이다. 세포 운명을 결정하는 다양한 방법이 존재하지만, 가장 간단한 방법은 어떤 특정 형태로 분화하게 하는 형태발생물질(morphogen)의 농도 구배(concentration gradient)를 이용하는 것이다. 형태발생물질은 세포나 특정 조직으로부터 분비되는 단백질로서 대부분의 경우에 그 단백질의 농도 구배에 따라 주변의 세포 운명이 결정된다. 예를 들어 뇌의 발생 초기 형태인 신경관의 위쪽에서 아래쪽으로 지붕판세포, 사이신경세포, 운동신경세포, 신경세포, 바닥판세포가 순서대로 발생하게 되는데, 이러한 서로 다른 세포로의 예정된 분화는 신경관 아래쪽에 있는 척색에서 분비되는 형태발생물질인 Shh의 농도 구배에 의해 결정된다(<그림 1>). 척색에서 Shh가 분비되기 때문에 척색으로부터 멀어질수록 Shh의 농도가 점차 낮아지게 되어, 그 농도의 높고 낮음에 따라 척색 근처의 신경관에 있는 세포는 바닥판세포로, 그 다음 세포는 신경세포 및 운동신경세포로 세포 운명이 결정된다.

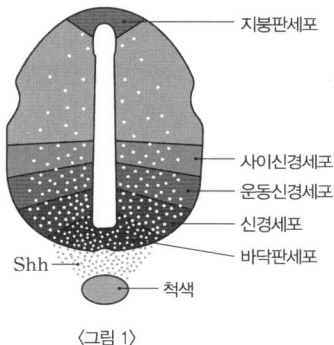

〈그림 1〉

한 개체의 세포가 모두 동일한 유전자를 갖고 있음에도 불구하고 서로 다른 세포 운명을 택하게 되는 것은 농도 구배에 대응하여 활성화되는 전사인자의 종류가 다른 것으로 설명할 수 있다. 전사인자는 유전정보를 갖고 있는 DNA의 특이적인 염기 서열을 인식하여 특정 부분의 DNA로부터 mRNA를 만드는 작용을 하고, 이 mRNA의 정보를 바탕으로 단백질이 만들어진다. 예를 들어 Shh의 농도가 특정 역치 이상이 되면 A 전사인자가 활성화되고 역치 이하인 경우는 B 전사인자가 활성화되면, A 전사인자에 의해 바닥판세포의 형성에 필요한 mRNA와 단백질이 합성되고, B 전사인자에 의해 운동신경세포로 분화하는 데 필요한 mRNA와 단백질이 만들어지게 되어 서로 다른 세포 운명이 결정될 수 있는 것이다.

하지만 최근의 연구 결과에 의하면 일부의 형태발생물질이 단순한 확산에 의하여 농도 구배를 형성하지 않고 특정 형태의 매개체를 통하여 이동한다는 사실이 보고되었다. 가령 초파리 배아의 특정 발생 단계에서 합성되는 Wg라는 형태발생물질은 합성되는 장소를 기점으로 앞쪽으로만 비대칭적으로 전달된다(<그림 2-1>). 만약 단순한 확산에 의해 농도 구배가 형성된다면 Wg 형태발생물질이 합성되는 곳의 앞쪽 및 뒤쪽으로 농도 구배가 형성될 것을 예상할 수 있지만(<그림 2-2>), 실제로 <그림 2-1>에서 보이는 바와 같이 Wg가 뒤쪽으로는 이동하지 않고 앞쪽으로만 분포하는 현상이 관찰되었다.

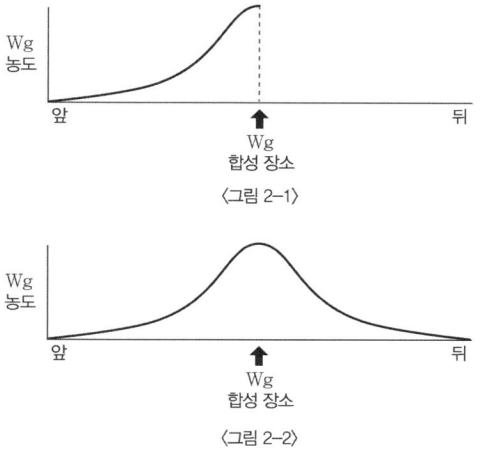

〈그림 2-1〉

〈그림 2-2〉

여러 가지 실험 결과를 바탕으로 초파리 배아에서 이러한 비대칭적인 전달을 설명하는 모델로서 아래와 같은 가설이 제시되었다.

(1) 수용체에 의한 전달 : 형태발생물질을 분비하는 세포 옆에 있는 세포의 표면에 있는 수용체가 형태발생물질을 인식하고 그 다음 세포의 수용체에 형태발생물질을 넘겨준다고 보는 가설이다. 이때 수용체의 양이 이미 비대칭적으로 분포하고 있다면 수용체에 부착된 형태발생물질의 농도 구배가 이루어질 수 있다.

(2) 세포막에 둘러싸인 소낭의 흡수에 의한 전달 : 형태발생물질을 분비하는 세포에서 형태발생물질이 소낭, 즉 작은 주머니에 싸여 앞쪽의 세포로만 단계적으로 전달된다고 보는 가설이다. 이 과정에서 형태발생물질의 일부만이 다음 세포로 전달되면 비대칭적 농도 구배가 이루어질 수 있다.

우리 몸을 구성하는 각 기관의 세포 조성이 다르고 서로 다른 발생 단계에서 각 세포가 처해 있는 환경이 다르므로 위에서 제시한 형태발생물질 농도 구배의 형성을 한 가지 모델로만 설명하는 것은 불가능하다. 특정 발생 단계에서는 단순한 확산에 의해서 농도 구배를 형성하고, 다른 환경이나 발생 단계에서는 위에서 기술한 비대칭적 이동에 의해 형태발생물질의 농도 구배가 형성된다고 설명하는 것이 타당하다. 하지만 어떤 방법에 의해서든지 형태발생물질의 농도 구배의 형성은 각각의 농도에 따른 서로 다른 유전자의 발현을 촉진함으로써 다양한 세포 및 기관의 형성 결정에 기여한다.

14. 윗글의 내용과 일치하지 않는 것은?
① 구형의 수정란은 형태발생물질의 도움으로 신체 구조의 전후좌우가 비대칭적인 성체로 발생하게 된다.
② 단순 확산으로 전달되는 형태발생물질의 농도는 형태발생물질 분비 조직과의 물리적 거리에 반비례한다.
③ 모든 세포는 동일한 유전자를 가지고 있지만 특정 전사인자의 활성화 여부에 따라 서로 다른 단백질을 만들어낸다.
④ 형태발생물질의 비대칭적 확산을 위해서는 형태발생물질 분비 조직의 주변 세포에 있는 수용체 또는 소낭의 역할이 필요하다.
⑤ 형태발생물질은 척색이 있는 동물의 발생에서는 단순 확산의 형태로, 초파리와 같은 무척추 동물의 발생에서는 비대칭적 확산의 형태로 주로 쓰인다.

15. 윗글을 바탕으로 추론한 것으로 타당한 것을 <보기>에서 고른 것은?

<보 기>
ㄱ. 신경관을 이루는 세포들의 운명이 결정되기 전에 척색을 제거하면 바닥판세포가 형성되지 않을 것이다.
ㄴ. 신경관을 이루는 세포들의 운명이 결정되기 전에 척색을 다른 위치로 이동하면 그 위치와 가장 가까운 곳에서 지붕판세포가 생길 것이다.
ㄷ. 분화되지 않은 신경관에 있는 세포들을, 바닥판세포를 형성하는 Shh의 역치보다 높은 농도의 Shh와 함께 배양하면 사이신경세포보다 바닥판세포가 더 많이 형성될 것이다.
ㄹ. 운동신경세포를 결정짓는 Shh 농도의 역치는 사이신경세포를 결정짓는 Shh 농도의 역치보다 낮을 것이다.

① ㄱ, ㄷ ② ㄱ, ㄹ ③ ㄴ, ㄷ
④ ㄴ, ㄹ ⑤ ㄷ, ㄹ

16. 초파리 배아의 발생 과정에 관하여 추론한 것으로 타당한 것은?
① Wg 수용체의 비대칭적 분포는 Wg의 농도 구배에 기인한다.
② Wg를 발현하는 세포로부터 앞쪽으로 멀어질수록 Wg 수용체의 농도는 높다.
③ 소낭에 의해 전달되는 Wg의 양은 Wg를 발현하는 세포에서 멀어질수록 많다.
④ Wg 합성 장소에서 앞쪽과 뒤쪽으로 같은 거리만큼 떨어진 두 세포에서 만들어지는 mRNA는 동일하다.
⑤ Wg 수용체 유전자 또는 소낭을 통해 Wg 수송을 촉진하는 유전자는 Wg 합성 장소 앞쪽에서 발현한다.

[17~19] 다음 글을 읽고 물음에 답하시오.

대의 민주주의에서 정당의 역할에 대한 대표적인 설명은 책임정당정부 이론이다. 이 이론에 따르면 정치에 참여하는 각각의 정당은 자신의 지지 계급과 계층을 대표하고, 정부 내에서 정책 결정 및 집행 과정을 주도하며, 다음 선거에서 유권자들에게 그 결과에 대해 책임을 진다. 유럽에서 정당은 산업화 시기 생성된 노동과 자본 간의 갈등을 중심으로 다양한 사회 경제적 균열을 이용하여 유권자들을 조직하고 동원하였다. 이 과정에서 정당은 당원 중심의 운영 구조를 지향하는 대중정당의 모습을 띠었다. 당의 정책과 후보를 당원 중심으로 결정하고, 당내 교육과정을 통해 정치 엘리트를 충원하며, 정치인들이 정부 내에서 강한 기율을 지니는 대중정당은 책임정당정부 이론을 뒷받침하는 대표적인 정당 모형이었다.

대중정당의 출현 이후 정당은 의회의 정책 결정과 행정부의 정책 집행을 통제하는 정부 속의 정당 기능, 지지자들의 이익을 집약하고 표출하는 유권자 속의 정당 기능, 그리고 당원을 확충하고 정치 엘리트를 충원하고 교육하는 조직으로서의 정당 기능을 갖추어 갔다. 그러나 20세기 중반 이후 발생한 여러 원인으로 인해 정당은 이러한 기능에서 변화를 겪게 되었다.

산업 구조와 계층 구조가 다변화됨에 따라 정당들은 특정 계층이나 집단의 지지만으로는 집권이 불가능해졌고 이에 따라 보다 광범위한 유권자 집단으로부터 지지를 획득하고자 했다. 그 결과 정당 체계는 특정 계층을 뛰어넘어 전체 유권자 집단에 호소하여 표를 구하는 포괄정당 체계의 모습을 띠게 되었다. 선거 승리라는 목표가 더욱 강조될 경우 일부 정당은 외부 선거 전문가로 당료들을 구성하는 선거전문가정당 체계로 전환되기도 했다. 이 과정에서 계층과 직능을 대표하던 기존의 조직 라인은 당 조직의 외곽으로 밀려나기도 했다.

한편 탈산업사회의 도래와 함께 환경, 인권, 교육 등에서 좀 더 나은 삶의 질을 추구하는 탈물질주의가 등장함에 따라 새로운 정당의 출현에 대한 압박이 생겨났다. 이는 기득권을 유지해온 기성 정당들을 위협했다. 이에 정당들은 자신의 기득권을 유지하기 위해 공적인 정치 자원의 과점을 통해 신생 혹은 소수 정당의 원내 진입이나 정치 활동을 어렵게 하는 카르텔정당 체계를 구성하기도 했다. 다양한 정치관계법은 이런 체계를 유지하는 대표적인 수단으로 활용되었다. 정치관계법과 관련된 선거제도의 예를 들면, 비례대표제에 비해 다수대표제는 득표 대비 의석 비율을 거대정당에 유리하도록 만들어 정당의 카르텔화를 촉진하는 데 활용되기도 한다.

이러한 정당의 변화 과정에서 정치 엘리트들의 자율성은 증대되었고, 정당 지도부의 권력이 강화되어 정부 내 자당 소속의 정치인들에 대한 통제력이 증가되었다. 하지만 반대로 평당원의 권력은 약화되고 당원 수는 감소하여 정당은 지지 계층 및 집단과의 유대를 잃어가기 시작했다.

뉴미디어가 발달하면서 정치에 관심은 높지만 정당과는 거리를 두는 '인지적' 시민이 증가함에 따라 정당 체계는 또 다른 도전에 직면하게 되었다. 정당 조직과 당원들이 수행했던 기존의 정치적 동원은 소셜 네트워크 내 시민들의 자기 조직적 참여로 대체되었다. 심지어 정당을 우회하는 직접 민주주의의 현상도 나타났다. 이에 일부 정당은 카르텔 구조를 유지하면서도 공직후보 선출권을 일반 국민에게 개방하는 포스트카르텔정당 전략이나, 비록 당원으로 유입시키지 못할지라도 온라인 공간에서 인지적 시민과의 유대를 강화하려는 네트워크정당 전략으로 위기에 대응하고자 했다. 그러나 이러한 제반의 개혁 조치가 대중정당으로의 복귀를 의미하지는 않았다. 오히려 당원이 감소되는 상황에서 선출권자나 후보들을 정당 밖에서 충원함으로써 고전적 의미의 정당 기능은 약화되었다.

물론 이러한 상황에서도 20세기 중반 이후 정당 체계들이 여전히 책임정당정치를 일정하게 구현하고 있다는 주장이 제기되기도 했다. 예를 들어 국가 간 비교를 행한 연구는 최근의 정당들이 구체적인 계급, 계층 집단을 조직하고 동원하지는 않지만 일반 이념을 매개로 정치 영역에서 유권자들을 대표하는 기능을 강화했음을 보여 주었다. 유권자들은 좌우의 이념을 통해 정당의 정치적 입장을 인지하고 자신과 이념적으로 가까운 정당에 정치적 이해를 표출하며, 정당은 집권 후 이를 고려하여 책임정치를 일정하게 구현하고 있다는 것이다. 이때 정당은 포괄정당에서 네트워크정당까지 다양한 모습을 띨 수 있지만, 이념을 매개로 유권자의 이해와 정부의 책임성 간의 선순환적 대의 관계를 잘 유지하고 있다는 것이다.

이와 같이 정당의 이념적 대표성을 긍정적으로 평가하는 주장에 대해 몇몇 학자 및 정치인들은 대중정당론에 근거한 반론을 제기하기도 한다. 이들은 여전히 정당이 계급과 계층을 조직적으로 대표해야 하며, 따라서 ㉠<u>정당의 전통적인 기능과 역할을 복원하여 책임정당정치를 강화해야 한다</u>는 주장을 제기하고 있다.

17. 20세기 중반 이후 정당 체계에서 발생한 정당 기능의 변화로 볼 수 <u>없는</u> 것은?

① 정부 속의 정당 기능의 강화
② 유권자 속의 정당 기능의 약화
③ 조직으로서의 정당 기능의 강화
④ 유권자를 정치적으로 동원하는 기능의 약화
⑤ 유권자의 일반 이념을 대표하는 기능의 강화

18. <보기>에 제시된 진술 가운데 적절한 것만을 있는 대로 고른 것은?

―<보 기>―

ㄱ. 지난 총선에서 지나치게 진보적인 노선을 제시해 패배했다고 판단한 A당이 차기 선거의 핵심 전략으로 중도 유권자도 지지할 수 있는 노선을 채택한 사례는 선거전문가정당 모형으로 가장 잘 설명될 수 있다.

ㄴ. B당이 선거 경쟁력을 향상시키기 위해 의석수에 비례해 배분했던 선거보조금의 50%를 전체 의석의 30% 이상의 의석을 지닌 정당에게 우선적으로 배분하고, 나머지는 각 정당의 의석수에 비례해 배분하자고 제안한 사례는 카르텔정당 모형으로 가장 잘 설명될 수 있다.

ㄷ. 다당제 아래 원내 의석을 과점하며 집권했던 C당이 지지율이 급감해 차기 총선의 전망이 불투명해지자 이에 대처하기 위해 개방형 국민참여경선제를 도입한 사례는 네트워크정당 모형으로 가장 잘 설명될 수 있다.

① ㄱ   ② ㄴ   ③ ㄷ
④ ㄱ, ㄴ   ⑤ ㄴ, ㄷ

19. ㉠의 내용으로 적절하지 <u>않은</u> 것은?

① 당원의 자격과 권한을 강화하면 탈산업화 시대에 다변화된 계층적 이해를 제대로 대표하지 못하게 된다.
② 공직후보 선출권을 일반 시민들에게 개방하면 당의 노선에 충실한 정치 엘리트를 원활하게 충원할 수 없다.
③ 신생 정당의 원내 진입을 제한하는 규칙은 대의제를 통해 이익을 집약하고 표출할 수 없는 유권자들을 발생시킨다.
④ 정당이 유권자의 일반 이념을 대표한다고 할지라도 정당의 외연을 과도하게 확장하면 당의 계층적 정체성을 약화한다.
⑤ 온라인 공간에서 인지적 시민들과 유대를 강화하는 것에 지나치게 집중하면 당의 근간을 이루는 당원 확충에 어려움을 겪게 된다.

[20~22] 다음 글을 읽고 물음에 답하시오.

현대 사회에서 국가는 개인의 권리와 이익에 영향을 주는 다양한 행정 작용을 한다. 이에 따라 국가 활동으로 인해 손해를 입은 개인을 보호할 필요성이 커지게 되었다. 국가배상 제도는 국가 활동으로부터 손해를 입은 개인을 보호하기 위해 국가에게 손해 배상 책임을 지운다. 이 제도는 19세기 후반 프랑스에서 법원의 판결 곧 판례에 의해 도입된 이래, 여러 나라에서 법률 또는 판례에 의해 인정되었다. 우리나라도 국가배상법을 제정하여 공무원의 법을 위반한 직무 집행으로 손해를 입은 개인에게 국가가 그 손해를 배상하도록 하고 있다.

법관이 하는 재판도 국가 활동에 속하는 이상 재판에 잘못이 있을 때 국가가 전적으로 손해배상 책임을 지는 것이 타당하다고 볼 수도 있다. 그러나 재판에는 일반적인 행정 작용과는 다른 특수성이 있어 재판에 대한 국가배상 책임을 제한할 필요성이 인정된다. 그 특수성으로 먼저 생각할 수 있는 것은 재판의 공정성을 위하여 법관의 직무상 독립이 보장되고 있다는 점이다. 만일 법관이 재판을 함에 있어서 사실관계의 파악, 법령의 해석, 사실관계에 대한 법령의 적용에 잘못을 범하였다는 이유로 국가가 손해 배상 책임을 지게 되면, 법관은 이러한 손해배상 책임에 대한 부담 때문에 소신껏 재판 업무에 임할 수 없게 될 것이다.

법적 안정성을 위하여 확정 판결에 기판력이 인정된다는 것도 재판의 특수성의 하나이다. 기판력은 당사자가 불복하지 않아서 판결이 확정되거나 최상급 법원의 판단으로 판결이 확정되면, 동일한 사항이 다시 소송에서 문제가 되었을 때 당사자가 이에 저촉되는 청구를 할 수 없고 법원도 이에 저촉되는 판결을 할 수 없게 되는 구속력을 의미한다. 이는 부단히 반복될 수 있는 법적 분쟁을 일정 시점에서 사법권의 공적 권위로써 확정하여 법질서를 유지하고자 하는 것이다. 만약 일단 기판력이 생긴 확정 판결을 다시 국가배상 청구의 대상으로 삼는 것을 허용한다면, 그것만으로도 법적 안정성이 흔들리게 되기 때문이다.

재판에는 심급 제도가 마련되어 있다는 점도 특수성으로 볼 수 있다. 심급 제도는 법원의 재판에 대하여 불만이 있는 경우 상위 등급의 법원에서 다시 재판을 받을 수 있도록 하는 제도이다. 소송 당사자는 법률에 의하여 정해진 불복 절차에 따라 상급심에서 법관의 업무 수행에 잘못이 있음을 주장하여 하급심의 잘못된 결과를 시정할 수 있다. 심급 제도와 다른 방식으로 잘못된 재판의 결과를 시정하는 것은 인정되지 않는다. 재판에 대한 국가배상 책임을 넓게 인정하면 심급 제도가 무력화되어 법적 안정성을 해치게 된다.

독일에서는 법관의 직무상 의무 위반이 형사법에 의한 처벌의 대상이 되는 경우에만 국가배상 책임이 인정된다고 법률에 명시하고 있다. 이와 달리 우리나라의 국가배상법에는 재판에 대한 국가배상 책임을 부정하거나 제한하는 명문의 규정이 없다. 따라서 재판에 대한 국가배상법의 적용 자체를 부정할 수는 없다. 그러나 ㉠ 우리 대법원은 다음과 같은 방식으로 재판에 대한 국가 배상 책임의 인정 범위를 좁히고 있다. 먼저, 대법원은 비록 확정 판결이라고 하더라도 법관이 그에게 부여된 권한의 취지에 명백히 어긋나게 이를 행사하였다고 인정할 만한 특별한 사정이 있는 경우에는 재판의 위법성을 인정한다. 뇌물을 받고 재판한 것과 같이 법관이 법을 어길 목적을 가지고 있었다거나 소를 제기한 날짜를 확인하지 못한 것과 같이 법관의 직무 수행에서 요구되는 법적 기준을 현저하게 위반했을 때가 이에 해당한다. 따라서 법관이 직무상 독립에 따라 내린 판단에 대하여 이후에 상급 법원이 다른 판단을 하였다는 사정만으로는 재판의 위법성이 인정되지 않는다. 그리고 대법원에 따르면, 재판에 대한 불복 절차가 마련되어 있는 경우에는 이러한 절차를 거치지 않고 국가배상 책임을 묻는 것은 인정되지 않는다. 불복 절차를 따르지 않은 탓에 손해를 회복하지 못한 사람은 원칙적으로 국가배상에 의한 보호를 받을 수 없다는 것이다. 단, 불복 절차를 거치지 않은 것 자체가 법관의 귀책사유로 인한 것과 같은 특별한 사정이 있으면 예외적으로 국가배상 책임을 물을 수 있다.

20. 윗글의 내용과 일치하는 것은?
① 프랑스를 비롯한 여러 나라에서 국가배상 제도가 법률로 도입되었다.
② 최하위 등급의 법원이 한 판결도 국가배상 책임의 대상이 될 수 있다.
③ 사실관계 파악은 법관의 직무가 아니므로 국가배상 책임의 대상이 아니다.
④ 독일은 판례를 통해서만 재판에 대한 국가배상 책임의 인정 범위를 제한한다.
⑤ 우리나라의 국가배상법은 별도의 규정으로 재판에 대한 국가배상 책임을 제한한다.

21. ㉠의 입장에 대해 판단한 것으로 적절하지 않은 것은?
① 국가배상 청구가 심급 제도를 대체하는 불복 절차로 기능하는 것을 허용하지 않는다.
② 법적 절차를 거치지 않은 피해자의 권리를 법적 안정성의 유지를 위해 희생하는 것을 허용한다.
③ 판결이 확정되어 기판력이 발생하면 그 확정 판결로 인해 생긴 손해에 대해서는 국가배상 책임을 인정하지 않는다.
④ 법관이 법을 어기면서 이루어진 재판에 대해서는 법관의 직무상 독립을 보장하는 취지에 어긋나기 때문에 그 위법성을 인정한다.
⑤ 법관의 직무상 독립을 위해, 판결에 나타난 법관의 법령 해석이 상급 법원의 해석과 다르다는 것만으로 재판의 위법성을 인정하지 않는다.

22. <보기>의 사례에 대한 아래의 판단 중 적절한 것만을 있는 대로 고른 것은?

―――――――<보 기>―――――――

A는 헌법재판소에 헌법소원 심판을 청구하였다. A는 적법한 청구 기간 내인 1994년 11월 4일에 심판 청구서를 제출하였으나, 헌법재판소는 청구서에 찍힌 접수 일자를 같은 달 14일로 오인하였다. 헌법재판소는 적법한 청구 기간이 지났음을 이유로 하여 재판관 전원 일치의 의견으로 A의 심판 청구를 받아 들이지 않는다는 결정을 하였다. 당시에는 헌법재판소의 결정에 대한 불복 절차가 마련되어 있지 않았기 때문에 A는 위 결정의 잘못을 바로잡을 수 없었다. A는 법을 위반한 헌법재판소 결정으로 인해 손해를 입었다고 하여 1997년에 법원에 국가배상 청구를 하였고, 2003년에 이 청구에 대한 대법원의 판결이 내려졌다.

ㄱ. 법관의 직무상 독립 보장만을 이유로 이 사건에서 국가배상 책임을 부인할 수는 없다.
ㄴ. 법원은 A의 심판 청구서가 적법한 청구 기간 내에 헌법재판소에 제출되었다고 보아 헌법재판소 결정의 위법성을 인정할 수 있다.
ㄷ. 1997년에는 헌법재판소의 결정에 대한 불복 절차가 마련되어 있지 않았기 때문에 A의 국가배상 청구는 법원이 받아들이지 않았을 것이다.

① ㄱ ② ㄴ ③ ㄷ
④ ㄱ, ㄴ ⑤ ㄴ, ㄷ

[23~25] 다음 글을 읽고 물음에 답하시오.

건초 더미를 가득 싣고 졸졸 흐르는 개울물을 건너는 마차, 수확을 앞둔 밀밭 사이로 양 떼를 몰고 가는 양치기 소년과 개, 이른 아침 농가의 이층 창밖으로 펼쳐진 청록의 들녘 등, 이런 평범한 시골 풍경을 그린 컨스터블(1776~1837)은 오늘날 영국인들에게 사랑을 받는 영국의 국민 화가이다. 현대인들은 그의 풍경화를 통해 영국의 전형적인 농촌 풍경을 떠올리지만, 사실 컨스터블이 활동하던 19세기 초반까지 이와 같은 소재는 풍경화의 묘사 대상이 아니었다. ㉠그렇다면 평범한 농촌의 일상 정경을 그린 컨스터블은 왜 영국의 국민 화가가 되었을까?

컨스터블의 그림은 당시 풍경화의 주요 구매자였던 영국 귀족의 취향에서 어긋나 그다지 인기를 끌지 못했다. 당시 유행하던 픽처레스크 풍경화는 도식적이고 이상화된 풍경 묘사에 치중했지만, 컨스터블의 그림은 평범한 시골의 전원 풍경을 사실적으로 묘사한 것처럼 보인다. 이 때문에 그의 풍경화는 자연에 대한 과학적이고 객관적인 관찰을 바탕으로, 아무도 눈여겨보지 않았던 평범한 농촌의 아름다운 풍경을 포착하여 표현해 낸 결과물로 여겨져 왔다. 객관적 관찰과 사실적 묘사를 중시하는 관점에서 보면 컨스터블은 당대 유행하던 화풍과 타협하지 않고 독창적인 화풍을 추구한 화가이다.

그러나 1980년대에 들어서면서 이와 같은 관점에 대해 의문을 제기하는 ⓐ비판적 해석이 등장한다. 새로운 해석은 작품이 제작될 당시의 구체적인 사회적 상황을 중시하며 작품에서 지배 계급의 왜곡된 이데올로기를 읽어내는 데 중점을 둔다. 이 해석에 따르면 컨스터블의 풍경화는 당시 농촌의 모습을 있는 그대로 전달해 주지 않는다. 사실 컨스터블이 활동하던 19세기 전반 영국은 산업혁명과 더불어 도시화가 급속히 진행되어 전통적 농촌 사회가 와해되면서 농민 봉기가 급증하였다. 그런데 그의 풍경화에 등장하는 인물들은 거의 예외 없이 원경으로 포착되어 얼굴이나 표정을 알아보기 어렵다. 시골에서 나고 자라 복잡한 농기구까지 세밀하게 그릴 줄 알았던 컨스터블이 있는 그대로의 자연을 포착하려 했다면 왜 농민들의 모습은 구체적으로 표현하지 않았을까? 이는 풍경의 관찰자인 컨스터블과 풍경 속 인물들 간에는 항상 일정한 심리적 거리가 유지되고 있기 때문이다. 수정주의 미술 사학자들은 컨스터블의 풍경화에 나타나는 인물과 풍경의 불편한 동거는 바로 이러한 거리 두기에서 비롯한다고 주장하면서, 이 거리는 계급 간의 거리라고 해석한다. 지주의 아들이었던 그는 19세기 전반 영국 농촌 사회의 불안한 모습을 애써 외면했고, 그 결과 농민들은 적당히 화면에서 떨어져 있도록 배치하여 결코 그들의 일그러지고 힘든 얼굴을 볼 수 없게 하였다는 것이다.

여기서 우리는 위의 두 견해가 암암리에 공유하는 기본 전제에 주목할 필요가 있다. 두 견해는 모두 작품이 가진 의미의 생산자를 작가로 보고 있다. 유행을 거부하고 남들이 보지 못한 평범한 농촌의 아름다움을 발견한 '천재' 컨스터블이나 지주 계급 출신으로 불안한 농촌 현실을 직시하지 않으려 한 '반동적' 컨스터블은 결국 동일한 인물로서 작품의 제작자이자 의미의 궁극적 생산자로 간주된다. 그러나 생산자가 있으면 소비자가 있게 마련이다. 기존의 견해는 소비자의 역할에 주목하지 않았다. 하지만 ㉡소비자는 생산자가 만들어낸 작품을 수동적으로 수용하는 존재가 아니다. 미술 작품을 포함한 문화적 텍스트의 의미는 그 텍스트를 만들어 낸 생산자나 텍스트 자체에 내재하는 것이 아니라 텍스트를 수용하는 소비자와의 상호 작용에 의해 결정된다. 다시 말해 수용자는 이해와 수용의 과정을 통해 특정 작품의 의미를 끊임없이 재생산하는 능동적 존재인 것이다. 따라서 앞에서 언급한 해석들은 컨스터블 풍경화가 함축한 의미의 일부만 드러낸 것이고 나머지 의미는 그것을 바라보는 감상자의 경험과 기대가 투사되어 채워지는 것이라고 할 수 있다. 즉 컨스터블의 풍경화가 지니는 가치는 풍경화 그 자체가 아니라 감상자의 의미 부여에 의해 완성되는 것이다. 이런 관점에서 보면 컨스터블의 풍경화에 담긴 풍경이 실재와 얼마나 일치하는가는 크게 문제가 되지 않는다.

23. 컨스터블의 풍경화에 대한 설명으로 적절한 것은?

① 목가적인 전원을 그려 당대에 그에게 큰 명성을 안겨 주었다.
② 사실적 화풍으로 제작되어 당시 영국 귀족들에게 선호되지 못했다.
③ 서정적인 농촌 정경을 담고 있는 전형적인 픽처레스크 풍경화이다.
④ 세부 묘사가 결여되어 있어 그가 인물 표현에는 재능이 없었음을 보여준다.
⑤ 객관적 관찰에 기초하여 19세기 전반 영국 농촌의 현실을 가감없이 그려 냈다.

24. ㉡을 바탕으로 ㉠에 대해 답한 내용으로 가장 적절한 것은?

① 현대 영국인들은 컨스터블의 풍경화에 담긴 농민의 구체적인 삶에 대해 연대감을 느꼈기 때문이다.
② 컨스터블이 풍경화를 통해 당대의 농촌 현실을 비판적으로 그려 내려 했던 의도에 공감했기 때문이다.
③ 컨스터블의 풍경화는 화가가 인물과 풍경에 대해 심리적 거리를 제거하여 고향의 모습을 담아냈기 때문이다.
④ 컨스터블의 풍경화에 나타난 재현의 기법이 현대 풍경화의 기법과는 달리 감상자가 이해하기 쉽기 때문이다.
⑤ 고향에 대한 향수를 지닌 도시인들이 컨스터블의 풍경화에서 자신이 마음속에 그리는 고향의 모습을 발견했기 때문이다.

25. ⓐ의 시각에 따른 작품 해석과 가장 가까운 것은?

① 시민들의 희생을 추도할 목적으로 제작된 것으로 알려진 로댕의 조각 <칼레의 시민>은 인간의 내면적 고뇌를 독창적으로 표현하려는 작가 정신의 소산이다.
② 원시에의 충동을 잘 표현한 것으로 알려진 고갱의 그림 <타히티의 여인>은 그 밑바탕에 비서구 식민지에 대한 서구인의 우월적 시각이 자리 잡고 있다.
③ 바로크 양식을 충실하게 구현하였다고 알려진 렌의 <세인트 폴 대성당> 설계는 건물의 하중을 지탱하는 과학적 원리의 도입에 중점을 두고 있다.
④ 팬 포커스와 같은 탁월한 촬영 기법을 창안한 것으로 알려진 웰스의 영화 <시민 케인>은 내용과 형식의 완벽한 조화를 추구한 결과이다.
⑤ 레오나르도 다빈치의 <모나리자>를 모방한 것으로 알려진 뒤샹의 사진 <모나리자>는 원전에 대한 풍자의 의도가 깔려 있다.

[26~28] 다음 글을 읽고 물음에 답하시오.

지난 세기 미국 경제는 확연히 다른 시기들로 나뉠 수 있다. 1930년대 이후 1970년대 말까지는 소득 불평등이 완화되었다. 특히 제2차 세계 대전 직후 30년 가까이는 성장과 분배 문제가 동시에 해결된 황금기로 기록되었다. 그러나 1980년 이후로는 소득 불평등이 급속히 심화되었고, 경제 성장률도 하락했다. 이러한 변화와 관련해 많은 경제학자들은 기술 진보에 주목했다. 기술 진보는 성장과 분배의 두 마리 토끼를 한꺼번에 잡을 수 있는 만병통치약으로 칭송되기도 하지만, 소득 분배를 악화시키고 사회적 안정성을 저해하는 위협 요인으로 비난받기도 한다. 그러나 어느 쪽을 선택한 연구든 20세기 미국 경제의 역사적 현실을 통합적으로 해명하는 데는 한계가 있다.

기술 진보의 중요성을 놓치지 않으면서도 기존 연구의 한계를 뛰어넘는 대표적인 연구로는 골딘과 카츠가 제시한 '교육과 기술의 경주 이론'이 있다. 이들에 따르면, 기술이 중요한 것은 맞지만 교육은 더 중요하며, 불평등의 추이를 볼 때는 더욱 그렇다. 이들은 우선 신기술 도입이 생산성 상승과 경제 성장으로 이어지려면 노동자들에게 새로운 기계를 익숙하게 다룰 능력이 있어야 하는데, 이를 가능케 하는 것이 바로 정규 교육기관 곧 학교에서 보낸 수년간의 교육 시간들이라는 점을 강조한다. 이때 학교를 졸업한 노동자는 그렇지 않은 노동자에 비해 생산성이 더 높으며 그로 인해 상대적으로 더 높은 임금, 곧 숙련 프리미엄을 얻게 된다. 그런데 학교가 제공하는 숙련의 내용은 신기술의 종류에 따라 다르다. 20세기 초반에는 기본적인 계산을 할 줄 알고 기계 설명서와 도면을 읽어내는 능력이 요구되었고, 이를 위한 교육은 주로 중·고등학교에서 제공되었다. 기계가 한층 복잡해지고 IT 기술의 응용이 중요해진 20세기 후반부터는 추상적으로 판단하고 분석할 수 있는 능력의 함양과 함께, 과학, 공학, 수학 등의 분야에 대한 학위 취득이 요구되고 있다.

골딘과 카츠는 기술을 숙련 노동자에 대한 수요로, 교육을 숙련 노동자의 공급으로 규정하고, 기술의 진보에 따른 숙련 노동자에 대한 수요의 증가 속도와 교육의 대응에 따른 숙련 노동자 공급의 증가 속도를 '경주'라는 비유로 비교함으로써, 소득 불평등과 경제 성장의 역사적 추이를 해명한다. 이들에 따르면, 기술은 숙련 노동자들에 대한 상대적 수요를 늘리는 방향으로 변화했고, 숙련 노동자에 대한 수요의 증가율 곧 증가 속도는 20세기 내내 대체로 일정하게 유지된 반면, 숙련 노동자의 공급 측면은 부침을 보였다. 숙련 노동자의 공급은 전반부에는 크게 늘어나 그 증가율이 수요 증가율을 상회했지만, 1980년부터는 증가 속도가 크게 둔화됨으로써 대졸 노동자의 공급 증가율이 숙련 노동자에 대한 수요 증가율을 하회하게 되었다. 이들은 기술과 교육, 양쪽의 증가 속도를 비교함으로써 1915년부터 1980년까지 진행되었던 숙련 프리미엄의 축소는 숙련 노동자들의 공급이 더 빠르게 늘어난 결과, 곧 교육이 기술을 앞선 결과임을 밝혔다. 이에 비해 1980년 이후에 나타난 숙련 프리미엄의 확대, 곧 교육에 따른 임금 격차의 확대는 대졸 노동자의 공급 증가율 하락에 의한 것으로 보았다. 이러한 분석 결과에 소득 불평등의 많은 부분이 교육에 따른 임금 격차에 의해 설명되었다는 역사적 연구가 결합됨으로써, 미국의 경제 성장과 소득 불평등은 교육과 기술의 '경주'에 의해 설명될 수 있었다.

그렇다면 교육을 결정하는 힘은 어디에서 나왔을까? 특히 양질의 숙련 노동력이 생산 현장의 수요에 부응해 빠른 속도로 늘어나도록 한 힘은 어디에서 나왔을까? 골딘과 카츠는 이와 관련해 1910년대를 기점으로 본격화되었던 중·고등학교 교육 대중화 운동에 주목한다. 19세기 말 경쟁의 사다리 하단에 머물러 있던 많은 사람들은 교육이 자식들에게 새로운 기회를 제공해 주기를 희망했다. 이러한 염원이 '풀뿌리 운동'으로 확산되고 마침내 정책으로 반영되면서 변화가 시작되었다. 지방 정부가 독자적으로 재산세를 거둬 공립 중등 교육기관을 신설하고 교사를 채용해 양질의 일자리를 얻는 데 필요한 교육을 무상으로 제공하게 된 것이다. 이들의 논의는 새로운 대중 교육 시스템의 확립에 힘입어 신생 국가인 미국이 부자 나라로 성장하고, 수많은 빈곤층 젊은이들이 경제 성장의 열매를 향유했던 과정을 잘 보여 준다.

교육과 기술의 경주 이론은 신기술의 출현과 노동 수요의 변화, 생산 현장의 필요에 부응하는 교육기관의 숙련 노동력 양성, 이를 뒷받침하는 제도와 정책의 대응, 더 새로운 신기술의 출현이라는 동태적 상호 작용 속에서 성장과 분배의 양상이 어떻게 달라질 수 있는가에 관한 중요한 이론적 준거를 제공해 준다. 그러나 이 이론은 ㉠한계도 적지 않아 성장과 분배에 대한 다양한 논쟁을 촉발하고 있다.

26. 윗글에 제시된 미국 경제에 대한 이해로 적절하지 않은 것은?

① 20세기 초에는 강화된 공교육이 경제 성장에 기여했다.
② 20세기 초에는 숙련에 대한 요구가 계산 및 독해 능력에 맞춰졌다.
③ 20세기 초에는 미숙련 노동자가, 말에는 숙련 노동자가 선호되었다.
④ 20세기 말에는 숙련 노동자의 공급이 대학 이상의 고등교육에 의해 주도되었다.
⑤ 20세기 말에는 소득 분배의 악화 및 경제 성장의 둔화 현상이 동시에 발생했다.

27. '교육과 기술의 경주 이론'에 대한 진술로 적절하지 않은 것은?

① 숙련 프리미엄은 숙련 노동자가 미숙련 노동자에 비해 더 기여한 생산성 부분에 대한 보상의 성격을 지닌다.
② 기술 진보가 경제 성장에 미치는 효과를 높이기 위해서는 신기술에 적합한 숙련 노동자의 공급이 필요하다.
③ 숙련은 장비를 능숙하게 다룸으로써 생산성을 높일 수 있도록 연마된 능력을 뜻한다.
④ 숙련 프리미엄의 변화는 소득 불평등 변화의 주요 지표가 된다.
⑤ 교육의 속도가 기술의 속도를 앞서면 소득 불평등은 심화된다.

28. ㉠을 보여주는 사례로 적절하지 않은 것은?

① 숙련이 직장 내에서 이루어지는 경우
② 임금이 생산성 이외의 요인에 의해서도 결정되는 경우
③ 대학 졸업자의 증가로 노동자 간의 임금 격차가 줄어든 경우
④ 직종과 연령대가 유사한 대학 졸업자 간에 임금 격차가 큰 경우
⑤ 신기술에 의한 자동화로 숙련 노동력에 대한 수요가 줄어든 경우

[29~32] 다음 글을 읽고 물음에 답하시오.

이론적으로 존재하는 가장 낮은 온도는 −273.16℃이며 이를 절대 온도 0K라고 한다. 실제로 0K까지 물체의 온도를 낮출 수는 없지만 그에 근접한 온도를 얻을 수는 있다. 그러한 방법 중 하나가 '레이저 냉각'이다.

레이저 냉각을 이해하기 위해 우선 온도라는 것이 무엇인지 알아보자. 미시적으로 물질을 들여다보면 많은 수의 원자가 모인 집단에서 원자들은 끊임없이 서로 충돌하며 다양한 속도로 운동한다. 이때 절대 온도는 원자들의 평균 운동 속도의 제곱에 비례하는 양으로 정의된다. 따라서 어떤 원자의 집단에서 원자들의 평균 운동 속도를 감소시키면 그 원자 집단의 온도가 내려간다. 레이저 냉각을 사용하면 상온(약 300K)에서 대략 200 m/s의 평균 운동 속도를 갖는 기체 상태의 루비듐 원자의 평균 운동 속도를 원래의 약 1/10000까지 낮출 수 있다.

그렇다면 레이저를 이용하여 어떻게 원자의 운동 속도를 감소시킬 수 있을까? 날아오는 농구공에 정면으로 야구공을 던져서 부딪히게 하면 농구공의 속도가 느려진다. 마찬가지로 빠르게 움직이는 원자에 레이저 빛을 쏘아 충돌시키면 원자의 속도가 줄어들 수 있다. 이때 속도와 질량의 곱에 해당하는 운동량도 작아진다. 빛은 전자기파라는 파동이면서 동시에 광자라는 입자이기도 하기 때문에 운동량을 갖는다. 광자는 빛의 파장에 반비례하는 운동량을 가지며 빛의 진동수에 비례하는 에너지를 갖는다. 또한 빛의 파장과 진동수는 반비례의 관계에 있다. 레이저 빛은 햇빛과 같은 일반적인 빛과 달리 일정한 진동수의 광자로만 이루어져 있다. 레이저 빛을 구성하는 광자가 원자에 흡수될 때 광자의 에너지만큼 원자의 내부 에너지가 커지면서 광자의 운동량이 원자에 전달된다. 실례로 상온에서 200 m/s의 속도로 다가오는 루비듐 원자에 레이저 빛을 쏘아 여러 개의 광자를 연이어 루비듐 원자에 충돌시키면 원자를 거의 정지시킬 수 있다. 하지만 이때 문제는 원자가 정지한 순간 레이저를 끄지 않으면 원자가 오히려 반대 방향으로 밀려날 수도 있다는 데 있다. 그런데 원자를 하나하나 따로 관측할 수 없고 각 원자의 운동 속도에 맞추어 각 원자와 충돌하는 광자의 운동량을 따로 제어할 수도 없으므로 실제 레이저를 이용해 원자의 온도를 내리는 것은 간단하지 않아 보인다. 이를 간단하게 해결하는 방법은 도플러 효과와 원자가 빛을 선택적으로 흡수하는 성질을 이용하는 것이다.

사이렌과 관측자가 가까워질 때에는 사이렌 소리가 원래의 소리보다 더 높은 음으로 들리고, 사이렌과 관측자가 멀어질 때에는 더 낮은 음으로 들린다. 이처럼 빛이나 소리와 같은 파동을 발생시키는 파동원과 관측자가 멀어질 때는 파동의 진동수가 더 작게 감지되고, 파동원과 관측자가 가까워질 때는 파동의 진동수가 더 크게 감지되는 현상을 도플러 효과라고 한다. 이때 원래의 진동수와 감지되는 진동수의 차이는 파동원과 관측자가 서로 가까워지거나 멀어지는 속도에 비례한다. 이것을 레이저와 원자에 적용하면 레이저 광원은 파동원이고 원자는 관측자에 해당한다. 그러므로 레이저 광원에 다가가는 원자에게 레이저 빛의 진동수는 원자의 진동수보다 더 높게 감지되고, 레이저 광원에서 멀어지는 원자에게 레이저 빛의 진동수는 더 낮게 감지된다.

한편 정지해 있는 특정한 원자는 모든 진동수의 빛을 흡수하는 것이 아니고 고유한 진동수, 즉 공명 진동수의 빛만을 흡수한다.

이것은 원자가 광자를 흡수할 때 원자 내부의 전자가 특정 에너지 준위 E_1에서 그보다 더 높은 특정 에너지 준위 E_2로 옮겨가는 것만 허용되기 때문이다. 이때 흡수된 광자의 에너지는 두 에너지 준위의 에너지 값의 차이 ΔE에 해당한다.

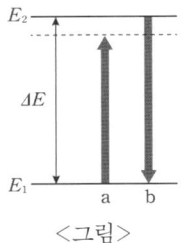
<그림>

 그러면 어떻게 도플러 효과를 이용하여 레이저 냉각을 수행하는지 알아보자. 우선 어떤 원자의 집단을 사이에 두고 양쪽에서 레이저 빛을 원자에 쏘되 그 진동수를 원자의 공명 진동수보다 작게 한다. 원자가 한쪽 레이저 빛의 방향과 반대 방향으로 움직이면 도플러 효과에 의해 원자에서 감지되는 레이저 빛의 진동수가 커지는데, 그 값이 자신의 공명 진동수에 해당하는 원자는 레이저 빛을 흡수하게 된다. 이때 흡수된 광자의 에너지는 ΔE보다 작지만(<그림>의 a), 원자는 도플러 효과 때문에 공명 진동수를 갖는 광자를 받아들이는 것처럼 낮은 준위 E_1에 있던 전자를 허용된 준위 E_2에 올려놓는다. 그러면 불안정해진 원자는 잠시 후에 ΔE에 해당하는 에너지를 갖는 광자를 방출하면서 전자를 E_2에서 E_1로 내려놓는다(<그림>의 b). 이 과정이 반복되는 동안, 원자가 광자를 흡수할 때에는 일정한 방향에서 오는 광자와 부딪쳐 원자의 운동 속도가 계속 줄어들지만, 원자가 광자를 내놓을 때에는 임의의 방향으로 방출하기 때문에 결국 광자의 방출은 원자의 속도 변화에 영향을 미치지 못하게 된다. 그러므로 원자에서 광자를 선택적으로 흡수하고 방출하는 과정이 반복되면, 원자의 속도가 줄어들면서 원자의 평균 운동 속도가 줄고 그에 따라 원자 집단 전체의 온도가 내려가게 된다.

29. 윗글의 내용과 일치하는 것은?

① 움직이는 원자의 속도는 도플러 효과로 인해 더 크게 감지된다.
② 레이저 냉각은 광자를 선택적으로 흡수하는 원자의 성질을 이용한다.
③ 레이저 냉각은 원자와 레이저 빛을 충돌시켜 광자를 냉각시키는 것이다.
④ 레이저 빛을 이용하여 원자 집단을 절대 온도 0K에 도달하게 할 수 있다.
⑤ 개별 원자의 운동 상태를 파악하여 각각의 원자마다 적절한 진동수의 레이저 빛을 쏠 수 있다.

30. 윗글의 <그림>을 이해한 것으로 적절하지 않은 것은?

① 다가오는 원자에 공명 진동수의 레이저 빛을 쏘면 원자 내부의 전자가 E_1에서 E_2로 이동한다.
② 원자의 공명 진동수와 일치하는 진동수를 갖는 광자는 ΔE의 에너지를 갖는다.
③ 원자가 흡수했다가 방출하는 광자의 에너지는 ΔE로 일정하다.
④ 정지한 원자가 흡수하는 광자의 에너지는 ΔE와 일치한다.
⑤ E_2에서 E_1로 전자가 이동할 때 광자가 방출된다.

31. 윗글에 따를 때, <보기>에서 공명이 일어나는 것만을 있는 대로 고른 것은?

<보 기>

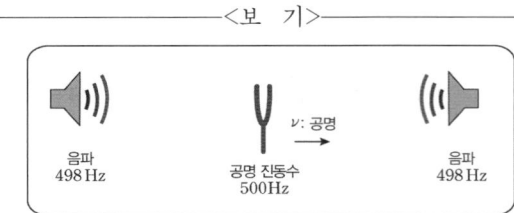

소리굽쇠는 고유한 공명 진동수를 가져서, 공명 진동수와 일치하는 소리를 가해 주면 공명하고, 공명 진동수에서 약간 벗어난 진동수의 소리를 가해 주면 공명하지 않는다. 그림과 같이 마주 향한 고정된 두 스피커에서 진동수 498 Hz의 음파를 발생시키고, 공명 진동수가 500 Hz인 소리굽쇠를 두 스피커 사이의 중앙에서 오른쪽으로 v의 속도로 움직였더니 소리굽쇠가 공명했다. 그 후에 다음과 같이 조작하면서 소리굽쇠의 공명 여부를 관찰했다. 단, 소리굽쇠는 두 스피커 사이에서만 움직인다.

ㄱ. 소리굽쇠를 중앙에서 왼쪽으로 v의 속도로 움직였다.
ㄴ. 소리굽쇠를 중앙에서 오른쪽으로 $2v$의 속도로 움직였다.
ㄷ. 왼쪽 스피커를 끄고 소리굽쇠를 중앙에서 왼쪽으로 v의 속도로 움직였다.

① ㄱ ② ㄴ ③ ㄷ
④ ㄱ, ㄷ ⑤ ㄴ, ㄷ

32. 윗글에 비추어 <보기>의 리튬 원자의 레이저 냉각에 대해 설명한 것으로 적절하지 <u>않은</u> 것은?

<보 기>

	루비듐	리튬
원자량(원자의 질량)	85.47	6.94
정지 상태의 원자가 흡수하는 빛의 파장	780 nm	670 nm

① 리튬의 공명 진동수는 루비듐의 공명 진동수보다 크다.
② 원자가 흡수하는 광자의 운동량은 리튬 원자가 루비듐 원자보다 작다.
③ 같은 속도로 움직일 때 리튬 원자의 운동량이 루비듐 원자의 운동량보다 작다.
④ 루비듐 원자에 레이저 냉각을 일으키는 레이저 빛은 같은 속도의 리튬 원자에서는 냉각 효과가 없다.
⑤ 리튬 원자에 레이저 냉각을 일으킬 때에는 레이저 빛의 파장을 670 nm보다 더 큰 값으로 조정한다.

[33~35] 다음 글을 읽고 물음에 답하시오.

『로마법대전』에 대한 연구는 12세기에 볼로냐를 중심으로 본격적으로 시작되었다. 당시에 이 법서는 '기록된 이성'이라 부를 만큼 절대적인 권위가 인정되었고, 그 가운데 특히 「학설휘찬(Digesta)」 부분이 학자들의 관심을 끌었다. 여기에는 로마 시대의 저명한 법학자들의 저술에서 발췌한 학설들이 수록되어 있다. 초기에 법학은 이를 정확히 이해하는 데 치중하였고, 로마법을 비판적으로 바라보는 것은 금기시되었다. 이러한 학풍은 13세기 중엽 표준 주석서를 집대성하는 성과를 낳았고, 이후로는 로마법을 어떻게 실무에 적용할지의 문제로 법학의 중점이 옮겨 갔다. 16세기에 들어서면서부터는 「학설휘찬」에 대한 맹신에서 벗어나, 그것을 역사적 사료로 보면서 주석서의 해석에 얽매이지 않고 새롭게 접근하는 시도가 나타났으며, 이후에는 이런 경향이 낯설지 않게 되었다. 17세기의 학자인 라이프니츠도 로마법 자료에 대해 비판적으로 접근하여 새로운 논의를 이끌어 내려 하였다. 다음은 「학설휘찬」에 나오는 파울루스의 글이다.

[가]
펠릭스가 자신의 농장에 대해 에우티키아나 (A), 투르보 (B), 티티우스 (C)에게 순차적으로 저당권을 설정해 준 것이 실질적 법률관계이다. 그런데 A는 C와의 소송에서 자신의 순위를 입증하지 못하여 패소하였고, 판결이 확정되었다. 이후 B와 C 사이에 저당권의 순위에 관한 다툼이 생겨 소송을 하게 되었다. 이 경우에 A를 상대로 승소한 C가 B보다 우선한다고 해야 하는가, 아니면 A는 없다고 생각하고 B의 권리를 C보다 앞에 두어야 하는가? ㉠어떤 이들은 C가 우선한다고 주장한다. 하지만 ㉡나는 그런 결론이 매우 부당하다고 생각한다. A가 방어를 잘못한 탓에 C에게 패소했다고 하자. 그러면 C가 A에게 승소한 판결의 효력이 B에게 미치는가? 이후에 일어난 B와 C 사이의 소송에서 B가 승소하면 그 판결의 효력이 A에게 미치는가? 나는 아니라고 생각한다. 제3순위자는 제1순위자를 배제시켰다고 해서 자기가 제1순위자가 되는 것은 아니며, 당사자 사이의 판결은 그 소송에 관여하지 않은 이에게 유리하게도 불리하게도 작용하지 않는다. 첫 번째 소송의 판결이 모든 것을 해결하는 것은 아니고, 다른 저당권자의 권리는 손대지 않은 채 남겨져 있는 것이다.

ⓐ라이프니츠는 '손대지 않은 채 남겨져 있는 것'에 대하여 순위를 따져 보려고 하였다. 그는 우선 위 사안을 다음과 같이 정리하였다. 동일한 부동산에 대한 저당권은 설정한 순서에 따라 우선권이 주어지는 것이 로마법의 원칙이므로, (1) 가장 먼저 설정한 A의 권리는 최우선권을 가지므로 B의 권리에 우선한다. (2) 두 번째로 저당권을 설정한 B의 권리는 C의 권리에 우선한다. 하지만 (3) 판결로 확정된 법률관계는 그것이 진실한 것으로 취급될 수밖에 없으므로 C의 저당권은 A의 저당권에 우선한다. 여기서 (1)과 (3)이 충돌하지만 확정 판결의 효력 때문에 (3)이 우선할 수밖에 없으므로, 유효하게 고려하여야 하는 (2)와 (3)을 가지고 따져보면 순위는 간단히 정리될 수 있다고 보았다.

파울루스는 A가 제1순위를 회복할 수 없다고 하면서, C가 B보다 우선한다고도 B가 A보다 우선한다고도 인정할 수 없다고 하였다. 라이프니츠는 B가 A보다 우위라고 확언할 수 없다는 점에 대해 비판하였다. B가 C보다 앞설 경우에 C가 A보다 앞선다면, B는

A보다 앞서는 것이 당연하다는 것이다. 그리고 B가 C보다 후순위가 된다고 가정하는 것은, 판결의 효력이 소송에 관계하지 않은 이에 영향을 미쳐서는 안 된다는 데 위배되는 상황, 곧 파울루스가 피하고자 하는 것을 피하지 못하게 되는 설정이 되기 때문에, 허용될 수 없다고 하였다. 라이프니츠는 이러한 결론이 한 번의 패소로 순위가 두 개나 밀리게 만들지만 부당한 것은 아니라고 말한다. 소송을 잘못한 이에게 두 번 불이익을 주는 것이 잘못이 없는 이에게 한 번 불이익을 주는 것보다 낫기 때문이라는 것이다. 라이프니츠는 파울루스가 현자라는 사실이 의심된다는 익살까지 부린다.

라이프니츠의 이러한 작업은 로마법이 끼친 영향과 함께 그에 대하여 자유롭게 접근했던 당시의 분위기를 짐작하게 해 준다. 18세기 이후에는 로마법 연구의 전통을 기반으로 하여 새로운 이론과 법체계를 성립시키는 발전이 이어진다.

33. 윗글의 내용과 일치하는 것은?

① 12세기의 법학자들은 파울루스의 학설에 대하여 시대적 간극을 초월하여 받아들일 수 있는 이성적인 결과물로 여겼다.
② 13세기에는 「학설휘찬」보다 앞서 편찬된 『로마법대전』이 주요한 연구 대상으로 선택되었다.
③ 17세기 이후의 법학은 당시의 실정에 맞지 않는 로마법에 대한 연구를 버리고 법률 실무를 중심으로 한 새로운 방법론을 추구하였다.
④ 라이프니츠가 활동하던 시기에는 「학설휘찬」에 대한 비판이 금기시되었다.
⑤ 라이프니츠는 로마법을 역사적 사료로 보기보다는 시공을 뛰어넘어 적용할 수 있는 보편적인 법전으로 보았다.

34. [가]에 대한 추론으로 적절하지 않은 것은?

① B와 C 사이의 소송에서 B는 자신이 C보다 먼저 저당권을 설정하였기 때문에 자신이 선순위자라고 주장하였을 것이다.
② B와 C 사이의 소송에서 C는 A가 B보다 먼저 저당권을 설정하였다는 것을 기초로 하여 자신이 B보다 선순위자라고 주장하였을 것이다.
③ ㉠은 C의 순위가 A에 우선한다는 판결이 B에게는 효력이 없다는 입장이다.
④ ㉡은 A와 C 사이에 내려진 판결이 A, B, C 모두의 순위를 바꾸는 것으로 판결한 것은 아니라는 입장이다.
⑤ ㉠과 ㉡ 모두 A와 C 사이에 내려진 판결의 효력은 인정해야 한다고 전제한다.

35. ⓐ가 한 논증 과정에서 나타나지 않은 것은?

① 저당권의 순위는 B, C, A의 순으로 놓인다는 결론을 내렸다.
② 확정 판결의 효력이 실질적 법률관계에 우선한다는 점을 전제로 삼았다.
③ 저당권의 우선순위는 먼저 설정된 순서로 정해진다는 로마법의 원칙이 부당하다는 것을 확인하였다.
④ 파울루스가 논의한 사안을 정리한 결과, A가 제1순위라는 내용과 A가 제1순위가 아니라는 내용의 충돌이 일어나자 그 모순을 해결하였다.
⑤ 권리를 입증하지 못하여 패소한 이가 이후에 자신이 당사자가 아닌 소송의 판결 때문에 거듭 불이익을 받을 수 있다는 결론이 도출되지만, 그것이 부당하지 않다고 보았다.

2027학년도 LEET 대비
기출문제 해설집

2015

영역별 출제 비중 분석

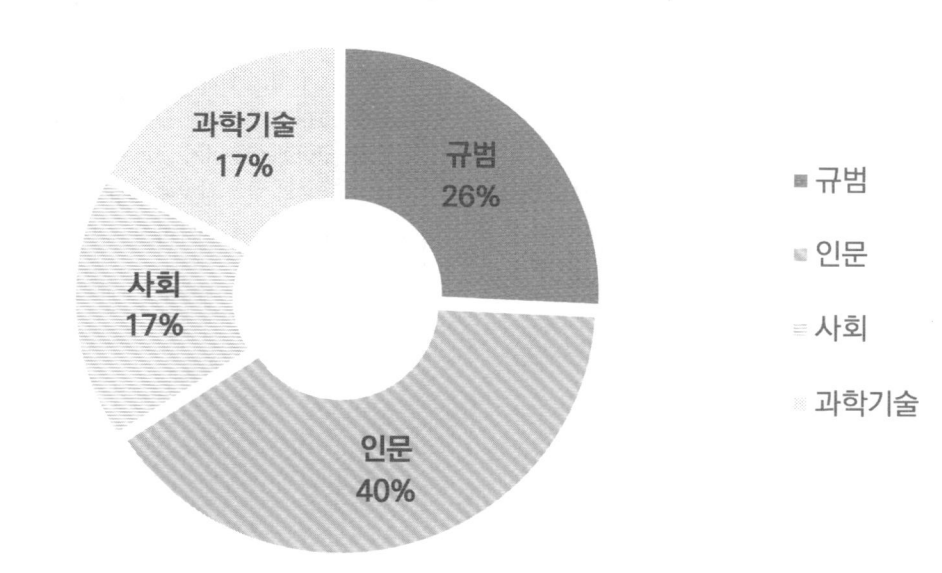

내용 영역	규범	인문	사회	과학기술	총
문항 수	9	14	6	6	35

※ 출제 비중은 소수점 첫째 자리에서 반올림하였습니다.

2015학년도 언어이해

출제 경향 분석

2015학년도 시험은 전년도와 크게 다르지 않은 평이한 수준으로 출제되었다. 심층적인 분석과 치밀한 추론을 요구하는 문항 수가 많지 않은 반면, 특정 정보나 핵심 내용에 대한 이해만으로도 해결 가능한 문항들이 적지 않았다. 다만 이전에 한 번도 출제된 적 없었던 문학비평 제시문이 출제된 데다 전년도에 비해 과학 제시문의 수가 늘어나서 수험생들이 체감한 난도는 전년도에 비해 다소 증가했다고 평가할 수 있다.

제 1 교시

홀수형

2015학년도 법학적성시험

언어이해 문제지

성 명

수험번호

수험생 유의사항

—

○ 이 문제지는 **35문항**으로 구성되어 있습니다.

○ **시험 시간은 09 : 00 ~ 10 : 20(80분)입니다.**

○ 문제지에 성명과 수험번호를 정확하게 기재하십시오.

○ 답안지는 반드시 컴퓨터용 사인펜을 사용하여 답을 표기하여야 합니다.

○ 답안지의 '필적확인란'에 제시된 문구를 정확히 정자로 기재하여야 합니다.

메가로스쿨

2015학년도 법학적성시험

언어이해

제1교시

홀수형

- 이 문제지는 **35문항**으로 구성되어 있습니다. 문항 수를 확인하십시오.
- 문제지의 해당란에 성명과 수험번호를 정확히 쓰십시오.
- 답안지에 수험번호, 문제유형, 성명, 답을 표기할 때에는 '답안 작성 시 반드시 지켜야 하는 사항'에 따라 표기하십시오.
- 답안지의 '필적확인란'에 해당 문구를 정자로 기재하십시오.

[1~3] 다음 글을 읽고 물음에 답하시오.

신(臣) 유종원(柳宗元)이 엎드려 살펴보니 이런 일이 있었습니다. 측천무후 시절에 동주(同州)의 하규(下邽)에 서원경(徐元慶)이라는 사람이 있었는데, 아버지 상(爽)이 현의 관리인 조사온(趙師韞)에게 죽었다고 하여 마침내 아버지의 원수를 찔러 죽인 뒤 제 몸을 묶어 관에 자수하였습니다. 그때 진자앙(陳子昻)은 그를 사형에 처하되 정문(旌門)을 세워 주자고 건의하였으며, 또 그 내용을 법령에 넣어 항구적인 법으로 삼자고 청하였습니다. 하지만 신은 그것이 잘못되었다고 생각합니다.

신이 듣기를, 예(禮)의 근본은 무질서를 막고자 하는 것이니, 만약 예에서 해악을 저지르지 말라고 하는데 자식 된 이가 사람을 죽였다면 이는 용서할 수 없습니다. 또한 형(刑)의 근본도 무질서를 막고자 하는 것이니, 만약 형에서 해악을 저지르지 말라고 하는데 관리 된 이가 사람을 죽였다면 이는 용서할 수 없습니다. 결국 그 근본은 서로 합치하면서 그 작용이 이끌어지는 것이니, 정문과 사형은 결코 함께 할 수 없는 것입니다. 정문을 세워 줄 일을 사형에 처하는 것은 남용으로서 형을 지나치게 적용하는 것이 됩니다. 사형에 처할 일에 정문을 세워 주는 것은 참람으로서 예의 근본을 무너뜨리는 것이 됩니다. 과연 이것을 천하에 내보이고 후대에 전하여서 의를 좇는 이가 나아갈 곳을 모르게 하고 해를 피하려는 이가 설 곳을 알지 못하도록 해야 하겠습니까. 과연 이것이 법으로 삼아야 할 만한 일이겠습니까. 무릇 성인(聖人)의 제도에서 도리를 밝혀 상벌을 정하도록 한 것과 사실에 터 잡아 시비를 가리도록 한 것은 모두 하나로 통하는 것입니다. 이 사건에서도 진위를 가려내고 곡직을 바로 하여 근본을 따져본다면, 형과 예의 적용은 뚜렷이 밝혀집니다. 그 까닭은 이렇습니다.

만일 원경의 아버지가 공적인 죄를 지은 것이 아닌데도 사온이 죽였다면 이는 오직 사사로운 원한으로 관리의 기세를 떨쳐 무고한 이를 괴롭힌 게 됩니다. 더구나 고을 수령과 형관은 이를 알아볼 줄도 모르고 위아래로 모두 몽매하여 울부짖는 호소를 듣지 않았습니다. 그리하여 원경은 원수와 같은 하늘 아래서 사는 것을 몹시 부끄럽게 여기며 항상 칼을 품고 예를 실행하려는 마음을 지니다가 마침내 원수의 가슴을 찔렀으니, 이는 꿋꿋이 자신을 이겨낸 행위로서 그때 죽더라도 여한이 없었을 것입니다. 바로 예를 지키고 의를 실행한 것입니다. 그러니 담당 관리는 마땅히 부끄러운 빛을 띠고 그에게 감사하기에 바쁠진대 어찌 사형에 처한단 말입니까.

혹시 원경의 아버지가 면할 수 없는 죄를 지어 사온이 죽인 것이었다면 그것은 자의적으로 법을 집행한 것이 아닙니다. 이는 관리에게 죽은 것이 아니라 법에 의해 죽은 것입니다. 법을 원수로 삼을 수야 있겠습니까. 천자의 법을 원수 삼아 사법 관리를 죽였다면, 이는 패악하여 임금을 능멸한 것입니다. 이런 자는 잡아 죽여야 국법이 바로 설진대 어찌 정문을 세운다는 것입니까.

진자앙은 앞의 건의에서 "사람은 자식이 있고 자식은 반드시 어버이가 있으니, 어버이를 위한 복수가 이어진다면 그 무질서는 누가 구제하겠습니까."라고 하였습니다. 이는 예를 매우 잘못 이해한 것입니다. 예에서 이야기하는 복수는, 사무치는 억울함이 있는데도 호소할 곳이 없는 경우이지, 죄를 저질러 법에 저촉되어 사형에 처해지는 경우가 아닙니다. 그러므로 "네가 사람을 죽였으니 나도 널 죽이겠다."라고 말하는 것은 곡직을 따져보지도 않고서 힘없고 약한 이를 겁주는 것이 될 뿐이며, 또한 경전과 성인의 가르침에 심히 위배되는 것입니다.

『주례』에서 "조인(調人)이 뭇사람들의 복수 사건을 담당하여 조정한다. 살인이라도 의에 부합하는 경우에는 그에 대한 복수를 금지한다. 복수는 사형에 처한다. 이를 다시 보복 살해하면, 온 나라가 그를 복수할 것이다."하였으니, 어찌 어버이를 위한 복수가 이어질 수 있겠습니까. 『춘추공양전』에서는 "아버지가 무고하게 죽었다면 아들은 복수할 수 있다. 아버지가 죄 때문에 죽었는데 아들이 복수한다면, 이는 무뢰배의 짓거리로서 복수의 폐해를 막지 못한다."라고 하였습니다. 이러한 관점으로 위의 사건을 판단해 보면 예에 합치합니다. 무릇 복수를 잊지 않는 것은 효이며, 죽음을 돌아보지 않는 것이 의입니다. 원경이 예를 저버리지 않고 효를 지켜 의롭게 죽으려 했으니, 이는 바로 이치를 깨치고 도를 들은 것입니다. 이치를 깨치고 도를 들은 사람에 대해 왕법(王法)이 어찌 보복 살인의 죄인으로 보겠습니까. 진자앙은 도리어 사형에 처해야 한다고 하니, 그것은 형의 남용이며 예의 훼손입니다. 법이 될 수 없다는 것은 뚜렷합니다.

신의 간언을 법령에 반영하시어 사법 관리로 하여금 앞의 건의에 따라 법을 집행하지 않도록 해 주시기를 청합니다. 삼가 아뢰었나이다.

― 유종원, 「복수에 대한 건의를 논박함」

1. 윗글의 내용에 부합하지 <u>않는</u> 것은?

① 진자앙은 서원경의 행위가 예를 어긴 것이라고 보았다.
② 호소할 곳 없는 백성에 대한 유종원의 염려가 나타난다.
③ 보복 살인의 악순환을 경계하는 진자앙의 고심이 엿보인다.
④ 유종원은 진자앙의 건의 내용이 갖는 자체 모순을 분석하였다.
⑤ 유종원은 서원경의 복수를 효의 실천으로 보아 높이 평가하였다.

2. 윗글에 비추어 볼 때 예와 형에 관한 서술로 적절하지 않은 것은?

① 예를 이해하고 적용하는 데는 성인의 가르침과 제도가 훌륭한 전거가 된다.
② 예는 의를 좇는 이가 나아갈 바이자, 도리를 밝혀 상벌을 정하는 기준이 된다.
③ 형은 해를 피하려는 이에게 의지가 되며, 사실을 기반으로 시비를 가리는 수단이 된다.
④ 형은 범죄 행위를 규정하고 그것을 강제력으로 금지하여 합당한 행위를 유도하는 규칙이 된다.
⑤ 예는 혼란을 방지하려는 목적이 있다는 점에서 처벌 법규인 형과는 서로 근본을 달리하는 규범이 된다.

3. 윗글에 나타난 유종원의 견해로 진자앙의 입장과 대립하는 것은?

① 한 사건에서 죄에 대한 처벌과 예에 대한 포상을 동시에 할 수도 있다고 본다.
② 어떤 경우라도 부모의 죽음에 대해서는 복수해야 한다고 생각한다.
③ 예에 합당한 행위에 대하여 형을 부과할 수 없다고 본다.
④ 예와 형은 모두 존중되어야 할 규범이라고 생각한다.
⑤ 복수를 일반적으로 허용하는 것에 대해 찬성한다.

[4~6] 다음 글을 읽고 물음에 답하시오.

가장 효율적인 자원배분 상태, 즉 '파레토 최적' 상태를 달성하려면 모든 최적 조건들이 동시에 충족되어야 한다. 파레토 최적 상태를 달성하기 위해 n개의 조건이 충족되어야 하는데, 어떤 이유로 인하여 어떤 하나의 조건이 충족되지 않고 n-1개의 조건이 충족되는 상황이 발생한다면 이 상황이 n-2개의 조건이 충족되는 상황보다 낫다고 생각하기 쉽다. 그러나 **립시와 랭커스터**는 이러한 통념이 반드시 들어맞는 것은 아님을 보였다. 즉 하나 이상의 효율성 조건이 이미 파괴되어 있는 상태에서는 충족되는 효율성 조건의 수가 많아진다고 해서 경제 전체의 효율성이 더 향상된다는 보장이 없다는 것이다. 현실에서는 최적 조건의 일부는 충족되지만 나머지는 충족되지 않고 있는 경우가 일반적이다. 이 경우 경제 전체 차원에서 제기되는 문제는 현재 충족되고 있는 일부의 최적 조건들을 계속 유지하는 것이 과연 바람직한가 하는 것이다. 하나의 왜곡을 시정하는 과정에서 새로운 왜곡이 초래되는 것이 일반적 현실이기 때문에, 모든 최적 조건들을 충족시키려고 노력하는 것보다 오히려 최적 조건의 일부가 항상 충족되지 못함을 전제로 하여 그러한 상황에서 가장 바람직한 자원배분을 위한 새로운 조건을 찾아야 한다는 과제가 제시된다. 경제학에서는 이러한 문제를 차선(次善)의 문제 라고 부른다.

차선의 문제는 경제학 여러 분야의 논의에서 등장한다. 관세동맹 논의는 차선의 문제에 대한 중요한 사례를 제공하고 있다. 관세동맹이란 동맹국 사이에 모든 관세를 폐지하고 비동맹국의 상품에 대해서만 관세를 부과하기로 하는 협정이다. 자유무역을 주장하는 이들은 모든 국가에서 관세가 제거된 자유무역을 최적의 상황으로 보았고, 일부 국가들끼리 관세동맹을 맺을 경우는 관세동맹을 맺기 이전에 비해 자유무역의 상황에 근접하는 것이므로, 관세동맹은 항상 세계 경제의 효율성을 증대시킬 것이라고 주장해왔다. 그러나 ⓐ바이너는 관세동맹이 세계 경제의 효율성을 떨어뜨릴 수 있음을 지적하였다. 그는 관세동맹의 효과를 무역창출과 무역전환으로 구분하고 있다. 전자는 동맹국 사이에 새롭게 교역이 창출되는 것을 말하고 후자는 비동맹국들과의 교역이 동맹국과의 교역으로 전환되는 것을 의미한다. 무역창출은 상품의 공급원을 생산비용이 높은 국가에서 생산비용이 낮은 국가로 바꾸는 것이기 때문에 효율이 증대되지만, 무역전환은 공급원을 생산비용이 낮은 국가에서 생산비용이 높은 국가로 바꾸는 것이므로 효율이 감소한다. 관세동맹이 세계 경제의 효율성을 증가시키는가의 여부는 무역창출 효과와 무역전환 효과 중 어느 것이 더 큰가에 달려 있다. 무역전환 효과가 더 크다면 일부 국가들 사이의 관세동맹은 세계 경제의 효율성을 떨어뜨리게 된다.

차선의 문제는 소득에 부과되는 직접세와 상품 소비에 부과되는 간접세의 상대적 장점에 대한 오랜 논쟁에서도 등장한다. 경제학에서는 세금이 시장의 교란을 야기하여 자원배분의 효율성을 떨어뜨린다는 생각이 일반적이다. 아무런 세금도 부과되지 않는 것이 파레토 최적 상태이지만, 세금 부과는 불가피하므로 세금을 부과하면서도 시장의 왜곡을 줄일 수 있는 방법을 찾고자 했다. 이와 관련해, 한 가지 상품에 간접세가 부과되었을 경우 그 상품과 다른 상품들 사이의 상대적 가격에 왜곡이 발생하므로, 이 상대적 가격에 영향을 미치지 않는 직접세가 더 나을 것이라고 주장하는 ㉠핸더슨과 같은 학자들이 있었다. 그러나 이는 직접세가 노동 시간과 여가에 영향을 미치지 않는다는 가정 아래서만 성립하는 것이라고 ⓒ리틀은 주장하였다. 한 상품에 부과된 간접세는 그 상품과 다른 상품들 사이의 파레토 최적 조건의 달성을 방해하게 되지만, 직접세는 여가와 다른 상품들 사이의 파레토 최적 조건의 달성을 방해하게 되므로, 직접세가 더 효율적인지 간접세가 더 효율적인지를 판단할 수 없다는 것이다. 나아가 리틀은 여러 상품에 차등적 세율을 부과할 경우, 직접세만 부과하는 경우나 한 상품에만 간접세를 부과하는 경우보다 효율성을 더 높일 수 있는 가능성이 있음을 언급했지만 정확한 방법을 제시하지는 못했다. ⓒ콜레트와 헤이그는 직접세를 동일한 액수의 간접세로 대체하면서도 개인들의 노동 시간과 소득을 늘릴 수 있는 조건을 찾아냈다. 그것은 여가와 보완관계가 높은 상품에 높은 세율을 부과하고 경쟁관계에 있는 상품에 낮은 세율을 부과하는 것이었다. 레저 용품처럼 여가와 보완관계에 있는 상품에 상대적으로 더 높은 세율을 부과하여 그 상품의 소비를 억제시킴으로써 여가의 소비도 줄이는 것이 가능해진다.

4. 차선의 문제 에 대한 이해로 적절하지 않은 것은?

① 파레토 최적 조건들 중 하나가 충족되지 않을 때라면, 나머지 조건들이 충족된다고 하더라도 차선의 효율성이 보장되지 못한다.
② 전체 파레토 조건 중 일부가 충족되지 않은 상황에서 차선의 상황을 찾으려면 나머지 조건들의 재구성을 고려해야 한다.
③ 주어진 전체 경제상황을 개선하는 과정에서 기존에 최적 상태를 달성했던 부문의 효율성이 저하되기도 한다.
④ 차선의 문제가 제기되는 이유는 여러 경제부문들이 독립적이지 않고 서로 긴밀히 연결되어 있기 때문이다.
⑤ 경제개혁을 추진할 때 비합리적인 측면들이 많이 제거될수록 이에 비례하여 경제의 효율성도 제고된다.

5. A, B, C 세 국가만 있는 세계에서 A국과 B국 사이에 관세동맹이 체결되었다고 할 때, ⓐ의 입장을 지지하는 사례로 활용하기에 적절한 것은?

① 관세동맹 이전 A, B국은 X재를 생산하지 않고 C국에서 수입하고 있었다. 관세동맹 이후에도 A, B국은 X재를 C국에서 수입하고 있다.
② 관세동맹 이전 B국은 X재를 생산하고 있었고 A국은 최저비용 생산국인 C국에서 수입하고 있었다. 관세동맹 이후 A국은 B국에서 X재를 수입하게 되었다.
③ 관세동맹 이전 A, B국은 모두 X재를 생산하고 있었고 C국에 비해 생산비가 높았다. 관세동맹 이후 A국은 생산을 중단하고 B국에서 X재를 수입하게 되었다.
④ 관세동맹 이전 B국이 세 국가 중 최저비용으로 X재를 생산하고 있었고 A국은 X재를 B국에서 수입하고 있었다. 관세동맹 이후에도 A국은 B국에서 X재를 수입하고 있다.
⑤ 관세동맹 이전 A, B국 모두 X재를 생산하고 있었고 A국이 세 국가 중 최저비용으로 X재를 생산하는 국가이다. 관세동맹 이후 B국은 생산을 중단하고 A국에서 X재를 수입하게 되었다.

6. <보기>의 상황에 대한 ⊙~ⓒ의 대응을 추론한 것으로 적절하지 않은 것은?

<보 기>

일반 상품을 X와 Y, 여가를 L이라고 하고, 두 항목 사이에 파레토 최적 조건이 성립한 경우를 '⇔', 성립하지 않은 경우를 '⇎'라는 기호로 표시하기로 하자.

㉮	㉯	㉰	㉱
세금이 부과되지 않은 상황	X에만 간접세가 부과된 상황	직접세가 부과된 상황	X, Y에 차등 세율의 간접세가 부과된 상황
X ⇔ Y	X ⇎ Y	X ⇔ Y	X ⇎ Y
X ⇔ L	X ⇎ L	X ⇎ L	X ⇎ L
Y ⇔ L	Y ⇔ L	Y ⇎ L	Y ⇎ L

① ⊙은 직접세가 여가에 미치는 효과를 고려하지 않고 ㉰가 ㉯보다 효율적이라고 본다.
② ⓒ은 ㉮와 ㉰의 효율성 차이를 보임으로써 립시와 랭커스터의 주장을 뒷받침한다.
③ ⓒ은 ㉯와 ㉰의 효율성을 비교할 수 없다는 점을 보임으로써 ⊙을 비판한다.
④ ⓒ은 ㉱가 ㉰보다 효율적일 수 있다는 것을 보임으로써 립시와 랭커스터의 주장을 뒷받침한다.
⑤ ⓒ은 ㉱가 ㉰보다 효율적일 수 있다는 것을 보임으로써 이를 간접세가 직접세보다 효율적인 사례로 제시한다.

[7~10] 다음 글을 읽고 물음에 답하시오.

예술사를 양식의 특수하고 자족적인 역사가 아니라 거시적 차원의 보편적 정신사 및 그 발전 법칙에 의거한다고 본 점에서 헤겔의 예술론은 구체적 작품들에 대한 풍부하고 수준 높은 진술을 포함하고 있음에도 전형적인 철학적 미학에 속한다. 그는 예술사를 '상징적', '고전적', '낭만적'이라고 불리는 세 단계로 구분한다. 유의할 것은 이 단어들이 특정 예술 유파를 일컫는 일반적 용법과는 사뭇 다르게 사용된다는 점이다. 즉 이 세 용어는 지역 개념을 수반하는 문명사적 개념으로서 일차적으로는 태고의 오리엔트, 고대 그리스, 중세부터의 유럽에 각각 대응하며, 좀 더 심층적인 차원에서는 '자연 종교', '예술 종교', '계시 종교'라는 종교의 유형적 단계에 각각 대응한다. 나아가 이러한 대응 관계의 단계적 설정은 신이라는 '내용'과 그것의 외적 구현인 '형식'의 일치 정도에 의거하며, 가장 근본적으로는 순수한 개념적 사유를 향해 점증적으로 발전하는 지성 일반의 발전 법칙에 의거한다. 게다가 이 세 범주는 장르들에도 적용되어, 첫째 건축, 둘째 조각, 셋째 회화·음악·시문학이 차례로 각 단계에 대응한다. 장르론과 결합된 예술사론을 통해 헤겔은 역사의 특정 단계에 여러 장르가 공존하는 것을 인정하면서도 각 단계에 대응하는 전형적 장르는 특정 장르로 한정한다.

'상징적' 단계는 인간 정신이 아직 절대자를 어떤 구체적 실체로서 의식하지 못한 채, 절대적인 '무엇'을 향한 막연한 욕구만 지닐 뿐인 상태를 가리킨다. 오리엔트 자연 종교로 대표되는 이 단계에는 '신적인 것의 구체적 상을 찾아 헤맴'만 있을 뿐이다. 감관을 압도하는 거대 구조물이 건립되지만 그것은 그저 신을 위한 공간의 구실만 하지, 정작 신이 놓일 자리에는 신의 특정한 덕목(예컨대 '강함')을 어렴풋이 표현할 수 있는 자연물(예컨대 사자)의 형상이 대신 놓인다. 미약한 내용을 거대한 형식이 압도함으로써 미의 실현에는 아직 미치지 못한 이 단계의 전형적 장르는 신전으로 대표되는 건축이다.

'고전적' 단계에서는 내용과 형식의 이러한 불일치가 극복된다. 고대 그리스 인들은 신들을 근본적으로 인간적 특질을 지닌 존재로 분명하게 의식했기 때문에, 이제 절대자는 어떤 생소한 자연물이 아니라 삼차원적 인체가 그대로 형상화되는 방식으로 제시되며, 이 단계를 대표하는 장르는 조각이다. 내용과 형식의 완전한 일치를 이룸으로써 그리스의 조각은 더 이상 재연될 수 없는 미의 극치로 평가된다. 나아가 예술 그 자체가 신성의 직접적 구현이기 때문에 이 단계의 예술은 그 자체가 이미 종교이며, 이에 따라 예술 종교라고 불린다.

그런데 인간의 지성은 이러한 미적 정점에 안주하지 않는다. 즉 지성은 절대자를 인간의 신체를 지닌 것으로 믿는 단계를 넘어 순수한 정신적 실체로 여기는 계시 종교로 나아가는데, 이로써 정신적 내면성이 감각적 외면성을 압도하는 '낭만적' 단계가 도래한다. 그리고 조각의 삼차원성을 탈피한 회화를 시작으로 음악과 시문학이 차례로 대표적 장르가 됨으로써, 예술 또한 감각적 요소가 아닌 정신적 요소에 의거하는 방향으로 발전한다. 이 때문에 내용과 형식의 부조화가 다시 일어나지만, 그럼에도 이 단계는 상징적 단계와는 질적으로 다르다. 상징적 단계에서는 제대로 된 정신적 내용이 아직 형성조차 되지 않았지만, 낭만적 단계에서는 감각적 형식으로는 담을 수 없을 정도의 고차적 내용이 지배하기 때문이다. 나아가 이 단계는 새로운 더 높은 단계가 존재하지 않는, 정신과 역사의 최종 지점이기 때문에, 이후에 벌어지는 국면들은 모두 '낭만적'이라고 불릴 수 있다.

주목할 것은 헤겔이 순수 미학적 차원에서는 출발-완성-하강의 순서로 진행되는 이행 모델을, 그리고 근본적인 정신사적 차원에서는 출발-상승-완성의 순서로 진행되는 이행 모델을 따른다는 점이다. 즉 세 단계의 순서적 배열은 전자의 차원에서는 예술미의 정점이 두 번째 단계에서 이루어지도록, 그리고 후자의 차원에서는 지성의 정점이 세 번째 단계에서 이루어지도록 구성된다. 나아가 일견 불일치를 보일 법한 이 두 모델을 절묘하게 조화시킨 그의 이론은 이중적 기능을 수행한다. 즉 정신사적 차원에서의 정점이 예술미의 차원에서는 오히려 퇴보를 의미하도록 구성된 이 이론은 한편으로는 '추(醜)'도 새로운 미적 가치로 인정되기 시작한 당시의 상황은 물론, '개념적'이라고까지 일컬어질 만큼 예술의 지성화가 진행된 오늘날의 상황까지 예견하여 설명할 수 있는 포섭력을 가지며, 다른 한편으로는 절대자의 제시라는 과제를 예술이 수행할 수 있는 가능성을 고대 그리스로 한정하고 철학이라는 최고의 지적 영역에 그 과제를 이관시키는, 곧 '예술의 종언' 명제라 불리는 미학적 결론에 이른다.

7. 윗글에 제시된 헤겔의 입장에 부합하는 것은?
① 예술은 내용과 형식의 합일이라는 구체적 방식으로 구현되므로, 작품의 해석에서 가장 중요한 것은 일반 개념에 앞선 개별 작품의 파악이다.
② 예술의 단계적 변천은 인간 정신의 보편적 발전에 의해 추동되므로, 작품들의 미적 수준의 차이는 그것들의 장르적 상이성과 무관하다.
③ 문명의 모든 단계적 이행은 인간 정신의 발전 논리에 따라 이루어지므로, 예술의 역사는 다른 영역의 역사와 연계되어 기술되어야 한다.
④ 예술은 인간 정신의 심층적 차원을 표출한 것이므로, 예술미의 성취 여부는 형식이 아니라 내용에 의해 판단되어야 한다.
⑤ 예술 양식 변화의 근원은 인간 내면의 보편적인 정신적 욕구에 있으므로, 모든 시대의 작품들은 동등한 가치를 지닌다.

8. 윗글에 따라 각 시대의 장르를 설명한 것으로 적절하지 않은 것은?
① 태고 오리엔트의 조각은 상징적 단계의 전형적인 예술이 아니다.
② 고대 그리스의 서사시는 고전적 단계의 전형적인 예술이 아니다.
③ 중세의 기독교 회화는 낭만적 단계의 전형적인 예술이 아니다.
④ 근대의 고전주의 음악은 낭만적 단계의 전형적인 예술이다.
⑤ 현대의 건축은 낭만적 단계의 전형적인 예술이 아니다.

9. 윗글을 바탕으로 추론할 수 있는 것으로 적절한 것은?

① 가장 앞 단계의 예술이 가장 아름다운 예술이다.
② 가장 뒷단계의 예술이 가장 아름다운 예술이다.
③ 가장 아름다우면서도 가장 지성적인 예술은 없다.
④ 가장 비지성적인 예술이 가장 아름다운 예술이다.
⑤ 가장 추한 예술이 오히려 가장 아름다운 예술이다.

10. 윗글에 나타난 헤겔의 예술론을 평가한 것으로 가장 적절한 것은?

① 개념에 주로 의존하는 전형적인 철학적 미학이기 때문에 논증적 수준은 높지만 실질적 사례를 언급한 경우는 많지 않다.
② 당대까지의 예술 현상에 대한 제한된 경험에 기초하기 때문에 이후 시대의 예술적 상황에 대해서는 설명력을 결여하고 있다.
③ 정신사적 차원에서의 설명과 종교사적 차원에서의 설명을 분리함으로써 양자 간에 발생한 결론상의 모순을 해결하지 못하였다.
④ 예술사의 시대 구분과 각 예술 장르에 대한 설명이 서로 무관한 논리와 개념에 의거하기 때문에 이론의 전체적 정합성이 떨어진다.
⑤ 당대 유럽 이외의 문화를 상대적으로 미성숙한 지성적 단계에 위치시킴으로써 이론적으로 근대 서구의 자기 우월적 태도를 드러내고 있다.

[11~13] 다음 글을 읽고 물음에 답하시오.

남극 대륙에는 모두 녹을 경우 해수면을 57미터 높일 정도의 얼음이 쌓여 있다. 그 중에서 빙붕(iceshelf)이란 육지를 수 킬로미터 두께로 덮고 있는 얼음 덩어리인 빙상(icesheet)이 중력에 의해 해안으로 밀려 내려가다가 육지에 걸친 채로 바다 위에 떠 있는 부분을 말한다. 남극 대륙에서 해안선의 약 75%가 빙붕으로 덮여 있는데, 그 두께는 100~1,000미터이다. 시간에 따른 빙붕 질량의 변화는 지구 온난화와 관련하여 기후학적으로 매우 중요한 요소이다. 빙붕에서 얼음의 양이 줄어드는 요인으로서 빙산으로 조각나 떨어져 나오는 얼음의 양은 비교적 잘 측정되고 있지만, 빙붕 바닥에서 따뜻한 해수의 영향으로 얼음이 얼마나 녹아 없어지는가는 그동안 잘 알려지지 않았다. 빙붕 아래쪽은 접근하기가 어려워 현장 조사가 제한적이기 때문이다. 더구나 최근에는 남극 대륙 주변의 바람의 방향이 바뀌면서 더 따뜻한 해수가 빙붕 아래로 들어오고 있어서 이에 대한 정확한 측정이 요구된다. 빙붕 바닥에서 얼음이 녹는 양은 해수면 상승에 영향을 미치기 때문이다.

육지에서 흘러내려와 빙붕이 되는 얼음의 질량(A)과 빙붕 위로 쌓이는 눈의 질량(B)은 빙붕의 얼음을 증가시키는 요인이 된다. 반면에 빙산으로 부서져 소멸되는 질량(C)과 빙붕의 바닥에서 녹는 질량(D)은 빙붕의 얼음을 감소시킨다. 이 네 가지 요인으로 인하여 빙붕 전체 질량의 변화량(E)이 결정된다. 남극 빙붕에서 생성되고 소멸되는 얼음의 질량에 대한 정확한 측정은 인공위성 관측 자료가 풍부해진 최근에야 가능하게 되었다.

A는 빙붕과 육지가 만나는 경계선에서 얼음의 유속과 두께를 측정하여 계산한다. 얼음의 유속은 일정한 시간 간격을 두고 인공위성 레이더로 촬영된 두 영상 자료의 차이를 이용하여 수 센티미터의 움직임까지 정확하게 구할 수 있다. 얼음의 두께는 먼저 인공위성 고도계를 통해 물 위에 떠 있는 얼음의 높이를 구하고, 해수와 얼음의 밀도 차에 따른 부력을 고려하여 계산한다. B는 빙붕 표면에서 시추하여 얻은 얼음 코어와 기후 예측 모델을 통해 구할 수 있는데, 그 정확도는 비교적 높다. C는 떨어져 나오는 빙산의 면적과 두께를 이용하여 측정할 수도 있으나, 빙산의 움직임이 빠를 경우 그 위치를 추적하기 어렵고 해수의 작용으로 빙산이 빠르게 녹기 때문에 이 방법으로는 정확한 측정이 쉽지 않다. 따라서 보다 정밀한 측정을 위해 빙붕의 끝자락에서 육지쪽으로 수 킬로미터 상부에 위치한 임의의 기준선에서 측정된 얼음의 유속과 두께를 통해 구하는 방식으로 장기적으로 신뢰할 만한 값을 구한다. E는 빙붕의 면적과 두께를 통해 구하며, 이 모든 요소를 고려하여 D를 계산한다.

연구 결과, 남극 대륙 전체의 빙붕들에서 1년 동안의 A는 2조 490억 톤, B는 4,440억 톤, C는 1조 3,210억 톤, D는 1조 4,540억 톤이며, E는 −2,820억 톤인 것으로 나타났다. 남극 대륙 빙붕의 질량 감소 요인 중에서 D가 차지하는 비율인 R 값을 살펴보면, 남극 대륙 전체의 평균은 52%이지만, 지역에 따라 10%에서 90%에 이르는 극명한 차이를 보인다. 남극 대륙 전체 해역을 경도에 따라 4등분할 때, 서남극에 위치한 파인 아일랜드 빙붕과 크로슨 빙붕 같은 소형 빙붕들에서 R 값의 평균은 74%를 보였고, 그 외 지역에서는 40% 내외였다. 특히 남극에서 빙산의 3분의 1을 생산해 내는 가장 큰 빙붕으로 북남극과 서남극에 걸친 필크너-론 빙붕, 남남극의 로스 빙붕에서 R 값은 17%밖에 되지 않았다.

남극 전체 빙붕의 91%의 면적을 차지하는 상위 10개의 대형 빙붕에서는 남극 전체 D 값 중 50% 정도밖에 발생하지 않으며, 나머지는 9% 면적을 차지하는 소형 빙붕들에서 발생한다. 이는 소형 빙붕들이 상대적으로 수온이 높은 서남극 해역에 많이 분포하고 있기 때문이다. 따라서 대형 빙붕들 위주로 조사한 데이터를 면적 비율에 따라 남극 전체에 확대 적용해 온 기존의 연구 결과에는 남극 전체의 D 값이 실제와 큰 ㉠오차가 있었을 것이다.

빙붕의 단위 면적당 D 값인 S 값을 살펴보면, 남극 전체에서 1년에 약 0.81미터 두께의 빙붕 바닥이 녹아서 없어지는 것으로 나타났으며, 지역적으로는 0.07~15.96미터로 편차가 컸다. 특히 서남극의 소형 빙붕에서는 매우 큰 값을 보여 주었으나, 다른 지역의 대형 빙붕은 작은 값을 보였다. 이는 빙붕 바닥에서 육지와 맞닿은 곳 근처에서는 얼음이 녹고, 육지에서 멀리 떨어진 곳에서는 해수의 결빙이 이루어지기 때문이다.

11. A~E를 구하는 과정에 대한 설명으로 옳지 않은 것은?
① A는 수면 위의 빙붕의 높이에 관한 정보를 활용하여 구한다.
② B는 빙붕에서 직접 채취한 시료를 이용하여 추정한 값으로 구한다.
③ C는 떨어져 나온 빙산 양을 추적하는 방식으로는 정확하게 구하기 쉽지 않다.
④ D는 해수의 온도와 해수 속에서 녹는 얼음의 양을 직접 측정하여 구한다.
⑤ E는 빙붕의 두께 변화에 대한 정보를 얻어야 측정할 수 있다.

12. ㉠과 관련하여 추론한 것으로 적절하지 않은 것은?
① 남극 전체의 S 값이 실제 값보다 작게 파악되는 결과를 초래했다.
② 남극 전체의 R 값이 실제 값보다 작게 파악되는 결과를 초래했다.
③ 파인 아일랜드 빙붕의 R 값이 실제 값보다 작게 파악된 것과 같은 이유 때문에 발생했다.
④ 크로슨 빙붕의 S 값이 실제 값보다 작게 파악된 것과 같은 이유 때문에 발생했다.
⑤ 로스 빙붕의 R 값이 실제 값보다 작게 파악된 것과 같은 이유 때문에 발생했다.

13. 윗글을 바탕으로 <보기>에 대해 논의한 것으로 옳은 것은?

<보 기>
최근의 한 연구에서 서남극에서 녹는 얼음이 몇 세기에 걸쳐 멈출 수 없는 해수면 상승을 일으킬 가능성이 높은 것으로 나타났다. 이 지역에는 모두 녹으면 해수면을 5미터 상승시킬 얼음이 분포한다. 이곳에 위치한 아문센 해는 해저 지형이 해수가 진입하기 좋게 형성되어 있어서 해수가 빙붕을 녹이는 데 용이한 조건을 구비하고 있다. 더구나 이곳에는 빙붕의 진행을 막아 줄 섬도 없어 미끄러져 내려오는 빙상을 저지하지 못하기 때문에 해수에 녹아 들어가는 빙붕의 양은 계속 많아질 전망이다.

① 아문센 해 인근의 해안에는 대형 빙붕들이 많이 분포할 것이다.
② 아문센 해에서는 빙붕의 두께가 줄어드는 속도가 남극 대륙의 평균 값보다 클 것이다.
③ 아문센 해 인근의 빙붕의 바닥이 빠르게 녹으면서 인접한 빙상이 수년 내에 고갈될 것이다.
④ 서남극의 얼음 총량이 다른 남극 지역보다 더 많기 때문에 해수면 상승 효과가 더 클 것이다.
⑤ 서남극에서 빙상의 이동 속도가 증가하는 것은 떨어져 나가는 빙산의 양을 통해 알 수 있을 것이다.

[14~16] 다음 글을 읽고 물음에 답하시오.

우리는 정치 과정에서 정치 세력이 충돌하는 교착 상태를 종종 보게 된다. 교착이란 행정부(집행부)와 의회가 각각 정책 변화를 원함에도 불구하고 ㉠양자의 선호가 일치하지 않는 상태로 인해 입법에 실패하여 기존 정책이 그대로 유지되기까지의 정치 과정을 가리킨다. 교착이 일어나는 주요 원인으로는 통치형태의 주요 특징이 지적되었다.

대통령제에서 대통령과 의회가 따로 선출되고 고정된 임기 안에 서로 불신임의 대상이 되지 않는다는 점과 대통령이 내각 운영에서 전권을 발휘한다는 점은 대통령과 의회 간의 마찰을 유발하는 조건이 된다. 특히 법안발의권 등 대통령의 입법 권한이 강할수록 대통령이 의회와 마찰할 가능성이 커진다. 교착은 단점정부보다는 분점정부일 때, 즉 대통령의 소속 당이 의회에서 과반 의석을 얻지 못했을 때 많이 발생한다.

한편 의회 다수당이 내각을 구성하며 의회가 내각에 대한 불신임권을 가지는 내각제에서는 교착의 발생이 훨씬 줄어든다. 가령 다수당이 과반 의석을 얻지 못해도, 다른 소수당과 연립정부를 구성하여 의회의 과반을 형성하거나, 총리와 내각이 의회 다수파에 의해 교체되거나, 총리가 의회를 해산하고 조기 총선을 치러 새 내각을 구성한다면 교착을 피할 수 있다. 내각제가 제대로 작동하기 위해서는 연립정부 구성과 해체 등의 과정에서 대체로 정당 기율이 강할 것이 요구된다.

대통령제에서의 교착을 해소하기 위해 제도적 변형을 시도한 것으로 프랑스의 이원집정부제가 있다. 이원집정부제는 고정된 임기의 대통령을 직접 선거로 선출한다는 점에서 대통령제와 같지만, 대통령의 소속 당이 의회의 과반을 갖지 못하면 대통령은 의회에서 선출된 야당 대표를 총리로 임명하고 총리가 정국 운영을 주도한다는 점이 다르다. 동거정부라 불리는 이 경우에 정부는 내각제처럼 운영된다. 단, 대통령과 총리 사이의 권한을 둘러싼 분쟁으로 교착이 발생하기도 한다. 반대로 단점정부의 경우에는 대통령제와 유사하게 운영된다. 의회는 원내 양당제를 유도하는 결선투표제로 구성된다.

대통령제에서 정당 체계와 선거 제도는 교착에 영향을 준다. 정당 체계에서 비례대표제는 다당제를 유도하는데, 다당제는 의회 다수파 형성을 어렵게 한다. 양원제에서는 상원 다수당과 하원 다수당 중 하나가 대통령의 소속 당과 다를 때 분점정부가 나타난다. 정당의 기율을 강하게 하는 제도적 장치가 있거나 정당이 이념적으로 양극화될 때도 분점정부 상황에서는 대통령이 의회 과반의 지지를 확보하기 어려울 수 있다. 한편 의회와 대통령 선거를 동시에 실시하는 경우, 대통령 당선 유력 후보의 후광효과가 일어나 분점정부의 발생 가능성을 낮추는 효과가 생긴다. 아울러 분점정부라도 야당이 대통령의 거부권을 막을 수 있는 의석수를 확보하고 있다면 교착이 발생하지 않을 수 있다.

다양한 의회제도 또한 교착에 영향을 미친다. 의사진행을 촉진하는 의장의 권한이 강하다면, 분점정부 상황에서는 대통령의 거부권 행사 가능성으로 인해 교착이 발생할 수 있다. 그리고 교섭단체 제도처럼 원내 다수당과 소수당 간의 합의를 강조하는 제도가 있으면 심지어 단점정부 상황이라고 해도 교착이 생길 수 있다. 이는 다수당이 강행하려는 의제를 소수당이 지연시킬 수 있기 때문이다. 또 소수당이 입법 지연을 목적으로 활용하는 필리버스터(의사진행 방해 발언)도 교착을 발생시킬 수 있다. 필리버스터의 종결에 요구되는 의결정족수까지 높게 규정되어 있으면, 교착은 잘 해소되지 않는다. 그밖에 사회적 합의가 어려운 쟁점이 법안으로 다루어질 경우도 교착이 일어날 확률이 높다.

대통령제 아래 분점정부 상황의 교착을 완화하는 제도적 방안으로는 남미 국가들의 경험처럼 연립정부를 구성하는 것도 있다. 대통령제를 내각제처럼 운영하려는 이 대안은 소수파 대통령이 야당들과의 협상을 통해 공동 내각을 구성하여 의회 과반의 지지를 확보할 수 있다는 점에 착안한 것이다. 이 경우 정당의 기율이 강하다면 협상 과정에서 이탈자를 줄일 수 있으며, 대통령의 강한 권한도 연립정부의 유지에 긍정적 역할을 할 수 있다. 이 과정에서 비례대표제를 의회선거에, 결선투표제를 대통령선거에 각각 적용해 동시에 선거를 치르면, 연립정부 구성이 쉬워진다는 연구 결과도 있다. 두 선거를 같은 시기에 치르면 정당 난립을 억제하는 효과가 있고, 대통령선거가 결선투표로 갈 때 일차 선거와 결선투표 시기 사이에 연립내각을 구성하기 위한 정당 간 협상이 활발하게 일어날 수 있기 때문이다.

한편 교착 완화를 위해 미국처럼 대통령이 야당 의원들을 설득하여 법안마다 과반의 지지를 확보하는 방안도 있다. 이는 정당의 기율이 약하고 의회선거 제도가 단순다수 소선거구제일 때 주로 적용된다. 이런 경우에는 의회가 양당제로 구성되고 의원들의 정치적 자율성이 높으므로 대통령이 의원들을 설득하기 쉬워진다. 특히 대통령의 입법 권한이 약하기 때문에 대통령은 의회에 로비할 필요성을 더 느끼게 된다. 이 방법들은 대통령이 의회에서 새로운 과반의 지지를 얻는 데 목적이 있다.

14. ㉠을 해결하기 위한 시도로 적절하지 <u>않은</u> 것은?

① 대통령제에서 대통령이 의회 다수당과 연립정부를 구성하려는 경우
② 대통령제에서 대통령이 의회 과반의 지지를 얻으려고 의회에 로비를 하려는 경우
③ 내각제에서 총리가 소수당과 연립정부를 구성하려는 경우
④ 내각제에서 총리가 조기 총선을 요구해 새로운 내각을 구성하려는 경우
⑤ 이원집정부제에서 동거정부일 때 대통령이 정국을 주도하려는 경우

15. 윗글에 따라 대통령제에서 정치 환경의 변화를 추론한 것으로 적절한 것은?

① 다수당이지만 필리버스터를 종결할 만큼 의석을 차지하지 못한 야당에 소속된 의장이 갈등 법안을 본회의에 직권상정하면, 교착이 완화될 것이다.
② 비례대표제를 채택한 의회선거를 대통령선거와 동시에 치르면, 시기를 달리해 두 선거를 치를 때보다 분점정부가 발생할 확률이 낮아질 것이다.
③ 양원제 의회를 모두 비례대표제로 구성하면, 단순다수 소선거구제로 구성할 때보다 분점정부가 발생할 확률이 낮아질 것이다.
④ 야당이 대통령의 거부권 행사를 무력화할 만큼의 의석을 가진다면, 교착이 악화될 것이다.
⑤ 양극화된 정당 체계에서 교섭단체 간의 합의 요건을 강화하면, 교착이 완화될 것이다.

16. 윗글을 바탕으로 <보기>에 대해 추론한 것으로 적절한 것은?

―――――<보 기>―――――

행정부와 의회 간의 빈번한 교착으로 정치 불안이 심각한 상태인 A국의 정치학자 K가 ㉮~㉰의 제도를 설계하여 제안했다. 현재 대통령제 국가인 A국은 양당제로 분점정부 상태이다. 대통령은 법안발의권 등 강한 권한을 지니고 있다. 대통령은 결선투표제로 선출된다. 의회는 단순다수 소선거구제로 구성된다. 정당의 기율은 강하다.

	대통령의 입법 권한	의회선거 제도	정당 기율 관련 법제
㉮	축소	결선투표제로 변경	유지
㉯	유지	비례투표제로 변경	유지
㉰	축소	유지	약화

① K는 ㉮를 설계하면서 미국식 대통령제를 염두에 두었을 것이다.
② K는 ㉮를 설계하면서 프랑스식 이원집정부제를 염두에 두었을 것이다.
③ K는 ㉯를 설계하면서 미국식 대통령제를 염두에 두었을 것이다.
④ K는 ㉰를 설계하면서 남미식 대통령제를 염두에 두었을 것이다.
⑤ K는 ㉰를 설계하면서 프랑스식 이원집정부제를 염두에 두었을 것이다.

[17~20] 다음 글을 읽고 물음에 답하시오.

김소월은 낭만적인 슬픔을 소박하고 서정적인 시구로 가장 아름답게 노래한 시인이다. 그러나 김소월의 슬픔은 「불놀이」의 슬픔과 그 역학을 달리한다. 주요한의 「불놀이」에는 슬픔에 섞여 생(生)의 잠재적 가능성에 대한 갈망이 강력하게 표현되었다가 곧 사라지고 만다. 이러한 주요한의 슬픔이 실현되지 아니한 가능성의 슬픔이라면, 소월의 슬픔은 차단되어 버린 가능성을 깨닫는 데서 오는 슬픔이다. 그는 쓰고 있다.

　　살았대나 죽었대나 같은 말을 가지고 사람은 살아서 늙어서야 죽나니, 그러면
　　그 역시 그럴 듯도 한 일을, 하필코 내 몸이라 그 무엇이 어째서 오늘도 산마루에 올라서서 우느냐.

김소월에게서 우리는 생에 대한 깊은 허무주의를 발견한다. 이 허무주의는 소월이 보다 큰 시적 발전을 이루는 데 커다란 장애물이 된다. 허무주의는 그로 하여금 보다 넓은 데로 향하는 생의 에너지를 상실하게 하고, 그의 시로 하여금 한낱 자기 탐닉의 도구로 떨어지게 한다. 소월의 슬픔은 말하자면 자족적인 것이다. 그것은 그것 자체의 해결이 된다. 슬픔의 표현은 그대로 슬픔으로부터의 해방이 되는 것이다.

시에서의 부정적인 감정의 표현은 대개 이러한 일면을 갖는다. 문제는 그것의 정도와 근본적인 지향에 있다. 그것은 자기 연민의 감미로움과 체념의 평화로써 우리를 위로해 준다. 그렇다고 해서 모든 시가 멜로드라마의 대단원처럼 분명한 긍정을 제시해야 한다는 말은 아니다. 우리는 소월의 경우보다 더 깊이 생의 어둠 속으로 내려간 인간들을 안다. 휠덜린이나 릴케의 경우가 그렇다. 이들에게 있어서 고통은 깊은 절망이 된 다음 난폭하게 다시 세상으로 튕겨져 나온다. 그리하여 절망은 절망을 만들어내는 세계에 대한 맹렬한 반항이 된다. 이들이 밝음을 긍정했다면, 어둠을 거부하는 또는 어둠을 들추어내는 행위 그 이상의 것으로서 긍정한 것은 아니다. 앞에서 말한 바와 같이 소월의 부정적 감정주의의 잘못은 그것이 부정적이라는 사실보다 밖으로 향하는 에너지를 가지고 있지 않다는 데에 있다.

안으로 꼬여든 감정주의의 결과는 시적인 몽롱함이다. 밖에 있는 세계나 정신적인 실체의 세계는 분명한 현상으로 파악되지 아니한다. 모든 것은 감정의 안개 속에 흐릿한 모습을 띠게 된다. 앞에서 우리는 부정적인 감정주의가 밖으로 향하는 에너지를 마비시킨다는 사실을 언급하였는데, 이 밖으로 향하는 에너지란 '보려는' 에너지와 표리일체를 이룬다. 시에서 가장 중요한 것은 바르게 보는 것이며, 여기서 바르게 본다는 것은 가치의 질서 속에서 본다는 것이다. 그러니까 시는 거죽으로 그렇게 나타나지 않을 경우에 있어서도 인간에 대한 신념을 전제로 가지고 있다. 따라서 완전히 수동적인 허무주의가 시적 인식을 몽롱한 것이 되게 하는 것은 있을 수 있는 일인 것이다. 가령 랭보에게 있어서 어둠에로의 하강은 '보려는' 에너지와 불가분의 것이며, 이 에너지에 있어서 이미 수동적인 허무주의는 부정되어 있다고 할 수 있다.

소월의 경우를 좀 더 일반화하여 우리는 여기에서 ㉠한국 낭만주의의 매우 중요한 일면을 지적할 수 있다. 서구의 낭만 시인들이 감정으로 향해 갔을 때, 그들은 감정이 주는 위안을 찾고 있었다기보

다는(그런 면이 없지 않아 있었지만), 리얼리티를 인식하는 새로운 수단을 찾고 있었던 것이다. 다시 말하여 그들에게는 이성이 아니라 감정과 직관이 진실을 아는 데 보다 적절한 수단으로 느껴졌던 것이다. 그러니까 ⓒ서구 낭만주의의 가장 근원적인 충동의 하나는 영국의 영문학자 허버트 그리슨 경의 말을 빌면, 형이상학적 전율 이었다. 이 전율은 감정의 침례(浸禮)를, 보다 다양하고 새로운 가능성에 관한 직관으로 변용시킨다. 한국의 낭만주의가 결하고 있는 것은 이 전율, 곧 사물의 핵심에까지 꿰뚫어보고야 말겠다는 형이상학적 충동이었다. 이 결여가 성급한 허무주의와 불가분의 관계에 있다는 것은 위에서 말한 바 있다.

그러면 소월의 허무주의의 밑바닥에 있는 것은 무엇인가? 시인의 개인적인 기질이나 자전적인 사실이 거기에 관여되었음을 생각할 수도 있다. 그러나 그 원인이 된 것은 무엇보다도 한국인의 정신적 지평에 장기(瘴氣)*처럼 서려 있어 그 모든 활동을 힘없고 병든 것이게 한 일제 점령의 중압감이었을 것이다. 소월은 산다는 것이 무엇을 위한 것인가 하고 되풀이하여 묻는다. 그러나 이 물음은 진정한 물음이 되지 못한다. 그는 이 물음을 진정한 탐구의 충동으로 변화시키지 못한다. 그는 이미 산다는 것은 죽는다는 것과 같다는 답을, "잘 살며 못 살며 할 일이 아니라 죽지 못해 산다는 ……"(「어버이」) 답을 가지고 있다.

그러나 그는 또 한 번 물을 수가 있었을 것이다. 무엇이 "죽지 못해 사는" 인생의 원인인가 하고 앞에서도 말한 바와 같이 그에게는 '보려는' 에너지, '물어보는' 에너지가 결여되어 있다. 그는 너무나 수동적으로 허무주의적인 것이다. 그러나 질문의 포기는 이해할 만한 것이다. "죽지 못해 사는" 인생의 첫째 원인은 누구나 알면서 말로 표현할 수 없는 것이기 때문이다. 소월이 그의 절망의 배경에 있는 것을 분명하게 이야기할 수 있을 때, 그의 시는 조금 선명해진다. 「바라건대는 우리에게 우리의 보습 대일 땅이 있었더면」은 그의 절망에 정치적인 답변을 준 드문 시 가운데 하나이다.

* 장기 : 축축하고 더운 땅에서 생기는 독한 기운

17. 윗글에 나타난 김소월 시에 대한 설명으로 적절한 것은?

① 어둠에 대한 합리적 인식을 통하여 삶의 의미를 탐구하고 있다.
② 시대상황 때문에 어둠의 세계 바깥으로 나가는 것을 포기하고 있다.
③ 자기 연민과 체념의 감미로움을 부정하고 어둠 자체를 지향하고 있다.
④ 어둠의 세계에 대한 깊은 절망을 생의 에너지로 전환하여 표출하고 있다.
⑤ 생의 잠재적 가능성을 통해 밝음이 사라진 세계의 슬픔을 극복하고 있다.

18. ㉠과 ㉡의 관계에 대한 설명으로 적절한 것은?

① ㉠과 ㉡은 모두 내적인 고통과 절망에서 벗어나지 못하고 있다.
② ㉠이 ㉡처럼 성공하지 못한 것은 목표를 향한 조급한 열정 때문이다.
③ ㉡은 ㉠과 달리 선명한 시적 인식에 도달하고 있다.
④ ㉡은 ㉠과 마찬가지로 허무주의에서 벗어날 수 있는 가능성을 포기하고 있다.
⑤ ㉠은 밖으로 향하는 에너지를 가지고 있고, ㉡은 보려는 에너지를 가지고 있다.

19. 형이상학적 전율 에 대한 진술로 적절하지 않은 것은?

① 이상세계에 대한 뚜렷한 전망을 제시한다.
② 리얼리티에 대한 새로운 인식을 지향한다.
③ 자기 밖으로 향하는 의지가 전제되어야 한다.
④ 가능성의 세계에 대한 직관적 통찰을 가능하게 한다.
⑤ 가치와 의미에 대한 진정한 탐구의 충동을 바탕으로 한다.

20. 필자가 지향하는 바에 가장 가까운 시는?

① 시각적 이미지를 통해 일상을 명징하게 표현한 시
② 세계에 대해 인식하고 정치적으로 반항하는 시
③ 한(恨)을 통해 직접적으로 감정을 위로하는 시
④ 현실의 진면모를 파악하려는 열의를 담은 시
⑤ 집단적 슬픔으로써 개인적 슬픔을 초월한 시

[21~23] 다음 글을 읽고 물음에 답하시오.

삶은 언제나, 어디서나 계속된다. 아우슈비츠에서도 일상은 있었다. 수감자들은 적어도 어떻게 살고 죽을 것인지 선택할 수 있었으며, 그 선택의 폭은 상당히 다양했다. 그곳에서도 인간은 행위 주체였던 것이다. 그들은 극한 상황을 그들 나름의 방식으로 경험했고, 전유했으며, 행동에 옮겼다. 따라서 얼핏 모순적으로 보이는 '아우슈비츠의 일상'은 존재했으며, '아우슈비츠의 일상사(日常史)' 또한 가능하다. 대체로 역사 서술의 주 대상은 사회 전체나 개인을 움직이는 구조와 힘이지만, 일상사의 관심은 사람이 어떻게 행동하는지, 사람들 사이의 상호 작용이 어떤 역사적 구체(具體)를 생산하고 변형하는지에 맞추어져 있기 때문이다. 아우슈비츠에서 살아남은 프리모 레비는 '극한 상황 속의 일상', 즉 '비상한 일상'에 관심을 가졌다. 그는 공격당하며 무너지고 파멸로 치달아 가는 인간성을, 또 어떻게 인간성이 살아남고 소생할 수 있는지를 낱낱이 기록하고 분석하였다.

레비는 '회색 지대'라는 용어를 사용하였다. 가해자와 피해자라는 이분법적 구분으로는 '비상한 일상' 속의 삶의 양태를 제대로 묘사할 수 없었기 때문이다. 그에 따르면, 대부분의 사람들이 택한 삶의 방식은 포기와 순응이었다. 그들 중 살아남은 이는 극소수였다. 그는 이들을 '끊임없이 교체되면서도 늘 똑같은, 침묵 속에 행진하고 힘들게 노동하는 익명의 군중/비인간'이라고 묘사했다. 그러면 살아남은 사람들의 대다수는 누구인가? 먼저 친위대의 선택을 받아 권한을 얻어 '특권층'이 된 사람들이 있다. 이 '특권층'은 수감자 중 소수였지만, 가장 높은 생존율을 보여 주었다. 기본적으로 배급량이 턱없이 부족한 상황에서 살아남기 위해서는 음식이 더 필요했고, 이를 위해 크든 작든 '특권'을 얻어야 했다. 그리고 특권은 그 정의상 특권을 방어하고 보호한다. 예를 들어 막 도착한 '신참'을 기다리는 것은 동료의 위로가 아니라, '특권층'의 고함과 욕설, 그리고 주먹이었다. 그는 '신참'을 길들이려 하고, 자신은 잃었지만 상대는 아직 간직하고 있을 존엄의 불씨를 꺼뜨리고자 했다. 또 다른 방식으로 살아남은 사람들도 있다. '특권층'이 아니면서도 생존 본능에 의지한 채 '정글'에 적응했던 사람들이다. 체면과 양심을 돌보지 않은 그들의 삶은 만인에 맞선 단독자의 고통스럽고 힘든 투쟁을 함축했고, 따라서 도덕률에 대한 적지 않은 일탈과 타협이 있을 수밖에 없었다.

이처럼 '회색 지대'는 가해자와 희생자, 주인과 노예가 갈라지면서도 모이는 곳, 우리의 판단을 그 자체로 혼란하게 할 가능성이 농후한 곳이다. 그리하여 '회색 지대'는 이분법적 사고 경향에 문제를 제기한다. 어떤 의미에서는 모호성이 '회색 지대'의 본질이라고 할 수 있다. 이 모호성의 원천은 다양하다. 먼저 악과 무고함이 뒤섞여 있다. 수감자들은 기본적으로 무고하다. 하지만 그들은 어느 정도 자발적으로 다른 이에게 악을 행할 수 있다. '회색인'의 행위는 무고하면서 무고하지 않다는 역설은 여기서 성립한다. 물론 그가 행하는 악과 나치가 행하는 악은 분명 차원이 다르다. 또 다른 원천은 행위자의 동기에 있다. 예컨대 구역장은 '특권층'으로 일정한 권한을 가진다. 겉으로는 협력하면서도 실은 저항 운동에 참여하는 소수는 이 권한을 이용하기도 했다. 그러나 그들은 저항 조직을 위해 또 다른 무고한 사람을 희생시키기도 했다.

그렇다면 무엇이 '회색 지대'를 만들었는가? 첫째, 나치는 인력의 부족 때문에 피억압자의 도움을 받아야 했다. 그 협력자들은 한때 적이었으므로, 이들을 장악하는 최선의 길은 그들을 더럽혀 공모의 유대를 확립하는 것이다. 둘째, 억압이 거셀수록 그만큼 피억압자 사이에서 기꺼이 협력하려는 경향이 늘어난다는 것이다. 엄혹한 상황 속에서 사람들은 다양한 동기로 '회색인'이 된다. 그런데 '회색 지대'의 이런 모호성은 심각한 혼란과 곡해의 원천이 되기도 한다. 가해자와 희생자가 뒤바뀌고 또 뒤섞이는 상황을 보며, 누구에게도 책임의 소재를 묻기 어렵다고 강변할 수 있는 것이다. 하지만 레비가 우리에게 던지는 화두는 다른 것이다. 그는 인간과 인간성에 대한 끊임없는 성찰을 요구한다. 가해자인 나치는 악하며 피해자인 수감자는 무고하다는 단순한 이분법은 아우슈비츠의 기억을 그저 수동적인 것으로, 통념이 된 화석으로만 만들기 때문이다. 중요한 것은 확실한 답변을 얻기 어려운 문제들을 끊임없이 되묻고 통념을 토대에서부터 문제시하는 데 있다. '괴물'의 얼굴을 정면으로 마주 보고 얼굴을 돌리지 않을 때, 비로소 사람은 괴물이 되지 않기 때문이다.

21. 윗글의 내용과 부합하지 <u>않는</u> 것은?
① 아우슈비츠에서 '신참'에 대한 가혹 행위는 상황에 적응하게 하려는 위악적 행동이었다.
② 아우슈비츠 수감자 중 일부는 일정한 특권을 가지면서 동시에 저항 운동을 하였다.
③ 생환자 중 일부는 생존이라는 목적을 위해 비윤리적 행동을 하는 것도 감수하였다.
④ 생존 투쟁을 포기한 사람들은 침묵하는 익명의 군중이 되어 거의 다 사망하였다.
⑤ 아우슈비츠 수감자 중 일부는 무고한 자이면서 가해자이기도 하였다.

22. '회색 지대' 개념이 가지는 의의로 가장 적절한 것은?
① 통념에 의문을 제기하여 인간 존재와 본성에 대한 성찰을 유도한다.
② 억압자와 피억압자의 심리를 규명하여 책임의 소재를 분명하게 한다.
③ 피해자들 간에 공모의 유대가 있음을 드러내어 역사적 진실을 규명한다.
④ 역사적 구체들을 분석하고 정의하여 사회적 합의를 이끌어 내는 데 기여한다.
⑤ 이분법적 분류를 넘어서게 하여 적극적 협력자에 대한 능동적 단죄를 요청한다.

23. <보기>를 바탕으로 레비의 글에 대해 제기할 수 있는 비판으로 가장 적절한 것은?

<보 기>
- 레비의 글은 아우슈비츠 문제의 본질을 왜곡했다는 이유로 이탈리아의 여러 출판사에서 출판이 거부되었다.
- 레비의 글을 읽은 학생들에게서 가장 많이 나온 질문은 "당신은 독일인들을 용서했나요?"였다.
- 아우슈비츠 생존자 중 하나인 비젤은 레비의 글에 대해 "레비는 생존자들에게 너무 많은 죄의식을 강요하고 있다."라고 평했다.

① 수용소 단위에서의 가혹 행위에만 집중함으로써 역사를 거시적으로 보지 못하게 한다.
② 극한 상황에서의 일상에만 집중하게 함으로써 일상사가 갖는 본연의 의미를 왜곡한다.
③ 다층적 차원에서 수감자들에 대해 분석함으로써 그들에 대한 역사적 평가를 유보하게 한다.
④ 피해자들 내부의 관계에만 주목하게 하여 가해자와 피해자의 관계를 부차적 문제로 만든다.
⑤ 관리자와 수감자의 관계로만 접근하여 유태인에 대한 유럽의 민족 감정 문제를 외면하게 한다.

[24~26] 다음 글을 읽고 물음에 답하시오.

인격체는 인간이나 유인원과 같은 동물처럼 자기의식을 지닌 합리적 존재인데, 이들은 자율적 판단 능력을 가지고 있고 자신의 삶이 미래에도 지속될 것을 인식할 수 있다. 반면에 그러한 인격적 특성을 지니고 있지 않은 물고기와 같은 동물은 비인격체로서 자기의식이 없으며 단지 고통과 쾌락을 느낄 수 있는 감각적 능력만을 갖고 있다. 그렇다면 인격체를 죽이는 것이 비인격체를 죽이는 것보다 더 심각한 문제가 되는 이유는 무엇인가?

사람을 죽이는 행위를 나쁘다고 간주하는 이유들 중의 하나는 그것이 살해당하는 사람에게 고통을 주기 때문이다. 그런데 그 사람에게 전혀 고통을 주지 않고 그 사람을 죽이는 경우라고 해도 이를 나쁘다고 볼 수 있는 근거는 무엇인가? '고전적 공리주의'는 어떤 행위가 불러일으키는 쾌락과 고통의 양을 기준으로 그 행위에 대해 가치 평가를 내린다. 이 관점을 따를 경우에 그러한 살인은 그 사람에게 고통을 주지도 않고 고통과 쾌락을 느낄 주체 자체를 아예 없애기 때문에 이를 나쁘다고 볼 근거는 없다. 따라서 피살자가 겪게 되는 고통의 증가라는 '직접적 이유'를 내세워 그러한 형태의 살인을 비판하기는 어렵다. 고전적 공리주의의 관점에서는 피살자가 아니라 다른 사람들이 겪게 되는 고통의 증가라는 '간접적 이유'를 내세워 인격체에 대한 살생을 나쁘다고 비판할 수 있다. 살인 사건이 주변 사람들에게 알려지면 이를 알게 된 사람들은 비인격체와는 달리 자신도 언젠가 살해를 당할 수 있다는 불안과 공포를 느끼게 되고 이로 인해 고통이 증가하는 결과가 발생하므로 살인이 나쁘다는 것이다.

이에 비해 '선호 공리주의'는 인격체의 특성과 관련하여 그러한 살인을 나쁘다고 보는 직접적 이유를 제시한다. 이 관점은 어떤 행위에 의해 영향을 받는 선호들의 충족이나 좌절을 기준으로 그 행위에 대해 가치 평가를 내린다. 따라서 고통 없이 죽이는 경우라고 해도 계속 살기를 원하는 사람을 죽이는 것은 살려고 하는 선호를 좌절시켰다는 점에서 나쁜 것으로 볼 수 있다. 특히 인격체는 비인격체에 비해 대단히 미래 지향적이다. 그러므로 인격체를 죽이는 행위는 단지 하나의 선호를 좌절시키는 것이 아니라 그가 미래에 하려고 했던 여러 일들까지 좌절시키는 것이므로 비인격체를 죽이는 행위보다 더 나쁘다.

'자율성론'은 공리주의와는 다른 방식으로 이 문제에 접근하여 살인을 나쁘다고 비판하는 직접적 이유를 제시한다. 이 입장은 어떤 행위가 자율성을 침해하는지 그렇지 않은지를 기준으로 그 행위에 대해 가치 평가를 내린다. 인격체는 비인격체와는 달리 여러 가능성을 고려하면서 스스로 선택하고, 그 선택에 따라 행동하는 능력을 지닌 자율적 존재이며, 그러한 인격체의 자율성은 존중되어야 한다. 인격체는 삶과 죽음의 의미를 파악하여 그 중 하나를 스스로 선택할 수 있다. 이러한 선택은 가장 근본적인 선택인데, 죽지 않기를 선택한 사람을 죽이는 행위는 가장 심각한 자율성의 침해가 된다. 이와 관련하여 공리주의는 자율성의 존중 그 자체를 독립적인 가치나 근본적인 도덕 원칙으로 받아들이지는 않지만 자율성의 존중이 대체로 더 좋은 결과를 가져온다는 점에서 통상적으로 그것을 옹호할 가능성이 높다.

인격체의 살생과 관련된 이러한 논변들은 인간뿐만 아니라 유인원과 같은 동물에게도 적용되어야 한다. 다만 고전적 공리주의의 논변은 유인원과 같은 동물에게 적용하는 데 조금 어려움이 있을 수도 있다. 왜냐하면 인간에 비해 그런 동물은 멀리서 발생한 동료의 살생에 대해 알기 어렵기 때문이다. 여러 실험과 관찰을 통해 확인할 수 있듯이 침팬지와 같은 유인원은 자기의식을 지닌 합리적 존재로서 선호와 자율성을 지니고 있다. 따라서 이러한 인격적 특성을 지닌 존재를 단지 종이 다르다고 해서 차별적으로 대하는 것은 옳지 않으며, 그런 존재를 죽이는 것은 인간을 죽이는 것과 마찬가지로 나쁜 일이다. 인격체로서의 인간이 특별한 생명의 가치를 가진다면 인격체인 유인원과 같은 동물도 그러한 특별한 생명의 가치를 인정받아야 한다.

24. 윗글의 내용과 부합하지 않는 것은?

① 자율성의 존재 여부는 인간과 동물을 구분하는 중요한 기준이다.
② 모든 동물이 인간과 같은 정도의 미래 지향성을 갖는 것은 아니다.
③ 죽음과 관련하여 모든 동물의 생명이 같은 가치를 가지는 것은 아니다.
④ 자기 존재에 대한 의식은 인격체와 비인격체를 구분하는 중요한 기준이다.
⑤ 인격적 특성을 가진 동물의 생명은 인간의 생명과 비교하여 차별되어서는 안 된다.

25. 윗글에서 추론한 것으로 적절하지 않은 것은?

① 어떠한 선호도 가지지 않는 존재를 죽이는 행위가 다른 존재에게 아무런 영향도 주지 않는다면, 선호 공리주의는 그 행위를 나쁘다고 비판하기 어렵다.
② 아무도 모르게 고통을 주지 않고 살인을 하는 경우라면 고전적 공리주의는 '간접적 이유'를 근거로 이를 비판하기 어렵다.
③ 아무런 고통을 느낄 수 없는 존재를 죽이는 행위에 대해 고전적 공리주의는 '직접적 이유'를 근거로 비판하기 어렵다.
④ 인격체 살생에 대한 찬반 문제에서 공리주의와 자율성론은 상반되는 입장을 취할 가능성이 높다.
⑤ 자율성론에서는 불치병에 걸린 환자가 죽기를 원하는 경우에 안락사가 허용될 수 있다.

26. <보기>의 갑과 을의 행위에 대한 아래의 평가 중 적절한 것만을 있는 대로 고른 것은?

<보 기>

○ 갑은 미래에 대한 다양한 기대, 삶의 욕망 등을 갖고 행복하게 살던 고릴라를 약물을 사용하여 고통 없이 죽였다. 이 죽음은 다른 고릴라들에게 커다란 슬픔과 죽음의 공포를 주었으며, 그 이외의 영향은 없다.
○ 을은 눈앞에 있는 먹이를 먹으려는 욕구만을 지닌 채 별 어려움 없이 살아가던 물고기를 고통을 주는 도구를 사용하여 죽였으며, 그 죽음에 의해 영향을 받는 존재는 없다.

ㄱ. 고전적 공리주의는 갑의 행위는 나쁘지만 을의 행위는 나쁘지 않다고 본다.
ㄴ. 선호 공리주의는 갑의 행위가 을의 행위에 비해 더 나쁘다고 본다.
ㄷ. 자율성론은 갑의 행위와 을의 행위가 모두 나쁘다고 본다.

① ㄱ
② ㄴ
③ ㄱ, ㄴ
④ ㄱ, ㄷ
⑤ ㄴ, ㄷ

언어이해

[27~29] 다음 글을 읽고 물음에 답하시오.

컴퓨터의 CPU가 어떤 작업을 수행하는 것은 CPU의 '논리 상태'가 시간에 따라 바뀌는 것을 말한다. 가령, Z=X+Y의 연산을 수행하려면 CPU가 X와 Y에 어떤 값을 차례로 저장한 다음, 이것을 더하고 그 결과를 Z에 저장하는 각각의 기능을 순차적으로 진행해야 한다. CPU가 수행할 수 있는 기능은 특정한 CPU의 논리 상태와 일대일로 대응되어 있으며, 프로그램은 수행하고자 하는 작업의 진행에 맞도록 CPU의 논리 상태를 변경한다. 이를 위해 CPU는 현재 상태를 저장하고 이것에 따라 해당 기능을 수행할 수 있는 부가 회로도 갖추고 있다. 만약 CPU가 가지는 논리 상태의 개수가 많아지면 한 번에 처리할 수 있는 기능이 다양해진다. 따라서 처리할 데이터의 양이 같다면 이를 완료하는 데 걸리는 시간이 줄어든다.

논리 상태는 2진수로 표현되는데 논리 함수를 통해 다른 상태로 변환된다. 논리 소자가 연결된 조합 회로는 논리 함수의 기능을 가지는데, 조합 회로는 논리 연산은 가능하지만 논리 상태를 저장할 수는 없다. 어떤 논리 상태를 '저장'한다는 것은 2진수 정보의 시간적 유지를 의미하는데, 외부에서 입력이 유지되지 않더라도 입력된 정보를 논리 회로 속에 시간적으로 가둘 수 있어야 한다.

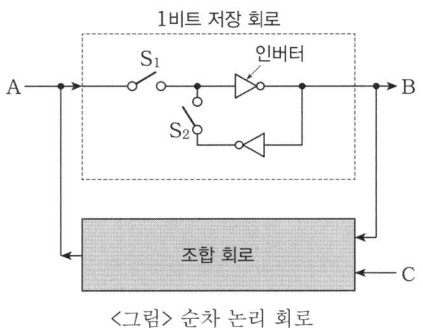

<그림> 순차 논리 회로

인버터는 입력이 0일 때 1을, 1일 때 0을 출력하는 논리 소자이다. <그림>의 점선 내부에 표시된 '1비트 저장 회로'를 생각해보자. 이 회로에서 스위치 S_1은 연결하고 스위치 S_2는 끊은 채로 A에 정보를 입력한다. 그런 다음 S_2를 연결하면 S_1을 끊더라도 S_2를 통하는 ㉠피드백 회로에 의해 A에 입력된 정보와 반대되는 값이 지속적으로 B에 출력된다. 따라서 이 회로는 0과 1중 1개의 논리 상태, 즉 1비트의 정보를 저장할 수 있다. 이러한 회로가 2개가 있다면 00, 01, 10, 11의 4가지 논리 상태, n개가 있다면 2^n가지의 논리 상태 중 1개를 저장할 수 있다.

그렇다면 논리 상태의 변화는 어떻게 일어날까? 이제 <그림>과 같이 1비트 저장 회로와 조합 회로로 구성되는 '순차 논리 회로'를 생각해보자. 이 회로에서 조합 회로는 외부 입력 C와 저장 회로의 출력 B를 다시 입력으로 되받아, 내장된 논리 함수를 통해 논리 상태를 변환하고, 이를 다시 저장 회로의 입력과 연결하는 ㉡피드백 회로를 구성한다. 예를 들어 조합 회로가 두 입력이 같을 때는 1을, 그렇지 않을 경우 0을 출력한다고 하자. 만일 B에서 1이 출력되고 있을 때 C에 1이 입력된다면 조합 회로는 1을 출력하게 된다. 이때 외부에서 어떤 신호를 주어 S_2가 열리자마자 S_1이 닫힌 다음 다시 S_2가 닫히고 S_1이 열리는 일련의 스위치 동작이 일어나도록 하면, 조합 회로의 출력은 저장 회로의 입력과 연결되어 있으므로 B에서 출력되는 값은 0으로 바뀐다. 그런 다음 C의 값을 0으로 바꾸어주면, 일련의 스위치 동작이 다시 일어나더라도 B의 값은 바뀌지 않는다. 하지만 C에 다시 1을 입력하고 일련의 스위치 동작이 일어나도록 하면 B의 출력은 1로 바뀐다. 따라서 C에 주는 입력에 의해 저장 회로가 출력하는 논리 상태를 임의로 바꿀 수 있다.

만일 이 회로에 2개의 1비트 저장 회로를 병렬로 두어 출력을 2비트로 확장하면 00~11의 4가지 논리 상태 중 1개를 출력할 수 있다. 조합 회로의 외부 입력도 2비트로 확장하면 조합 회로는 저장 회로의 현재 출력과 합친 4비트를 입력받게 된다. 이를 내장된 논리 함수에 의해 다시 2비트 출력을 만들어 저장 회로의 입력과 연결한다. 이와 같이 2비트로 확장된 순차 논리 회로에서 외부 입력을 주고 스위치 동작이 일어나도록 하면, 저장 회로의 출력은 2배로 늘어난 논리 상태 중 하나로 바뀐다.

이 회로에 일정한 시간 간격으로 외부 입력을 바꾸고 스위치 동작 신호를 주면, 주어지는 외부 입력에 따라 특정한 논리 상태가 순차적으로 출력에 나타나게 된다. ⓐ이런 회로가 N비트로 확장된 대표적인 사례가 CPU이며 스위치를 동작시키는 신호가 CPU 클록이다. 회로 외부에서 입력되는 정보는 컴퓨터 프로그램의 '명령 코드'가 된다. 명령 코드를 CPU의 외부 입력으로 주고 클록 신호를 주면 CPU의 현재 논리 상태는 특정 논리 상태로 바뀐다. 이때 출력에 연결된 회로가 바뀐 상태에 해당하는 기능을 수행하게 된다. CPU 클록은 CPU의 상태 변경 속도, 즉 CPU의 처리 속도를 결정한다.

27. 윗글의 내용과 일치하지 않는 것은?

① CPU가 수행할 수 있는 기능과 그에 해당하는 논리 상태는 정해져 있다.
② 인버터는 입력되는 2진수 논리 값과 반대되는 값을 출력하는 논리 소자이다.
③ 순차 논리 회로에서 저장 회로의 출력은 조합 회로의 출력 상태와 동일하다.
④ CPU는 프로그램 명령 코드에 의한 논리 상태 변경을 통해 작업을 수행한다.
⑤ 조합 회로는 2진수 입력에 대해 내부에 구현된 논리 함수의 결과를 출력한다.

28. ㉠과 ㉡에 대한 이해로 적절한 것은?

① ㉠은 조합 회로를 통해서, ㉡은 인버터를 통해서 피드백 기능이 구현된다.
② ㉠과 ㉡의 각 회로에서 피드백 기능을 위해 입력하는 정보의 개수는 같다.
③ ㉠과 ㉡은 모두 외부에서 입력되는 논리 상태를 그대로 저장하는 기능이 있다.
④ ㉠은 정보를 저장하기 위한 구조이며, ㉡은 논리 상태를 변경하기 위한 구조이다.
⑤ ㉠은 스위치 S_1이 연결될 때, ㉡은 스위치 S_2가 연결될 때 피드백 기능이 동작한다.

29. ⓐ에서 N을 증가시켰을 때의 변화를 이해한 것으로 적절하지 않은 것은?

① 프로그램에서 사용 가능한 명령 코드의 종류가 증가한다.
② 조합 회로가 출력하는 논리 상태의 가짓수가 증가한다.
③ CPU가 가질 수 있는 논리 상태의 가짓수가 증가한다.
④ CPU에서 진행되는 상태 변경의 속도가 증가한다.
⑤ 동일한 양의 데이터를 처리하는 속도가 증가한다.

[30~32] 다음 글을 읽고 물음에 답하시오.

경업(競業)금지약정은 계약의 일방 당사자가 상대방과 경쟁관계에 있는 영업을 하지 못하게 하는 내용의 약정을 말한다. 그 전형적인 예는 근로관계에서의 경업금지약정이다. 근로자가 퇴사 후 사용자와 경쟁관계인 업체에 취업하거나 스스로 경쟁업체를 설립, 운영하는 등의 경쟁행위를 하지 않기로 약정하는 것이다.

경업금지약정의 효력은 지속적으로 논란이 되어온 문제였다. 산업화 초기에는 봉건적인 경쟁제한을 철폐하고 영업의 자유 등 근대적인 경제적 자유를 확립하기 위해 경업금지약정을 일반적으로 무효로 보았다. 그러나 산업화가 본격적으로 진행되고 영업비밀과 같은 기업의 지식 재산 보호, 연구개발 촉진, 공정한 경쟁 등이 중요한 과제로 대두되면서 경업금지약정의 효력을 바라보는 관점도 변화하였다. 예를 들어 영업양도나 가맹계약(franchise)에서 경업금지의 필요성이 인정되었다. 영업의 가치를 이전하는 거래인 영업양도에서 양도인의 경업을 허용하는 것은 계약의 목적에 반할 수 있기 때문에, 심지어 당사자가 따로 약정을 하지 않아도 경업금지 의무가 있는 것으로 보게 되었다. 그리고 가맹계약에서도 권역별로 한 가맹점만 영업하는 내용의 경업금지약정이 필요한 것으로 인정되었다. 브랜드 내 경쟁을 제한함으로써 브랜드 간 경쟁을 촉진하고 가맹점주의 이익을 보호해야 했기 때문이다.

근로관계에 있어서도 경업금지약정의 효력이 인정되었다. 기업이 투자를 통해 확보한 영업비밀의 보호 등을 위해서는 근로자의 퇴사 후 일정 기간 경업을 금지할 필요가 있었던 것이다. 그러나 근로관계에서 경업금지약정이 직업선택의 자유 및 근로권을 제한하거나 자유로운 경쟁을 저해할 수 있다는 점도 꾸준히 지적되어 왔다. 나아가 첨단기술 분야에서는 경업금지약정의 효력을 제한하는 것이 오히려 노동의 자유로운 이동을 통해 지식의 생산과 혁신을 촉진하고 산업 발전과 소비자 이익에 기여할 수 있다는 주장도 활발히 제기되고 있다. 그리고 대부분의 국가에서 경업금지약정의 유효성을 판단할 때에는 경업금지의 합리적인 이유가 있어야 한다는 조건 외에 경업금지의 기간과 범위 등도 필요한 한도 내에 있어야 유효하다는 인식이 확산되었다.

우리나라의 판례도 직업선택의 자유와 근로권, 자유경쟁을 한쪽에, 영업비밀 등 정당한 기업이익을 다른 한쪽에 놓고 ⓐ양자를 저울질하여 경업금지약정의 유효성 여부를 판단하고 있다. 구체적으로는 경업금지약정의 유효성에 대해 판단할 때 보호할 가치가 있는 사용자의 이익, 근로자의 퇴직 전 지위, 경업 제한의 기간·지역·대상 직종, 근로자에 대한 보상조치의 유무, 근로자의 퇴직 경위, 공공의 이익 및 기타 사정 등을 종합적으로 고려한다.

그런데 근로자에 대한 보상조치가 경업금지약정에 반드시 포함되어야 그 약정이 유효한가에 대해서는 논란이 있다. 이와 관련해서는 두 견해가 있다. ㉠첫 번째 견해는 경업금지의 문제에서는 직업의 자유 등 근로자의 권리와 기업의 재산권이 충돌하는데, 이 두 권리가 조화될 수 있도록 하려면 대가 제공 같은 보상조치가 반드시 필요하다고 본다. 이 견해는 대가가 경업하지 않는 것에 대한 반대급부의 성격을 띤다고 간주하여, 대가액은 쌍무관계를 인정하는 정도의 균형을 고려하여 산정되어야 한다고 하였다.

반면에 ㉡두 번째 견해는 대가가 주어지지 않는다 하더라도 기간과 장소가 비합리적으로 과도하지 않은 이상, 근로자가 경업금지의 제한을 감수할 수도 있다고 본다. 자신의 희생에 대하여 어느 정도의 대가를 받는 것이 적절한지는 근로자 자신의 결정에 맡겨져 있으므로 경업금지약정의 내용이 객관적으로 균형을 갖추지 못했다는 이유만으로는 무효로 볼 수 없다는 것이다. 그러면서도 이 견해는 당사자 간의 교섭력 차이나 기타 자기 결정 능력의 제약이라는 요건도 함께 고려해야 비로소 경업금지약정을 무효로 볼 수 있다고 주장한다. 곧 경제적 약자의 지위에 있는 근로자는 사용자에 비해 교섭력에 차이가 있기 때문에 근로자의 자기 결정이 실제로는 진정 원했던 바가 아닐 가능성이 있고, 나아가 퇴직 이후에 효력이 발생할 경업금지약정에 관하여 계약 당시에는 신중하고도 합리적으로 판단하기가 쉽지 않다는 점들이 고려되어야 한다는 것이다.

30. 윗글의 내용에 부합하지 않는 것은?
① 계약의 내용에 따라 경업금지약정의 효력에 대한 해석이 달라질 수 있다.
② 경업을 합법적으로 제한하기 위해서는 계약당사자 간의 경업금지 약정이 있어야 한다.
③ 오늘날 경업금지약정은 지식 재산의 창출을 촉진하는 데 장애가 된다는 견해가 있다.
④ 경업금지약정의 효력은 기업의 정당한 이익을 보호할 필요성이 있다면 인정될 수 있다.
⑤ 산업화 초기에는 경제적 자유를 우선시함에 따라 경업금지약정의 효력을 인정하지 않았다.

31. ⓐ를 수행할 때, 경업금지약정의 효력에 부정적인 영향을 주는 경우로 가장 적절한 것은?
① 근로자가 회사의 일방적인 구조조정으로 인해 부득이하게 퇴직한 경우
② 경업금지의 기간이 경쟁 회사의 기술 개발에 소요되는 시간보다 짧게 설정된 경우
③ 근로자가 업무에 필요한 기술 정보를 습득하는 데에 회사가 많은 비용과 노력을 투입한 경우
④ 새로 취업한 경쟁 회사에서 근로자가 수행하게 된 업무가 퇴직 전에 근무하던 회사에서의 업무와 상당히 유사한 경우
⑤ 해당 분야에서 별다른 실적이 없던 경쟁 회사가 퇴직 근로자의 전직을 계기로 그 근로자가 근무했던 회사와 유사한 수준의 기술적 성과를 단기간에 이룬 경우

32. ㉠과 ㉡에 관련된 설명으로 옳지 않은 것은?
① ㉠은 계약 자유의 원칙에 따라 근로자와 회사가 체결한 경업금지약정은 존중되어야 한다고 본다.
② ㉠은 회사의 이익을 위해 퇴사 후 근로자의 취업을 제한하려면 회사는 그에 상응하는 대가를 제공해야 한다고 본다.
③ ㉡은 경업금지약정 체결에서 근로자의 자기 결정 능력이 제한되지 않으면 그 유효성이 인정될 가능성이 높아진다고 본다.
④ ㉡에 따르면, 경업금지약정이 체결된 시점이 퇴직 시인지 아니면 입사 시나 재직 중인지에 따라 그 효력 여부가 달라질 수 있다.
⑤ ㉡에 따르면, 근로자가 경업금지약정의 체결을 거부하였는데도 회사 측이 강하게 주장하여 체결하게 된 경우에는 경업금지약정의 효력이 부정될 수 있다.

[33~35] 다음 글을 읽고 물음에 답하시오.

근대적 의미의 고고학이 시작된 이래, 고고학자들은 수집과 발굴 조사를 거쳐 유물들을 분류하고, 유물들 사이의 시공간적 관계와 그 변화 과정을 추정하여, 이를 과거 인간의 행위와 관련지어 해석하려 했다. 이때, 유물 분류를 바라보는 시각은 크게 보아 '유형론'과 '개체군론'으로 나눌 수 있다.

초기 고고학 연구를 주도하며 기본적인 분류 체계를 세운 이들은 유형론자들이다. 이들은 분류를 위해 먼저 유물이 가지고 있는 인지 가능한 형태적 특질을 검토하여 그룹을 짓는다. '형식'이라는 용어로 개념화되는 본질적이고 형태적인 특징, 혹은 중심적 경향을 찾으면 이를 바탕으로 하나의 '유형'이 만들어진다. 이 작업은 특정한 하나의 형식을 공통적으로 가진 여러 유물 가운데, 원형이 되는 유물을 확인하고 이 유물을 이상적인 기준으로 삼아 다른 유물들과 비교하는 과정을 거쳐 이루어진다. 각각의 유형 안에는 개별 유물 간의 차이, 즉 '변이'가 있기 마련이지만 그것이 새 유형을 설정할 수 있을 정도로 본질적이라고 판단되지 않는 한, 유형론자들은 그것을 편차 정도로만 인식하여 설명할 가치가 없다고 본다. 그러므로 이들은 유물의 모든 변화를 한 유형에서 다른 유형으로 바꾸는 '변환'이라고 인식한다. 이러한 관점은 유형의 구분, 유형 사이의 경계 설정 및 순서 지음을 통해 시간적 연쇄나 뚜렷한 문화적·공간적 경계를 가진 집단을 구별할 수 있는 근거를 마련하는 데 결정적으로 기여하였다. 그렇지만 실제 관찰되는 개별 유물의 형태 변화는 연속적인 경우가 많다. 또한 유형론자들은 유형의 변화를 단속적이라고 파악하여 자체적이고 내부적인 진화의 과정에 대한 고려를 배제한 채, 외부로부터의 유입이나 새로운 발명 등의 요인으로만 설명하려고 하였다. 더구나 유형론적 접근 방식을 취할 경우 발굴 조사된 유물들 사이의 상사성과 상이성만을 단순 비교할 수밖에 없다는 단점도 있었다.

이러한 문제점들 때문에 고고학자들은 또 다른 시각에서 유물 분류를 시도하였다. 이것이 개체군론적 사고에 의한 방식이다. 개체군론자들은 유물의 본질적 특징이란 실재하는 것이 아니며, 중심적인 경향 또한 경험적 관찰의 결과일 뿐이라고 주장한다. 이들은 특히 중심적인 경향은 유물의 수와 기준에 따라 언제든지 바뀔 수 있다고 본다. 따라서 이들은 유형이 유물 자체에 고유한 본질에 따라 존재하는 것이 아니라, 관찰을 통해 추론된 것이며 연구자가 자신의 연구 목적에 따라 고안된 도구일 뿐이라고 주장한다. 존재하는 것은 사물의 상태를 의미하는 현상과 변이뿐이라는 것이다. 개체군론자들에 따르면 특정한 유형 내에서 그 유형을 대표할 수 있는 형식의 유물, 즉 원형은 실재하지 않는다. 따라서 이들은 변이에 관심을 집중한다. 이 변이는 다양하게 나타나는데, 최초로 등장한 이후 점차적으로 많아지다가 서서히 소멸해간다. 그들은 이런 식으로 변화가 연속적으로 일어난다고 파악한다. 즉 변이의 빈도는 시공간에 따라 다르게 나타나며, 변화는 변이들이 시공간에 따라 얼마나 분포되어 있는지에 의해 결정된다고 보아 그러한 변이들의 빈도 변화와 특정 변이들의 차별적인 지속을 강조한다. 개체군론자들은 이러한 변이의 빈도 변화와 차별적인 지속을 '유동성'과 '선택'이라는 개념으로 설명한다. 유동성은 하나의 유물군 내에서 예측 불가능한 변이들을 가진 유물들이 지속적으로 등장하면서 변이들의 빈도에서 무작위적 변화가 일어나게 되는 현상을 의미한다. 선택은 그러한 변이들 가운데 특정 환경에 잘 적응한 변이들이 그렇지 못한 변이들에 비해 양적으로 증가하는 것이다.

이러한 시각의 차이가 실제 조사 과정에서 어떻게 적용되는지 살펴보면 흥미로운 사실을 발견할 수 있다. 일반적으로 고고학자들은 새로운 유물들이 발견되었을 경우, 그 중 일부에 대한 직접적 관찰을 통해 형태적 특징을 파악하고 기존의 사례를 검토하여 유형의 배정이나 설정에 필요한 중요 속성들을 선별한다. 이를 바탕으로 모든 유물들이 그러한 중요 속성을 가지고 있는지를 다시 관찰하여 속성의 유무에 따라 분류하고 이에 따라 유형을 배정 또는 설정한다. 이때 유형이 둘 이상이라면, 확인된 복수의 유형들을 일단 시공간적으로 배열하여 그 의미의 해석을 시도한다. 여기서 만약 연구자가 대상 유물들의 시간적 선후 관계나 사용 집단의 차이를 확인하고 싶다면 유형의 설정과 배열에 주목한다. 반면에 각 유형 간의 변화 과정을 구체적으로 확인하고 싶다면, 이렇게 시공간 상에 배열된 유형 내 변이들에 주목하여 그 변이들의 빈도와 그 빈도들 사이의 상대적인 비율을 측정하고, 여러 변이들 가운데 어떤 변이들이 선택되어 지속적으로 사용되는지에 주목한다. 고고학자는 유물의 분류에 대한 입장의 차이에도 불구하고 이처럼 실제로는 자신들이 해결하고자 하는 문제에 따라 양자의 방식 중 어느 하나를 선택하거나 적절히 혼용하여 사용한다.

33. 윗글의 내용과 부합하지 <u>않는</u> 것은?
① 유형론적 사고에서는 유형이 본질적이라고 생각한다.
② 유형론적 사고에서는 변화를 본질이 바뀌는 것으로 파악한다.
③ 유형론적 사고에서 편차는 유형을 설정할 때 중요시되지 않는다.
④ 개체군론적 사고는 실재하는 형식을 발견해 내고자 노력한다.
⑤ 개체군론적 사고에서 '선택'은 특정한 변이의 빈도수 증가를 의미한다.

34. 윗글의 글쓴이가 동의할 만한 것은?
① 유형론적 사고는 개체군론적 사고보다 경험적 증거를 더 중시하는 이론이다.
② 실제 조사 과정에서는 유형론적 기준과 개체군론적 기준이 상보적으로 활용되고 있다.
③ 개체군론적 사고의 등장에도 불구하고 유형론적 사고는 여전히 지배적인 연구 태도이다.
④ 유물 분류에 있어서 개체군론자의 기준이 유형론자의 기준을 포괄하도록 보완되어야 한다.
⑤ 유물의 시간적 선후관계를 보여주기 위해서는 개체군론적 사고 대신 유형론적 사고를 적용해야 한다.

35. 윗글을 바탕으로 <보기>에 대해 추론한 것으로 적절하지 않은 것은?

―――――――<보 기>―――――――
특정 지역에서 발견된 토기들은 입구의 형태와 손잡이의 유무에 따라 A유형과 B유형으로 구분되고, A유형에서 B유형으로 변화했다는 것이 현재까지의 통설이다. A유형 토기는 각진 입구에 손잡이가 없고 바닥이 편평하며, B유형 토기는 둥근 입구에 두 개의 손잡이가 있고 바닥이 뾰족하다. 그런데 그 지역에서 각진 입구에 손잡이 한 개가 있고 바닥이 둥근 토기들이 새로 발견되고 있다.

① 어떤 유형론자는 새로 발견된 토기의 각진 입구에 주목하여 A유형 토기로 분류하거나 손잡이가 있는 것에 주목하여 B유형 토기로 분류할 것이다.
② 어떤 유형론자는 새로 발견된 토기의 바닥 형태에 주목하여 새로운 유형의 설정을 고려할 것이다.
③ 어떤 유형론자는 새로 발견된 토기의 특이성에 주목하여 외부에서 들어온 이주민들이 썼던 것이라고 추정할 것이다.
④ 어떤 개체군론자는 새로 발견된 토기를 A유형에서 B유형으로의 점진적인 변이를 보여주는 사례들로 판단할 것이다.
⑤ 어떤 개체군론자는 새로운 토기의 발견 빈도수가 충분히 많지 않다면 중요한 의미가 없다고 보아 새로운 토기를 A유형과 B유형 중 한쪽으로 분류할 것이다.

2027학년도 LEET 대비
기출문제 해설집

2014

영역별 출제 비중 분석

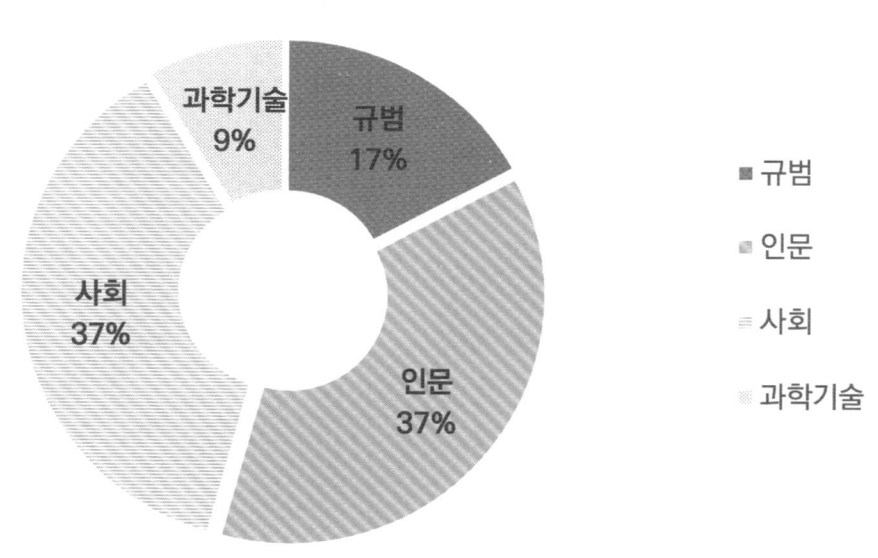

내용 영역	규범	인문	사회	과학기술	총
문항 수	6	13	13	3	35

※ 출제 비중은 소수점 첫째 자리에서 반올림하였습니다.

2014학년도 언어이해

출제 경향 분석

2014학년도 시험은 지난 2년의 평균 점수와 난이도 논란을 의식한 탓인지 상당히 평이하게 출제되었다. 제시문에 사용된 소재는 수험생들이 평소 많이 접해보았을 만한 익숙한 것들인 데다 각 제시문에 담긴 정보의 양도 많지 않아 독해에 곤란을 느끼는 경우는 많지 않았을 것으로 짐작된다.

제 1 교시

홀수형

2014학년도 법학적성시험

언어이해 문제지

성 명

수험번호

수험생 유의사항

○ 이 문제지는 **35문항**으로 구성되어 있습니다.

○ **시험 시간은 09 : 00 ~ 10 : 20(80분)입니다.**

○ 문제지에 성명과 수험번호를 정확하게 기재하십시오.

○ 답안지는 반드시 컴퓨터용 사인펜을 사용하여 답을 표기하여야 합니다.

○ 답안지의 '필적확인란'에 제시된 문구를 정확히 정자로 기재하여야 합니다.

메가로스쿨

2014학년도 법학적성시험
언어이해

제1교시 | 홀수형

- 이 문제지는 **35문항**으로 구성되어 있습니다. 문항 수를 확인하십시오.
- 문제지의 해당란에 성명과 수험번호를 정확히 쓰십시오.
- 답안지에 수험번호, 문제유형, 성명, 답을 표기할 때에는 '답안 작성 시 반드시 지켜야 하는 사항'에 따라 표기하십시오.
- 답안지의 '필적확인란'에 해당 문구를 정자로 기재하십시오.

[1~3] 다음 글을 읽고 물음에 답하시오.

지난 2008년의 미국발 금융 위기와 관련해 '증권화'의 역할이 재조명되었다. 증권화란 대출채권이나 부동산과 같이 현금화가 쉽지 않은 자산을 시장성이 높은 유가증권으로 전환하는 행위이다. 당시 미국의 주택담보 대출기관, 곧 모기지 대출기관들은 대출채권을 유동화해 이를 투자은행, 헤지펀드, 연기금, 보험사 등에 매각하고 있었다. 이들은 이렇게 만들어진 모기지 유동화 증권을 통해 오랜 기간에 걸쳐 나누어 들어올 현금을 미리 확보할 수 있었고, 원리금을 돌려받지 못할 위험도 광범위한 투자자들에게 전가할 수 있었다. 증권화는 위기 이전까지만 해도 경제 전반의 리스크를 줄이고 새로운 투자 기회를 제공하며 금융시장의 효율성을 높여주는 금융 혁신으로 높게 평가되었다.

하지만 금융 위기가 일어나면서 증권화의 부정적 측면이 부각되었다. 당시 모기지 대출기관들은 대출채권을 만기 때까지 보유해야 한다는 제약으로부터 벗어남에 따라 대출 기준을 완화했다. 이 과정에서 신용 등급이 아주 낮은 사람들을 대상으로 했거나 집값 대비 대출금액이 높았던 비우량(subprime) 모기지 대출이 늘어났는데, 그동안 계속 상승해 왔던 부동산 가격이 폭락하고 채무 불이행 사태가 본격화되면서 서브프라임 모기지 사태가 발생했다. 이때 비우량 모기지의 규모 자체는 크지 않았지만 이로부터 파생된 신종 유가증권들이 대형 투자은행 등 다양한 투자자들에 의해 광범위하게 보유·유통되었다는 점에 특히 주목할 필요가 있다. 이들은 증권화로 인해 보다 안전해졌다는 과신 속에서 과도한 차입을 통해 투자를 크게 늘렸는데, 서브프라임 모기지 사태를 기점으로 유가증권들의 가격이 폭락함에 따라 금융기관들의 연쇄 도산 사태가 일어났던 것이다.

이에 따라 증권화를 확대한 금융기관과 이를 허용한 감독당국에 비판이 집중되었다. 하지만 일각에서는 금융 위기의 원인이 증권화가 아니라 정부의 잘못된 개입에 있다는 상반된 주장도 제기되었다. 시장의 자기 조정 능력을 긍정하는 이 '정부 주범론'은 소득 분배의 불평등 심화 문제를 포퓰리즘으로 해결하려던 것이 금융 위기를 낳았다고 주장한다. 이들에 따르면, 불평등 심화의 근본원인은 기술 변화와 세계화이므로 그 해법 또한 저소득층의 교육기회 확대 등의 정책에서 찾아야 했다. 그럼에도 정치권은 저소득층의 불만을 무마하기 위해 저소득층이 빚을 늘려 집을 보유할 수 있게 해주는 미봉책을 펼쳤는데, 그로 인해 주택 가격 거품이 발생했고 마침내는 금융 위기로 연결되었다는 것이다. 이 문제와 관련해 대표적인 정책 실패로 거론된 것이 바로 지역재투자법이다.

지역재투자법이란 저소득층의 금융 이용 기회를 확대할 목적으로 은행들로 하여금 낙후 지역에 대한 대출이나 투자를 늘리도록 유도하는 제도이다. '정부 주범론'은 이 법으로 인해 은행들이 상환 능력이 떨어지는 저소득층들에게로까지 주택 자금 대출을 늘려야 했고, 이것이 결국 서브프라임 모기지 사태로 이어졌다고 주장한다. '정부 주범론'은 여기에 더해 지역재투자법의 추가적인 파급 효과에도 주목한다. 금융기관들은 지역재투자법에 따라 저소득층에 대한 대출을 늘리는 과정에서 심사 관련 기강이 느슨해졌고 지역재투자법과 무관한 대출에 대해서까지도 대출 기준을 전반적으로 완화함으로써 주택 가격 거품을 키우게 되었다는 것이다.

최근 미국에서는 '정부 주범론'의 목소리가 높아지면서 이 주장이 현실에 얼마나 부합하는지에 대한 많은 연구가 진행되었다. 이 과정에서 ⊙'정부 주범론'을 반박하는 다양한 논거들이 '규제 실패론'의 이름으로 제시되었고, '정부 주범론'의 정치적 맥락도 새롭게 조명되었다. '규제 실패론'은 금융기관들의 무분별한 차입 및 증권화가 이들의 적극적인 로비에 따른 결과임을 강조하며, 이러한 흐름이 실물 경제의 안정적 성장도 저해했다고 주장한다. '규제 실패론'은 또한 지난 삼십 년 동안 소득 분배가 계속 불평등해지는 과정에서 보다 많은 소득을 얻게 된 부유층이 특히 금융에 대한 투자와 감세를 통해 부를 한층 키워 왔던 구조적 특징과 이들의 정치적 영향력에도 주목한다. 저소득층의 부채란 정치권의 온정주의가 아니라 부유층과 금융권이 자신들의 이익을 극대화하는 과정에서 늘어났던 것이라는 이 지적은 불평등의 심화와 금융 위기 사이의 관계에 대한 새로운 시각을 제시한다.

1. 위 글에 나타난 입장들에 관한 진술 중 타당하지 <u>않은</u> 것은?

① '정부 주범론'은 정부의 시장 개입이 경제 주체들의 판단을 오도했다고 본다.
② '정부 주범론'은 정치권이 지역재투자법으로 저소득층의 표를 얻으려 했다고 본다.
③ '규제 실패론'은 금융과 정치권의 유착 관계를 비판한다.
④ '규제 실패론'은 가계 부채 증가가 고소득층의 투자 기회 확대와 관련이 있다고 본다.
⑤ '정부 주범론'과 '규제 실패론'은 소득 불평등 문제를 해결하려는 과정에서 금융 위기가 발생했다는 점에 대해서는 의견을 같이 한다.

2. '증권화'와 관련한 다음의 추론 중 타당하지 <u>않은</u> 것은?

① 증권화에서 서브프라임 모기지에 연계된 증권의 투자자는 고수익을 추구하는 일부 투자자에 한정되었을 것이다.
② 증권화는 개별 금융기관의 위험을 낮추어 주는 혁신처럼 보였지만 실제로는 전체 금융권의 위험을 높였을 것이다.
③ 모기지 채권의 증권화는 보다 많은 자금이 주택시장에 유입되도록 함으로써 주택 가격의 거품을 키웠을 것이다.
④ 부동산 시장과 유동화 증권의 현금화 가능성에 대한 투자자들의 낙관적 전망으로 인해 증권화가 확대되었을 것이다.
⑤ 증권화에 대한 규제를 강화해야 할지 판단하기 위해서는 금융 위기를 발생시켰던 대출기준 완화의 원인을 규명하는 것이 중요하다.

3. ㉠에 포함되는 것으로 보기 <u>어려운</u> 것은?

① 지역재투자법에는 저소득층에 대해 다른 계층보다 집값 대비 대출 한도를 더 높게 설정하도록 유도하는 내용이 있다.
② 서브프라임 모기지 대출의 연체율은 지역의 소득 수준에 상관없이 일반 대출의 연체율보다 높았다.
③ 부동산 가격 거품을 가져온 주된 요인은 주택 가격의 상승보다는 상업용 부동산 가격의 상승이었다.
④ 지역재투자법의 적용을 받는 대출들 중 서브프라임 모기지 대출의 비중은 낮았다.
⑤ 지역재투자법과 유사한 규제가 없는 나라에서도 금융 위기가 발생하였다.

[4~7] 다음 글을 읽고 물음에 답하시오.

상전이(相轉移)는 아주 많은 수의 입자로 구성된 물리계에서 흔하게 나타나는 현상이다. 물 같은 액체 상태의 물질에 열을 가하면, 그 물질은 밀도가 천천히 감소하다가 어느 단계에 이르면 갑자기 기체 상태로 변하기 시작하면서 밀도가 급격히 감소한다. 이처럼 특정 조건에서 계의 상태가 급격하게 변하는 현상이 상전이이다. 1기압하의 물이 0℃에서 얼고 100℃에서 끓듯이 상전이는 특정한 조건에서, 즉 전이점에서 일어난다. 그런데 불순물이 전혀 없는 순수한 물은 1기압에서 온도가 0℃ 아래로 내려가도 얼지 않고 계속 액체 상태에 머무르는 경우가 있다. 응결핵 구실을 할 불순물이 없는 경우 물이 어는점 아래에서도 어느 온도까지는 얼지 않고 이른바 과냉각 상태로 존재할 수 있는 것이다.

더 흥미로운 것은 어는점보다 훨씬 높은 온도에서까지 고체 상태가 유지되는 경우다. 우뭇가사리를 끓여서 만든 우무는 실제로 어는점과 녹는점이 뚜렷이 다르다. 액체 상태의 우무는 1기압에서 온도가 대략 40℃ 이하로 내려가면 응고하기 시작하는 반면, 고체 상태의 우무는 80℃가 되어야 녹는다. 우무 같은 물질의 이런 성질을 '이력 특성'이라고 부른다. 직전에 어떤 상태에 있었는가 하는 '이력'이 현재 상태에 영향을 준다는 의미에서 붙인 이름이다. 어는점과 녹는점이 사실상 똑같이 0℃인 물의 경우는 이에 해당하지 않지만, 많은 물질의 상전이 현상에서 이력 특성이 나타난다.

경제학자인 캠벨과 오머로드는 물리학 이론인 상전이 이론을 적용하여 범죄율의 변화 같은 사회 현상을 설명하는 모형을 제시했다. 이 모형은 일종의 유비적 사고를 보여 준다. 그런데 사회가 수많은 개체들과 그것들 간의 상호 작용으로 구성된 계라는 점에서 수많은 입자들과 그것들 간의 상호 작용으로 구성된 물질계와 유사한 구조를 지녔음을 고려한다면, 그것은 임의적인 유비가 아니라 의미 있는 결론을 낳을 만한 시도이다.

두 경제학자는 물질의 상태가 일반적으로 온도와 압력에 의해 영향을 받듯이 한 사회의 범죄율이 대개 그 사회의 궁핍의 정도와 범죄 제재의 강도라는 두 요소에 의해 좌우된다고 가정한다. 재산도 직장도 없는 빈곤한 구성원의 비율이 높을수록 범죄율이 높아지는 반면, 사회가 범죄를 엄중하게 제재할수록 범죄율이 낮아진다는 것이다. 그런데 여러 연구 조사에 따르면 사회적, 경제적 궁핍의 정도가 완화되거나 범죄에 대한 제재가 강화된다고 해서 그 사회의 범죄율이 곧장 감소하지는 않는다. 캠벨과 오머로드는 이와 같은 사실을 설명하기 위해, 물질이 고체, 액체, 기체 같은 특정한 상태에 있을 수 있는 것처럼 사회도 높은 범죄율 상태와 낮은 범죄율 상태에 있을 수 있다고 가정한다.

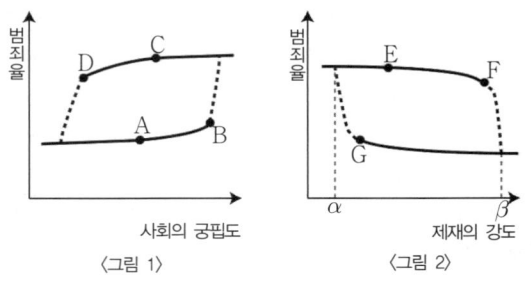

〈그림 1〉 〈그림 2〉

〈그림 1〉과 〈그림 2〉에서 각각 아래쪽의 실선은 낮은 범죄율 상태를 나타내고 위쪽의 실선은 높은 범죄율 상태를 나타낸다. 예를

들어 <그림 1>에서 사회가 점 A에 해당하는 상태에 있다면 이 사회는 낮은 범죄율 상태에 있는 것이고, 이 경우 사회의 궁핍도가 어느 정도 더 커져도 범죄율은 별로 증가하지 않는다. 하지만 궁핍이 더 심해져 B 지점에 이르면 궁핍이 조금만 더 심화되어도 범죄율의 급격한 상승, 즉 그림의 점선 부분에 해당하는 상전이가 일어나게 된다. 또 사회가 C처럼 높은 범죄율 상태에 있을 경우 궁핍의 정도가 완화되어도 범죄율은 완만하게 감소할 뿐이지만, D 지점에 도달해 있는 경우 궁핍의 정도가 조금만 줄어도 범죄율이 급격히 감소하는 또 한 번의 상전이가 일어나게 된다. 이와 같은 범죄율의 변화는 이력 특성을 보여준다. 다시 말해, 사회의 궁핍도에 대한 정보만으로는 범죄율을 추정할 수 없고, 그것이 직전에 높은 범죄율 상태였는지 낮은 범죄율 상태였는지에 대한 정보가 필요하다.

중요한 것은 이들이 제시한 모형이 실제 통계 자료에 나타난 사회 현상을 잘 설명해 준다는 점이다. 이는 한 사회의 범죄 제재 강도와 범죄율의 상관관계에 대해서도 마찬가지다. 사회의 궁핍도를 비롯한 다른 조건이 동일한 상황에서, 범죄에 대한 사회적 제재의 강도가 변하는 경우 범죄율은 <그림 2>와 같은 형태로 이력 특성을 포함한 상전이의 패턴을 나타낸다.

4. 위 글의 견해가 아닌 것은?

① 한 사회의 특성은 특정 조건에서는 다른 조건에서와 달리 급격하게 변화한다.
② 물리적 현상을 설명하는 이론을 응용하여 사회 현상을 설명하는 것이 가능하다.
③ 유비적 사고의 타당성은 유비를 통해 연결되는 두 대상의 구조가 서로 유사할 때 강화된다.
④ 한 계의 상태가 어떤 조건에서 급격한 변화를 나타낼 것인지는 계를 구성하는 요소의 종류와 무관하게 결정된다.
⑤ 하나의 계가 드러내는 특성은 현재 그것을 제약하는 변수들만으로 결정되지 않고 그것이 지나온 역사적 경로에 의해서 좌우될 때가 많다.

5. 위 글에서 알 수 있는 것만을 <보기>에서 있는 대로 고른 것은?

─────<보 기>─────
ㄱ. 상전이에서 이력 특성이 나타나지 않는 물질이 과냉각 상태의 액체로 존재할 수 있다.
ㄴ. 이력 특성을 갖는 물질은 온도와 압력을 알아도 그 물질의 상태를 알 수 없는 경우가 있다.
ㄷ. 불순물이 전혀 포함되지 않은 순수한 물에서는 온도 변화에 따른 상전이 현상이 일어나지 않는다.

① ㄴ
② ㄷ
③ ㄱ, ㄴ
④ ㄱ, ㄷ
⑤ ㄱ, ㄴ, ㄷ

6. <그림 2>에 대한 분석으로 옳지 않은 것은?

① E 상태에서 범죄에 대한 제재가 어느 정도 강화되더라도 범죄율의 변화는 미미할 것이다.
② F 상태에서 범죄에 대한 제재를 조금 더 강화하면 범죄율은 급감할 것이다.
③ G 상태에서 범죄에 대한 제재가 조금 더 약해질 경우 범죄율이 급증할 소지가 있다.
④ α는 높은 범죄율 사회를 낮은 범죄율 사회로 변화시킬 수 있는 제재의 강도에 해당한다.
⑤ 범죄에 β보다 더 강한 제재가 가해지는 사회에서 범죄율은 낮은 상태를 유지할 것이다.

7. <보기>의 ⓐ를 반박할 근거 자료로 가장 적절한 것은?

─────<보 기>─────
A : 캠벨과 오머로드의 모형으로 범죄율의 변화를 설명할 수 있다고 해서 다른 사회 현상도 비슷한 방식으로 설명되리라고 생각할 이유는 없어. 예를 들어 출산율만 해도 범죄율과는 전혀 다른 문제지.
B : 아니, 출산율의 변화도 이 모형으로 설명할 수 있어. 자녀 양육 수당이나 다자녀 세금 감면 같은 경제적 유인이 출산율을 증가시키는 반면, 교육비 부담 같은 경제적 압박의 심화는 출산율을 감소시키지. 중요한 것은, ⓐ 출산율의 이런 변화에서도 이력 특성이 나타난다는 점이야.

① 실제로 어느 고출산율 사회에서 정부가 육아 지원을 30%나 축소했음에도 불구하고 출산율의 변화는 미미하였다.
② 저출산율 사회를 탈피하게 하는 육아 지원의 규모가 고출산율 사회에서 저출산율 사회로 이행하는 시점의 육아 지원 규모와 일치하였다.
③ 정부의 육아 보조금 같은 긍정적 요인보다 양육비와 교육비의 증가 같은 부담 요인이 출산율에 훨씬 더 뚜렷한 영향을 미치는 것으로 드러났다.
④ 자녀 양육 수당의 증액은 출산율 변화에 눈에 띄는 영향을 미쳤던 데 반하여 다자녀 세금 감면 혜택의 강화는 출산율에 거의 영향을 미치지 않았다.
⑤ 자녀 교육에 드는 비용의 증대가 출산율의 급격한 변화를 야기한 것으로 나타났지만 그러한 변화를 야기한 교육비 수준은 명확한 금액으로 제시하기 어려웠다.

[8~10] 다음 글을 읽고 물음에 답하시오.

쾌락주의는 모든 쾌락이 그 자체로서 가치가 있으며 쾌락의 증가와 고통의 감소를 통해 최대의 쾌락을 산출하는 행위를 올바른 것으로 간주하는 윤리설이다. 쾌락주의에 따르면 쾌락만이 내재적 가치를 지니며, 모든 것은 이러한 쾌락을 기준으로 가치 평가되어야 한다. 쾌락주의는 고대의 에피쿠로스에 의해서는 개인의 쾌락을 중시하는 이기적 쾌락주의로, 근대의 벤담과 밀에 의해서는 사회 전체의 쾌락을 중시하는 ㉠쾌락주의적 공리주의로 체계화되었다.

그런데 쾌락주의자는 단기적이고 말초적인 쾌락만을 추구함으로써 결국 고통에 빠지게 된다는 오해를 받기도 한다. 하지만 쾌락주의적 삶을 순간적이고 감각적인 쾌락만을 추구하는 방탕한 삶과 동일시하는 것은 옳지 않다. 쾌락주의는 일시적인 쾌락의 극대화가 아니라 장기적인 쾌락의 극대화를 목적으로 하므로 단기적, 말초적 쾌락만을 추구하는 것은 아니다. 예를 들어 사회적 성취가 장기적으로 더 큰 쾌락을 가져다준다면 쾌락주의자는 단기적 쾌락보다는 사회적 성취를 우선적으로 추구한다.

또한 쾌락주의는 쾌락 이외의 것은 모두 무가치한 것으로 본다는 오해를 받기도 한다. 하지만 쾌락주의가 쾌락만을 가치 있는 것으로 보는 것은 아니다. 세상에는 쾌락 말고도 가치 있는 것들이 있으며, 심지어 고통조차도 가치 있는 것으로 볼 수 있다. 발이 불구덩이에 빠져서 통증을 느껴 곧바로 발을 빼낸 상황을 생각해 보자. 이때의 고통은 분명히 좋은 것임에 틀림없다. 만약 고통을 느끼지 못했다면, 불구덩이에 빠진 발을 꺼낼 생각을 하지 못해서 큰 부상을 당했을 수도 있기 때문이다. 물론 이때 고통이 가치 있다는 것은 도구적인 의미에서 그런 것이지 그 자체가 목적이라는 의미는 아니다.

쾌락주의는 고통을 도구가 아닌 목적으로 추구하는 것을 이해할 수 없다고 본다. 금욕주의자가 기꺼이 감내하는 고통조차도 종교적·도덕적 성취와 만족을 추구하기 위한 도구인 것이지 고통 그 자체가 목적인 것은 아니기 때문이다. 대부분의 세속적 금욕주의자들은 재화나 명예와 같은 사회적 성취를 위해 당장의 쾌락을 포기하며, 종교적 금욕주의자들은 내세의 성취를 위해 현세의 쾌락을 포기하는데, 그것이 사회적 성취이든 내세적 성취이든지 간에 모두 광의의 쾌락을 추구하고 있는 것이다.

쾌락주의가 여러 오해로 인해 부당한 비판을 받고 있는 것은 사실이지만 그렇다고 쾌락주의가 어떠한 비판으로부터도 자유로운 것은 아니다. 쾌락주의는 쾌락의 정의나 쾌락의 계산 등과 관련하여 문제점을 갖고 있다. 쾌락의 원천은 다양한데, 과연 서로 다른 쾌락을 같은 것으로 볼 수 있는가? 가령 식욕의 충족에서 비롯된 쾌락과 사회적 명예의 획득에서 비롯된 쾌락은 같은 것인가? 이에 대해 벤담은 이 쾌락들이 질적으로 동일하며 양적으로 다를 뿐이라고 대답함으로써 쾌락주의의 입장을 일관되게 유지할 수 있었으나, 저급한 돼지의 쾌락과 고차원적인 인간의 쾌락을 동일시하여 결국 돼지와 인간을 동등한 존재로 간주하였다는 점에서 비쾌락주의자로부터 '돼지의 철학'이라고 비판받았다. 밀은 만족한 돼지보다 불만족한 인간이 더 낫고, 만족한 바보보다는 불만족한 소크라테스가 더 낫다고 주장하면서 쾌락의 질적 차이를 인정했다. 그런데 이 입장을 취하게 되면, 이질적인 쾌락을 어떻게 서로 비교할 수 있는가 하는 계산의 문제가 발생한다. 밀은 이질적인 쾌락이라고 해도 양자를 모두 경험한 다수의 사람이 선호하는 쾌락을 고급 쾌락이라고 하면서 저급 쾌락과 고급 쾌락을 구분하였다. 인간은 자유롭고 존엄한 삶을 추구하는 존재인데, 이러한 자유와 존엄성의 실현에 기여하는 고급 쾌락이 더 바람직하다는 것이다. 하지만 이와 관련하여 후대의 다른 쾌락주의자들은 ㉡밀이 쾌락주의의 입장을 저버렸다는 비판을 하기도 하였다.

8. 위 글에 나타난 쾌락주의의 입장이 아닌 것은?

① 고통은 그 자체로서 목적적 가치를 지닌 것은 아니다.
② 단기적이고 말초적인 쾌락은 내재적 가치를 지니지 않는다.
③ 쾌락이 아닌 다른 것도 도구적 의미에서 가치를 지닐 수 있다.
④ 금욕주의자가 고통을 감내하는 것도 결국은 쾌락을 위한 것이다.
⑤ 두 행위 중 결과적으로 더 큰 쾌락을 산출하는 행위가 옳은 것이다.

9. ㉠의 입장에서 <보기>에 대해 제시할 수 있는 견해로 가장 적절한 것은?

─<보 기>─

쾌락주의는 사디스트가 쾌락을 얻기 위해 가학적 행위를 하는 것도 옳다고 보기 때문에 문제가 있다.

① 사디스트의 가학적 행위는 그 동기가 나쁘기 때문에 그른 것이다.
② 사디스트의 가학적 행위는 그 자신의 쾌락을 증진해 주기 때문에 옳은 것이다.
③ 사디스트의 가학적 행위는 그로 인한 피해의 발생 여부와 관계없이 그 자체로 그른 것이다.
④ 사디스트가 가학적 행위로 얻는 쾌락은 타인에게 고통을 주기 때문에 그 자체로서 가치를 지닌 것이 아니다.
⑤ 사디스트가 가학적 행위로 얻는 쾌락보다 그로 인한 희생자의 고통이 더 클 경우에 가학적 행위는 그른 것이다.

10. 위 글의 내용으로 미루어 볼 때, ㉡의 이유로 가장 적절한 것은?

① 밀은 쾌락이 도구적 가치를 지닌다는 입장을 포기하였다.
② 밀은 도덕적 가치 평가에서 쾌락 이외의 다른 기준을 도입하였다.
③ 밀은 쾌락의 원천이 단일하지 않고 다양하다는 점을 인정하였다.
④ 밀은 모든 쾌락을 하나의 기준으로 환원하여 계산할 수 있다고 보았다.
⑤ 밀은 질적 차이가 있는 쾌락을 서로 비교하여 평가할 수 없다고 보았다.

[11~13] 다음 글을 읽고 물음에 답하시오.

우리나라 「독점규제 및 공정거래에 관한 법률」(이하 '공정거래법')상의 '부당한 공동행위'는 카르텔 혹은 담합이라고 불리는데, 공정거래법에서 가장 핵심적으로 규제하는 행위이다. 경쟁 사업자들이 가격이나 품질 면에서 경쟁하기보다는 담합하여 부당하게 가격을 올릴 경우 시장 기능의 정상적인 작동을 방해하고 소비자의 이익을 저해하기 때문이다. 공정거래법상의 '부당한 공동행위' 규제 제도는 미국의 카르텔 규제 제도의 영향을 주로 받아왔다.

미국에서 판례법으로 형성된 카르텔 규제 법리는 '당연 위법의 원칙'과 '합리성의 원칙'으로 나뉜다. '당연 위법의 원칙'은 가격 합의와 같이 부당하게 경쟁을 제한하는 거래 제한 행위가 발생했을 때, 그 목적이나 경제적인 효과에 대한 면밀한 분석 없이 그 자체로 위법하다고 판단하는 원칙이다. 전통적으로 가격 담합, 물량 담합, 입찰 담합, 시장 분할 등이 '당연 위법의 원칙'이 적용되는 행위로 인정되어 왔다. 반면, '합리성의 원칙'은 거래 제한의 목적이나 의도, 경쟁에 미치는 긍정적 효과나 부정적 효과 등을 면밀히 검토한 다음 이를 종합적으로 고려하여 개별적으로 위법 여부를 판단하는 원칙이다. '합리성의 원칙'은 그 자체만으로는 부당성 여부를 판단하기 어려운 합작 투자 협정이나 공동 연구 개발 협정과 같은 행위에 적용될 수 있다.

어떤 행위에 대해 '당연 위법의 원칙'을 적용한다면, 법을 집행하는 정부나 거래 제한으로 인해 피해를 입은 당사자인 원고가 경쟁에 미치는 부정적인 효과를 입증하거나 시장 점유율 등의 시장지배력을 입증할 필요가 없어, 사법적 자원이 절약될 수 있다. 정부나 원고는 '당연 위법의 원칙'이 적용되지 않는 나머지 유형의 행위에 대해서만 '합리성의 원칙'을 적용하여 그 위법성을 엄밀히 입증하면 된다. 이와 같은 이분법적 구분은 거래 제한의 부당성에 대한 심사 방식을 유형화함으로써 위법성 판단에 대한 뚜렷한 기준을 제시해 주므로 법 집행의 효율성과 예측 가능성을 높여준다.

'당연 위법의 원칙'은 판례법주의를 취하고 있는 미국에서 법적 판단의 기본이 되는 '합리성의 원칙'에 근거한 법 집행 과정을 거치면서 귀납적으로 발전해 나온 것이다. 일정한 유형의 행위들은 거의 예외 없이 위법한 것으로 판단되기 때문에 복잡한 심사 없이 당연히 위법한 것으로 취급하는 것이 바람직하다고 본 것이다. 이 과정에서 예외적인 판단의 오류가 있을 수 있으나, 이는 '합리성의 원칙'에 따라 모든 행위를 분석하는 데 소요되는 막대한 비용을 감안할 때 충분히 감수할 수 있는 것으로 보았다.

성문법주의를 취하고 있는 우리나라는 공정거래법에서, 사업자는 계약·협정·결의 기타 어떠한 방법으로도 다른 사업자와 공동으로 '부당하게 경쟁을 제한'하는 가격의 결정·유지 또는 변경 등과 같은 일정한 행위를 할 것을 합의('부당한 공동행위')해서는 안 되는 것으로 규정하고 있다. 이 경우, 공정거래법 규정의 해석을 통해 미국에서처럼 특정 행위에 대해 '당연 위법의 원칙'을 적용하여 면밀한 검증 없이도 그 위법성을 판단하는 것이 가능한지의 문제가 발생한다. 우리나라의 법 실무에서는 사업자들의 어떤 공동 행위가 '부당한 공동행위'에 해당하는지 여부를 판단할 때 '부당하게 경쟁을 제한하는'이라는 법률요건에 따라 경쟁 제한성을 가지는지 여부를 개별적으로 판단하고 있다. 이는 공정거래법의 규정상 불가피한 것으로 볼 수 있다.

그렇다면 우리나라에서는 미국의 이원적 심사 방식의 장점을 취할 여지가 없는가? 우리나라에서도 사업자들의 공동 행위를 가격 담합 등 명백히 경쟁 제한 효과만을 발생시키는 경성(硬性) 공동 행위와 시장의 경제적 효율성 증대 효과와 경쟁 제한 효과를 동시에 발생시키는 연성(軟性) 공동 행위의 두 유형을 구분하기도 한다. 법 실무에서 공정거래법을 적용할 때, 경성 공동 행위에 대해서는 시장 점유율 분석과 같은 간단한 입증 방식만으로 경쟁 제한성을 판단하지만, 연성 공동 행위에 대해서는 보다 복잡한 분석을 통한 엄격한 입증 방식을 채택하는 경향이 있다. 따라서 우리나라에서도 입증의 엄밀성을 달리하는 두 가지 유형의 공동 행위를 구분한다는 점에서 미국식 카르텔 규제의 이원적 심사 방식을 어느 정도 변형하여 수용하는 것으로 볼 수 있다.

11. 위 글에 제시된 미국의 카르텔 규제 법리의 특성으로 옳지 <u>않은</u> 것은?

① 법 집행의 예측 가능성을 높여준다.
② 이원적 심사 방식으로 구성되어 있다.
③ 판례법주의에 기초한 귀납적 결과물이다.
④ 법 집행 시 전체적으로 비용의 소요가 많아진다.
⑤ 정부는 위법성에 대한 입증 책임을 상대적으로 적게 진다.

12. 위 글을 바탕으로 추론한 것으로 적절하지 <u>않은</u> 것은?

① '당연 위법의 원칙'은 '합리성의 원칙'보다 시장 경제의 효율성을 더 고려한다.
② '당연 위법의 원칙'의 적용은 법 집행 기관의 자의적 판단의 가능성을 줄여 준다.
③ '당연 위법의 원칙'은 '합리성의 원칙'보다 경제적 환경 변화에 따른 유연성이 부족하다.
④ '당연 위법의 원칙'은 '합리성의 원칙'에서라면 합법으로 판단할 행위를 위법으로 판단할 우려가 있다.
⑤ '당연 위법의 원칙'의 배경에는, 일반적으로 가격 담합 같은 행위가 합작 투자 협정 같은 경우보다 시장에 미치는 해악 여부가 분명히 드러난다는 판단이 깔려 있다.

13. 위 글을 바탕으로 <보기>에 대해 판단한 것으로 타당한 것은?

<보 기>

(가) 자체 저유 시설을 갖추지 못한 소형 정유사들이 정유하는 즉시 시장에 석유를 내다 팔 수밖에 없는 상황으로 인해 공급 초과 현상이 나타났고, 3개의 대형 정유사들은 유가 하락을 방지하기 위해 연합하여 소형 정유사의 잉여 석유를 사들였다.

(나) 자동차 부품 개발 사업자들은 과잉 경쟁으로 인한 저가 입찰이 품질의 저하를 초래하고 기술 개발을 방해하여 업계의 경쟁력 향상과 경제적 발전을 저해하게 되자, 프로젝트 수주 시 가격 경쟁을 하지 않기로 결정하고, 이를 실행하였다.

① 미국에서 (가)에 '당연 위법의 원칙'이 적용된다면, 대형 정유사들은 자신들의 시장 점유율이 낮아 경쟁에 영향을 미치지 않았으므로 위법하지 않다고 주장할 수 있게 된다.
② 한국에서 (가)에 경제적 효율성을 증대하는 효과가 없다고 판단되면, 대형 정유사들의 공동 행위는 그 자체로 위법하게 된다.
③ 미국에서 (나)에 '합리성의 원칙'이 적용된다면, 사업자들은 자신들의 행위에 경쟁을 제한할 의도가 없었으므로 위법하지 않다고 주장할 수 있게 된다.
④ 한국에서 (나)의 위법성 여부를 판단한다면, 사업자들의 시장 점유율을 고려하는 것만으로 충분하다.
⑤ 한국에서 (가)는 개별 심사의 대상이 되지 않지만 (나)는 개별 심사의 대상으로 분류된다.

[14~16] 다음 글을 읽고 물음에 답하시오.

재현적 회화란 사물의 외관을 실제 대상과 닮게 묘사하여 보는 이가 그림을 보고 그것이 어떤 대상을 그린 것인지 알아 볼 수 있는 그림을 말한다. 음악은 어떨까? 회화가 재현적이 되기 위한 조건들을 음악도 가져야 재현적 음악이 될 수 있다면, 본질적으로 추상적인 모든 음악은 결코 대상을 재현할 수 없다고 해야 하는가?

흔히 논의되는 회화적 재현의 핵심적 조건은 그림의 지각 경험과 그림에 재현된 대상을 실제로 지각할 때의 경험 사이에 닮음이 존재해야 한다는 것이다. 음악이 이 요건을 만족시키지 못한다는 주장은 음악 작품의 이른바 순수하게 음악적인 부분이 재현 대상에 대한 즉각적인 인식을 불러일으키지 못한다는 데에 주목한다. 예를 들어 사과를 재현한 회화에서 재현된 대상인 사과는 작품의 제목이 무엇이든 상관없이 그림 속에서 인식이 가능한데, 음악의 경우는 그럴 수 없기 때문에 음악은 재현적일 수 없다는 것이다. 바다를 재현했다고 하는 드뷔시의 <바다>의 경우라도, 표제적 제목을 참조하지 않는다면 감상자는 이 곡을 바다의 재현으로 듣지 못한다는 것이다. 하지만 이러한 주장은 일반화되기 어렵다. 모래 해안의 일부를 극사실주의적으로 묘사한 그림은 재현적 회화이지만 그 제목을 모르면 비재현적으로 보이기 십상일 것이다. 몬드리안의 <브로드웨이 부기우기>의 경우, 제목을 알 때 감상자는 그림에 그어진 선과 칠해진 면을 뉴욕 거리를 내려다 본 평면도로 볼 수 있지만 제목을 모를 때는 추상화로 보게 될 것이다.

그러나 이에 대해, 회화적 재현에서 <브로드웨이 부기우기>와 같은 사례는 비전형적인 반면 음악의 경우에는 이것이 전형적이라는 점을 지적하는 학자들이 있다. 물론 음악에서는 제목에 대한 참조 없이도 명백히 재현으로 지각되는 사례, 예를 들어 베토벤의 <전원 교향곡>의 새소리 같은 경우가 드문 것이 사실이다. 하지만 이것이 음악의 재현 가능성을 부정해야 할 이유가 될까? 작품에서 제목이 담당하는 역할을 고려해 보면 반드시 그렇지만은 않다.

오늘날 많은 학자들은 음악 작품의 가사는 물론 작품의 제목이나 작품의 모티브가 되는 표제까지도 작품의 일부로 본다. ㉠ 이 입장을 근거로 할 때, 작품의 내용이 제목의 도움 없이도 인식 가능해야만 재현이라는 것은 지나친 주장이다. 제목이 작품의 일부인 한, 예술 작품의 재현성은 제목을 포함하는 전체로서의 작품을 대상으로 판단해야 하기 때문이다. 슈베르트의 <물레질하는 그레첸>의 주기적으로 반복되는 단순한 반주 음형은 제목과 더불어 감상될 때 물레의 반복적 움직임을 효과적으로 묘사한 것으로 들린다.

음악이 재현의 조건을 만족시키지 못한다고 생각하는 학자들은 작품 이해와 관련된 또 다른 문제를 제기한다. 재현적 그림의 특징 중 하나는 재현된 대상에 대한 인식이 작품의 이해를 위해 필수적이라는 점이다. 그러나 재현적이라 일컬어지는 음악 작품은 이러한 특징을 가지지 않는다는 것이 ㉡ 이들의 입장이다. 감상자는 작품이 재현하고자 하는 것이 무엇인지 몰라도 그 음악을 충분히 이해할 수 있다는 것이다. 예를 들어 감상자는 <바다>가 바다의 재현으로서 의도되었다는 사실을 모르고도 이 곡을 이루는 음의 조합과 구조를 파악할 수 있는데, 이것이 곧 <바다>를 음악적으로 이해한 것이 된다는 것이다.

그러나 ㉢ 이에 대한 반대의 입장도 제시될 수 있다. 작품의 제목이나 표제가 무시된 채 순수한 음악적 측면만이 고려된다면 작품의 완전한 이해가 불가능한 경우가 있기 때문이다. 표제적 제목과 주제를 알지 못하는 감상자는 차이콥스키의 <1812년 서곡>에서 왜 '프랑스 국가'가 갑작스럽게 출현하는지, 베를리오즈의 <환상 교향곡>의 말미에 왜 '단두대로의 행진'이 등장하는지 이해할 수 없을 것이다. 실로 이들 작품에서 그러한 요소들의 출현을 설명해 줄 순수하게 음악적인 근거란 없으며, 그것은 오직 음악이 재현하고자 하는 이야기에 의해서만 해명될 수 있다.

14. 위 글의 내용과 일치하지 않는 것은?

① <바다>는 표제적 제목 없이는 재현으로 볼 수 없다.
② <브로드웨이 부기우기>는 제목과 함께 고려할 때 재현으로 볼 수 있다.
③ <전원 교향곡>에서 자연의 소리를 닮은 부분은 제목과 함께 고려해야만 재현으로 볼 수 있다.
④ <물레질하는 그레첸>의 주기적으로 반복되는 반주 음형은 제목과 함께 고려할 때 재현으로 볼 수 있다.
⑤ <1812년 서곡>에 포함된 '프랑스 국가'는 순수하게 음악적인 관점에서는 그 등장을 이해할 수 없는 부분이다.

15. 글쓴이의 견해와 일치하는 것은?

① 순수한 음악적 측면만으로 재현 대상에 대한 인식을 불러일으킬 수 있는 음악 작품이 흔히 존재한다.
② 음악의 재현 가능성을 옹호하려면 회화적 재현을 판단하는 기준을 대신할 별도의 기준이 마련되어야 한다.
③ 제목의 도움 없이는 재현 여부를 알 수 없다는 점이 음악과 전형적인 회화에서 공통적으로 발견되는 특성이다.
④ 음악적 재현이 가능하기 위해서는 음악 작품의 의도를 전혀 모르는 감상자가 작품을 충분히 이해하는 경우가 전형적이라야 한다.
⑤ 재현에 대한 지각적 경험과 재현 대상에 대한 지각적 경험 사이에 닮음이 존재해야 한다는 조건을 만족시키는 음악 작품이 존재한다.

16. <보기>에 대한 ㉠~㉢의 견해를 추론한 것으로 옳지 않은 것은?

―〈보 기〉―

슈만은 멘델스존의 교향곡 <스코틀랜드>를 들으면서 멘델스존의 다른 교향곡 <이탈리아>를 듣고 있다고 착각한 적이 있었다. 이탈리아의 풍경을 떠올리며 <스코틀랜드>를 들었을 슈만은 아마도 듣고 있는 곡의 2악장의 주제에 왜 파, 솔, 라, 도, 레의 다섯 음만이 사용되었는지 이해할 수 없었을 것이다. 멘델스존의 의도는 스코틀랜드 전통 음악의 5음 음계를 제시하려는 것이었다.

① ㉠은 이것을 예술 작품의 일부로서 제목이 갖는 중요성을 입증하는 사례로 이용할 수 있다고 할 것이다.
② ㉡은 슈만이 자신이 듣고 있는 곡의 재현 대상을 몰랐더라도 곡의 전체적인 조합만큼은 이해할 수 있었다고 할 것이다.
③ ㉡은 5음 음계가 사용된 이유에 대한 정보가 그 곡이 교향곡으로서 지니는 순수한 음악적 구조를 이해하는 데에 꼭 필요한 것은 아니라고 할 것이다.
④ ㉢은 슈만이 자신이 듣고 있는 곡의 제목을 잘못 알았기 때문에 그 음악을 완전히 이해하지는 못했다고 할 것이다.
⑤ ㉢은 이탈리아 풍경과는 이질적인 5음 음계로 인해 슈만이 자신이 듣고 있는 곡의 음악적 구조 파악에 실패했다고 할 것이다.

[17~19] 다음 글을 읽고 물음에 답하시오.

제국주의는 식민지의 영토만이 아니라 서구 중심주의적 이데올로기들을 통해 식민지의 문화와 정신까지 수탈했다. 그 이데올로기들은 식민 지배의 과정에서 '과학적인' 지식의 형태로 전파되었다. 역사학 분야도 예외는 아니어서 '근대 역사학' 또한 식민 지배 정당화의 도구 역할을 하였다. 근대 역사학은 서구의 역사적 경험을 토대로 생산된 담론들을 식민지의 근대적 교육 기관을 통해 유포했으며, 이를 바탕으로 식민지의 역사를 구성하여 역사에 관한 식민지인의 사유 방식까지 지배했다.

하지만 제국주의가 남긴 정신적 상흔들에 대한 비판이 제기된 결과, 이제 서구의 역사 역시 세계사의 '중심'이 아니라, 한 부분에 불과하다는 인식이 공유되고 있다. 비서구 문명도 서구 문명과 동등한 가치를 지니며, 서구 문명의 여러 요소는 오히려 비서구 지역에서 전파되었다는 점 등이 새로이 강조되고 있는 것이다. 그렇지만 이로써 서구 중심주의가 근본적으로 극복되었는지에 대해서는 의문의 여지가 있다. 그런 점에서 문명 담론에 대해, 그리고 그 담론에 수반하는 '근대성'과 '진보'라는 개념을 중심으로 한 역사적 사유 방식에 대해 근원적 재성찰을 할 필요가 있다.

근대 역사학의 핵심에는 역사주의적 사유 방식이 깔려 있다. 역사주의의 핵심은 '진보'라는 개념, 그리고 진보의 과정에 일정한 시간이 필요하다는 인식이다. 즉 역사는 시간과 함께 진보한다는 것이다. 그러므로 역사주의적 사유에 따르면, 시간은 늘 역사적 진보로 채워지기를 기다리고 있는 '동질적이고 비어 있는 시간'이다. 그리하여 근대 역사학은 '공간의 시간화' 전략을 사용하여 이질적인 지역의 다양한 역사적 현상들에 대한 연구를 동질적인 시간상의 위치 측정 기술로 만들었다. 그리고 '이전'의 시간(전근대)과 '지금'의 시간(근대)을 '진보'라는 개념으로 연속시키면서 각각의 시간에 비서구의 역사와 서구의 역사를 배치했다. 즉 서구 사회가 비서구 사회를 문명 상태로 전환할 사명을 가진다는 제국주의의 '문명화 사명' 주장의 바탕에는 서구와 비서구 모두 단선적 시간 위에서 동일한 역사적 진보 과정을 밟는다는 역사주의적 사유 방식이 깔려 있는 것이다.

그리고 역사적 시간의 이 위계적 구조로 인해 서구와 비서구 사이에서만이 아니라, 각 국가와 사회 내부에서 물리적으로 동일한 '지금'의 시간을 살아가는 사회 집단들 간에 '발전의 불균등'이 재생산되었다. 즉 한 사회 내부에서도 이른바 근대적인 발전에 뒤쳐져 있다고 규정된 집단 — 예를 들어 제국주의 시대의 식민지 농민 — 은 여전히 전근대를 살아가는 후진적 존재로 간주되면서 주변화되고 배제되지만, 다른 한편으로는 끊임없이 근대적인 시간 안으로 편입될 것을 강제당해 왔던 것이다.

그러면 서구 중심주의적 근대 역사학을 어떻게 극복해야 하는가? 단순히 비서구적 공간도 문화적 고유성을 갖고 있음을 강조하거나, 사회적, 경제적 측면에서 서구와 동일한 역사적 진보 과정을 밟아 나갈 수 있음을 강조하는 것은 본질적 대책이 되지 못한다. 중요한 것은 상이하고 이질적이며 '환원 불가능한' 역사적 시간들이 '지금 그리고 같이' 존재한다는 것을 인식하는 것이다. '지금 그리고 같이' 존재하는 역사들은 근대의 서사와 권력 관계에 편입되지 않는 역사들을 의미한다. 따라서 근대적 시간으로 포섭할 수 없는 '이질성'이 역사적으로 현존함을 인정하고, 근대가 갖는 보편성이나 동질성을 균열시킬 수 있는 그 이질성을 적극적으로 끌어안아야 한다.

17. 위 글의 내용과 부합하는 것은?
① 근대 역사학의 한계를 극복하려는 시도는 한 사회 내부의 전근대적 계층을 주변화하고 배제하는 결과를 가져왔다.
② 근대 역사학의 '공간의 시간화' 전략은 서로 다른 지역의 역사적 사건들을 단선적으로 비교한다.
③ 근대 역사학은 일반적으로 통용되는 객관적 합리성이라는 특징이 있기에 이데올로기와 무관하다.
④ 역사주의적 사유는 공간의 차이와 시간의 추이를 환원 불가능한 별개의 것으로 상정한다.
⑤ 역사적 시간을 위계적으로 보는 시각에 대한 반성으로 '문명화 사명' 이론이 등장하였다.

18. 위 글로 미루어 볼 때, <보기>의 ⓐ의 이유로 가장 적절한 것은?

<보 기>

인도의 차토파다이는 타자에 의해 전유되거나 강탈당한 과거를 거부하고 인도인에 의한 과거의 재현을 강조함으로써 인도 민족주의 역사학의 디딤돌을 놓았다. 그는 조상의 영광스러운 과거를 '과학적으로' 연구할 필요성을 제기하였다. 아울러 인도는 서구적 합리성이 결여되어 식민지가 되었으나, 후진적 문화를 변형하여 진보의 길로 나아갈 힘도 있다고 주장하였다. 차토파다이 이후 민족을 능동적 역사 주체로 내세운 인도의 민족주의 역사학은 인도 역사가 인류의 보편적 진보의 과정을 따라왔지만 식민 지배가 이 과정의 완성을 가로막고 있다고 보았다. 그리고 독립이 된다면 즉시 자력으로 근대화할 수 있다고 주장하며 식민지배의 정당화 논리를 비판하려 했다. 이 같은 주장은 정치적으로는 식민 정부에 맞서는 것이었지만, ⓐ역사주의적 사유를 극복하는 데에는 성공적이지 않았다.

① 인도 역사에 대한 과학적 연구를 구체화하지 못했기 때문이다.
② 인도 민족을 변혁하기 위해 과거의 재구성을 내세웠기 때문이다.
③ 인도가 추구할 역사적 미래는 근대화에 있다고 간주했기 때문이다.
④ 인도의 정신적 자주성을 강조하기 위해 서구 문명과 인도 문명이 다름을 주장했기 때문이다.
⑤ 인도 문화의 비합리성을 부정하고 자체적 문제 해결이 가능하다고 주장했기 때문이다.

19. 글쓴이의 주장으로 적절한 것만을 <보기>에서 있는 대로 고른 것은?

―<보 기>―
ㄱ. 비서구 지역에 대해 근대성 담론이 강요하는 강압적 획일화를 받아들이지 말아야 한다.
ㄴ. 전근대적이라고 간주되었던 역사 주체들을 기반으로 하는 역사적 시간을 승인해야 한다.
ㄷ. 보편적 기준을 바탕으로 이질적인 역사적 시간들을 치환하여 객관적으로 제시해야 한다.

① ㄱ
② ㄷ
③ ㄱ, ㄴ
④ ㄴ, ㄷ
⑤ ㄱ, ㄴ, ㄷ

[20~22] 다음 글을 읽고 물음에 답하시오.

 대부분의 서구 열강 식민지들이 독립한 20세기 중반 이후, 빈곤에 대한 국제적 개입은 주로 '개발'이라는 패러다임하에 진행되어 왔다. 식민본국과 식민지의 관계가 선진국과 저개발국의 관계로 재편되면서, 전자가 개발 원조를 통해 후자를 돕는 방식이 주를 이루었던 것이다. 그러나 냉전 체제가 종식되고 시장의 '글로벌'화가 급속히 진행되면서, 빈곤에 대한 대응 역시 '글로벌'화하고 있다. 빈곤에 대한 개입은 정부 차원을 넘어 다국적 기업, 국제기구, NGO와 대학, 종교 단체가 참여하는 전 지구적 교류의 장이 되었고, 그 목표도 세계 각지의 빈곤을 개선하려는 전 지구적 프로젝트로 확장되고 있다. 또한 인터넷을 통한 국제적 모금 활동도 활발해지면서 빈곤에 대한 대중의 관심도 '글로벌'화하고 있다.
 빈곤에 대한 전 지구적 대응은 규모의 확대 혹은 활동 주체의 다양성을 놓고 볼 때 정부 차원에 치우친 기존 방식보다 진일보한 것처럼 보인다. 그러나 이러한 개입 방식에도 받는 자의 입장을 고려하지 않는 억압적 증여 관계를 낳는다는 문제가 여전히 남아있다. '주는 자' 중심으로 만들어진 일방적 증여 관계에서 과연 양자 간의 수평적 연대가 가능할까? 되갚을 능력 없이 일방적 증여 관계에 편입된 '받는 자'가 갖게 되는 부담감과 무력감은 빈곤 퇴치 활동의 주 무대가 된 저개발 지역 주민들 사이에서 쉽게 발견된다. 문제는 이러한 고충에도 불구하고 해당 지역민들은 비대칭적 증여 관계를 단절시킬 수 없다는 것이다. 당장의 생활을 걱정해야 하는 지역민들이 대규모 원조를 단번에 뿌리치는 것은 결코 쉽지 않다.
 한편 비대칭적 증여 관계를 단절할 수 없는 것은 빈곤에 대한 개입을 구체적으로 담당하는 실무자들도 마찬가지이다. 빈곤에 대한 개입의 빈도와 규모가 커지면서 복잡한 실무 과정을 담당하는 이들의 역할이 교류의 필수불가결한 부분이 되었으며, 이는 '빈곤 산업'(poverty industry)을 대두시키는 결과를 낳았다. 그러나 문제는 빈곤 산업이 그 종사자들의 생활을 일정 수준 이상 유지해주고, 마치 그들을 위해 존재하는 것 같은 양상을 띠게 되었다는 점이다. 애초의 빈민 구제라는 순수한 목적을 실현하기 위한 수단으로 성립되었던 국제적 네트워크나 조직 등이 그 자체의 유지나 확장을 위해 빈민 구제를 내세우는 본말 전도의 형국을 드러내게 될 것이다. 그렇기에 이미 '주는' 역할이 직업이 된 '빈곤 산업'의 실무자가 거대한 '빈곤 산업'의 그물을 스스로 잘라내는 것은 어려운 일일 수밖에 없다.
 그런데 이와 같은 빈곤 개입의 문제에 대한 학계와 정부 기관, 민간단체의 비판은 '빈곤 산업'의 무분별한 확대보다는 '받는 자'의 '원조 의존성'에 중점을 두고 있다. 이를 잘 보여 주는 것이 '임파워먼트'(empowerment)를 둘러싼 최근의 논의들이다. 이러한 논의들은 서구 사회가 지난 50년 동안 2조 3천억 달러의 해외 원조를 제공하고도 빈곤의 문제를 해결하지 못한 것에 대한 반성을 담고 있다. 스스로 사회경제적, 정치적 역량을 강화함으로써 빈곤을 해결할 가능성이 있는 빈곤 지역을 선별하여 원조하거나 좀 더 효율적인 역량 강화를 위해 각 빈곤 지역의 문화적 특성에 걸맞은 원조 방식을 개발하는 데 초점이 맞추어져야 한다는 것이다. ㉠이러한 원조 방식은 흔한 비유대로 '물고기 잡는 방법'을 가르치겠다는 취지에서 나온 것이다. 장기적으로는 빈곤 지역에서 자체적으로 빈곤 문제를 해결할 수 있도록 외부 원조의 역할을 부수적인 것으로 국한해야 한다는 것이다.

그러나 이러한 논의에 앞서 '주는 자'가 주도하는 '빈곤 산업'의 무분별한 확대를 가져온 구조적 문제에 의문을 제기하는 것이 더 필요할 것으로 보인다. 빈민들이 잡을 물고기가 과연 남아 있기나 한가? 자기 어장을 뺏긴 사람들에게 낚싯대를 쥐어 주는 것이 과연 어떤 의미가 있는가? 이 의문은 '주는 자'와 '받는 자'라는 일방적 증여 관계가 고착된 전 지구적 차원의 정치경제적 구조와 국제정치적 편제 구조에 대한 좀 더 근본적인 문제 제기라고 할 수 있다. 이 관점에서 보면 '빈곤 산업'은 빈민들이 끊임없이 양산되는 구조적이고 근원적인 문제를 은폐하거나 고착한다는 또 다른 차원의 문제를 보여 준다.

20. 위 글의 내용과 일치하지 않는 것은?

① 오늘날 매체의 발달에 따라 빈곤에 대한 대응 양상도 변화하고 있다.
② 전지구화에 따라 빈곤에 대한 국제적 대응의 규모는 확대되는 경향이 있다.
③ 식민본국과 식민지의 관계는 개발 원조에서 '주는 자'와 '받는 자'의 관계로 이어졌다.
④ '임파워먼트'에 대한 논의는 원조 의존성의 해결책을 강구하기 위하여 시작되었다.
⑤ 빈곤에 대한 개입이 다각화되면서 '주는 자'와 '받는 자'의 비대칭적 증여 관계는 점차 줄어들고 있다.

21. 글쓴이의 문제의식으로 적절하지 않은 것은?

① 빈곤이 일어나는 사회 구조에 대한 근본적인 문제 제기가 이루어지지 않는다면 빈곤의 양산과 고착화 문제를 해결하기 어렵다.
② 현재 전 지구적 차원으로 진행되고 있는 빈곤 퇴치 활동이 산업화되어 가는 것 자체가 새로운 문제를 일으킨다는 것을 직시해야 한다.
③ 빈곤 퇴치 활동의 대상이 되는 저개발 지역 주민들과 원조 제공자 사이의 억압적 증여 관계를 개선하는 것이 긴요하다는 것을 인식해야 한다.
④ 전 지구적 차원의 빈민 구제 사업이 펼쳐질 수밖에 없는 데 대한 원인과 책임은 부유한 '주는 자'와 빈곤한 '받는 자' 모두에게 비슷한 수준으로 있다.
⑤ 전 지구적 차원의 반(反)빈곤 활동을 제대로 평가하기 위한 출발점은 '받는 자' 자생력을 키울 기반을 '주는 자'가 이미 빼앗았다는 것을 인식하는 데서 시작해야 한다.

22. ㉠에 해당하는 사례로 가장 거리가 먼 것은?

① 중앙아프리카 지역 주민들에게 주식인 옥수수보다 수확량이 더 많은 밀을 재배하도록 홍보하고 개량된 다수확 밀 품종을 보급한다.
② 빈곤 퇴치를 위해 적극적 노력을 기울이지 않는 짐바브웨보다 광물 자원의 판매 수입을 사회적 인프라에 투자하는 보츠와나에 원조를 집중한다.
③ 빈민 구제 활동을 자생적으로 펼쳐 온 태국의 사원(寺院)을 국제 원조 기구가 지원하여 빈민을 대상으로 직업 교육 및 아동 교육 프로그램을 운영한다.
④ 책임감이 강한 사람들을 선별하여 돈을 빌려줌으로써 지속 가능한 서민 금융으로 자리 잡은 방글라데시의 소액 대출 사업을 유지하고 확산하기 위한 프로그램을 지원한다.
⑤ 빈민이 일방적 수혜자가 아니라 기업가 정신을 지닌 적극적 경제 활동 주체가 될 가능성을 보여 준 인도의 저소득층 시장 개발 사업을 지원하고 필요한 경제 교육을 실시한다.

[23~25] 다음 글을 읽고 물음에 답하시오.

대의 민주주의는 유권자가 대표자에게 주권의 일부를 위임하고, 선출된 대표자는 관료 또는 기타 독립 기구에 권한의 일부를 다시 위임하는 연쇄적인 권한의 위임에 기초하여 작동한다. 그런데 후자의 위임은 선출되지 않은 권력을 창출한다는 점에서 대의 민주주의와 충돌할 소지가 있다. 그렇다면 왜 후자와 같은 위임 행위가 발생하는가?

이에 대해 기능주의 이론은 주인-대리인 모델에 의거하여 답한다. 주인, 즉 정치 행위자들이 대리인에게 권한을 위임하는 것을, 정보의 불완전성과 집합 행동의 딜레마로부터 발생하는 거래 비용을 절감하려는 합리적 선택으로 설명하는 것이다. 거래 비용에 정보 비용과 신뢰 비용이 포함된다는 점에서 이 이론은 둘로 나뉜다. 위임을 전문 지식과 정보 부족을 해결하기 위한 선택으로 이해하는 ⊙정보의 논리와, 위임을 주인들의 집합 행동의 딜레마, 즉 주인들이 상호 불신으로 인해 전체의 합의에 따른 공동의 장기적 이익 대신 자신의 단기적 이익을 추구하기 위해 합의를 이행하지 않게 되는 문제를 해결하기 위한 대안으로 이해하는 ⓒ신뢰의 논리가 그것이다.

그런데 권한 위임에는 대리인이 주인의 이익에 반해 행동할 위험이 있다. 이 때문에 위임의 문제는 대리인에게 기대하는 효용을 극대화하고 대리인의 배반을 최소화하기 위한 제도를 설계하는 문제로 압축된다. 이때 두 논리의 해법은 상이하다. 정보의 논리는 대리인이 더 많은 전문 지식과 정보를 가질수록, 또 주인과 대리인의 선호가 일치할수록 대리인에게 보다 많은 권한을 위임하는 방향으로 제도를 설계한다고 본다. 반면 신뢰의 논리는 주인들로부터 독립된 선호를 가진 대리인에게 보다 많은 권한을 위임하는 것이 바람직하다고 본다. 이때 위임은 주인들의 집합 행동 문제를 해결하기 위한 수단으로 이해된다.

하지만 이 두 논리에 대해 다음과 같은 비판이 가능하다. 정보의 논리는 대리인의 선호와 배반이 사후적으로만 관찰된다는 점에서 위임의 설계 단계에서 적용하기 어렵고, 신뢰의 논리는 주인들이 단기적 선호를 포기하고 대리인을 임명할 수 있다고 보는데, 그렇다면 집합 행동 문제는 애초에 존재하지 않았던 것이 된다. 따라서 위임의 문제를 제대로 다루기 위해서는 기능주의 이론이 아니라 정치적 거래 비용 이론의 관점에서 접근해야 한다.

정치적 거래 비용 이론은 위임의 설계 과정에서 일어나는 경쟁과 갈등에 주목하면서 위임을 정치적 불확실성과 분배의 갈등에 기초한 정치적 경쟁의 산물로 이해한다. 민주주의의 특징은 어떤 정치 행위자도 공공 정책을 수립하고 집행하는 권한을 안정적으로 갖지 않는다는 데 있다. 이러한 정치적 불확실성으로 인해 현재 정책이 미래의 정치권력에 의해 합법적으로 바뀔 수 있다. 정치적 불확실성하에서 정책의 지속성을 보장하는 방안은 해당 정책을 정치 행위자들의 간섭과 각축에서 분리, 독립시키는 것이다. 위임은 이러한 목적으로 이루어지며, 그 과정에서 새로운 형태의 거래 비용, 즉 '정치적 거래 비용'이 창출된다. 정치적 거래 비용이란 대리인에게 위임된 정책의 방향이나 내용을 변경하거나 대리인을 감시하는 데 소요되는 모든 비용을 일컫는데, 이 비용이 커질수록 대리인은 정치적 간섭으로부터 자유로워지고 정책이 역전될 가능성은 줄어든다.

정치적 거래 비용을 매개로 한 위임의 제도적 설계는 정치 행위자들에게 정책의 안정성과 대리인에 대한 통제 가능성 간의 맞교환을 요구한다. 위임을 설계하는 세력은 대리인에 대한 정치적 간섭을 배제하고 정책 안정성을 보장할 수 있도록 하면서 정치적 거래 비용의 증가를 발생시킴으로 인해 대리인에 대한 통제 가능성을 스스로 봉쇄하게 된다. 정치 권력을 중심으로 각축하는 정치 세력들 사이의 정책 선호의 차이가 현저할수록, 그리고 정치 권력 교체가 빈번하거나 경합을 벌이는 정치 세력이 다수일수록, 정책이 바뀔 가능성은 높아지고 정책의 안정성을 위해 정치적 거래 비용이 증가할 수밖에 없다. 정치적 거래 비용 이론은 위임을 정치 행위자들의 간섭과 통제로부터 분리하여 정책의 안정성을 얻는 행위로 이해함으로써 정책 결정을 추동하는 조건과 그로부터 야기되는 새로운 문제들에 대한 이론적 분석을 가능하게 하였다.

23. '위임'에 대한 위 글의 주장으로 적절하지 않은 것은?

① 위임은 정치적 경쟁 구조의 산물이다.
② 위임은 정치적 불확실성으로부터 발생한다.
③ 위임을 주인-대리인 모델로 설명하는 데에는 한계가 있다.
④ 위임은 정치적 거래 비용의 절감을 위한 합리적 선택의 결과이다.
⑤ 위임은 대의 민주주의의 기본 작동 방식이지만 그 원리와 충돌할 소지가 있다.

24. ⊙과 ⓒ에 대한 설명으로 타당하지 않은 것은?

① ⊙은 선호하는 결과를 낳기 위한 주인들의 전문 지식이 부족할수록 대리인에게 많은 권한이 위임된다고 본다.
② ⓒ은 주인들 각자의 단기적 이익과 공동의 장기적 이익 사이에서 발생하는 딜레마를 해결하기 위해 권한을 위임한다고 본다.
③ ⊙과 ⓒ 모두 합리성과 효율성의 관점에 기초하지만, 거래 비용의 상이한 측면에 주목한다.
④ ⊙과 ⓒ 모두 위임 제도 설계 단계에서 정치적 경쟁 속에 있는 정치 행위자들의 관계를 고려하지 못하고 있다.
⑤ ⊙에서 발생하는 대리인의 배반과 ⓒ에서 발생하는 집합 행동의 딜레마는 위임 설계 후에 확인된다.

25. 정치적 거래 비용 이론을 적용한 설명으로 보기 어려운 것은?

① 정치인들은 독립적인 중앙은행으로 통화 정책의 권한을 위임한다. 이는 그들이 긴축적인 통화 정책이 갖는 장기적인 효용에 대해 모두 동의함에도 불구하고 급격한 통화 팽창을 통해 단기적으로 정치적 이익을 극대화하려는 유혹에 빠지는 것을 막기 위해서이다.

② 각국의 정치 행위자들이 특정 사안에 대한 초국가적 기구를 만들어 그 기구에 정책 결정 및 집행의 권한을 많이 위임하는 현상이 발생한다. 이는 그들 간의 정책적 선호의 차이가 큰데도 불구하고 정책의 안정성과 지속성을 확보하기 위한 것이다.

③ 미국 행정부는 의회로부터 위임된 일정한 재량권을 항상 확보하고 있다. 이는 의회와 행정부 간의 정책 선호의 불일치가 증가할 가능성에도 불구하고 위임의 설계 단계에서 의회 내 세력 변화 가능성이라는 요인이 작동하기 때문이다.

④ 유럽중앙은행은 유럽연합의 통화 정책의 결정 및 집행에 있어 거의 전권을 행사한다. 이는 그 과정에서 민주주의의 결핍을 야기할 위험에도 불구하고 각 회원국 정치 행위자들의 간섭을 봉쇄하기 위한 정치적 행위의 결과이다.

⑤ 국제 협력을 위한 초국가적 기구를 구성할 때는 국내 반대자들에 대한 보상 방안도 협상 의제에 포함한다. 이는 국내 반대자들의 반론으로 인한 논란을 예방하여 국제 협력의 안정성을 제고하기 위한 것이다.

[26~29] 다음 글을 읽고 물음에 답하시오.

책장의 가장 밝은 곳에 꽂혀 있던 아르판의 책을 꺼내어 한국어로 번역하기로 마음먹은 건 그처럼 암담한 시기를 지나는 중이었다. 내게도 뛰어난 이야기를 알아볼 눈이 있다는 걸 증명하고 싶었다. ㉠ 요리는 못해도 미각은 있다는 점을 증명하고 싶었다. 그 증명에서 시작해, 나 자신에 대한 신뢰부터 되찾고 싶었다. 나는 와카어의 지식을 되짚어가며 정성껏 번역했다. 극심한 가난과 조울증의 고통 속에서 그 작업은 한 해 넘게 계속되었다.

자세를 똑바로 잡았다. 등을 등받이에 밀착시키고 꼬았던 다리를 펴 내렸다. 감정을 최대한 지운 목소리로 말했다.

"아르판, 지금 이 노래 들리지요?"

이번엔 여자 가수가 떼로 출동해 저를 떠나지 말라며 악을 쓰고 있었다. 아르판은 아무런 대답을 하지 않았다. 고개를 끄덕이거나 젓지도 않았다. 그건 내 예상과 아주 많이 다른 것이었다. 정적이 흘렀다. 견디기 힘들었다. 나는 차라리 그가 벌떡 일어나 화를 내기를, 울부짖거나 원망하기를, 혹은 주먹을 들어 ㉡ 내 곪은 영혼에 매질을 해 주기를 바랐다. 하지만 그는 가만히 나를 노려보기만 했다. 아니, 소름끼치는 눈으로 찬찬히 관찰했다. 표정을 읽어 낼 수 없어 답답했다. 나는 힘겹게 말을 이었다.

"한국에서 요즘 유행하는 노래입니다. 그런데 사실 이건 번안곡이에요. 원래는 삼사 년 전에 일본, 아, 그런 나라가 있습니다. 아무튼, 그 일본에서 만들어진 곡이거든요. 그러나 알고 보면 일본 것도 아니지요. 선진 문명을 받아들이던 시절에 일본이 흠모하던 영국의 동요가 그 뿌리니까요. 하지만 영국 이전에는 네덜란드의 서민 음악이었고, 그 음악은 17세기 중국 광동 지방으로부터 흘러나온 전통 리듬에 뿌리를 두고 있답니다. 자, 그렇다면 중국 광동 지방의 어느 중국인이 이 노래의 원작자일까요?"

아르판은 대답하지 않았다. 속내를 짐작할 수 없는 시커먼 눈동자가 무서웠다. 답답했다. 나는 부탁하고 싶었다. 무슨 생각을 하는지 알려 달라고 부탁하고 싶었다. 하지만 그렇게 말하지 않았다. 다르게 말했다. 그렇지 않아요, 하고 나는 쫓기듯 말했다.

"그렇지 않아요. 비록 광동의 리듬을 차용했지만, 이 곡에는 자신이 거쳐 온 네덜란드나 영국, 일본, 그리고 우리 한국의 고유한 향수가 모두 담겨 있습니다. 게다가 알려진 게 그 정도라 그렇지, 더 깊이 파고들다 보면 전혀 다른 지역으로까지 소급해야 될지도 모릅니다. 그러나 이 복잡한 노래의 마디마디에서 원작자를 찾는 건 불가능할 뿐 아니라 옳지도 않습니다. 더 자세히 얘기해 봅시다. 이 음악은 칠음계를 사용하고 있군요. 또 리듬의 중심엔 일렉트릭 베이스가 있네요. 그렇다면 칠음계의 수학적 원리를 고안한 피타고라스, 베이스 기타의 발명자인 폴 툿말크를 불러다 이 음악에 관한 창조의 권리를 부여해야 할까요? 그건 어리석은 짓입니다. 피타고라스가 숫자를 발명했나요? 툿말크가 소리를 발명했어요? 그렇지 않아요. 인간의 예술은 단 한 번도 순수했던 적이 없습니다. 우리가 벌이는 모든 창조는 기존의 견해에 대한 각주와 수정을 통해 나옵니다. 그렇게 차곡차곡 쌓이는 겁니다."

나는 아르판이 모를 게 분명한 온갖 장르와 지역과 사람의 이름을 난잡하게 혼용함으로써 문화와 예술의 차이를 구분하지 않은 내 논리의 허점을 감추려 노력했다. 높이 쌓는 행위가 문화라면 아르판이 써 나간 건 예술이다. 하지만 나는 그 차이를 일부러 무시했다.

무시하고, 어떻게든 동일시하기 위해 애썼다.

(중략)

나는 거의 화를 내고 있었다. 바락바락 대드는 심정으로 말했다.
"네, 나는 당신 것을 훔쳤습니다. 하지만 난 그 이야기의 주인공들에게 한국의 문화를 덧칠함으로써 더욱 멋지게 살려냈습니다. 내가 훔치지 않았더라도 당신 이야기가 살아남을 수 있었을까요? 세상에 드러났을까요? 아닙니다. 내가 훔치지 않았다면 그 이야기는 머지않아 당신과 함께 영원히 묻혀 버릴 겁니다. 그렇다면 어느 쪽입니까? 불멸하는 것과 영원히 묻히는 것, 어느 쪽을 원합니까? 당신은 당신이 창조해 낸 인물들을 사랑합니까, 아니면 필경 수 년 내에 쓰러져 묻힐 ⓒ <u>저 갸우뚱한 오두막에서의 명예</u>를 사랑합니까?"

옳지 않은 것을 설득하기란 어려운 일이다. 하지만 전혀 불가능한 것도 아니다. 그에게 윽박지른 논리는 ⓔ <u>내가 발명할 수 있는 최선의 것</u>이었다. 말을 끝낸 뒤, 묘하게 고정되어 있는 아르판의 까만 눈을 피해 곱창볶음만 바라보았다. 부끄럽다기보다는 겁이 났다. 와카의 땅에서라면 이런 짓을 한 나는 그의 거친 손에 붙잡혀 죽었을지 모른다. 그리하여 ⓜ <u>취향도 뭣도 아닌 대중성으로 요란히 장식된 한국산 기성복</u>과 함께 화장터에서 불살라졌을지 모른다. 하지만 이곳은 문명 세계고 나는 이곳의 주민이어서, 어느 순간 아르판의 눈빛이 맥없이 풀리리라는 것을, 제 피조물과 이야기를 영원히 살리는 쪽으로 동의하리라는 것을, 내가 이기리라는 것을 알고 있다. 과연 아르판이 눈을 몇 번 깜박이더니, 그윽하게 감는 것이었다. 스피커에서는 떠나지 말라며 악을 쓰는 목소리가 쉬지 않고 흘러나왔다. 나는 차라리 모든 것이 떠나가 주면 좋겠다고 생각했다. 말없는 아르판도, 나를 가난과 질병의 고통으로부터 구해 준 저 책도, 불멸을 향한 아찔한 기만도, 저주받을 욕망과 열정도, 죄의식에 억눌려 살아가야 할 앞으로의 나날도 모두, 모두.

조금 지나 아르판이 눈을 떴다. 맑고 굵은 눈에 형언할 수 없는 복잡한 빛이 어려 있었다. 잠시 나를 보더니, 천천히 일어났다. 일어나고 일어났다. 다 일어났다고 생각한 뒤에도 한참 더 일어났다. 고급 승용차의 자동 안테나처럼 위로 쭉쭉 올라갔다. 그는 이제까지와는 달리 갸우뚱하게 서 있지 않았다. 엄청난 신장을 과시하듯, 자신이 얼마나 더 커질 수 있는지 아냐고 묻는 듯 똑바로 기립했다. 그 상태로 나를 내려다보았다. 부드럽게 미소 지으며 입을 열었다.
"이만 돌아가 쉬어야겠군요. 여러 가지로 수고해 주셔서 고맙습니다."

그렇게 말하는 아르판의 얼굴에는 놀랍게도 아무런 분노나 절망을 찾아볼 수 없었다. 아니, 겉으로만 보자면 오히려 정말로 고마워하는 것 같았다. 뜻밖의 반응에 당황한 나는 무릎으로 의자를 밀치고 일어났다. 어정쩡하게 작별의 인사를 건넸다.

- 박형서, 「아르판」 -

26. 위 글에 대한 설명으로 적절한 것은?
① 인물이 처한 상황과 심리가 인물 자신의 시각을 통해 전달되고 있다.
② 현실로부터 소외된 인물을 통해 사건의 상징적 의미를 강조하고 있다.
③ 배경 공간을 객관적이고도 치밀하게 묘사함으로써 사실성을 높이고 있다.
④ 인물의 성격 변화를 극적으로 제시함으로써 이야기의 긴장감을 조성하고 있다.
⑤ 사건들을 원래 발생 순서와 다르게 제시하여 사건들 간의 인과성을 드러내고 있다.

27. ㉠~㉤의 문맥상 의미를 설명한 것으로 적절하지 <u>않은</u> 것은?
① ㉠은 창작 능력은 없어도 좋은 작품을 판별하는 감식안이 있다는 것을 의미한다.
② ㉡은 우리 사회의 부정적 현실을 직시하지 못하고 그에 타협하는 부도덕을 의미한다.
③ ㉢은 훌륭하지만 세상에 널리 알려지지 않은 채 인정받지 못하는 상태를 가리킨다.
④ ㉣은 자신의 행위를 변명하기 위해 심혈을 기울여 애써 만들어낸 궤변을 뜻한다.
⑤ ㉤은 대중이 애호하는 것들로 구성되었지만 실상 별 가치가 없는 상품을 뜻한다.

28. '나'와 '아르판'의 대화 상황에 대한 해석으로 적절하지 않은 것은?

① '나'와 아르판이 만날 때 들리는 음악은 아르판이 '나'의 논리에 승복하는 데 중요한 근거가 된다.
② '나'가 아르판의 반응에 계속 신경 쓰는 것은 실상 자신이 먼저 괴로움을 깊이 느끼고 있기 때문이다.
③ '나'를 향한 아르판의 시선 변화는 그가 사태를 관찰하고 생각하며 결심하는 과정을 암시하고 있다.
④ '나'는 아르판이 자신의 고향이 아닌 한국에서는 '나'의 행위를 인정할 수밖에 없을 것으로 기대한다.
⑤ '나'에게 아르판이 일어나는 동작이 길고 크게 보인 것은 불안과 자책을 불러일으킨 그에게 압도되었기 때문이다.

29. '나'가 자신의 행위를 기만으로 생각한 이유로 가장 적절한 것은?

① 다른 문화권 예술에 대한 표절은 자기 문화의 발전을 저해한다는 것을 무시했기 때문이다.
② 문화 도입 과정에서 생기는 창조적 요소가 새로운 예술의 원천임을 간과했기 때문이다.
③ 예술을 포함한 모든 문화에 고유성이 필수적 요건이라는 것을 고려하지 않았기 때문이다.
④ 일반적인 문화와 달리 예술은 창조성을 고유한 본질로 삼는다는 것을 도외시했기 때문이다.
⑤ 외견상 달리 보이는 작품도 실제로는 기원이 동일한 경우가 있다는 것을 외면했기 때문이다.

[30~32] 다음 글을 읽고 물음에 답하시오.

계약의 본질을 당사자들의 자유로운 의사의 합치로 보는 사비니 이래의 근대적인 계약 이해 방식에 따르면 특정한 내용의 계약을 체결한 당사자들이 그 계약을 준수해야 하는 까닭은 바로 스스로가 그 계약 내용의 실현을 원했기 때문이다. 그렇다면 가령 계약 당사자들이 민법의 규정을 무시하고 선량한 풍속에 위반하는 사항의 실현을 자발적으로 원했을 경우에는 어떻게 할 것인가? 여전히 당사자들 사이에 자유로운 의사의 합치가 있었음을 이유로 그와 같은 계약도 그들을 구속한다고 보아야 할 것인가? 아니면 아무리 당사자들이 원했다 하더라도 법률이 정하고 있는 바에 어긋나는 내용의 계약은 당사자들을 구속할 수 없다고 봄으로써 근대적인 계약 이해 방식을 포기해야 할 것인가?

많은 경우 법률가들은 계약을 당사자들 사이의 자유로운 의사의 합치로 이해하면서도, 다른 한편으로는 선량한 풍속에 위반하는 내용의 계약이 무효인 까닭은 법률이 그렇게 정하고 있기 때문이라는 설명에 만족한다. 그러나 이러한 태도는 딜레마를 이루는 두 축을 동시에 붙들고 있는 것이라 할 수 있다. 이 지점에서 근대적인 계약 이해 방식에 대한 근본적인 문제 제기가 이루어진다.

의사표시 이론의 논쟁과 관련해서도 비슷한 문제를 생각해 볼 수 있다. 전통적인 '의사주의적 관점'은 계약의 핵심을 어디까지나 의사의 합치에서 찾으려 한다. 이에 따르면 내심의 의사 내용과 외부로 표시된 내용이 일치하지 않는 경우에는 전자에 따른 법적 효과를 인정해야 한다. 하지만 이렇게 할 경우 표시된 내용만을 믿고 거래에 응한 상대방은 예기치 못한 손해를 입을 수 있다. 이 점을 고려하여 내심의 의사 내용보다는 외부로 표시된 내용을 기준으로 법적 효과를 인정해야 한다는 '표시주의적 관점'이 등장하게 되었는데, 이는 계약 당사자들 사이의 신뢰와 거래질서의 안정성을 보호하려는 법적 추세와 일맥상통하는 것이었다. 이 관점에 따르면 계약을 준수해야 하는 이유 역시 '표시된 바에 의할 때' 당사자들이 그 내용의 실현을 원했다는 점에서 찾게 된다.

이러한 논란은 결국 당사자들이 진정 무엇을 원했는가보다는 법이 무엇을 승인했는가가 더 중요하다는 사고로 이어짐으로써, 계약을 이해하는 기존의 방식 자체에 문제가 있음을 인정하고, 계약에 따른 책임의 본질을 의사의 내용에 기초한 책임(약정 책임)이 아니라 궁극적으로 법률의 규정에 기초한 책임(법정 책임)일 뿐이라고 보려는 '급진적 관점'의 도래를 예정하게 된다. 예를 들어 불법행위를 저지른 사람이 피해자에게 배상하고 싶지 않다고 해서 면책될 수 없는 것과 마찬가지로, 자신의 의사와 다른 내용의 계약을 체결하거나 이행해야 할 경우가 있다는 것이다. 일부 학자들이 이른바 '계약의 죽음'을 이야기하는 이유도 바로 이러한 맥락에서 이해될 수 있을 것이다.

계약을 이해하는 방식의 이와 같은 변화는 자본주의적 경제 체제의 발달과 맞물려 있는 것으로 평가되고 있다. 근대적 법제는 중세의 신분적 제약을 타파하고 만인이 자유롭고 평등한 존재로서 자신이 처하게 될 법률 관계를 스스로 결정할 수 있음을 선언했지만, 얼마 지나지 않아 인간의 자유와 평등은 단지 형식적인 전제로 머물러서는 안 되며 실질적인 목표가 되어야 한다는 실천적 반성을 불러일으키게 되었다. '계약 당사자들 사이의 자발적인 의사의 합치'는 취약한 사회·경제적 지위를 갖는 한쪽 당사자의 의사를 자유와 평등의 이름으로 상대방의 의사에 종속시키는 결과를 초래했기 때문이다. 이러한 상황에서 사회 정의와 공정성을 확보하기 위해 출현한 각종 규제 입법들은 결국 계약의 당사자들이 표면적으로 동의했던 바에 구속력을 인정하지 않을 수도 있고, 그들이 미처 생각지도 못했던 바를 강제할 수도 있다는 점을 수용하고 있는 것이다.

30. 위 글의 내용과 부합하지 <u>않는</u> 것은?

① 의사주의적 관점은 모든 사람이 자유로운 의사 결정의 권리를 가지고 있음을 전제한다.
② 의사주의적 관점은 의사표시의 주체에게 자신의 의사와 일치된 표시를 할 부담을 부과한다.
③ 표시주의적 관점은 의사표시의 주체보다는 그 의사표시를 신뢰한 상대방을 보호하고자 한다.
④ 표시주의적 관점은 의사주의적 관점이 야기할 수 있는 문제점을 해결하는 과정에서 등장하였다.
⑤ 급진적 관점은 계약상 채무의 불이행으로 인한 책임을 법정 책임의 일종으로 보고자 한다.

31. 근대적인 계약 이해 방식의 문제점을 지적한 것으로 옳은 것만을 <보기>에서 있는 대로 고른 것은?

―――<보 기>―――
ㄱ. 의사와 표시가 일치하지 않는 것이 당연하다는 전제에서 출발하고 있다.
ㄴ. 계약의 자유라는 문제에 비해 계약의 공정성이라는 문제를 소홀히 하고 있다.
ㄷ. 규제 입법을 통해 계약의 자유를 제한해야 할 경우가 있음에도 불구하고 이런 개입을 정당화하기 어렵다.

① ㄱ   ② ㄴ   ③ ㄱ, ㄷ
④ ㄴ, ㄷ   ⑤ ㄱ, ㄴ, ㄷ

32. 위 글을 바탕으로 <보기>의 주장 A~E를 평가한 것으로 적절하지 <u>않은</u> 것은?

―――<보 기>―――
갑은 자기 소유의 토지를 시세에 따라 m^2당 10만 원에 팔고자 하였으나, 을과 매매 계약을 체결할 당시 평당 10만 원에 팔고자 한다고 말하였다(1평은 $3.3m^2$). 을은 평당 10만 원의 가격이 합당하다고 생각하여 갑과 매매 계약을 체결하였다.

A : 갑은 평당 10만 원에 팔고자 하는 의사를 가지고 있지 않았을 것이므로, 평당 10만 원에 토지를 넘겨줄 의무는 없다.
B : 을은 갑이 평당 10만 원에 팔고자 한다는 말을 신뢰하여 계약을 체결한 것이므로 m^2당 10만 원에 해당하는 대금을 지급할 의무가 없다.
C : 갑은 평당 10만 원에 팔고자 하는 의사를 가지고 있지 않았을 것이지만, 스스로 그렇게 말했으므로 그 가격에 팔아야 한다.
D : 갑이 평당 10만 원에 팔고자 하는 의사를 가지고 있지 않았다는 사실을 스스로 입증한다면, 그 가격에 토지를 넘기지 않아도 된다.
E : 을은 평당 10만 원의 가격이 합당하다고 생각하여 계약을 체결한 것이므로, 폭리 취득을 금지하는 규정의 유무와 상관없이 그 대금만 지급하면 된다.

① A는 의사주의적 관점에 부합한다.
② B는 표시주의적 관점에 부합한다.
③ C는 표시주의적 관점에 부합한다.
④ D는 의사주의적 관점에 부합한다.
⑤ E는 급진적 관점에 부합한다.

[33~35] 다음 글을 읽고 물음에 답하시오.

스마트폰이 등장하면서 모바일 무선 통신은 우리의 삶에서 없어선 안 될 문명의 이기가 되었다. 모바일 무선 통신에 사용되는 전파는 눈에 보이지 않아 실감하기 어렵지만, 가시광선과 X선이 속하는 전자기파의 일종이다. 전파는 대기 중에서 초속 30만 km로 전해지는데, 이는 빛의 속도(c)와 정확히 일치한다. 전파란 일반적으로 '1초에 약 3천~3조 회 진동하는 전자기파'를 말한다. 1초 동안의 진동수를 '주파수(f)'라 하며, 1초에 1회 진동하는 것을 1 Hz라고 한다. 따라서 전파는 3 kHz에서 3 THz의 주파수를 갖는다. 주파수는 파동 한 개의 길이를 의미하는 '파장(λ)'과 반비례 관계에 있다. 즉, 주파수가 높을수록 파장은 짧아지며, 낮을수록 파장은 길어진다. 전자기파의 주파수와 파장을 곱한 수치($c=f\lambda$)는 일정하며, 빛의 속도와 같다.

모바일 무선 통신에서 가시광선이나 X선보다 주파수가 낮은 전파를 쓰는 이유는 정보의 원거리 전달에 용이하기 때문이다. 주파수가 높은 전자기파일수록 직진성이 강해져 대기 중의 먼지나 수증기에 의해 흡수되거나 산란되어 감쇠되기 쉽다. 반면, 주파수가 낮은 전파는 회절성과 투과성이 뛰어나 장애물을 만나면 휘어져 나가고 얇은 벽을 만나면 투과하여 멀리 퍼져 나갈 수 있다. 3 kHz~3 GHz 대역의 주파수를 갖는 전파 중 0.3 MHz 이하의 초장파, 장파 등은 매우 먼 거리까지 전달될 수 있으므로 해상 통신, 표지 통신, 선박이나 항공기의 유도 등과 같은 공공적 용도에 주로 사용된다. 0.3~800 MHz 대역의 주파수는 단파 방송, 국제 방송, FM 라디오, 지상파 아날로그 TV 방송 등에 사용된다. 800 MHz~3 GHz 대역인 극초단파가 모바일 무선 통신에 주로 사용되며 '800~900 MHz 대', '1.8 GHz 대', '2.1 GHz 대', '2.3 GHz 대'의 네 가지 대역으로 나뉜다. 스마트폰 시대에 들어서면서 극초단파 대역의 효율적인 주파수 관리의 중요성이 더욱 커지고 있다. 3 GHz 이상 대역의 전파는 직진성이 매우 강해져 인공위성이나 우주 통신 등과 같이 중간에 장애물이 없는 특별한 경우에 사용된다.

모바일 무선 통신에서 극초단파를 사용하는 이유는 0.3~800 MHz 대역에 비해 단시간에 더 많은 정보의 전송이 가능하기 때문이다. 예로 1비트의 자료를 전송하는 데 4개의 파동이 필요하다고 하자. 1 kHz 초장파는 초당 1,000개의 파동을 발생시키기 때문에 매초 250비트의 정보만을 전송할 수 있지만, 800 MHz 초단파의 경우 초당 8억 개의 파동을 발생시키므로 매초 2억 비트의 정보를, 1.8 GHz 극초단파는 초당 4.5억 비트에 해당하는 대량의 정보를 전송할 수 있다. 극초단파의 원거리 정보 전송 능력의 취약성을 극복하기 위해 모바일 무선 통신에서는 반경 2~5 km 정도의 좁은 지역의 전파만을 송수신하는 무선 기지국들을 가능한 한 많이 설치하고, 이 무선 기지국들을 다시 유선으로 연결하여 릴레이 형식으로 정보를 전송함으로써 통화 사각지대를 최소화한다. 모바일 무선 통신과 더불어 극초단파를 사용하는 지상파 디지털 TV 방송에서도 가능한 한 높은 위치에 전파 송신탑을 세워 전파 진행 경로상의 장애물을 최소화하려고 노력한다.

모바일 무선 통신에서 극초단파를 사용함으로써 통신 기기의 휴대 편의성도 획기적으로 개선되었다. 전파의 효율적 수신을 위한 안테나의 유효 길이는 수신하는 전파 파장의 $\frac{1}{2} \sim \frac{1}{4}$ 정도인데, 극초단파와 같은 높은 주파수를 사용하면서 손바닥 크기보다 작은 길이의 안테나만으로도 효율적인 전파의 송수신이 가능해졌기 때문이다.

* 1 THz=1,000 GHz, 1 GHz=1,000 MHz, 1 MHz=1,000 kHz, 1 kHz =1,000 Hz

33. 위 글에 따를 때, 옳지 <u>않은</u> 것은?

① 전파의 파장이 길수록 주파수가 낮다.
② 극초단파는 가시광선보다 주파수가 낮다.
③ 직진성이 약한 전파일수록 단위 시간당 정보 전송량은 많아진다.
④ 800 MHz대의 안테나 유효 길이는 2.3 GHz대 것의 약 3배에 해당한다.
⑤ 1.8 GHz대 전파는 800~900 MHz대 전파보다 회절성과 투과성이 약하다.

34. 위 글을 바탕으로 전파의 활용에 대해 진술한 것으로 옳은 것만을 <보기>에서 있는 대로 고른 것은?

─────────<보 기>─────────
ㄱ. 3 GHz 이상 대역은 정보의 원거리 전송 능력이 커서 우주 통신에 이용된다.
ㄴ. 모바일 무선 통신에서 낮은 주파수를 사용할수록 더 많은 기지국이 필요하다.
ㄷ. 지상파 디지털 TV 방송은 지상파 아날로그 TV 방송보다 높은 주파수 대역을 사용한다.

① ㄴ   ② ㄷ   ③ ㄱ, ㄴ
④ ㄱ, ㄷ   ⑤ ㄱ, ㄴ, ㄷ

35. 위 글을 바탕으로 <보기>를 읽고 판단한 것으로 적절하지 <u>않은</u> 것은?

<보 기>

○ '황금 주파수' 대역의 변화
　초기 모바일 무선 통신 시대에는 800~900 MHz 대역의 주파수가 황금 주파수였으나, 모바일 무선 통신 기술의 발달과 더불어 오늘날의 4세대 스마트폰 시대에는 1.8 GHz 대와 2.1 GHz 대가 황금 주파수로 자리 잡게 되었다.

○ 주파수 관리 방식
　- 정부 주도 방식 : 주파수의 분배와 할당에 있어서 경제적 효율성만으로 평가할 수 없는 표현의 자유, 민주적 가치, 공익 보호 등을 고려하여 전적으로 시장에 일임하지 않고 정부가 직접 관리하는 방식.
　- 시장 기반 방식 : 주파수의 효율적 이용에 적합하도록 시장 기능을 통해, 예를 들어 경매와 같은 방식으로 주파수를 분배하고 할당하는 방식.

① 황금 주파수 대역의 변화는 모바일 무선 통신 기술의 발달뿐 아니라, 4세대 스마트폰 시대에 전송해야 하는 정보량의 급격한 증가와도 관계가 있을 것이다.
② 모바일 무선 통신 기술의 지속적인 발달과 함께 소형화된 통신기기에 대한 소비자의 욕구가 커질수록 황금 주파수는 더 높은 대역으로 옮겨갈 것이다.
③ 0.3 MHz 이하 대역은 공익 보호의 목적보다는 경제적 효율성의 가치가 더 중요하므로 정부 주도 방식이 아닌 시장 기반 방식으로 관리될 것이다.
④ 1.8 GHz 대와 2.1 GHz 대의 주파수를 차지하기 위한 경쟁이 심화되어 이에 대한 주파수 관리의 중요성이 부각될 것이다.
⑤ 방송의 공공성을 고려한다면, 0.3~800 MHz 대역의 주파수 관리에는 정부 주도 방식이 적합할 것이다.

2027학년도 LEET 대비
기출문제 해설집

2013

영역별 출제 비중 분석

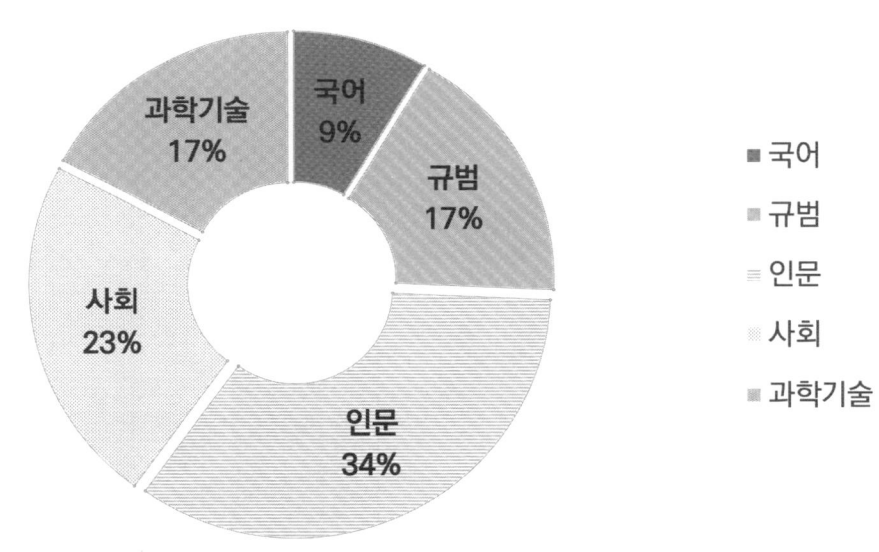

내용 영역	국어	규범	인문	사회	과학기술	총
문항 수	3	6	12	8	6	35

※ 출제 비중은 소수점 첫째 자리에서 반올림하였습니다.

2013학년도 언어이해

출제 경향 분석

2013학년도에서는 제시문의 길이가 대체로 길어지고 제시된 정보의 양이 늘어남으로 인해 수험생들이 한정된 시간 내에 제시문을 소화하는 데 곤란을 겪었을 가능성이 높아 보인다.

제1교시

[홀수형]

2013학년도 법학적성시험

언어이해 문제지

성 명 ☐　　　수험번호 ☐☐☐☐☐☐

수험생 유의사항

○ 이 문제지는 **32문항**으로 구성되어 있습니다.
　- 본고사는 35문항으로 구성되어 있으나, 본서에서는 미출제 범위 문항(1~3)은 수록하지 않았습니다.

○ **시험 시간은 09 : 00 ~ 10 : 20(80분)입니다.**
　- 시험 시간은 실제 본고사와 동일한 35문항 기준입니다.

○ 문제지에 성명과 수험번호를 정확하게 기재하십시오.

○ 답안지는 반드시 컴퓨터용 사인펜을 사용하여 답을 표기하여야 합니다.

○ 답안지의 '필적확인란'에 제시된 문구를 정확히 정자로 기재하여야 합니다.

메가로스쿨

2013학년도 법학적성시험
언어이해

제1교시 / 홀수형

○ 이 문제지는 **32문항**으로 구성되어 있습니다. 문항 수를 확인하십시오.
○ 문제지의 해당란에 성명과 수험번호를 정확히 쓰십시오.
○ 답안지에 수험번호, 문제유형, 성명, 답을 표기할 때에는 '답안 작성 시 반드시 지켜야 하는 사항'에 따라 표기하십시오.
○ 답안지의 '필적확인란'에 해당 문구를 정자로 기재하십시오.

[4~6] 다음 글을 읽고 물음에 답하시오.

조선 성종 연간, 안정형의 아내 김 씨의 사내종 금동과 계집종 노덕은 김 씨의 옷을 훔치고 중 각돈의 옷을 가져온 뒤, 간통 현장에서 얻은 것이라며 추잡한 소문을 내었다. 이 과정에서 김 씨의 사내종 끝동이 금동의 말을 듣고 김 씨의 옷을 김 씨의 사내종 막동에게 전하여 맡아 두도록 하였다. 이 사건은 안정형의 사촌 형수인 간아가 김 씨를 내쫓고 싶어 꾸민 일이었고, 결국 무고로 밝혀졌다.

노비가 상전을 모해(謀害)한 데 대한 규정은 명률(明律)에 없다. 의금부에서는 노비들에 대하여 명률에 있는 다음 두 조문의 적용을 따져 보았다.

- 모반(謀叛 : 본국을 배반하고 타국을 몰래 따르려 모의함.)의 경우 공모자는 주범과 종범을 가리지 않고 모두 참형에 처하며, 알면서 자수하지 않은 자는 장 100, 유 3,000리에 처한다.
- 모반대역(謀反 : 사직을 위태롭게 하려 모의함. 大逆 : 종묘, 왕릉, 궁궐을 훼손하려 모의함.)의 경우 공모자는 주범과 종범을 가리지 않고 모두 능지처사하며, 실정을 알면서 고의로 숨겨 준 자는 참형에 처한다.

의금부는 결국 간아는 장 100, 유 3,000리, 금동과 노덕은 참형, 막동과 끝동은 장 100, 유 3,000리로 처결하는 것이 좋겠다는 계본을 올렸다. 그런데 막동과 끝동의 형량에 대해서는 큰 논의가 있었다. 이를 『조선왕조실록』의 기사에서 발췌하면 아래와 같다.

[성종 8년 12월 23일]
동부승지 이경동이 의금부의 계본을 가지고 와서 아뢰었다.
"종 끝동이 금동의 말을 듣고 실정을 알면서도 상전과 각돈의 의복을 막동에게 가져다 준 죄와 종 막동도 또한 그러한 사정을 알면서도 맡아 둔 죄는 형이 장 100, 유 3,000리에 해당합니다."
임금이 좌우에 "어떠한가?" 하고 물었다.
영의정 정창손이 대답하기를 "막동과 끝동이 필시 그 모의를 알았으니 그 죄도 사형에 해당합니다." 하자, 임금은 "그렇지."라고 말하였다.
이경동이 아뢰었다.
"모반(謀叛)이더라도 그 모의에 참여한 게 아니면 죽이지는 않습니다."
임금이 말하였다.
"그 말은 본국을 배반하고 타국을 몰래 따르려 했다는 것이지, 사직을 위태롭게 하려 한 죄가 아니라는 게로구나. 사직을 뒤흔들려는 모의가 있고 그것을 아는 자가 있다면, 모의에 참여하지 않았다고 해서 죽이지 못할 게 뭐 있겠는가? 막동들이 상전을 모해한 일은 이와 무엇이 다른가?"
좌참찬 임원준과 지평 강거효도 "막동과 끝동이 그 죄에 참여하여 알았으니 죽여야 마땅한 일입니다."라고 호응하였다.
형조 참의 이맹현이 아뢰었다.
"율문에서는 모의에 참여한 경우에는 죽이고 그 모의를 안 경우에는 장을 쳐 유배하도록 합니다. 여기서 '모의에 참여한 경우'란 처음부터 그 모의에 참여한 것을 말하고, '그 모의를 안 경우'란 뒤에 그 모의를 알았다는 것입니다. 지금은 형률상 사형에 이르지 않으니 죽이는 것은 아직 안 됩니다. 다시 국문하여 죄를 정하옵소서."
임금은 "막동과 끝동이 사형인 데에는 의심이 없지만, 공경들과 더불어 널리 의논해 보자."라고 말하였다.

[성종 8년 12월 24일]
임금이 여러 정승과 육조의 당상을 불러들였다. 대간(臺諫)에서 간아와 관련된 자들은 사형에 해당한다고 하자, 임금이 말하였다.
"사형의 죄는 지극히 중대한 것이기 때문에 경들과 더불어 의논하고자 하니 말들 해 보라."
달성군 서거정이 아뢰었다.
"막동은 안정형 집의 늙은 종으로 옷을 맡아 주었고, 끝동은 금동의 말에 따라 옷을 받아다 주었으니, 모두 사정을 아는 이들입니다. 지금 '알면서 자수하지 않은'데 해당하는 율을 적용하려는 것은 잘못입니다. 이 종들은 '실정을 알면서 숨겨 준 죄'로써 죽여야 마땅합니다."
영돈녕부사 노사신이 아뢰었다.
"끝동은 나이 어리고 어리석으니 그 주인의 의복을 가지고 왕래하였다 한들 저가 어찌 그 주인을 모해하려는 것인 줄 알았겠습니까? 죽여서는 안 됩니다."
서거정이 맞섰다.
"나라의 난신과 집안의 역노(逆奴)는 마찬가지입니다. 끝동이 이미 주인을 해치는 데 간여하였는데 죽인들 뭐가 해롭겠습니까?"
이승소가 아뢰었다.
"죄가 의심스러우면 가벼운 쪽으로 정해야 합니다. 끝동은 모르는 놈입니다. 어찌 그렇게까지 죄를 정할 수 있겠습니까?"
많은 신료들의 의견이 서거정을 따랐다. 임금이 말하였다.
"죽여야 할 것을 죽이지 않는 일도 옳지 못하고, 죽이지 않을 것을 죽이는 일도 옳지 못하다. 막동과 끝동은 사형에 처하는 것이 매우 법에 합당하다. 막동과 끝동은 적용 조문을 바꾸도록 하고, 나머지는 올린 대로 시행하라."
의금부가 적용 조문을 바꾸어 막동과 끝동을 참형의 율로 처결하도록 아뢰니 그대로 윤허하였다.

4. 의금부에서 노비들의 죄를 논할 때, 전제로 삼은 명률 규정의 내용으로 적절한 것은?

① 꼭 맞는 율문이 없는 경우, 가장 가까운 율문을 끌어다 따져보고 적용할 죄명을 정한다.
② 죄로 규정되지 않았던 행위가 새로 제정된 율문에 죄라고 정해진 경우, 새 율문에 따라 처벌한다.
③ 국왕이 특별히 처단한 사례라도 법조문화되지 않았을 경우, 그것을 율문으로 삼아 끌어들이지는 못한다.
④ 마땅히 해서는 안 되는 짓을 하였는데도 그에 해당하는 율문이 없는 경우, 따로 율문을 제시하지 않고서 처벌할 수 있다.
⑤ 하나의 행위로 두 율문의 죄를 범했을 경우, 그 가운데 무거운 죄로 처벌하며, 두 죄의 경중이 같으면 그 하나로 처벌한다.

5. 위 글에서의 법 적용과 관련된 내용으로 맞지 않는 것은?

① 간아는 김 씨와 노주(奴主) 관계가 아니어서 간아에 대하여 모반(謀叛)이나 모반대역은 적용되지 않는다.
② 금동과 노덕에 대하여는 의금부에서 올린 대로 결정되었으므로, 이들의 죄는 모반(謀叛)으로 판정되었다고 볼 수 있다.
③ 막동의 죄를 모반(謀叛)이라 보는 쪽은 막동이 김 씨를 해하려 했다는 것보다는 간아와 내통했다는 것에 주안점을 둔다.
④ 끝동의 죄를 모반대역이라 보는 쪽은 끝동이 모해의 실정을 알았다면 사형에 처해야 한다는 입장이다.
⑤ 막동과 끝동의 행위가 모해를 공모한 것으로 판정된 까닭에 의금부는 적용 조문을 바꾸어 사형에 처할 수밖에 없었다.

6. 위 글에서 판결을 이끄는 성종에 관한 설명으로 적절하지 않은 것은?

① 사형 판결과 관련하여 조정의 공론을 거치려는 것으로 보아 국왕의 결정에 대한 정당성을 강화하려고 한다.
② 노비의 상전을 사직에까지 견주려 하는 것으로 보아 가(家)의 위계질서를 국(國)의 위계질서에 준하는 것으로 여긴다.
③ 여러 반론 속에서 사형의 입장을 견지하는 것으로 보아 소수 의견이라도 그것이 옳다면 적극 수용해야 한다고 생각한다.
④ 의금부가 올린 계본에 대하여 적용 조문을 바꾸어 처결하라는 것으로 보아 법규에 근거한 법 집행의 원칙을 염두에 둔다.
⑤ 동부승지 이경동의 견해에 대해 모반대역의 적용을 따져 보아야 한다는 것으로 보아 적용 조문들의 차이를 정확하게 안다.

[7~9] 다음 글을 읽고 물음에 답하시오.

최적통화지역은 단일 통화가 통용되거나 여러 통화들의 환율이 고정되어 있는 최적의 지리적인 영역을 지칭한다. 여기서 최적이란 대내외 균형이라는 거시 경제의 목적에 의해 규정되는데, 대내 균형은 물가 안정과 완전 고용, 대외 균형은 국제수지 균형을 의미한다.

최적통화지역 개념은 고정환율 제도와 변동환율 제도의 상대적 장점에 대한 논쟁 속에서 발전하였다. 변동환율론자들은 가격과 임금의 경직성이 있는 국가에서 대내외 균형을 달성하기 위해서는 변동환율 제도를 택해야 한다고 주장했다. 반면 최적통화지역 이론은 어떤 조건에서 고정환율 제도가 대내외 균형을 효과적으로 이룰 수 있는지 고려했다.

초기 이론들은 최적통화지역을 규정하는 가장 중요한 경제적 기준을 찾으려 하였다. 먼델은 노동의 이동성을 제시했다. 노동의 이동이 자유롭다면 외부 충격이 발생할 때 대내외 균형 유지를 위한 임금 조정의 필요성이 크지 않을 것이고 결국 환율 변동의 필요성도 작을 것이다. 잉그램은 금융시장 통합을 제시하였다. 금융시장이 통합되어 있으면 지역 내 국가들 사이에 경상수지 불균형이 발생했을 때 자본 이동이 쉽게 일어날 수 있을 것이며 이에 따라 조정의 압력이 줄어들게 되므로 지역 내 환율 변동의 필요성이 감소하게 된다는 것이다. 한편 케넨은 재정 통합에 주목하였다. 초국가적 재정 시스템을 공유하는 국가들은 일부 국가의 경제적 어려움에 재정 지출로 대응할 수 있다는 점에서 역시 환율 변동의 필요성이 감소한다. 이러한 주장들은 결국 고정환율 제도 아래에서도 대내외 균형을 달성할 수 있는 조건들을 말해 주고 있는 것이다.

이후 최적통화지역 이론은 위의 조건들을 종합적으로 판단하여 단일 통화 사용에 따른 비용-편익 분석을 한다. 비용보다 편익이 크다면 최적통화지역의 조건이 충족되며 단일 통화를 형성할 수 있다. 단일 통화 사용의 편익은 화폐의 유용성이 증대된다는 데 있다. 거래 비용이 줄고, 환율 변동의 위험이 없어지며, 가격 비교가 쉬워진다는 점에서 단일 화폐의 사용은 시장 통합에 따른 교환의 이익을 증대시킨다는 것이다. 반면에 통화정책 독립성의 상실이 단일 통화 사용에 따른 주요 비용으로 간주된다. 단일 통화의 유지를 위해 대내 균형을 포기해야 하는 경우가 발생하기 때문이다. 이 비용은 가격과 임금이 경직될수록, 전체 통화지역 중 일부 지역들 사이에 서로 다른 효과를 일으키는 비대칭적 충격이 클수록 증가한다. 가령 한 국가에는 실업이 발생하고 다른 국가에는 인플레이션이 발생하면, 한 국가는 확대 통화정책을, 다른 국가는 긴축 통화정책을 원하게 되는데, 양 국가가 단일 화폐를 사용한다면 서로 다른 통화정책의 시행이 불가능하기 때문이다. 물론 여기서 노동 이동 등의 조건이 충족되면 비대칭적 충격을 완화하기 위한 독립적 통화정책의 필요성은 감소한다. 반대로 두 국가에 유사한 충격이 발생한다면 서로 다른 통화정책을 택할 필요가 줄어든다. 이 경우에는 독립적 통화정책을 포기하는 비용이 감소한다.

최근 ㉠유로 지역의 경제 위기는 최적통화지역 조건을 충족하지 못한 유로 지역 내 국가 간 불균형을 분명히 드러내는 계기가 되었다. 유로 지역 내 노동 이동이 일국 내의 이동만큼 자유롭지 않다는 점 등을 이유로 유로 지역은 최적통화지역이 되지 못한다는 지적이 이미 오래 전부터 제기되었다. 더욱이 유로화 등장 이후 유로 지역 내에서 해외 투자 리스크가 사라지면서 유럽의 핵심국에서 유럽의 주변국으로 엄청난 자본 이동이 발생하였고, 그 때문에 주변국에는 경기 과열이 발생했다. 그러나 글로벌 금융 위기 이후 자본 이동이 중단되자 주변국은 더 이상 호황을 지탱하지 못하고 경제 상황이 악화되면서 실업과 경상수지 적자를 경험하게 되었다. 환율 조정 수단을 상실한 유로 지역은 핵심국과 주변국 사이의 불균형을 쉽게 해결하지 못하는 모습을 보여 주게 된 것이다.

더구나 최적통화지역 이론이 큰 관심을 보이지 않았던 은행 문제까지 부각되었다. 은행 채무를 국가가 떠맡으면서 GDP 대비 공공 부채의 비율이 증가하였고, 이로 인하여 국가 채무 불이행에 대한 불안이 가속되었으며 이는 다시 국채를 보유하고 있는 민간 은행의 신뢰까지 손상을 입혔다. 이들 은행이 보유한 국채를 매각하려 함에 따라 국채 가격이 더욱 하락하는 악순환이 이어지고 있다.

7. 위 글에서 '최적통화지역 이론'과 관련하여 고려하지 않은 것은?

① 시장 통합으로 인한 편익의 계산 방식
② 환율 변동을 배제한 경상수지 조정 방식
③ 화폐의 유용성과 시장 통합 사이의 관계
④ 단일 화폐 사용에 따른 비용을 증가시키는 조건
⑤ 독립적 통화정책 없이 대내 균형을 달성하는 조건

8. 위 글에 따를 때, ㉠에 대한 해결 방안으로 보기 어려운 것은?

① 주변국의 임금을 인하한다.
② 장기적으로 주변국의 공공 부채 비율을 줄여 나간다.
③ 유로 지역 전체에 초국가적 재정 시스템을 구축한다.
④ 핵심국으로부터 주변국으로의 자본 이동을 활성화한다.
⑤ 유로 지역 외부로부터 핵심국으로 노동 이동을 활성화한다.

9. <보기>와 같은 상황을 설명한 것으로 적절하지 않은 것은?

<보 기>

A, B, C, D 국가로만 이루어진 세계를 상정하고, 이들 국가에서 노동만을 생산 요소로 사용한다고 가정한다. A국은 x통화, B국은 y통화, C, D국은 z통화를 사용한다. A와 B국 사이에만 노동 이동이 가능하다. 국가들 사이에 금융시장과 재정은 통합되어 있지 않다. A, C국은 목재를, B, D국은 자동차를 생산하여 수출한다. 이 세계에서 자동차 수요가 증가하고 목재 수요가 감소하였다. 가격과 임금의 경직성이 존재할 때 A, C국에서 실업이 발생하고, B, D국에서 인플레이션이 발생한다.

① A와 B국에는 비대칭적 충격이 발생하였으나 노동의 이동이 가능하므로 최적통화지역의 조건을 충족한다.
② A와 C국에는 서로 유사한 충격이 발생하였으므로 노동의 이동 여부와 무관하게 최적통화지역의 조건을 충족하지 못한다.
③ A와 D국에는 비대칭적 충격이 발생하였고 노동의 이동도 불가능하므로 최적통화지역의 조건을 충족하지 못한다.
④ B와 D국에는 서로 유사한 충격이 발생하여 독립적 통화정책의 포기에 따른 비용이 없으므로 최적통화지역의 조건을 충족한다.
⑤ C와 D국은 단일 통화를 사용하고 있으나 비대칭적 충격을 해소할 수 없으므로 최적통화지역의 조건을 충족하지 못한다.

[10~12] 다음 글을 읽고 물음에 답하시오.

의회는 국가 정책을 결정하는 대의제 민주주의의 주요 기관이다. 미국 하원을 예로 들어 의회의 입법 과정을 설명하면 다음과 같다.

[A] 발의된 의안은 본회의 의장이 관련 상임위원회에 회부한다. 이때 의장은 의안 회부를 거부할 수 있는 문지기 권한을 지닌다. 소관 상임위원회에 상정된 의안은 수정안 제출을 포함한 심사 과정을 거쳐 합의에 이르면 과반 표결로 의결되는데, 합의에 이르지 못하면 사장된다. 상임위원회를 통과한 의안은 규칙위원회를 통과해야 한다. 규칙위원회는 본회의 의결 과정에서 수정을 전혀 허용하지 않는 수정불가 규칙 또는 무제한 수정을 허용하는 수정허용 규칙을 부여한다. 단, 규칙이 부여되지 않으면 의안은 사장된다. 본회의에 의안이 상정되면 수정불가 규칙이 부여된 경우는 가부 표결만 하며, 수정허용 규칙이 부여된 경우는 수정안이 제출되면 심사 활동을 거쳐 일반적으로 최종 수정안부터 제출된 순서의 역순으로 가부 표결을 하게 된다. 표결은 대개 과반 표결로 한다.

입법 과정은 의원들의 정치적 대표 체계의 다중성 때문에 역동적으로 나타난다. 예를 들어, 소선거구제에서 선출된 의원들은 국민 전체의 대표이자 지역구민의 대표이고, 정당의 구성원으로서 소속 정당 지지자의 대표이기도 하다. 이러한 상황은 입법 과정의 각 단계에서 교차 압력으로 작용하여 입법 과정을 설명하거나 예측하기 어렵게 만든다. 이 같은 역동성을 상임위원회를 중심으로 설명하는 이론에는 다음 세 가지가 있다.

첫째, 이익분배 이론은 의원들의 지역구 대표성에 주목한다. 일반적으로 의원들은 자신의 지역구 이해관계를 가장 잘 대변하는 상임위원회를 자율적으로 선택하는데, 이로써 각 상임위원회는 이해관계가 유사한 지역구 의원들이 모이게 되어 강한 정책적 동질성을 가진다. 그러나 정작 상임위원회들 사이는 이해관계가 다르게 되므로 갈등 상황에 놓이게 된다. 이익분배 이론은 이러한 갈등을 해소하는 주요한 기제로 의원들 간의 지지의 교환을 든다. 가령, 지역구 이해의 강한 수요자로 서로 다른 상임위원회에 소속된 갑과 을 의원의 경우를 생각해 보자. 본회의에서 다른 상임위원회 소속 의원들의 지지를 받아야 하는 처지인 갑 의원은 을 의원에게 지원을 약속하며 그 대가로 자신의 지역구를 위한 정책을 지지해 줄 것을 요청할 것이다. 이는 상임위원회 간에 혜택의 상호 교환이 발생함을 의미하며, 결국 본회의는 상임위원회간 혜택 교환의 약속이 투표 거래로 실현되는 장이 된다. 이 과정에서 의회 다수나 다수당의 영향력은 상당히 축소된다.

둘째, 정보확산 이론은 의회 다수의 정책 선호를 강조한다. 의회는 지역구 수요를 위한 이익의 할당 차원을 넘어 국민 전체를 위한 본회의 중심의 입법 활동을 원활하게 할 목적을 지닌다. 이를 위해 정보확산 이론은 상임위원회가 입법 과정의 주요한 원칙인 다수주의에 의거하여 의회 다수가 원하는 방향으로 조직되어야 한다고 본다. 이 경우 상임위원회 배정 단계에서부터 본회의 주도로 각 정당의 협조를 이끌어 내는 정당 간 협의회의 역할이 중요해진다. 그리하여 각 상임위원회는 본회의의 대리인이 되어 본회의에서 의결할 정책에 대한 구체적인 정보를 생산한다. 발의된 의안이 입법화되어 집행된다면 국민 전체의 이익에 어떤 영향을 미칠지 매우 불확실한데, 상임위원회는 그러한 불확실성을 줄이기 위해 축적된 전문적 정보를 본회의 심사 과정에 제공하는 역할을 한다.

셋째, 정당이익 이론은 의원이 정당 지지자를 대표하게 하는 정당의 역할을 중시한다. 입법 활동에 따른 정책 결과는 정당의 미래 선거에 큰 영향을 미친다. 정당은 의정 활동 결과를 최대화해 자신의 입법 성과로 지지자들에게 제시함으로써 대표성을 실현하고자 한다. 이는 동일 정당에 소속된 의원들로 하여금 다가올 선거에서 운명을 공유할 수밖에 없도록 만든다. 공동 이익의 추구는 정당 지도부의 권한을 강화하는 유인이 되며, 이는 다수당에 더욱 중요하다. 상임위원회 활동은 입법 과정 초기에 일어나는 반면, 본회의에서는 소수당의 수정안 제출 등 반대 활동이 활발하게 제기될 수 있으므로, 정당 지도부는 상임위원회 구성과 운영에서부터 주도권을 행사하려 한다. 즉 당내 의원 총회에서 의원들을 각 상임위원회에 배정하는 과정에 적극 관여하며 정당의 핵심 프로그램을 담당하는 상임위원회의 활동을 지속적으로 감독한다. 여기서 정당 지도부는 지역구의 이해관계에 민감하거나 본회의에서 소수당에 동조하는 다수당 의원들의 이탈을 방지하는 안정자 기능을 하며, 결국 상임위원회를 다수당의 대리인으로 만든다.

이처럼 상호 경쟁하는 세 가지 이론은 대의제 민주주의가 생산해 내는 정책의 본질과 성격에 대한 이해를 넓혀 주고 있다.

10. 위 글의 내용과 일치하지 <u>않는</u> 것은?

① 본회의 의결 과정에서 이익분배 이론은 정당 간의 투표 거래를 강조하나 정보확산 이론은 의회 다수의 정책 선호를 강조한다.
② 상임위원회의 기능에서 이익분배 이론은 이해관계의 수요자 측면을 강조하나 정보확산 이론은 정책 정보의 공급자 측면을 강조한다.
③ 의원의 상임위원회 배정 문제에 있어 이익분배 이론은 의원들의 자율적 선택을 강조하나 정보확산 이론은 정당 간 협의회의 역할을 강조한다.
④ 의원의 정치적 대표성에서 이익분배 이론은 지역구 대표성을 강조하나 정당이익 이론은 정당 지지자 대표성을 강조한다.
⑤ 상임위원회 활동에 있어 정보확산 이론은 정책의 불확실성을 줄이는 것을 강조하나 정당이익 이론은 정당의 입법 성과를 최대화하는 것을 강조한다.

언어이해

11. '규칙위원회'의 규칙 부여와 관련한 <보기>의 추론 중 적절한 것만을 있는 대로 고른 것은?

<보 기>
ㄱ. 이익분배 이론의 관점에서, 수정허용 규칙은 수정불가 규칙에 비해 본회의에서 상임위원회 간 투표 거래를 활성화하여 지역구에 혜택을 주는 정책을 더 많이 생산하게 만들 수 있다.
ㄴ. 정보확산 이론의 관점에서, 수정허용 규칙은 수정불가 규칙에 비해 본회의에서 지역구에 대한 혜택을 줄이고 국민 전체를 위한 정책을 더 많이 생산하게 만들 수 있다.
ㄷ. 정당이익 이론의 관점에서, 수정불가 규칙은 수정허용 규칙에 비해 상임위원회를 다수당의 대리인으로 만들어 본회의에서 다수당 지지자들을 위한 정책을 더 많이 생산하게 만들 수 있다.

① ㄱ ② ㄴ ③ ㄱ, ㄷ
④ ㄴ, ㄷ ⑤ ㄱ, ㄴ, ㄷ

12. <보기>와 같은 경우를 가정할 때, 위 글의 [A]에 따라 정리한 <그림>의 각 단계에서 결정될 정책을 바르게 나열한 것은?

<보 기>
아래 <표>와 같이 구성된 의회에서 의원 갑이 '정책1'을 발의했다. 현재는 '정책2'가 시행되고 있으며 본회의 의장은 '정책2'를 선호한다. 의원들은 기권 없이 자신의 정책 선호와 가장 가까운 의안에 투표한다.

<표> 정책 선호에 따른 통상위원회와 본회의의 구성

			통상위원회	본회의
무역 규제	강화	정책1	13명	50명
	유지	정책2	6명	70명
	완화	정책3	6명	125명
합계			25명	245명

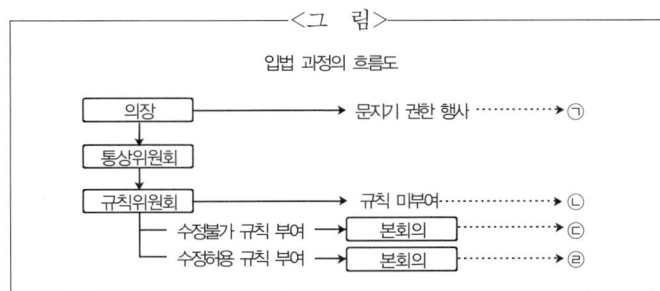

<그 림>
입법 과정의 흐름도

	㉠	㉡	㉢	㉣
①	정책1	정책1	정책1	정책3
②	정책1	정책1	정책2	정책1
③	정책2	정책1	정책1	정책2
④	정책2	정책2	정책2	정책3
⑤	정책2	정책2	정책3	정책2

[13~15] 다음 글을 읽고 물음에 답하시오.

인격 완성과 도덕적 실천을 중시한 송대 유학자들에게 심(心)은 중요한 철학적 문제였다. 남송 시대의 주희는 심의 작용에 주목하여 미발이발(未發已發)과 체용(體用)의 논리를 근거로 ㉠심통성정론(心統性情論)을 제시했다. 미발과 이발은 희로애락(喜怒哀樂)과 같은 감정이 심에서 드러나는 과정을 드러나기 이전과 이후로 나누어 설명하는 개념이다. 체용은 본체와 작용으로서, 동일한 사물의 서로 구별되지만 나누어질 수 없는 관계를 가리킨다.

주희는 일신의 주재자인 심에는 인식이 성립하는 과정을 기준으로 하여 미발과 이발의 두 단계가 있다고 주장한다. 그는 심을 이발로만 보던 관점을 극복하고, 지각 작용이 시작하기 이전이 미발 상태이며 그 이후가 이발이라고 보았다. 나아가 그는 감정의 문제를 논하기 위해 심의 본체와 작용으로 각각 성(性)과 정(情)을 규정하고, 정은 성이 드러난 것이요 성은 정의 근거라고 보았다. 이러한 주장을 토대로 심이 성과 정을 통괄하는 총체라는 심통성정론을 구축했다.

심이 성과 정을 통괄한다는 것은 심이 성과 정을 겸하고 있다는 것과 심이 성과 정을 각각 주재한다는 두 가지 의미를 지니고 있다. 감정이 드러나기 이전에 심은 성이 온전한 모습을 유지하도록 주재하고, 감정이 드러나는 단계에서 심은 정이 올바르게 드러나도록 주재하여 도덕적 행위가 가능하도록 한다는 것이다. 주희는 인간이 천리(天理)와 일치하는 순선무악한 천명지성(天命之性)을 하늘로부터 부여받았을 뿐만 아니라 육체라는 기(氣)의 요인을 가진 기질지성(氣質之性)을 타고났다고 보았다. 천명지성은 도덕의 근거이지만, 기질지성은 주어진 청탁후박(淸濁厚薄)의 기질적 차이로 이익의 추구나 감각적 욕구에 빠져 드는 악한 감정의 뿌리가 된다. 기질지성은 성(性)이라는 면에서는 이(理)의 성격을 지니지만 기질이라는 면에서는 기(氣)의 성격을 지니고 있다. 그렇다고 해서 기질지성이 천명지성과 별도로 존재한다는 것은 아니다. 주희가 이러한 주장을 하게 된 것은 인간의 본성이 필연적으로 기질의 영향을 받을 수밖에 없다는 점을 강조하려 했기 때문이다. 즉 도덕적 행위가 가능하기 위해서는 기질지성을 변화시켜 천명지성을 보존해야 한다는 것이다.

심통성정론은 기질지성을 지닌 인간이 어떻게 본성을 발휘하여 도덕적 감정을 실현할 수 있을지에 대답하기 위한 주희의 해결책이다. 심은 정이 드러나기 이전 단계에서 자신의 본체이기도 한 성을 어떻게 주재할 것인가? 주희가 이러한 난문을 해결하기 위해 도입한 방법은 경(敬)을 통한 품성의 함양이었다. 경은 항상 깨어 있으라는 상성성(常惺惺)과 엄숙한 자세인 정제엄숙(整齊嚴肅) 등의 방식으로 흐트러지기 쉬운 심을 한곳에 잡아 두는 것이다. 예법의 준수와 용모의 단정 등과 같은 행위 또한 심성에 영향을 미치므로 경에 들어가는 방도로 인정된다. 품성을 함양하는 경의 단계는 심이 미발일 때이며, 이발일 때는 격물치지(格物致知)의 단계이다. 격물은 구체적인 사물이나 사태에 나아가 하나씩 원리를 궁구해 가는 과정이며, 치지는 이러한 탐구를 통해 점진적으로 학습한 원리가 보편적 원리와 일치함을 깨달아 가는 과정이다. 누적된 지식은 비약적으로 확장하여 만물의 원리를 일관하는 천리와 합일한다. 심의 원리인 성이 천리와 합일하는 것이 주희가 제시한 성즉리(性卽理)의 철학이었다. 이처럼 주희는 미발일 때의 함양과 이발일 때의 격물이라는 수양론을 제시하면서 사회적 실천은 이러한 수양을 전제로 한다고 주장했다.

주희가 제시한 격물의 대상은 조수초목(鳥獸草木)과 윤상 규범(倫常規範)에 이르기까지 광범하였지만, 그 방법은 주로 성현이 이미 원리를 기록해 둔 경전의 학습이었다. 주희의 격물론은 도덕의 원리를 탐구하는 지적인 과정이고 최종의 목표는 인격 완성이었기 때문에 그는 미발 단계에 설정해 두었던 함양 공부를 이발 단계의 공부에까지 확장하여 수양론을 완성했다. 주희의 철학은 심성에 관한 치밀한 분석을 통해 천리에 따르는 인간의 길을 제시했고, 명리(名利)를 좇아가는 세상을 도덕적 사회로 바꾸고자 했다.

13. ㉠에 대한 이해로 바르지 않은 것은?

① 희로애락이라는 감정은 희로애락의 본성에서 나온다.
② 희로애락의 본성은 체이고 희로애락이라는 감정은 용이다.
③ 기질지성으로부터 나오는 희로애락이라는 감정은 순선하지 않다.
④ 심이 미발일 때 희로애락의 본성은 본래의 상태로부터 벗어나 있다.
⑤ 이발 상태의 심은 희로애락이라는 감정이 올바르게 드러나도록 주재한다.

14. 주희의 수양론으로 바르지 않은 것은?

① 행동거지는 마음의 발현이므로 윤리적 규범에 따라 행동하고자 한다.
② 사회적 실천을 우선시하면서 경을 통해 경전을 학습하여 진리를 탐구하고자 한다.
③ 사물의 이치를 궁구하는 데에는 마음가짐이 중요하므로 품성의 도야에 힘쓰고자 한다.
④ 타고난 마음의 선한 뿌리가 사라지지 않도록 항상 깨어 있는 자세를 유지하고자 한다.
⑤ 자연 및 사회 현상의 원리에 대한 탐구를 통해 궁극적으로 도덕 원리의 파악에 이르고자 한다.

15. 위 글에 따를 때, 주희의 문제의식으로 볼 수 없는 것은?

① 경전 학습이 도덕적 인간에 이르는 방법이 될 수 있을까?
② 인간이 악한 행동이나 나쁜 감정을 보이는 이유는 무엇일까?
③ 세상 만물을 관통하는 근본적 원리를 어떻게 파악할 수 있을까?
④ 천리와 인도의 위상을 바꾸어 주체적인 삶을 영위하는 방법은 무엇인가?
⑤ 이익을 좋아하는 경향이 있는 세상을 어떻게 도덕적 사회로 만들 수 있을까?

언어이해

[16~18] 다음 글을 읽고 물음에 답하시오.

맥베스 부인: 무슨 소식이냐?
전령: 폐하께서 오늘 밤 이곳에 오십니다.
맥베스 부인: 무슨 헛소리냐? 네 주인이 폐하와 함께 계시지 않느냐? 그렇다면 준비하라 알리셨을 텐데.
전령: 맞습니다. 영주님도 오십니다. 제 동료 하나가 앞질러 오느라 숨이 차 죽을 지경이 되어 간신히 그 말만 전했습니다.
맥베스 부인: 기쁜 소식이니 저자를 잘 돌보아라. (전령 퇴장) 내 성벽 안으로 덩컨이 죽으러 오는 것을 알리려고 까마귀도 목이 쉬었구나. 살인을 다스리는 악령들아, 어서 와서 나의 성(性)을 지운 뒤 나를 머리끝에서 발끝까지 가장 끔찍한 잔인함으로 가득 채워 다오! 내 피를 탁하게 만들어 연민에 이르는 입구와 통로를 막아 다오! 인류가 양심의 가책으로 찾아와 잔인한 내 목표를 흔들거나, 목표와 성취 사이에 끼어들지 못하게 말이다. 살인의 정령들아, 보이지 않는 모습으로 너희가 어디서 자연의 악행을 시중들든 간에 내 가슴으로 와 쓸개즙 대신 내 젖을 빨아라! 짙은 밤아, 이리 와서 지옥의 가장 검은 연기로 네 몸을 휘감아 내 날카로운 칼이 자신이 내는 상처를 보지 못하게 하라! 하늘이 어둠의 장막 사이로 엿보고 "멈추어라! 멈추어라!"라고 외치지 못하게 하라! (맥베스 등장) 위대하신 글래미스 영주님! 훌륭하신 코도어 영주님! 그 둘보다 위대해지셔서 장차 만인의 환영을 받으실 분! 당신 편지가 이 무지한 현재 저편으로 나를 옮겨 나는 지금 바로 미래를 느껴요.
맥베스: 여보, 덩컨이 오늘 밤 여기 온다오.
맥베스 부인: 그래서 언제 떠나죠?
맥베스: 내일이오. 예정은 그렇소.
맥베스 부인: 아, 태양이 결코 그런 아침을 보지 못하기를! 여보, 당신 얼굴은 책과 같아서 낯선 것이 있으면 읽을 수 있어요. 세상을 속이려면 세상처럼 보이세요. 눈과 손과 혀에 환영을 담으세요. 순수한 꽃처럼 보이면서 그 밑에 숨은 뱀이 되라는 말이에요. 폐하께서 오시면 대접을 잘 해 드려야죠. 오늘 밤의 중요한 일은 나한테 맡기세요. 그러면 앞으로 올 모든 낮과 밤에 오로지 우리 두 사람이 주권과 지배권을 누릴 거예요.
맥베스: 더 의논해 봅시다.
맥베스 부인: 평온한 표정을 지어요. 안색을 계속 바꾸는 건 두려워한다는 거예요. 나머지는 다 나한테 맡기세요. (모두 퇴장)
(중략)
맥베스: 일이 끝나고 나서 그걸로 끝이라면 빨리 끝내는 게 좋겠지. 암살로 후환을 얽어매고 왕을 죽여 성공을 포획할 수 있다면, ㉠이 일격이 모든 것이고 모든 것의 끝이라면, 여기, 바로 여기, 시간의 강둑과 여울에서 내세를 걸고 모험하리라. 하지만 우리는 이곳에서도 심판을 받는다. 우리가 피로 얼룩진 가르침을 주면 그 가르침이 배운 뒤 되돌아와 가르친 자를 괴롭히지. 공평한 정의의 여신은 우리의 독배에 든 술을 우리 입술에 갖다 댄다. 왕은 나를 두 겹으로 신뢰한다. 우선 나는 그의 친척이자 신하이므로 두 입장에서 모두 암살을 막아야 한다. 또한 나는 집주인으로서 암살자를 막으면 막았지 스스로 칼을 들 수는 없다. 게다가 덩컨 왕은 왕권을 온화하게 행사하고 왕의 직분을 잘못 없이 수행해서 그의 덕행이 그를 살해하려는 이 저주받을 일에 맞서 나팔 혀를 단 천사처럼 그를 옹호할 것이다. 그리고 연민이 벌거벗은 갓난아이처럼 돌풍에 걸터앉거나 하늘의 천사처럼 형체 없는 대기의 전령에 말 타듯 올라앉아 이 끔찍한 행위를 모두가 볼 수 있게 날려 보낼 테지. 그러면 눈물이 바람을 익사시킬 것이다. 내 의도의 옆구리를 찌를 박차는 오직 치솟는 야망 하나뿐인데, 너무 높이 뛰어올라 반대편에 떨어질까……. (맥베스 부인 등장) 아니 웬일이오?
맥베스 부인: 폐하께서 저녁 식사를 거의 마쳤어요. 왜 방에서 나갔어요?
맥베스: 폐하가 날 찾으셨소?
맥베스 부인: 몰라서 물어요?
맥베스: 이 일은 그만둡시다. 폐하께서는 최근에 나에게 영예를 내리셨소. 나도 온갖 사람들에게서 금빛 여론을 사들였으니 ㉡새것이라 반짝일 때 입고 싶지 빨리 벗어던지고 싶지는 않소.
맥베스 부인: 당신이 입고 있던 희망은 술에 취했었나요? 그 이후로 쭉 잠을 잤어요? 그러다 이제 깨어나서 한때 호탕하게 한 일을 ㉢얼굴이 노래지고 창백해져서 쳐다보나요? 앞으로 당신 사랑은 그 정도라고 생각하겠어요. 욕망에 대해서나 행동과 용기에 대해서나 같은 사람이 되는 게 두려운 건가요? 당신이 인생의 금장식이라 생각하는 것을 갖고 싶지요? 그런데도 속담 속의 불쌍한 고양이처럼 "하고 싶어."라고 하고는 "감히 못해."라고 토를 달면서 스스로 보기에도 겁쟁이로 살겠다는 건가요?
맥베스: 제발 조용히 하시오. 나는 남자다운 일이라면 무엇이든 할 수 있소. 나보다 더 잘 할 수 있는 사람은 없을 거요.
맥베스 부인: 그러면 그때 당신은 어떤 짐승을 시켜서 나한테 이 거사에 대해서 귀뜸한 거죠? 감히 그 일을 하겠노라 했을 때 당신은 남자였어요. 그리고 당신이 타고난 것 이상이 되기 위해 더욱더 남자다운 남자이고 싶어 했죠. 그때는 시간과 장소가 맞지 않아도 억지로 맞추려 하더니 이제 둘 다가 맞으니까 당신이 맞지 않네요. 젖 물린 적이 있어서 내 젖을 먹는 아기가 얼마나 사랑스러운지 알지만, 난 아기가 내 얼굴을 보며 웃고 있어도 이 없는 잇몸에서 젖꼭지를 뽑아내고 아기 머리통을 부숴 버렸을 거예요. 당신이 맹세했듯이 나도 그러겠노라 맹세했다면 말이죠.
맥베스: 만약 우리가 실패한다면?
맥베스 부인: 실패한다고요? 용기를 활시위에 걸어 팽팽히 당기기만 하면 실패할 리 없어요. 덩컨이 잠들면—종일 힘든 여행을 했으니 곯아떨어질 수밖에요—내가 그의 시종 두 명에게 술을 진탕 먹일 텐데. 그러면 뇌의 수호자인 기억은 연기가 되고 ㉣이성을 담아 둔 그릇은 증류기가 되겠죠. 돼지처럼 잠에 빠져 술에 전 그자들의 이성이 죽은 듯 누워 있으면, 당신과 내가 무방비 상태인 덩컨에게 무엇인들 못하겠어요? 술 취한 시종들에게는 또 무엇인들 못하겠어요? 우리의 대역죄를 뒤집어씌울 자들인데요.
맥베스: 아들만 낳으시오! 당신의 대담한 기질로는 남자만 만들 수 있을 테니. 우리가 잠든 두 시종에게 피를 묻히고 그들의 단검을 사용한다면 그자들이 한 짓처럼 보이지 않겠소?
맥베스 부인: 그의 죽음 앞에서 우리의 비탄과 소란이 울려 퍼지게 하면 누가 감히 달리 받아들이겠어요?
맥베스: 이제 결심했소. 이 끔찍한 일을 성사시키기 위해 온 힘을

다합시다. 가서 가장 그럴 듯한 외양으로 세상을 속이시오.
ⓜ 거짓된 마음은 거짓된 얼굴로 숨겨야지.

- 윌리엄 셰익스피어, 『맥베스』 -

16. ㉠~㉤의 문맥상 의미를 풀이한 것으로 적절하지 <u>않은</u> 것은?

① ㉠: 거사에 실패해서 목숨을 잃는다면,
② ㉡: 최근에 받은 찬사를 당분간 유지하고 싶소.
③ ㉢: 실천에 옮길 용기가 나지 않나요?
④ ㉣: 사태 판단을 전혀 할 수 없게 되겠죠.
⑤ ㉤: 진심을 숨기고 겉으로는 충성하는 척해야지.

17. 맥베스 부인에 대한 설명으로 옳지 <u>않은</u> 것은?

① 덩컨 시해의 혐의를 떠넘길 복안을 가지고 있다.
② 맥베스가 누리는 지위가 위협받을 것을 우려한다.
③ 맥베스가 그의 마음을 잘 숨기지 못하는 것을 걱정한다.
④ 맥베스가 과거에 한 맹세를 지키지 않는 것에 실망한다.
⑤ 덩컨이 방문한 때가 그를 죽일 절호의 기회라고 생각한다.

18. <보기>의 관점에서 위 글을 감상한다고 할 때, 가장 적절한 것은?

<보 기>

운명의 예기치 못한 변전(變轉)과 추락의 정도만을 강조하는 중세 비극과 달리 셰익스피어 비극에서는 주인공이 자신의 성격과 행동의 결과로 비극적 운명에 처한다. 그의 비극적 특성은 그를 파멸로 이끄는 성격이나 행동상의 결함이면서 그를 위대하게 만드는 요인이기도 하다. 셰익스피어의 비극적 영웅은 적대적인 개인 또는 집단, 즉 외부의 적만을 갈등 상대로 삼지 않는다. 그는 사건 전개의 중요한 지점에서 치열한 내적 갈등을 겪으며, 스스로의 판단에 의해 파국에 이르는 길을 선택하고 그에 대한 책임을 진다.

① 덩컨의 정치적 평판이 맥베스가 그를 적으로 삼는 중요한 원인이 된다.
② 맥베스 부인이 맥베스의 악행을 사주하므로 맥베스는 파멸에 대한 책임에서 자유롭다.
③ 맥베스가 도덕적 의무를 의식하지 않는 것은 운명의 변전을 예측하지 못하기 때문이다.
④ 맥베스가 내적으로 갈등하는 주된 원인은 내세의 구원을 선뜻 포기할 수 없다는 데 있다.
⑤ 맥베스가 야망을 제어하지 못하는 것이 그의 비극적 운명을 초래하는 성격적 특성이 된다.

[19~21] 다음 글을 읽고 물음에 답하시오.

수성은 태양계에서 가장 작은 행성으로 반지름이 2,440km이며 밀도는 지구보다 약간 작은 5,430kg/m³이다. 태양에서 가장 가까운 행성인 수성은 금성, 지구, 화성과 더불어 지구형 행성에 속하며, 딱딱한 암석질의 지각과 맨틀 아래 무거운 철 성분의 핵이 존재할 것으로 추측되나 좀 더 정확한 정보를 알기 위해서는 탐사선을 이용한 조사가 필수적이다. 그러나 강한 태양열과 중력 때문에 접근이 어려워 현재까지 단 두 기의 탐사선만 보내졌다.

미국의 매리너 10호는 1974년 최초로 수성에 근접해 지나가면서 수성에 자기장이 있음을 감지하였다. 비록 그 세기는 지구 자기장의 1%밖에 되지 않았지만 지구형 행성 중에서 지구를 제외하고는 유일하게 자기장이 있음을 밝힌 것이었다. 지구 자기장이 전도성 액체인 외핵의 대류와 자전 효과로 생성된다는 다이나모 이론에 근거하면, 수성의 자기장은 핵의 일부가 액체 상태임을 암시한다. 그러나 수성은 크기가 작아 철로만 이루어진 핵이 액체일 가능성은 희박하다. 만약 그랬더라도 오래전에 식어서 고체화되었을 것이다. 따라서 지질학자들은 철 성분의 고체 핵을 철-황-규소 화합물로 이루어진 액체 핵이 감싸고 있다고 추측하였다. 하지만 감지된 자기장이 핵의 고체화 이후에도 암석 속에 자석처럼 남아 있는 잔류자기일 가능성도 있었다.

2004년 발사된 두 번째 탐사선 메신저는 2011년 3월 수성을 공전하는 타원 궤도에 진입한 후 중력, 자기장 및 지형 고도 등을 정밀하게 측정하였다. 중력 자료에서 얻을 수 있는 수성의 관성모멘트는 수성의 내부 구조를 들여다보는 데 중요한 열쇠가 된다. 관성모멘트란 물체가 자신의 회전을 유지하려는 정도를 나타낸다. 물체가 회전축으로부터 멀리 떨어질수록 관성모멘트가 커지는데, 이는 질량이 같을 경우 넓적한 팽이가 홀쭉한 팽이보다 오래 도는 것과 같다.

질량 M인 수성이 자전축으로부터 반지름 R만큼 떨어져 있는 한 점에 위치한 물체라고 가정한 경우의 관성모멘트는 MR^2이다. 수성 전체의 관성모멘트 C를 MR^2으로 나눈 값인 정규관성모멘트(C/MR^2)는 수성의 밀도 분포를 알려 준다. 행성의 전체 크기에서 핵이 차지하는 비율이 클수록 정규관성모멘트가 커진다. 메신저에 의하면 수성의 정규관성모멘트는 0.353으로서 지구의 0.331보다 크다. 따라서 수성 핵의 반경은 전체의 80% 이상을 차지하며, 55%인 지구보다 비율이 더 크다.

행성은 공전 궤도의 이심률로 인하여 미세한 진동을 일으키는데, 이를 '경도칭동'이라 하며 그 크기는 관성모멘트가 작을수록 커진다. 이는 홀쭉한 팽이가 외부의 작은 충격에도 넓적한 팽이보다 크게 흔들리는 것과 같다. 조석고정 현상으로 지구에서는 달의 한쪽 면만 관찰할 수 있는 것으로 보통은 알려져 있으나, 실제로는 칭동 현상 때문에 달 표면의 59%를 볼 수 있다. 만약 수성이 삶은 달걀처럼 고체라면 수성 전체가 진동하겠지만, 액체 핵이 있다면 그 위에 놓인 지각과 맨틀로 이루어진 '외곽층'만이 날달걀의 껍질처럼 미끄러지면서 경도칭동을 만들어 낸다. 따라서 액체 핵이 존재할 경우 경도칭동의 크기는 수성 전체의 관성모멘트 C가 아닌 외곽층 관성모멘트 C_m에 반비례한다. 현재까지 알려진 수성의 경도칭동 측정값은 외곽층의 값 C_m을 관성모멘트로 사용한 이론값과 일치하고 있어, 액체 핵의 존재 가설을 강력히 뒷받침하고 있다.

과학자들은 메신저에서 얻어진 정보를 이용하여 수성의 모델을 제시하였다. 이에 따르면 핵의 반경은 2,030km이고 외곽층의 두께는 410km이다. 지형의 높낮이는 9.8km로서 다른 지구형 행성에 비해 작은데, 이는 지각의 평균 두께가 50km인 것을 고려할 때 맨틀의 두께가 360km로 비교적 얇아서 맨틀 대류에 의한 조산 운동이 활발하지 않기 때문으로 해석된다. 외곽층의 밀도(ρ_m)는 3,650kg/m³로 지구의 상부 맨틀(3,400kg/m³)보다 높다. 그러나 메신저의 엑스선 분광기는 수성의 화산 분출물에 무거운 철이 거의 없음을 밝혀냈는데 이는 매우 이례적인 결과이다. 왜냐하면 이는 맨틀에도 철의 양이 적다는 것이고, 그렇다면 외곽층의 높은 밀도를 설명할 길이 없기 때문이다. 이를 보완하기 위해 과학자들은 하부 맨틀에 밀도가 높은 황화철로 이루어진 반지각(anticrust)이 존재하며 그 두께는 지각보다 더 두꺼울 것이라는 새로운 가설을 제기하고 있다.

19. 수성의 내부 구조를 나타내는 아래 그림에서 ㉠~㉤에 대한 설명으로 옳지 <u>않은</u> 것은?

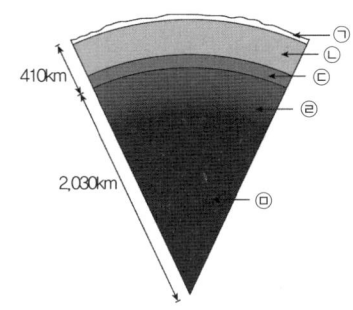

① ㉠의 표면은 지구에 비해 높낮이가 작다.
② ㉠, ㉡의 밀도는 지구의 상부 맨틀보다 높다.
③ ㉢의 존재는 메신저의 탐사로 새롭게 제기되었다.
④ ㉢, ㉣은 황 성분을 포함하고 있다.
⑤ ㉢, ㉣, ㉤은 철 성분을 포함하고 있다.

20. 위 글에서 수성에 액체 상태의 핵이 존재한다는 가설을 지지하지 <u>않는</u> 것은?

① 자기장의 존재
② 전도성 핵의 존재
③ 철-황-규소 층의 존재
④ 암석 속 잔류자기의 존재
⑤ 현재 알려진 경도칭동의 측정값

21. <가정>에 따라 수성의 모델을 바르게 수정한 것만을 <보기>에서 있는 대로 고른 것은?

─────<가 정>─────
2019년 수성에 도착한 베피콜롬보 탐사선의 새로운 관측을 통해 현재의 측정값이 다음과 같이 변화된다.
- 수성 전체의 정규관성모멘트(C/MR^2) 증가
- 외곽층의 관성모멘트(C_m) 감소
- 외곽층의 밀도(ρ_m) 증가
(단, 수성의 질량 M과 반지름 R는 변화가 없다.)

─────<보 기>─────
ㄱ. 핵이 더 클 것이다.
ㄴ. 경도칭동이 더 작을 것이다.
ㄷ. 반지각이 더 두꺼울 것이다.

① ㄱ ② ㄴ ③ ㄱ, ㄷ
④ ㄴ, ㄷ ⑤ ㄱ, ㄴ, ㄷ

[22~24] 다음 글을 읽고 물음에 답하시오.

조선 건국 무렵 태조는 전국을 330여 개의 군현으로 편제하고 중앙에서 직접 수령을 파견하면서 그 직급을 6품 참상관으로 높여 자질과 권위를 확보하려 하였다. 이는 근무 연한을 채우면 7~9품의 관직에 진출할 수 있었던 서울의 이전(吏典)들이 지방 수령으로 진출하는 것을 봉쇄하는 조처였다. 이에 따라 부족한 수령 자원은 6품 이상의 관원에게 천거하게 하였고 관찰사에게는 지방관 평가뿐 아니라 지방 사족 출신자들을 대상으로 한 적임자 발탁 권한을 주었다. 이렇게 하여 30개월 임기로 공명(公明), 염근(廉謹) 등 덕행 항목에 우선권을 두어 평가하는 지방 수령 평가·임용 제도가 시행되었다.

태종이 즉위한 이후 수령의 업무가 표준화되었다. 이때 수령 7사가 제정되어 인구 증가와 농업 생산성 향상, 공정한 조세 부과, 학교 발전, 아전 농간 차단 등의 업무가 규정되었다. 일 년에 두 번 정기 평가가 실시되었고, 5회의 평가에서 2회 '중' 평가를 받으면 파면되는 원칙도 마련되었다. 수령의 업무는 수치화된 결과와 실적만으로 평가되었고, 이후 이러한 원칙은 『경국대전』에 명문화될 때까지 지속적으로 강화되었다.

한편 수령들의 전문성이 떨어진다는 이유에서 덕행에 의한 평가와 관찰사에 의한 현지 발탁은 폐지되었다. 그 대신 근무 기한을 채운 서울의 이전 중 10% 정도의 인원을 선발하여 잡직에 임명될 수 있게 하고, 그 임기가 만료되면 종6품의 수령직 대기자가 되도록 하였다. 이전 출신의 수령 진출을 통제하는 장치였지만, 한편으로 행정 능력을 갖춘 이전 출신자에게 수령 진출 기회를 부여한 것이었다.

세종에 이르러서는 수령의 지방 실정 파악을 어렵게 한다는 점에서 수령의 잦은 교체가 문제로 대두되었다. 그에 따라 수령의 임기가 60개월로 늘었으며 현지민의 수령 고소도 금지되었다. 임기 전 사임한 수령이 남은 임기 동안 다른 관직에 서용될 수 없게 하는 조치도 시행되었다. 자질 있는 수령의 확보를 위해 수령직 대기자인 이전 및 잡직자를 대상으로 수령취재법이 시행되어 사서와 삼경, 법전을 시험 보게 하였다. 또한 무관이 배정되었던 약 80여 곳의 수령 자리 중 국방상 중요한 50여 곳을 제외한 지역에는 행정 능력과 인품을 고려하도록 하였다.

평가 방식도 보완되었는데, 10회로 늘어난 평가 중 3~5회 '상'을 받으면 등급을 올려 주고, 5회 '중'을 받더라도 관품을 유지하게 하였으며, 연속으로 '중'을 받은 경우라도 10회의 평가를 받게 하여 임기를 채우도록 조처하였다. 이는 평가 방식을 포상 위주로 변경하여 수령의 업무 의욕을 고취하고 부정을 방지하도록 하는 것이었다.

하지만 지방 수령의 장기 근무로 인하여 지방 수령의 자질 저하와 경·외관(京外官)의 분화라는 부작용이 나타났다. 이는 조정이 원하는 방향은 아니었기 때문에, 공신 및 대신의 자제를 수령으로 파견하여 이 문제를 해결하려고 하였다. 그럼에도 불구하고 수령직이 과거를 통해 문반직에 진출하지 못한 세력가 자제의 관직 진출로로 활용되면서 수령직의 열등화는 오히려 더욱 분명해졌다. ㉠문과 출신의 우수한 인재를 수령으로 파견하는 조치가 단행된 것은 경·외관의 분화를 보완하기 위한 또 다른 방안이었다. 분화 현상 자체를 막을 수는 없지만, 우수한 자원을 일정 기간 외직으로 파견함으로써 중요 거점에라도 유능한 수령을 확보하려는 의도였다. 이들은 수령직을 성공적으로 수행했을 뿐 아니라, 통상적으로 대간을 역임하기도 하였기에 주변의 수령들에 대한 비리 예방 효과가 있었다. 재판과 같은 전문적 업무나 대규모 토목 공사 등이 발생할 때, 이들은 관찰사가 활용할 수 있는 유용한 자원이 되었다.

지방 수령의 장기 근무는 심각한 적체 현상을 낳기도 했다. 이에 따라 세조는 이전의 제도를 계승하면서도 수령의 임기는 30개월로 단축하였다. 그와 함께 우수한 평가를 받은 수령을 파격적으로 승진시키는 한편, 불법 행위를 한 수령은 즉각 징계하는 정책을 시행하였다. 이러한 평가 방식은 일시적인 효과는 기대할 수 있어도 안정적인 관직 운영 방식으로 정착되지 못했다.

성종 때 『경국대전』이 편찬되면서 관련 사항들이 명확히 정비되었다. 수령 7사가 규정으로 자리 잡고, 근무 기간도 60개월로 환원되었다. 평가에서 10회 '상'이면 품계를 올려 주고, 3회 '중'이면 파직, 2회 '중'은 녹봉이 없는 관직으로 임명하도록 명시하였다. 또한 4품의 관직에 승진하려면 외관직을 거쳐야 한다고 규정하여 서울과 지방 관원의 교류 원칙도 분명히 하였다. 이들 규정은 지방 세력가를 억제하면서 백성을 안집(安集)시키고 중앙의 덕화(德化)를 관철하고자 한 오랜 노력의 산물이었다.

22. 수령에 대한 각 시기별 평가 방식을 정리한 것으로 가장 적절한 것은?

① 태조: 지역 출신 수령을 대상으로 한 실적 위주의 평가
② 태종: 현지 파견 관리에 의한 덕성과 전문성 평가
③ 세종: 지방 수령들 간의 수치화된 기준에 따른 상호 평가
④ 세조: 관례와 연공서열에 따른 연도별 평가
⑤ 성종: 표준화된 고과 시행에 근거한 정기 평가

23. ㉠에 대한 이해로 적절하지 않은 것은?

① 임기 연장의 후속 조치로 시행되었다.
② 중요 거점의 효율적 통치를 의도하였다.
③ 관찰사가 책임지는 주요 업무에 유용하였다.
④ 인근 수령의 공정한 업무 수행을 유도하였다.
⑤ 서울과 지방 관원의 차별화 현상을 해소하였다.

24. 위 글을 통해 알 수 있는 지방관 제도의 변화상으로 가장 적절한 것은?

① 지방 수령의 출신 배경별 구성이 다양화되었다.
② 중앙 이전의 지방관 진출이 지속적으로 확대되었다.
③ 고위직 자제의 수령 진출로 수령직의 위상이 높아졌다.
④ 중앙과 지방의 관리에 대한 인사 제도가 이원화되었다.
⑤ 문·무 관원의 지방관 임명 비율이 균형을 이루게 되었다.

[25~27] 다음 글을 읽고 물음에 답하시오.

우리 몸의 수많은 세포들은 정자와 난자가 수정하여 형성된 단일 세포인 접합체가 세포 분열을 하여 만들어진 것이다. 포유류의 경우, 접합체의 세포 분열로 형성되는 초기 배반포 단계에서 나중에 태반의 일부가 되는 영양외배엽 세포와 그에 둘러싸인 속세포덩어리가 형성되는데, 이 속세포덩어리는 나중에 태아를 이루는 모든 세포로 분화되는 다능성(多能性)을 지닌다. 그렇다면 속세포덩어리는 어떻게 만들어질까?

접합체는 3회의 세포 분열을 통해 8개의 구형(球形) 세포로 구성된 8-세포가 된 후, 형태를 변화시키는 밀집 과정을 통해 8-세포 상실배아가 된다. 다음으로, 8-세포 상실배아는 세포의 보존 분열과 분화 분열로 16-세포 상실배아가 되는데, 보존 분열은 분열 후 두 세포의 성질이 같은 경우이며, 분화 분열은 분열 후 두 세포의 성질이 서로 다른 경우이다. 8-세포 상실배아의 일부 세포는 보존 분열로 16-세포 상실배아의 표층을 형성하는 세포들이 되고, 나머지 세포는 분화 분열로 16-세포 상실배아의 표층에 1개, 내부에 1개 갈라져서 분포함으로써, 16-세포 상실배아는 표층 세포와 내부 세포로 구분되는 모습을 처음으로 띠게 된다. 한편 이 두 갈래의 세포 분열은 16-세포 상실배아에서도 일어나서 32-세포 상실배아가 형성된다. 32-세포 상실배아의 표층 세포들은 이후 초기 배반포의 영양외배엽 세포들로 분화되고 내부 세포들은 속세포덩어리 세포들로 분화된다.

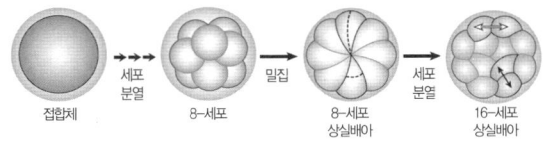

여기서 문제는 16-세포 상실배아와 32-세포 상실배아의 세포가 어떻게 서로 다른 성질을 가진 세포로 분화되는가이다. 이에 대해 두 개의 가설이 제시되었다. 먼저 '내부-외부 가설'은 하나의 세포가 주변 세포와의 접촉 정도와 외부 환경에의 노출 여부에 따라 서로 다르게 분화된다고 보았다. 곧 상실배아의 내부 세포는 표층 세포보다 주변 세포와의 접촉 정도가 더 크고 바깥 환경과 접촉하지 못하므로 내부 세포와 표층 세포는 서로 다른 세포로 분화된다는 것이다.

그러나 8-세포 상실배아 상태에서 특정 물질들의 분포에 따라 한 세포가 성질이 다른 두 부분으로 구분된다는 것이 발견되면서, '양극성 가설'이 새로 제시되었다. 8-세포 단계에서 세포 내에 고르게 분포했던 어떤 물질들이 밀집 과정에서 바깥이나 안쪽 중 한쪽으로 쏠려 분포하게 되어 결과적으로 8-세포 상실태아의 각 세포는 두 부분으로 구분된다. 이 물질들을 양극성 결정 물질이라고 부르며, 이 물질의 분포에 따라 서로 다른 성질의 세포로 분화된다는 것이 '양극성 가설'이다. 이 가설에 따르면 8-세포 상실배아의 세포가 분화 분열되면서 형성된 16-세포 상실배아의 표층 세포는 원래 가지고 있던 양극성 결정 물질의 분포를 유지하지만, 분열로 만들어진 내부 세포에는 분열 이전에 바깥쪽에 쏠려 분포했던 양극성 결정 물질이 없다. 표층 세포와 내부 세포의 이런 차이 때문에 분화될 세포의 유형이 다르게 된다는 것이다.

과학자들은 상실배아의 표층 세포와 내부 세포의 분화와 관련하여 다능성-유도 물질 OCT4와 영양외배엽 세포 형성 물질 CDX2를 주목하였다. 8-세포 상실배아의 모든 세포에서 OCT4는 고르게 분포하지만, CDX2는 그렇지 않다. 이는 양극성 결정 물질 중 세포의 바깥 부분에만 있는 물질이 CDX2를 세포 바깥쪽으로 집중적으로 분포하게 하기 때문이다. 이후 16-세포 상실배아가 되면, 표층 세포에서는 OCT4가 점차 없어지는 반면, 내부 세포에서는 잔류 CDX2가 점차 없어지는데, 이는 표층 세포에서는 CDX2가 OCT4의 발현을 억제하고, 내부 세포에서는 OCT4가 CDX2의 발현을 억제하기 때문이다. 한편 CDX2를 발현시키는 물질의 기능을 억제하는 '히포' 신호 전달 기전 또한 관련 현상으로 연구되었다. 이에 따르면, 16-세포 상실배아의 모든 세포에 존재하는 이 기전은 주변 세포와의 접촉이 커지면 활성화되어 CDX2의 양이 감소한다. 이러한 연구 결과들은 CDX2와 OCT4의 상호 작용이 분화 분열로 만들어진 두 세포가 달라지는 원인임을 말해 준다.

25. 속세포덩어리의 형성과 관련하여 위 글을 통해 알 수 없는 것은?

① 속세포덩어리로 세포가 분화되는 과정
② 속세포덩어리로 분화될 세포의 양극성 존재 여부
③ 속세포덩어리로 분화될 세포가 최초로 형성되는 시기
④ 속세포덩어리가 될 세포의 수를 결정하는 물질의 종류
⑤ 속세포덩어리가 될 세포를 형성하기 위한 세포 분열의 방법

26. 16-세포 상실배아기 동안 일어나는 현상으로 옳은 것은?

① 내부 세포에서 CDX2를 발현시키는 물질의 기능이 활성화된다.
② 보존 분열에 의해 형성된 세포에서 '히포' 신호 전달 기전이 활성화된다.
③ 표층 세포의 바깥쪽 부분에서 CDX2의 발현을 억제하는 OCT4의 영향력이 증가한다.
④ 분화 분열에 의해 형성된 내부 세포에서 CDX2 양에 대한 OCT4 양의 비율이 감소한다.
⑤ 표층 세포와 내부 세포 간에 CDX2의 분포를 결정하는 양극성 결정 물질의 양에 차이가 생긴다.

27. <보기>는 여러 단계의 상실배아에 있는 세포에 조작을 가하여 배양한 결과를 정리한 것이다. 실험 결과가 해당 가설을 지지할 때, ㉠, ㉡, ㉢으로 알맞은 것은?

<보 기>

대상 세포	가해진 조작	배양된 세포 유형	가설
32-세포 상실배아의 내부에 있는 세포	인위적인 방법을 사용하여 표층으로 옮겨 배양	㉠	내부-외부 가설
16-세포 상실배아의 내부에 있는 세포	채취하여 단독으로 배양	㉡	내부-외부 가설
8-세포 상실배아에 있는 세포	채취하여 바깥쪽에 쏠려 있는 양극성 결정 물질의 기능을 억제하는 물질을 주입한 후 단독으로 배양	㉢	양극성 가설

	㉠	㉡	㉢
①	영양외배엽	영양외배엽	영양외배엽
②	영양외배엽	영양외배엽	속세포덩어리
③	영양외배엽	속세포덩어리	속세포덩어리
④	속세포덩어리	속세포덩어리	영양외배엽
⑤	속세포덩어리	속세포덩어리	속세포덩어리

[28~29] 다음 글을 읽고 물음에 답하시오.

사람들은 새로운 사물을 보고 그것이 무엇인지 어떻게 파악하는가? 이는 그 사물이 어떤 범주에 속하는지 찾아내는 범주 판단에 관한 질문이다. 범주 판단 과정을 설명하는 이론으로 유사성 기반 접근과 설명 기반 접근이 제안되었다.

유사성 기반 접근은 새로운 대상의 범주 판단이 기억에 저장된 심적 표상과 그 대상과의 지각적 유사성에 근거한다고 가정한다. 유사성 기반 접근은 범주 판단에 사용되는 심적 표상을 기준으로 원형 모형과 본보기 모형으로 다시 구분된다. 원형 모형에서는 해당 범주에 속하는 사례들이 갖는 속성들의 평균으로 구성된 추상적 집합체인 단일한 원형이 사용되며, 본보기 모형에서는 구체적 사례가 그대로 기억된 심적 표상인 본보기들이 사용된다. 범주 판단에서 전형적인 사례가 비전형적인 사례보다 빨리 판단되는 전형성 효과는 원형 모형과 잘 부합한다. 반면에 전형성이 맥락에 따라 달라지는 현상은 많은 수의 본보기를 사용하는 본보기 모형이 더 잘 설명한다. 하지만 유사성 기반 접근은 여러 지각적 속성 중 어떤 속성을 범주 판단에 사용할지의 기준을 제시하지 못하는 한계가 있다. 한편 설명 기반 접근은 사람들이 범주에 관한 암묵적 이론이나 규칙 또는 인과적 관계를 바탕으로 사례들을 어떤 설명적 구조에 연결시킨다고 본다. 설명 기반 접근은 범주 판단이 단순히 기억 속의 표상과 사례를 비교하는 데 그치는 것이 아니라 사례들을 하나의 범주로 묶을 수 있는 기저 본질을 기준으로 삼아 이루어진다고 주장한다.

유사성 기반 접근이 옳다면 특정 범주와 사례 간의 지각적 유사성을 비교하는 유사성 판단과 이를 바탕으로 한 범주 판단이 일치해야 하지만, 설명 기반 접근이 옳다면 유사성 판단과 범주 판단이 일치해야 할 이유는 없다. 물론 현실적으로는 대개 기저 본질에 따라 지각적 속성들이 결정되기 때문에 유사성 판단과 범주 판단이 같은 과정인 것처럼 보이는 경우가 많다.

설명 기반 접근을 지지했던 립스는 유사성 판단과 범주 판단이 같은 과정이 아니라는 가설을 입증하려고 가상 동물의 변형에 대한 글을 소재로 한 실험을 했다. 이 실험에서 피험자들은 가상 동물이 외형의 변형을 겪는 내용의 글을 읽은 뒤 그 동물이 어떤 범주와 얼마나 유사한지(유사성 판단) 또 어떤 범주에 속하는지(범주 판단)를 판단하도록 요구받았다.

실험에 쓰인 글은 두 부분으로 만들어졌는데, 첫째 부분은 피험자들이 묘사된 가상 동물을 새의 범주에 속한다고 쉽게 판단할 수 있도록 만들어졌고, 둘째 부분은 가상 동물이 특정한 이유 때문에 외형적으로 곤충과 유사하게 되었다는 내용으로 만들어졌다. 특히 둘째 부분을 만들 때에는 가상 동물의 외형 변화가 일어나는 것을 우연한 환경적 조건 때문인 경우와 올챙이에서 개구리로 변하는 것처럼 자연적인 성숙에 따른 경우로 구분하여 두 종류의 글을 만들었다. 이에 따라 전자의 경우를 제시한 <글 A>는 "솔프라는 동물은 두 다리와 깃털이 있는 날개가 있었다. …… 그러나 솔프는 화학 폐기물에 노출되어 여섯 개의 다리와 투명한 막 형태로 된 날개를 갖게 되었지만 이후 원래의 솔프와 같은 형태의 새끼를 낳았다."라는 식으로 서술되었고, 후자의 경우를 제시한 <글 B>는 "둔은 어릴 때 솔프라고 불리는데 솔프는 두 다리와 깃털이 있는 날개가 있었다. …… 몇 달 지나 솔프는 둔이 되었는데 둔은 여섯 개의 다리와 투명한 막 형태로 된 날개를 갖게 되었다."라는 식으로 서술되었다.

여기에 립스는 또 하나의 조건을 추가하였다. 피험자들을 각각의 글에서 첫째 부분만 읽는 통제 집단과 두 부분을 모두 읽는 실험 집단으로 나눈 것이다. 결과적으로 네 개의 집단으로 나뉜 피험자들은 글을 읽은 후 "솔프는 새와 곤충 중 어느 것과 유사한가?"와 "솔프는 새와 곤충 중 어디에 포함되는가?"라는 질문에 새 10점, 곤충 1점으로 하는 척도에서 한 지점을 택하는 방식으로 답하였다.

그 결과, <글 A>를 읽은 통제 집단과 <글 B>를 읽은 통제 집단은 모두 유사성 판단과 범주 판단에서 각각 평균 9.5점을 부여했다. 그리고 <글 A>를 읽은 실험 집단은 유사성 판단에서 평균 3.8점, 범주 판단에서 평균 6.5점을 부여했다. 그러나 <글 B>를 읽은 실험 집단은 유사성 판단에서 평균 7.6점, 범주 판단에서 평균 5.2점을 부여했다. 이러한 실험 결과는 범주 판단은 외형의 변화보다 기저 본질의 변화에 더 큰 영향을 받지만 유사성 판단은 기저 본질의 변화보다 외형의 변화에 더 큰 영향을 받는다는 것을 알려 준다.

28. 위 글의 주요 개념을 이해한 것으로 적절하지 않은 것은?

① 환자를 진단할 때 숙련된 의사는 과거의 유사한 구체적 사례를 활용하여 진단한다. 이는 본보기 모형을 지지하는 예이다.
② 어린이는 얼굴을 가리고 검은 옷을 입은 사람을 겉모습만 보고 도둑으로 판단한다. 이는 유사성 기반 접근을 지지하는 예이다.
③ 사람이 취미로 키울 수 있다는 속성을 기준으로 햄스터와 이구아나는 애완동물이라는 범주에 포함된다. 이는 원형 모형을 지지하는 예이다.
④ 일반적으로 아침 식사라고 하면 밥이 전형적인 사례이지만 설날에는 떡국이 더 전형적인 사례이다. 이는 범주의 전형성이 맥락에 따라 바뀔 수 있음을 보여 주는 예이다.
⑤ 오리의 털이 붉게 변한 경우보다 발에서 물갈퀴 모양이 없어진 경우에 오리로 판단하기가 더 어려운데 이는 발 모양이 헤엄치라는 기저 본질과 연결되기 때문이다. 이는 설명 기반 접근을 지지하는 예이다.

29. 립스의 실험에 대한 서술로 적절하지 않은 것은?

① 일상적 범주 판단이 지각적 유사성에만 기초하는 것인지 알아보려고 설계되었다.
② 통제 집단은 가상 동물이 새와 유사하며 새의 구성원인 것으로 판단하도록 설계되었다.
③ 가상 동물의 외형이 환경 조건에 의해 변한 경우는 기저 본질이 변한 것으로 판단하게 하기 위해 설계되었다.
④ <글 B>를 읽은 통제 집단과 실험 집단에서 유사성 판단의 결과가 다르다는 것은 기저 본질에 대한 지식이 유사성 판단에 영향을 주었다고 해석될 수 있다.
⑤ 실험 집단에서 유사성 판단과 범주 판단의 결과에 차이가 있다는 것은 실험자가 세운 가설을 지지하는 것으로 해석될 수 있다.

[30~32] 다음 글을 읽고 물음에 답하시오.

서양의 지적 전통에서 법은 오랫동안 선에 비해 부차적인 것, 혹은 선을 닮기 위한 수단에 불과한 것으로 이해되었다. 법은 신들이 버린 세계 속에 있는 선의 유사물이자 최상의 원리인 선의 모조품이었다. 플라톤 식으로 표현하면, 선의 이데아를 따르기 위해 현상계의 인간들이 할 수 있는 것은 선의 모방이었으며, 구체적으로 이 모방은 법을 따르는 것이었다.

법과 선의 이와 같은 고전적인 관계는 전통적으로 존재의 본질과 연결된 자연법론의 형태로 정당화되었다. 그러나 자연법론은 존재의 본질에 대하여 어느 정도 동질적인 이해가 확보된 조건하에서만 유용할 수 있다. 만약 서로 다르고 모순적인 세계관들이 충돌하게 되면 자연법론은 보편적 적용 가능성을 얻는 대가로 끊임없이 그 내용을 포기해야만 하는 운명을 피하기 어렵다. 근대적 법 이론가로서 칸트는 인간의 실천이성에 선험적으로 내재하는 도덕법칙에 주목하여 법과 선의 관계를 재규정함으로써 자연법론에 닥친 위기를 돌파하고자 했다.

『실천이성비판』에서 칸트는 인간의 자유를 인격적 자율과 그에 따른 책임으로 이해하면서 윤리적 행위를 규정하는 도덕법칙으로 정언명령을 제시한다. 도덕법칙이 명령으로 등장하는 까닭은 인간의 자연적 경향이 항상 선을 지향하고 있지는 않기 때문이다. 따라서 도덕법칙은 실천이성이 선의 이념에 따라 자기 자신에게 강제적으로 부과하는 규범이며, 무조건적인 준수를 요구하는 명령이다. 하지만 정언명령은 어디까지나 순수 형식의 표상으로서 대상, 지역, 상황들과는 무관하고, 그 속에는 구체적인 행위를 지시하는 내용이 전혀 들어 있지 않다. 그것은 오로지 행위가 순응해야 하는 형식적 법칙만을 무조건적으로 명령할 뿐이다. 『실천이성비판』에서 칸트는 "너의 의지의 준칙이 항상 동시에 보편적 입법의 원리로서 타당할 수 있도록 행위하라."라고 하는 명령을 실천이성의 원칙으로 선언한다.

들뢰즈는 이와 같은 칸트의 주장에서 법이 선의 주위를 맴돈다는 종래의 생각을 전도시켜 오히려 선이 법의 주위를 맴돌게 만들려는 기획을 찾아낸다. 칸트의 이런 기획에 따르면 법은 더 이상 선에 의하여 규정되지 않고 도리어 법의 입장에서 선을 규정한다. 실천이성의 법칙으로서 법은 선이 의무를 부과하기 위해 가지지 않으면 안 되는 보편적인 형식으로 스스로를 정당화한다. 들뢰즈에 따르면, 칸트의 기획을 이끄는 핵심 논리는 정언명령을 유일하고 보편적이며 무조건적인 법으로 내세우면서 이에 대한 복종을 선 그 자체로 규정하는 것이다. 달리 말해, 선을 실현하기 위한 수단으로 법에 대한 복종을 요구하는 것이 아니라 법에 대한 복종 그 자체를 선으로 규정하는 것이다.

근대적 법 이론의 역사에서 법과 선의 관계를 전도시키는 칸트의 기획은 하나의 신기원을 이루었다. 그럼에도 불구하고 그 이면에 특수한 형태의 폭력성이 도사리고 있음을 부인하기는 어렵다. 앞서 말했듯이, 정언명령은 순수 형식이며 그 안에는 구체적인 내용이 없다. 따라서 정언명령은 오로지 구체적인 상황 속에서만 구체적으로 인식될 수 있다. 바로 이 점에 관하여 들뢰즈는 카프카의 소설을 예로 들어 법의 실행 문제를 제기한다. 카프카의 작품 『유형지에서』에는 형벌 기계가 나오는데 그 기계 안에서 처형되는 사람은 자신의 죄를 모른 채 처벌을 받는다. 그 처벌은 그 사람의 죄명을 그의 몸뚱이 위에 바늘로 기록하는 것이다. 이는 인간은 법을 위반한 결과로 주어지는 형벌을 통해서 비로소 그 법을 구체적으로 알게 된다는 의미이다.

이처럼 법의 실행을 판결과 집행으로 이해할 경우, 칸트의 기획은 결과적으로 ㉠'우울증적 법의식'을 초래하는 사태를 피하기 어렵다. 정언명령에 대한 복종은 선 그 자체이므로 정언명령은 선의지를 가질 의무를 부과하는 것이나 다름없다. 그러나 정언명령은 그것을 위반하지 않는 한 구체적으로 인식될 수 없다. 이 때문에 칸트의 기획에서 정언명령은 인간에게 선의지에 대한 무조건적 추궁으로 받아들여지고, 그 앞에서 인간은 자신의 선의지를 입증해야 한다는 강박 관념에 휩싸이게 된다. 이로부터 벗어나기 위해서는 정언명령의 구체적인 내용을 알아야 하지만 정언명령을 위반하지 않는 한 그렇게 할 수 없다. 이와 같이 칸트의 기획은 결과적으로 인간을 죄의식에 시달리게 만든다. 정언명령에 대한 복종 요구에 엄격하게 따를수록 이 죄의식은 더욱 커진다.

근대적 법 이론가로서 칸트는 인간에게 스스로의 내면에서 실천이성이 명령하는 법에 대해 무조건적으로 복종하라고 요구한다. 그러나 들뢰즈에 따르면, 칸트의 기획은 법에 대한 엄격한 복종을 통해 인간에게 죄의식을 증대시키는 과정인 동시에 인간의 자유의 토대인 인격적 자율을 훼손하는 과정이기도 하다. 법의 실행을 다르게 이해하지 않는 한, 우울증적 법의식으로부터 벗어나는 방법은 칸트의 기획을 거부하는 것뿐이다. 이제 인간은 법을 주군의 자리에서 끌어내어 선의 주변부로 돌려보내고 다시 선을 주군으로 삼아 법을 다스리게 해야 할지도 모른다.

30. 위 글을 이해한 내용으로 적절하지 않은 것은?

① 칸트의 기획은 존재의 본질에 연결된 고전적 자연법론의 전통을 연장한 것이다.
② 칸트의 기획이 나오기 전까지 법은 선과의 관계에서 독립적으로 정당화될 수 없었다.
③ 법과 선의 고전적인 관계에서 법에 대한 복종은 현상계에서 선을 실현하기 위한 수단이었다.
④ 근대적 법 이론가로서 칸트의 특징은 법의 근거를 객관적 실재가 아니라 선험적 도덕법칙에서 찾았다는 데 있다.
⑤ 서양의 근대 세계에서 자연법론의 위기는 그 보편성을 확보할 수 없게 만드는 다양한 세계관들로 인해 촉발되었다.

31. 들뢰즈의 해석에 따라 칸트의 '정언명령'을 이해한 것으로 옳지 않은 것은?

① 법적인 심판 구조 속에서 법의 위반 행위를 사후적으로 단죄한다.
② 선의 형식을 규정하는 보편 법칙으로서 법의 입장에서 선을 규정한다.
③ 오로지 형식적 규칙으로 제시되는 까닭에 구체적인 내용을 알 수 없다.
④ 법을 명령하는 자와 그 명령을 따라야만 하는 자로 인간의 내면을 분열시킨다.
⑤ 인간의 본성이 선을 지향한다고 전제한 뒤 도덕법칙을 준수할 의무를 부과한다.

32. ㉠에 대해 칸트가 취할 수 있는 입장과 상충하는 것은?

① 죄의식은 주관적인 심리 현상일 뿐이므로 인격적 자율과 책임의 문제와는 관련이 없다.
② 정언명령 앞에서 죄의식을 가졌다고 해서 그것에서 벗어나고자 정언명령 자체를 거부해서는 안 된다.
③ 법의 실행을 도덕법칙에 따른 입법 행위로 이해하면 인격적 자율이 더욱 잘 구현되고 죄의식도 예방할 수 있다.
④ 범죄 행위는 그 행위의 준칙을 보편화할 수 없다는 점에서 불법성이 명백하므로 이에 대해서는 죄의식이 아니라 책임감을 느껴야 한다.
⑤ 인간의 실존이 죄의식에 사로잡혀 있음을 알면서도 법에 대한 무조건적 복종을 계속 요구하는 것은 보편적 입법의 원칙에 비추어 정당화되기 어렵다.

[33~35] 다음 글을 읽고 물음에 답하시오.

아도르노는 문화산업론을 통해서 대중문화의 이데올로기를 비판하였다. 그는 지배 관계를 은폐하거나 정당화하는 허위의식을 이데올로기로 보고, 대중문화를 지배 계급의 이데올로기를 전파하는 대중 조작 수단으로, 대중을 이에 기만당하는 문화적 바보로 평가하였다. 또한 그는 대중문화 산물의 내용과 형식이 표준화·도식화되어 더 이상 예술인 척할 필요조차 없게 되었다고 주장했다. 그러나 그의 이론은 구체적 비평 방법론의 결여와 대중문화에 대한 극단적 부정이라는 한계를 보여 주었고, 이후의 연구는 대중문화 텍스트의 의미화 방식을 규명하거나 대중문화의 새로운 가능성을 찾는 두 방향으로 발전하였다. 전자는 알튀세를 수용한 스크린 학파이며 후자는 수용자로 초점을 전환한 피스크이다.

초기 스크린 학파는 주체가 이데올로기 효과로 구성된다는 알튀세의 관점에서 허위의식으로서의 이데올로기 개념을 비판하고 어떻게 특정 이데올로기가 대중문화 텍스트를 통해 주체 구성에 관여하는지를 분석했다. 이들은 이데올로기를 개인들이 자신의 물질적 상황을 해석하고 경험하는 개념틀로 규정하고, 그것이 개인을 자율적 행위자로 오인하게 하여 지배적 가치를 스스로 내면화하는 주체로 만든다고 했다. 특히 그들은 텍스트의 특정 형식이나 장치를 통해 대중문화 텍스트의 관점을 자명한 진리와 동일시하게 하는 이데올로기 효과를 분석했다. 그러나 그 분석은 텍스트의 지배적 의미가 수용되는 기제의 해명에 집중되어, 텍스트가 규정하는 의미에 반하는 수용자의 다양한 해석 가능성은 충분히 설명하지 못했다.

이 맥락에서 피스크의 수용자 중심적 대중문화 연구가 등장한다. 그는 수용자의 의미 생산을 강조하여 정치 미학에서 대중 미학으로, 요컨대 대중문화 산물이 "정치 투쟁을 발전 또는 지연시켰는가?"에서 "왜 인기가 있는가?"로 초점을 전환했다. 그는 대중을 사회적 이해관계에 따라 다양한 주체 위치에서 유동하는 행위자로 본다. 상업적으로 제작된 대중문화 텍스트는 그 자체로 대중문화가 아니라 그것을 이루는 자원일 뿐이며, 그 자원의 소비 과정에서 대중이 자신의 이해에 따라 새로운 의미와 저항적·도피적 쾌락을 생산할 때 비로소 대중문화가 완성된다. 피스크는 지배적, 교섭적, 대항적 해석의 구분을 통해 대안적 의미 해석 가능성을 시사했던 홀을 비판하면서, 그조차 텍스트의 지배적 의미를 그대로 수용하는 선호된 해석을 인정했다고 지적한다. 그 대신 그는 텍스트가 규정한 의미를 벗어나는 대중들의 게릴라 전술을 강조했던 드 세르토에 의거하여, 대중문화는 제공된 자원을 활용하는 과정에서 그 힘에 복종하지 않는 약자의 창조성을 특징으로 한다고 주장한다.

피스크는 대중문화를 판별하는 대중의 행위를 아도르노 식의 미학적 판별과 구별한다. 텍스트 자체의 특질에 집중하는 미학적 판별과 달리, 대중적 판별은 일상에서의 적절성·기호학적 생산성, 소비 양식의 유연성을 중시한다. 대중문화 텍스트는 대중들 각자의 상황에 적절하게 기능하는, 다양한 의미 생산 가능성이 중요하다. 따라서 텍스트의 구조에서 텍스트를 읽어 내는 실천 행위로, "무엇을 읽고 있는가?"에서 "어떻게 읽고 있는가?"로 문제의식을 전환해야 한다는 것이다.

피스크는 이를 설명하기 위해 퀴즈 쇼의 여성 수용자를 예로 든다. 상품 가격을 맞히는 퀴즈 쇼 인 <The Price Is Right>에서는 남성의 돈벌이에 비해 하찮게 여겨졌던 여성의 소비 기술이 갈채를 받고 공적 재미의 대상이 되는데, 이를 보는 여성들은 자신의 일상 지식과 기술의 가치를 확인하고 기존 체제의 경제적, 성적 억압에 주목하게 된다. 특히 피스크는 여성 방청객에게서 바흐친의 카니발적 요소를 읽어 낸다. 방청객의 열광은 일상 규범으로부터의 일탈 욕망을 가상적으로 충족하게 함으로써 기존 질서의 유지에 일조한다. 하지만 그것은 또한 가부장제가 규정한 여성다움에서 벗어나고 사회 규범을 폭로하는 파괴성을 지닌다. 퀴즈 쇼는 자본주의의 가부장적 담론을 중심 코드로 사용하지만, 대중의 소비 과정에서 생겨난 저항적·회피적 의미와 쾌락은 그것을 폭로하고 와해하는 계기가 될 수 있다는 것이다. 피스크는 대중문화가 일상의 진보적 변화를 위한 것이지만, 이를 토대로 해서 이후의 급진적 정치 변혁도 가능해진다고 주장한다.

그러나 피스크는 대중적 쾌락의 가치를 지나치게 높이 평가하고 사회적 생산 체계를 간과했다는 비판을 받았다. 켈러에 따르면, 수용자 중심주의는 일면적인 텍스트 결정주의를 극복했지만 대중적 쾌락과 대중문화를 찬양하는 문화적 대중주의로 전락했다. 특히 수용자 자체도 문화 생산 체계의 산물이기 때문에, 그들의 선호와 기대 또한 대중문화의 효과를 통해 생겨날 수 있다는 점을 간과했다는 것이다.

33. 위 글에 대한 이해로 가장 적절한 것은?

① 아도르노는 대중문화 산물에 대한 질적 가치 판단을 통해 그것이 예술로서의 지위를 가지지 않는다고 간주했다.
② 알튀세의 이데올로기론을 수용한 대중문화 연구는 텍스트가 수용자에게 미치는 일면적 규정을 강조하는 시각을 지양하였다.
③ 피스크는 대중문화의 긍정적 의미가 대중 스스로 자신의 문화 자원을 직접 만들어 낸다는 점에 있다고 생각했다.
④ 홀은 텍스트의 내적 의미가 선호된 해석을 가능하게 한다고 주장함으로써 수용자 중심적 연구의 관점을 보여 주었다.
⑤ 정치 미학에서 대중 미학으로의 발전은 대중문화를 이른바 게릴라 전술로 보는 시각을 극복할 수 있었다.

34. 퀴즈 쇼 에 대한 피스크의 논의로 가장 적절한 것은?

① 퀴즈 쇼는 기존 질서의 유지와 전복이라는 이중적 기능을 지닐 수 있다.
② 퀴즈 쇼의 방청객은 여성과 관련된 집안일의 하찮음을 깨닫고 이를 부정하려는 의지를 가질 수 있다.
③ 퀴즈 쇼에 설정된 중심적 코드는 기존의 여성상을 넘어서 새로운 의미를 지닌 여성상을 보여 주는 것이다.
④ 퀴즈 쇼는 일상으로부터 일탈 욕망을 가상적으로 만족시킴으로써 여성 수용자가 정치 변혁에 참여하게 한다.
⑤ 퀴즈 쇼의 카니발적 특성은 여성들이 스스로를 자율적 행위자로 여겨 지배적 가치를 내면화하는 주체로 만들 수 있다.

35. 위 글에 따를 때, <보기>에 대한 각 입장의 평가로 적절하지 <u>않은</u> 것은?

<보 기>

큰 인기를 얻었던 뮤직 비디오 <Open Your Heart>에서 마돈나는 통상의 피프 쇼 무대에서 춤추는 스트립 댄서 역할로 등장하였다. 그러나 그녀는 유혹적인 춤을 추는 대신에 카메라를 정면으로 응시하며 힘이 넘치는 춤을 추면서 남성의 훔쳐보는 시선을 조롱한다. 이 비디오는 몇몇 남성에게는 관음증적 쾌락의 대상으로, 소녀 팬들에게는 자신의 섹슈얼리티를 적극적으로 표출하는 강한 여성의 이미지로, 일부 페미니스트들에게는 여성 신체를 상품화하는 성차별적 이미지로 받아들여졌다.

① 아도르노는 마돈나의 뮤직 비디오에서 수용자가 얻는 쾌락이 현실의 문제를 회피하게 만드는 기만적인 즐거움이라고 설명했을 것이다.
② 초기 스크린 학파는 마돈나의 뮤직 비디오에서 텍스트의 형식이 다층적인 기호학적 의미를 생산한다는 점을 높게 평가했을 것이다.
③ 피스크는 모순적 이미지들로 구성된 마돈나의 뮤직 비디오가 서로 다른 사회적 위치에 있는 수용자들에게 다른 의미로 해석된 점에 주목했을 것이다.
④ 피스크는 마돈나의 뮤직 비디오가 갖는 의의를 수용자가 대중문화 자원의 지배적 이데올로기로부터 벗어날 수 있는 가능성에서 찾았을 것이다.
⑤ 켈러는 마돈나의 뮤직 비디오에서 수용자들이 느끼는 쾌락이 대중문화에 대한 경험과 문화 산업의 기획에 의해 만들어진 결과라고 분석했을 것이다.

2027학년도 LEET 대비
기출문제 해설집

2012

영역별 출제 비중 분석

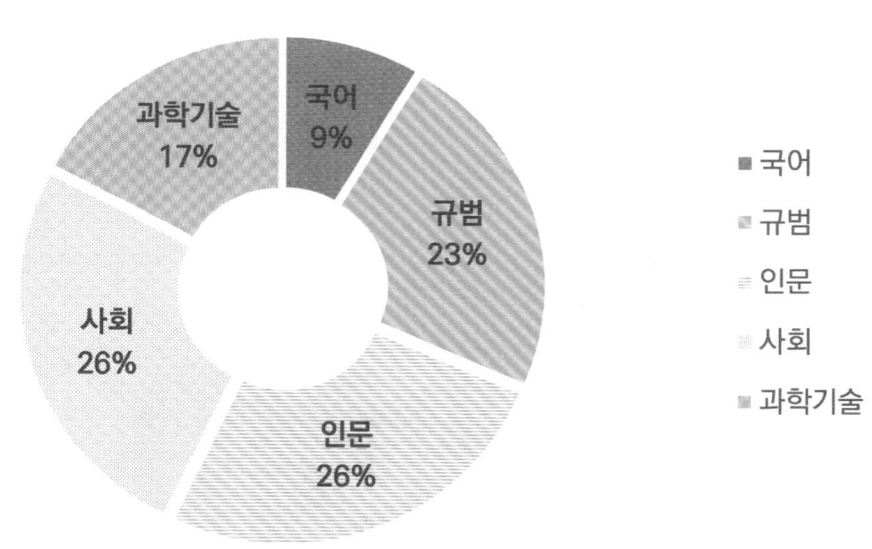

내용 영역	국어	규범	인문	사회	과학기술	총
문항 수	3	8	9	9	6	35

※ 출제 비중은 소수점 첫째 자리에서 반올림하였습니다.

2012학년도 언어이해

출제 경향 분석

2012학년도의 경우 제시문과 문항의 난도가 전반적으로 높다고 볼 수는 없으나 꼼꼼한 독해를 바탕으로 논리적 사고를 요하는 문항이 많아 수험생들이 체감하는 난도는 전년도에 비해 높았다. 수험생들의 평균 점수는 전년도에 비해 다소 하락하였는데, 이는 전년도 시험 이후의 반응과 평균 점수를 감안할 때 어느 정도 예측되었던 바다.

제 1 교시

홀수형

2012학년도 법학적성시험

언어이해 문제지

성 명

수험번호

수험생 유의사항

○ 이 문제지는 **32문항**으로 구성되어 있습니다.
  - 본고사는 35문항으로 구성되어 있으나, 본서에서는 미출제 범위 문항(1~3)은 수록하지 않았습니다.

○ **시험 시간은 09 : 00 ~ 10 : 20(80분)입니다.**
  - 시험 시간은 실제 본고사와 동일한 35문항 기준입니다.

○ 문제지에 성명과 수험번호를 정확하게 기재하십시오.

○ 답안지는 반드시 컴퓨터용 사인펜을 사용하여 답을 표기하여야 합니다.

○ 답안지의 '필적확인란'에 제시된 문구를 정확히 정자로 기재하여야 합니다.

메가로스쿨

2012학년도 법학적성시험
언어이해

제 1 교시

홀수형

[4~6] 다음 글을 읽고 물음에 답하시오.

조선의 관제는 주나라의 육전(六典) 제도를 근본으로 삼고 있으며, 주현(州縣)의 향리는 조정의 여러 관직을 모범으로 삼아 본뜬 것이다. 이 둘은 비록 그 명칭이 같지 아니하고 지위의 높고 낮음에 차등이 있다 하더라도, 다스리는 일을 나누어 맡는다는 의미에서는 일찍이 서로 다른 적이 없었다.

그러나 조정에서 벼슬살이하는 자는 세가 대족(世家大族)에 속하는 무리가 많다. 그들은 내직(內職)을 거쳐 외직(外職)으로 나아가며, 낮은 자리에서 높은 자리로 승진하여 나라 전체에 두루 명성을 떨친다. 또 그들이 그러한 지위로 말미암아 무슨 일을 성취하게 되면, 문필가와 사가(史家)들이 그 업적을 더욱 빛나도록 찬미하여 수백 년이 지나더라도 그 화려한 업적은 잊히거나 사라지지 않는다. 반면에 오로지 주현에서 벼슬살이하는 자는 그 문지(門地)가 변변치 못하고 맡은 바 직무가 아주 낮으며 명성도 한 지역을 넘어 떨치지 못한다. 혹 높은 식견과 뛰어난 재주를 지녔다고 하더라도 모두 묻혀 사라져서 드러나지 않는다. 이러하니 비록 그 같은 인재를 자랑하여 기록하려고 한들 그렇게 할 수 있겠는가. 이 같은 사실을 나는 심히 한스럽게 생각한다.

본관이 월성(月城)인 사과(司果) 벼슬의 이진흥은 신라와 고려 이래로 이서(吏胥)로서 가문을 일으킨 인물을 널리 고찰하여 「관감록(觀感錄)」한 편을 지었다. 그리고는 부친 통덕랑(通德郎) 이경번이 지은 「이직명목해(吏職名目解)」 및 「감은시(感恩詩)」·「호장소(戶長疏)」·「향공소(鄕貢疏)」를 그 앞에 합하여, 『연조귀감(掾曹龜鑑)』이라 하였다. 그 글들은 근거가 확실하고 상소의 언사(言辭) 또한 가히 추려 쓸 만한 것이 많으며, 힘써 선함을 권하고 악함을 깨우치는 기록이 연이어져 있어 가히 읽을 만하다. 그러므로 이 책에 실린 내용은 마땅히 향리들만이 거울로 삼아야 하는 것이 아니라, 생각건대 사대부 또한 가히 버려서는 안 될 것이니, 이 또한 아름답지 아니한가. 다만 위아래 오륙백 년 사이에 행적이 많이 흩어져 버려 진기한 꽃이나 특이한 나무 같은 뛰어난 인재를 많이 채록할 수 없었으니, 이 또한 문지 때문에 그리된 것이다.

내가 듣기에 옛적에는 사람을 등용할 때 재(才)와 덕(德)으로써 그 기준을 삼았으며 문지로써 그렇게 한 것이 아니었다. 하·은·주 3대 이래 모두 이와 같이 하였으니 대개 부열과 여상이 그러한 예이다. 소를 기르던 백리해가 등용되고 노예였던 위청이 발탁된 일은 그것이 더욱 분명히 드러난 사례이다. 하물며 주현에서 벼슬살이하던 사람은 위와 같은 사람들과 비교하면 서로 차이가 나는 정도만이 아니다. 그런즉 주현에서 벼슬살이하던 사람을 조정에 등용하는 것은 단지 관부의 책임자로 승진시키는 정도이니, 생각건대 어려운 일이 아니었다.

그러나 후세에는 그렇지가 않아서 오로지 문지로써만 사람을 등용하였다. 그러므로 뛰어나고 특이한 능력을 지닌 선비라도 미천한 집안에서 태어나면 길이 막혀 벼슬할 수가 없으며, 주현에서 벼슬살이하던 사람은 연자방앗간에서 맷돌을 돌리는 당나귀와 같아서 종신토록 벗어날 수가 없다. 선비 또한 이러한 처지 때문에 자신을 존중하지 못하고 끝내 낮고 천한 지경에 빠져 버린 자마저 있으니, 오호라 어찌 애석하지 않으랴.

㉠ 무릇 현달하여 명성을 떨치는 것이 이미 저와 같고, 막히어 세상에 파묻혀 버린 것이 또한 이와 같으니, 문지만으로는 족히 인재를 쓸 수 없음을 알겠다. 그러나 비록 그렇다 하더라도 문지가 한미하다 하여 자신을 존중하지 않고, 기꺼이 낮고 천한 지경에 빠져 버리는 자는, 어진 사람을 임용하고 능력 있는 이를 쓴다는 내용의 시조차 읽지 않은 자이리니, 어찌 옳다고 하겠는가.

진실로 능히 그 천성을 온전히 하며 아름다운 덕을 좋아한다면, 이 역시 천하의 어질고 귀한 일이다. 관작이나 공로가 어찌 또한 대단한 것이라고 말할 수 있겠는가. 옛적의 서기는 천인이었음에도 행실을 닦아 세상에 이름을 떨쳐 진신(搢紳)과 처사(處士)가 그를 존경하고 흠모함이 오래도록 줄어들지 않았다. 황무진은 가리(假吏)였으나 몸을 닦아 충효에 뛰어나 원주 사람들은 지금까지도 그를 모시는 제사를 지낸다. 이 두 사람이야말로 이른바 어질고 고귀한 인물인데, 이들이 어찌 관작을 바라서 자신을 존중했겠는가. 이 책 속에 기록된 내용이 이 같은 뜻을 잘 드러냈으니 취하고 버리는 것의 분별이 분명하다고 할 만하다.

사과 이진흥의 후손인 이명구가 이 책을 간행하려고 하면서, 나에게 서문을 써 줄 것을 청해 왔다. 둔하고 거친 내가 어찌 족히 이러한 일을 맡기에 합당하리오마는, 다만 사과 부자가 명(名)을 다스리고 실(實)에 힘썼음을 기쁘게 생각한다는 말을 하려고 하였을 뿐이다. 이에 서기와 황무진 두 인물의 사례를 들어 그 뜻을 널리 펴려고 한 것이다.

- 이민행, 「연조귀감 서」 -

4. 위 글에서 언급된 '연조귀감'의 특징으로 적절하지 <u>않은</u> 것은?

① 교화적 가치를 지니고 있다.
② 여러 가문이 함께 간행했다.
③ 여러 시대의 사례를 다루고 있다.
④ 다양한 형식의 글을 수록하고 있다.
⑤ 널리 알려지지 않은 인물들의 행적을 발굴했다.

5. ⊙의 취지로 상소문을 올린다고 할 때, 가장 적절한 것은?

① 내직은 외직에 비하여 특전이 많으니 외직을 거쳐 오르게 해 주소서.
② 버림받은 집안의 사람이라도 뛰어난 자는 등용하는 데 구애됨이 없게 하소서.
③ 서얼도 적자와 같은 뿌리이니 족보를 만들 때 기재상의 차별을 두지 말게 하소서.
④ 서북 지방의 사람들은 다른 지역에 비하여 부세를 많이 내고 있으니 줄여 주소서.
⑤ 천민도 상민과 같은 백성이니 상민과 같이 군역을 져서 신민의 의무를 다하게 하소서.

6. '향리'에 대한 글쓴이의 이해로 옳지 않은 것은?

① 향리는 유교 가치를 수용했다.
② 향리 중에는 조정에 등용된 자도 있다.
③ 향리도 백성을 다스리는 계층의 하나이다.
④ 향리의 지위는 시대에 따라 점차로 높아졌다.
⑤ 향리 조직은 중앙 조직을 모방하여 만들어졌다.

[7~8] 다음 글을 읽고 물음에 답하시오.

제1공화국 헌법위원회의 성격을 이해하기 위해서는 제도의 도입 과정에서 작용한 다양한 요인들의 갈등과 타협의 구조를 살펴볼 필요가 있다. 위헌 법률 심사 제도의 도입이 본격적으로 거론되기 시작한 것은 해방 후 법원을 재조직하는 과정에서 법원이 미국식 사법 심사제 도입을 추진하면서부터였다. 당시 법원은 미국식 민주주의의 핵심을 사법부가 위헌 법률 심사를 담당하는 사법 심사제에서 찾았던 것이다.

⊙ 일제 강점기의 사법권에 대한 통념에 따르면, 사법권은 일반 시민 생활에 대해 법을 적용하는 경우로 한정된다. 즉 민사·형사 재판만을 사법권의 범위로 본 것이다. 삼권 분립도 입법과 관련된 사항은 입법부가, 행정과 관련된 사항은 행정부가 관할하고, 사법부는 여기에 간섭하지 않는 것이라고 이해했다. 따라서 법률이 헌법에 위반되는지의 여부에 대한 판단도 의회의 자율에 맡기는 것이 삼권 분립의 내용에 부합한다고 보았다. 이와 달리 ⓒ 해방 후 한국의 법원 측 인사들의 주장은 모든 법의 적용이 사법권에 해당한다는 미국식 사고에 기초하고 있었다. 이에 따르면, 헌법도 법인 이상 위헌 법률 심사도 당연히 법의 적용에 해당하므로 사법부 관할에 속한다는 것이었다. 또한 법원 측 인사들은 의회 다수파의 전횡에 대해 사법부가 헌법에 따라 소수자의 자유와 권리를 보호할 수 있는 제도가 바로 사법 심사제라고 주장했다. 법의 적용에 숙달된 판사들이 법리적 관점에서 위헌 법률 심사를 객관적으로 할 수 있다고 본 것이다. 법원 측이 사법 심사제 도입에 적극적이었던 이유는 사법 심사제가 사법부의 권한을 확대하고 위상을 높일 것이라고 여겼기 때문이기도 했다.

사법 심사제와는 다른 위헌 법률 심사 제도는 ⓒ 헌법학자 유진오의 구상에서 출발하였다. 유진오는 법이 위계 구조로 구성되어 있다는 법단계설에 비추어 볼 때, 헌법에 의해 창설된 국회가 위헌인 법률을 제정해도 헌법의 통제를 받지 않는다는 것은 모순이라고 생각하였다. 그렇다고 해서 사법 심사제가 대안이라고 생각하지도 않았다. 그가 보기에 위헌 법률 심사는 일반 법령의 적용과는 달리 정치적 성격이 강하기 때문에, 선출되지 않은 대법관 몇 명이 국민의 대표 기관이 제정한 법률을 무효로 할 수 있는 사법 심사제는 위험한 것이었다. 또한 미국식 삼권 분립 제도는 개인의 자유와 권리를 확보하기 위하여 국가 기관이 상호 견제하는 제도이므로, 국가 수립에 필요한 수많은 과제를 국가 권력이 개입하여 시급히 해결해야 하는 당시의 현실에는 적합하지 않다고 주장했다. 그래서 유진오는 비상설 기구로서 헌법위원회를 별도로 창설하는 것을 대안으로 구상하였다. 그리고 그 위원 구성은 대통령을 의장으로 하고 대법원장, 국회 양원 의장, 그리고 대통령이 참의원의 동의를 받아 임명하는 3인으로 하도록 하였다.

두 구상 중 위헌 법률 심사 담론에서 초기에 주도적 위치에 있던 것은 사법 심사제였다. 제헌 국회가 구성한 헌법기초위원회에서 심의의 기준안으로 채택된 헌법안 역시 법원 측 인사들의 강력한 요청에 의해 사법 심사제를 채택하고 있었다. 그러나 정작 헌법기초위원회의 심의에 들어가자 유진오의 헌법위원회 구상이 의외로 쉽게 부활했다. 국회의원들로서는 자신들이 제정한 법률을 법원이 무효화할 수 있다는 사실이 탐탁지 않았기 때문이다. 다만 헌법위원회의 구성과 관련해서는 유진오의 원래 구상에 중요한 수정을 가했다. 법원 측의 견해를 일부 고려하면서 동시에 입법부와 사법부 어느 한쪽이 우월하다는 시비가 나지 않도록 양 기관에서 동등한 인원이 참여하게 한 것이다. 그리고 의결 정족수에 관한 규정을 새롭게 추가했다. 이렇게 수정된 헌법기초위원회의 안은 국회 본회의를 그대로 통과하였다. 그러나 헌법에 의해 헌법위원회가 공식화된 이후에도 위헌 법률 심사제에 소극적이었던 국회의원들이 후속 법률의 제정을 미루었기 때문에, 헌법위원회는 많은 시간이 지난 후에야 비로소 제도적으로 완비될 수 있었다.

7. ㉠~㉢에 대해 설명한 것으로 옳은 것은?

① ㉠은 법원의 권한 범위를 ㉡보다는 넓게 보는 입장을 취했다.
② ㉠은 국회가 만든 법률의 위헌 여부에 대한 판단을 누구에게 맡길 것인지에 대해 ㉢과 입장이 같았다.
③ ㉡은 위헌 법률 심사가 엄격한 법리적 적용이어야 한다고 생각한 점에서 ㉢과 입장이 달랐다.
④ ㉡은 국회가 제정한 법률의 효력이 검증되어야 한다고 생각한 점에서 ㉢과 입장이 달랐다.
⑤ ㉢은 ㉡에 비해 국가 과제의 시급한 추진보다는 개인의 권리보호를 더 중요시하는 입장을 취했다.

8. <보기>의 1에 대하여 <보기>의 2와 같이 설명할 때, 옳은 것끼리 묶인 것은?

<보 기>

1. 제헌 헌법 제80조 중 헌법위원회 관련 규정
　　법률이 헌법에 위반되는 여부가 재판의 전제가 되는 때에는 법원은 헌법위원회에 제청하여 그 결정에 의하여 재판한다. ……………………………………………………………………… ⓐ
　　헌법위원회는 부통령을 위원장으로 하고 대법관 5인과 국회의원 5인의 위원으로 구성한다. …………………………… ⓑ
　　헌법위원회에서 위헌 결정을 할 때에는 위원 3분지 2 이상의 찬성이 있어야 한다. ……………………………………………… ⓒ
　　헌법위원회의 조직과 절차는 법률로써 정한다. ……… ⓓ

2. 위 규정에 대한 설명
(가) ⓐ는 헌법기초위원회의 심의 기준안을 반영한 것이다.
(나) ⓑ는 구성에 있어 입법부와 사법부가 균형을 이루도록 의도한 것이다.
(다) ⓒ는 국회보다 법원의 입장을 더 반영한 것이다.
(라) ⓓ는 제도가 빠른 시일 내에 시행되지 못한 사실과 관련이 있다.

① (가), (나)　　② (가), (다)　　③ (나), (다)
④ (나), (라)　　⑤ (다), (라)

[9~11] 다음 글을 읽고 물음에 답하시오.

선거에서 유권자의 정치적 선택을 설명하는 이론은 사회심리학 이론과 합리적 선택 이론으로 대별된다. 먼저 초기 사회심리학 이론은 유권자 대부분이 일관된 이념 체계를 지니고 있지 않다고 보았다. 그럼에도 유권자들이 투표 선택에서 특정 정당에 대해 지속적인 지지를 보내는 현상은 그 정당에 대한 심리적 일체감 때문이라고 주장한다. 곧 사회화 과정에서 사회 구성원들이 혈연, 지연 등에 따른 사회 집단에 대해 지니게 되는 심리적 일체감처럼 유권자들도 특정 정당을 자신과 동일시하는 태도를 지니는데, 이에 따라 유권자들은 정당의 이념이 자신의 이해관계에 유리하게 작용할 것인지 합리적으로 따지기보다 정당 일체감에 따라 투표한다는 것이다. 이에 반해 합리적 선택 이론은 유권자를 정당이 제시한 이념이 자신의 사회적 요구에 얼마나 부응하는지 그 효용을 계산하는 합리적인 존재로 보았다. 공간 이론은 이러한 합리적 선택 이론을 대표하는 이론으로, 근접 이론과 방향 이론으로 나뉜다.

초기의 근접 이론과 방향 이론은 유권자의 선택에 대해 다음과 같이 설명한다. 우선 이념 공간을 일차원 공간인 선으로 표시하고, 보수적 유권자 X, 진보 정당 A, 보수 정당 B의 이념적 위치를 그 선에 표시한다고 가정하자. 근접 이론은 X와 A, B 간의 이념 거리를 각각 '|X−A|'와 '|X−B|'로 계산한 다음, 만약 X와 A의 이념 거리가 X와 B의 경우보다 더 가깝다면 X는 A에 더 큰 효용을 느끼고 투표할 것이라고 본다. 이는 유권자 분포의 중간 지점인 중위 유권자의 위치가 양당의 선거 경쟁에서 득표 최대화 지점임을 의미한다. 그러나 과연 X가 이념 거리가 더 가깝다는 것만으로 자신과 이념이 다른 A를 지지할까? 이에 대해 방향 이론은 진보와 보수를 구분하는 이념 원점을 상정하고, 이를 기준으로 정당의 이념이 유권자의 이념과 같은 방향이되 이념 원점에서 더 먼 쪽에 위치할수록 그 정당에 대한 유권자의 효용이 증가하며, 반대로 정당의 이념이 유권자의 이념과 다른 방향일 경우에는 효용이 감소한다고 본다. 가령 이념 원점이 5라고 한다면, X의 A와 B에 대한 효용은 각각 '−|5−X|×|5−A|'와 '|5−X|×|5−B|'로 계산되는데, 이때 X는 이념 거리로는 비록 A가 가깝다 할지라도 B에 투표하게 된다. 따라서 방향 이론에서 정당에 대한 유권자의 효용은 그 정당이 유권자와 같은 이념 방향의 극단에 있을 때 최대화된다.

두 이론은 이념에 기초한 효용 계산을 통해 초기 사회심리학 이론의 '어리석은 유권자' 가설을 비판했지만 한계도 있었다. 근접 이론은 미국의 정당들이 실제 중위 유권자의 지점에 위치하지 않고 있다는 비판에, 방향 이론은 유럽 국가들에서 이념적 극단에 있는 정당이 실제로 수권한 경우가 드물다는 비판에 각각 직면했다. 이에 근접 이론은 정당이 정당 일체감을 지닌 유권자(정당 일체자)들로부터 멀어질 경우 지지가 감소할 수 있다는 점을 고려해서 실제로는 중위로부터 다소 벗어난 지점에 위치하게 된다고 이론적 틀을 보완했다. 또 방향 이론은 유권자들이 심리적으로 허용할 수 있는 이념 범위인 관용 경계라는 개념을 도입하여 정당이 관용 경계 밖에 위치하면 오히려 유권자의 효용이 감소한다는 점을 이론에 반영했다.

이러한 후기 공간 이론의 발전은 이념적 중위나 극단을 득표최대화 지점으로 보았던 초기 공간 이론의 문제점을 극복하려 한 결과였다. 그러나 이는 정당 일체감이나 그 밖의 심리학적 개념들을 그대로 수용한 결과이기도 하였다. 그럼에도 공간 이론은 초기 사회심리학 이론에서 비관적으로 전망했던 '세련된 유권자' 가설을 무리 없이 입증해 왔다. 다양한 국가에서 유권자들이 이념에 기초해 후보자나 정당을 선택한다는 것을 실증적으로 보여주었던 것이다.

한편 공간 이론의 두 이론은 유권자의 효용 계산과 정당의 득표 최대화 예측에서 이론적 경쟁 관계를 계속 유지했을 뿐만 아니라 현실 설명력에서도 두드러진 차이를 보였다. 의회 선거를 예로 들면, 근접 이론은 미국처럼 ㉠<u>양당제 아래 소선거구제로 치러지는 선거</u>를 더 잘 설명해 왔다. 반면에 방향 이론은 유럽 국가들처럼 ㉡<u>다당제 아래 비례대표제로 치러지는 선거</u>를 더 잘 설명해 왔다. 한 연구는 영국처럼 ㉢<u>다당제 아래 소선거구제로 치러지는 선거</u>에서 유권자가 여당에 대해 기대하는 효용은 근접 이론이 더 잘 설명하고, 유권자가 야당에 대해 기대하는 효용은 방향 이론이 더 잘 설명한다고 밝혔다. 이는 정치 환경에 따라 정당들의 득표 최대화 전략이 다를 수 있음을 뜻한다.

9. 위 글의 내용으로 가장 적절한 것은?

① 초기 사회심리학 이론은 유권자의 투표 선택이 심리적 요인 때문에 일관성이 없다고 보았다.
② 공간 이론은 유권자와 정당 간의 이념 거리를 통해 효용을 계산하여 유권자의 투표 선택을 설명하였다.
③ 후기 공간 이론의 등장으로 득표 최대화에 대한 초기의 근접 이론과 방향 이론 간의 이견이 해소되었다.
④ 후기 공간 이론에서는 유권자의 투표 선택을 설명하는 데 있어서 이념의 비중이 커졌다.
⑤ 후기 공간 이론은 정당 일체감을 합리적인 것으로 인정하여 세련된 유권자 가설을 입증했다.

10. ㉠~㉢에서 득표 최대화를 위한 정당의 선거 전략을 공간 이론의 관점에서 설명한 것으로 바르지 않은 것은?

① 초기 근접 이론은 ㉠에서 지지율 하락을 경험한 여당이 중위 유권자의 위치로 이동함을 설명할 수 있다.
② 후기 근접 이론은 ㉠에서 정당 일체자의 이탈을 우려한 야당이 중위 유권자의 위치로 이동하지 못함을 설명할 수 있다.
③ 후기 방향 이론은 ㉡에서 정당 일체자의 이탈을 우려한 여당이 중위 유권자의 위치로 이동함을 설명할 수 있다.
④ 초기 근접 이론은 ㉢에서 중도적 유권자의 이탈을 우려한 여당이 중위 유권자의 위치로 이동함을 설명할 수 있다.
⑤ 후기 방향 이론은 ㉢에서 중도적 유권자의 관용 경계를 의식한 야당이 이념적 극단 위치로 이동하지 못함을 설명할 수 있다.

11. <보기>의 선거 상황을 가정하여 위 글의 이론들을 적용한 것으로 타당하지 않은 것은?

<보 기>

아래의 그림은 좌우 동형으로 이루어진 N국의 A당과 B당의 정당 일체자 분포와 여기에 무당파 유권자가 포함된 전체 유권자의 분포를 나타낸다. N국은 1) A당과 B당의 정당 일체자가 투표자인 예선을 통해 각 당의 후보를 결정한 후, 2) 전체 유권자가 투표자인 본선을 통해 최종 대표자를 선출한다.

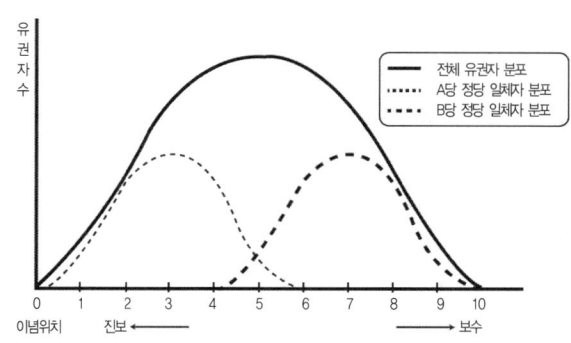

ㄱ. 후보자 이념 위치 : A당(A1=0, A2=4), B당(B1=7, B2=9)
ㄴ. 중위 유권자 위치 : A당=3, B당=7, 전체 유권자=5
ㄷ. 이념 원점=5
ㄹ. 관용 경계 : 두 후보자가 동시에 유권자 위치의 ±2를 초과하면 유권자는 기권한다고 가정함.
ㅁ. 두 후보자에 대한 효용이 같다면 유권자는 기권한다고 가정함.
ㅂ. A당과 B당의 정당 일체자 분포의 규모는 같음.

① 초기 근접 이론은 B1이 예선을 통과할 것으로 예측할 것이다.
② 초기 근접 이론은 A2가 본선에서 승리할 것으로 예측할 것이다.
③ 초기 방향 이론은 본선에서 승자가 없을 것으로 예측할 것이다.
④ 후기 근접 이론은 A2가 본선에서 승리할 것으로 예측할 것이다.
⑤ 후기 방향 이론은 A1이 본선에서 승리할 것으로 예측할 것이다.

[12~14] 다음 글을 읽고 물음에 답하시오.

어떤 삶이 좋은지에 대한 견해는 사회나 문화에 따라 다르지만 각 사회나 문화 속에는 그 구성원들이 바람직하다고 여기는 좋은 삶의 모습이 존재한다. 그렇다면 각 사회나 문화에서 무엇이 우리의 삶을 좋은 삶으로 만드는가? 좋은 삶을 판단하는 기준은 무엇인가? 이것은 '강한 가치 평가'와 관련된 문제로서 넓은 의미의 도덕적 문제라고 할 수 있다. 그런데 삶의 의미를 부여하거나 삶의 방향을 설정해 주는 이러한 강한 가치 평가의 기준은 '상위선(上位善)'을 배경으로 하고 있다. 상위선은 여러 선들 중에서 최고의 가치를 지닌 선으로 우리들의 일상적인 목적이나 욕구와는 비교할 수 없을 정도로 높은 가치를 지니며 여러 도덕적 가치 평가들의 근거가 된다. 상위선은 우리 자신의 욕구나 성향, 선택에 의해 형성되는 것이 아니라 그것들로부터 독립적으로 주어지며 그 욕구나 선택을 평가하는 기준이 된다. 상위선은 도덕적 판단들의 근거가 되는 도덕적 원천인 것이다.

강한 가치 평가의 기준이 되는 상위선은 역사적으로 형성되어 자리 잡은 것으로 사회나 문화에 따라 다를 수 있다. 예를 들어 효가 상위선인 사회도 있고, 자유가 상위선인 사회도 있다. 각 사회의 상위선은 명시적 또는 암시적으로 그 사회에 살고 있는 구성원들의 도덕적 판단이나 직관, 반응의 배경이 되기 때문에, 그 상위선이 무엇인지 규명하면 각 사회에서 이루어지는 도덕적 판단이나 반응을 제대로 이해할 수 있다. 도덕 철학의 주요 과제들 중의 하나는 도덕적 판단들의 배후에 있는 가치, 즉 상위선을 탐구하여 밝히는 것이다.

그런데 의무론이나 절차주의적 도덕 이론은 좋은 삶의 문제를 다루는 것을 회피하고 있다. 그 이유는 다원주의와 개인주의가 특징적인 근대 사회의 조건에서 좋은 삶의 모습을 제시하여 이를 따를 것을 요구하는 것은 개인의 삶에 간섭하는 것이 되어 다양성과 자율성의 가치를 훼손할 우려가 있다고 보았기 때문이다. 그래서 이와 같은 근대의 도덕 철학은 좋은 삶과 관련된 삶의 목적이나 의미 등에 대해 다루지 않고, 옳음과 관련된 기본적이면서도 보편적인 도덕 규칙이나 정당한 절차 등에 대해서만 다루는 것을 자신의 과제로 삼았다. 이는 사회를 유지하기 위한 기본적인 보편적 도덕규범을 넘어서서 더 많은 것을 개인에게 요구하는 것이 개인의 자율성을 침해할 수 있다고 보았기 때문이다. 이러한 근대의 도덕 철학은 도덕성 개념을 협소화하여 옳음의 문제나 절차적 문제에만 자신의 과제를 제한함으로써, 도덕적 신념의 배경이 되고 있는 상위선을 포착할 수 없게 만들었다.

넓은 시각에서 보면 이러한 근대의 도덕 철학이 추구하거나 전제로 삼고 있는 가치나 권리는 보편적인 것이 아니며 근대라는 특정한 시대적 조건 속에서 형성된 특수한 것이다. 즉 이러한 근대의 도덕 철학 자체도 그 시대의 특정한 상위선을 배경으로 형성된 것이다. 예를 들어 의무론은 자유나 보편주의와 같은 도덕적 이상 즉 상위선을 배경으로 형성된 것이다. 마찬가지로 절차주의적 도덕 이론도 이성적 주체의 자율성 같은 상위선을 배경으로 형성된 것이다. 이러한 근대의 도덕 철학이 옹호하는 도덕 규칙도 근대적 가치나 상위선을 배경으로 형성되었기 때문에 그 도덕 규칙이 보편성을 지닌다는 주장은 타당하지 않다.

도덕 철학의 또 다른 과제는 어떤 삶이 좋은 삶인지에 대해 답하는 것이다. 우리의 삶이나 정체성이 혼란에 빠지거나 위기에 처했을 때, 도덕 철학은 도덕적 판단의 원천이 되는 상위선에 근거하여 문제의 해결 방안이나 나아갈 방향을 제시해야 한다. 그런데 절차주의적 도덕 이론은 도덕적 정당성을 확보하기 위한 형식적 절차에만 관심을 기울이고 있다. 이를테면 그중 한 형태인 담론 윤리학은 규범의 합리적 정초 가능성이나 정당한 절차의 문제만을 다룰 뿐 좋은 삶의 모습과 같은 실질적인 문제는 합리적인 논의의 대상에서 배제한다. 따라서 여기서는 좋은 삶의 문제에 대한 대답이 전적으로 개인에게 맡겨져 있으며 개인들은 스스로 이에 대한 대답을 찾아야 하는 부담을 안게 된다. 삶의 의미와 같은 중요한 문제를 다루기를 포기하는 이러한 태도는 도덕 철학의 전통에서 지나치게 후퇴한 것이다.

어떻게 사는 것이 좋은가, 진정한 자아실현은 무엇인가 하는 문제는 단지 개인의 결단에만 맡겨서는 안 되며, 개인이 속한 사회의 삶의 지평이 되는 상위선을 고려하여 다루어야 한다. 만약 자아실현의 문제를 전적으로 개인의 주관적인 실존적 결단에만 맡긴다면 우리는 이기주의나 나르시시즘에 빠질 우려가 있다. 좋은 삶의 문제는 상위선을 바탕으로 합리적으로 다루어질 수 있으며 도덕 철학은 이를 위해 기여해야 한다.

12. '상위선'에 대한 위 글의 견해로 보기 어려운 것은?

① 참된 자아실현의 문제는 보편 가치인 상위선과 독립적이다.
② 상위선은 개인이 자의적으로 선택할 수 있는 것이 아니다.
③ 절차주의적 도덕 이론조차도 상위선을 배경으로 한 것이다.
④ 상위선이 서로 다르면 도덕적 가치 판단도 서로 다를 수 있다.
⑤ 상위선의 문제가 의무론에서는 제대로 다루어지지 못하고 있다.

13. 위 글의 글쓴이가 제시하는 도덕 철학의 과제를 수행하고 있는 예만을 <보기>에서 있는 대로 고른 것은?

<보 기>
ㄱ. 폴리스에서 덕이 있는 삶이란 무엇이며 덕이 왜 삶에서 중요한 가치를 지니는지를 다루는 도덕 철학
ㄴ. 시대를 초월하여 존재하는 보편타당한 도덕규범이 어떤 것인지를 다루는 도덕 철학
ㄷ. 담론 윤리학적 가치 판단이 어떤 도덕적 판단 근거에 바탕을 두고 있는지를 다루는 도덕 철학

① ㄱ ② ㄴ ③ ㄷ
④ ㄱ, ㄷ ⑤ ㄴ, ㄷ

14. 위 글의 주장에 대한 비판으로 가장 적절한 것은?

① 도덕적 문제의 의미를 협소하게 규정함으로써 도덕 철학의 전통을 계승하지 못할 수 있다.
② 도덕규범의 실질적인 내용을 다루지 않음으로써 현실적인 행위 지침을 제시하지 못할 수 있다.
③ 좋음보다 옳음을 우선시함으로써 정의 개념의 형성 과정을 역사적 맥락 속에서 파악하지 못할 수 있다.
④ 사회마다 좋은 삶의 모습이 다르면 도덕적 판단의 기준도 달라지기 때문에 도덕 자체에 대한 회의에 빠질 수 있다.
⑤ 최고의 가치 평가 기준을 근거로 도덕적 판단을 함으로써 상충하는 가치관이 한 사회에서 공존하는 것에 대해 부정적 태도를 취할 수 있다.

[15~17] 다음 글을 읽고 물음에 답하시오.

신체 내에 지방이 저장되는 과정과 분해되는 과정은 많은 연구들을 통해 명확히 알려져 있다. 지방은 지방세포 속에 중성지방의 형태로 축적된다. 이 과정을 살펴보면, 음식물 형태로 섭취된 지방은 소화 과정에서 효소들의 작용에 의해 중성지방으로 전환되어 작은창자에서 흡수되고 혈액에 의해 운반된 후 지방 조직에 저장된다. 이 과정에서 중성지방은 작은창자의 세포 내로 직접 흡수되지 못하기 때문에 췌장에서 분비된 지방 분해 효소인 리파아제에 의해 지방산과 글리세롤로 분해되어 흡수된다. 이렇게 작은창자의 세포에 흡수된 지방산과 글리세롤은 에스테르화라는 화학반응을 통해 다시 합쳐져서 중성지방이 된다. 이 중성지방은 작은창자의 세포 내에서 혈관으로 방출되어 신체의 여러 부위로 이동한다. 중성지방이 지방세포 근처의 모세혈관에 도달하였을 때, 모세혈관 세포의 세포막에 붙어 있는 리파아제에 의해 다시 지방산과 글리세롤로 분해된 후 지방세포 내로 흡수된다. 이때의 리파아제는 지방 흡수를 위해 지방세포에서 분비되어 옮겨진 것이다. 지방세포는 흡수된 지방산과 글리세롤을 다시 에스테르화하여 중성지방의 형태로 저장한다. 만약 혈액 내에 중성지방의 양이 너무 많아서 기존의 지방세포가 커지는 것만으로는 더 이상 저장할 수 없을 경우, 지방세포의 수가 늘어나서 초과된 양을 저장한다.

지방세포에 저장된 중성지방은 다시 지방산과 글리세롤로 분해된 후 혈액으로 분비되어 신체 기관에 필요한 에너지를 만드는 데 중요한 에너지원이 된다. 이러한 중성지방의 분해는 카테콜아민이라는 신경 전달 물질에 의한 지방세포 내 호르몬-민감 리파아제의 활성화를 통해 일어나는 카테콜아민-자극 지방 분해와 카테콜아민의 작용 없이 일어나는 기초 지방 분해로 나뉜다. 이 가운데 기초 지방 분해는 특별히 많은 에너지가 필요 없는 평상시에 일어나며, 카테콜아민-자극 지방 분해는 격한 운동을 할 때와 같이 에너지가 많이 필요할 때 일어난다. 일반적으로 기초 지방 분해 과정에 의한 중성지방의 분해 속도는 지방세포의 크기가 클수록 빨라진다.

따라서 지방세포 내로 중성지방이 저장되는 것을 조절하거나 지방세포 내 중성지방의 분해를 조절하는 것이 체내 지방의 축적을 조절하는 방법이 된다. 이러한 지방 축적의 조절에는 성장 호르몬이나 성 호르몬 같은 내분비 물질이 관여한다. 이 가운데 성장 호르몬은 카테콜아민-자극에 대한 민감도를 증가시켜 지방 분해를 촉진하는 동시에, 지방세포가 분비한 리파아제의 활성을 감소시켜 지방세포 내 중성지방의 저장을 줄이는 것으로 알려져 있다. 이러한 이유로 성장 호르몬의 분비량이 많은 사춘기보다 분비량이 줄어드는 성인기에 지방세포 내 중성지방의 축적이 증가하게 되는 것이다.

한편 성 호르몬의 혈중 농도는 사춘기에 증가하며 성인기에 일정 수준 이상으로 유지되다가 노년기에 이르러 감소한다. 성 호르몬이 지방의 축적과 분해에 관여하는 기전은 아직 정확히 알려져 있지 않지만, 최근 연구들은 여성의 경우 둔부와 대퇴부의 피부조직 아래의 피하 지방세포에 지방이 더 많이 축적되는 데 비해 남성의 경우 복부 창자의 내장 지방세포에 더 많이 축적된다는 사실로부터 지방 축적에 대한 성 호르몬의 기능을 설명하려고 한다.

성별 지방 축적의 차이를 밝히려는 이러한 시도들은 두 가지 부면으로 나누어 이해될 수 있다. 먼저 성별에 따른 지방의 축적 및 분해 양상의 차이이다. 성인의 내장 지방세포의 경우, 카테콜아민

―자극 지방 분해 속도는 여성이 남성보다 빠르며, 지방세포에서 분비된 리파아제의 활성은 남성이 여성보다 더 높다. 반면에 성인의 둔부와 대퇴부의 피하 지방세포의 경우, 카테콜아민―자극 지방 분해 속도는 남성이 여성보다 빠르며, 에스테르화되는 중성지방의 양은 여성이 남성보다 더 많다. 다음은 신체 부위에 따른 지방 분해 양상의 차이이다. 여성의 경우는 카테콜아민―자극 지방 분해가 둔부와 대퇴부 피하 지방세포보다 내장 지방세포에서 더 빠르게 일어나는 반면, 남성의 경우는 그 속도가 비슷하다.

이처럼 성별 및 부위별 지방세포에 따라 중성지방의 저장과 분해 능력이 서로 다르다는 것은 성 호르몬이 지방세포에서 일어나는 중성지방의 저장과 분해 과정의 조절에 매우 복잡한 방법으로 관여하고 있음을 시사한다.

15. 위 글의 내용과 일치하지 <u>않는</u> 것은?

① 카테콜아민은 지방세포 내에서 지방산과 글리세롤의 에스테르화 반응을 일으킬 수 있다.
② 중성지방이 에너지원으로 작용하기 위해서는 지방산과 글리세롤로 분해되어야 한다.
③ 신체 내에 지방세포가 다른 부위보다 더 잘 축적되는 부위는 성별에 따라 다르다.
④ 음식물 형태의 지방은 작은창자에서 흡수되기 위해 효소의 작용이 필요하다.
⑤ 지방세포의 크기와 지방세포에서 일어나는 기초 지방 분해 속도는 비례한다.

16. '리파아제'에 관한 설명으로 적절하지 <u>않은</u> 것은?

① 성장 호르몬은 호르몬-민감 리파아제의 활성을 증가시킨다.
② 지방세포에서 분비된 리파아제는 지방세포에서 지방산 분비를 감소시킨다.
③ 췌장에서 분비된 리파아제의 활성이 억제되면, 체내에 지방 축적이 감소된다.
④ 신체에서 많은 에너지가 요구되면, 지방세포 내 호르몬-민감 리파아제의 활성이 증가한다.
⑤ 모세혈관 세포의 세포막에 붙어 있는 리파아제의 활성이 증가하면, 지방세포 내에서 에스테르화되는 지방산과 글리세롤의 양은 증가한다.

17. <보기>와 같은 실험을 수행한다고 할 때, 위 글의 내용으로 미루어 지방량 증가가 예상되는 것만을 있는 대로 고른 것은?

<보 기>

아래와 같은 피험자들을 대상으로 일정 기간 동안 약물을 투여한 후, 투여 전후의 내장지방 또는 대퇴부 피하지방의 양을 비교하였다. (단, 약물 투여 전후의 기초 지방 분해량에는 차이가 없다고 가정하고, 투여 약물이 지방 조직을 제외한 다른 조직에 작용하여 지방 조직에 미치는 영향은 고려하지 않는다.)

	피험자	투여 약물	측정 부위
ㄱ	정상 체중의 32세 남성	여성 성 호르몬	대퇴부 피하
ㄴ	혈중 여성 성 호르몬 농도가 매우 낮은 70세 여성	남성 성 호르몬	내장
ㄷ	성장 호르몬이 분비되지 않는 35세 남성	성장 호르몬	내장
ㄹ	혈중 여성 성 호르몬 농도가 매우 낮은 35세 여성	여성 성 호르몬	내장

① ㄱ, ㄴ   ② ㄱ, ㄴ, ㄷ   ③ ㄱ, ㄷ, ㄹ
④ ㄴ, ㄷ   ⑤ ㄴ, ㄷ, ㄹ

[18~20] 다음 글을 읽고 물음에 답하시오.

　자본 구조가 기업의 가치와 무관하다는 명제로 표현되는 ㉠모딜리아니-밀러 이론은 완전 자본 시장 가정, 곧 자본 시장에 불완전성을 가져올 수 있는 모든 마찰 요인이 전혀 없다는 가정에 기초한 자본 구조 이론이다. 이 이론에 따르면, 기업의 영업 이익에 대한 법인세 등의 세금이 없고 거래 비용이 없으며 모든 기업이 완전히 동일한 정도로 위험에 처해 있다면, 기업의 가치는 기업 내부 여유 자금이나 주식 같은 자기 자본을 활용하든지 부채 같은 타인 자본을 활용하든지 간에 어떤 영향도 받지 않는다. 모딜리아니-밀러 이론은 현실적으로 타당한 이론을 제시했다기보다는 현대 자본 구조 이론의 출발점을 제시하였다는 데 중요한 의미가 있다.

　모딜리아니-밀러 이론이 제시된 이후, 완전 자본 시장 가정의 비현실성에 주안점을 두어 세금, 기업의 파산에 따른 처리 비용(파산 비용), 경영자와 투자자, 채권자 같은 경제 주체들 사이의 정보량의 차이(정보 비대칭) 등을 감안하는 자본 구조 이론들이 발전해 왔다. 불완전 자본 시장을 가정하는 이러한 이론들 중에는 상충 이론과 자본 조달 순서 이론이 있다.

　상충 이론이란 부채의 사용에 따른 편익과 비용을 비교하여 기업의 최적 자본 구조를 결정하는 이론이다. 이러한 편익과 비용을 구성하는 요인들에는 여러 가지가 있지만, 그중 편익으로는 법인세 감세 효과만을, 비용으로는 파산 비용만 있는 경우를 가정하여 이 이론을 설명해 볼 수 있다. 여기서 법인세 감세 효과란 부채에 대한 이자가 비용으로 처리됨으로써 얻게 되는 세금 이득을 가리킨다. 이렇게 가정할 경우 상충 이론은 부채의 사용이 증가함에 따라 법인세 감세 효과에 의해 기업의 가치가 증가하는 반면, 기대 파산 비용도 증가함으로써 기업의 가치가 감소하는 효과도 나타난다고 본다. 이 상반된 효과를 계산하여 기업의 가치를 가장 크게 하는 부채 비율 곧 최적 부채 비율이 결정되는 것이다.

　이와는 달리 자본 조달 순서 이론은 정보 비대칭의 정도가 작은 순서에 따라 자본 조달이 순차적으로 이루어진다고 설명한다. 이 이론에 따르면, 기업들은 투자가 필요할 경우 내부 여유 자금을 우선적으로 쓰며, 그 자금이 투자액에 미달될 경우에 외부 자금을 조달하게 되고, 외부 자금을 조달해야 할 때에도 정보 비대칭의 문제로 주식의 발행보다 부채의 사용을 선호한다는 것이다.

　상충 이론과 자본 조달 순서 이론은 기업들의 부채 비율 결정과 관련된 이론적 예측을 제공한다. 기업 규모와 관련하여 상충 이론은 기업 규모가 클 경우 부채 비율이 높을 것이라고 예측한다. 대기업은 소규모 기업에 비해 사업 다각화의 정도가 높아 파산할 위험이 낮으므로 기대 파산 비용도 낮아서 부채 수용 능력이 높은데다가 법인세 감세 효과를 극대화하기 위해서도 더 많은 부채를 차입하려 할 것이기 때문이다. 그러나 자본 조달 순서 이론은 기업 규모가 클 경우 부채 비율이 낮을 것이라고 예측한다. 기업 규모가 클 경우 기업 회계가 투명해지는 등 투자자들에게 정보 비대칭으로 발생하는 문제가 적기 때문에 금융 중개 기관을 이용하여 자본을 조달하기보다는 주식 시장을 통해 자본을 조달할 것이기 때문이다. 성장성이 높은 기업들에 대하여, 상충 이론은 법인세 감세 효과보다는 기대 파산 비용이 더 크기 때문에 부채 비율이 낮을 것이라고 예측하는 반면, 자본 조달 순서 이론은 성장성이 높을수록 더 많은 투자가 필요할 것이므로 부채 비율이 높을 것이라고 예측한다.

　불완전 자본 시장을 가정하는 자본 구조 이론들이 모딜리아니-밀러 이론을 비판한 것에 대하여 밀러는 모딜리아니-밀러 이론을 수정 보완하는 자신의 이론을 제시하였다. 그는 자본 구조의 설명에 있어 파산 비용이 미치는 영향이 미약하여 이를 고려할 필요가 없다고 보았다. 이와 함께 법인세의 감세 효과가 기업의 자본 구조 결정에 크게 반영되지는 않는다는 점에 착안하여 자본 구조 결정에 세금이 미치는 효과에 대한 재정립을 시도하였다. 현실에서는 법인세뿐만 아니라 기업에 투자한 채권자들이 받는 이자 소득에 대해서도 소득세가 부과되는데, 이러한 소득세는 채권자의 자산투자에 영향을 미침으로써 기업의 자금 조달에도 영향을 미칠 수 있다. 밀러는 이러한 현실을 반영하고 채권 시장에서 투자자들의 수요 행태와 기업들의 공급 행태를 정형화하여 경제 전체의 최적 자본 구조 결정 이론을 제시하였다. ㉡밀러의 이론에 의하면, 경제 전체의 자본 구조가 최적일 경우에는 법인세율과 이자 소득세율이 정확히 일치함으로써 개별 기업의 입장에서 보면 타인 자본의 사용으로 인한 기업 가치의 변화는 없다. 결국 기업의 최적 자본 구조는 결정될 수 없고 자본 구조와 기업의 가치는 무관하다는 것이다.

18. 위 글의 내용과 일치하는 것은?

① 경제 주체들 사이의 정보 비대칭만으로는 자본 시장의 불완전성을 논할 수 없다.
② 자본 구조 이론은 기업의 가치가 부채 비율에 미치는 영향을 연구하는 이론이다.
③ 자본 조달 순서 이론에 의하면, 기업은 내부 여유 자금, 주식, 부채의 순으로 투자 자금을 조달한다.
④ 상충 이론과 자본 조달 순서 이론은 기업 규모가 부채 비율에 미치는 효과와 관련하여 상반된 해석을 한다.
⑤ 불완전 자본 시장을 가정하는 자본 구조 이론들은 모딜리아니-밀러 이론이 가진 결론의 비현실성은 비판했지만 이론적 전제에는 동의했다.

19. ㉠과 ㉡의 관계를 설명한 것 중 가장 적절한 것은?

① 파산 비용이 없다고 가정한 ㉠의 한계를 극복하기 위해 ㉡은 파산 비용을 반영하였다.
② 개별 기업을 분석 단위로 삼은 ㉠과 같은 입장에서 ㉡은 기업의 최적 자본 구조를 분석하였다.
③ 기업의 가치 산정에 법인세만을 고려한 ㉠의 한계를 극복하기 위해 ㉡은 법인세 외에 소득세도 고려하였다.
④ 현실 설명력이 제한적이었던 ㉠의 한계를 극복하기 위해 ㉡은 기업의 가치 산정에 타인 자본의 영향이 크다고 보았다.
⑤ 자본 시장의 마찰 요인을 고려한 ㉡은 자본 구조와 기업의 가치가 무관하다는 ㉠의 명제를 재확인하였다.

20. 위 글에 따라 <보기>의 상황에 대해 바르게 판단한 것은?

―<보 기>―

기업 평가 전문가 A씨는 상충 이론에 따라 B 기업의 재무 구조를 평가해 주려고 한다. B 기업은 자기 자본 대비 타인 자본 비율이 높으며 기업 규모가 작으나 성장성이 높은 기업이다. 최근에 B 기업은 신기술을 개발하여 생산 시설을 늘려야 하는 상황이다.

① A씨는 B 기업의 규모가 작기 때문에 부채 비율이 높은 것이라고 평가할 것이다.
② A씨는 B 기업의 이자 비용에 따른 법인세 감세 효과는 별로 없을 것이라고 평가할 것이다.
③ A씨는 B 기업의 높은 자기 자본 대비 타인 자본 비율이 그 기업의 가치에 영향을 미칠 것이라고 평가할 것이다.
④ A씨는 B 기업이 기대 파산 비용은 낮고 투자로부터 기대되는 수익은 매우 높기 때문에 투자 가치가 높다고 평가할 것이다.
⑤ A씨는 B 기업의 생산 시설 확충을 위한 투자 자금은 자기 자본보다 타인 자본으로 조달하는 것이 더 낫다고 평가할 것이다.

[21~23] 다음 글을 읽고 물음에 답하시오.

법은 인간의 행위를 지도하고 평가하는 공식적인 사회 규범이다. 그리고 법을 통한 행위의 지도는 명령, 금지, 허용 등의 규범 양상으로 이루어진다. 명령은 행위를 해야 하도록 하는 것이며, 금지는 행위를 하지 않도록 하는 것이다. 허용은 행위를 할 수 있도록 하거나, 하지 않을 수 있도록 하는 것인데, 통상 전자를 적극적 허용, 후자를 소극적 허용이라고 부른다.

[A]
19세기 분석법학의 연구 성과는 이들 규범 양상들이 서로 일정한 의미론적 관계 및 논리적 관계를 맺고 있음을 보여주고 있다. 이에 따르면 명령은 소극적 허용의 부정이지만 적극적 허용을 함축하며, 금지는 적극적 허용의 부정이지만 소극적 허용을 함축한다. 소극적 허용은 금지를 함축하지는 않으며, 적극적 허용은 명령을 함축하지는 않는다. 또한 소극적 허용과 적극적 허용은 서로 배제하거나 함축하지 않는다. 그리고 이들 네 가지 규범 양상은 행위 지도의 모든 경우를 포괄한다.

이러한 규범 양상들의 상호 관계에 대한 분석은 주로 입법 기술의 차원에서 그 실천적 의의를 찾을 수 있다. 즉 그러한 분석은 법을 명확하고 체계적으로 정립하기 위해 준수해야 하거나, 법의 과잉을 방지하기 위해 고려해야 할 원칙들을 제공해 준다. 가령 법의 한 조항에서 어떤 행위를 하지 않을 수 있도록 허용했다면 다른 조항에서 그 행위를 명령해서는 안 된다는 것이나, 어떤 행위를 할 수 있도록 허용하는 방법이 반드시 그 행위를 명령하는 것일 필요는 없다는 것 등이 그러한 예가 될 것이다.

이러한 분석이 법 현상을 제대로 반영하고 있는 것인지에 대해서는 다소 의문이 제기되고 있다. 법체계가 폐쇄적일 경우에는 이러한 분석이 통용될 수 있겠지만, 개방적일 경우에는 그렇지 못하다는 것이다. 가령 개방적 법체계 내에서는 금지되지 않은 것이 곧 허용된 것이라고 말할 수는 없기 때문에, 적극적 허용이 금지를 부정한다는 명제는 성립하지 않는다. 한 사람을 지탱할 수 있을 뿐인 나뭇조각을 서로 붙잡으려는 두 조난자에게 각자 자신을 구할 수 있는 행위를 하는 것이 금지되지 않았다고 해서, 곧 서로 상대방을 밀쳐 내어 죽게 할 수 있도록 허용되어 있다고 말할 수는 없다는 것이다.

나아가 그러한 분석은 폐쇄적 법체계를 전제함으로써 결과적으로 인간의 자유가 가지는 의미를 약화시킨다는 지적도 있을 수 있다. 개방적 법체계에서는 법 그 자체로부터 자유로운 인간 활동의 고유한 영역이 존재할 수 있지만, 폐쇄적 법체계 내에서 인간의 자유란 단지 소극적 허용과 적극적 허용이 동시에 주어져 있는 상태, 즉 명령도 금지도 존재하지 않는 상태에 놓여 있음을 뜻할 뿐이다. 따라서 인간의 자유란 게으른 법의 침묵 덕에 어쩌다 누리게 되는 반사적인 이익에 불과할 뿐 규범적 질량을 가지는 권리일 수는 없게 된다.

그러나 이 같은 비판들에 대해서는 다음과 같은 반론을 제시할 수 있을 것이다. 우선 앞의 사례와 같은 경우가 존재한다고 해서 법체계의 개방성을 인정해야 하는 것은 아니다. 상대방을 밀쳐 내어 죽게 하는 행위는 허용되지 않지만, 자신을 구하기 위해 불가피한 것이었다는 점에서 비난의 대상이 되지는 않는다고 볼 수 있기 때문이다. 금지와 허용 사이의 역설적 공간이 아니더라도 죽은 자에 대한 애도와 산 자에 대한 위로가 함께할 수 있는 것이다. 또한 금지되지 않은 것이 곧 허용된 것이라고 말할 수 없다면, 변덕스러운 법이 언제고 비집고 들어올 수 있다는 것과 같아서, 인간이 누리게 되는 자유의 질은 오히려 현저히 저하될 수밖에 없을 것이다.

비록 일도양단의 논리적인 선택만을 인정함으로써 현실의 변화에 유연하게 대처하지 못하고, 자칫 부당한 법 상태를 옹호하게 될 수 있다는 한계도 있지만, 19세기 분석법학이 추구한 엄밀성은 전통적인 법에 내재해 있는 모순과 은폐된 흠결을 간파하고 이를 적극 제거하거나 보완함으로써 자유의 영역을 선제적으로 확보하는 데 기여해 온 것으로 평가할 수 있다. 나아가 그러한 엄밀성은 사법 통제의 차원에서도 의의를 지닐 수 있다. 이른바 결과의 타당성을 고려해야 한다는 이유를 들어 명시적인 규정에 반하는 자의적 판결을 내리려는 시도에 대하여, 판결은 법률의 문언에 충실해야 한다는 점을 일깨우고 있기 때문이다.

21. 위 글에 제시된 글쓴이의 견해로 옳은 것은?

① 명확한 법을 갖는 것보다 유연한 법을 갖는 것이 중요하다.
② 자유는 법 이전에 존재하는 권리가 실정법에 의해 승인된 것이다.
③ 법의 지배를 강화하려면 법을 형식 논리적으로 적용해서는 안 된다.
④ 분석적 엄밀성을 추구하는 것이 결과의 합당성을 보장하는 것은 아니다.
⑤ 법으로부터 자유로운 영역을 인정하는 입장은 자유의 확보에 기여한다.

22. <보기>의 법 조항에 대해 해석한 내용 중 '개방적 법체계'를 전제로 해야 가능한 것으로 볼 수 없는 것은?

―――――<보 기>―――――
누구든지 타인의 생명을 침해해서는 안 된다.

① 출생한 이후부터 사람이므로 태아를 죽게 하는 것은 타인의 생명을 침해하는 것은 아니지만, 허용되지는 않는다.
② 자살은 타인의 생명을 침해하는 것이 아니지만, 타인의 자살을 돕는 것은 타인의 생명을 침해하는 것이므로 허용되지 않는다.
③ 말기 암 환자의 생명 유지 장치를 제거하는 행위는 생명을 침해하는 것이지만, 환자의 존엄성을 지켜 주기 위해 그것을 제거하는 것은 허용된다.
④ 생명이 위태로운 타인을 구해 주어야 한다는 뜻은 아니지만, 아무리 무관한 타인이라도 그의 생명이 침해되는 것을 보고만 있는 것이 허용되지는 않는다.
⑤ 어떤 경우라도 타인의 생명을 침해하는 것은 허용되지 않지만, 두 사람 모두를 구할 수는 없는 상황에서 둘 중 하나라도 살리기 위한 행위는 그것이 곧 나머지 한 사람의 생명을 침해하는 것일지라도 허용된다.

23. [A]의 내용과 일치하지 않는 것은?

① 어떤 행위가 명령의 대상이 된다면 반드시 적극적 허용의 대상이 된다. 그러나 금지의 대상이 된다면 반드시 소극적 허용의 대상이 된다.
② 어떤 행위가 금지의 대상이 된다면 절대로 적극적 허용의 대상이 되지 않는다. 그러나 금지의 대상이 되지 않는다면 반드시 적극적 허용의 대상이 된다.
③ 어떤 행위가 명령의 대상이 된다면 절대로 금지의 대상이 되지 않는다. 그러나 명령의 대상이 되지 않는다고 해서 반드시 금지의 대상이 되는 것은 아니다.
④ 어떤 행위가 명령의 대상이 된다면 절대로 소극적 허용의 대상이 되지 않는다. 그러나 명령의 대상이 되지 않는다고 해서 반드시 소극적 허용의 대상이 되는 것은 아니다.
⑤ 어떤 행위가 적극적 허용의 대상이 된다고 해서 소극적 허용의 대상이 되지 않는 것은 아니다. 그러나 적극적 허용의 대상이 되지 않는다면 반드시 소극적 허용의 대상이 된다.

[24~26] 다음 글을 읽고 물음에 답하시오.

인간 의식의 사회 문화적인 측면을 강조한 비고츠키의 이론이 소개되면서, 인간의 인지 발달에 대한 새로운 해석이 가능하게 되었다. 비고츠키는 인간의 인지 발달을 설명하면서 '고등 정신 기능의 사회적 기원'을 강조하였다. 인간의 심리는 본성적으로 사회적 관계들의 총체를 내면적으로 표상한다. 따라서 표상의 대상은 개인이 인식하기 이전에 이미 사회적으로 존재한 것이다. 개인은 심리적 도구인 기호의 매개를 통해 사회적 관계 속에 존재하는 고등 정신 기능을 내면화한다. 고등 정신 기능은 두 국면에서 나타나는데, 먼저 사회적 국면은 심리 간 범주인 사람 사이에서 나타나고, 다음으로 심리적 국면은 심리 내 범주인 인간의 내부에서 나타난다. 여기서 심리 간 범주는 고등 정신 기능의 발달을 위해 구체적인 사회적 상호 작용에서 타인의 도움을 받는 과정을 뜻하며, 심리 내 범주는 그것이 개인 내부에서 습득되는 과정을 말한다.

여기서 중요한 것은 심리 간 범주에서 일어나는 상호 작용의 내용이 심리 내 범주로 있는 그대로 옮겨 가는 것이 아니라는 점이다. 즉 인식의 주체인 개인은 자기 조절 과정을 거치면서 심리 간 범주의 상호 작용의 내용을 스스로 의미 있게 이해해 간다. 예를 들어, 성인과 아동이 어떤 대상이나 사건에 대해 서로 다른 표상을 갖고 있다고 하자. 아동은 처음에는 아무 의미 없이 성인이 표상을 사용하는 방식을 모방할 수 있지만, 곧 성인과의 상호 작용을 통해 표상이 사용되는 맥락과 의미를 깨닫게 된다. 자신의 이해를 바탕으로, 아동은 스스로 다시 표상을 사용하며 성인과 상호 작용하게 된다. 이런 과정을 반복하면서 아동은 표상의 맥락과 의미를 점차 알아가게 되고, 최종적으로는 성인의 도움 없이 혼자 힘으로 맥락과 의미에 맞게 표상을 사용할 수 있게 된다.

이런 내면화 과정은 근접 발달 영역에서 일어난다. 근접 발달 영역은 실제적 발달 수준과 잠재적 발달 수준 사이의 간격이다. 실제적 발달 수준은 아동이 혼자서 문제를 해결하는 능력에 의해 결정되고, 잠재적 발달 수준은 성인의 안내 혹은 더 유능한 동료와의 협동을 통해서 문제를 해결할 수 있는 능력에 의해 결정된다. 근접 발달 영역 안에 존재하는 정신 기능은 미래에 성숙할 것이지만 현재는 미성숙 상태에 있는 정신 기능이다. 실제적 발달 수준은 이미 이루어진 정신 발달 수준을 나타내는 반면, 잠재적 발달 수준은 앞으로 기대되는 정신 발달 수준을 나타낸다. 비고츠키는 실제적 발달 수준보다 잠재적 발달 수준이 아동의 발달 수준을 더 잘 보여 준다고 하면서, 아동의 근접 발달 영역 안에서 성인이나 더 유능한 동료가 교수·학습적인 도움을 제공해 줌으로써 발달을 촉진할 수 있다고 하였다.

그렇다면 근접 발달 영역에서 교수·학습은 구체적으로 어떻게 이루어질 수 있을까? 1단계는 학습자가 더 유능한 타인의 도움을 받아 학습 과제를 수행하는 단계이다. 학습자는 성취해야 할 학습 목표에 대한 이해가 거의 없는 상태에서 교수자의 도움을 받아 학습 과제를 수행한다. 이때 교수자의 역할이 매우 중요하다. 학습자가 주어진 학습 과제를 점차 이해하게 됨에 따라 수행 보조자로서 교수자는 도움의 양을 점차 줄여 간다. 2단계는 학습자 스스로 학습 과제를 수행하는 단계이다. 학습자는 이제 교수자의 도움을 받지 않거나 적은 도움으로 학습 과제를 수행할 수 있게 된다. 그러나 학습자의 과제 수행이 완수된 단계는 아니다. 3단계는 학습 과제 수행이 완수되어 학습 목표가 성취된 단계이다. 이 단계에서 학습자는 더 이상 교수자의 도움을 받을 필요 없이 혼자 힘으로 학습 과제를 수행하게 된다. 마지막 4단계는 학습자가 혼자서 해결할 수 없는 또 다른 새로운 성취 목표에 직면하게 됨에 따라 다음 근접 발달 영역으로 나아가는 단계를 말한다.

24. 위 글의 내용과 일치하지 않는 것은?

① 기호를 매개로 한 심리적 활동이 사고 발달을 견인한다.
② 표상의 대상은 학습 이전에 이미 개인의 내면에 존재하던 것이다.
③ 교수·학습의 과정은 심리 간 범주와 심리 내 범주에서 일어난다.
④ 현재의 잠재적 발달 수준은 미래의 실제적 발달 수준이 될 수 있다.
⑤ 인지 발달에서 사회적 국면의 활동은 심리적 국면의 활동으로 전환된다.

25. 위 글에 제시된 비고츠키의 이론에 기초한 학습 원리를 가장 잘 드러낸 것은?

① 반복적 강화를 통한 사회적 태도의 숙달
② 개인적 경험을 통한 선험적 관념의 확인
③ 단계적 설명을 통한 사실적 지식의 주입
④ 교수적 소통을 통한 개념의 능동적 형성
⑤ 성찰적 숙고를 통한 원리의 직관적 통찰

26. 위 글에 제시된 비고츠키의 이론을 지지하는 가설을 수립하고 이를 검증하기 위한 실험을 <보기>와 같이 설계하였다. 이 과정에서 잘못된 항목이 하나 발견되었다고 할 때, 이를 바르게 수정한 것은?

<보 기>

중학교 1학년 학생들로 실험 집단 A와 B를 구성하고 학습지 형식으로 구성된 학습 과제를 부여하여 학습하게 한 후, 집단 간 학습 효과를 비교한다.
ㄱ. 학습 집단 : A, B 집단 모두 하위 수준 학생으로 동질한 집단을 구성한다.
ㄴ. 학습 과제 : A, B 집단 모두에게 해당 학년에서 성취해야 할 학습 목표에 부합하는 학습지 형식의 학습 과제를 부여한다.
ㄷ. 학습 방법 : A, B 집단 모두 협동적 상호 작용을 통해 학습 과제를 수행하게 한다.
ㄹ. 학습 시간 : A, B 집단 모두 총 20시간 동안 학습을 수행하게 한다.
ㅁ. 학습 평가 : 학습 수행 후, A, B 집단의 학습 목표 도달 여부를 판단할 수 있는 평가 문제를 풀게 한 다음, 집단 간 점수를 비교한다.

① ㄱ : A 집단은 상위 수준 학생으로, B 집단은 하위 수준 학생으로 구성한다.
② ㄴ : A, B 집단 모두에게 해당 학년의 고난도 학습 과제를 부여한다.
③ ㄷ : A 집단에는 이미 학습 목표에 도달한 상위 수준 학생을 투입하여 하위 수준 학생과 협동적으로 학습 과제를 수행하게 하고, B 집단은 개별적으로 학습 과제를 수행하게 한다.
④ ㄹ : A 집단은 총 10시간, B 집단은 총 20시간 동안 학습을 수행하게 한다.
⑤ ㅁ : 학습 수행 후, A 집단에게는 저난도 평가 문제를, B 집단에게는 고난도 평가 문제를 제시하여 풀게 한 다음, 집단 간 점수를 비교한다.

[27~29] 다음 글을 읽고 물음에 답하시오.

"이사를 한다면?"
"안 돼요, 이사는. 이젠 죽어도 이산 할 수 없어요. 날 여기 혼자 두고 가든지 말든지 하세요. 난 다시는 이삿짐을 꾸리진 않겠어요."
"무슨 소리야? 이제 어쩔 도리가 없다는 걸 잘 알지 않아? 날더러 죽으란 소리나 마찬가지야."
"그래도 안 돼요!"
"이유가 뭐야?"
"도대체 이 마을만 하더라도 옮겨 산 게 몇 번이에요?"
이 집까지 치면 세 번째였다. 붙들네에서는 구식 마구간에다 방 두 칸을 들여 세를 살았었다. 내 방은 평 반 남짓한 골방이었다. 간신히 발을 뻗을 수 있었고 넓이는 그것이면 족했다. 거기서도 문제는 방음이었다. 내 딸아이와 합쳐 아이들이 넷이었다. 아이들이 점점 무서워졌다. 만상은 아이들의 헤살궂은 얼굴과 꽥꽥이는 아이들의 오리 소리로 가득 차 있었다. 으레껏 아내거나 딸아이가 피해를 입었다. 느닷없는 나의 신경질과 고함에 아내는 어쩔 바를 몰라 흐느꼈고 죄 없는 딸아이가 싸리비에 맞아 경기를 했다. 나는 점점 더 난폭한 정신병자가 되어 갔던 것이다.
"그래? 죽어도 이살 못 하겠단 말이지? 이 동네가 그렇게두 좋아?"
"누가 좋다고 그랬나요?"
"그럼 뭐야?"
"이 동네에 들인 공이 아까워서예요. 생각해 보세요."

[A] ┌ 우리네 장닭의 당당한 울음소리를 들을 수 없게 된 지도 오래였다. 게다 이제 갓 깡깡깡 우는 법을 배우기 시작한 장끼놈은 붙들네의 개가 쳐들어와 물어 죽여 버리고, 까투리는 목 너머 마을 양계장 집 누렁이가, 이제 남은 것은 이천의 조각하는 강형한테서 얻어 온 호로새 한 쌍과 집에서 놓아 먹여 기르는 암탉 한 마리뿐이었다. 뒤란 꽃사과나무 아래 꿩장은 뜯어 발겨진 꿩 털이며 깔짚이 너저분하게 엉겨 흐트러져 있어서, 거길 들여다볼 때면 마치 시달리다 지쳐 버린 나 자신의 내면 풍경을 들여다보는 것마냥 끔찍스러웠다. 술이 억병으로 취한 붙들 아비가 우리네 장닭 모가지를 탁 틀어쥐고 꽁지며 날갯죽지의 깃털을 몽땅몽땅 쥐어뜯으면서, 그걸 잡아먹겠다고 동네방네 고함을 치며 돌아다니는 광경을 보게 되었을 때 그때 이미 내 마음에는 작정이 서 있었던 것이다. 그때 아내에게 나는 말했었다. 끔찍한 동네야. 저게 소위 한 작가를 대접하는 이 └ 사회의 한 가지 방식이야.

"에미, 넌 내가 글 한 줄 제대로 못 쓰고 이 집에서 정신병자가 되어 미쳐 나가도 좋단 말이지?"
"왜 미친단 말예요? 저런 사람들 때문에 우리가 이 집에서 물러서란 말예요?"
"글렀어, 이젠. 더티 플레이를 예사로 하기 시작한 거야. 하지만 정말 내가 두려워하는 것은 저네들이 아니야. 에미야, 넌 지금껏 내가 어떤 일을 해 왔고, 앞으로 어떤 일을 해 내지 않으면 안 된다는 걸 알고 있겠지?"
"㉠ 알고 말고요. 그걸 명심하고 있기 때문에 더더욱 여길 떠날 수 없다는 거예요."
"좋아. 문제가 뭔지 하나씩 차근차근 따져 보자구."
"이사하는 데 따르는 문제가 한두 가지겠어요?"

"ⓒ 그렇지. 한두 가지가 아닐 거야. 우선……."
　우선 당장 그미의 산월(産月)이 다 돼 간다는 게 아내로서는 큰 고통거리일 것이었다.
　"애는 이살 해서도 낳을 수 있어. 꼼짝도 말고 앉아 있어. 이삿짐 꾸릴 때 밥 식기 하나 챙기지 않아도 좋도록 내가 조처해 줄 테니까. 의사들은 괜히 유산될 거라느니 어쩌느니 겁주는 거야."
　"그런 건 문제도 안 돼요……. 이 집에 이사 온 지 대여섯 달밖에 안 됐어요."
　"ⓒ 알아. 수리비 얘기겠지?"
　"뼈아프게 밤잠 안자고 글 써서 번 돈이에요."
　집 수리비 관계로 이사 들기 전에 안주인과 약간의 마찰이 있었다. 집이 너무 낡았으니 수리비의 반 정도를 부담해 달라는 게 우리 쪽의 요구였고, 한 푼도 부담할 수 없다는 게 안주인의 주장이었다. 하는 수 없었다. 이사 들기 전에 장작 부엌을 새마을보일러로 고치고 바닥에다 콘크리트를 쳤다. 터진 곳은 때우고 바랜 곳은 수성 페인트를 바르고 마당을 시멘트로 입히고 도배를 해 올리니 집의 면모는 일신했다. 대문간에 현판을 달았다. 그 이름 '청정재(淸靜齋)', 아내가 좋아하는 청결과 나의 비원인 조용함을 강조한 현판이었다. 대청마루의 굵은 기둥에다 '淸潔 靜肅'이라 크게 써 붙이고 정씨의 건넌 채 미닫이 위에다는 그의 이름을 따서 '眞生堂'이라 올려다 붙였다. 그의 병든 아내를 위해서는 그 아래 문틀에다 '願 至福'이라 써 올렸다. 지금에 이르러 나의 그 필적들을 쳐다보기란 끔쩍한 일이었다.
　"우리가 나간다면 집주인은 얼씨구나 할 거예요. 집수리까지 깨끗하게 해 놨으니 전셋돈을 아마 백만 원은 더 올려 받으려 들 거예요."
　"우리가 반년도 안 돼서 못 살고 나가게 됐으니, 주인이 도의적으로 책임을 지는 셈치고 수리비 삼십만 원의 반이거나 삼분지 일만이라도 내놓으라고 떼를 써 볼까?"
　"그 아주머니가 어떤 사람인데요? 계약서를 들먹일 거예요."
　"ⓔ 그렇지, 계약서."
　"수리비는 그렇다 치고 송아지는 어떡할 참이에요? 마구간까지 어렵사리 해서 세를 얻어 놨는데 이제 와서 소 키우는 걸 포기하겠다는 거예요?"
　그랬다. 가장 심각한 문제는 그놈의 송아지였다. 그건 미래의 우리들 크나큰 희망이었다.
　"글쎄, 마구간이 딸린 집을 구할 수가 없을까? 저 안골이니 월문리 같은 데 말이야."
　"다 다녀 보지 않았어요? 마구간 딸린 집이 그리 쉽던가요? 그런 데가 없으니까 여기라도 눌러앉은 것 아녜요? 어떤 역경이 닥쳐와도 우린 이 고비를 이겨 나가야 해요."
　"ⓜ 알아. 내가 그 빌어먹을 잡문 공포(雜文恐怖)에서 해방되는 것도, 또 말라빠진 여성지 연재 따위를 안 해도 되는 것도, 그리고 저런 사람들을 상대하면서 한 지붕 밑에서 지지고 볶지 않아도 되게 되는 것도……저것들을 키우고 불리고 다시 키워서, 어떻게 다시 시작해 보겠단 일념에서였지. 알아."
　연재가 끝나면 글쓰기를 당분간 접혀 두고 직장 생활을 하기로 마음을 굳힌 것도 송아지를 키우고 늘리기 위해서였다.

- 박영한, 「지상의 방 한 칸」 -

27. ㉠~㉤에 반영된 인물의 심리를 바르게 나타낸 것은?
① ㉠: 상대방에 대한 태도의 변화
② ㉡: 생각하지 못한 것에 대한 자각
③ ㉢: 난관을 타개할 수 없음에 대한 안타까움
④ ㉣: 자신의 상황 인식에 대한 확신
⑤ ㉤: 당면한 문제에 대해 가져야 할 태도의 인정

28. [A]로 미루어 짐작할 수 없는 것은?
① 주인공이 이사를 하려는 배경
② 주인공이 겪고 있는 사건의 긴박함
③ 동네 사람들과 주인공의 소원한 인간관계
④ 주인공이 농촌 생활에서 받은 정서적 충격
⑤ 현실에 적극적으로 대응하지 못하는 주인공의 성격

29. 작가로서의 '나'에 대한 설명으로 적절하지 않은 것은?
① 이사에 대해 아내와 생각이 다른 것은 작가로서의 정체성에 대한 아내와의 견해차를 보여 주는 것이다.
② 진정한 글쓰기를 원하는 것은 창작에 대한 작가적 사명감을 잃지 않으려는 내면을 보여 주는 것이다.
③ 이사를 가고자 하는 것은 작품 활동을 가능하게 할 조건을 찾는 작가의 바람을 보여 주는 것이다.
④ 동네 사람들과 갈등을 겪는 것은 작가의 사회적 지위에 대한 관점의 차이를 보여 주는 것이다.
⑤ 여성지 연재를 해야 하는 것은 생활인으로 살아갈 수밖에 없는 작가의 현실을 보여 주는 것이다.

언어이해

[30~32] 다음 글을 읽고 물음에 답하시오.

19세기 후반에 발견된 자기(磁氣) 열량 효과는 20세기 전반에 이르러 자기 냉각 기술에 활용될 수 있음이 확인되었고 이로부터 자기 냉각 기술은 오늘날 극저온을 만드는 고급 기술로 발전하였다. ㉠일반 냉장고는 가스 냉매가 압축될 때 열을 방출하고 팽창될 때 열을 흡수하는 열역학적 순환 과정을 이용하여 냉장고 내부의 열을 외부로 방출시킨다. 그러나 가스 냉매는 일정한 온도 이하로 내려가면 응고되어 냉매로서 기능을 할 수 없게 되거나 누출되었을 때 환경오염을 유발하는 문제점이 있다. 최근 자기 냉각 기술은 일반 냉장고를 대신할 수 있는 냉장고의 개발에 이용될 수 있음이 확인되었다. 자기 냉각 기술에 사용되는 자기 물질의 자기적 특성에 따라 냉장고가 작동되는 온도 범위가 달라지기 때문에 자기 냉각 기술에 사용하기 적합한 자기 물질의 개발이 매우 중요한데, 최근 실온에서 작동 가능한 실온 자기 냉장고를 만들 수 있는 새로운 자기 물질의 개발이 활발하게 이루어지고 있다.

자기 물질은 자화(磁化)되는 물질을 의미한다. 물질의 자화는 외부에서 가하는 자기장의 세기 및 자기 물질에 들어 있는 단위 부피당 자기 쌍극자의 수에 비례한다. 여기서 자기 쌍극자는 자기 물질 속에 존재하는 초소형 자석을 의미한다. 자기 물질은 강자성체와 상자성체로 구분된다. 강자성체는 외부의 자기장이 제거되었을 때에도 자기적 성질을 유지하는 물질이며, 상자성체는 외부의 자기장이 제거되면 자기적 성질을 잃어버리는 물질이다. 강자성체는 온도를 올리면 일정 온도에서 상자성체로 상전이를 하는데, 이때 자기 물질의 엔트로피는 증가한다.

자기 열량 효과는 자기 물질에 외부에서 자기장을 가했을 때 그 물질이 열을 발산하는 현상에서 비롯된다. ㉡자기 냉장고는 이 효과를 이용한 열역학적 순환 과정을 통해 냉장고 내부의 열을 외부로 방출한다. 이 순환 과정은 열 출입이 없는 두 과정과 자기장이 일정한 두 과정으로 구성된다. 여기서 열 출입이 없는 열역학적 과정에서는 엔트로피 변화가 없다. 자기 냉장고에서 열역학적 순환 과정은 다음의 Ⅰ, Ⅱ, Ⅲ, Ⅳ 네 과정을 거치면서 진행된다. **과정 Ⅰ**에서는, 자기 쌍극자들이 무질서하게 배열되어 있던, 온도가 T인 작용물질에 외부와의 열 출입이 차단된 상태에서 자기장을 가하면 작용물질의 쌍극자들이 자기장의 방향으로 정렬되면서 열이 발생하고 작용물질의 온도가 상승한다. 이때 자기장이 강할수록 작용물질에서 더 많은 열이 발생한다. **과정 Ⅱ**에서는, 외부 자기장을 그대로 유지한 상태로 작용물질과 외부와의 열 출입을 허용하면 이 작용물질은 열을 방출하고 차가워진다. **과정 Ⅲ**에서는, 다시 작용물질과 외부와의 열 출입을 차단한 상태에서 외부의 자기장을 제거하면 쌍극자의 배열이 무질서해지면서 작용물질의 온도가 하강한다. **과정 Ⅳ**에서는, 작용물질과 외부와의 열 출입을 허용하면 이 작용물질은 열을 흡수하고 온도가 상승하여 초기 온도 T로 복귀하면서 1회의 순환이 마무리된다. 이러한 순환 과정에서 작용물질이 열을 흡수할 때는 작용물질을 냉장고 내부와 접촉시키고 열을 방출할 때에는 냉장고 외부와 접촉시킨다. 이를 반복하면 작용물질은 냉장고의 내부에서 외부로 열을 퍼내는 열펌프의 역할을 하게 된다.

효율이 좋은 자기 냉장고를 만들기 위해서는 특정 온도에서 외부에서 가하는 자기장의 변화에 따른 엔트로피 변화량이 큰 자기 물질을 작용물질로 사용해야 한다. 자기 냉장고에서 1회의 순환 과정에서 빠져 나가는 열량은 외부 자기장을 가하기 전과 후의 엔트로피 변화와 밀접한 관련이 있다. 엔트로피는 물질의 자기 상태가 변하는 임계온도에서 가장 큰 폭으로 변한다. 그러므로 작용물질이 상전이하는 임계온도가 냉장고의 작동 온도 근처에 있을 때 그것의 자기 냉각 효과가 크다. 최근에는 임계온도가 실온에 가까운 물질들이 많이 발견되고 있으며, 이것을 이용한 실온 자기 냉장고의 개발이 활발히 진행되고 있다.

30. ㉠과 ㉡을 비교한 것으로 적절하지 않은 것은?

① ㉠에서 작용물질의 부피 변화는 ㉡에서 작용물질의 온도 변화와 같은 작용을 한다.
② ㉠에서 압력의 변화는 ㉡에서 자기장의 변화에 대응한다.
③ ㉠에서 냉매가 하는 역할을 ㉡에서는 자기 물질이 한다.
④ ㉠과 ㉡은 모두 열역학적 순환 과정을 이용한다.
⑤ ㉠과 ㉡에는 모두 열펌프의 기능이 있다.

31. '과정 Ⅰ~Ⅳ'에 대한 설명으로 옳지 않은 것은?

① 과정 Ⅰ에서 작용물질의 자화는 증가한다.
② 과정 Ⅱ에서는 작용물질의 온도가 내려간다.
③ 과정 Ⅲ에서는 작용물질의 엔트로피가 증가한다.
④ 과정 Ⅳ에서는 작용물질을 냉장고 내부와 접촉시킨다.
⑤ 과정 Ⅰ~Ⅳ의 1회 순환에서 자기장의 변화 폭이 클수록 방출되는 열량은 크다.

32. 위 글의 내용으로 보아 <보기>의 A~E 중 실온 자기 냉장고에 사용될 작용물질로 가장 적합한 것은?

<보 기>

자기 물질 A~E 각각의 임계온도에서 자기 물질에 자기장을 걸어 주었을 때 감소한 엔트로피에 대한 자료이다.

자기 물질	임계온도(℃)	걸어 준 자기장(T)	엔트로피 감소량(J/kgK)
A	-5	5	2.75
B	10	1	1.52
C	18	1	2.61
D	21	5	2.60
E	42	5	1.80

① A ② B ③ C
④ D ⑤ E

[33~35] 다음 글을 읽고 물음에 답하시오.

'멜로드라마'는 18세기 프랑스에서 대중의 관심을 끄는 통속적 이야기를 화려한 볼거리와 음악을 통해 보여 주는 대중 연극에서 시작된 것으로 알려져 있다. 초기 멜로드라마에서는 대개 사악한 봉건 귀족에게 핍박받는 선하되 약한 부르주아의 이야기가 부르주아의 관점에서 전개되었다. 하지만 사회적 모순을 적극적으로 타개하는 데에는 이르지 못한 채 다만 비약이나 우연 같은 의외성에 기대어 부르주아의 덕행과 순결함이 어떻게든 승리하도록 만들려고 했다.

19세기 자본주의 발달과 더불어 멜로드라마의 인물 구도에는 변화가 생겼다. 봉건 귀족의 자리는 악하되 강한 인물이 대신하고 그에 의해 고통 받는 선량하지만 가난한 사람이 주인공으로 등장하였다. 이에 따라 멜로드라마에서는 가족의 위기, 불가능한 사랑, 방해받는 모성, 불가피한 이별 등으로 주인공이 고통을 겪다가 행복해지는 과정이 다루어졌고, 선악 대립보다는 파토스(pathos)의 조성이 부각되었다. 곧 약자가 겪는 고통과 슬픔을 과장되게 보여 주면서 감성을 자극하는 것이 주된 관심사가 되었던 것이다. 하지만 사회 어디에도 말할 수 없었던 약자들의 고통과 슬픔이 표출되었다는 점에서 보면, 이러한 파토스의 과잉은 그 나름의 의의를 지녔다고 할 만하다.

20세기에 들어서 멜로드라마는 영화로 중심을 옮겨 갔다. 영화는 클로즈업을 통해 관객들이 인물에 감정 이입을 하게 하기 쉬웠고, 통속성과 스펙터클을 만들어 내기에도 적절했으며, 음악을 통해 과잉된 정서를 표현하기에 효과적이었기 때문이다. 멜로드라마 영화는 악인에게 괴롭힘을 당하는 약자로부터가 아니라 사회적 모순에 따른 억압적 상황에서 고통 받는 약자, 특히 여성들로부터 파토스를 이끌어 냈다. 이들은 가부장제나 계층적인 차이로 고통 받으면서도 허락되지 않은 삶의 지평을 갈망하는 '어찌할 수 없음'의 상황에 놓인 존재들이다. 일례로 비더의 ㉠<스텔라달라스>(1937)에는 상류 계급의 문화 장벽을 넘지 못하고 남편과 헤어져야 했던 하층민 여성이 주인공으로 등장한다. 그녀는 딸을 곁에 두고 싶어 하면서도 딸이 더 나은 삶을 누리기 바라는 가운데 마음 깊이 고통을 겪는다. 이러한 어찌할 수 없는 상황에서 그녀가 결국 딸을 상류층의 전남편에게 보내는 선택을 하는 것은 희생적 모성이라는 이데올로기와 타협한 것이라고 할 수 있겠지만, 딸의 결혼식을 창밖에서 바라보던 어머니가 입가에 미소를 띤 채 눈물을 흘리는 마지막 장면에서 관객들은 고통 어린 만족을 선택한 모성에 공감의 눈물을 흘리게 된다.

1950년대에 할리우드는 '가족 멜로드라마'라는 또 다른 멜로드라마의 흐름을 만들어 냈다. 이제 멜로드라마는 통속적 서사의 틀을 유지하면서도 사회적 갈등의 축도와도 같은 미국 중산층 핵가족에 주목하게 되는데, 그것은 가족이 자본이나 가부장제 같은 사회 권력이 작동하는 무대이기 때문이다. 예컨대 서크의 ㉡<천국이 허락한 모든 것>(1955)은 어복한 과부와 연하의 정원사의 사랑과 시련, 그리고 재회의 과정을 보여 주는데, 여기에는 그들의 결합을 반대하는 자식들이 가족의 이름으로 등장한다. 이제 가족은 더 이상 애틋한 유대의 단위가 아니라 개인의 삶을 관리하는 제도가 된다. 따라서 자식들의 반대로 사랑을 포기했던 그녀가 거듭된 우연 끝에 병상의 정원사와 재회하게 되는 결말은 의미심장하다.

가족 멜로드라마로서 이 영화는 시대의 변화 속에서 지속되어 온 멜로드라마의 주요한 특징들을 담고 있으면서도 멜로드라마의 또 다른 가능성을 열어 놓았다고 할 수 있다. 사회적 모순에 눈감은 채 주인공의 성공에 안도하는 기존의 '행복한 결말'과는 구별되는 '행복하지 않은 해피엔딩'을 경험하게 한다는 점에서 그렇다. 서크는 여전히 근본적인 갈등이 해소되지 않은 결말에 관객들이 주목하게 하여, 자신들이 보고 있는 것이 '만들어진 현실'이며 행복한 결말은 인위적인 허구 안에서만 가능하다는 것을 생각하게 하고자 했다. 고도로 표현적인 미장센(장면화)을 통해 여주인공이 누리는 삶의 풍요로움이 오히려 중산층의 지배적 가치와 규범으로 인한 억압과 소외의 상황임을 드러냈던 것이다.

멜로드라마는 '부적절한 리얼리즘'이니 '여성용 최루물'이니 하는 등의 비하하는 말로 언급되곤 한다. 하지만 서크의 영화에서처럼 멜로드라마는 사회적 약자의 말할 수 없는 슬픔과 이루어질 수 없는 꿈을 전달하는 서사이면서 사회적 모순에 대한 아이러니한 반응으로도 읽힐 수 있다. ⓐ현실에 종속되면서도 그 현실을 넘어서려는 절박한 요구는 영화라는 재현 체계 속에서 대중들과 끊임없이 교감하면서 멜로드라마를 생산하도록 했다는 것이다.

33. '멜로드라마'에 대한 진술로 적절하지 <u>않은</u> 것은?

① 갈등을 낳은 사회적 모순을 적극적으로 극복하려는 내용은 없었다.
② 통속성이 점차 사라졌고 정서 표출보다는 현실 묘사에 치중하게 되었다.
③ 영화에 나타난 가정이나 개인의 문제는 사회적 문제가 전환되어 표현된 것이다.
④ 작위적인 서사를 통해 인물이 처한 문제를 해소하려는 방향으로 이야기가 전개되었다.
⑤ 인물들의 선악 대립이 차츰 약해지고 사회적 상황으로 인한 고통과 희생의 파토스가 형상화되었다.

34. ㉠과 ㉡에 대한 이해로 적절하지 <u>않은</u> 것은?

① ㉠과 ㉡ 모두 음악을 사용하여 인물의 고통과 슬픔을 극적으로 표현했을 것이다.
② ㉠은 ㉡에 비해 관객들이 여성 인물과 자신을 동일시하는 정도가 더 강했을 것이다.
③ ㉠에 비해 ㉡은 결말에서 관객들에게 더 능동적인 감상을 이끌어 내려 했을 것이다.
④ ㉠과 ㉡ 모두 현실적 억압에도 불구하고 소망을 성취하고자 하는 약자를 그렸을 것이다.
⑤ ㉠과 ㉡ 모두 위기에 빠진 중산층 가족의 가치 회복이라는 주제 의식을 담았을 것이다.

35. 한국의 대표적인 멜로드라마에 대해 ⓐ에 주목하여 감상한 것으로 가장 적절한 것은?

① <장한몽>에서 돈 많은 악인 김중배로 인해 심순애가 변심하고 가난한 애인 이수일이 정신적인 파탄에 이르는 모습은 돈과 사랑을 대립적으로 생각했던 당시 사람들의 가치관을 보여 준다.

② <검사와 여선생>에서 살인범의 누명을 쓴 여선생 앞에 검사가 된 제자가 나타나 사건을 해결하지만, 작품의 초점은 세상 누구에게도 호소하지 못한 약자의 사정을 보여 주는 데 있다.

③ <자유부인>에서 사회 활동을 갈망했던 가정주부 오선영이 고작 할 수 있었던 것은 춤바람이 났다가 집으로 돌아오는 것이었지만, 실상 이 춤바람은 권위적인 가부장제에 대한 반발로도 볼 수 있다.

④ <미워도 다시 한 번>에서 사랑하는 아이를 친아버지의 집으로 보내야 하는 어머니와 어머니 곁에 있고 싶지만 떠나야 하는 아이가 처한 상황은 인간 운명의 어찌할 수 없음을 보여 준다.

⑤ <별들의 고향>에서 도시에 진입했다가 이기적인 남성들에 의해 버림받고 점점 타락해 가는 경아라는 여성은 도시화와 산업화로 인한 인간 소외를 사실적으로 보여 준다.

2027학년도 LEET 대비
기출문제 해설집

2011

영역별 출제 비중 분석

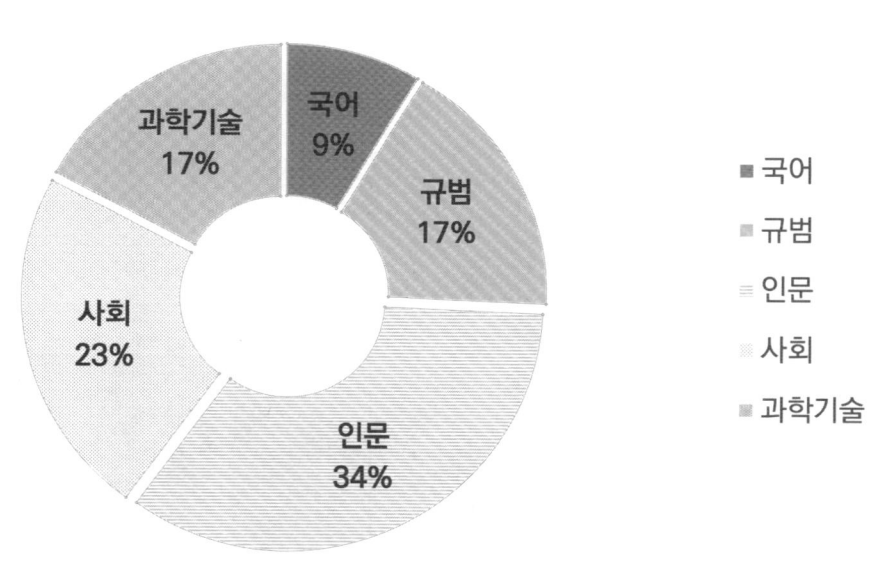

내용 영역	국어	규범	인문	사회	과학기술	총
문항 수	3	6	12	8	6	35

※ 출제 비중은 소수점 첫째 자리에서 반올림하였습니다.

2011학년도 언어이해

출제 경향 분석

2011학년도의 전반적인 난이도는 2010학년도와 비슷했지만 몇몇 문제의 난도는 눈에 띄게 낮은 편이었다. 제시문 내용과의 일치 여부나 추론의 타당성 여부를 꼼꼼하게 따져봐야 하는 오답들이 함께 배치되어 있음에도 불구하고, 한눈에 답임을 알 수 있는 정답 선택지로 인해 해당 학년도 언어이해의 정답률과 평균 점수는 예년에 비해 다소 상승하였다.

제 1 교시

홀수형

2011학년도 법학적성시험

언어이해 문제지

성 명

수험번호

수험생 유의사항

○ 이 문제지는 **32문항**으로 구성되어 있습니다.
  - 본고사는 35문항으로 구성되어 있으나, 본서에서는 미출제 범위 문항(1~3)은 수록하지 않았습니다.

○ **시험 시간은 09 : 00 ~ 10 : 20(80분)입니다.**
  - 시험 시간은 실제 본고사와 동일한 35문항 기준입니다.

○ 문제지에 성명과 수험번호를 정확하게 기재하십시오.

○ 답안지는 반드시 컴퓨터용 사인펜을 사용하여 답을 표기하여야 합니다.

○ 답안지의 '필적확인란'에 제시된 문구를 정확히 정자로 기재하여야 합니다.

메가로스쿨

2011학년도 법학적성시험
언어이해

제1교시 홀수형

- 이 문제지는 **32문항**으로 구성되어 있습니다. 문항 수를 확인하십시오.
- 문제지의 해당란에 성명과 수험번호를 정확히 쓰십시오.
- 답안지에 수험번호, 문제유형, 성명, 답을 표기할 때에는 '답안 작성 시 반드시 지켜야 하는 사항'에 따라 표기하십시오.
- 답안지의 '필적확인란'에 해당 문구를 정자로 기재하십시오.

[4~5] 다음 글을 읽고 물음에 답하시오.

민간의 채무 계약은 법원에 의해 강제된다. 만약 기업이 채무 상환을 거부한다면 법원의 재판을 통해 자산의 강제 매각 절차나 청산 절차를 밟게 된다. 국가 채무의 경우는 어떠할까? 전통적으로 국가는 스스로의 동의 없이 외국의 법정에서 재판을 받지 않는다는 주권 면제 원리에 의해 채무의 강제 집행으로부터 보호되어 왔다. 국가의 상업적 거래에는 주권 면제가 적용되지 않는 것이 오늘날의 추세이지만, 여전히 국가 채무의 이행은 법원을 통해 강제하기가 쉽지 않다.

이러한 까닭에 많은 경제학자들은 국가의 채무불이행에 대한 법적 제재나 구제 절차가 매우 제한적임에도 불구하고 국가 채무가 상환되는 이유에 대해 관심을 갖고 그 답을 찾고자 하였다. 이에 대한 논의의 출발은 이튼의 고전적 가설이다. 그는 GDP가 감소할 때 채무국이 해외 차입 이외의 방식으로는 GDP 감소에 대비하기 위한 자금을 확보할 수 없고 채무불이행이 신용시장에서의 영구적인 배제를 의미하는 것이라면, 신용시장에 다시 접근할 수 없게 된다는 위협이 채무 상환의 충분한 이유가 된다고 보았다.

이후 이 가설은 두 가지 점에서 강한 비판을 받았다. 하나는 GDP가 감소할 때 해외 차입이 총수요를 유지할 수 있는 유일한 대비책이라는 가정에 대한 비판이었다. 불황에 대비할 수 있는 다른 수단이 존재할 경우에는 불황 시 총수요 유지를 위한 해외 차입의 필요성이 감소하게 되므로 신용시장에서 배제하겠다는 위협의 효과가 약화되기 때문이다. 다른 하나는 채무불이행 시 신용시장에서 영구적으로 배제된다는 가정에 대한 비판이었다. 일단 채무불이행이 일어난 후에는 채권국의 입장에서도 영구 배제보다 신용거래 재개가 더 유리하기 때문이다. 실증 자료도 이튼 가설을 뒷받침하고 있지 않다. 지난 30년 동안 채무불이행을 경험한 국가들은 빠른 시간 내에 국제자본시장에 다시 접근할 수 있었다. 채무불이행 이후 자본시장 접근이 배제되는 기간은 1980년대에는 평균 4년이었으며, 이후에는 2년 이내로 더 짧아졌다.

이튼 이후의 연구자들은 이튼 가설의 가정을 사용하지 않는 방식으로 새로운 가설을 구축하려고 하였다. 이 가설들은 대략 세 가지로 분류된다. 첫째 가설은 채무 상환의 이유를 무역 제재나 자산 동결 같은 채권국의 직접적인 제재에서 찾는다. 둘째 가설은 차입 비용의 상승 같은 신용시장의 반향을 우려해 채무를 상환한다는 논리에 기초한다. 셋째 가설은 채무불이행으로 인해 채무국의 국내 경제에 나타나게 될 피해에 주목한다.

이를 확인하기 위한 실증 작업은 채무불이행 이후 가해진 제재의 효과와 국내 경제적 피해에 대한 계량적 분석을 통해 간접적으로 이루어진다. 먼저 채권국의 직접적 제재 효과는 주로 무역량의 감소 정도를 측정함으로써 알 수 있다. 실제로 채무불이행을 선언한 국가들에서 무역량이 감소한 사례가 다수 발견된다. 하지만 무역량 감소 기간이 3~4년 정도로 길지 않은 것으로 나타나고 있어 무역 제재 위협이 채무 이행의 이유라고 단정하기 어렵다.

다음으로 신용시장에서의 평판 효과는 차입 금리의 높낮이를 측정함으로써 알 수 있다. 1997~2004년의 자료에 기초한 한 실증 연구에 따르면, 채무불이행 이후 1년 동안은 가산 금리가 4% 포인트 상승했지만 2차년도에는 2.5% 포인트로 낮아졌으며, 3차년도 이후에는 통계적 유의미성을 찾기 어려운 수준이 되었다. 채무불이행 선언 이후의 짧은 기간을 제외하면 가산 금리가 크지 않을 뿐 아니라 빠르게 하락한다는 점에서 신용시장 평판 하락이 채무 이행의 이유라고 단정하기는 어렵다.

끝으로 채무불이행으로 인한 국내 경제적 피해 여부는 GDP 증가율의 변화를 측정함으로써 알 수 있다. 최근의 실증 연구들에 따르면, 채무불이행은 GDP 증가율을 약 0.6% 포인트, 은행 위기를 동반할 경우에는 2.2% 포인트나 감소시키는 것으로 나타났다. 비록 채무불이행 발생 1년 이후부터는 채무불이행이 GDP 증가율에 미치는 효과가 통계적 유의미성을 찾을 수 없을 정도로 감소하는 것으로 나타나기도 하지만, 일시적 GDP 증가율 하락도 영구적인 손실인 것은 분명하다. 따라서 채무불이행이 GDP 감소를 초래하는 구체적 경로가 밝혀진다면 이 가설의 설명력은 더 커질 것이다.

4. 위 글에 제시된 가설들에 대한 설명으로 옳지 않은 것은?

① 모든 가설은 채무불이행으로 인한 경제적 손실을 고려하고 있다.
② 모든 가설은 국가 채무의 이행이 법적으로 강제되기 어렵다는 것을 전제하고 있다.
③ 고전적 가설은 신용시장에서 채무국을 배제하는 것이 채권국에 영향을 끼친다고 가정하고 있다.
④ 가설 중 일부는 채무불이행에 대한 경제적인 직접 제재 수단이 존재한다고 가정하고 있다.
⑤ 가설 중 일부는 채무국의 신용 상태가 반영될 수 있는 시장 메커니즘이 존재한다고 가정하고 있다.

5. 채무불이행을 선언한 어느 국가의 경제 변수들의 추이가 아래와 같다고 할 때, 위 글의 내용에 기초하여 이를 바르게 해석한 것만을 <보기>에서 있는 대로 고른 것은?

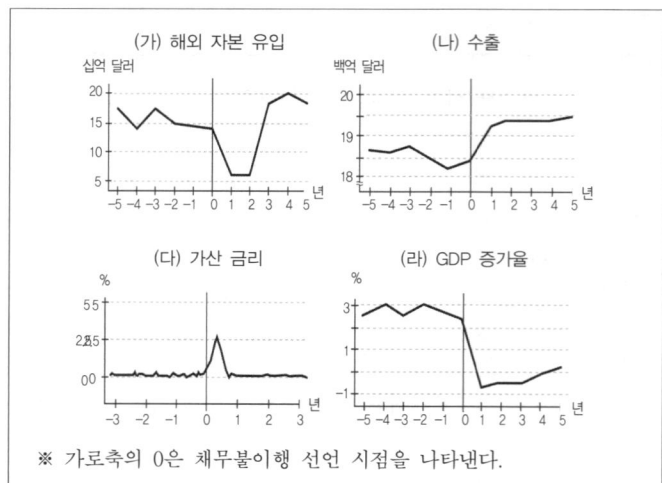

※ 가로축의 0은 채무불이행 선언 시점을 나타낸다.

<보 기>
ㄱ. (가)는 고전적 가설의 타당성을 약화하는 증거가 될 수 있다.
ㄴ. (나)는 첫째 가설의 타당성을 약화하는 증거가 될 수 있다.
ㄷ. (다)는 둘째 가설의 타당성을 강화하는 증거가 될 수 있다.
ㄹ. (라)는 셋째 가설의 타당성을 강화하는 증거가 될 수 있다.

① ㄱ, ㄴ ② ㄱ, ㄷ ③ ㄷ, ㄹ
④ ㄱ, ㄴ, ㄹ ⑤ ㄴ, ㄷ, ㄹ

[6~8] 다음 글을 읽고 물음에 답하시오.

일반적으로 철학적 근대는 감성의 영역으로부터 완전히 벗어난 이성적 자아를 정초한 데카르트에서 출발하여, 주체뿐 아니라 객체의 세계까지도 선험적 이성의 현상태로 규정한 독일 관념론에 이르러 완결된다고 일컬어진다. 그러나 시작과 끝만 보고 이 시대 전체를 이성지상주의의 단선적 질주로 일반화하는 것은 성급한 판단이다. 왜냐하면 근대 철학의 진행 과정에는 이성의 독주에 맞서 감성에 적극적인 의미와 가치를 부여하고자 한 다양한 사조들 역시 유의미한 반대 노선으로 등장했기 때문이다. 그렇다면 철학적 근대 는 어떤 곡절을 거쳤기에 그러한 귀결에 이르렀을까?

이 물음에 대한 답을 얻는 데 하나의 중요한 단서를 제공하는 것이 바로 '새로운 신화학'이라는 사상 운동이다. 그 중 1913년에 발견된 후, 후일 「독일 관념론의 가장 오래된 체계 강령」(이하 「강령」)으로 명명된 18세기 말의 작자 미확정 텍스트는 단연 흥미를 끈다. 왜냐하면 이성지상주의의 결정판으로 불리는 것이 독일 관념론인데, 그 사조의 출발점에 위치하는 이 글에서는 오히려 사뭇 다른 입장이 개진되고 있기 때문이다.

「강령」을 이해하기 위해서는 먼저 이 글에서 강하게 감지되는 ⓒ실러의 정치 미학에 대한 이해가 필요하다. 왜냐하면 "아름다운 세계여, 그대는 어디에 있는가? 다시 오라!"라고 외치는 실러처럼 「강령」의 저자도 고대 그리스에 견줄 수 있는 충만한 미적 차원의 문화를 소망하기 때문이다. 실러의 이러한 생각은 일차적으로는 공포 정치로 극단화된 프랑스 혁명과 인간의 소외가 만연한 시민 사회에 대한 실망에서 나왔으며, 근본적으로는 혁명의 사상적 모태인 계몽주의에 대한 강한 비판 의식에서 비롯된다. 그가 보기에, 계몽주의는 추상적 지성의 계몽에만 경도되어 인간의 소중한 정신 능력들의 조화를 파괴했기 때문에 혁명의 과격화는 필연적이다. 반면 고대 그리스 사람들은 자신이 속한 공동체와 유기적 조화를 이루고 있었는데, 이는 그들의 심성이 감성과 이성의 조화로운 미분리를 유지했기 때문이다. 이에 실러는 현실 정치 영역에서 참된 인류적 공동체를 구현하기 위해서는 미적 차원의 문화 건설이 선행 조건이라고 생각하며, 이에 따라 인간 심성 자체의 미적 교육, 즉 감성적 충동과 이성적 충동을 화해시키는 '유희 충동'의 계발을 구체적인 전략으로 제시한다.

ⓒ「강령」의 저자는 이러한 정치 미학적 노선을 발전시켜 새로운 신화학이라는 모델을 제안한다. '새로운'이라는 표현이 시사하듯, 그가 지향하는 이상은 계몽을 원천 무효화하는 신화학이 아니라 이성과 감성의 화해, 즉 신화학을 통해 참된 모습으로 변용된 계몽이다. 실러가 소망하는 아름다운 세계의 재림처럼 그가 지향하는 신화학 역시 계몽의 미적 고양을 핵심으로 한다. 더 나아가 「강령」의 저자는 이러한 노선을 무정부주의적 방향으로까지 극단화하여, 신화학이라는 미적 차원의 문화를 참된 현실 정치의 선행 조건으로서가 아니라, 아예 국가의 종식을 통해 이르러야 할 궁극적인 목표 지점으로 구상한다.

그러나 이렇게 미적 절대주의로까지 극단화된 노선에서 출발한 독일 관념론은 이후 사상가들이 다다른 ⓐ그 최종판에서는 근대 초기보다도 훨씬 강화된 이성지상주의로 전환된다. 이러한 전환은 과거의 신화적 세계와 당대의 국가적 삶의 양식에 대한 새로운 해석에서 비롯된다. 즉 근대의 정치적 양상이 이제는 상실이 아니라 획득으로 평가되는 것이다. 이에 따르면, 일견 아름다워 보이는 고대에서는 오히려 절대 소수의 이익을 위한 절대 다수의 억압이 자행되었고, 시민 사회를 거쳐 형성된 근대의 입헌적 질서에서는 다수의, 나아가 만인의 보편적 자유가 구현된다.

이러한 정치적 입장의 근저에는 세계의 전체 과정이 자유로운 이성의 자기실현 과정에 속한다는 형이상학이 작용하고 있다. 즉 역사란 태초의 근원적 원리인 선험적 이성이 현상계에서 실현되는 거대한 과정에 포함되는 하나의 하위 범주이기 때문에, 감성이 지배하는 신화적 세계가 지양되고 이성이 지배하는 시민 사회와 국가 체제가 출현하는 것은 정당하고도 필연적이라는 것이다. 따라서 신화와 같이 미적 차원에 속하는 것은 정신사의 미발전된 초기에만 인간 심성을 도야하는 매개체가 될 수 있으며, 이성의 전진을 통해 도달한 시대에 다시 미적 이상향을 꿈꾸는 것은 계몽을 고양하는 것이 아니라 오히려 이성의 실현이라는 거대한 흐름에 역행하는 것이라고 보는 것이다.

6. 위 글에 따라 철학적 근대 의 전개 과정을 가장 잘 요약한 것은?

① 이성지상주의와 그 반대 노선이 충돌하자, 양자가 각각 부분적 타당성을 지닌다는 인식을 통해 다수 이론의 공존을 용인하는 합리적 사상이 강화되었다.
② 이성지상주의에 대해 그 반대 노선이 도전했지만, 도전의 근거로 제시된 현상에 대한 재해석을 통해 더 강화된 이성지상주의가 등장하였다.
③ 이성지상주의의 부적절성이 반대 노선에 의해 입증되자, 애초의 전제에 내재한 오류의 인식을 통해 사상의 방향이 근본적으로 전환되었다.
④ 이성지상주의와 그 반대 노선이 충돌하자, 두 입장 모두의 불완전함을 인식하고 양자의 매개를 추구하는 중립적 이론이 형성되었다.
⑤ 이성지상주의가 반대 노선의 도전에 직면했지만, 이를 물리치고 처음의 입장을 그대로 고수하는 확고한 노선이 유지되었다.

7. ㉠과 ㉡에 대한 설명으로 가장 적절한 것은?

① ㉠은 현실 정치를 위한 미적 교육을, ㉡은 무정부주의적 신화학을 모색한다.
② ㉠은 독일 관념론을 위한, ㉡은 계몽주의를 위한 철학적 기초를 마련한다.
③ ㉠은 계몽주의의 지속적 완성을, ㉡은 계몽주의의 근본적 청산을 지향한다.
④ ㉠과 ㉡은 모두 미적 차원의 문화 건설을 노선의 궁극적 목표로 설정한다.
⑤ ㉠과 ㉡은 모두 미적 절대주의를 통해 참된 인륜적 공동체의 건설을 추구한다.

8. ⓐ의 입장에서 '새로운 신화학'을 비판할 때, 가장 적절한 것은?

① 현실 정치에 등을 돌리고 미적 차원을 지향하는 것은 실질적으로는 근대 사회가 초래한 만인에 대한 억압을 용인하는 것이다.
② 역사가 진행될수록 위축되어 온 인간의 자유를 이성에 의거하여 복원하려는 것은 역사의 대세를 거스르는 부질없는 노력이다.
③ 삶의 근대적 양상을 정치적 차원에서만 고찰하는 것은 그 양상이 이성의 전횡에서 비롯된 결과임을 간과할 위험이 있다.
④ 신화학을 통해 변용된 계몽의 모델을 과거에서 찾는 것은 감성주의적 이상 실현을 위해 바람직한 길이 아니다.
⑤ 당대의 참된 가치를 제대로 인식하지 못하고 오히려 이미 극복된 과거를 모범으로 삼는 것은 퇴행적 발상이다.

[9~11] 다음 글을 읽고 물음에 답하시오.

20세기 초반 미국의 법률가들은 법철학이 실무에서는 별로 쓸모가 없는 학문이라 평가하고 있었다. 그들이 보기에 법철학자들은 대개 권리나 의무의 본질에 대한 막연한 이론을 늘어놓기만 할 뿐, 그것이 구체적인 법률문제의 해결에 기여해야 한다는 생각은 없는 것 같았기 때문이다. 호펠드의 이론은 당대의 통념을 깨뜨린 전형적인 사례라 할 수 있다. 그는 다의적인 법적 개념의 사용으로 인해 법률가들이 잘못된 논증을 하게 되고 급기야 법적 판단을 그르치기까지 한다고 지적한 뒤, 이 문제를 해결하기 위해 "누가 무언가에 관한 권리를 가진다."라는 문장이 의미하는 바가 무엇인지를 분석하고 권리 개념을 명확히 할 것을 제안했다.

그는 모든 권리 문장이 상대방의 관점에서 재구성될 수 있다고 보았다. 법률가들이 '사람에 대한 권리'와 구별해서 이해하고 있는 이른바 '물건에 대한 권리'도 어디까지나 '모든 사람'을 상대로 주장할 수 있는 권리일 뿐이므로 예외가 될 수 없다고 한다. 또한 그는 법률가들이 권리라는 단어를 서로 다른 네 가지 지위를 나타내는 데 사용하고 있음을 밝힘으로써 권리자와 그 상대방의 지위를 나타내는 네 쌍의 근본 개념을 확정할 수 있었다. 결국 모든 법적인 권리 분쟁은 이들 개념을 이용하여 진술될 수 있을 것이다.

각각의 개념들을 살펴보면 다음과 같다. 첫째, 청구권은 상대방에게 특정한 행위를 요구할 수 있는 권리이며, 상대방은 그 행위를 할 의무를 지게 된다. 둘째, 자유권은 특정한 행위에 대한 상대방의 요구를 따르지 않아도 되는 권리이며, 상대방에게는 그 행위를 요구할 청구권이 없다. 셋째, 형성권은 상대방의 법적 지위를 변동시킬 수 있는 권리인데, 이러한 권리자의 처분이 있으면 곧 지위 변동을 겪게 된다는 것 자체가 바로 상대방이 현재 점하고 있는 지위, 곧 피형성적 지위인 것이다. 넷째, 면제권은 상대방의 처분에 따라 자신의 지위 변동을 겪지 않을 권리이며, 상대방에게는 그러한 처분을 할 만한 형성권이 없다.

호펠드는 이러한 근본 개념들 간에 존재하는 미묘한 차이와 관계적 특성을 분명히 함으로써 권리 문장이 지켜야 할 가장 기초적인 문법을 완성하고 있다. 그에 따르면 청구권이 상대방의 행위를 직접적으로 통제하는데 비해, 형성권은 상대방과의 법률관계를 통제하는 결과 그의 행위에 대한 통제도 이루게 되는 차이가 있다. 또한 청구권이 상대방을 향한 적극적인 주장이라면 자유권은 그러한 주장으로부터의 해방이며, 형성권이 상대방과의 법률관계에 대한 적극적인 처분이라면 면제권은 그러한 처분으로부터의 해방으로 볼 수 있다. 그리고 두 사람 사이의 단일한 권리 관계 내에서 볼 때 만일 누군가 청구권을 가지고 있다면 그 상대방은 동시에 자유권을 가질 수 없고, 만일 누군가 형성권을 가지고 있다면 그 상대방은 동시에 면제권을 가질 수 없다. 마찬가지로 자유권자의 상대방은 동시에 청구권을 가질 수 없고, 면제권자의 상대방 또한 동시에 형성권을 가질 수 없다.

호펠드는 이러한 권리의 문법 에 근거하여 '퀸 대(對) 리덤' 사건 판결문의 오류를 지적함으로써 법철학 이론도 법률 실무에 충분히 기여할 수 있음을 보여 주었다. 판결의 취지는 다음과 같았다. "육류 생산업자인 원고에게는 피고가 속해 있는 도축업자 노조의 조합원이 아닌 사람도 고용할 수 있는 자유가 있음에도 불구하고, 피고는 고객들에게 원고와 거래하지 말 것을 종용함으로써 원고의 자유에 간섭하였고, 그 결과 원고의 사업장은 문을 닫게 되었으므로 피고는 원고에게 발생한 손해에 대해 책임이 있다." 호펠드의 분석에 따르면, 판사는 원고에게 자유권이 있다는 전제로부터 곧바로 피고에게는 원고의 자유권 행사를 방해하지 않을 의무가 있다는 결론을 도출하는 우를 범함으로써, 정작 이 자유권의 실효적 보장을 위해 국가가 예외적으로 개입할 필요가 있는지 숙고해 볼 수 있는 기회를 놓치고 있다는 것이다. 호펠드의 희망은 이렇듯 개념의 혼동과 논증의 오류가 정의와 올바른 정책 방향에 대한 법률가들의 성찰을 방해하지 않게 하는 데 자신의 연구가 보탬이 되는 것이었다. 이러한 그의 작업은 훗날 판례 속의 법적 개념과 논증을 비판적으로 탐구하는 미국 법학의 큰 흐름을 낳은 것으로 평가되고 있다.

9. 위 글에 나타난 호펠드 법철학의 역할로 볼 수 없는 것은?

① 권리 문장에 사용되는 권리 개념의 다의성 문제를 해소할 수 있는 방안을 제시함.
② 권리에 대한 법률가들의 통념적 구별이 가질 수 있는 개념적 오류를 비판함.
③ 권리 문장의 분석을 통하여 권리들 간에 우선순위가 발생하는 근거를 해명함.
④ 권리 문장을 사용한 법률가들의 추론에 논리의 비약이 내재해 있음을 규명함.
⑤ 권리 개념들 간의 관계적 특성을 반영한 권리의 일반 이론을 모색함.

10. 두 사람 사이의 단일한 권리 관계에서 볼 때, 권리의 문법에 대한 이해로 옳지 않은 것은?

① 누가 어떤 권리를 가지면 상대방이 일정한 의무를 가진다는 판단을 내릴 경우가 있다.
② 누가 어떤 권리를 가지면 동시에 그는 일정한 의무를 가진다는 판단을 내릴 경우가 있다.
③ 누가 어떤 권리를 가지면 상대방이 일정한 권리를 갖지 않는다는 판단을 내릴 경우가 있다.
④ 누가 어떤 권리를 갖지 않으면 동시에 그는 일정한 의무를 가진다는 판단을 내릴 경우가 있다.
⑤ 누가 어떤 권리를 갖지 않으면 상대방이 일정한 의무를 갖지 않는다는 판단을 내릴 경우가 있다.

11. 호펠드의 근본 개념들이 <보기>의 상황에 적용된다고 가정했을 때, 이에 대한 설명으로 가장 적절한 것은? (단, <보기>에 제시되지 않은 상황은 고려하지 않는다.)

<보 기>

경기 도중 득점 기회를 잡은 선수 A를 막으려고 상대 팀 선수 B가 정당하게 몸싸움을 벌였다. 하지만 다음 순간 A는 경기장이 미끄러운 탓에 몸싸움을 이기지 못하고 넘어졌다. 심판 C는 이 상황을 제대로 보지 못하고 B를 퇴장시켰다. 심판은 판정 과정에서 어떠한 영향도 받지 않아야 하는 지위에 있기 때문에, B의 팀은 C의 판정에 따라 한 명이 줄어든 상태에서 경기를 해야 했다. 감독 D는 수비 약화를 우려하여, 뛰고 있던 공격수를 빼고 몸을 풀고 대기 중인 선수 E를 투입했다.

① A는 B에게 몸싸움을 걸지 말라고 요구할 청구권을 가지고 있다.
② A는 C에게 그의 판정이 잘못되었는지 여부를 알려 줄 의무를 위반하고 있다.
③ B는 C의 판정만으로 퇴장당하게 되는 피형성적 지위에 있지 않다.
④ C는 D에 의해 판정의 자율성을 침해 받지 않을 면제권을 가지고 있다.
⑤ D는 E가 시합에 나가지 않을 자유권을 침해하고 있다.

[12~14] 다음 글을 읽고 물음에 답하시오.

많은 나라들은 지속적인 경제 성장을 위해 요소 투입형 성장에서 혁신 주도형 성장으로 전환을 모색하였다. 이는 지역적 차원에서도 경쟁력 강화를 위한 발전 모델의 변화를 가져오는데, 혁신 주도형 지역 발전 모델의 중심 개념으로 제시되고 있는 것들로는 클러스터, 지역혁신체계, 사회자본 등이 있다.

클러스터란 지리적으로 인접하고 있는 연계 기업, 특정 영역의 연관 기관 등이 유사성이나 보완성 등으로 서로 연결된 집단으로 정의된다. 클러스터의 경쟁력을 파악하기 위해서는 상호 연관된 클러스터의 구성 요소들이 어떤 네트워크 구조를 형성하고 있는지를 순차적으로 살펴보아야 한다. 즉 기업이나 산업의 전·후방 부가가치 네트워크의 특성을 먼저 고찰하고, 다음으로 전문 기능, 기술, 정보 등을 공급하고 있는 서비스 기관을 파악한 후, 마지막으로 정부 혹은 규제 기관의 역할을 찾아내야 하는 것이다. 클러스터의 성공적인 사례인, 전통적인 포도 재배 지역에 형성된 ㉠ 미국 캘리포니아 와인 클러스터의 경우, 포도 재배는 이 지역의 농업 클러스터와, 와인 양조는 식품업 및 관광업 클러스터와 강한 연대를 구축하고 있다. 또한 와인학 과정을 개설하고 있는 지역 대학, 지방 정부, 지역 상·하원의 특별 위원회와도 연대를 구축하고 있다.

지역혁신체계는 지역의 제도, 문화, 규범, 분위기 등의 상부구조와 교통망이나 통신망 같은 물리적 하부구조 및 대학, 연구소, 기업, 지방 정부 등 사회적 하부구조로 구성되는 것으로, 새로운 기술과 지식을 생산하고 이를 상품화하는 상·하부구조 간 네트워크 체계를 말한다. 지역혁신체계는 혁신 주체들로 구성된 사회적 하부구조가 상부구조와 긴밀하게 연계되어 발전해야 한다. 또한 물리적 하부구조는 혁신 주체들을 유인할 수 있어야 할 뿐 아니라 이들의 혁신 성과물들에 대한 접근성을 높일 수 있어야 한다. 그 대표적 사례로 ㉡ 스웨덴 시스타 과학 단지를 들 수 있는데, 이 단지의 특징은 활성화된 산·학·연 협력, 대·중소 기업 간 협력 체계, 지방 정부의 도로 등 기반 시설 투자, 경쟁 기업 간 활성화된 공동 연구 등으로 요약될 수 있다.

사회자본은 국가나 지역, 개별 집단 등 공동체의 참여자들 간에 이루어지는 조정, 협력, 호혜적 규범, 사회적 신뢰 등을 뜻하는 것으로, 참여자들이 공유하는 목표를 추구하기 위해 효율적으로 함께 일할 수 있는 조건에 해당된다. 1980년대 이후 사회자본에 대한 관심은 공동체가 지향하는 목적의 달성이 사회자본의 내용과 질에 달려 있다는 인식에서 비롯되었다. 그러한 사례가 영세 기업 중심으로 구성된 ㉢ 일본 오타구 나카마 공동체인데, 나카마 공동체란 동업의 친구나 서로 잘 아는 관계라고 불릴 수 있는 성격의 집단을 뜻한다. 종업원 10인 이하인 이 지역의 영세 기업들은 신뢰·협력·경쟁의 원리에 기초하여 그물망처럼 얽힌 공동체를 구성하고 있다. 이를 통하여 기업들은 전문 기능을 고도화하면서 대기업 못지않은 성과를 나타내고 있다.

클러스터, 지역혁신체계, 사회자본의 개념은 모두 혁신 주도형 지역 발전을 위하여 네트워크를 강조하고 있다. 클러스터와 지역혁신체계에서 네트워크는 구성 요소들 간 연계 체계 그 자체를 의미하며, 이는 지역의 부가가치나 혁신성을 제고하는 원동력이 된다. 사회자본의 네트워크는 사회자본의 구성 요소인 조정, 협력, 신뢰, 규범의 호혜성의 정도에 따라 그 성격이 달라지는 것으로, 네트워크 자체도 중요하지만 구성 요소들의 질적 수준이 더욱 중요하다. 이때 사회자본은 다양한 유형의 네트워크에서 구성 요소들 간 관계를 활성화하는 촉매 역할을 한다. 즉 클러스터와 지역혁신체계의 네트워크에서 높은 질적 수준을 지닌 사회자본이 형성되면, 이들 네트워크의 참여자 수는 증가하며 교류 빈도 또한 높아진다. 결과적으로, 클러스터와 지역혁신체계는 강한 유대감 속에서 성장하면서 혁신 주도형 지역 발전을 위한 집합적 상승효과를 창출하게 된다.

12. 위 글에 대한 이해로 옳지 않은 것은?

① 클러스터의 주요 목적은 기업이나 산업의 보완적인 상호 연관성을 높이는 데 있다.
② 지역혁신체계는 기술과 지식의 창출과 응용을 위한 혁신 지향적 연결망이다.
③ 사회자본에서는 공동체 내의 네트워크를 구성하는 요소들의 질적 수준이 중시된다.
④ 지역 발전에 있어서 클러스터와 지역혁신체계의 네트워크는 촉매 역할을, 사회자본의 네트워크는 원동력 역할을 한다.
⑤ 클러스터, 지역혁신체계, 사회자본은 지역 공동체의 네트워크를 강화하고 효율화함으로써 지역 혁신을 촉진하려는 목적을 갖는다.

언어이해

13. 위 글에 따라 <보기>를 설명한 것으로 가장 적절한 것은?

<보 기>

예전부터 여름철 관광지로 유명한 소피아 앙티폴리스는 산업이나 지식 자산이 황무지나 다름없는 낙후 도시였다. 1960년 ○○대학 부총장은 첨단 기술 산업 중심의 산·학·연 혁신 주체들이 모여 상호 작용을 함으로써 기술 혁신을 촉진시킬 수 있는 과학 도시를 구상했다. 이 구상은 1960년대 중반에 이 도시에서 실현되기 시작하였다. 1982년 중앙 정부의 지방 분권법 제정도 이 도시 발전의 또 다른 계기가 되었다. 이 법에 근거하여 중앙 정부는 교통·통신망을 확충하고 과학 기술 두뇌가 집적된 첨단 산업 단지를 조성하였다. 1980년대 중반 이후 지방 정부는 협력적인 산·학·연 관계의 조성을 촉진시켰고, 민간에서는 민·관 협력 기구를 설립하여 정보통신 분야 선도 기업들을 유치한 후 연관 기업이 입지하도록 유도하였다.

① 1960년의 최초 구상은 물리적 하부구조의 구축에 초점을 두었다.
② 1960년대 이전의 사회자본이 기술 혁신을 촉진시켰다.
③ 1960년대 이전에 클러스터 기반이 형성된 도시에 정부의 발전 전략이 적용되었다.
④ 1980년대 이후의 지역혁신체계 구축에는 정부의 적극적인 지원이 작용하였다.
⑤ 1980년대 중반 이후에는 기업이 중심이 되어 지역 발전을 위한 사회자본을 조성하였다.

14. ㉠~㉢에 대한 설명으로 적절하지 않은 것은?

① ㉠은 하나의 클러스터가 기능화된 여러 클러스터로 구성된 복합 구조일 수 있음을 보여 준다.
② ㉠은 전통 산업과의 연계를 통해서도 혁신 주도형 지역 발전을 성공적으로 이룰 수 있음을 보여 준다.
③ ㉡은 지역혁신체계 구축을 위해서는 물리적 하부구조를 강화하는 지방 정부의 활동이 중요함을 보여 준다.
④ ㉡에서 경쟁 기업들 간에도 공동 연구가 활성화되어 있다는 것은 지역 혁신을 위해 상·하부구조가 성공적으로 연계되어 있음을 보여 준다.
⑤ ㉢은 개별 기업이 지닌 영세성의 한계를 기업체 내부의 소통 네트워크 강화를 통해 극복할 수 있음을 보여 준다.

[15~17] 다음 글을 읽고 물음에 답하시오.

20세기에 들어서면서 물리학은 크게 변모했다. 특히 특수상대성이론과 양자역학의 등장은 가히 혁명적인 변화를 가져왔다. 그런데 이 두 예는 과학의 진보가 어떤 방식으로 이루어지는가 하는 물음의 관점에서 볼 때 상이한 특징을 드러낸다.

1905년 발표된 특수상대성이론은 시간과 공간 같은 물리학의 개념들을 변화시켰을 뿐만 아니라, 물리학에 등장하는 여러 공식들을 고쳐 쓰게 만들었다. 오랫동안 상대 운동에 관한 유효한 공식으로 승인되었던 속도의 덧셈 법칙도 이에 해당한다. 이 법칙은 시속 150km로 달리는 기차 안에서 반대 방향으로 시속 150km로 달리는 옆 선로의 기차를 볼 때 그것이 시속 300km로 도망가는 듯 보인다는 상식적인 사실을 설명해 주지만, 특수상대성이론에 따르면 이와 같은 덧셈 법칙은 정확하지 않다.

그렇다고 해서 고전물리학이 새 이론에 의해 완전히 부정된 것은 아니다. 특수상대성이론의 관점에서 보더라도 고전물리학의 식들은 대부분의 상황에서 아무 문제가 없을 만큼 정확한 설명과 예측을 제공하기 때문이다. 예컨대 앞에서 말한 기차가 만일 초속 15만km로 달린다면 새 이론과 고전물리학의 계산에 뚜렷한 차이가 나겠지만, 음속을 넘는 시속 1,500km 정도에서도 두 계산의 결과는 충분히 훌륭한 근사를 보여 준다. 특수상대성이론은 고전물리학의 설명력을 고스란히 포섭하는 반면, 고전물리학은 특수상대성이론이 설명할 수 있는 영역 중 '속도가 그다지 크지 않다면'이라는 조건으로 제한되는 영역에서 여전히 유효하다. 이렇게 볼 때 특수상대성이론은 고전물리학을 포섭하면서 설명과 예측의 영역을 확장시켰다는 점에서 물리학의 진보를 이루었다고 확언할 수 있다.

양자역학의 경우는 어떠한가? 1910년대에 물리학자들은 원자에 속한 전자들의 동역학적 상태를 설명하려 했지만 고전물리학으로는 그런 설명이 불가능했다. 결국 물리학자들은 고전물리학과 양립 불가능한 전제들을 토대로 삼아 양자역학의 체계를 구축함으로써 비로소 문제의 현상에 대한 정확하고도 일관성 있는 설명을 제공할 수 있었다. 원자에 구속되지 않은 자유로운 전자의 운동은 고전물리학으로 설명되는 반면, 원자 안의 전자를 설명하는 데는 양자역학이 필요하다. 원자 안의 전자가 충분한 에너지를 얻으면 자유로운 전자가 되는데, 마치 그렇게 풀려나면서 양자역학의 영토로부터 고전물리학의 영토로 건너오는 꼴이었다.

문제는 양자역학의 식들이 고전물리학이 효과적으로 설명해 온 현상들을 설명하는 데 힘을 발휘하지 못한다는 점이다. 이 때문에 양자역학의 등장이 물리학의 진보를 의미한다고 확신할 수 없다는 의견도 있을 수 있다. 양자역학만으로는 설명할 수 없는 당구공의 충돌 같은 현상이 고전물리학 고유의 영역에 버티고 있기 때문이다. 1980년대부터 발달한 혼돈이론의 경우는 두 이론 간 관계의 또 다른 면을 보여 준다. 혼돈이론은 아주 미세하게 다른 두 초기 상태가 시간의 흐름 속에서 어떻게 발달해 가는지를 살피는데, 양자역학에서는 '아주 미세하게 다른 두 초기 상태'라는 개념의 의미가 명확히 규정될 수 없는 경우가 존재한다. 이는 혼돈이론이 고전물리학의 토대 위에서만 성립할 수 있음을 의미한다.

그러나 양자역학과 고전물리학은 절묘하게 서로 연결된다. 원자에서 막 풀려나오는 순간의 전자에 대응되는 극한 조건을 가정하면 신통하게도 양자역학의 식은 고전물리학이 내놓는 식과 일치하는 형태를 띤다. 이는 각기 다른 현상 영역을 맡아 설명하고 있는 두 이론이 극한 조건 아래 두 영역의 경계에서 만나 매끄러운 이음매를 만들며 연결되고 있음을 의미한다. 이런 연결을 통해 고전물리학과 양자역학은 물리학을 구성하는 상보적인 부분들로 자리를 잡는다.

만일 고전물리학이 폐기되어 사라졌거나 고전물리학과 양자역학이 매끄럽게 하나로 연결되지 못했다면, 20세기 물리학의 진보에 대한 평가는 논쟁거리가 될 수 있을 것이다. 그러나 우리가 가진 물리학 전체를 놓고 볼 때 분명해진 사실은 ㉠양자역학의 등장 역시 물리학의 진보로 귀결되었다는 것이다. 고전물리학과 특수상대성이론과 양자역학 덕분에 우리는 '다채로우면서도 하나로 연결된 세계'에 대한 '다채로우면서도 하나로 연결된 물리학'을 가지고 있다.

15. 위 글의 내용을 바르게 이해한 것은?

① 혼돈 현상을 설명하는 데는 양자역학이 적용된다.
② 원자에 속한 전자의 운동을 설명하는 데는 고전물리학이 적용된다.
③ 고전물리학에 등장하는 모든 개념은 특수상대성이론에서도 유지된다.
④ 특수상대성이론에서 속도의 덧셈 법칙은 고전 물리학에서와 동일한 식으로 표현된다.
⑤ 음속과 비슷한 속력의 운동은 고전물리학과 특수상대성이론 중 어느 것으로 설명하든 거의 차이가 없다.

16. ㉠의 판단을 가능하게 하는 위 글의 시각과 일치하지 않는 것은?

① 과학의 진보를 평가할 때는 이미 한계를 드러낸 옛 이론도 고려해야 한다.
② 물리학의 진보는 물리학으로 설명할 수 있는 현상의 범위가 확장되는 것을 의미한다.
③ 두 이론의 영역이 만나는 경계에서 두 이론의 식이 일치한다면 두 이론은 하나로 연결될 수 있다.
④ 두 이론이 기초하고 있는 전제가 서로 양립 불가능하다면 두 이론은 서로 매끄럽게 연결될 수 없다.
⑤ 옛 이론으로 풀 수 없던 문제를 새 이론이 해결했다고 해도 그것으로 과학의 진보가 보장되는 것은 아니다.

17. 위 글의 관점을 <보기>의 사례에 적용한 설명으로 가장 적절한 것은?

<보 기>

갈릴레오 낙하 법칙 $s = \frac{1}{2}gt^2$은 자유롭게 낙하하는 물체의 낙하 거리(s)와 낙하 시간(t)의 관계를 나타낸다. 뉴턴 역학의 중력 법칙과 운동 방정식을 쓰면 갈릴레오의 법칙이 왜 성립하는지 설명할 수 있지만, 뉴턴 역학의 관점을 엄격히 적용하면 갈릴레오의 법칙은 정확한 진술이 아니다. 물체가 낙하함에 따라 물체와 지구 중심 사이의 거리가 변하고 그에 따라 둘 사이의 중력도 변하기 때문에, 낙하 법칙에서 상수로 가정된 중력 가속도 g는 사실 상수가 아니다. 그러나 우리가 경험하는 낙하운동은 지구의 반지름에 비해 아주 작은 구간에서 일어나기 때문에 낙하하는 동안 중력이 일정하다고 간주할 수 있다.

① 특수상대성이론이 고전물리학의 식들을 포섭하는 것처럼 뉴턴 역학은 충분히 훌륭한 근사를 통해 갈릴레오의 법칙을 포함한다.
② 고전물리학과 양자역학의 영토가 매끄럽게 하나로 연결되고 있는 것처럼 갈릴레오의 법칙이 유효한 범위는 뉴턴 역학의 영토와 잇닿아 있다.
③ 갈릴레오의 법칙은 뉴턴 역학의 관점에서 상수가 아닌 g를 상수로 간주한다는 점에서 뉴턴 역학과 '하나로 연결된 물리학'을 형성할 수 없다.
④ 혼돈이론이 고전물리학과 양자역학을 연결하는 것과 마찬가지로 갈릴레오의 법칙은 뉴턴 이전의 역학과 뉴턴 역학을 연결하는 이음매 역할을 한다.
⑤ 갈릴레오의 법칙과 뉴턴 역학은 서로 상충하는 이론적 전제 위에 구축되었지만, 전자로 후자를 근사적으로 설명할 수 있기 때문에 한 이론의 상보적 부분들이 된다.

[18~20] 다음 글을 읽고 물음에 답하시오.

"과연 선생님이셨군요." 공수반은 반갑게 말하면서 그를 방으로 들게 했다.

"그동안 안녕하셨습니까? 여전히 바쁘시지요?"

"그렇소. 언제나 그렇지요……."

"그런데 선생님, 이렇게 먼 길을 찾아오셨는데 무슨 가르침이라도 있으신지요?"

"북쪽에서 어떤 사람이 나를 모욕했습니다. 당신에게 그를 죽여 달라고 부탁하려고……." 묵자는 침착한 어조로 말했다.

공수반은 불쾌했다.

"당신에게 열 냥을 드리겠습니다!" 묵자가 계속해서 말했다.

이 말에 그는 정말로 화를 참을 수가 없었다. 그는 고개를 떨구고는 냉랭하게 대답했다.

"나는 의로운지라 사람을 죽이지 않습니다!"

"그것 참 훌륭하군요!" 묵자는 아주 감동해서 벌떡 일어나 두 번 절하고 나서 다시 매우 조용한 어조로 말했다.

"그런데 제가 좀 드릴 말씀이 있습니다. 제가 북쪽에서 당신이 운제(雲梯)를 만들어 송나라를 치려 한다고 들었습니다. 송나라가 무슨 잘못이라도 있습니까? 초나라에는 남아도는 것이 땅이고 모자란 것이 사람입니다. 모자라는 사람을 죽이고 남아도는 땅을 싸워서 빼앗는 것은 지혜롭다고 말할 수 없습니다. 또 송나라에 죄가 없는데도 치려고 하는 것은 어질다고 할 수 없습니다. 알고 있으면서도 간하지 않는 것은 충성스럽다고 할 수 없습니다. 싸움을 하여 얻는 것이 없으면 이를 강하다고 할 수 없습니다. 의롭기에 한 사람도 죽이지 않는다고 하면서 많은 사람을 죽이려 하는 것은 분별력이 있다고 할 수 없습니다. 선생님은 어떻게 생각하시는지요?"

"그건……." 하고 공수반이 생각하더니, 이어 말했다. "선생님 말씀이 옳습니다."

"그렇다면 그만둘 수 없겠습니까?"

"그건 안 됩니다. 나는 이미 왕께 고했습니다." 공수반은 한탄하면서 말했다.

"그러면 제가 왕을 만날 수 있게 해 주십시오."

(중략)

묵자는 송나라에 대한 공격을 멈추게 한 후, 원래는 즉시 노나라로 돌아가려고 했으나 공수반이 그에게 빌려 준 옷을 돌려주어야만 했기 때문에 다시 그의 집으로 가는 수밖에 없었다. 때는 이미 오후여서 주인과 손님은 다 같이 배고픔을 느꼈다. 주인은 당연히 그를 만류하여 점심을 먹고 가도록 하였다. 또 이미 저녁때가 다 되어 그에게 하룻밤을 묵고 가라고 권했다.

"아무래도 오늘 떠나지 않으면 안 됩니다. 내년에 내 책을 가지고 와서 다시 초왕에게 보여 드리겠습니다." 묵자는 말했다.

"당신은 역시 의를 행할 것을 말하려는 것이 아닌지요? 몸과 마음을 괴롭혀 가며 위급한 일을 구제하는 것은 천한 사람들이 할 일이지, 대인들이 취할 일은 아닙니다. 더군다나 그는 군왕입니다. 동향 친구여!" 공수반이 말했다.

"그건 그렇지 않아요. 비단이나 삼베, 쌀, 조 등은 모두 천한 사람들이 만들어 내는 것이지만 대인들에게도 모두 필요한 것이오. 하물며 의를 행하는 데 있어서야 더 말할 것도 없을까요?" 묵자가 말했다.

"그것도 옳습니다. 내가 당신을 만나기 전에는 송나라를 취하려고 생각했는데, 당신을 만나고 나니 설사 송나라를 그냥 준다고 해도 의롭지 못한 일이라면 나 또한 싫소……." 공수반이 유쾌하게 말했다.

"그렇지만 나는 정말로 당신에게 송나라를 드리겠소. 당신이 언제나 의만 행하신다면 나는 또 당신께 천하를 드리겠소." 묵자도 유쾌하게 말했다.

주객이 담소하는 사이에 음식이 준비되었다. 생선과 고기, 술도 있었다. 묵자는 술도 마시지 않고 생선도 먹지 않으며 고기만 약간 먹었다. 공수반 혼자서 술을 마시다가 손님이 수저를 많이 놀리지 않는 것을 보고 매우 미안해서 그에게 고추를 권하는 수밖에 없었다.

"드세요, 드세요!" 그는 양념장과 커다란 전병을 가리키며 간절하게 말했다.

"드셔 보세요. 나쁘지 않습니다. 대파가 우리 고향 것처럼 굵고 좋지는 못하지만……."

공수반은 술을 몇 잔 마시고 나자 더욱 유쾌해졌다.

"내게 배 싸움 하는 데 쓰는 구거(鉤拒)라는 무기가 있는데, 당신의 의(義)에도 구거가 있습니까?" 하고 그는 물었다.

"내 의의 구거는 당신의 배 싸움의 구거보다 더 훌륭합니다. 나는 사랑으로써 구(鉤)를 삼고, 공손한 것으로써 거(拒)를 삼고 있습니다. 사랑으로써 구를 삼지 않으면 서로 친해질 수 없으며, 공손한 것으로써 거를 삼지 않으면 교활해집니다. 서로 친하지 않고 교활해지면 곧 흩어지게 마련입니다. 그래서 서로 사랑하고 서로 공경하게 되면 서로에게 똑같이 이익이 됩니다. 지금 당신이 구로써 다른 사람을 낚아챈다면 다른 사람도 구로써 당신을 낚아챌 것이며, 당신이 거로써 다른 사람을 막는다면 다른 사람도 거로써 당신을 막을 것입니다. 서로가 낚아채고 서로가 막는다면, 서로에게 똑같이 해가 되는 것입니다. 그러므로 내 의의 구거는 당신의 배 싸움의 구거보다 훌륭합니다." 묵자는 결연히 대답했다.

"그러나 동향 친구여, 당신이 의를 행하면, 정말로 나의 밥그릇을 거의 부숴 버리는 것이 됩니다!"

공수반은 말문이 막히자 말을 바꿨다. 아마도 약간의 술기운이 있었기 때문이리라. 사실 그는 술을 마실 줄 몰랐던 것이다.

"그러나 송나라의 모든 밥그릇을 부숴 버리는 것보단 낫겠지요."

"그러면 나는 앞으로는 장난감이나 만드는 수밖에 없겠군요. 동향 친구여, 잠깐만 기다리세요. 당신에게 장난감을 보여 드리겠어요."

그는 그렇게 말하고는 벌떡 일어나 뒷방 쪽으로 가더니 상자를 뒤지는 듯했다. 잠시 후 다시 나왔는데, 손에는 나무토막과 대나무로 만든 까치 한 마리를 들고 있었다. 그것을 묵자에게 건네주면서 이렇게 말했다.

"한번 날리기만 하면 사흘은 날 수 있어요. 이것 또한 매우 훌륭하다고 말할 수 있지요."

"그러나 목수가 수레바퀴를 만드는 것에는 미치지 못합니다." 묵자가 그것을 보고 나서 자리에 내려놓으면서 말했.

"목수는 세 치짜리 나무토막을 깎아서 오십 석의 무게를 실을 수 있게 합니다. 사람에게 이로운 것은 바로 훌륭하고 좋은 것이며, 사람에게 이롭지 못한 것은 바로 졸렬하고 나쁜 것입니다."

"아, 잊고 있었습니다." 공수반은 또 말문이 막혔다. 이번에야 비로소 술이 깼다.

"그것이 바로 당신의 주장인 것을 일찍 알았어야 했습니다."

"그래서 당신도 변함없이 의를 행하시라는 것입니다." 묵자가 그의 눈을 보며 간절히 말했다.

"그렇게 하면 당신의 물건이 훌륭할 뿐만 아니라 천하까지도 당신의 것이 될 것입니다. 정말 오랫동안 폐를 끼쳤습니다. 우리 내년에 다시 만납시다."

묵자는 그렇게 말하고는 작은 보따리를 집어 들고 주인에게 작별 인사를 고했다. 공수반은 그가 머물지 않으리라는 것을 알고 있었으므로 그를 가게 하는 수밖에 없었다. 그를 대문까지 전송하고 나서 방으로 돌아와 잠시 생각하고는 곧 운제의 모형과 나무 까치를 모두 뒷방의 상자 속에 집어넣었다.

묵자는 돌아가는 길은 천천히 걸었다. 첫째는 힘이 달렸고, 둘째는 다리가 아팠으며, 셋째는 식량이 이미 다 떨어져서 배고픔을 면하기 어려웠고, 넷째는 일이 이미 해결되었으므로 올 때처럼 서두르지 않아도 되었다. 그러나 올 때보다 더욱 운이 나빴다. 송나라의 국경에 들어서자마자 두 번이나 검문을 당했고, 도성 가까이에 이르러서는 또 의연금을 모집하는 구국대를 만나 낡은 보따리를 빼앗겨 버렸다. 남쪽 관문 밖에 이르러서는 또 큰비를 만나 성문 아래에서 비를 피하려다가 창을 든 두 명의 순찰병에게 쫓겨나서 온몸이 흠뻑 젖었다. 이때부터 코가 열흘 이상이나 막혔다.

— 루쉰, 「비공(非攻)」 —

18. '묵자'와 '공수반'의 대화를 바르게 이해한 것은?

① '묵자'는 '공수반'에게 초나라가 어떻게 하면 전쟁의 대의명분을 얻을 수 있는가에 대해 알려 주고 있다.
② '묵자'는 '공수반'에게 개인의 이익이 나라의 이익에 부합될 때 진정한 충성이 가능하다고 주장하고 있다.
③ '묵자'는 '공수반'이 개인적인 청탁을 거절한 것에 대해 의롭다고 칭찬함으로써 설득에 유리한 상황을 만들고 있다.
④ '묵자'는 '공수반'에게 관리로서의 위민 의식을 지녀야 하며 동향친구로서의 우정에 흔들려서는 안 된다고 충고하고 있다.
⑤ '묵자'는 '공수반'이 송나라 백성을 위해 의로운 일을 행한다면 그가 송나라를 통치할 수 있도록 권력을 양보하려 하고 있다.

19. '공수반'에 대한 설명으로 적절하지 않은 것은?

① '묵자'를 공경하는 태도로 대하면서도 '묵자'의 체류로 인해 자신의 입지가 흔들릴까 경계하였다.
② 이상적 평등주의보다는 천한 백성과 대인의 일을 구분하는 신분의식을 지니고 있다.
③ 스스로 의롭다고 여기면서도 전쟁에서의 살상을 심각한 문제로 고려하지 않았다.
④ 나라를 위해 무기를 만들고 있지만 다른 물건의 제작에도 관심을 보이고 있다.
⑤ '묵자'의 주장에 수긍하면서도 현실 정치에 대해서는 입장 차이를 보였다.

20. <보기>는 루쉰의 글에서 발췌한 것이다. '묵자'의 주장을 통해 루쉰이 드러내고자 한 생각과 가장 가까운 것은?

<보 기>

ㄱ. 지식과 절대 권력은 충돌하기 마련이고 병립할 수 없다. 절대 권력은 사람들의 자유로운 사상을 불허한다. 허용하면 능력이 분산되기 때문이다.
ㄴ. 도덕이라는 것은 반드시 보편적이어야 한다. 누구나 따라야 하고 누구나 행할 수 있어야 한다. 또한 자기와 타인 모두에게 이로워야 존재 가치가 있다.
ㄷ. 인생에서 가장 고통스러운 것은 꿈에서 깨어났을 때 갈 길이 없다는 것이다. 꿈을 꾸고 있는 사람은 행복하다. 아직 갈 길을 발견하지 못했다면 제일 중요한 것은 그를 꿈에서 깨우지 않는 것이다.
ㄹ. 앞길에 무덤이 있다는 것을 분명히 알면서도 기어이 가는 것이 바로 절망에 대한 반항이다. 절망하지만 반항하는 것은 어려운 일이며, 희망으로 인해 전투를 벌이는 것보다 훨씬 용감하고 비장하다.
ㅁ. 구사회, 구세력과의 투쟁은 반드시 단호해야 하고 부단히 계속되어야 한다. 그리고 실력을 키워야 한다. 구사회의 뿌리는 원래 아주 튼튼해서 새로운 운동은 그보다 훨씬 큰 힘이 없으면 아무것도 뒤흔들 수 없다.

① ㄱ ② ㄴ ③ ㄷ
④ ㄹ ⑤ ㅁ

언어이해

[21~23] 다음 글을 읽고 물음에 답하시오.

 음악에서 개별적인 음 하나하나는 단순한 소리일 뿐 의미를 갖지 못한다. 이 음들이 의미를 가지려면 음들은 조화로운 방식으로 결합된 맥락 속에서 파악되어야 한다. 그렇다면 그 맥락은 어떻게 형성되는가? 이를 알기 위해서는 음악의 기본적인 요소인 음정과 화음, 선율과 화성의 개념을 이해할 필요가 있다.

 떨어진 두 음의 거리를 '음정'이라고 한다. 음정의 크기(1도~8도)와 성질(완전, 장, 단 등)은 두 음의 어울리는 정도를 결정하는데, 그에 따라 음정은 세 가지, 곧 완전음정(1도, 8도, 5도, 4도), 불완전음정(장3도, 단3도, 장6도, 단6도), 불협화음정(장2도, 단2도, 장7도, 단7도 등)으로 나뉜다. 여기서 '한 음의 중복'인 완전1도가 가장 협화적이며, 완전4도 <도-파>는 완전5도 <도-솔>보다 덜 협화적이다. 불완전음정은 협화음정이기는 하나 완전음정보다는 덜 협화적이다.

 중세와 르네상스 시대에는 수직적인 음향보다는 수평적인 선율을 중시하는 선법 음악이 발달했다. 선법 음악은 음정의 개념에 근거한 다성부 짜임새를 사용했는데, 이는 두 개 이상의 선율이 각각 서로 독립성을 유지하면서도 선율과 선율 사이의 조화가 음정에 따라 이루어지는 대위적 개념에 근거한 것이었다. 따라서 각각의 선율은 모두 동등하게 중요했으며, 그에 반해 그 선율들이 만들어 내는 수직적인 음향은 부차적이었다.

 중세의 선법 음악에서는 완전하게 어울리는 음정을 즐겨 사용했다. 그래서 기본적으로 완전음정만을 협화음정으로 강조하면서 불완전음정과 불협화음정을 장식적으로만 사용했다. 하지만 르네상스 시대에 이르러 불완전음정인 3도와 6도를 더 적극적으로 사용하기 시작했다. 특히 16세기 대위법의 음정 규칙에서는 악보 (가)의 예가 보여 주듯이 음정의 성질에 따라 그 진행이 단계적으로 이루어지도록 했다. 예를 들면 7도의 불협화적인 음향이 '매우' 협화적인 음향인 8도로 진행하기 전에 '적당히' 협화적인 음향인 6도를 거치도록 했는데, 이를 통해 선법 음악이 추구하는 자연스러운 음향을 표현할 수 있도록 했다. 이는 2도 - 3도 - 1도의 진행에서도 확인할 수 있다.

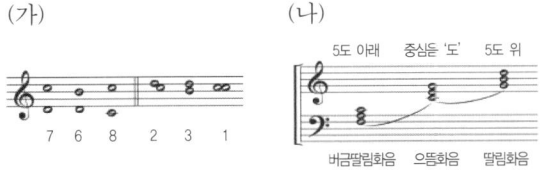

 한편 불완전음정 3도가 완전5도를 분할하는 음정으로 사용되면서 '화음'의 개념이 출현하게 되는데, 이러한 변화는 음의 결합을 두 음에서 세 음으로 확장한 것이다. 예컨대 <도-미-솔>을 음정의 개념에서 보면 <도-솔>, <도-미>, <미-솔>로 두 음씩 묶은 음정들이 결합된 소리로 판단되지만, 화음의 개념에서는 이 세 음을 묶어 하나의 단위, 곧 3화음으로 본다. 이와 같이 세 음의 구성을 한 단위로 취급하는 3화음에서는 맨 아래 음이 화음의 근음(根音)으로서 중요하며, 그 음으로부터 화음의 이름이 정해진다. 또한 이 근음 위에 쌓는 3도 음정이 장3도인지 단3도인지에 따라 화음의 성격을 각각 장3화음, 단3화음으로 구별한다. 예를 들면 완전5도 <도-솔>에 장3도 <도-미>를 더한 <도-미-솔>은 '도 장3화음'이며, 단3도 <도-미♭>을 더한 <도-미♭-솔>은 '도 단3화음'이다. 화성적 음향이 발달해 3화음 위에 3도를 한 번 더 쌓으면 네 개의 음으로 구성된 화음이 생기는데, 이것을 '7화음'이라고 부른다. 예를 들어, 위의 <도-미-솔>의 경우 <도-미-솔-시>가 7화음이다.

 조성 음악은 이러한 화음의 개념에 근거해서 발달한 것이다. 수평적인 선율보다 수직적인 화음을 중시하는 양식으로 르네상스 시대 이후 등장한 조성 음악에서는 복합층으로 노래하던 다성부의 구조가 쇠퇴하는 대신 선율과 화성으로 구성된 구조가 등장하였다. 이러한 구조에서는 선율이 화음에 근거하여 만들어지기 때문에, 수평적인 선율 안에 화음의 구성원들이 '내재'한다.

 조성 음악에서 화음들의 연결을 '화성'이라 한다. 말하자면 화성은 화음들이 조화롭게 연결되어 만들어 내는 맥락을 뜻한다. 악보 (나)가 보여 주듯이 조성 음악에서는 5도 관계에 놓인 세 화음이 화성적 맥락을 형성하는 근본적인 역할을 한다. '도'를 중심으로 해서 이 음보다 5도 위의 '솔', 5도 아래의 '파'를 정하면, '도'가 으뜸음이 되며 '솔'은 딸림음, '파'는 버금딸림음이 된다. 이 세 음을 근음으로 하여 그 위에 쌓은 3화음이 '주요 3화음'이 되는데, 이를 각각 으뜸화음, 딸림화음, 버금딸림화음이라고 한다. 이 세 화음은 으뜸화음으로 향하는 화성 진행을 만든다.

21. 위 글의 내용과 일치하지 않는 것은?

① 완전음정 <도-솔>은 완전음정 <도-도>보다 덜 협화적이다.
② 르네상스 시대보다 중세 시대에 협화적인 음정을 더 많이 사용하였다.
③ 2도-3도-1도의 진행은 불협화음정-불완전음정-완전음정의 단계적 진행이다.
④ 장3화음과 단3화음은 근음 위에 쌓은 3도 음정의 성질에 따라 구별된다.
⑤ 화음의 개념에 근거한 선율만으로는 곡의 주요 3화음을 알 수 없다.

22. 선법 음악에서 조성 음악으로의 변화를 바르게 설명한 것은?

① 음의 재료가 협화적 음정에서 불협화적 음정으로 바뀌었다.
② 대위적 양식에서 추구하던 선율들의 개별적인 독립성이 쇠퇴하였다.
③ 수직적인 음향을 강조하던 것이 수평적인 선율을 중시하는 것으로 바뀌었다.
④ 화성적 맥락으로 전환되면서 3도 관계의 화음들이 근본적인 화성 진행을 만들었다.
⑤ "화성은 선율의 결과이다."라는 사고가 발달하면서 선율과 화성의 구조를 사용하였다.

23. <조건>에 따라 <보기>의 곡을 작곡했다고 할 때, 이에 대한 설명으로 적절하지 않은 것은?

―<조 건>―
○ 선율은 '도'를 으뜸음으로 한다.
○ 한 마디에는 하나의 화음을 사용한다.

① ㉠의 화음에는 '미'가 내재되어 있다.
② ㉡에는 버금딸림 7화음이 사용되었다.
③ ㉢에는 딸림 7화음이 사용되었다.
④ 으뜸화음에서 시작하여 으뜸화음으로 끝난다.
⑤ 각 마디의 첫 음은 그 마디에 사용된 화음의 근음이다.

[24~26] 다음 글을 읽고 물음에 답하시오.

　제3공화국(1875~1940)이 수립된 지 얼마 되지 않아 노동자 정당이 의회에 진출하여 세력화한 사건은 프랑스 정치사에서 매우 흥미로운 관찰 대상이다. 강력한 노동조합 세력을 기반으로 하고 있었던 노동자 정당은 의회주의 노선을 취하면서도 한편으로는 여전히 공화국 체제를 넘어서려는 혁명적 성격을 지니고 있었기 때문이다. 제3공화국으로서는 가장 강력한 위협 세력이 될 수 있는 노동자 정당의 문제 제기를 적극 수용하면서 대의제를 핵심으로 한 체제를 안정화해야 할 이중의 과제를 안고 있었다. 그런데 이 과제의 수행은 의회와 행정부 사이의 권력 분립의 원칙 및 국가의 역할에 매우 중대한 변화를 야기하였다.

　우선 노동자 정당의 세력화는 기왕의 의회주의적 대의제 개념에 균열을 가져왔다. 투표함 앞에서 모두가 한 표씩의 권리를 행사하는 평등한 시민의 이익만이 아닌, 특정한 집단들의 특수 이익들을 어떻게 설정하고 이해할 것인가를 둘러싼 논의가 시작되었다. 개인뿐 아니라 직업 집단이나 조합 등까지도 대표의 단위로 설정해야 할 필요성이 제기된 것이다. 이에 따라 평등한 개인들을 대표한 입법부의 절대적 지위에 변화가 생겼다. 그 대신 행정부가 이익들을 대표하는 기능을 수행하면서 역할과 권한을 확대하였다. 예를 들어 1890년에 정부 내에 노동자 대표가 참여하는 노동 위원회가 설치되었고, 1906년에는 이것이 노동부로 개편되었다.

　행정부는 특화된 분야에서의 전문성과 경험을 장점으로 지닌 다양한 자문 위원회의 설치를 통해 대의적 기관으로서의 정당성을 확보해 갔다. 나아가 대의제를 다양한 이익들을 적극적으로 인식하고 수용하는 것이라는 새로운 개념으로 재정립하면서 사회의 거의 모든 영역을 포괄하는 대표로서 기능하였다. 이를 통해 사회와의 적극적인 대화자라는 국가의 상(像)이 정립되었다. 제3공화국은 78개에 이를 정도로 많은 위원회를 만들어 운영했다. 그 절정은 국가 경제 위원회(1916)였다. 국가 경제 위원회는 37개 직업 집단으로 구분된 대표 체제를 형성하여 국가 경제 활동의 충실한 대표가 되었다. 국가는 전문적인 기술과 장치들을 통해 사회의 다양한 특수 이익들을 파악하고 그것들의 조정과 소통을 통해 일반 이익을 형성하며, 나아가 일반 이익의 형성을 통해 권력의 정당성을 확보하는 주체가 된 것이다.

　한편 노동자 정당의 세력화는 사회적 연대의 형성과 강화에도 영향을 끼쳤다. 제3공화국 초기에 정부는 노동자와 사용자 간의 공정한 중재자 역할을 하는 것으로 스스로를 국한했다. 그렇기 때문에 자신의 역할을 직업 단체 결성의 자유 보장, 교육의 확대, 극빈자의 보호 등에 한정하면서 사회 문제에는 적극적으로 개입하지 않았다. 정부의 대책도 생활 능력이 없는 자에 대한 시혜적 성격의 부조에 머물렀다. 하지만 노동자 정당이 세력화하면서 국가는 사회 문제에 대한 좀 더 근본적이고 적극적인 해결책으로 사회 정의를 위한 정치를 지향하는 연대주의를 제시했다. 개인들 간의 자유로운 계약에 앞서 모두가 자유로운 사회 계약 능력을 갖출 수 있도록 하는 연대주의는, 경제적 자유주의와 마르크스주의 모두로부터 거리를 두는 복지 국가를 개념화한 것이기도 했다. 그 단적인 예가 실업을 국가적 차원에서 관리하는 실업 보험 제도의 도입(1914)이었다. '실업'과 '실업자'라는 개념을 고안해 낸 국가는 이 문제를 개인의 무능과 게으름이 아닌, 사회적 원인에 의해 만들어진 사회적 실재로서 인정하고, 이를 체계적으로 관리하기 시작하였다. 이 과정에서 만들어진 복지 정책이 노동자 정당의 요구에 따라 시작된 사회적 연대의 결실이었던 것은 분명하다. 하지만 이러한 연대를 통해 국가는 시민의 권리를 확장하면서 노동자 계급을 자신의 구성원으로 포섭하였다.

노동자 정당의 출현과 함께 일어난 대의제 개념의 변동 그리고 사회적 연대의 형성은 프랑스 민주주의의 새로운 틀을 마련하였다. 그것은 대표 기관으로서의 국가의 정당성 확보와 시민 권리의 확장이라는 두 요소가 확장된 대의제를 통하여 순환적으로 영향을 주고받는 민주주의의 원환(圓環)을 형성하였음을 의미한다. 이 원환 속에서, 민주주의 체제를 부정하려 했던 노동자 정당은 체제 내에 안정적으로 자리 잡게 되었다.

하지만 이 과정에서 국가의 역할이 지속적으로 확대되었던 점을 놓쳐서는 안 될 것이다. 국가는 개인의 자유를 외부의 위협으로부터 지키는 수준을 넘어 시민의 교육자, 나아가 적극적인 보호자로서 등장하면서 시민들의 삶 자체를 관리하는 거대 권력이 되었다. 국가 권력에 대한 강력한 비판자로 등장하였던 노동자 정당마저도 그 거대 권력 속에 포섭되어 권력기관화되었다. 이 점에서 오늘날 국가를 민주주의적으로 제어하는 것은 ㉠민주주의의 새로운 과제가 되고 있다.

24. 위 글의 내용과 일치하지 <u>않는</u> 것은?
① 행정부 내의 위원회들은 거의 모든 공적 영역을 포괄하였다.
② 노동 위원회의 설치는 행정부의 권한과 역할 강화에 기여하였다.
③ 행정부는 권력의 정당성을 공적 기능의 확대를 통해 획득하고자 하였다.
④ 제3공화국 초기에 정부는 사회 문제 해결에 적극적으로 개입하지 않았다.
⑤ 복지 국가의 개념이 확립된 이후 부조가 사회 문제를 해결하는 국가의 기본 대책이 되었다.

25. 제3공화국에서 민주주의의 변동 과정을 보여 주는 것으로 적절하지 <u>않은</u> 것은?
① 사회적 연대를 통한 국가 구성원으로서의 소속감 강화
② 사회 문제를 인식하기 위한 국가의 기능 확대
③ 의회주의를 통한 특수 이익 대표 체계의 강화
④ 사회 정의를 위한 국가의 적극적 역할 요구
⑤ 노동자 정당의 성장과 체제 내 포섭

26. ㉠으로 가장 적절한 것은?
① 정부 내 위원회 확충을 통한 행정의 전문성 제고
② 사회적 불평등을 해소하기 위한 국가 역할의 강화
③ 정책 감시와 같은 시민의 정치 참여 통로의 다양화
④ 효율적인 여론 수렴 방식을 통한 정책의 정당성 확보
⑤ 특수 이익들로부터 간섭받지 않는 국가 자율성의 확보

[27~29] 다음 글을 읽고 물음에 답하시오.

성종 24년 9월 예조 판서 성현이 글로 아뢰기를,
"근일의 전지(傳旨)에, '관상감·사역원·전의감·혜민서는 본래 사족(士族)이 아니니 문반(文班)과 무반(武班)에 넣지 말고 내의원만 넣어라.' 하셨습니다.

[A]
하오나 신은 천문, 지리, 복서(卜筮), 의약, 통역 등 일체의 잡학(雜學)은 나라를 다스리는 데 도움이 되지 아니하는 것이 없으므로 그중에서 하나도 빼놓을 수가 없는 것이라고 생각합니다. 조종조(祖宗朝)로부터 잡학을 문반의 직임으로 삼고 잡과 과거 제도까지 설치한 것은 그 임무를 중하게 여겼기 때문입니다.

이미 세종께서는 문교(文敎)를 중요하게 생각하시고 또 잡학에도 뜻을 두셨기 때문에 당시 인재가 많이 나왔으며, 혹 그중에 뛰어난 사람이 있으면 발탁하여 등용하기도 하셨습니다. 그런데 지금 잡학으로 이름이 있는 자는 모두 이미 늙어서 장차 채용할 만한 사람이 없습니다. 지방의 한미한 무리로서 문관이나 무관의 벼슬을 얻지 못한 자가 다만 삼사(三司)에 소속되어 이름을 걸어 놓고 그 음덕이 자손에게 끼쳐지기를 바라고 있을 뿐인데, 논밭과 하인도 없이 오랫동안 서울에 머물고 있어서 고생이 막심합니다. 그런데 지금 다 잡학의 부류라고 논하여 정한다면 비록 참상관이라 하더라도 혹 논핵을 당할 경우 법관이 바로 잡아다가 문초할 것이고, 직위가 3품에 오른 자도 음덕이 자손에게 미치지 못할 것입니다. 이와 같다면 사람들이 다 흩어져 버릴 것이니, 누가 즐기어 소속되기를 바라겠습니까? 더욱이 내의원과는 업무상 차이가 없으니 어찌 구별할 수가 있겠습니까? 청컨대 예전 그대로 두소서.

신이 분수에 넘치게 성상의 은혜를 입어 예관(禮官)으로 있으니, 맡은 바 문교와 잡학의 일에 생각한 바가 있어 감히 아뢰지 않을 수 없기에 권장할 만한 방도를 다음에 조목으로 진술하겠습니다.
1. 잡학 중에서 역어(譯語)가 더욱 정밀하지 못하여 매매할 때 쓰는 일상어도 능히 통달하지 못하니, 하물며 중국 사신을 접대할 때에 전하는 말이 어긋나지 않는 자가 몇 사람이나 되겠습니까? 근년에 제조(提調)들은 거의 다 그 말을 알지 못하여 취재(取才)하여 선발할 때 그 무리에게 맡기므로 인정을 쓰고 사사로움을 따르는 폐단이 없지 않으니, 어찌 국가에서 법을 만든 뜻이겠습니까? 금후 제조는 한어(漢語)를 해득한 자로 임명하소서.
1. 역관을 취재할 때 경서와 역사서를 강론하는데 먼저 깊은 뜻을 물으면서도 한어의 음과 뜻은 묻지 아니하고, 『노걸대』, 『박통사』 등의 책은 다만 외우게만 하고 그 뜻을 묻지 아니하니, 심히 불가합니다. 금후는 사서(四書)와 경서와 역사서는 한어로 음을 읽은 뒤에 주소(註疏)의 깊은 뜻을 묻고, 『노걸대』 등의 책은 외우게 한 뒤에 반복해서 따져 물어야 할 것입니다.
1. 왜학과 여진학을 취재함에 있어서는 다만 글자만 쓰게 하므로, 과거를 보는 자는 한갓 글자 획만 익히며 제조는 다만 글자 획만 참고하고 말의 음은 전혀 묻지 아니하니, 합격자는 말 한 마디도 알지 못하고 국록을 받게 되므로 조정을 기만함이 심합니다. 금후로는 『노걸대』, 『박통사』를 그 말로 번역하게 하고, 취재 할 때에는 음을 묻는 것과 글자 쓰는 것을 겸해서 한다면 두 가지를 온전하게 해서 폐단이 없을 것입니다.

1. 『역어지남(譯語指南)』은 다만 물건의 이름만을 기록하고 그 자세한 것은 다 기록하지 아니하였으니, 날마다 쓰는 보통 말도 또한 다 분류해서 첨가해야 할 것입니다. 왜어와 여진어도 한어처럼 '지남(指南)'을 만들어서 처음 배우는 사람으로 하여금 익히게 해야 합니다." 하니,

전교하기를,

"관상감 등의 관원을 문관과 무관의 예로 논하는 것이 타당하냐 아니하냐를 대신에게 의논하게 하라." 하였다.

이극배가 의논하기를,

"전의감과 혜민서는 질병을 다스리고, 관상감은 천문을 살피고, 사역원은 한어를 전하고, 율학(律學)과 산학(算學) 또한 모두 빼놓을 수 없는 임무입니다. 이 때문에 조종조로부터 중히 여겨 문반과 무반에 넣었는데, 지금은 다 그렇지 아니하고 단지 내의원과 내시부 등만 문관과 무관의 반열에 참여하니, 이것이 잡학인이 통분해 하는 까닭입니다." 하고,

허종은 의논하기를,

"잡학인이 문관과 무관의 반열에 참여한 것은 그 유래가 이미 오래되었는데, 지금 만일 잡학직이라고 논하면 누가 즐겨 입속하여 그 직무를 힘써 익히겠습니까? 이 법은 결코 시행해서는 안됩니다." 하고,

이철견 등은 의논하기를,

"대저 조종의 법은 가볍게 고칠 수 없는 것인데, 지금 이유 없이 잡학직으로 강등하여 옛법을 어지럽히고 인망을 잃는다면 지극히 편하지 않을 것이니, 예전 그대로 두는 것이 어떠하겠습니까?" 하였다.

(중략)

전교하기를,

㉠"예전대로 하는 것이 좋겠다." 하였다.

— 『조선왕조실록』 —

27. 위 글에서 알 수 있는 사역원의 현황으로 옳지 <u>않은</u> 것은?

① 역관에게는 역사 지식도 중시되었다.
② 역관 선발이 엄정하게 관리되고 있었다.
③ 회화 능력이 뛰어난 역관이 부족하였다.
④ 역관 선발 과정에서 실무 능력이 간과되고 있었다.
⑤ 외교를 위해 중국어·일본어·여진어 역관을 양성하였다.

28. ㉠과 같은 결정을 이끌어 내기 위해 신하들이 제시한 근거가 <u>아닌</u> 것은?

① 잡과 과거 제도 확대의 당위성
② 지속적 인재 충원의 필요성
③ 전문적 잡학직의 중요성
④ 잡학 기관 간의 형평
⑤ 조종의 법의 권위

29. 위 글의 [A]와 <보기>를 비교한 것으로 적절하지 <u>않은</u> 것은?

<보기>

하늘이 백성을 내시고 이를 나누어 사민(四民)을 삼으셨으니, 사·농·공·상이 각각 자기의 분수가 있습니다. 선비는 여러 가지 일을 다스리고, 농부는 농사에 힘쓰며, 공인은 공예를 맡고, 상인은 물화를 유통시키는 것이니 뒤섞여서는 안 되는 것입니다. 역관과 의관 등의 잡학인은 나라에 없을 수 없지만, 직임은 각기 분수에 마땅하게 해야 할 것입니다. 어찌 반드시 군자와 소인을 같이 거처하게 하고, 귀천을 섞이게 한 연후에야 권장이 되겠습니까? 벼슬과 상은 임금이 영웅을 다루는 방도입니다. 그러므로 옛날의 성왕(聖王)은 재덕(才德)이 탁월하거나, 혹은 공로가 중대하고, 혹은 다스린 성과가 제일인 자를 발탁한 일은 있어도, 환관과 역관, 의관을 중용했다는 것은 듣지 못하였습니다. 삼가 바라건대 즉시 내리신 명령을 거두시어 잡학인이 청류(淸流)에 섞이지 않게 하소서.

① [A]와 <보기>는 모두 잡학의 필요성을 인정하고 있다.
② [A]와 <보기>는 모두 잡학인에 관련된 과거의 사실을 언급하고 있다.
③ [A]와 <보기>는 잡학인의 처우 개선에 대한 견해가 서로 일치하고 있다.
④ [A]는 <보기>와 달리, 잡학인의 현실적 상황을 구체적으로 언급하고 있다.
⑤ <보기>는 [A]와 달리, 직분에 따른 신분제의 불가변성을 주장의 전제로 제시하고 있다.

언어이해

[홀수형]

[30~32] 다음 글을 읽고 물음에 답하시오.

1587년 프랑스의 한 마을 주민들이 포도 농사를 망친 곤충 바구미 떼를 인근 교회 법원에 고소했다. ㉠주민의 변호인은 성서를 인용하여, 인간은 자연을 지배할 권리를 가지며 자연의 유일한 존재 이유는 인간에게 봉사하고 복종하는 데 있다고 했다. 이에 대해 법원에 의해 선임된 ㉡바구미의 변호인은 신은 동물에게 번식과 생존을 명했으며 바구미는 자연법이 인정하는 권리를 행사한 것이라고 변론했다. 결국 주민들은 바구미의 권리를 인정하되 대체 서식지를 증여하는 계약을 바구미와 체결했다.

당시 유럽에서는 이런 식으로 동물이 교회 권력 혹은 국왕이나 영주 등의 세속 권력에 의해 재판을 받는 일이 있었다. 세속 재판에 회부된 동물 피고는 주로 사람을 죽인 가축들이었다. 돼지가 가장 흔했고, 소, 말, 개도 법정에 섰다. 교회 재판에서는 인간에게 해를 끼친 작은 동물이나 곤충들이 피고가 되었다. 재판은 사람에게 적용되는 소송 절차를 엄수하였다. 유죄가 증명되면 세속 법원은 관습법에 따라 사형을, 교회 법원은 교회법에 근거하여 저주와 파문을 선고했다.

동물 재판 관행은 13세기부터 본격화되어 16세기에 정점에 이르렀다. 이 시기 유럽에서는 고대 로마법학의 성과를 바탕으로 세속과 교회에서 법학이 발전하는 등, 근대법을 위한 기반이 다져지고 있었다. 이런 시기에 비합리적으로 보이는 이러한 관행이 어떻게 존재할 수 있었을까? 혹자는 이 물음의 답을 동물과의 충돌이 빈번할 수밖에 없는 생활 조건과 동물을 의인화하는 민중문화에서 찾기도 하지만, 주목해야 할 점은 당시 성·속의 엘리트들이 이 관행을 이론적·실무적으로 뒷받침하고 있었다는 것이다.

동물 재판은 13세기 이후 공권력의 역할과 권한이 강화된 새로운 재판 제도하에서 이루어졌다. 중세 초기의 재판 제도는 사실상 개인들의 자력 구제를 재판의 형식에 집어넣은 수준에 불과했다. 민사와 형사 재판의 구별도 모호했고, 공적인 형벌 제도도 없었다. 이에 반해 새로운 재판 제도에서는 합리적인 소송 규칙에 따라 법원이 사건의 실체를 규명하고 판결을 내렸다. 이에 따라 공권력이 동물을 상대로 한 소송을 다룰 수 있게 되었다.

동물 재판을 옹호한 엘리트들은 이를 정당화하기 위해 성서에 나오는 뱀에 대한 저주의 사례라든가 사람을 들이받아 죽인 소를 돌로 쳐 죽이게 한 모세의 율법 등을 원용하였다. 그것들은 세속 법원과 교회 법원의 동물 재판 관행에 대한 법리적 비판에 맞설 수 있는 강력한 전거들이었다. 인간을 포함한 만물은 인간을 정점에 둔 위계적 질서 속에서 신이 부여한 본성에 따라 살아간다고 보는 기독교적 자연법론도 이론적 근거를 제공하였다. 우주의 법질서는 신의 섭리로 간주되는 영원법, 그것을 인간 이성으로 파악한 보편타당하고 불변적인 자연법, 그리고 인간이 정한 인정법으로 구성된다. 인간과 자연은 자연법에 구속되며, 자연법에 반하는 인정법은 법적 효력이 없다. 이러한 이론에 근거하여 앞의 바구미 사건에서와 같은 논쟁도 가능했고, 동물이 사물의 자연적 질서를 위반하면 범죄로 보아 처벌할 수 있다는 논리도 성립하였다. 엘리트들의 관점에서 동물 재판은 동물을 영원법과 자연법에 복종시키기 위한 엄숙한 절차였다. 그들은 동물 재판을 통해 자신들의 법과 정의의 개념을 인간 사회뿐만 아니라 자연계에까지 적용하고자 했다. 그런 의미에서 동물 재판은 13세기 이후 등장한 인간 중심적 법 개념에 의한 자연의 영유(領有)를 보여 준다. 이렇게 해서 동물 재판은 엘리트들의 보증하에 민중 문화와 상호작용하며 현대인의 눈에 기괴하게 보이는 광경을 연출하였던 것이다.

[A] 그 시대에 동물 재판이 가졌던 의미를 이해하기 위해서는 재판이 가진 문화적 퍼포먼스로서의 기능에도 주목할 필요가 있다. 돼지가 아이를 물어 죽이고 수탉이 달걀을 낳는 사태 앞에서 동물 재판은 판결에 이르는 법적 절차를 통해 사태를 설명하는 서사를 구성하고 '본성을 벗어난' 동물을 처벌함으로써, 사람들로 하여금 혼란을 극복하고 평상으로 돌아갈 수 있게 해 주었다. 이를 통해 사람들은 그들의 세계와 질서가 안전하며 정당하다는 것을 확인할 수 있었다.

30. 위 글의 동물 재판에 대한 설명으로 적절하지 <u>않은</u> 것은?

① 교회 법원과 세속 법원이 다른 종류의 형벌을 선고하였다.
② 엘리트의 법 관념과 민중 문화 모두에 기초하고 있었다.
③ 공권력의 성장이 재판 관행에 중요한 영향을 미쳤다.
④ 기독교적 자연법에 재판 절차에 관한 규칙이 있었다.
⑤ 성서적 권위를 통해 재판의 정당성을 확보하였다.

31. [A]에서 언급한 동물 재판의 기능을 가장 잘 설명한 것은?

① 사실 관계와 죄책을 규명하여 응보의 근거를 확보하였다.
② 신의 징벌을 대행하는 의례를 통해 교회법의 신성함을 수호하였다.
③ 인격화된 동물에 대한 재판과 처형을 통해 인간의 속죄 의식을 고양하였다.
④ 범죄가 예외 없이 처벌됨을 증명하여 지배 질서의 권위를 과시하였다.
⑤ 인간의 규범을 통해 사태에 대한 통합적 해석을 얻고 질서 회복에 대한 믿음을 공유하게 하였다.

32. <보기>는 어떤 소송에서의 원고의 주장과 법원의 판결을 요약한 것이다. <보기>의 (가), (나)와 위 글의 ㉠, ㉡의 주장을 비교하여 서술한 것으로 가장 적절한 것은?

―〈보 기〉―

(가) 원고의 주장
  자연과 인간은 하나이고 인간은 자연에 대해 특별한 지위를 갖고 있지 않다. 자연물의 고유한 가치를 자연의 권리로 인정하면, 환경 분쟁에서 유효적절하게 기능할 것이다. 현행법이 자연인이 아닌 법인에 법인격을 부여하고 있듯이 자연물에 대해 법적 주체성을 인정하는 법해석이 논리적으로 가능하다. 현행법 하에서 도롱뇽은 소송 당사자가 될 수 있다.

(나) 법원의 판결
  자연의 권리 및 자연물의 당사자 능력을 인정하는 성문 법률도 없고 그러한 관습법이 통용되고 있지도 않는 이상, 현행법하에서 도롱뇽은 소송 당사자가 될 수 없다.

① 자연에 대한 인간의 지위를 보는 (가)의 관점에 대해서 ㉠은 동의할 것이다.
② 동물이 권리의 주체가 되려면 법의 변경이 필요하다고 본다는 점에서 (가)와 ㉡의 입장은 일치한다.
③ (나)가 언급하는 법에 대해서 ㉠은 자신이 근거로 삼은 법이 상위의 것이라고 볼 것이다.
④ 모든 권리가 인정법에 근거하는가에 대해서 (나)와 ㉡의 입장은 일치한다.
⑤ (가)와 (나)의 논의에 등장하는 자연의 권리라는 주제에 대해 ㉠과 ㉡은 그것을 신의 섭리 밖의 문제라고 볼 것이다.

[33~35] 다음 글을 읽고 물음에 답하시오.

 지구 주위를 돌고 있는 수많은 인공위성에는 지표를 세밀히 관측할 수 있는 다양한 영상 센서가 탑재되어 있다. 1960년대 초반부터 주로 군사적 목적으로 개발되기 시작한 위성 영상 센서는 근래에는 지구 환경의 이해를 위한 과학적 목적으로도 광범위하게 사용되고 있다. 원격탐사학은 이러한 센서 시스템을 통하여 비접촉 방식으로 물체에 대한 정보를 취득하고 분석하는 학문이다. 이를 바르게 이해하기 위해서는 원격탐사에 사용되는 에너지와 물체 간의 복잡한 상호 작용을 살펴보아야 한다.
 태양으로부터 방출된 복사 에너지는 전자기파의 형태로 우주공간을 빛의 속도로 진행한 후 지구 대기를 통과하여 지표면에서 반사된 다음 다시 대기를 거쳐 위성 센서에 도달하는 방식으로 측정된다. 물체에 입사하는 에너지와 반사되는 에너지의 비를 반사율이라 하는데, 원격탐사는 파장에 따른 반사율인 분광 반사율을 이용하여 물체의 성질을 알아낸다.
 물체는 다양한 파장의 복사 에너지를 방출하는데, 그중 에너지가 최대인 파장을 '최대 에너지 파장'이라 한다. 표면의 절대 온도가 약 6,000 K인 태양의 최대 에너지 파장은 0.48 μm이다. 이에 맞추어 초기의 위성 영상은 가시광선(0.4~0.7 μm)만을 이용했는데, 근래에는 기술의 발달로 사람의 눈으로는 볼 수 없는 근적외선, 중적외선, 열적외선 등 다양한 파장 대역을 이용할 수 있게 되어 원격탐사의 유용성이 더욱 커졌다.
 예를 들어 우리 눈에는 천연 잔디와 인공 잔디가 똑같이 녹색으로 보이지만, 근적외선(0.7~1.2 μm)을 사용하면 두 물체는 확연히 구별된다. 녹색의 잎은 이 대역에서 약 50%의 강한 반사를 일으켜 위성 영상에서 밝게 보이는 반면, 인공 잔디는 약 5%만을 반사하여 어둡게 보이기 때문이다.
 중적외선(1.2~3.0 μm)은 잎의 수분 함량에 대한 민감도가 가시광선보다 뛰어나 작물의 생육 상태와 관련된 중요한 정보를 얻는 데 사용된다. 또한 중적외선은 광물이나 암석의 고유한 분광 반사 특성을 이용한 자원 탐사에도 활용된다. 도자기의 원료인 고령토는 2.17, 2.21, 2.32, 2.58 μm의 중적외선을 흡수하는데, 어떤 물체의 분광 반사율이 이와 같은 특성을 가진다면 이는 고령토로 판단할 수 있다.
 지구에서 방출되는 지구 복사 에너지가 집중되어 있는 열적외선 (3~14 μm)은 지표면의 온도 분포에 대한 정보를 제공한다. 물체가 방출하는 복사 에너지의 최대 에너지 파장은 물체의 절대 온도에 반비례하므로, 산불(온도 약 800 K, 최대 에너지 파장 3.62 μm) 감시나 지표면의 토양, 물, 암석 등(온도 약 300 K, 최대 에너지 파장 9.67 μm)의 온도 감지에는 열적외선 센서가 유용하다.
 여기서 전자기파는 지표에 도달하기 전과 반사된 후에 각각 대기 입자에 의해 산란·흡수된다는 점에 유의해야 한다. 대기 중에 먼지, 안개, 구름이 없는 청명한 날에도 산소나 질소 입자와 같이 입사파의 파장보다 월등히 작은 유효 지름을 가지는 대기 입자에 의하여 산란이 발생한다. 이를 레일리 산란이라 하는데, 그 강도는 파장의 4제곱에 반비례한다. 예를 들어 파장이 0.32 μm인 자외선은 파장이 0.64 μm인 적색광에 비하여 약 16배 강한 산란을 보인다. 레일리 산란은 대기의 조성과 밀도를 알려 주는 중요한 지시자가 되기도 하지만, 지표를 촬영한 위성 영상의 밝기와 대비를 감쇠시키므로 이 점을 고려해야 한다. 일부 원격탐사시스템 중에는 레일리 산란의 영향이 큰 청색을 배제하고 녹색, 적색, 근적외선 센서들로만 구성하여, 천연색 영상의 획득을 포기하는 경우도 있다.

대기 중 전자기파의 흡수는 물질의 고유한 공명 주파수에 따라 특정한 파장 대역에서 발생하는데, 수증기, 탄소, 산소, 오존, 산화질소 등 여러 대기 물질의 흡수 효과가 중첩되므로 일부 파장 대역의 전자기파는 맑은 날에도 지구 대기를 거의 통과하지 못한다. 다행히 가시광선을 비롯한 여러 전자기파 대역은 에너지가 매우 효율적으로 통과되는 '대기의 창'에 속한다. 위성 센서는 반드시 대기의 창에 해당하는 파장 대역에 맞추어 설계되어야 한다. 이 때문에 중적외선 센서는 대기 수분에 의한 강한 흡수 파장인 1.4, 1.9, 2.7 µm를 제외하고 설계하며, 열적외선 센서는 주로 3~5 µm와 8~14 µm 대역만을 사용한다.

33. 위 글의 내용과 일치하지 <u>않는</u> 것은?

① 원격탐사는 다양한 파장의 전자기파를 사용한다.
② 원격탐사를 통해 식물의 분포뿐 아니라 생육 상태도 알아낼 수 있다.
③ 광물이나 암석의 전자기파 흡수는 지표 관측 원격탐사의 방해 요소이다.
④ 대기에 의한 전자기파의 산란과 흡수로 인해 지표 관측 원격탐사에서 보정의 필요성이 생긴다.
⑤ 지표 관측에 사용되는 태양 복사 에너지는 대기를 두 번 통과하여 인공위성 원격탐사 센서에 도달한다.

34. 아래 그림은 지표상의 두 물체 A, B의 분광 반사율과 전자기파의 대기 흡수율을 나타내는 그래프이다. A, B의 위성 영상에 대해 바르게 설명한 것은?

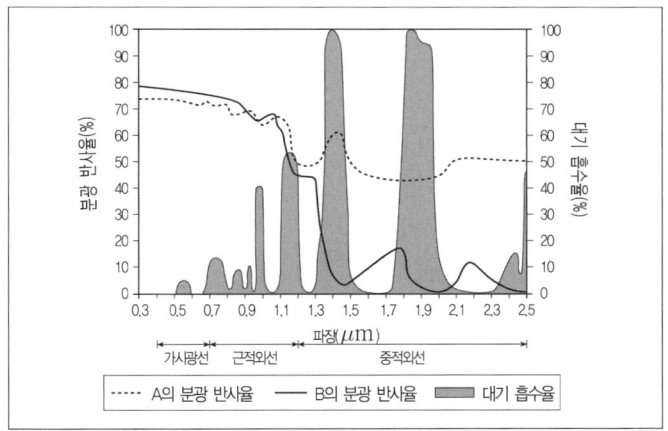

① A는 중적외선 대역 중에서는 약 1.4 µm에서 가장 밝게 보인다.
② B는 가시광선보다 중적외선에서 밝게 보인다.
③ A와 B를 모두 관측할 수 있는 '대기의 창'은 1.9 µm이다.
④ A와 B를 구별하려면 중적외선보다 가시광선 대역이 유리하다.
⑤ A와 B는 1.4 µm보다는 2.2 µm에서 더 효과적으로 구별된다.

35. 위 글을 바탕으로 <보기>의 표에서 <기초 정보>와 <계획>이 바르게 짝지어진 것만을 있는 대로 고른 것은?

―<보 기>―

2099년, 우리 은하에서 발견된 한 외계 행성의 자원 탐사를 위하여 행성 주변 궤도를 돌며 지속적으로 행성 표면을 관측할 인공위성의 영상 센서를 아래와 같이 설계하고자 한다. 이 외계 행성은 아래의 <기초 정보>를 제외하고는 모든 조건이 지구와 동일하다.

	<기초 정보>	<계획>
ㄱ	행성 표면의 평균 온도는 지구보다 낮다.	행성 복사 에너지의 최대 에너지 파장이 지구보다 짧아서 열적외선 센서에 사용되는 파장을 더 짧게 한다.
ㄴ	행성의 대기 밀도는 지구보다 낮다.	레일리 산란이 지구보다 더 강할 것이므로 청색 센서는 제외한다.
ㄷ	행성의 수증기량은 지구보다 적다.	대기의 창이 지구보다 더 확대될 것으로 보이므로, 보다 다양한 파장의 중적외선을 사용한다.

① ㄱ ② ㄷ ③ ㄱ, ㄴ
④ ㄴ, ㄷ ⑤ ㄱ, ㄴ, ㄷ

2027학년도 LEET 대비
기출문제 해설집

2010

영역별 출제 비중 분석

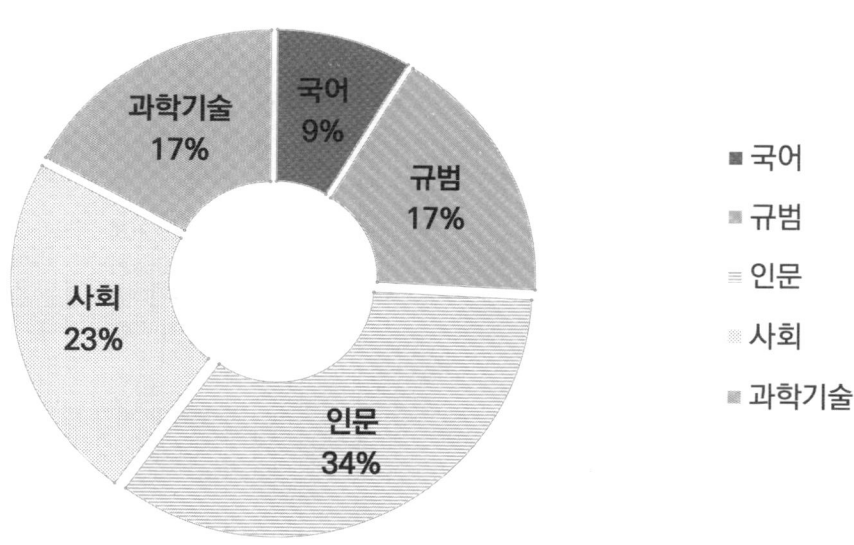

- 국어
- 규범
- 인문
- 사회
- 과학기술

내용 영역	국어	규범	인문	사회	과학기술	총
문항 수	3	6	12	8	6	35

※ 출제 비중은 소수점 첫째 자리에서 반올림하였습니다.

2010학년도 언어이해

출제 경향 분석

2010학년도에는 제시문과 문항의 난이도가 전반적으로 상향 조정되었다. 수험생들이 문항을 푸는 데 느꼈을 심리적 부담은 전체적인 평균 점수 하락으로도 알 수 있었다.

제 1 교시

홀수형

2010학년도 법학적성시험

언어이해 문제지

| 성 명 | | 수험번호 | |

수험생 유의사항

○ 이 문제지는 **32문항**으로 구성되어 있습니다.
 - 본고사는 35문항으로 구성되어 있으나, 본서에서는 미출제 범위 문항(1~3)은 수록하지 않았습니다.

○ **시험 시간은 09 : 00 ~ 10 : 20(80분)입니다.**
 - 시험 시간은 실제 본고사와 동일한 35문항 기준입니다.

○ 문제지에 성명과 수험번호를 정확하게 기재하십시오.

○ 답안지는 반드시 컴퓨터용 사인펜을 사용하여 답을 표기하여야 합니다.

○ 답안지의 '필적확인란'에 제시된 문구를 정확히 정자로 기재하여야 합니다.

메가로스쿨

2010학년도 법학적성시험

언어이해

제1교시 **홀수형**

[4~6] 다음 글을 읽고 물음에 답하시오.

오늘날 경제학은 법적 판단을 내리는 데에도 적극 활용되고 있다. 그 한 사례가 주주들의 집단소송에서 경제 이론을 주요한 근거로 하여 판결이 내려졌던 '베이식 사 대(對) 레빈슨' 사건이다. 베이식 사는 컴버스천 사와의 인수합병을 진행하는 과정에서 이를 공개적으로 부인하다가 결국 컴버스천 사에 합병이 되었다. 그 후, 합병 발표 이전에 주식을 처분했던 일부 주주들은 베이식 사의 부인으로 인해 재산상의 큰 손실을 입었다며 집단소송을 제기했다. 원고 측과 피고 측 사이에 뜨거운 논쟁이 오간 끝에 1988년 미국연방 대법원은 ㉠원고 측의 손을 들어 주는 판결을 하였다.

당시 경제학에서는 "사람들은 기업의 진정한 가치를 염두에 두고 주식 투자를 하며, 해당 기업의 진정한 가치에 관한 모든 정보는 주가에 반영되므로, 기업의 진정한 가치와 주가는 일치한다."라는 전통적 이론이 힘을 발휘하고 있었다. 이 이론이 현실에서 항상 성립하는지 아니면 오랜 기간에 걸쳐 근사적으로만 성립하는지에 대해서는 논란이 있었지만 기본 취지는 많은 학자들의 동의를 얻었다. 연방 대법원은 주식시장이 모든 이에게 열려 있다면 이 이론을 법적 판단에 적용할 수 있다고 보았다. 이러한 상황에서는 사람들이 주가만 가지고도 투자 결정을 내린다고 볼 수 있으므로, 베이식 사가 합병 과정을 공개하지 않음으로써 투자자들로 하여금 잘못된 결정을 하게 하여 재산상의 손실을 입게 했다고 추정할 만한 충분한 합리적 근거가 있다는 것이 연방 대법원의 판단이었다. 이 판결은 이후 부정 공시 관련 집단소송의 판단 기준으로 자리 잡게 되었다. 이는 결국 기업의 진정한 가치에 관한 중요한 정보의 공시와 관련된 분쟁에서 부정 공시로 인한 피해 여부를 어떻게 입증할 것인가 하는 어려운 문제를 해결할 확실한 논리를 경제학이 제공했다는 것을 의미한다.

하지만 ㉡전통적 이론의 정당성을 약화시킬 논의들도 적지 않다. 우선, "주식 투자자들의 진정한 관심은 기업의 가치에 있는 것이 아니라 주식을 얼마에 팔아넘길 수 있는가에 있다."라는 케인스의 주장은 전통적 이론의 근본 전제를 뒤흔드는 비판으로 해석될 수 있다. 그리고 1980년대 초부터는 전통적 이론에 대해 더욱 직접적으로 문제가 제기되었다. 주가가 진정한 가치를 반영한다는 전통적 이론이 성립하려면 진정한 가치에 관심을 기울이는 사람과 그렇지 않은 사람 사이에 끊임없는 매수와 매도의 상호작용이 있어야만 한다. 그리고 이것이 가능하려면 진정한 가치에 관심을 갖는 전문적인 주식 투자자들이 정보가 부족한 투자자들을 상대로 미래 주가의 향방에 대한 상반되는 예상 위에서 매매 차익을 얻을 여지가 있어야만 한다. 그런데 매매 차익을 얻을 기회란 주가와 진정한 가치가, 적어도 단기적으로는, 일치하지 않을 때에만 발생한다는 점에서, 이는 전통적 이론의 또 다른 약점으로 해석될 수 있다.

최근 들어 경제학계에서 새롭게 주목받고 있는 행동경제학은 주식시장의 정보 전달 메커니즘에 관한 전통적 이론의 문제점을 보다 통렬하게 비판하고 있다. 이들은 심리학의 연구 성과를 적극적으로 받아들여 전통적인 견해와는 다른 방식으로 행동하는 인간의 모습을 제시한다. 이들에 따르면, 인간은 자신의 미래를 통제할 수 있다고 과신하는 반면, 남들이 성공할 때 자신만 뒤처지는 것을 지나치게 두려워하는 존재이다. 이러한 비합리적 특성이 주식시장에서 발현되면 심지어 전문적인 투자자들까지도 주가와 진정한 가치의 괴리를 키우는 역설적인 행동을 하게 된다. 이들은 주가가 진정한 가치와 괴리되어 있다고 확신하더라도, 주가가 어느 시점에서 진정한 가치와 일치할지를 정확하게 알 수 없으므로, 현재의 추세가 반전되기 직전에 빠져나갈 수 있다고 자신하며, 다수에 맞서는 대신 대세에 편승하는 선택을 할 것이기 때문이다.

법적 문제의 해결 과정에서 경제학의 다양한 영역 중 그동안 상대적으로 주목을 받지 못했던 연구 성과들을 적극적으로 수용한다면, 연방 대법원의 판결은 이론적 근거도 취약할 뿐더러 기업의 진정한 가치에 관심을 갖는 투자자들을 보호한다는 본래의 취지 또한 제대로 반영하지 못한다는 비판에 직면할 가능성이 높다.

4. ㉠에 담긴 판단 내용으로 보기 어려운 것은?

① 인수합병을 부인한 공시로 인해 주가가 기업의 진정한 가치를 반영하지 못했다.
② 인수합병을 부인한 공시로 인해 주식 투자자들에게 재산상의 손실이 발생했다.
③ 인수합병이 진행 중이라는 정보가 주식시장에 유포되었다면 주가가 상승했을 것이다.
④ 인수합병 진행이 공시되었다면 주식 투자자들은 이것이 반영된 주가를 근거로 투자 결정을 했을 것이다.
⑤ 인수합병을 부인한 공시를 보았던 주식 투자자들이 그동안 공시 자료를 근거로 주식 투자를 해 왔다는 사실이 입증되어야 한다.

5. 위 글의 맥락에서 볼 때, ⓒ에 포함되는 것으로 보기 어려운 것은?

① 주식 투자자들은 기업에 대한 정보의 진위 여부를 판단하기 쉽지 않다.
② 주가가 기업의 진정한 가치에 대한 정보를 신속하게 반영하지 못하고 있다.
③ 주식 투자자들은 기업의 진정한 가치보다는 타인의 선택에 더 큰 영향을 받는다.
④ 주식 투자자들은 대부분 미래의 주가 등락 추세에 대해 같은 방향으로 예상한다.
⑤ 전문적인 주식 투자자는 그렇지 않은 주식 투자자에 비해 기업의 진정한 가치에 대한 더 많은 정보를 가지고 시장에 참여한다.

6. 주식시장의 정보 전달 메커니즘과 관련한 다음의 진술 중 위 글의 '행동경제학'이 동의하지 않을 것은?

① 주식 투자자들은 남들이 돈을 벌 때 자신만 돈을 벌지 못하는 상황을 두려워하여 주식 매매에서 다수의 편에 선다.
② 주식 투자자들은 스스로의 능력을 과신하므로 기업의 진정한 가치에 관한 어떠한 정보에도 관심을 기울이지 않는다.
③ 주식 투자자들은 비합리적인 특성을 띠기 때문에, 주식시장에 더 많은 정보가 제공되더라도 주가가 이를 반영하기는 쉽지 않다.
④ 전문적인 주식 투자자는 주식시장의 정보 전달 메커니즘 내에서 주요한 행위자로 참여한다.
⑤ 미래 주가의 불확실성으로 인해 전문적인 주식 투자자도 기업의 진정한 가치에 근거한 주식 매매를 하기 어렵다.

[7~9] 다음 글을 읽고 물음에 답하시오.

조선시대의 실정법 체계는 한편으로 <대명률(大明律)>과 또 한편으로 <경국대전(經國大典)>, <속대전(續大典)> 등 국전(國典)의 양대 지주로 편성되어 있었다. 이를 전율(典律) 체제라고 한다. 이러한 체제는 어떻게 형성되었을까? 당초에 조선의 건국자들은 조선을 성문법에 의하여 전일적(全一的)으로 통치하고자 하였다. 그에 따라 국전 편찬을 시작하려 했지만 그 완비까지는 시일이 걸리므로 가장 시급한 과제부터 처리하려 했다. 그것은 형사 사법 체계 혼란의 극복이었다. 조선의 건국자들은 그 해결책으로 기성의 형법을 그대로 가져와 쓰는 방안을 택하였다. 그리하여 명나라에서 만든 형사인인 <대명률>이 수용되었는데, 태조의 즉위 교서는 이를 언급하고 있다. 이 <대명률>은 보편적인 범죄의 다양한 양상을 일관된 체계 하에 규정하면서도 신분의 차등을 기반으로 하고 있었다.

그런데 <대명률>은 그것이 외국의 형법이었기 때문에 국전의 편찬과 맞물려 다양한 수용 양태를 보였다. 첫째, <대명률>에 따라 조선의 관행이 변경되는 것이었다. 예컨대 죄질에 상관없이 칼[枷]을 씌우고 있던 조선의 행형 관행이 장형(杖刑) 이상의 범죄에만 칼을 씌우는 것으로 변경되었다. 둘째, <대명률>의 규정이 조선의 실정에 맞추어 적용되는 경우가 있었다. 예컨대 처제와 형부 간의 간통의 경우 <대명률>에 의하면 일반 간통으로 처벌되나, 조선에서는 데릴사위제를 취하던 전통에 따라 일반 간통보다 가중하여 처벌하였다. 둘째의 경우 중 국전에 수록되는 경우도 있었다. 예컨대 자식이 부모를 고발한 경우 <대명률>은 무고(誣告)가 아닌 이상 사형보다 낮은 형벌로 규정하였지만, 국전은 사형으로 규정하였다. 셋째, <대명률>에는 없지만 형사사법 운영을 위해 필요한 절차적 규정을 국전에 두기도 하였다. 예컨대 지방의 관찰사가 사형 판결을 직접 내릴 수 없게 한 규정이 그것이다.

한편 전 국토에 동일하게 적용되는 성문 법전의 완비에는 시일이 걸렸다. 그 이유는 조선 후기까지 이어진 독특한 법전 편찬과정에 있었다. 조선시대 제정법의 원천은 왕명이었는데 이를 통상 '수교(受敎)'라고 한다. 보통 관청이 사무 처리에 필요한 사항을 왕에게 보고하고 왕이 이를 승인하면 이것은 당해 관청에 대해서 유효한 입법으로 성립하였다. 그런데 수교는 계속하여 쌓여갔고, 전후의 수교 간에 그리고 서로 다른 관청에 내려진 수교 간에 충돌하는 문제가 발생하였다. 따라서 법전 편찬은 전 국토의 전일적 지배와 함께 수교 간의 충돌을 해결하기 위하여 필수적으로 요청되는 것이기도 하였다. 각 관청에 내려진 수교 중에서 계속하여 적용할 것을 선택하고 수정하여 육조(六曹)의 행정체계에 따라 이를 편찬하였다. 이 작업의 최초 결과물은 <경제육전(經濟六典)>으로 이것이 최초의 국전이었다. 그 뒤 새로운 수교가 쌓이자 이 수교들을 모아서 <속육전(續六典)>을 편찬하였는데 <경제육전>과의 충돌 문제가 발생하였다. 이 문제는 고법(古法)인 <경제육전>과 모순되는 내용을 삭제하는 것으로 해결하였다. 또한 일시 시행되는 수교를 따로 수록한 국전인 '등록(謄錄)'을 별도로 발간하였다. 그리고 이 두 방식을 이후 법전 편찬의 원칙으로 삼았다. 그러나 <속육전>의 증보와 등록의 발간만으로는 수교 간의 충돌 문제가 완전히 해결될 수 없었다. 그리하여 전대의 국전들을 모아서 수정하고 산삭(刪削)하여 이들을 대체하는 법전을 편찬하게 되는데 이것이 <경국대전>이다.

언어이해

<경국대전> 중의 형전(刑典)은 <대명률> 수용 과정의 산물이었다. 일반적인 범죄의 처벌은 <대명률>에 따르고, 조선의 특별한 사정에 관련된 규정은 따로 만들어 <경국대전> 형전에 수록하였던 것이다. 이러한 전율의 관계는 "<경국대전>에 의하여 <대명률>을 쓰되, <경국대전>, <속대전>에 해당하는 규정이 있는 경우에는 이전(二典)에 따른다."라고 한 <속대전> 형전의 용률조(用律條)에서 확인된다.

7. 위 글의 서술과 일치하는 것은?
  ① <경제육전>과 <속육전>은 <경국대전>을 보완하였다.
  ② '등록'에 수록된 수교는 <경국대전>에 포함되지 않았다.
  ③ <경국대전>의 편찬 이후에 수교는 법전 편찬에 사용되지 않았다.
  ④ <경국대전>에 수록되지 않은 수교가 '등록'에 수록되어 있기도 하였다.
  ⑤ <경제육전>에 수록된 수교는 <속육전>에 수록된 수교와 입법 시기가 겹치기도 하였다.

8. 위 글로부터 조선시대의 법 제도에 관하여 추론한 것으로 적절하지 않은 것은?
  ① 중앙집권화를 위한 한 방편으로 외국 형법의 도입이 이루어졌다.
  ② 국전들 간의 충돌 문제로 전율 체제의 출현이 지연되었다.
  ③ 법 적용 기간을 고려해 법전 종류를 달리하여 편찬하였다.
  ④ 성문법주의를 취하였으나 관습이 고려되기도 하였다.
  ⑤ 법전을 편찬할 때 고법이 존중되고 있었다.

9. 위 글로 보아 타당한 것만을 <보기>에서 있는 대로 고른 것은?

<보 기>

조건 : <대명률>, <경국대전>, <속대전>을 적용한다.

ㄱ. 상민(常民)의 살인 사건에서 관찰사는 <대명률>과 국전의 관련 규정 중 후자를 적용하였지만 직접 사형 판결을 내리지 못하였다.
ㄴ. 자식이 아버지를 폭행으로 고발한 사건에서 <대명률>과 <경국대전>의 관련 규정 중 후자를 적용하였다.
ㄷ. 처가 남편의 원수를 살해한 사건에서 <대명률>과 <속대전>의 관련 규정 중 전자를 적용하였다.
ㄹ. 양반의 절도 사건에서 <대명률>에 관련 규정이 있으나 국전에는 없어 처벌하지 못하였다.

① ㄱ, ㄴ ② ㄱ, ㄷ ③ ㄷ, ㄹ
④ ㄱ, ㄴ, ㄹ ⑤ ㄴ, ㄷ, ㄹ

[10~12] 다음 글을 읽고 물음에 답하시오.

　다윈 이전의 시대에는 따개비를 연체동물에 속하는 삿갓조개류와 계통상 가깝다고 생각했다. 따개비는 해안가 바위의 부착 생물로 패각을 가지며 작은 분화구 모양을 띠고 있어 외견상 삿갓조개류와 유사하다. 하지만 오늘날에는 따개비가 절지동물 중 게, 새우와 계통상 가까운 것으로 보고 있다. 조류의 경우에도 깃털과 날개의 존재, 이빨의 부재 등 파충류와는 외형상 극명한 차이가 있어 계통상 거리가 먼 것으로 보았다. 그러나 최근의 계통분류학적 연구 결과들은 가슴쇄골이 작고 두 발로 뛰어다녔던 공룡의 일족으로부터 조류가 진화했다는 파충류 기원설을 지지하고 있다.

　이와 같이 생물의 계통유연관계가 바뀐 예들을 찾는 것은 그리 어려운 일이 아니다. 그 변화는 주로 계통수(系統樹) 작성 시 이용되는 자료의 종류와 계통수 작성법의 차이에 기인한다. 인접 학문의 발전에 힘입어 분자 정보나 초미세 구조와 같은 새로운 정보들이 추가되면서 계통수 작성 시 이용되는 자료가 양적으로 풍부해지고 질적으로 향상되었다. 더불어 새로운 계통수 작성법의 개발과 기존 방법의 지속적 개선이 계통유연관계의 변화를 촉발시키는 동인이 되어 왔다.

　오늘날 사용되는 계통수 작성법들은 '거리 행렬'이나 '최대 단순성 원리', 또는 '확률'에 기반을 두고 있다. 수리분류학자들은 분류군 간의 형질 차이를 나타내는 거리 행렬을 이용하여 계통수를 작성한다. 이들은 관찰된 모든 분류학적 형질을 이용하며, 주관성과 임의성을 배제하기 위해 수리적 기법을 도입하여 사용한다. 계통수 작성을 위해 먼저 분류군 간 형질 비교표(<표 1>)를 만들고, 분류군 간 형질 차이를 측정한다. 분류군 A와 B 사이는 조사된 5개의 형질 중 2개의 형질이 다르므로 둘 사이의 거리는 2/5, 즉 0.4가 되고, A와 C 사이, B와 C 사이의 거리는 각각 4/5로서 0.8이 된다. 이 중 가장 작은 거리 값을 갖는 A와 B를 먼저 묶어 준다(<그림 1>). 이어서 묶인 A와 B를 하나의 분류군 A-B로 간주하고 거리를 다시 계산한다. 이때 A-B와 C 사이의 거리는 A와 C 사이 거리와 B와 C 사이 거리의 산술 평균값인 0.8이 된다. 네 종 이상의 분류군을 대상으로 할 경우 이 단계에서 여러 개의 거리 값이 나오므로 가장 작은 거리 값을 찾아 해당 분류군을 묶어 주어야 하지만, 이 예에서는 값이 하나이므로 C를 A-B에 묶어 주면 된다(<그림 2>).

<표 1> 세 분류군 간 형질 비교표　　<그림 1>　<그림 2>

분류군\형질	1	2	3	4	5
A	−	−	−	−	−
B	−	+	+	−	−
C	+	−	+	+	+

(−: 해당 형질 없음, +: 해당 형질 있음)

　한편, 가장 단순한 것이 최선이라는 최대 단순성 원리에 근거해 계통수를 작성하는 분기론자들은 두 분류군 이상에서 공통으로 나타나는 파생형질, 즉 공유파생형질만을 계통수 작성에 이용한다. 원시형질이나 단 하나의 분류군에서만 나타나는 파생형질인 자가파생형질은 타 분류군과의 유연관계 규명에 도움을 주지는 못한다. 어떤 형질이 파생형질인지 확인하기 위해서는 계통진화학적 정보가 필요하다. 곤충의 예에서, 화석에 나타난 초기 곤충은 날개가 없었는데 진화 과정에서 날개가 출현했다는 것을 알고 있어야만 '날개 없음'이 원시형질이고 '날개 있음'이 파생형질임을 알 수 있다. 이때 '날개 있음'은 날개 있는 곤충들을 한 그룹으로 묶어 주는 공유파생형질이 될 수 있다(<그림 3>(A) 참조). <그림 3>과 같이 세 종의 곤충에 대한 계통수 작성 시 서로 다른 세 종류의 계통수가 가능한데, 최대 단순성 원리에 근거하여 단 한 번의 날개 출현 사건만을 가정하는 <그림 3>(A)가 두 번의 가정을 필요로 하는 <그림 3>(B)나 <그림 3>(C)보다 더 신뢰할 만한 계통수로 간주된다.

<그림 3>

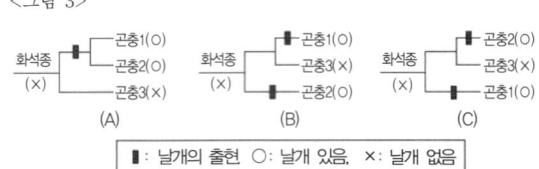

■: 날개의 출현　○: 날개 있음　×: 날개 없음

　확률 기반의 계통수 작성법은 전술한 두 방법에 비해 신뢰성 면에서 상대적 우위를 가진다. 이 방법은 엄청난 계산 시간이 소요되어 대량의 자료 분석에서는 그 이용에 한계를 드러내는 단점이 있으나 컴퓨터 계산 능력이 향상되면서 점차 그 유용성이 증대되고 있다.

　현재 계통분류학자들은 지구상의 모든 생물을 아우르는 거대 계통수 작성에 심혈을 기울이고 있다. 따라서 기존에 알려진 계통유연관계는 머지않은 장래에 상당한 변화를 겪게 될 것이다. 생물의 계통유연관계는 고정불변의 사실이 아닌 미완의 가설로서 지금도 끊임없이 재구성되고 있는 것이다.

10. 위 글의 내용과 일치하지 <u>않는</u> 것은?

① 최근의 연구를 통해 조류의 새로운 계통적 위치가 제시되었다.
② 타 학문의 발달이 계통수 작성 시 사용할 수 있는 자료의 다양성을 증가시켰다.
③ 수리분류학자의 계통수는 개별 형질의 특성을 잘 드러내는 장점이 있다.
④ 분기론자는 이전의 계통진화학적 정보에 근거해 얻은 정보를 바탕으로 계통수를 작성한다.
⑤ 컴퓨터 과학의 발달로 대량의 자료를 이용한 계통수 작성법이 용이해지고 있다.

11. <표 1>의 '−'를 원시형질로, '+'를 파생형질로 가정하고 분기론자의 입장에서 분류군 A, B, C의 계통유연관계를 규명하고자 할 때, 고려해야 할 내용으로 옳은 것만을 <보기>에서 있는 대로 고른 것은?

<보 기>
ㄱ. 1, 4, 5번 형질은 분류군 A와 B를 묶어 주는 형질이다.
ㄴ. 2번 형질은 분류군 B의 자가파생형질이다.
ㄷ. 3번 형질은 분류군 B와 C를 묶어 주는 공유파생형질이다.
ㄹ. 최선의 계통수 선택에는 최대 단순성 원리를 적용한다.

① ㄱ, ㄴ ② ㄱ, ㄹ ③ ㄷ, ㄹ
④ ㄱ, ㄴ, ㄹ ⑤ ㄴ, ㄷ, ㄹ

12. <보기>는 네 분류군 A~D의 8개 형질을 조사하여 표로 나타낸 것이다. 이 자료를 토대로 수리분류학자가 파악한 계통유연관계를 바르게 나타낸 것은?

<보 기>

형질 분류군	1	2	3	4	5	6	7	8
A	−	−	+	−	−	+	−	−
B	+	+	+	−	+	+	+	−
C	−	−	+	+	−	−	−	+
D	−	−	−	−	−	−	−	−

(− : 해당 형질 없음, + : 해당 형질 있음)

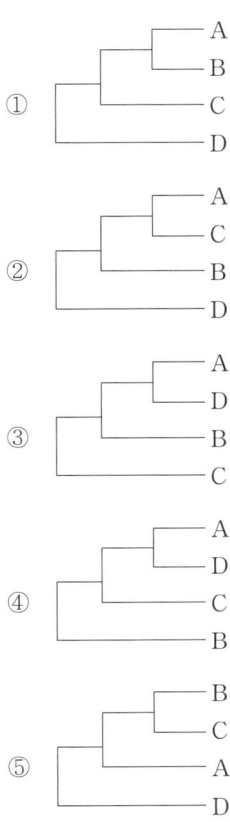

[13~15] 다음 글을 읽고 물음에 답하시오.

　19세기에 독립된 학문으로 출발한 미술사학은 작품의 형식 분석에 몰입하거나 도상해석학을 이용해 작품의 상징을 파악했다. 이러한 작업은 작품의 의미와 조형적 특징을 이해하는 데 도움을 주었을 뿐만 아니라, 선대부터 대가로 평가된 작가들의 배타적 지위를 공고히 하거나 새로운 걸작을 발견하고 재조명하는 데 유용한 이론적 뒷받침을 할 수 있었다는 점에서 이후 미술사 연구의 주류를 이루게 되었다. 라파엘로의 ㉠<작은 의자 위의 성모>(1514)에 등장하는 성모와 아기 예수, 세례자 요한을 기독교적 도상에 따라 이해하고, 그 주제를 담아내는 형식 —안정된 구도, 그림에 활력을 주는 삼원색의 대비, 적색과 녹색의 보색 대비 등—의 완벽함을 밝힘으로써 작가와 작품의 미술사적 의의를 서술하는 것이 그 한 예가 될 수 있을 것이다. 그렇다면 이러한 방식은 현대 미술 작품의 해석과 평가에도 유용한 것일까?

　심장이 몸 밖으로 드러난 채 가는 핏줄로 연결되어 있는 두 여인을 그린 프리다 칼로의 ㉡<2인의 프리다>(1939)를 살펴보자. 왼편의 여인은 오른손에 가위를 쥔 채 지혈을 하고 있다. 오른편 여인은 한 소년이 그려진 동그란 형태의 작은 물건을 왼손에 쥐고 있는데, 숨긴 듯 그려진 이 소년은 남편 리베라의 모습이다. 전통적인 도상해석학은 이 그림의 의미 파악에 별다른 도움을 주지 못한다. 전통적인 성화 속의 피 흘리는 양이 예수 그리스도의 희생으로, 17세기 정물화 속의 양초나 해골이 인생의 덧없음으로 해석될 수 있도록 도와주었던 관례적인 상징 체계는 이 그림 속의 요소들과는 깊은 관련이 없어 보이기 때문이다. 이러한 해석의 난점을 풀기 위해 어떤 미술사학자는 정신분석학의 이론을 빌려와, 칼로가 무의식적으로 남편 리베라를 아버지로 대체하였고, 그런 심리적 과정이 그의 자화상 속에 드러난다고 해석하였다. 기이한 분위기와 생경한 색채로 인해 초현실주의적인 그림으로 주목을 받았던 칼로의 작품은 이와 같은 새로운 해석에 의해 그 가치에 대한 평가가 높아지고 있다.

　칼로의 경우에서 알 수 있듯이 현대 미술가들이 과거의 전통적 주제나 상징체계에 의거해 그림을 그리지 않는다는 점으로 볼 때, 도상해석학이 한계를 지닌다는 사실은 분명해 보인다. 고상한 주제나 지적 유희를 즐겼던 미술 후원자의 주문에 따라 그림을 그리던 방식에서 벗어나 화가 자신의 자유로운 상상력과 의지에 따라 그림을 그리게 된 현대 미술의 흐름을 고려한다면 미술사를 바라보는 미술사학자들의 태도도 자연히 바뀌어야 했다.

　새로운 미술 환경에 맞는 미술사학의 관점과 이론을 모색하는 일군의 이론가들이 1980년대에 등장하기 시작했는데, 그들의 경향은 '신미술사학'이라고 불린다. 신미술사학의 대표적인 연구자 중의 한 명인 프리치오시는 탈구조주의 철학에 기초하여, 기존의 미술사학을 지배했던 주도적인 이데올로기, 즉 미술사는 예술적 천재에 대한 찬양과 미적 보편성에 전념해야 한다는 믿음을 반성한다. 한편 다른 이론가들은 기존의 미술사의 주체가 서양 백인남성이었다는 점과 방법론이 도상해석학과 형식 분석에 제한되었다는 점을 반성한다. 이에 따라 신미술사가들은 여성 미술가, 흑인 미술가 등으로 표상되는 사회 계급, 젠더, 섹슈얼리티라는 다층적 정체성에 대한 관심을 표명하고 마르크스주의, 페미니즘, 정신분석학 등 다양한 방법론을 자신의 것으로 적극 수용하고 있다.

　이러한 관점과 기준의 다양화는 동시대의 그림뿐 아니라 과거의 미술에 대해서도 새로운 해석과 가치 평가를 가능케 한다. [A] [그려질 당시 크게 주목받지 못했던 젠틸레스키의 ㉢<유디트>(1620)가 재평가되는 것도 신미술사학의 방법론을 통해서이다.] '유디트'는 서양 미술사에 많이 등장하는 주제 중의 하나인데, 이스라엘을 침공한 아시리아 장수 홀로페르네스, 나라를 지키기 위해 그의 목을 베는 젊은 미망인 유디트와 하녀가 등장한다. 젠틸레스키의 그림에서는 죽음에 저항하는 남자와 목적을 이루려는 두 여인의 동작과 표정이 명암과 색채 대비를 통해 사실적으로 생생하게 표현되었다. 가치 있는 주제를 극적인 방식으로 표현했음에도 좋은 평가를 받지 못했던 이 작품은 페미니즘의 관점을 통해 폭넓게 이해되었고 그에 따라 새로운 평가를 받게 되었다. 이처럼 신미술사학은 미술을 역사와 사회 상황 같은 다양한 맥락과 굳게 연대시킴으로써 우리에게 풍요로운 작품 해석과 평가의 가능성을 제공한다.

13. 위 글에 비추어 볼 때, 기존의 미술사학에 대한 신미술사학의 비판으로 적절하지 <u>않은</u> 것은?

① 미적 가치의 기준이 상대적이라고 전제함으로써, 다양한 방법론을 수용하기 어렵다.
② 예술적 천재에 대한 믿음에 근거함으로써, 계급, 젠더, 섹슈얼리티 등 다층적 정체성에 대한 해석이 어렵다.
③ 작품의 해석에서 상징을 고정된 의미로 풀이함으로써, 전통적 상징 체계를 따르지 않는 현대 미술 작품의 해석에 어려움이 많다.
④ 작품 생산의 다양한 외적 요인들을 고려하지 않음으로써, 화가의 내면 세계나 작품의 사회적 맥락 등에 대한 고려가 필요한 작품의 이해와 해석이 어렵다.
⑤ 주제를 담아내는 형식의 완벽성을 중요한 평가 기준으로 삼음으로써, 자유로운 상상력 등 형식 이외의 가치 역시 중시하는 현대 미술가를 평가하기 어렵다.

14. ㉠, ㉡, ㉢에 대한 위 글의 서술을 설명한 것으로 옳지 <u>않은</u> 것은?

① ㉠에 대한 서술에는 종교적 도상이 언급되어 있다.
② ㉡에 대한 서술에는 작가의 사적인 삶이 언급되어 있다.
③ ㉠, ㉡에 대한 서술에는 작품에 대한 당시의 반응이 언급되어 있다.
④ ㉡, ㉢에 대한 서술에는 해석이 필요한 남성의 존재가 언급되어 있다.
⑤ ㉠, ㉡, ㉢에 대한 서술에는 색채의 효과가 언급되어 있다.

15. <보기>를 통해 [A]에 대해 추론할 때, 적절하지 <u>않은</u> 것은?

―<보 기>―

서양 미술사에서 '유디트'는 연약한 여인이 나라를 구한다는 교훈적인 측면과 함께, 유디트의 아름다움이 주는 시각적 즐거움, 미색의 탐닉이 불러올 파국에 대한 경계라는 측면에서 남성 미술 애호가들이 즐겨 주문한 주제였다. 수많은 화가들이 그린 '유디트' 중에서 카라바조의 <유디트>(1598)가 많은 주목을 받았는데, 화가는 이 그림에서 유디트를 소녀로 묘사하여 그 아름다움을 부각시키고 있다.

여성은 남성의 벗은 몸을 볼 수 없다는 당시 사회 통념 때문에 정규 미술 학교 교육을 받을 수 없었던 젠틸레스키는 타고난 재능을 거의 독학에 가까운 노력을 통해 발현할 수 있었다. 그녀는 카라바조의 <유디트>에 등장하는 인물들의 비현실적인 자세와 구도를 비판하며 보다 현장감 넘치는 그림을 그렸다. 당시 기록에 의하면, 젠틸레스키의 <유디트>에 등장하는 주인공은 화가 자신이며, 그녀를 겁탈한 개인교사가 홀로페르네스로 그려졌다고 한다.

① 당시의 미술 애호가들은 젠틸레스키의 그림에 등장하는 여성 이미지가 이상화되지 않았다는 점에서 저평가했을 것이다.
② 당시 미술계는 남성의 벗은 몸을 볼 수 없었던 젠틸레스키가 홀로페르네스의 신체 표현에 서툴렀기 때문에 저평가했을 것이다.
③ 당시 미술계는 정규 미술 교육도 받지 못한 여성인 젠틸레스키가 주목받던 선배 화가 카라바조의 방식을 따르지 않았기 때문에 저평가했을 것이다.
④ 페미니스트 연구자들은 젠틸레스키의 그림으로부터 능동적인 여성상을 읽을 수 있기 때문에 높이 평가했을 것이다.
⑤ 페미니즘적 미술 비평은 젠틸레스키의 그림이 여성 화가의 자화상이고 그녀의 아픈 상처가 이 그림의 창작 동인이 되었다는 점 때문에 새롭게 평가했을 것이다.

[16~18] 다음 글을 읽고 물음에 답하시오.

1789년 프랑스 혁명 초기에 제정된 중간집단 금지에 관한 법들은 개인의 활동에 장애가 된다고 판단되는 동업조합, 상인조합은 물론 정당 활동까지 금지함으로써 합리적이고 이성적인 주체로서의 개인만을 사회에 남겼다. 루소는 이미 국가에서 특수의지를 표명하는 부분 집단의 존재를 제거하고 각개의 시민들이 자신의 의견만을 말하게 함으로써 일반의지가 자연스럽게 형성될 것으로 기대했다. 이는 이성을 가진 개인의 합리적인 사회적 행위를 통해 일반 이익을 실현하는 국가 권력을 확립하고자 한 것이었다. 하지만 과연 모든 개인이 이성을 가지고 있다고 확신할 수 있는지에 대한 회의가 있었고, 공공질서의 문제에 있어서 개인들의 산술적 합으로서의 '수'가 이성적인 결과를 가져오리라는 현실적인 보장도 없었다. 이러한 '이성'과 '수'의 긴장은 혁명 시기와 이후 프랑스 정치사에서 '이성'에 의해 표상되는 자유주의와 '수'에 의해 표상되는 민주주의의 갈등으로 표현되었다.

우선 혁명 시기 '수'에 대한 '이성'의 우위가 드러난 대표적인 예에는 '수'의 정치적 권리에 대한 제한이었다. 자유주의자들은 선거를 개인의 '권리'가 아니라 공적인 '기능'으로 간주하였다. 선거권의 제한은 공적인 결정을 합리화하고 민주주의라는 '수'가 갖는 위험을 제거하기 위한 방안으로 정당화되었다. 그들에게 선거는 자신들의 이해를 대변하는 대표자를 뽑는 것이 아니라 시민들의 의지를 해석하고 일반 이익을 잘 인식할 수 있는 능력 있는 사람들을 지명하는 행위였다.

혁명이 급진화되면서 '수'로 표상되는 인민의 민주주의적 실천이 등장하였다. 외국과의 혁명전쟁이 시작되면서 조국의 위기가 선언되고, 공적 영역에서 배제되었던 상퀼로트들도 국민방위대에 들어갔다. 나아가 그들은 자신들의 대표자를 선출하여 그들에게 권한을 위임하는 것으로 만족하지 않았으며, 자신들이 승인하지 않은 법을 거부하고 주권을 직접 행사하기를 원했다.

하지만 상퀼로트들의 힘을 통해 권력을 장악한 로베스피에르는 인민의 민주주의적 실천을 '덕성'의 이름으로 제한하였다. 로베스피에르의 공포정치는 공화국의 안전을 확보하고 인민이 공적 영역에 지나치게 개입하는 것을 막기 위해 '덕성'을 필요조건으로 제시하면서 공화국의 제도 안에서만 인민의 정치적 실천이 이루어지도록 한정하였다. 덕성이란 '조국과 법에 대한 사랑이며, 개인적 이익을 일반 이익에 종속시키는 숭고한 자기 희생'이었다. 덕성에 대한 강조는 민주주의의 제한과 대표의 절대화 —대표와 국민의 일치를 통한 대표의 절대 권력—를 정당화하기 위한 수단이었다.

1789년 이후 19세기 동안 '이성', '수' 그리고 '덕성' 사이의 긴장 속에서 프랑스는 정치적 혼란의 위협에 시달렸다. 중간집단의 부재를 그 주요 원인으로 들었던 토크빌이 지적했듯이, 민주주의는 혁명을 통해 절대왕정을 무너뜨렸지만 동시에 중앙집권화에 기반한 거대 권력에 의존함으로써 '이성'과 '덕성'이 약화되어 전제정으로 귀결되었다. 민주주의자이면서 동시에 귀족정에 대한 미련을 가지고 있었던 토크빌은 귀족정 시대 중간집단의 역할에 다시 주목하였다. 혁명과 함께 그것들이 사라지면서 개인들은 시민적 덕성을 함양할 기회를 박탈당했고, 국가는 그 권력을 제어할 견제 세력을 잃어버렸다는 것이다. 그러한 의미에서 토크빌은 ㉠민주주의 시대 중간집단이 정치적 자유가 실현될 공간을 제공함으로써 시민적 덕성을 함양하고 권력에 대한 견제 역할을 할 것으로 기대했다.

자유주의와 민주주의의 갈등을 해소하면서 프랑스 혁명을 종결지었던 자유민주주의 체제로서 제3공화국은 새로운 사회적 필요에서 중간집단을 다시 허용하였다. 뒤르켐은 분업이 급속하게 진행된 당시 사회에서 직업적 도덕을 형성하고 나아가 국가와 개인 사이의 의사소통을 위한 대표의 기능을 수행하는 독자적인 직업 집단이 필요함을 강조하였다. 프랑스 혁명이 발생한 후 백여 년의 시간을 거치면서 중간집단이 새로운 역할을 부여받은 것이다. 또한 19세기 말 정착되기 시작한 정당 체제는 새로운 엘리트충원 구조이자 여론의 형성자로서 자리 매김 된다. 다양한 이데올로기적 색채를 드러내는 정당 체제는 시민과 국가권력을 매개하는 역할을 수행하였고, 그것은 민주주의를 부정하지 않으면서 민주주의를 통제하는 방식이 되었다.

16. 위 글의 내용을 이해한 것으로 적절하지 않은 것은?

① 루소는 일반의지 형성에 방해가 되는 중간집단의 제거를 원하였다.
② 혁명 초기 자유주의자들은 대의제를 민주주의 실현을 위한 장치로 간주하였다.
③ 상퀼로트들은 혁명이 급진화된 시기에 등장하여 정치적 권리를 요구하였다.
④ 로베스피에르는 민주주의적 실천을 공화국의 제도 내에 한정하였다.
⑤ 뒤르켐은 직업 집단이 국가와 개인 사이의 의사소통을 매개하는 역할을 할 것이라고 기대하였다.

언어이해

17. 위 글에 등장하는 '수', '이성', '덕성'의 관계에 대한 이해로 적절하지 않은 것은?

① '이성'과 '덕성'이 '수'를 통제할 장치를 마련하면서 자유민주주의 체제가 성립되었다.
② '이성', '덕성'의 견제 능력이 위축되면서 '수'의 민주주의는 전제정으로 귀결되었다.
③ '이성'과 '덕성'을 갖게 됨으로써 '수'는 대표 없이 주권의 직접 행사를 통한 자신들의 민주주의를 실현하였다.
④ '이성'이나 '덕성'은 '수'의 공적 영역으로의 진입 여부를 결정함으로써 '수'의 민주주의를 제한하는 역할을 하였다.
⑤ '덕성'을 매개로 하여 '수'와 '이성'을 일치시키려는 시도는 국민과 대표의 동일시를 가져와 절대 권력이 출현하기도 하였다.

18. ㉠에 대한 '토크빌'의 기대를 실현시킬 수 있는 중간집단으로 보기 어려운 것은?

① 교육 정책에 대한 비판과 대안 제시를 통해 교육의 질 향상을 도모하는 학부모 단체
② 현대 사회의 문제에 대한 의미 있는 견해들을 수렴하고 정부에 압력을 행사하는 시민 사회 단체
③ 노동자 정당과의 연계 속에서 조합원들의 이익 옹호와 국가 권력에 대한 견제의 역할을 수행하는 노동조합
④ 경제 현안의 해결과 사회 갈등 해소를 위해 담당 공무원과 관련 전문가로 구성된 경제 문제 대책 위원회
⑤ 사회적 영향력의 확대를 통해 공론을 주도하고 시민 의식을 함양하며 권력에 대해 비판하는 지식인·학자들의 독자적 집단

[19~21] 다음 글을 읽고 물음에 답하시오.

> 등장인물들은 조당전의 집에서 <영월행 일기>에 따라 역할놀이를 한다. 이어서 <세조실록>과 <해안지록>을 함께 놓고 원탁 독회를 하며 관련 내용을 확인한다. 서재 뒤편에는 다른 방으로 통하는 미닫이문이 있다. 역할놀이를 위해 소도구가 사용된다.

(조당전, 미닫이 앞에 와서 당나귀를 멈춘다.)

조당전 : 기와집 문 앞이야.

김시향 : 조용하군요, 여전히…….

조당전 : 음…….

김시향 : 우리가 왔다고 말해요.

조당전 : (당나귀에서 내려 목소리를 가다듬고 말한다.) 문안드리오! 지난여름 다녀갔던 봇짐장수, 가을에 다시 와서 문안드리오!

(미닫이문, 양쪽으로 벌어지며 열린다. 그 뒤쪽에 웃는 표정의 소년 형상이 보인다. 소년 형상 앞에는 수많은 인형들이 나오는데, 염문지와 부천필과 이동기가 기다란 대나무에 줄을 매단 그 인형들을 움직인다. 염문지가 소년의 목소리를 흉내 내어 말한다.)

소년 형상 : 어서 오라, 그대여! 나는 그대 덕분으로 만면에 가득 웃음을 짓는도다. 보아라, 그대여! 그대가 나에게 주었던 가위로 옷감을 자르고, 바늘과 실로 사람 형상으로 꿰매었더니 비록 안에는 톱밥을 채워 넣고 사지는 줄로 매달았으나 능히 살아있는 듯 움직이도다. 성삼문아, 박팽년아, 하위지, 이개, 유성원, 유응부야, 나를 위해 죽은 사육신이여! 내 앞으로 가까이 오너라!

(부천필과 이동기, 여러 인형들을 움직여서 웃는 얼굴 앞으로 옮겨 세운다.)

소년 형상 : 김시습, 성담수, 조여, 이맹전, 원호, 남효원, 나를 위해 자취 감춘 생육신이여! 그대들도 오늘은 내 앞으로 나오너라!

(부천필과 이동기, 또 다른 인형들을 웃는 얼굴 앞에 옮겨 놓는다.)

소년 형상 : 어서 오너라, 나를 핍박한 한명회도 반가웁고, 나를 동정한 신숙주도 반가웁구나! 오랫동안 쓸쓸한 공백, 텅 비었던 시야가 문무백관으로 가득 찼으니 내 어찌 기쁘지 아니하랴! 왕후여, 그리운 왕후여, 내 옆에 와서 좌정하십시오! 만조백관들이 엎드려 절을 하니, 흔쾌한 웃음 짓고 이절을 받으십시다!

(염문지, 왕후의 의복으로 성장을 한 조그만 인형을 소년 형상 옆에 앉힌다. 부천필과 이동기는 수많은 신하 인형들을 움직여 절을 드린다.)

소년 형상 : 보아라, 그대여! 내 몸은 비록 왕관 빼앗기고 곤룡포 벗김 당하였으나, 내 마음은 형겊으로 만든 만조백관들을 바라보며 흡족하도다! 들어라, 봇짐장수여! 그대는 돌아가서 그대를 보낸 자들에게 내 말 전하여라! 내 마음이 진정 왕과 같거늘, 어찌 구차한 왕관을 쓰기 바라고, 구태여 곤룡포를 입기 바라겠느뇨? 나는 나를 왕좌에 복위시키려는 그 어떤 짓도 관심이 없고 그 어떤 사람과도 관련이 없으니, 그대는 돌아가 이 사실을 명명백백하게 전할지어다!

(벌어졌던 미닫이문이 닫힌다. 조당전은 당나귀와 함께 돌아선다. 그러나 김시향은 조금 전 봤던 광경에 사로잡힌 듯 제자리에 멈춰 서 있다.)

조당전 : 뭘 해, 가질 않고……?
김시향 : 아…….
조당전 : 우린 돌아가야지. 돌아가서 본 대로 들은 대로 전해 주자구.
김시향 : 네…… 가요…….

(조당전과 김시향, 미닫이문 앞을 떠난다. 그러자 염문지, 부천필, 이동기가 그 문을 열고 서재로 나온다.)

이동기 : 쉽지 않더군. 인형들을 살아있는 듯 움직인다는 게…….
부천필 : 어때? 자네 부탁이어서 잘 해 보려고 애는 많이 썼는데?
조당전 : 아주 잘 했어.
염문지 : 정말인가?
조당전 : 나중엔 스스로 살아 움직이는 것처럼 보였지.
친구들 : 실감나게 보였다니 다행이군!
조당전 : (김시향에게 친구들을 소개하며) 고서적 연구 동우회 회원들이죠. 염문지 씨, 부천필 씨, 이동기 씨입니다.
친구들 : 안녕하십니까!
김시향 : 안녕하세요.
조당전 : (친구들에게 김시향을 소개한다.) 이 분은 <영월행 일기>를 나에게 파셨었지.
부천필 : 언젠가는 직접 뵙고 싶었습니다. 이 친구하고 영월에 갔다 오곤 하신다는 건 알고 있었지요.
김시향 : 저도 선생님들 말씀은 많이 들었어요.
염문지 : 그럼 우리가 <영월행 일기>를 연구한다는 것도 아시겠군요?
김시향 : 네.
염문지 : 오늘은 우리와 자리를 함께하십시다. (구석에 놓인 원탁을 가리키며) 저기, 원탁 위에 여러 가지 자료들이 있어요. 영월에 다녀온 뒤의 결과가 어떠했는지, 저 자료들을 살펴보면 알게 됩니다.

(고서적 동우회원들, 원탁과 의자들을 서재 한가운데 옮겨 놓는다. 염문지가 먼저 원탁에 앉고, 부천필과 이동기가 좌우로 나눠 앉는다. 조당전과 김시향은 부천필 옆 의자에 앉는다.)

염문지 : 영월에서 돌아온 날짜가 언제였지?
조당전 : (원탁 위에 놓여 있는 <영월행 일기>를 집어들고 날짜를 확인한다.) 음…… 우린 구월 그믐날 돌아왔어.
염문지 : (<세조실록>을 펼쳐서 페이지를 넘기며) 어전회의는 그 이후에 열렸겠군.
김시향 : 무슨 책이 그렇게 두툼해요?
염문지 : <세조실록>이죠. 모두 사십오 권이나 되는 방대한 규모입니다.
조당전 : 이 일기에 씌어 있기를 어전회의는 시월 열여드레 날 열렸다는군.
염문지 : 그렇게 늦게……?
조당전 : 회의를 늦추며 뭔가 대관들끼리 의견 절충을 하려고 했던 모양이야.
이동기 : 나 같으면 절대로 절충은 안 해!
부천필 : 저 고집 좀 봐!
염문지 : 아, 여기 찾았어. "세조 삼 년 시월 십팔 일, 노산군의 기쁜 표정에 대해서 논의하였다."
이동기 : (<해안지록>을 펼쳐서 부천필에게 밀어 주며) <해안지록>의 마지막 장이야. 자네가 먼저 읽게.
부천필 : (<해안지록>을 이동기에게 밀어 준다.) 아냐, 자네가 먼저 읽어.
이동기 : "소신 한명회, 전하께 아뢰옵니다."
염문지 : <세조실록>에는 그날 임금은 늦은 보고에 몹시 기분이 상했다고 적혀 있군.
이동기 : "영월에 다녀온 자들이 말하기를 노산군의 얼굴은 만면에 웃음 지은, 기쁨의 표정이라 하나이다. 이는 날이 갈수록 그가 오만불손해지고 있음이니, 전하께선 더 이상 지체 마옵시고 그를 처형하소서!"

(이동기, <해안지록>을 부천필에게 밀어 준다.)

부천필 : "전하…… 영월에 다녀온 자들이 말하기를, 노산군은 왕권에는 관심이 없고, 복위에도 관련이 없다 하였나이다. 노산군의 기쁨은 무욕에서 우러나오는 것, 그의 웃는 얼굴은 욕망을 버린 증거이온데, 어찌 죄가 되오리까? 전하께서 부디 그를 살려 주옵소서."
김시향 : 저렇게 주장하는 분은 누구시죠?
조당전 : 신숙주입니다.
이동기 : (부천필에게) 그 책 이리 줘. 내 차례야.
부천필 : (이동기 앞으로 책을 밀어 주며) 좀 부드럽게 읽어.
이동기 : 부드럽게 안 되는 걸 어떻게 해?
염문지 : 그래, 자네 성질대로 해.
이동기 : "전하, 하늘에는 두 개의 태양이 있지 아니하며, 땅에는 두 명의 제왕이 있지 않나이다. 그러함에도 노산군은 방자하게 자신이 왕의 마음을 가졌다 하였으니 이는 전하와 동격이라는 주장인바 결코 용납해선 안 될 것이옵니다."
염문지 : 여기 실록에는…… 세조가 노기충천하여 그 말이 사실인지를 재차 물었어.
이동기 : "의심 마옵소서, 전하. 소신과 신 대감이 함께 들었나이다."
부천필 : (이동기 앞에 놓인 <해안지록>을 황급하게 가져가서 읽는다.) "전하, 통촉하옵소서. 한낱 필부도 마음이 흔쾌할 때는 제왕을 부러워 않는 법, 노산군의 말을 곡해하지 마옵소서."
염문지 : (<해안지록>을 자신의 앞으로 당겨 놓고 세조의 발언 대목을 찾아 읽는다.) "경들은 들으라! 노산군의 무표정을 견뎠던 내가, 슬픈 표정도 견뎌냈던 내가, ㉠기쁜 표정만은 도저히 견딜 수가 없도다! 만약 노산군의 기쁜 표정을 그대로 두면 온갖 시정잡배마저 제왕과 다름없다 뻐길 터인즉, 대체 짐이 무엇으로 그들을 다스릴 수 있겠느냐?"
이동기 : "소신의 주장이 처음부터 그 뜻이었나이다. 전하, 속히 처단하소서."
염문지 : "노산군을 죽여라!"
김시향 : (놀란 표정으로 의자에서 벌떡 일어나며) 죽여요?
염문지 : "당장 영월로 사약을 보내라. 하늘에는 오직 한 태양만이 빛을 내고, 땅에는 오직 짐만이 웃는 얼굴임을 보여 줘라!"

- 이강백, 「영월행 일기」-

19. 위 글의 전개에서 <영월행 일기>, <세조실록>, <해안지록>의 기능으로 적절하지 않은 것은?

① <영월행 일기>는 유배 당한 노산군의 사정을 보여 준다.
② <세조실록>은 노산군의 행위에 대한 세조의 심리적 반응을 보여 준다.
③ <해안지록>은 노산군의 행위에 대한 중신들의 관점 차이를 드러낸다.
④ <세조실록>과 <해안지록>은 함께 어전회의 상황을 구체화한다.
⑤ <영월행 일기>와 <해안지록>은 세조의 처결에 대한 상반된 평가를 드러낸다.

20. '원탁 독회' 장면의 등장인물에 대한 설명으로 바르지 않은 것은?

① 김시향과 조당전은 독회에서 다루고 있는 사건 속 배역을 맡고 있지 않다.
② 조당전과 염문지는 독회에서 다루고 있는 사건에 대한 정보들을 확인하고 있다.
③ 염문지와 부천필은 독회에서 배역을 수행하는 태도에 대해 서로에게 문제를 제기하고 있다.
④ 부천필과 이동기는 독회에서 다루고 있는 사건 속에서 대립하는 배역을 맡고 있다.
⑤ 이동기와 염문지는 독회에서 다루고 있는 사건 속에서 의견 일치에 이르는 배역을 맡고 있다.

21. ㉠에 담긴 '세조'의 생각에 가장 가까운 것은?

① 노산군의 웃음은 왕권에 대한 두려움으로 인한 정신적 회피의 발로이므로, 왕권으로부터의 도피이다.
② 노산군의 웃음은 왕권을 상실한 슬픔을 감추려는 가식의 표정이므로, 왕권에 대한 위협이다.
③ 노산군의 웃음은 왕권에 포섭되지 않는 정신적 자유의 표징이므로, 왕권에 대한 도전이다.
④ 노산군의 웃음은 왕권의 지배를 내면화한 피지배자의 것으로, 왕권에 대한 거짓 승인이다.
⑤ 노산군의 웃음은 왕권의 부조리함에 대한 자기 반성의 표징이므로, 왕권에 대한 능멸이다.

[22~24] 다음 글을 읽고 물음에 답하시오.

'권위의 역설'은 통상 인간의 도덕적 삶에 필수적이라 여겨지는 두 요소인 '권위'와 '합리성'이 서로 양립할 수 없는 개념들이라는 언명을 말한다. 합리적인 행위란 그 행위 자체의 가치에 대한 판단의 결과를 행위의 근거로 삼는 것인 반면, 권위에 따른 행위는 행위 자체의 가치와 무관하게 '단지 명령이 있었기 때문에' 그 행위로 나아가는 것이라는 점에서 두 개념이 전제하는 실천적 추론의 구조, 즉 해야 할 바가 무엇인지, 그리고 그것을 어떤 이유에서 결정할 것인지에 관한 사고의 구조가 상호 모순적이라는 것이다. 몇몇 학자들은 결국 합리성 개념과 양립할 수 없는 권위 개념을 포기할 수밖에 없다고 한다. 합리적 인간이라면 권위를 자기 행위의 근거로 삼을 수 없을 뿐 아니라 권위를 꼭 필요로 하지도 않을 것이기 때문이다. 만일 권위가 옳은 행위를 명하는 것이라면 굳이 옳은 행위를 하기 위한 근거로서 명령이 필요하지는 않았을 것이며, 그른 행위를 명하는 것이라면 명령에 따르는 행위를 합당하게 근거 지을 수 없다는 것이다.

이러한 주장에 대해 라즈는 다음과 같이 반박하고 있다. 권위의 역설이 담고 있는 논리는, 권위 개념이 전제하는 실천적 추론의 구조(A)가 합리성 개념이 전제하는 실천적 추론의 구조(B)와는 결코 화해될 수 없기 때문에 권위에 따르면서도 합리적인 것이란 마치 '둥근 사각형'과 같다는 것이다. 그런데 이러한 논리가 성립하려면 우선 실천적 추론의 구조가 A이면서도 그 행위 수행 과정이 합리적이라고 판단되는 사례(π)가 없어야 한다. 만일 π가 제시된다면 "행위 자체의 가치에 대한 판단 결과를 행위의 근거로 삼는다."라는 말로는 B를 적절히 기술하지 못하는 것이 되고, 이에 기초한 '권위의 역설' 자체도 흔들리게 된다. π를 포괄하면서도 역설이 생기지 않도록 B를 적절히 재구성할 여지가 있기 때문이다. 이에 따라 그는 우선 다음과 같은 사례를 제시하고 있다.

> 앤은 온종일 비정상적으로 극심한 업무에 시달린 후 퇴근하였다. 그날 밤 그녀의 친구가 그녀에게 전화를 걸어 그녀가 평소 알아보고 있던 '투자할 건수'를 알려주었다. 이 투자 제안에는 한 가지 조건이 있었는데, 그것은 그날 자정까지 투자 여부를 확답해줘야 한다는 것이었다. 그녀는 너무도 피곤한 나머지 제대로 된 판단을 할 수 없을 것 같다고 생각했다. 그래서 그 제안을 검토하지 않고, 투자를 하지 않기로 했다.

앤은 투자 거절이라는 자신의 행위가 옳은지에 대한 판단을 하지 않고 행위 자체의 가치와는 무관한 이유를 들어 행위하고 있음에도 매우 합리적으로 행동하고 있는 것으로 보인다. 왜 그렇게 보이는 것일까? 이에 대해 라즈는 앤의 행위도 실은 적절한 이유나 근거에 따라 수행되는 행위이기 때문이라고 말한다. 다만 이때의 근거는 '행위 자체의 가치에 대한 판단 결과'를 도출하는 데 영향을 미치는 보통의 행위 근거와는 구별되는 것이다. 일반적으로 어떤 행위를 지지하는 근거와 반대하는 다른 근거 중 어느 근거에 따를 것인지 즉 그 행위를 할 것인지 말 것인지는 행위 근거들의 논리적 강도나 비중의 상대적 크기를 저울질함으로써 결정되지만, 앤의 행위는 그러한 저울 자체를 치워 버리게 하는 독특한 행위 근거에 따라 결정되고 있는 것이다. 이는 보통의 행위 근거들보다 한 단계 위에 존재하면서 그러한 행위 근거들이 행위 여부를 결정하지 않도록 영향력을 행사하는 상위의 행위 근거라 할 수 있는데, 라즈는 이를 '배제적 근거'라 부른다.

그런데 이러한 '배제적 근거에 따른 행위 수행'이야말로 바로 권위에 따른 행위에서의 실천적 추론의 구조(A)라 할 수 있다. 왜냐하면 권위는 그 개념상 명령된 행위가 옳은 것인지에 대한 수명자(受命者)의 판단에 행위 수행 여부의 결정을 맡기지 않으며, 수명자는 행위의 명령이 있었다고 하는, 행위 자체의 가치와는 무관한 이유에서 행위로 나아가야 하기 때문이다. 다시 말해 명령된 행위 그 자체의 가치에 대한 판단 결과를 도출하는 데 영향을 미치는 행위 근거들은 권위에 따른 행위에서의 실천적 추론과정에 영향을 미칠 수 없도록 '배제되고' 있는 것이다.

결국 배제적 근거에 따른 행위 수행 사례가 호소력을 갖는 한, 더 이상 권위 개념이 전제하는 실천적 추론의 구조를 들어 권위와 합리성이 개념적으로 양립 불가능함을 주장할 수는 없게 된다. 권위에 따른 행위가 합리적일 수 있는 개념적 여지가 바로 배제적 근거의 존재에서 생겨나고 있기 때문이다.

22. 위 글의 '권위의 역설'이 함축하는 내용이 아닌 것은?

① 누구도 합리적이면서 동시에 권위에 따를 수는 없다.
② 권위가 실천적 추론의 과정에 개입하는 것은 합리적일 수 없다.
③ 합리성 개념과 양립할 수 없는 권위 개념에 기초해서도 합리적 행위에 대한 기술은 가능하다.
④ 합리적인 행위자는 권위에 따라 행위할 수 없지만, 그렇다고 해서 반드시 권위에 반하는 판단을 해야 하는 것은 아니다.
⑤ 명령된 행위를 숙고한 끝에 그것을 하는 것이 좋겠다고 보고 그 행위를 하는 것은 명령자의 권위에 따르는 것이 아니다.

23. 위 글에 제시된 '배제적 근거'에 따르는 것으로 볼 수 없는 것은?

① 약속한 일은 그로 말미암아 아무리 큰 손해가 예상되더라도 반드시 지킨다는 입장에서 행동하는 경우
② 설령 도덕에 반하는 법이라 해도 그것이 금지한 것은 하지 말아야 한다는 입장에서 행동하는 경우
③ 설령 오심이라 할지라도 판사의 판결에는 구속되어야 한다는 입장에서 행동하는 경우
④ 옳지 않은 행위는 양심에 비추어 절대로 하지 않는다는 입장에서 행동하는 경우
⑤ 상관이 지시한 일은 이유 불문하고 수행해야 한다는 입장에서 행동하는 경우

24. 위 글에 나타난 '라즈의 논증'에 대한 이해로 가장 적절한 것은?

① 행위 근거의 구조적 차원을 재구성하여 권위 개념을 정합성 있게 수정함
② 권위에 따른 행위를 유형화하여 그것이 현실적으로 합리화되기 위한 조건을 도출함
③ 실천적 추론 구조를 분석하여 권위에 따른 행위가 합리적일 수 있는 가능성을 확보함
④ 실천적 추론 구조가 다른 사례를 권위 개념에 유추 적용하여 권위의 역설을 해소함
⑤ 권위의 역설에 대한 반례를 제시하여 권위에 따른 행위가 옳은 행위로 귀결됨을 입증함

[25~26] 다음 글을 읽고 물음에 답하시오.

일반적으로 과학기술 보도는 대중이 일상적으로 접하지 못하는 전문적인 내용을 다루는 경우가 많다는 특성을 지닌다. 대중은 과학기술의 새로운 사실들이나 사건들을 주로 언론에 의존하여 접하며, 과학기술에 대한 언론의 프레임 설정과 대중의 인식 정도에 따라 대중의 보도 내용 수용이 달라진다. 특히 언론 보도 내용이 건강이나 안전에 위험이 되는 요소들을 포함하는 경우, 그 양상은 더욱 두드러진다. 이는 '부정 편향성(negativity bias) 가설', '점화 효과', '위험 커뮤니케이션 증폭 모델' 등의 이론적 모델을 통해 설명되기도 한다.

'부정 편향성 가설'에 의하면, 보도 시 설정된 프레임이 긍정적일 때보다 부정적일 때에 그 보도를 대중이 주목할 가능성이 더 높아지고 정보로서의 가치도 더 높게 인식하는 경향이 있다. 이러한 경향성 때문에 뉴스에 내재된 위험성이 클수록 부정 편향성의 효과도 확대될 것이라고 예측할 수 있다. '점화 효과'는 기본적으로 연상 효과에 기초한다. 인간의 정보 처리 네트워크인 두뇌는 매스미디어가 제공하는 어떤 소리나 이미지에 노출되면 두뇌 속에 이미 저장되어 있던 관련 이미지의 연상을 촉발한다. 그 촉발의 결과가 점화 효과이다. 불량 식품 관련 보도가 사회적 파장을 불러일으킨 '멜라민 파동'을 자연스럽게 연상하게 하는 것이 그 예이다.

'위험 커뮤니케이션 증폭 모델'은 특정 위험 사건의 보도가 사회 내에서 구체화되어 영향력을 발휘하게 되는 양상을 제시하는데, 대표적으로 두 모델을 들 수 있다. 그중 하나로 정보가 정보원에서 채널을 통해 수신자로 전달된다는 고전적인 커뮤니케이션 모델에 근거한 렌 모델이 있다. 이 모델에 따르면 위험 사건은 정보원에게 우선 전달되며 이와 동시에 혹은 순차적으로 전달자에게 전달된다. 이때 정보원에는 과학자를 비롯한 이해 당사자와 목격자가 포함되며, 전달자에는 언론, 유관 기관, 오피니언 리더 등이 포함된다. 이 위험 사건이 수용자인 대중에게 전달되는 과정에서 정보원과 전달자의 이해관계나 요구 사항이 개입하여 위험 인지가 증폭될 수 있으며, 이것이 수용자에게 보다 강한 영향력을 행사하게 된다.

슬로비치 모델은 과학기술 보도의 사회적인 증폭 양상에 보다 주목하는 이론이다. 이 모델은 언론의 과학기술 보도가 어떻게 사회적인 증폭 역할을 수행하게 되는지, 그리고 그 효과가 사회적으로 어떤 식으로 확대 재생산될 수 있는지를 보여 준다. 특정 과학기술 사건이 발생하면 뉴스 보도로 이어진다. 이때 언론의 집중 보도는 수용자 개개인의 위험 인지를 증폭시키며, 이로부터 수용자인 대중이 위험의 크기와 위험 관리의 적절성에 대하여 판단하는 정보 해석 단계로 넘어간다. 이 단계에서 이미 증폭된 위험 인지는 보도된 위험 사건에 대한 해석에 영향을 미쳐 보도 대상에 대한 신뢰 훼손과 부정적 이미지 강화로 이어진다. 이로 말미암은 부정적 영향은 그 위험 사건에 대한 인식에서부터 유관 기관, 업체, 관련 과학기술 자체에 대한 인식에까지 미치게 되며, 또한 관련 기업의 매출 감소, 소송의 발생, 법적 규제의 강화 등의 다양한 사회적 파장을 일으키게 된다.

25. 위 글의 '과학기술 보도'에 대한 이해로 가장 적절한 것은?

① 수용자들의 동일한 반응을 유도한다.
② 과학기술 전문가가 위험 인지를 증폭시키기도 한다.
③ 수용자의 과거 경험과 위험 인지는 낮은 상관관계를 갖는다.
④ 보도의 내용이 전문적일수록 뉴스의 부정 편향성이 증폭된다.
⑤ 긍정적 내용의 보도는 수용자에게 낮은 가치를 지닌 뉴스로 인식될 것이다.

26. <보기>는 신종 플루와 관련한 최근의 언론 보도 내용이다. 수용자들이 보인 반응 중 위 글의 이론적 모델들로 설명할 수 있는 대상이 아닌 것은?

――――――<보 기>――――――
○ 신종 플루의 발원지로 알려진 멕시코 동부 한 마을 인근에 위치한 세계 최대의 미국계 양돈업체 A 사의 공장은 불법으로 분뇨를 배출하여 거액의 벌금 판결을 받은 바 있다.
○ 신종 플루 감염 환자가 급속히 늘어나면서 다국적 제약사들의 신종 플루 백신 및 바이러스 치료제 개발이 속도를 내고 있으며 조만간 신종 플루가 유행하는 국가들에 예방 백신들이 공급될 것이다.
○ 다국적 제약기업 B 사가 개발한 신종 플루 예방 백신으로 동물 실험을 하던 중 대상 동물들이 갑자기 모두 죽는 사고가 있었다.
○ 신종 플루가 전 세계적으로 계속 확산되고 있지만 아직도 실질적인 위기 대응책이 마련되지 못하고 있다.

① 신종 플루에 대한 대응이 실효를 거두지 못한다는 인식이 신종 플루로 인한 대재앙의 공포로 이어지고 있다.
② 신종 플루가 광범위하게 확산되었다는 언론 보도를 믿기 힘들므로 정정 보도를 내도록 요구하겠다는 사람들이 생겨났다.
③ A 사의 분뇨 배출이 신종 플루 발생의 원인이라는 의혹이 확산되면서 집단소송을 통해 A 사의 책임을 묻겠다는 사람들이 늘어났다.
④ 신종 플루의 인체 감염 건수가 늘고 있다는 보도에 2년간 100명 이상의 사망자를 낸 2005년 조류 독감의 공포를 떠올리는 사람들이 늘고 있다.
⑤ 신약이 개발되었다는 보도에도 불구하고 동물 실험에서 발생한 사고로 미루어 보아 그 효능과 안전성을 신뢰하기 어렵다는 반응이 확산되고 있다.

[27~29] 다음 글을 읽고 물음에 답하시오.

화학과 물리학은 어떤 관계에 있고, 양자의 관계는 두 학문의 발전에 어떤 영향을 미치나? 두 학문은 오랫동안 따로따로 발달했지만 100년 전쯤부터 급속히 서로 가까워졌다. 첫 접촉 지점은 분광 스펙트럼이었다. 스펙트럼 분석법은 1870년대부터 화학자들에게 유용한 도구였다. 미량의 시료만 있어도 분광 스펙트럼에 나타나는 색 띠들의 패턴이 거기 어떤 물질들이 포함되어 있는지 어김없이 알려주었기 때문이다. 그러나 왜 그런 색 띠들이 나타나고 그 패턴이 원소마다 고유한지 화학자들은 설명하지 못했다. 그런데 원자의 구조와 씨름하던 물리학자들이 이 선들이 원자 안의 전자들이 방출하는 전자기파에 의한 것임을 알아냈고, 원소마다 고유한 전자 배치가 스펙트럼의 고유한 패턴의 근거라는 설명을 제공해 주었다. 1913년 물리학자 보어는 원자 이론을 토대로 수소 원자의 스펙트럼을 거의 정확히 설명해 냈다. 그의 이론은 수소 이외에 다른 원소의 스펙트럼에 대해서는 눈감아 줄 수 없는 오차를 낳았지만, 그런 이유로 인해 폐기된 것이 아니라 오히려 더 많은 원소들의 스펙트럼을 설명할 수 있는 세련된 이론의 형성을 촉발하여 현대 물리학의 중심 이론인 양자역학의 발달에 초석이 되었다.

이처럼 한 분야가 필요로 하는 이론이나 방법론을 다른 분야가 제공할 때 두 분야 간에는 일종의 비대칭적 의존 관계가 형성되는데, 화학과 물리학 사이에는 광범위하게 이런 의존의 관계가 있는 것처럼 보인다. 이 때문에 적지 않은 이들이 화학은 물리학으로 환원 가능하다고 주장한다. 전자의 설명력을 후자로 흡수 통합시킬 수 있다는 얘기다. 이런 주장이 정당화되려면 화학적 문제가 요구하는 설명과 예측을 물리학이 빠짐없이 제공할 수 있어야 할 것이다.

최근 화학에는 양자화학이라는 분야가 발달해 화학적 현상을 현대 물리학의 핵심 이론인 양자역학의 기반으로 환원시켜 다루는 프로그램을 실행하고 있다. 양자화학은 양자역학의 도구인 슈뢰딩거 방정식을 써서 분자 내 전자들의 정밀한 배치 구조를 계산한다. 양자화학에서 '순이론적 방법'은 주어진 계(system)에 대한 슈뢰딩거 방정식을 세우고 그 해를 구한 뒤에 그것을 화학적 문제에 적용하려 한다. 예컨대 수소 원자의 경우 슈뢰딩거 방정식 $\widehat{H}\Psi = E\Psi$는 다음과 같은 형태를 띤다.

$$\left(-\frac{h^2}{2m}\nabla^2 - \frac{Ze^2}{r}\right)\Psi = E\Psi$$

다른 경우에도 그 계의 퍼텐셜 에너지를 고려하여 슈뢰딩거 방정식을 세우고 그 방정식을 풀어 파동함수 Ψ를 구하면 그것을 가지고 과학자는 계의 상태에 대한 여러 가지 계산을 해낼 수 있다.

그러나 슈뢰딩거 방정식을 풀어 해를 구할 수 있는 것은 기껏해야 원자핵과 전자 한 개로 구성된 수소 원자의 경우뿐이다. 헬륨 원자나 수소 분자까지 포함해서 화학자들이 관심을 갖는 사실상 모든 경우에 슈뢰딩거 방정식의 정확한 해는 구할 수 없다. 이런 경우 해의 근사적 형태를 구하지만, 아주 비슷한 것이라도 '진짜 그것'은 아니다. 환원의 장애물은 이뿐만이 아니다. 수소 원자의 경우라도 외부 자기장의 영향이 있으면 정확한 해를 구할 수 없다. 이 때문에 양자화학에서는 근사와 보정의 기법을 적극 활용하는 '보정된 방법'이 많이 쓰인다. 이러한 근사의 기법은 양자역학의 수학적 기법의 발달에도 영향을 미쳤다. '보정된 방법'에서는 실험에서 옳다고 판명된

해를 문제 상황의 이론적 접근에 활용한다. 파동함수 ψ가 취할 수 있는 여러 형태 가운데 하나를 택할 때나 근사의 세부 방식을 정할 때, 화학자들은 이미 확보된 경험적 자료의 관점에서 가장 그럴 듯한 것을 택한다. 또 그러한 시도 끝에 얻은 화학 실험의 결과는 다시 이론 쪽에 투입되어 처음에 놓았던 이론적 가정을 수정하는 데 쓰인다. 화학자들은 이 과정을 반복하면서 출발점에 놓을 이론을 수정해간다. 이는 환원하는 이론이 환원될 대상인 화학의 방식으로 산출된 자료에 의지할 수밖에 없음을 뜻하고, 이로써 ㉠양자화학에서 의도된 환원은 성립하지 않는다는 사실이 다시 한 번 드러난다.

그러나 분광 스펙트럼과 원자 이론의 관계에서와 마찬가지로 이 경우에도 현재의 환원 가능성만이 의미 있는 것은 아니다. 오히려 불완전한 환원을 완성하려고 애쓰는 과정에서 환원의 토대가 되는 이론과 그것으로부터 설명을 제공받는 이론이 모두 발전의 계기를 얻는다. 분야 간의 환원 가능성을 둘러싼 토론은 현재 상태에서 환원이 성공하는가의 여부가 아니라 두 분야의 발전 방향을 지시한다는 역동성의 관점에서 중요하다.

27. '양자화학'에 대한 위 글의 서술과 부합하지 않는 것은?

① '보정된 방법'에서도 양자역학의 이론적 도구가 활용된다.
② '순이론적 방법'은 '보정된 방법'보다 적용 가능한 범위가 좁다.
③ 양자화학의 방법론은 물리학과 화학의 비대칭적 의존 관계를 보여준다.
④ 화학 실험의 정밀한 결과 없이는 이론적 예측의 정확도도 높이기 어렵다.
⑤ 슈뢰딩거 방정식을 써서 계의 퍼텐셜 에너지를 파악하려면 파동함수를 알아야 한다.

28. ㉠의 주장을 약화시키는 진술만을 <보기>에서 있는 대로 고른 것은?

<보 기>
ㄱ. 이론으로 실험 결과를 설명했다고 하려면 이론이 실험 결과를 반영하여 조정된 것이어서는 안 된다.
ㄴ. 슈뢰딩거 방정식의 해의 근삿값은 그것의 참값에 못지않은 정확한 설명과 예측을 가능케 한다.
ㄷ. 동일한 외부 자기장의 영향이 있을 경우, 둘 이상의 원자로 이루어진 분자보다 수소 원자에서 해의 근삿값 구하기가 더 쉽다.

① ㄱ ② ㄴ ③ ㄷ
④ ㄱ, ㄴ ⑤ ㄴ, ㄷ

29. 위 글에 나타난 '양자화학에서 물리학과 화학의 관계'에 대응시켜 DNA 연구에서 화학과 생물학의 관계를 파악할 때 가장 적절한 것은?

① 현재로서는 유기체의 생활상 같은 거시적 차원을 화학적 탐구 대상인 DNA의 수준으로 환원시켜 설명할 수 없는 것이 사실이지만, 환경 역시 분자로 구성된 체계일 뿐이므로 생물학은 결국 DNA 연구를 통해 화학으로 환원될 것이다.
② DNA 연구는 생명 현상 전부를 설명하지는 못하지만 광범위한 현상에 대해 DNA 기반의 일관성 있는 설명을 가능케 하는 한편, DNA 수준의 복잡한 분자 구조를 분석하는 화학적 기법의 발달을 촉진하고 있다.
③ 이제는 유전학에서 발달생물학에 이르기까지 생명과학의 전 영역이 DNA의 분자적 구조라는 기반 위에서 설명 가능하게 되었다. 생물학의 탐구에서 화학적 방법론은 필수 불가결의 요소라고 보아야 한다.
④ 유기체의 생활상은 다양한 환경적 요인에 의해 좌우되기 때문에 DNA 구조를 화학적으로 아무리 면밀히 분석해도 충분히 설명할 수가 없다. 화학적 탐구로는 생명 현상을 포괄적으로 설명할 수 없다.
⑤ DNA 연구는 불완전하게나마 생명 현상을 화학적인 수준에서 일관성 있게 설명할 수 있는 틀을 만들어 냈으며, 장차 학문 융합을 통해 생물학과 화학을 대체할 수 있는 새 분야를 탄생시킬 것이다.

[30~32] 다음 글을 읽고 물음에 답하시오.

태조께서 건국하고 즉위한 지 34일 만에 신하들을 접견하고 개연히 탄식하기를 "근래 백성을 혹독하게 수탈하여 1경(頃)당 받는 조(租)가 6석(石)에 이르러 백성이 살 수가 없으니 내가 매우 불쌍히 여긴다. 이제부터는 마땅히 10분의 1을 받는 제도를 써서 밭 1부(負)에 조 3승(升)을 내게 하라." 하고, 마침내 백성에게 3년간의 조를 면제하여 주었습니다. 당시는 삼국이 대치하여 있고 군웅이 각축하던 때여서 재정이 급박했으나 우리 태조께서는 전쟁은 뒤로 하고 백성 구제를 우선하였으니, 곧 천지가 만물을 생장 육성하는 마음이요, 요·순·문왕·무왕의 인정(仁政)과 같은 것입니다. 삼국이 통일되자 곧 전제(田制)를 정하여 신민(臣民)에게 수조지(收租地)를 나누어 주었는데, 백관은 그 품(品)에 따라 주어서 본인이 죽으면 그 권리를 회수하고, 부(府)의 군사는 20세가 되면 분급 받고 60세가 되면 돌려 바치게 하였습니다. 또 사대부로서 토지를 받은 자가 죄를 범하면 그것을 회수하니, 사람마다 자중하여 감히 법을 범하지 못하여 예의가 흥하고 풍속이 아름다워졌습니다. 부(府)·위(衛)의 군인들과 주·군·진·역의 아전은 각각 그 땅의 소출을 먹고 그 땅에 정착하여 생업을 편안히 하니 나라가 부강해졌습니다. 비록 천하를 호시탐탐 노리는 요와 금이 우리와 국경을 접하고 있었으나 감히 침노하여 덤비지 못한 것은, 태조께서 삼국의 땅을 나누어 신민들과 그 부(富)를 함께 누리고 그 생업을 후하게 하며 그 마음을 결속시켜 국가 천만 대의 근본이 되게 하였기 때문입니다. 하지만 이때부터 시간이 흐르면서 한인(閑人)이니 공음(功蔭)이니 투화니 입진이니 가급이니 보급이니 등과 별사니 하는 명칭이 대(代)마다 증가하여 토지를 관장하는 관리들이 번쇄함을 감당하지 못하게 되었습니다. 그리하여 ㉠땅 주고 땅 거두는 법이 점점 무너져 해이하게 되었습니다. 간사하고 교활한 무리가 틈을 타서 속이고 숨기는 것이 끝이 없어서 이미 벼슬한 자나 시집간 자도 오히려 한인전을 받아먹고 군대에 가지 않은 자도 속여서 군전을 받고 있습니다. 그뿐 아니라 아비가 그 분급 받은 땅을 몰래 가지고 있다가 사사로이 자식에게 물려주고, 자식은 몰래 땅을 가로채어 나라에 돌려주지 아니하여 이미 역분전(役分田)을 받았는데도 또 한인전을 받으며, 다시금 군전을 받고 있습니다. (중략)

토지 송사에 휘말린 자가 옥에 가득하고 뜰에 가득한 실정이어서 농민은 농사를 제쳐두고 판결을 기다립니다. 두어 달 밀린 문건이 산같이 쌓이고 1묘(畝)의 다툼이 수십 년간 계속되어 지방 수령은 침식을 잊고 판결하여도 끝이 없으니 이것은 사전(私田)이 쟁의의 발단이 되어 송사가 번잡하기 때문입니다. 자식이 부모에게 1묘의 토지를 요구하였다가 뜻대로 되지 못하면 오히려 원한을 품고 길가는 사람 보듯 하며, 심한 자는 상복을 벗자마자 땅문서가 어디 있는지 대라고 부모를 모시던 노비를 매로 때립니다. 부모에 대하여도 이러한데 하물며 형제간이야 어떻겠습니까. 이것은 사전 때문에 인륜이 금수로 떨어지는 것입니다. 조정에 있는 사대부들이 겉으로는 서로 좋게 지내는 체하나 속으로는 서로 시기하며 암암리에 중상하기까지 하니 이것은 사전이 올무가 되고 있는 것입니다. 근년에는 겸병이 더욱 심하여 간악하고 흉한 도당들이 여러 주와 군에 걸쳐 땅을 차지하고 산천으로 경계를 삼고서 모두 그 땅이 자기의 조업전(祖業田)이라고 핑계하면서 서로 훔치고 서로 빼앗고 있습니다. 그리하여 1묘의 주인이 5, 6명을 넘으며 1년의 도조가 8, 9번을 넘을 지경입니다. (중략)

원컨대 태조께서 지극히 공평하게 땅을 나누어 주었던 법을 준수하고 후세 사람들이 사사로이 주고받아 겸병하는 폐단을 고쳐, 사(士)도 아니고 군사도 아니고 국역을 지는 자도 아니면 땅을 주지 말며 죽을 때까지 사사로이 주고받지 못하도록 엄격한 한계를 세우소서. 백성과 함께 새롭게 시작함으로써 국가 재용을 족하게 하고 백성을 후하게 하며 조정의 관원들을 우대하고 군사들에게 충분한 공급을 하도록 하여 주소서. 그리하면 나라가 부유하게 되고 군사가 강하게 될 것이며 사람들 사이에서 예의와 염치의 기풍이 일어나고 인륜이 밝아지고 소송 사건이 없어질 것입니다.

— 『고려사』, 조준의 상서 —

30. 글쓴이의 입장으로 보기 어려운 것은?

① 토지 문제를 해결하여 풍속을 바로잡아야 한다.
② 역분전을 받고서 또 한인전을 받게 해서는 안 된다.
③ 지방 수령으로 하여금 땅 송사에만 매달리게 해서는 안 된다.
④ 백성이 소유한 땅을 거두어 새롭게 토지를 재분배해야 한다.
⑤ 부자간에도 분급 받은 땅을 사사로이 주고받게 해서는 안 된다.

31. ㉠에 관해 추론한 내용으로 적절한 것만을 <보기>에서 있는 대로 고른 것은?

<보 기>
ㄱ. 조업전에 적용한 원칙이었다.
ㄴ. 관인이나 군인 등 직역을 담당한 자를 대상으로 삼았다.
ㄷ. 국가가 토지를 공적으로 관리하는 의미를 가지고 있었다.
ㄹ. 수조권자(收租權者)의 중복을 방지한다는 의미가 있었다.

① ㄱ, ㄴ ② ㄴ, ㄷ ③ ㄷ, ㄹ
④ ㄱ, ㄴ, ㄷ ⑤ ㄴ, ㄷ, ㄹ

32. <보기>는 위 글 이후의 상황이다. 위 글과 <보기>를 통해 알 수 있는 사실이 아닌 것은?

<보 기>
도평의사사에서 전제를 논의하였다. 이때 전제가 크게 문란하여 겸병하는 권세가들이 토지를 빼앗아 산과 들을 차지할 정도였다. 그 폐해가 날로 깊어 백성들의 원성이 높았다. 이성계가 대사헌 조준과 더불어 사전을 개혁하고자 하였는데, 이색이 옛 법을 경솔하게 고쳐서는 안 된다 하며 그 의론을 고집하여 따르지 않았고, 이림·우현보·변안열도 모두 개혁하려 하지 않았다. 이들은 이색을 유종(儒宗)으로 여기고 그 말을 빌려 여러 사람의 귀를 현혹시켰다. 그래서 사전을 개혁하려는 의론이 결정되지 못하였다. 예문관제학 정도전과 대사성 윤소종은 조준의 의론에 찬동하고, 후덕부윤 권근과 판내부시사 류백유는 이색의 의론에 찬동하였는데, 찬성사 정몽주는 둘 사이에서 중립적이었다. 이에 왕은 각 부서로 하여금 사전 개혁의 장단점을 논의케 하였다. 논의한 자 53명 중에 개혁에 찬성하는 자가 18, 19명이요, 나머지는 모두 반대하였는데, 개혁하지 않으려는 자는 모두 대갓집의 자제였다.

— 『고려사절요』 —

① 왕은 이색의 의견을 좇아 조준의 주장을 받아들이지 않았다.
② 개혁의 찬성파나 반대파 모두 옛 제도나 관습을 명분으로 내세웠다.
③ 사전 개혁에 대해 기득권의 상실을 두려워하는 조정 관료들이 많았다.
④ 조준의 상서를 계기로 사전 개혁을 둘러싼 논쟁이 조정에서 본격화되었다.
⑤ 윤소종 또한 토지 제도 문란의 원인을 국가의 통제력을 벗어난 사전에서 찾았다.

[33~35] 다음 글을 읽고 물음에 답하시오.

철학적 글쓰기 방식에 대한 규정은 철학의 학문적 성격에 대한 규정과 직결된다. 현상에 대한 실증적 자료를 통해 그 타당성이 판정되는 경험과학과는 달리, 철학은 현상 너머의 메타 원리를 알고자 한다. 동시에 그것이 학문인 한 철학은 결코 정당화의 책무에서 자유로울 수 없기에, 주장의 선언이 아닌 엄밀한 논증의 형태로 존립해야 한다. 따라서 어떤 텍스트에 '철학적'이라는 수식어가 붙을 수 있는지는, 그 내용 기술이 이 조건을 충족하는지에 따라 결정될 수 있으므로, 그것이 구체적으로 어떤 양식으로 작성되는가 하는 것은 단순한 사적 취향의 문제에 그치는 것이 아니라, 어떤 양식이 철학의 학적 건강도를 얼마나 높일 수 있느냐 하는 문제와 연관된 쉽지 않은 사안이다.

이 점에서 회슬레의 철학 장르론은 주목을 끈다. 그의 이론은 '객관성', '주관성', '간주관성'이라는 범주를 중심으로 전개되는데, 범주의 이러한 삼분화에는 그 나름의 이유가 있다. 우선 이 세 범주는 각각 존재, 인식, 의사소통이라는 영역을 포섭하는 것으로서, 철학적 주제의 전 영역을 가리킨다. 즉 철학적 진술은 어떤 개성을 지닌 저자가 어떤 입장에서 어떤 주제에 집중하건, 결국 객관적 대상에 관한 진술, 그 대상을 마주하는 주체에 관한 진술, 또는 주체들끼리의 관계에 관한 진술 중 적어도 하나에 속한다. 나아가 이 범주들은 철학적 글쓰기 양식의 유형학적 분류에 유용하다. 즉 철학적 진술은 문제의 주제를 전면에 내세워 다루는 방식, 주제에 대한 자신의 내면적 사유의 흐름을 기술하는 방식, 또는 문제를 둘러싼 여러 주장들을 직접 대결시켜 보는 방식으로 전개될 수 있는데, 이 세 유형의 철학 텍스트 양식을 그는 각각 ⓐ '객관성의 장르', ⓑ '주관성의 장르', ⓒ '간주관성의 장르'라고 부른다. 물론 세 범주에 포섭되는 세 주제 영역과 세 유형의 텍스트 양식 사이에 어떤 필연적인 일대일 대응이 요구되지는 않는다. 즉 하나의 범주에 속하는 주제는 다른 범주에 속하는 글쓰기 양식으로도 기술될 수 있다.

먼저 객관성의 장르에서는 주로 주제 그 자체가 주어로 등장하며, 문체상 저자의 개성이 확연히 드러나는 경우에도 저자 개인이 텍스트에 직접 등장하지는 않는다. 가령 헤겔은 <논리학>에서 결코 그 자신에 관해 말하지 않거니와, 이 저작은 철저히 개념들의 논리적 규정 및 그것들 간의 이행 관계 등에 대한 기술로만 구성된다. 이는 진술의 진행이 저자의 자의적 구성에 의해서가 아니라 주제 자체의 논리에 의해 이루어지도록 하기 위함이다. 반면 주관성의 장르에서는 저자 개인 또는 주제와 관련된 그의 사유의 전개 과정이 직접적으로 드러난다. 가령 데카르트의 <성찰>에서 대부분의 문장은 1인칭 단수의 동사나 대명사로 구성되어 있다. 이러한 텍스트를 통해 독자는 저자의 사유 과정을 생생하게 따라가며 확인할 수 있다. 끝으로 플라톤의 <국가>와 같은, 간주관성의 장르의 전형인 대화편에서는 저자 개인뿐 아니라 타인 또한 명시적 발화 주체로 등장하며, 심지어 저자 자신이 타인의 형태로 등장하기도 한다. 이로써 주장들은 좀 더 생생하게 전달될 뿐 아니라 그것들 간의 대립 및 친화 관계도 잘 드러난다.

회슬레는 특히 대화편이라는 장르에 관심을 보이는데, 이는 간주관성의 범주에 각별한 지위를 부여하기 때문이다. 즉 철학적 주제는 그 자체로는 드러날 수 없으며 발화자인 저자에 의해 비로소 주제로서 표면화된다. 그리고 저자의 발화 행위는 이미 그것을 읽고 이해하고 물음 또는 반론을 던지는 독자의 존재를 전제로 성립한다. 다시 말해 객관성은 주관성을 요청하고, 주관성은 또 다른 주관성과의 관계를 통해 비로소 의미를 얻기 때문에, 결국 앞의 두 범주는 간주관성으로 수렴된다. 이러한 원론적인 측면을 논외로 하더라도 대화편은 철학의 본원적 난제, 즉 메타 차원의 문제에 대한 이론을 정당화된 논변으로 구성하기가 극히 어렵다는 사정을 해소하려는 노력에서 상대적으로 유리하다. 왜냐하면 저자의 주장이 설득력을 지니려면 예상되는 반론들을 견뎌야 하는데, 대화편에서는 저자의 견해를 대변하는 인물뿐 아니라 그에 맞선 반론의 주체 등, 그 나름의 논리로 무장한 다양한 관점의 인물들이 동격의 토론 참여자로 등장하며, 저자는 그 반론들과 자신의 재반론을 지속적으로 경합시키는 과정을 통해 자신의 정당성을 강화해 나아가기 때문이다.

요즘 철학에서 대화편이 저술되는 경우는 드물다. 간주관성의 옹호자 회슬레에게 이는 유감스러울 수밖에 없다. 이러한 상황은 철학적 텍스트의 생명을 좌우하는 논증의 엄밀성이 '주제 그 자체'를 중심으로 개진되는 객관성의 장르에서 잘 성취될 수 있다는 일반적인 확신에서 비롯된 것이다. 그러나 논증의 폭과 반론에 대한 면역성이라는 차원에서 볼 때는 오히려 대화편이 더 유리할 수 있다는 점을 생각하면, 이 장르의 저술이 거의 없다는 현재의 상황에 대한 회슬레의 유감은 이해할 만하다.

33. 위 글의 '철학적 텍스트'에 대한 설명으로 옳지 않은 것은?

① 양식의 선택이 주장의 타당성을 결정한다.
② 주장의 정당화 전략에 따라 양식이 선택된다.
③ 반론을 견디는 힘이 주장의 정당성을 강화한다.
④ 양식에 대한 저자의 사적 취향은 부차적 문제이다.
⑤ 진술 내용에 대한 실증적인 자료를 제시하기 어렵다.

34. ⓐ, ⓑ, ⓒ를 바르게 이해한 것만을 <보기>에서 있는 대로 고른 것은?

―――――<보 기>―――――
ㄱ. ⓐ와 ⓑ도 '간주관성'을 주제로 다룰 수 있다.
ㄴ. ⓐ와 ⓒ도 저자를 '나'로 전면에 내세울 수 있다.
ㄷ. ⓑ와 ⓒ도 저자의 개성을 드러낼 수 있다.

① ㄱ   ② ㄴ   ③ ㄱ, ㄴ
④ ㄱ, ㄷ   ⑤ ㄴ, ㄷ

35. '회슬레'가 <보기>의 '심사위원'이라고 할 때 취할 만한 입장으로 가장 적절한 것은?

―――――<보 기>―――――
철학과의 한 학생이 박사학위 청구논문을 대화편 형식으로 써서 심사위원회에 제출했다. 심사위원들 간에는 이 글이 심사대상 논문으로서 자격을 갖추었는지를 둘러싸고 격렬한 논쟁이 벌어졌다.

① 대화편이라는 양식이 논문의 일차적인 목적인 논증의 정당화에 기여한다면, 이러한 방식의 글쓰기도 용인할 수 있다.
② 논증하기 어려운 고급 문제들을 다루는 것이 철학 논문이므로, 희곡 형식과 유사한 방식의 글쓰기는 용인할 수 없다.
③ 필자가 학생이라면 아직 엄밀한 논증을 전개할 수 있는 능력을 갖추지 못했으므로, 이러한 양식 채택은 용인할 수 없다.
④ 틀에 박힌 글쓰기 양식의 한계를 넘어 철학적 상상력의 무제한적 실험을 감행한 용기 있는 시도이므로, 이러한 양식 채택을 용인할 수 있다.
⑤ 주장들의 대결 구도가 명확히 드러나고 등장인물들 사이의 갈등 관계가 박진감 있게 진행된다면, 이러한 양식 채택을 용인할 수 있다.

2027학년도 LEET 대비
기출문제 해설집

2009

영역별 출제 비중 분석

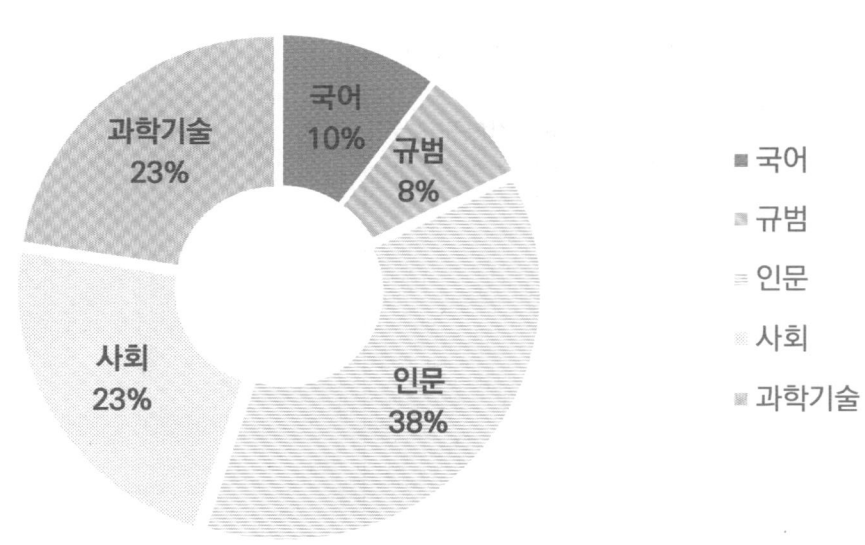

내용 영역	국어	규범	인문	사회	과학기술	총
문항 수	4	3	15	9	9	40

※ 출제 비중은 소수점 첫째 자리에서 반올림하였습니다.

2009학년도 언어이해

출제 경향 분석

첫 회에 해당하는 2009학년도 언어이해에 출제된 제시문과 문항들은 수험생들이 큰 부담을 느끼지 않을 만한 평이한 수준에 머물렀다.

제 1 교시

홀수형

2009학년도 법학적성시험

언어이해 문제지

성 명

수험번호

수험생 유의사항

○ 이 문제지는 **36문항**으로 구성되어 있습니다.
  - 본고사는 40문항으로 구성되어 있으나, 본서에서는 미출제 범위 문항(1~4)은 수록하지 않았습니다.

○ **시험 시간은 09 : 00 ~ 10 : 30(90분)입니다.**
  - 시험 시간은 실제 본고사와 동일한 40문항 기준입니다.

○ 문제지에 성명과 수험번호를 정확하게 기재하십시오.

○ 답안지는 반드시 컴퓨터용 사인펜을 사용하여 답을 표기하여야 합니다.

○ 답안지의 '필적확인란'에 제시된 문구를 정확히 정자로 기재하여야 합니다.

메가로스쿨

[5~7] 다음 글을 읽고 물음에 답하시오.

오늘날 우리는 법적인 문제에 있어서 사람들 사이에 합의가 있으면 당사자가 합의의 내용에 구속될 뿐 아니라 합의가 이행되지 않을 경우에는 당연히 소송을 통해 그 이행을 강제할 수 있다고 생각하는 경향이 있다. 하지만 합의에 관한 이러한 이해는 비교적 최근에야 생겨난 것으로 보인다.

로마의 법률가들이나 중세 영국의 판사들은 단순히 합의가 있었다고 해서 당사자가 합의의 내용에 구속된다고 보지는 않았다. 그뿐 아니라 합의가 지켜지지 않으면 곧 소송을 통해서 그 이행을 강제할 수 있어야 한다는 생각도 그들에게는 매우 낯선 것이었다. 왜냐하면 그들이 보기에 합의의 불이행으로 인한 손해를 구제하는 것과 합의의 이행을 강제하는 것은 확연히 구분되는 일이었으며, 소송은 기본적으로 전자를 위한 수단이었지 후자를 위한 수단이 아니었기 때문이다. 예컨대 로마의 법률가들은, 만일 당사자가 어떤 노예를 해방하기로 하고 돈을 받아 놓고도 그 노예를 해방하지 않고 있다면 받은 돈을 되돌려 주도록 하는 것으로 충분하며 굳이 그 노예를 해방하도록 강제할 필요는 없다고 보았다. 그들은 합의는 준수되어야 한다는 선험적인 전제로부터 출발하여 사태를 해결하려 했던 것이 아니라 단지 구체적인 분쟁에 대한 만족스러운 해결책은 무엇인가라고 하는 지극히 현실적인 물음에서 출발했던 것이다.

합의의 구속력에 대한 이 같은 인식에 변화가 발생하게 된 원인에 대해서는 여러 가지 설명이 있을 수 있다. 우선 합의를 하고 그것을 이행하는 과정에서 소송을 통해 구제될 필요가 있는 손해의 발생 가능성이 현저하게 증가했다는 점에 주목할 필요가 있다. 경제사학자들의 연구 성과에 따르면, 16세기 중반까지 대체로 안정적이었던 영국의 물가가 16세기 후반 갑자기 상승 국면으로 바뀌었는데, 이러한 경제 지표의 변화 시점은 영국의 판사들이 소송을 통한 합의의 이행 강제도 가능하다고 입장을 바꾼 시점과 거의 일치하고 있다. 예를 들어 매매 계약을 체결하고도 매도인이 그 계약을 이행하지 않는 경우를 생각해 보자. 계약을 체결한 시점과 이행할 시점 사이에 목적물의 가격이 변하지 않았다면 매수인은 같은 가격에 다른 사람과 계약을 체결할 수 있지만, 가격이 상승했다면 비싼 가격에 계약을 다시 체결해야 하므로 가격 차이는 고스란히 손해로 이어지게 된다. 따라서 학자들은 경제 여건의 변화가 소송 제도의 변화에 영향을 미쳤을 것이라 해석한다.

그러나 경제 여건의 변화만으로 모든 것을 설명할 수는 없다. ㉠'형식의 옷을 입지 않은 합의만으로는 소권(訴權)이 생기지 않는다'는 로마법 이래의 원칙을 파기하려면 법리적 정당화가 수반되어야 했기 때문이다. 하지만 중세의 세속법 학자들은 그러한 정당화가 불가능하다고 여겼다. 다수의 영국 판사들이 소송을 통한 합의의 이행 강제에 반대했던 것도 비슷한 이유 때문이었다. 그들의 이러한 형식법적 사고방식을 과감히 뛰어넘는 데 필요한 힘은 교회로부터 나왔다. 중세의 교회법은 자연법적 색채가 강했으며, 교회의 윤리 신학자들은 오직 해야 할 것과 해서는 안 되는 것 그 자체를 양심의 법정에서 실질적으로 판단하고자 했다. 이러한 실질법적 사고방식은 이미 13세기 교황 그레고리우스 9세의 훈령 속에 ㉡'합의는 어떠한 형식의 것이든 준수되어야 한다'는 조항으로 규정되었고, 결국 16세기 후반 영국 세속법의 변화에도 법리적인 정당화를 제공해 주었다. 이후 합의의 형식적 측면보다는 실질적 측면이 더 강조되었다. 즉 합의는 내용적으로 문제가 없는 한 당사자를 구속하며 그 이행은 강제될 수 있는 것으로 인식되기 시작했다.

16세기 후반 우여곡절 끝에 영국 법원의 공식적 입장이 전환되기는 했지만 판사들 간의 논란은 종식되지 않았다. 과거의 전통을 지지하는 판사들은 여전히 형식의 옷을 중요하게 생각했던 것이다. 합의의 구속력이 논란의 여지없이 당연한 것으로 받아들여지기까지는 200년 이상의 시간이 더 필요했다. 경제적 여건의 변화에 주목하는 학자들은 16세기 후반 이후 약 200년간 물가 상승이 지속적으로 이어지면서 합의의 이행을 강제하는 법 제도가 점차 당연하고도 정의로운 것으로 여겨지게 되었다고 주장한다. 하지만 우리는 19세기의 법률가들이 인간 중심적인 근대 철학에 기초하여 합의의 구속력의 근거를 새로운 관점에서 설명하고자 했다는 점에도 주목해야 할 것이다. 19세기의 법률가들은 합의의 구속적 성격이 인간의 자율성에서 도출된다고 보았다. 인간은 자율적 존재이기 때문에 스스로 합의한 바에 구속되는 것은 당연하다는 것이다.

5. 위 글의 내용과 일치하지 <u>않는</u> 것은?

① 로마 시대의 법률가들은 원칙에 따른 일관성보다는 현실적인 고려를 중시하였다.
② 중세 영국의 판사들은 기본적으로 소송을 손해의 구제 수단으로 여겼다.
③ 16세기 후반의 영국 판사들은 소송을 통한 합의의 이행 강제를 당연한 것으로 여겼다.
④ 중세의 윤리 신학자들은 윤리적인 관점에서 합의 준수 의무를 인정하였다.
⑤ 19세기의 법률가들은 근대 철학이 합의의 구속력을 설명하는 논리를 제공해 줄 수 있다고 보았다.

6. 위 글의 문맥에 따를 때 ㉠, ㉡으로부터 추론한 내용으로 적절하지 않은 것은?
① ㉠은 합의의 내용에 따라 그것의 구속력 여부가 결정됨을 뜻한다.
② ㉠은 합의의 불이행만으로는 소권이 부여되기에 충분하지 않았음을 보여 준다.
③ ㉡은 19세기에도 통용된 법 원칙이다.
④ ㉡은 합의의 형식에 따라 그것의 구속력 여부가 결정되지는 않음을 의미한다.
⑤ ㉠과 ㉡은 합의의 구속력 여부에 대한 판단 기준을 제공한다는 점에서 일치한다.

7. 위 글에 대한 설명으로 가장 적절한 것은?
① 제도 변화의 원인을 경제적 변인을 중심으로 설명하고 있다.
② 중심 개념에 대한 이해의 변화를 역사적 측면에서 기술하고 있다.
③ 중심 개념의 분석을 통해 그 단점을 보완한 새로운 개념을 제안하고 있다.
④ 중심 개념에 대한 오늘날의 통념적인 이해가 타당하지 않음을 논증하고 있다.
⑤ 과거의 사례에서 전범(典範)을 찾아 문제를 해결하기 위한 대안으로 제시하고 있다.

[8~10] 다음 글을 읽고 물음에 답하시오.

한국인들이 미국에 본격적으로 이민을 간 것은 1960년대 후반부터이다. 이제 한국계 미국인들은 다양한 직종에 종사하면서 미국 내에서 상당한 영향력을 끼치는 이민 사회를 이루고 있다. 한국계 이민 사회의 중요한 직업적 특징 중의 하나는 다른 민족에 비하여 소규모 개인 사업을 하는 비율이 유난히 높다는 것이다. 한 통계에 따르면 한국계 미국인이 자영업을 하는 비율은 미국인 전체 평균보다 70% 정도 높다.

한국계 이민 사회에서 자영업의 비중이 상대적으로 높은 것에 대해 여러 가지 이유를 찾을 수 있다. 일반적으로 영어 능력의 한계에서 그 이유를 찾는다. 그런데 이민 1세대 한국계 자영업자들의 영어 능력과 교육 수준이 사기업에 종사하는 한국계 임금 노동자보다 더 높다는 조사 결과도 있다. 그럼에도 불구하고 자영업자들의 영어 능력이 주류 사회의 직장에 취업할 정도에 이른다고 하기는 어렵고, 비록 대학 졸업자의 비중이 높다고 하나 한국에서 이들이 취득한 학력이나 자격증은 자신들이 원하는 직업을 구하는 과정에서 거의 인정받지 못했다는 것도 사실이다.

이렇게 주류 사회의 선호 직업에 접근하기 어려운 사람들이 쉽게 가질 수 있는 직업은 주류 사회 사람들과의 직접적인 경쟁을 피할 수 있는 직업이다. 이는 주류 사회의 사람들이 더 이상 이익을 기대할 수 없어 회피하거나 떠나 버린 분야이다. 대표적으로 소수 민족 소비자를 상대하는 사업이나 노동 집약적 사업 등이 있다. 이런 성격의 자영업이 한국계 미국인들의 사업상의 특징을 이룬다.

불가피하게 자영업을 선택할 수밖에 없었던 한국계 이민자들에게 사업 준비와 운영에 이용할 수 있는 민족적 자원과 개인적 자원이 있었다는 점을 주목할 필요가 있다. 민족적 자원으로 첫째, 한국계 이민자들은 상당수가 특정 지역에 모여 살고 종교 단체를 중심으로 조직화되어 있었기 때문에 사업에 관한 정보를 많이 교류할 수 있는 환경이 있었다. 둘째, 이들은 가족 관계가 온전히 보전되어 있었기 때문에 저임금의 가족노동을 이용할 수 있었다. 개인적 자원으로는 교육과 자본 조달 능력을 들 수 있다. 이들이 한국에서 받은 높은 교육 수준은 비록 주류 사회의 인정을 받지는 못했지만, 사업체 운영의 기초 능력으로 작용하였다. 또한 이들이 한국에서 이룩한 사회적 배경은 일정한 개인 저축과 용이한 자본 조달을 가능하게 하였다.

한국계 이민자가 미국 사회에 적응하면서 소규모 개인 사업에 집중하는 현상을 설명하는 이론 중의 하나가 '중간 상인 이론'이다. 중간 상인 집단의 중요한 특징은 경제 구조 내에서 생산자와 소비자, 고용주와 피고용인, 소유주와 세입자, 상류 계층과 하류 계층 사이에서 중개자의 역할을 한다는 것이다. 이민 사회 형성 초기에 많은 한국계 이민자들은 대도시의 빈민 지역에서 소규모 상점을 운영했다. 한국계 이민자 소유 사업체들은 주로 소득이 낮은 라틴계와 아프리카계 미국인들이 거주하는 지역에서 '중간 상인' 역할 을 하면서 사업을 할 수 있는 기회를 갖게 되었다. 하지만 한편으로는 주류 사회의 상품 공급자, 건물주, 정부 기관 등과 다른 한편으로는 소비자들과 갈등을 일으키는 어려움에 처해 있었다.

한국계 이민자들은 주류 사회와의 갈등에 대처하고 사업상의 필요를 충족하기 위해 민족적 결속을 강화하였다. 이들은 문제에 공동으로 대처하기 위하여 한국계 소매상 단체를 설립하는 한편,

경비 절감과 구매 협상력의 강화를 위하여 유통 과정을 하나의 관리 체계로 결합하는 수직적 계열화를 실시하였다. 한 지역에 집중적으로 모여서 비슷한 사업을 하는 한국계 소매상들은 유력한 한국계 도매상을 중심으로 주문을 하나로 모아 좋은 가격으로 공급자와 협상할 수 있었다. 또한 이들은 수직적 계열의 관리자로부터 외상 공급, 창업 자금 대출 등과 같은 지원을 받기도 하였다. 그러나 수직적 계열화의 부정적인 영향도 무시할 수 없었다. 이 네트워크에 너무 많은 한국계 소매상이 참여한 경우에는 소수의 상품 시장에 집중함으로써 시장 포화 현상이 발생하였다. 또한 이 네트워크에 끼지 못한 다른 민족들이 단순히 그 이유 때문에 수직적 계열화에서 받을 수 있는 혜택을 받지 못하여 결국 사업 기회에서 배제되는 문제도 발생하였다.

수직적 계열화는 다른 민족과 구별되는 한국계 이민 사회의 특징이라 할 수 있다. 이를 통해 한국계 자영업자들은 지속적으로 자본과 경험을 축적할 수 있었지만 소규모 사업체에서의 장시간 노동이라는 문제를 근본적으로 해결하지는 못하였다.

8. 위 글에서 한국계 이민자들이 자영업을 많이 하게 된 요인에 대한 설명으로 적절하지 않은 것은?

① 자영업에 도움이 될 만한 정보를 용이하게 획득할 수 있었다.
② 가족 관계를 이용한 인력 조달로 비용을 절감할 수 있었다.
③ 한국에서 취득한 자격증으로 원하는 직업을 얻기 쉬웠다.
④ 영어 능력의 한계로 직업 선택에 한계가 있었다.
⑤ 주류 사회의 선호 직업에 진출하기 어려웠다.

9. 위 글의 중간 상인 역할에 대한 설명으로 가장 적절한 것은?

① 중간 상인 역할은 높은 이익을 보장하였다.
② 상류 계층이 소비하는 상품을 거래하는 역할을 하였다.
③ 중간 상인 역할은 소비자들에게 호의적인 반응을 얻었다.
④ 중간 상인 역할을 위해 큰 규모의 자본 조달이 요구되었다.
⑤ 중간 상인 역할의 어려움에 대응할 때 민족적 자원을 많이 활용하였다.

10. 위 글에서 수직적 계열화의 결과로 볼 수 있는 것은?

① 경쟁이 완화되어 한국계 자영업자 간의 조화가 이루어졌다.
② 주류 사회의 상품 공급자에 대한 협상력이 강화되었다.
③ 타민족 자영업자를 포용하여 사회적 기여를 하였다.
④ 일정 지역에서 업종의 다양화가 이루어졌다.
⑤ 생업을 위한 노동 시간이 감소하였다.

[11~13] 다음 글을 읽고 물음에 답하시오.

VOD(Video on Demand)는 사용자의 요청에 따라 서버가 네트워크를 통해 비디오 콘텐츠를 실시간으로 전송하고, 동시에 수신 측에서 이와 연동하여 이를 재생하는 서비스를 말한다. 콘텐츠가 실시간으로 전송될 때는 허용 시간 내에 데이터가 전달되는 것이 중요하므로, 공중파 방송처럼 데이터를 통신망으로 퍼뜨리는 형태를 취한다. 콘텐츠의 전송은 소프트웨어적으로 정의되는 채널을 통해 일어나는데, 한 채널은 콘텐츠 데이터 블록의 출구 역할을 하며 단위 시간당 전송하는 데이터의 양을 의미하는 '대역'으로 그 크기를 나타낸다. 한편 한 서버가 가지는 수용 가능한 대역의 크기, 즉 최대 전송 능력을 '대역폭'이라고 하고 초당 전송 비트 수로 나타낸다.

VOD의 여러 방법 가운데 사용자의 요청마다 각각의 채널을 생성하여 서비스하는 방법을 'RVOD(Real VOD)'라고 한다. 각 전송 채널이 사용자별로 독립되어 있으므로 사용자가 직접 '일시 정지', '빨리 감기' 등과 같은 실시간 전송 제어를 할 수 있어 상대적으로 사용자의 편리성이 높고, 제한된 대역폭으로도 다양한 콘텐츠의 동시 서비스가 가능하다. 그러나 동시 접속 사용자의 수에 비례하여 서버가 전송해야 하는 전체 데이터의 양이 증가하므로, 대역폭의 제한이 있는 상황에서는 동시 접속이 가능한 사용자의 수에 한계가 있다.

이 단점을 극복하기 위해 제시된 NVOD(Near VOD)는 일정 시간 동안에 들어온 서비스 요청을 묶어 한 채널에 다수의 수신자가 동시에 접속되는 형태를 통해 서비스하는 방식이다. NVOD의 한 채널은 동시 접속 수신자 수에 상관없이 일정한 대역을 필요로 하므로 동시 접속 사용자 수의 제한을 극복할 수 있지만, 사용자가 서비스를 받기 위해 일정 시간을 기다려야 하는 불편이 있다. 서비스 제공자의 입장에서 볼 때 사용자가 서비스 요청을 취소하지 않고 참을 수 있는 대기 시간을 '허용 대기 시간'이라고 하는데, 이것은 VOD의 질을 결정하는 중요한 요소이다.

'시간 분할 NVOD'는 동일 콘텐츠가 여러 채널에서 시간 간격을 두고 반복 전송되도록 함으로써 대기 시간을 줄이는 방법이다. 사용자는 요청 시점 이후 대기 시간이 가장 짧은 채널에서 수신 대기하게 되고, 그 채널의 전송이 데이터 블록의 첫 부분부터 다시 시작될 때 수신이 시작된다. 이때 대기 시간은 서버의 채널 수나 콘텐츠의 길이에 따라 결정되는데, 120분 길이의 영화를 12개의 채널을 통하여 10분 간격으로 전송하면 대기 시간은 10분 이내가 된다. 대기 시간을 줄이려면 많은 수의 채널이 필요한데, 1분 이내로 만들려면 120개의 채널이 필요하다.

'데이터 분할 NVOD'는 콘텐츠를 여러 데이터 블록으로 나누고 각각을 여러 채널에서 따로 전송하는 방법을 사용하여 대기 시간을 조절한다. 첫 번째 블록을 적당한 크기로 만들어, 이어지는 블록의 크기가 순차적으로 2배씩 증가하면서도 블록 수가 이용 가능한 채널 수만큼 되도록 전체 콘텐츠를 나눈다. 각 채널에서는 순서대로 할당된 블록의 전송을 동시에 시작하고, 각 블록의 크기에 따라 주기적으로 전송을 반복한다. 수신 측은 요청 시점 이후 첫 번째 블록부터 순서대로 콘텐츠를 받게 되는데, 블록의 수신이 끝나면 이어질 블록이 전송되는 채널로 자동 변경되어 그 블록의 시작 부분부터 수신된다. 단, 채널의 대역이 콘텐츠의 재생에 필요한 것보다 2배 이상 커야만 이미 받은 분량이 재생되는 동안 이어질 블록의 수신이 보장되고 연속 재생이 가능하다.

　이 방법은 첫 블록의 크기가 상대적으로 작아지므로 대기 시간을 줄일 수 있다. 앞선 예에서 120분 분량을 2배속인 6개의 채널을 통해 서비스하면 대기 시간은 1분 이내가 된다. 따라서 시간 분할 방법에 비해 동일한 대역폭을 점유하면서도 대기 시간을 90% 이상 감소시킬 수 있으며, 대기 시간 대비 사용 채널 수가 줄어들어 한 서버에서 동시에 서비스 가능한 콘텐츠의 종류를 늘릴 수 있다. 하지만 전체 콘텐츠의 전송에 걸리는 시간이 콘텐츠의 전체 재생 시간의 절반 이하이므로 각 채널이 2배 이상의 전송 능력을 유지해야 하며, 콘텐츠의 절반에 해당하는 데이터를 저장할 수 있는 공간이 수신 측에 반드시 필요하다.

　NVOD는 공통적으로 대기 시간 조절을 위해 다중 채널을 이용하므로 서비스에 필요한 일정한 대역폭을 늘 확보해야 한다. 따라서 콘텐츠당 동시 접속 사용자가 적을 경우에는 그리 효율적이지 못하다. 극단적으로 한 명의 사용자가 있을 경우라도 위의 예에서는 6개의 채널에 필요한 대역폭을 점유해야 하므로 네트워크 자원의 낭비가 심하다.

11. 위 글의 내용과 일치하는 것은?

① RVOD에서 콘텐츠 전송에 필요한 대역의 총합은 동시 접속 사용자 수에 상관없이 일정하다.
② 시간 분할 NVOD와 데이터 분할 NVOD에서는 모두 재생 중에 수신 채널 변경이 필요하다.
③ 시간 분할 NVOD에서는 크기가 다른 데이터 블록이 각 채널에서 반복 전송된다.
④ 데이터 분할 NVOD에서 데이터 블록의 크기는 사용 채널 수에 상관없이 결정될 수 있다.
⑤ 데이터 분할 NVOD에서 각 채널의 전송 반복 시간은 데이터 블록의 재생 순서에 따라 다음 채널로 넘어가면서 2배씩 증가한다.

12. NVOD에 대해 추론한 것으로 바르지 않은 것은?

① 한 콘텐츠당 사용되는 채널의 수를 늘리면 사용자의 대기 시간을 줄일 수 있다.
② 한 채널당 수신자의 수가 다수일 수 있으므로 '일시 정지'와 같은 사용자의 편의성을 높일 수 있는 기능을 사용하기 어렵다.
③ 시간 분할 NVOD에서는 적어도 사용 채널의 수보다 많은 수의 동시 접속 사용자가 있어야 RVOD에 비해 서버에서 보내는 전체 데이터양의 감소 효과가 있다.
④ 동일한 대역폭을 가지는 서버가 한 개의 콘텐츠만 전송한다고 할 때 데이터 분할 NVOD는 시간 분할 NVOD의 절반에 해당하는 채널 수를 사용한다.
⑤ 데이터 분할 NVOD는 수신 측의 저장 공간이 반드시 필요한데, 저장 공간에 제한이 있을 경우 콘텐츠의 크기가 너무 크면 전체 내용의 재생이 어렵다.

13. 어느 지역에 VOD 서비스를 공급하기 위해 <보기>와 같이 기초 자료를 조사하였다. 이를 토대로 시간대별로 VOD 서비스 방식을 결정할 때, 가장 적절한 선택은?

―<보 기>―

조사 항목 \ 시간	아침, 낮	저녁, 밤	심야
서비스 요청자 수는 얼마나 많은가?	많다	많다	적다
요청 콘텐츠의 수는 얼마나 많은가?	적다	보통	많다
허용 대기 시간은 얼마나 긴가?	길다	보통	짧다

	아침, 낮	저녁, 밤	심야
①	RVOD	시간 분할 NVOD	데이터 분할 NVOD
②	시간 분할 NVOD	RVOD	데이터 분할 NVOD
③	시간 분할 NVOD	데이터 분할 NVOD	RVOD
④	데이터 분할 NVOD	RVOD	시간 분할 NVOD
⑤	데이터 분할 NVOD	시간 분할 NVOD	RVOD

언어이해

[14~16] 다음 글을 읽고 물음에 답하시오.

나라는 민(民)을 근본으로 삼고 민은 재물로써 살아가니, 애민(愛民)하는 요체는 마땅히 절용(節用)을 앞세워야 하고 절용하는 실속은 소비를 줄이는 것보다 더한 것이 없습니다. 소비를 줄이지 않고 쓰는 것을 절약하지 않는다면 곤궁함에서 회생시켜 그 생계를 후하게 할 수가 없을 것입니다.

우리나라는 가난한 나라입니다. 국토의 절반이 산과 계곡이고 인구는 적은데 유식(遊食)하는 사람이 다수를 차지하고 있습니다. 재물을 생산할 자원이 풍부하지 않으니 재물을 더욱 절약해서 사용해야 할 것인데, 검소를 숭상하는 교화(敎化)가 거친 명주옷을 입는 것으로 나타나지 않고 오히려 사치를 경쟁하는 풍습이 갈수록 민간에 성행하고 있습니다. 사대부들 사이에 의복과 음식의 제도가 옛날에는 없던 것이 지금은 있는 것이 있는데 옛날 것은 검소했으나 지금 것은 사치스러운 것이 한두 가지가 아닙니다. 이로부터 풍속이 날로 사치로 치닫고 재용(財用)이 날로 부화(浮華)함에 빠지는 것을 알 수 있는데, 그 재물이 모두 소민(小民)들의 고혈(膏血)에서 나오는 것이니 백성들이 어찌 빈궁하고 곤란하게 되지 않을 수 있겠습니까? 이는 말세에 풍습이 변화된 데 따른 것일 뿐 아니라 군상(君上)께서 영도(領導)하여 통솔하시는 방도와도 관련이 있습니다.

신이 근심하고 있는 것은 곧 국가의 경비입니다. 숙종조(肅宗朝) 초년에는 한 해 국가의 용도를 통틀어도 8, 9만에 불과했는데 말년에 이르면서는 갑절이 되었고 영조조(英祖朝) 초년에는 이미 숙종조 말년의 액수를 넘어섰다가 근년에 이르면 또 갑절이 되었으며 전하께서 즉위하셨을 때는 영조조 말년보다도 더 많아졌습니다. 작년에는 산릉(山陵) 조성 공사가 크게 일어나고 객사(客使)의 영송(迎送)이 빈번했기에 상례(常例)와 비교할 수 없지만, 숙종 초년과 비교할 때 몇 곱절이 됩니다. 조종(祖宗) 이래 수백 년 동안 해마다 그 땅 그대로이고 해마다 그 백성 그대로이어서 땅도 더 열리지 않았고 가호(家戶)도 증가하지 않았습니다. 그러나 부세(賦稅) 수입은 줄기만 하고 늘지 않았으며 경비 지출은 늘기만 하고 줄지 않았습니다. 그나마 다행스러운 일은 홍수나 가뭄 등 재해와 전쟁으로 인한 의외의 지출이 없었던 것입니다.

신이 공부(貢賦)를 맡은 사람이 논한 것을 듣건대 한 해의 수입으로 반년의 용도를 지탱하지 못하고, 근근이 살림살이를 이끌며 겨우 눈앞의 일만을 지탱할 수 있었던 것은 단지 관서(關西) 지방의 소미(小米)와 다른 관사(官司)에 남아 있던 저축 덕분이었습니다. 항아리에 담아 둔 물은 모두 우물 속의 물이고 잔에 따라 놓은 술은 모두 병 속의 술인 것이기에, 우물이 마르면 항아리가 비게 되고 병이 기울어지면 잔이 마르게 될까 두렵습니다.

신이 이미 여러 차례 영해(嶺海)에서 천적(遷謫)을 겪으면서 백성들의 곤궁과 질고를 익히 목도했습니다. 매양 보면 뼛속까지 어는 추위에도 껴입을 옷이 없고 창자가 주리어도 먹을 것이 없으며 집을 울타리로 가리지도 못하고 거적자리도 갖추지 못하고 있는데 구실을 재촉하는 엄명은 성화보다도 다급하고 채찍의 고통이 살과 뼈에 닥치니, 때 없이 옮겨 다니고 오래지 않아 죽게 되며, 남아 있는 사람은 떠나간 사람들이 내지 않은 구실까지 물어야 하고 살아 있는 사람은 죽은 사람들의 구실까지 담당해야 하는데도 대궐문은 멀기만 하여 호소하는 소리가 들리지 않았습니다. 그러므로 담아 두었던 것을 모조리 털어 겨우 세납(稅納)에 충당하니 항아리와 단지가 모두 깨져 이미 그해를 넘길 거리가 없게 됩니다.

설령 나라에서 날마다 쓰는 비용이 조금 여유가 있더라도 오히려 조금씩 거두어들인 것을 흙이나 모래 쓰듯이 하는 것은 마땅치 않거늘, 하물며 지금 나라 회계의 곤란이 이와 같은 지경에 이르고 소민(小民)들의 곤궁과 고통이 이와 같은 때이겠습니까? 안으로는 궁금(宮禁)과 밖으로는 관부들의 남용을 개혁하되, 수입을 헤아려 지출을 억제하고 옛적에 3년이 되면 한 해의 것이 남도록 저축하던 일을 법으로 삼는다면, 사치하는 풍습이 고쳐지고 용도를 절약한 효과로 백성들이 곤궁에서 회복될 수 있을 것입니다.

— 『조선왕조실록』, 정조 1년 대사헌 정창순의 상소문 —

14. 글쓴이가 파악하고 있는 당시 시대상으로 보기 어려운 것은?
  ① 국가의 재정 수입이 지출액에 미치지 못하고 있다.
  ② 잦은 천재지변으로 백성들의 삶이 피폐해 있다.
  ③ 지배층 사이에 새로운 유행이 퍼지고 있다.
  ④ 생산 활동에 참여하지 않는 사람이 많다.
  ⑤ 경작지가 늘어나지 않고 있다.

15. 위 글의 내용으로 미루어 볼 때, 글쓴이가 제안했을 만한 것이라고 보기 어려운 것은?
  ① 사치 풍속을 금하는 교서(敎書)를 내리소서.
  ② 어사를 파견하여 백성의 처지를 살피소서.
  ③ 확보된 재정으로 국가사업을 일으키소서.
  ④ 왕실과 관부의 지나친 지출을 금하소서.
  ⑤ 국고(國庫)의 곡식 비축량을 늘리소서.

16. <보기>의 필자가 위 글을 비판한다고 할 때, 가장 적절한 것은?

―――――――〈보 기〉―――――――

우리나라는 검소함 때문에 쇠약해졌다. 지금 우리나라에는 구슬을 캐는 집이 없고, 시장에 산호 같은 보석이 없다. 또 금이나 은을 가지고 가게에 가도 떡조차 살 수 없는 형편이다. 이것이 정말 검소한 풍속 때문일까? 아니다. 이것은 물건을 이용하는 방법을 모르기 때문이다. 이용할 줄 모르니 생산할 줄 모르고, 생산할 줄 모르니 백성들이 나날이 궁핍해지는 것이다. 재물이란 우물의 물과 같다. 퍼내면 차게 마련이고 이용하지 않으면 말라 버린다. 그렇듯이 비단을 입지 않기 때문에 나라 안에 비단 짜는 사람이 없고, 그릇이 찌그러져도 개의치 않으며 정교한 기구를 애써 만들려 하지 않으니, 기술자나 질그릇 굽는 사람들이 없어져 각종 기술이 전해지지 않는다. 심지어 농업도 황폐해져 농사짓는 방법을 잊어버렸고, 장사를 해도 이익이 없어 생업을 포기하기에 이르렀다. 이렇듯 사민(四民)이 모두 가난하니 서로가 도울 길이 없다. 나라 안에 있는 보물도 이용하지 않아서 외국으로 흘러 들어가 버리는 실정이다. 그러니 남들이 부강해질수록 우리는 점점 가난해지는 것이다.

① 상업이 발달해야 경제가 성장하는 법인데 농산물의 지역 간 유통을 억제하는 것은 잘못이다.
② 주변 국가와의 경제 격차를 해소해야 하는데 지방 재정의 곤란에만 관심을 집중하는 것은 잘못이다.
③ 백성의 궁핍은 국부(國富)가 국외로 유출된 탓인데 농업 기술의 퇴보에서 말미암은 것으로 보는 것은 잘못이다.
④ 소비 증가가 생산 증대로 이어지는 법인데 허비를 줄인다며 자칫 소비를 억제하는 정책을 시행하는 것은 잘못이다.
⑤ 민생 안정을 위해서는 우선 백성들 간의 상호 부조(扶助)를 장려해야 하는데 국가가 성급하게 개입하는 것은 잘못이다.

[17~19] 다음 글을 읽고 물음에 답하시오.

그녀는 목덜미가 선득거리자 외투 깃을 올렸다. 회사 앞 골목을 빠져나오며 그녀는 생각했다.

'내 인생이 남 보기에 그렇게 안되어 보일 만큼 실패한 걸까?'

그러자 괜히 웃음이 터져 나올 것 같아 입술을 지그시 깨물었다. 자기가 동료들과 세상 사람들을 멋지게 속여 넘기고 있는 듯한 기분이 들었기 때문이다. 물론 그녀가 세상 사람들 앞에 은닉하고 있는 것은 남루한 옷차림의 이 도령이 ㉠도포 속에 감춰 가지고 있던 마패 같은 것은 아니었다. 또는 텔레비전이나 영화에서 가난한 여주인공이었던 여자가 알고 보니 무슨 재벌 총수의 딸이더란 식의 돈 많고 지위 높은 아버지를 감춰 두어서도 아니었다. 글쎄, 그녀로선 남들이 눈치 채지 못하는 자기 마음속의 어떤 그윽하고 힘찬 상태, 그걸 뭐라 해야 할지 알 수 없었다.

(중략)

한수가 십 년 전 처음 문자의 자취방으로 드나들기 시작했던 때는 한겨울이었다. 유난히도 눈이 잦았던 그해 겨울을 문자는 거의 지붕 위에서 살다시피 보냈다. 눈이 쌓인 채로 놔두면 그 물이 언제까지나 콘크리트 천장으로 스며들어 곳곳에서 낙수가 지곤 했다. 오르내릴 사다리도 변변치 않았고 고압선이 길게 늘어져 있어 위험하기 짝이 없는데도, 문자는 부삽을 들고 날개가 달린 듯 지붕으로 오르내렸다. 식당을 한다는 주인집 내외가 비죽이 웃으며 대청마루에 선 채 구경 삼아 쳐다보고 있거나 말거나, 그녀는 빨갛게 상기된 얼굴로 마치 춤추듯 가볍게 눈을 퍼서 지붕 아래로 집어던졌다. 어쩌다 지나가던 행인이 흙탕물이 튀었다고 화를 내면, 날듯 뛰어내려 그의 바짓가랑이를 털어 주며 만족할 때까지 몇 번이나 사과하고 나서 또다시 지붕으로 올라가곤 했다.

또한, 헛간이나 다름없는 문자의 부엌에는 수도가 없었기 때문에 안집 마당에 있는 수도에서 일일이 물을 길어다 먹었다. 안집 마당으로 가자면 부엌 뒷문으로 나가서 높고 가파른 계단을 내려가야 했다. 이전의 세든 사람들에겐, 그 계단이 죽지 못해 오르내리는 ㉡굴욕의 사다리로 여겨졌었다. 그 가난한 여인들은 자신이 양손에 물바께쓰를 들고 낑낑거리며 계단을 오르는데, 주인집 여자가 비죽이 웃으며 자기의 뒷모습을 주시하는 것이 무엇보다 싫었다.

그러나 똑같은 방을 빌려 사는 처지이면서도 문자는 그녀들과 전혀 달랐다. 그녀가 뒷문 앞에 나타날 때 보면, 무슨 좋은 일을 하다가 중단하고 나온 것처럼 항시 두 뺨이 발그레했다. 때로 그녀는 양손에 바께쓰를 든 것도 잊고 층계참에 서서 한참 동안씩 하늘을 쳐다보곤 했다. 그러고 난 뒤엔 두 뺨에 발그레한 빛이 안에서 불을 켠 것처럼 더욱 짙어졌다. 그녀가 계단을 내려오는 모습은 마치 몸속에 깃들어 있는 싱싱한 생명의 탄력이 음계를 밟고 있는 듯이 보였다.

그래서, 그 계단은, 그 위에 있는 아주 신비롭고 아름다운 세계를 그녀 혼자만 누리기 위해, 외부로 나타난 부분을 일부러 조악(粗惡)하게 꾸며 논 것같이 보였다.

주인집과 그 집에 세 들어 사는 여느 식구들은 문자가 새벽같이 층계참에 나와 매운 연기를 마셔 가면서도 연탄 화덕에다 신나게 부채질을 활락활락 해 대며 때로는 콧노래까지 흥얼거리는 광경을 종종 볼 수 있었다. 그도 그럴 것이 그 부엌의 아궁이에선 물이 솟았기 때문이다.

아궁이뿐만 아니라, 지붕이며 방고래를 고쳐 달랠 만한데도 문자가 혼자 힘으로 잘 참아 나가자, 주인집은 고마워하기는커녕 오히려 그녀에게 물세 불세까지도 터무니없이 물리었다. 그래도 문자는 한마디도 따지지 않고 달라는 대로 선선히 내주었다. 마치 큰 여유가 있어 그만한 일은 불문에 붙이는 것처럼. 때문에 한집에 세 들어 사는 여인들은 문자의 살림 형편이 겉보기보다 훨씬 알심 있을 거라고 추측했다. 어느 날 그녀들은 자기들끼리 짜고 불시에 문자를 찾아갔다. 방 안을 찬찬히 둘러본즉, 물이 스며든 천장은 페인트칠이 일어나 너덜거렸고, 녹슨 손잡이가 달린 캐비닛 이외에 이렇다 할 세간이라곤 아무것도 없었다. 그녀들로서는 문자의 ㉠두 뺨에 서린 발그레한 홍조와 노래를 몸에 휘감고 있는 듯한 그 발랄한 생기가 어디에서 연유하는지 더욱 몰라졌다. 그녀들은 문자가 수돗가에 나왔다가 떠나고 난 뒤에, 향기 좋은 꽃으로 가슴을 꾹 눌렀다가 뗀 것 같은 그 느낌을 어떻게 설명해야 할지 알 수 없었기 때문에, 그중 누가 엄지손가락으로 돌았다는 시늉을 해 보이면 거기에 전적으로 동의하는 듯 폭소를 터뜨렸다.

그녀들이 이미 확인한 바와 같이 문자는 남다른 무엇을 소유했던 게 아니었다. 그녀로선 무엇을 하든 그 일을 하면서 사랑하는 사람을 생각한 것뿐이었다. 콩나물을 다듬든, 연탄불을 피우든, 지붕 위의 눈을 치우든 그를 생각하노라면 어딘가 높은 곳에 등불을 걸어 둔 것처럼 마음 구석구석이 따스해지고, 밝아 오는 것을 느꼈다. 그 따스함과 밝은 빛이 몸 밖으로 스며 나가 뺨을 물들이고, 살에 생기가 넘치게 하는 것을 그녀 자신은 오히려 깨닫지 못했다.

한수가 그녀에게 오는 것은 단지 일요일 밤뿐이었지만, 그는 항시 그녀의 ㉡시렁 위에 걸려 있는 등불이나 다름없었다. 시장에서 물건을 깎다가도 그녀는 '그가 만약 이 사실을 안다면' 하고 깎는 일을 그만두었고, 남과 다툴 뻔하다가도 그를 떠올리면 분노가 촉촉하게 가라앉았다.

이렇게 해서 월요일, 화요일 …… 토요일을 보내는 사이에 그는 그녀의 존재 자체를 조금씩 연금(鍊金)시켜, 이윽고 일요일이 되었을 땐 그녀의 손길이 닿기만 해도 닿는 것은 무엇이든 금빛 물이 들었다.

문자는 그가 미처 문을 두드리기도 전에 이미 그의 발걸음 소리를 알아듣고 미리 나가서 그를 맞아들였다. 그녀가 그의 옷을 벗기면 그 옷이 금빛으로 물들었고, 양말을 벗기면 양말이 그러했다. 뜨거운 물이 담긴 대야를 가져와 그의 발을 씻기면 그 발 역시 금빛이 났다.

그녀가 그를 위해 마련한 저녁상은, 가난한 자가 일주일 내내 거친 솔과 젖은 걸레로 마룻바닥을 힘들여 닦아서 번 돈으로 ㉢성전(聖殿) 앞에 켤 양초를 사는 것같이 마련된 것이었다.

한수는 그녀가 살코기를 집어 줄 때마다 입을 딱 벌려 받아먹기만 할 뿐, 자기도 그녀의 입에 그 고기를 먹여 주려는 생각은 한 번도 해 보지 않았다. 한수의 마음은 무디고 이기적이어서 온 방 안에 가득 찬 금빛을 보지 못했고, 가만히 있어도 그 침묵이 노래임을 알지 못했다. 심지어는 그녀의 몸을 단지면서도 ㉣잘 익은 과육에서 나는 것과 같은 향기가 자기 손가락에 묻어나는 것도 몰랐다.

― 서영은, 「먼 그대」 ―

17. 위 글의 '문자'에 대한 설명으로 가장 적절한 것은?

① 주변의 평가에 좌우되면서 주체성을 상실해 가고 있다.
② 소극적이고 유약한 듯하지만 내면의 힘을 간직하고 있다.
③ 자신의 순수한 삶을 타인들이 알아주기를 기대하고 있다.
④ 세상으로부터 고립된 채 이웃들과의 소통을 갈망하고 있다.
⑤ 비참한 현실을 극복하고자 하는 강력한 의지를 지니고 있다.

18. 두 뺨에 서린 발그레한 홍조와 온 방 안에 가득 찬 금빛의 공통적인 원인이 되는 대상을 비유한 구절로 가장 적절한 것은?

① ㉠ ② ㉡ ③ ㉢
④ ㉣ ⑤ ㉤

19. 위 글에 대한 감상으로 가장 적절한 것은?

① 주변 인물의 시선을 통해 '문자'의 심리 변화의 양상이 드러나고 있다.
② 현재와 과거의 교차를 통해 과거의 특정한 시간이 애상적으로 회고되고 있다.
③ 계절적 배경을 나타내는 눈을 통해 '문자'의 사랑이 환상적으로 미화되고 있다.
④ '한수'의 성격에 대한 부정적 서술을 통해 '문자'의 사랑에 내재된 시련이 암시되고 있다.
⑤ 사실적으로 묘사된 '문자'의 열악한 생활공간을 통해 사회에 대한 주인공의 좌절감이 표출되고 있다.

[20~22] 다음 글을 읽고 물음에 답하시오.

판 구조 이론이 도입된 이후 국내외 지질학자들은 한반도가 어디에서 이동해 왔는지, 그리고 한반도가 원래부터 한 조각이었는지 아니었는지에 대한 의문을 제기하여 왔다. 1980년대에 이르러 중국 남부와 북부가 서로 다른 판이었으며 이들이 서로 충돌하여 하나가 되었다는 사실이 확인되었다. 그러자 남중국 판과 북중국 판 간의 충돌대인 다비-수루 벨트가 한반도까지 연결되어 있을 가능성이 제기되었다. 한반도 형성 과정에 대한 이러한 궁금증을 해결하는 데에는 수년 전 충청남도 홍성 지역에서 발견된 에클로자이트라는 암석이 큰 역할을 하고 있다.

대륙의 충돌 과정에서 만들어지는 특수한 변성암인 에클로자이트의 지질학적 의미는 히말라야 조산대의 형성 과정을 통하여 이해할 수 있다. 히말라야 조산대는 5천만 년 전부터 시작된 아시아 대륙(아시아 판)과 인도 대륙(인도 판)의 충돌에 의해 형성된 대륙 충돌대이다. 두 대륙의 충돌 이전에 그 사이에 존재했던 넓은 해양 밑의 해양 지각이 아시아 대륙 밑으로 밀려 들어가는 섭입(攝入)이 일어났다. 이때 섭입된 해양 지각 내의 현무암질 화성암이 지하 깊은 곳에 도달했을 때 높은 압력에 의해 에클로자이트로 변성되었다. 해양 지각의 섭입이 계속 진행됨에 따라 두 대륙 사이의 해양은 점점 좁아져 마침내 두 대륙이 충돌하였다. 이때 발생한 강력한 압축력에 의해 아시아 대륙의 충돌 부분이 습곡이 되어 히말라야 산맥이 만들어지기 시작하였으며 해양 지각 일부가 산 위로 밀려 올라갔다. 또한 인도 대륙의 앞부분이 아시아 대륙 밑으로 밀려들어 가면서 히말라야 산맥을 더 높이 밀어 올렸다. 그 이후 두 대륙 충돌 전에 이미 섭입된 인도 대륙에 연결된 해양 지각이 추처럼 작용하면서 인도 대륙을 지하 깊은 곳으로 끌고 들어갔다. 그 결과 대륙 지각 내에 있던 현무암질 화성암도 높은 압력을 받아 에클로자이트로 변성되었다.

히말라야 충돌대 형성 시 지하로 끌려 들어가던 인도 대륙 지각이 지하 120 km 지점의 맨틀 깊이에 도달했을 때 주변의 맨틀보다 밀도가 낮은 대륙 지각은 부력이 커져서 위로 올라가려는 힘을 갖게 되었다. 그렇지만 해양 지각은 섭입 시 형성된 고밀도 광물에 의해 밀도가 높아져 계속 가라앉으려고 했으므로 결국 대륙 지각은 해양 지각과 끊어져 지표로 빠르게 상승하여 노출되었다. 이때 일부 맨틀도 대륙 지각에 붙어 함께 상승하여 지표에 노출되었다. 그리하여 히말라야 충돌대에는 해양 지각, 에클로자이트, 맨틀 물질들이 분포하게 되었다. 이런 방식으로 에클로자이트가 모든 대륙 충돌대에서 나타난다.

남중국 판과 북중국 판 사이의 다비-수루 벨트에서도 2억 2천만~2억 3천만 년 전(트라이아스기 중기)에 형성된 에클로자이트가 발견되었다. 이는 남중국 판과 북중국 판이 충돌하였고 충돌 이전에 두 대륙 사이에 해양이 있었음을 의미한다. 지질학적 증거에 따르면 이 두 대륙은 4~5억 년 전 곤드와나 초대륙의 일부로서 적도 근처에 위치해 있었는데 곤드와나로부터 각각 분리되어 서로 다른 속도로 북쪽으로 이동하다가 현 위치에서 충돌하였다. 그리고 충돌 시 남중국 판의 앞부분이 북중국 판 밑으로 섭입되었다는 사실이 확인되었다. 충돌대의 동쪽 부분인 산둥 반도 지역은, 대부분이 산악인 서쪽의 다비 지역과는 달리 높은 산맥이 나타나지 않는데, 이는 충돌 후 발생한 인장력에 의해 높은 산이 낮아졌기 때문인 것으로 추정된다.

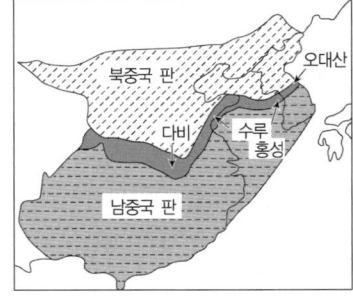

홍성 지역에서 발견된 에클로자이트는 연대 측정 결과 2억 3천만 년 전에 형성된 것임이 밝혀졌다. 이는 다비-수루 벨트의 에클로자이트와 동일한 연대의 것이다. 국내외의 많은 학자들은 이 증거가 중국의 충돌대가 한반도로 연결되었다는 사실을 지시하는 것으로 받아들이고 있다. 홍성 지역은 산둥 반도와 마찬가지로 높은 산맥 지역은 아니지만 에클로자이트와 함께 맨틀 물질도 발견되어 이러한 주장에 힘을 실어 주고 있다. 추가적으로 오대산 지역에서 판의 충돌이 2억 5천만 년 전(페름기 말기)에 일어났다는 증거가 발견되었는데, 이는 ㉠ 홍성 지역과 오대산 지역을 연결하는 대륙 충돌대가 한반도 내에 존재할 가능성을 제시하고 있다. 이러한 사실은 동북아시아 지질 구조를 이해하는 데 한반도의 지질 해석이 매우 중요함을 시사한다.

20. 에클로자이트에 대한 위 글의 설명과 일치하지 <u>않는</u> 것은?

① 높은 압력을 받아 형성된다.
② 산둥 반도와 홍성 지역에서 모두 발견된다.
③ 현무암질 화성암이 변성되어 생성된 것이다.
④ 대륙 충돌이 일어난 후에야 만들어지기 시작한다.
⑤ 대륙 충돌 전 대륙들 사이에 해양이 존재했음을 보여 준다.

21. 위 글을 읽고 <보기>를 바탕으로 추론한 내용으로 적절하지 <u>않은</u> 것은?

<보 기>
판 경계의 세 가지 유형
1. 발산 경계 : 이 경계에서는 맨틀에서 올라온 마그마가 굳어서 생성된 지각이 기존 지각을 양옆으로 밀어낸다.
  예) 대서양 바다 밑의 대양저 산맥
2. 수렴 경계 : 이 경계에서는 해양판 섭입이나 대륙 충돌에 의해 해양 지각이 맨틀로 들어가 소멸된다.
  예) 1) 섭입형 : 일본 동해안, 안데스 산맥 지역
     2) 충돌형 : 알프스, 히말라야, 우랄 조산대
3. 유지 경계 : 이 경계에서는 새로운 지각이 생성되거나 소멸됨 없이 판 경계면을 따라 두 판이 수평 이동한다.
  예) 캘리포니아의 산안드레아스 단층

① 산안드레아스 단층 지역에서는 에클로자이트가 형성되지 않는다.
② 안데스 산맥 지역에서는 에클로자이트가 형성되지 않는다.
③ 히말라야 조산대에는 해양 생물 화석이 나타난다.
④ 알프스 조산대에는 맨틀 물질이 나타난다.
⑤ 우랄 조산대에는 습곡이 나타난다.

22. ㉠이 사실일 경우 추정할 수 있는 내용으로 보기 <u>어려운</u> 것은?
① 대륙판들의 충돌이 한반도 동쪽에서부터 일어났을 것이다.
② 한반도는 원래 적도 부근에 존재했던 대륙의 일부였을 것이다.
③ 충돌 시 한반도 북부 지역의 일부가 한반도 남부 지역의 밑으로 섭입되었을 것이다.
④ 홍성-오대산 충돌대를 중심으로 북부 지역과 남부 지역 사이에는 해양이 있었을 것이다.
⑤ 홍성-오대산 충돌대를 따라 존재했을 높은 산맥은 대륙 충돌 후 발생한 인장력에 의해 낮아졌을 것이다.

[23~25] 다음 글을 읽고 물음에 답하시오.

철학은 모든 학문 중에서도 최고의 지위를 지닌 제일 학문이라고 자처해 왔다. 이러한 자신감의 근저에는 철학적 앎이 최고의 확실성을 지니는 것이라는 확신이 깔려 있다. 그러나 철학의 자기도취는 종종 철학 자체 안에서도 도전에 직면하거니와, 특히 회의주의가 그 도전의 중심에 있다. 궁극적 진리의 인식이 소명인 철학에서 의심을 생명으로 하는 회의주의가 수행하는 역할은 무엇일까?

철학사 초기에 나타난 고르기아스의 세 명제는 회의주의의 고전적 전형이다. 그에 따르면 첫째, 존재하는 것은 아무것도 없으며, 둘째, 어떤 것이 존재하더라도 우리는 그것을 알 수 없으며, 셋째, 어떤 것을 알더라도 우리는 그 앎을 타인에게 전달할 수 없다. 반지성주의 성향의 사람에게 이 극단적 견해는 꽤 매력적으로 보일 수 있다. 그러나 거기에는 치명적 모순이 있다. 즉 고르기아스는 첫째, 극단적 회의의 주체인 자신이 존재함을, 둘째, 아무것도 알 수 없음을 자신이 알고 있음을, 셋째, 아무것도 전달될 수 없다는 것에 대한 자신의 앎을 타인에게 전달하고 있음을 부정할 수는 없다. 그는 자신이 절대적으로 부정하고자 하는 것을 부정하는 즉시 오히려 자신의 주장을 부정하게 되는 자가당착에 빠진 것이다.

현대의 경우 극단적 회의주의는 알베르트의 '가류주의(可謬主義)'에서 전형적으로 나타난다. 그는 특히 모든 철학적 명제의 생명을 좌우하는 '최종적 정당화'의 가능성을 원천 봉쇄함으로써, 최초의 자명한 명제에서 다른 명제들을 도출시켜 나가는 철학적 지식 체계를 무의미한 것으로 만들고자 한다. 그가 무기로 삼는 것은 뮌히하우젠 트릴레마(Münchhausen-Trilemma)이다. 이 트릴레마는 말을 타고 가다가 수렁에 빠진 뮌히하우젠 남작이 자신의 머리채를 위로 잡아당겨 빠져나오려 했다는 우화를 빗댄 것이다. 알베르트에 따르면 모든 하위 명제들을 정당화할 수 있는 근거가 되는 최초의 확실한 명제를 설정하려는 시도는 다음 세 오류 중 하나를 반드시 범하게 되므로 궁극적으로 실패한다.

[A]
- 무한 소급 : 한 주장을 정당화하는 근거로 다른 상위 명제를 설정하지만, 이 제2의 명제는 제3의 명제를, 제3의 명제는 제4의 명제를 요청할 수밖에 없게 되는 식으로 상위 명제에 대한 요구가 끝도 없이 이어지기 때문에, 최종적 정당화는 원칙적으로 불가능하다.
- 순환 논증 : 한 주장을 정당화하는 근거로 제2의 명제를 끌어들이지만, 이 제2의 명제를 다시 제1의 명제를 통해 정당화하고자 하므로 이 역시 최종적 정당화로 볼 수 없다.
- 절차 단절 : 계속되는 정당화 요구의 충족이 불가능하므로, 정당화 과정의 한 특정 단계에서 모든 논의를 중지시키고 하나의 명제를 절대 도전할 수 없는 도그마로 설정한다. 이는 합리적 논변의 지속을 단절하는 것이므로 최종적 정당화로 볼 수 없다.

이 트릴레마의 위력은 실로 막강해서 그것을 견딜 수 있는 철학적 정당화는 일견 불가능한 것처럼 보인다. 그러나 모든 명제의 불확실성을 절대화하는 알베르트 역시 치명적 오류를 범하고 있음이 드러난다. 즉 그는 이 트릴레마의 '절대적 정당성'에 '최종적으로 근거'하여 자신의 주장을 '확실한' 것이라고 말함으로써 자신의 '명시적 주장'과 '함축적 행위' 사이에서 발생하는 불화, 즉 '수행적 모순'에 빠지게 되는 것이다.
　수행적 모순의 발견은 뮌히하우젠 트릴레마에 빠지지 않으면서도 최종적 정당화가 가능함을 보여 주고 있는데, 여기에 사용된 증명 방식이 바로 '귀류법적 증명'이다. 이 증명 방식은 명제 p의 모순 명제인 $\sim p$가 언명되는 순간 $\sim p$는 자신을 부정할 수밖에 없음을 밝힘으로써 p의 타당성을 우회적으로 증명한다. 즉 '확실한 인식은 없다'라는 알베르트의 명시적 주장은 '확실한 인식은 없다는 인식은 확실하다'라는 주장을 함축하므로, 그가 부정하려 한 '확실한 인식은 있다'라는 명제를 이미 전제하고 있는 것이다. 이러한 증명 방식을 통해 우리는 가류주의적 회의에 맞서 확실한 명제들을 설정할 수 있는 가능성을 확보한다.
　회의주의는 극단적으로 치달을 경우 오히려 자기 파괴로 귀결되므로 그 자체가 철학의 궁극적 사조가 될 수는 없다. 그러나 자칫 독단론에 빠지기 쉬운 철학에 대해 회의주의는 생산적 역할을 하기도 한다. 왜냐하면 회의주의의 강력한 도전은 철학으로 하여금 거기에 맞설 수 있을 만큼 강한 면역력을 갖춘 정당화 논리를 개발하도록 함으로써 철학의 건강성을 높이는 데 기여하기 때문이다.

23. 위 글의 내용과 일치하는 것은?
① '가류주의'는 '수행적 모순'의 문제점을 비판한다.
② '가류주의'는 '최종적 정당화'가 가능하다고 본다.
③ '최종적 정당화'는 '수행적 모순' 때문에 어렵다.
④ '귀류법적 증명'은 '최종적 정당화'의 가능성을 보여 준다.
⑤ '귀류법적 증명'은 '수행적 모순'을 범하고 있다.

24. 위 글의 핵심 주장으로 가장 적절한 것은?
① 철학사에 등장한 회의주의는 모두 논박될 수 있다.
② 회의주의는 제일 학문인 철학의 이념을 잘 구현하고 있다.
③ 회의주의는 철학을 혼란에 빠뜨리기 때문에 부정되어야 한다.
④ 회의주의는 역설적 진리를 담고 있기 때문에 정당한 것으로 수용되어야 한다.
⑤ 회의주의는 극단적일 경우 오류이지만 철학 이론의 발전에 기여한 측면도 있다.

25. <보기>의 ㄱ, ㄴ을 [A]의 개념으로 바르게 나타낸 것은?

<보 기>

ㄱ. 우리의 마음에는 '완전한 존재'라는 확실한 개념이 있다. 그런데 '완전한 존재'가 개념적으로만 존재한다면 완전한 것이 아니다. 따라서 '완전한 존재'인 신은 개념적으로만 존재하는 것이 아니라 실제로도 존재한다. 그리고 이러한 신의 존재가 우리 마음속에 있는 '완전한 존재'라는 개념의 확실성을 보장해 준다.

ㄴ. 식물이라도 함부로 죽여서는 안 된다. 식물도 생명체이고, 모든 생명체는 '삶에의 의지'가 있기 때문이다. 그리고 '삶에의 의지'를 가지는 존재는 소중하며, 이러한 존재를 소중히 다루어야 한다는 것은 절대적인 자연의 이법(理法)이기 때문이다.

	ㄱ	ㄴ
①	무한 소급	순환 논증
②	무한 소급	절차 단절
③	순환 논증	무한 소급
④	순환 논증	절차 단절
⑤	절차 단절	무한 소급

언어이해

[26~28] 다음 글을 읽고 물음에 답하시오.

(회색의 여인 넷이 등장한다.)
첫째 여인 : 내 이름은 '결핍'이다.
둘째 여인 : 나는 '빚'이라고 하지.
셋째 여인 : 나는 '근심'이라고 하고.
넷째 여인 : 나는 '곤궁'이라고 해.
셋이 함께 : 문이 잠겨 들어갈 수 없어. 안에는 부자가 살아, 들어가기도 싫다.
결핍 : 그런 데 가면 난 그림자가 되고 말아.
빚 : 그런 데 가면 나는 존재하지도 않게 되고.
곤궁 : ㉠사치에 젖은 사람들은 내 앞에서 고개를 돌려.
근심 : 자매님들, 당신들은 저 안으로 못 들어가, 들어가서도 안 되고. 그렇지만 근심은 저 열쇠 구멍으로 스며 들어가지.
(근심이 사라진다.)
결핍 : 회색 자매들, 여기서 물러나는 게 어떨까.
빚 : 난 네 곁에 딱 붙어 다닐래.
곤궁 : 난 네 발치만 따라 다니고.
셋이 함께 : 구름이 몰려오고, 별들은 사라진다. 저 너머, 저 너머에서, 저 먼 곳, 저 먼 곳으로부터 그가 온다, 우리들의 오라비다, 그가 온다 …… 죽음이 온다.
파우스트 : (궁전 안에서) 넷이 오는 것을 봤는데, 세 명만 돌아가는군. 그녀들이 하는 말의 뜻은 알 수가 없었다. 내 귀에 들리기로는 …… '곤궁'이라고 하는 것 같았는데. 그러고는 운을 맞춰 …… '죽음'이라고 했지. 참으로 공허하고, 유령의 발걸음처럼 둔중하게 울리는 단어였다. 나는 아직도 완전히 자유롭지가 않아. 앞으로는 마법도 쓰지 않고, 주문 같은 것도 잊고 살 수만 있다면, 그리하여 자연이여, 그대 앞에 완전한 한 인간으로 설 수만 있다면 인간으로 살기 위해 애쓰는 것도 가치가 있을 것이다.
나도 한때는 그랬다, 어둠 속에서 헤매기 전까지는, 불경한 말로 내 자신과 세계를 저주하기 전까지는. 그런데 이젠, 저런 귀신들이 공중에 들끓어 어떻게 벗어나야 할지를 알 수가 없어. ㉡밝은 대낮은 우리에게 이성의 웃음을 선사하지만 어두운 밤은 우리를 악몽의 그물로 사로잡는다. 싱그러운 풀밭에서 산책하고 즐거운 기분으로 돌아오면 새들이 운다. 그런데 뭐라고 울지? 재앙을 부르며 우는 것이지. 밤낮 미신에 얽매여 살다 보면 무슨 일이 생기든지 그 어떤 징조처럼 보이고 그 어떤 경고처럼 들려. 이렇게 잔뜩 겁에 질린 채 우리는 각자 홀로 서 있는 것이다. 문이 삐걱거리는군, 그런데 들어오는 사람은 없고. (흠칫 놀라며) 여기 누가 계시는가?
근심 : 그렇다고 해야겠네.
파우스트 : 그렇다면 당신, 당신은 누구신가?
근심 : 일단 여기 온 존재.
파우스트 : 물러가시라.
근심 : 여기가 내가 있을 곳인데.
파우스트 : (처음에는 격분한 표정, 그 다음에 진정하더니 혼잣말로) 정신을 가다듬어라, 마법의 주문은 사용하지 말도록 하자.
근심 : 내 목소리는 아무 귀에도 들리지 않지만 일단 마음속에 들어가면 천둥처럼 울리지. 시시각각 모습을 바꿔 가며 끔찍한 위력을 발휘하는 것이 나다. 숲 속 길을 가건, 물 위를 가건 항상 붙어 다니며 겁을 주는 동료가 나고. 찾는 사람은 없어도, 어느 때나 나타나지. ㉢나를 저주하는 사람들도 있고, 내게 아첨하는 사람들도 있지만. 그대는 아직까지 근심이라는 자를 모르고 살아오셨나?
파우스트 : 나는 오로지 이 세상을 질주하며 살아왔다. ㉣원하는 것은 무엇이건 바로바로 낚아챘지만, 충분치 않은 것은 놓아 버리며 빠져나가는 것도 내버려 두었다. 나는 그저 원했을 뿐이고, 그러면 그것을 성취했을 뿐이다. 또다시 원하는 것이 있으면 또다시 힘을 내면서 인생을 질주해 왔다. 처음엔 웅대하고 힘차게 지금은 현명하고 사려 깊게. 지상의 일이라면 알 만큼 안다. 천상을 향한 전망은 인간으론 불가항력. 저 하늘을 향해 눈을 껌벅이며, 구름 위에는 자신과 닮은 존재가 있을 것이라고 꿈꾸는 자는 어리석다. 이 땅 위에 굳건히 서서 세상을 둘러보란 말이다. 세상은 유능한 자에게 침묵하지 않는다. 그런데 무엇 때문에 영원을 찾아 헤맨단 말인가! 인식할 수 있는 것이라면 붙잡을 수도 있는 것이다. 이렇게 지상의 날을 따라가면 된다. 영령들이 출몰하면 출몰하게 두라. 앞을 향해 가다 보면 고통도 있고 행복도 있는 법이다. 인간은 어떤 순간에도 만족을 모르므로.
근심 : 일단 내게 붙잡히기만 하면 온 세상이 쓸모가 없어져. 영원한 어둠이 내리덮어 해는 뜨는 것도 아니고 지는 것도 아니게 되지. ㉤외적인 감각은 제대로 돌아가더라도 내면엔 어둠만이 감돌아. 세상 모든 보물을 보면서도 그 어느 것 하나 제 것으로 만들지도 못해. 행복해도 괴롭고 불행해도 괴롭고, 차고 넘치게 가져도 굶어 죽을 지경이지. 행복한 일이건 괴로운 일이건 항상 다음날로 미루고, 그저 미래만 기다리니 어떤 일이든 끝내지를 못해.
파우스트 : 그만 해라! 나에겐 그런 식으로 통하지가 않아! 그런 헛소리는 듣고 싶지도 않단 말이다! 다른 곳에나 가 봐라! 그런 한심한 이야기를 계속 듣다 보면 제아무리 영리한 사람이라도 정신을 잃겠구나.
근심 : 가야 할까, 와야 할까, 결단을 내리지도 못해. 탄탄대로에 들어서서도 더듬거리기만 할 뿐 앞으로 나가지를 못해. 제 스스로 점점 더 길을 잃으면서 세상만사가 다 비틀리게만 보여. 남들에게도 부담 되고 자신에게도 짐이 되어, 숨을 쉰다고는 하나 질식하기 직전이지. 죽는 것도 아니면서 생기는 없고 절망하지는 않지만 의욕도 없어. 제자리만 맴돌 뿐 그만두자니 괴롭고 억지로 하자니 화가 나. 풀려난다 싶으면 속박되고, 자는 것도 아니고 깨어 있는 것도 아니고 꼼짝없이 제자리에 붙박여 죽을 날이나 준비하며 살아가는 게지.
파우스트 : 참으로 고약한 귀신들이다. 너희들은 그런 식으로 천 번 만 번 인간들을 괴롭혀 왔단 말이지. 신경 쓰지 않고 살아가도 되는 세월들을 구역질 나게 뒤죽박죽으로 만들어 고통의 그물로 바꾸어 놓는구나. 악령들을 물리치기 어렵다는 것은 나도 안다. 정령들이란 한번 유대를 맺으면 끊기가 어렵지. 하지만 근심이여, 은근슬쩍 기어드는 자네의 위력을 나는 결코 허용하지 않을 것이다.
근심 : 그렇다면 직접 느껴 보시게나. 서둘러 저주의 말을 남기며 작별을 고하노라! 인간들이란 평생 눈이 멀어 살지, 파우스트, 드디어 당신 차례다.

(근심이 파우스트에게 입김을 내뿜는다.)

파우스트 : (눈이 먼 상태에서) 밤이 점점 깊어 가는 모양이다. 그러나 마음속은 밝은 빛이 빛나고 있다. 내가 계획했던 일들을 서둘러 완성해야겠다. 주인의 말만큼 위력 있는 것이 또 있을까. 일어나라, 나의 종들아, 다들 밖으로 나오라! 내 담대히 계획한 것들을 훌륭하게 성사시켜 보자! 작업 공구를 손에 들어라, 삽과 괭이를 움직여라! 계획한 일은 기필코 완수해야 한다! 엄격한 규칙을 준수하고 부지런히 땀 흘리는 자, 반드시 톡톡한 보상을 받으리라. 이 위대한 사업을 완성하려면 수천의 손들을 부릴 수 있는 위대한 정신 하나면 족하다.

- 괴테, 『파우스트』-

26. 위 글에 나타난 '근심'에 대한 설명으로 가장 적절한 것은?

① 열쇠 구멍으로 들어갈 수 있다는 것은 파우스트도 '근심'으로부터 완전히 자유로울 수는 없다는 것을 의미한다.
② '결핍', '빚', '곤궁'과 더불어 등장함으로써 파우스트가 물질적 어려움으로 인해 고민하고 있음을 보여 준다.
③ 파우스트가 자신을 거부할 수밖에 없는 이유를 암시함으로써 파우스트의 불안감을 증폭시키고 있다.
④ 자신에게 인간들이 사로잡히는 것이 어째서 필요한가를 파우스트에게 예를 들어가며 설득하고 있다.
⑤ 파우스트가 지금까지의 삶을 반성적으로 회고하고 과거와는 다른 삶을 계획하는 계기가 되었다.

27. ㉠~㉤을 이해한 것으로 가장 적절한 것은?

① ㉠ : 물질적으로 풍요롭게 사는 사람들일수록 자신들의 정신적 곤궁함은 외면하기 마련이다.
② ㉡ : 자신에게 유리한 상황에서는 낙관적으로 생각하다가도 상황이 불리해지면 비관적으로 생각하는 것이 인간이다.
③ ㉢ : 과도하게 배격하는 태도를 취하거나 지나치게 전전긍긍하지만 않는다면 근심에서 벗어나는 것도 가능하다.
④ ㉣ : 원하는 것은 주저 없이 쟁취했지만, 쟁취한 것에 연연하지는 않았고 그것을 반드시 소유하겠다는 욕심도 없었다.
⑤ ㉤ : 겉으로는 정상적으로 보이는 세계라 하더라도 그 내부를 들여다보면 어두운 측면이 비일비재하다.

28. '파우스트'의 인물형을 <보기>와 같이 해석할 수 있다고 할 때, 위 글에서 표현하고자 한 '파우스트'의 면모에 가장 가까운 것은?

<보 기>
파우스트는 어떤 특정한 개인으로 국한되는 것이 아니라, 서구 역사를 추동했던 다양한 주체들의 전형을 압축적으로 재현하고 있다. 예컨대 ㉠신과의 소통을 갈구하고 ㉡다양한 학문에 몰두하다가 ㉢인간 인식의 한계에 절망하는 중세 철학자의 모습으로 등장하는가 하면, 마술과 과학 사이를 오가면서 ㉣신학적 금기에 거리낌 없이 도전하는 근대 이행기 연금술사의 모습으로 나타나기도 하고, ㉤현실 세계 안에서 인간의 존재 의의를 추구하는 근대적 인간으로 변모하기도 한다.

① ㉠   ② ㉡   ③ ㉢
④ ㉣   ⑤ ㉤

[29~31] 다음 글을 읽고 물음에 답하시오.

오늘날 우리는 온갖 행위들이 '예술'로 인정되는 경우를 자주 본다. 그리고 이 경우 대상의 순수한 예술적 가치 이외의 다른 가치들은 논외로 하는 것이 일반적이다. 즉 예술만의 고유하고 독자적인 존립을 인정하고 타 영역의 간섭을 원칙적으로 거부하는 인식이 보편화되어 있는 것이다. 이러한 인식을 대변하는 대표적 예술론의 하나가 바로 체계 이론 미학이다. 루만에 의해 개척된 체계 이론은 사회 각 영역이 고유한 자립성을 확보하면서 하나의 '체계'로 분리 독립되는 과정을 분석하는데, 이 이론을 미학에 적용하여 예술을 독자적 체계로 기술하려는 이들은 헤겔의 미학을 자신들의 주장을 정당화하는 중요한 단서로 활용하곤 한다.

흥미로운 것은 그들이 예술에 대한 호의적인 결론을 도출하려고 끌어들인 헤겔의 예술론이 본래는 오히려 예술에 대한 부정적 결론, 즉 '예술의 종언' 명제로 요약된다는 점이다. 따라서 이 명제가 어떻게 예술 옹호론을 위한 실마리로 전용될 수 있는지를 따져 볼 필요가 있다.

헤겔 미학의 핵심은 두 가지이다. 첫째, 그는 예술을 '이념의 감성적 현현(顯現)', 즉 절대적 진리의 구체적 형상화로 규정한다. 그는 지고의 가치인 진리를 예술의 내용으로 규정함으로써 예술을 종교, 철학과 함께 인간 정신의 최고 영역에 포함시킨다. 이는 예술이 헛된 가상이거나 감성적 도취 또는 광기의 산물이어서 정신의 최고 목표인 진리 매개가 절대 불가능하다는 플라톤의 판정으로부터 예술을 방어할 수 있는 매력적인 논변일 수 있다. 둘째, 그럼에도 헤겔의 최종적인 미학적 결론은 오히려 이와 모순되는 것처럼 보인다. 그는 "우리에게 예술은 더 이상 진리가 실존하는 최고의 방식이 아니다. …… 물론 우리는 예술이 더 융성하고 완전하게 되기를 바랄 수 있다. 그러나 예술의 형식은 더 이상 정신의 최고 욕구가 아니다."라고 말한다.

중요한 것은 이 두 주장이 묘한 인과관계에 있다는 것이다. 즉 이 둘을 하나로 묶으면 ㉠<u>'예술은 진리 매개가 그것의 과제이기 때문에 종말을 맞는다'</u>가 된다. 다분히 역설적으로 보이는 이러한 예술관을 이해하기 위한 열쇠는 헤겔이 예술의 내용과 형식으로 각각 설정한 '진리'와 '감성'의 상관관계에 있다. 객관적 관념론자인 그는 진리란 '우주의 근본 구조로서의 순수하고 완전한 논리', 즉 '이념'이므로, 그것을 참되게 매개하는 정신의 형식은 바로 그 순수 논리에 대응하는 '순수한 이성적 사유'라고 생각한다. 따라서 그 본질상 감성을 형식으로 하는 예술이 이념을 매개할 수 있는 가능성은 인간 정신의 작동 방식이 근본적으로 감성적이어서 아직 이성적 사유 능력이 제대로 발휘될 수 없었던 먼 과거의 역사적 유년기에 국한되며, 예술이 담당했던 과제가 근대에는 철학으로 이관되었다고 한다. 더욱이 헤겔은 이러한 발전의 방향이 영원히 불가역적이라고 여긴다.

체계 이론가들은 바로 헤겔의 결론인 '더 이상 기대할 수 없는, 예술의 진리 매개 가능성'에서 역전을 위한 힌트를 얻는다. 즉 헤겔이 예술의 종언을 선언하는 바로 그 지점에서 이들은 예술의 진정한 실존 근거를 찾거니와, 예술을 진리 영역으로부터 '퇴출'시킨 헤겔의 전략은 이들에게는 오히려 오래도록 그것을 짓눌러 왔던 중책으로부터 예술을 '해방'시키는 것을 뜻한다. 그 때문에 근대 이후에 존속하는 예술은 헤겔에게는 '무의미한 잔여물'인 반면, 이들에게는 '비로소 예술이 된 예술'이다. 모든 외적 연관들이 차단됨으로써, 즉 일체의 예술 외적 요구로부터 자유로운 자족적 체계로 분리 독립됨으로써, 무엇을 어떻게 표현할 것인가의 선택권은 전적으로 예술에게 주어지며, 이에 따라 예술은 예전에는 상상도 할 수 없던 많은 것을 내용과 형식으로 삼을 수 있게 된다.

그런데 체계 이론의 이러한 예술 해방 전략에는 석연찮은 점이 남아 있다. 왜냐하면 ⓐ<u>일부 예술가와 예술 애호가들</u>은 예술의 고유한 자립성을 인정하면서도 여전히 진리와 예술의 긍정적 연관을 매력 있게 정당화하는 담론을 미학에서 기대하기 때문이다. 따라서 이들에게 ⓑ<u>체계 이론 미학</u>은 '절반의 성공'에 불과한 것으로 평가된다. 이렇게 평가되는 원인은 체계 이론 미학이 헤겔 미학을 전거로 삼으면서 그 원래의 핵심 주제를 방기(放棄)한 데 있다. 따라서 예술계의 중요한 요구를 충족하는 좀 더 의미 있는 예술론이 되려면 체계 이론 미학은 진리와 연관된 예술의 가치를 묻는 물음에 대해서도 긍정적 답변을 줄 수 있는 이론으로 성숙해져야 한다.

---

29. ㉠에 대한 설명으로 가장 적절한 것은?

① 예술이 진리 매개라는 목적을 달성하고자 하더라도 정신의 작동 방식이 감성적 단계를 넘어선 시대에는 그 실현 가능성이 없다.
② 예술의 본질은 순수한 심미적 가치의 구현이지만, 진리 매개라는 이질적 목적이 개입함으로써 예술의 자율성이 훼손된다.
③ 예술이 진리 매개를 그것의 유일한 과제로 삼음으로써 주제의 다양화가 원천적으로 불가능하게 된다.
④ 예술이 진리 매개를 추구하여 매우 난해한 행위로 변함으로써 대중과의 소통이 불가능해진다.
⑤ 예술이 진리 매개를 지나치게 지향함으로써 양식적 쇠퇴라는 부정적 결과를 초래한다.

30. ⓐ가 ⓑ를 평가한 것으로 가장 적절한 것은?

① 고전적인 학설을 활용했지만, 그것의 핵심적 논점에서 벗어났다.
② 체계적인 이론을 정립했지만, 그것의 현실적 실용화는 미흡했다.
③ 유의미한 주제를 제시했지만, 그것의 대중적 공론화가 어려웠다.
④ 흥미로운 현상을 발견했지만, 그것의 인과적 규명에는 실패했다.
⑤ 매력적인 가설을 수립했지만, 그것의 경험적 검증에는 실패했다.

31. <보기>의 주장에 대한 '헤겔'의 평가로 가장 적절한 것은?

<보 기>

근대에 새로이 출현한 장르인 오페라는 기존의 모든 예술적 요소를 하나의 장르로 통합한 것으로, 고대 그리스의 비극에 견줄 수 있을 만큼 완전성을 갖춘 종합 예술이다. 오페라의 이러한 통합성은 그 근본 원리 면에서 다음 시대에 이루어질 영화와 뮤지컬의 탄생을 예고한다.

① 오페라의 양식적 장대함은 고대 그리스 비극의 현대적 재현이다.
② 오페라가 절대적 진리를 담으려면 종합적 기법의 완성도를 더 높여야 한다.
③ 오페라의 완성도 높은 양식이 예술의 본래적 가치의 구현을 의미하지는 않는다.
④ 오페라의 통합적 성격은 오히려 예술에 더 이상의 양식적 발전이 불가능함을 보여 준다.
⑤ 오페라가 가치 있는 장르가 되려면 앞으로 화려한 양식 속에 이성적 사유를 담아내야 한다.

[32~34] 다음 글을 읽고 물음에 답하시오.

민주 정치의 중요 요소인 정당 정치는 '개별 정당'과 '정당 체계' 차원으로 나뉜다. 이때 정당 체계는 여러 정당이 조직화된 양식으로 작동하는 정당 군(群)을 의미한다. 개별 정당 분석이 대의제 아래에서 정당이 수행하는 시민 여론 조직화·가치화 기능에 대한 평가를 중요시한다면, 정당 체계 분석은 정당 간 상호 작용에 초점을 둔다. 정당 체계 분석에서 핵심적 역할을 하는 것이 정당 수 산정 이다. 정당 수가 많은가 적은가 하는 것은 그 정치 체계의 이데올로기적 분포 및 정치 상황의 안정도를 보여 주는 중요 지표이다. 이데올로기의 극단적 분포가 궁극적으로 정치 체계의 불안정으로 귀결될 가능성도 있기 때문이다. 즉 정당 수는 이념적 분포가 원심적인지 아니면 구심적인지를 보여 준다. 최근까지 정당 수 산정을 위한 다양한 방식이 제시되어 왔는데, 이는 정치 현상에 대한 우리의 이해를 높이고자 하는 것이다.

그렇다면 정당 수를 산정하는 방식으로는 무엇이 있을까? 우선 '단순 방식'이 있다. 이 방식에서는 한 정치 체계의 규정에 따른 정당이면 모두 동일한 자격을 갖춘 정당으로 간주한다. 그러나 이 방식은 유효한 정당의 수가 항상 고정된 것이 아니라, 정치 상황의 시점(時點)에 따라 달라질 수 있다는 것을 고려하지 못한다. 특히 내각 책임제의 경우 선거 전이냐 아니면 선거 후냐에 따라 유효한 정당의 수가 달라질 수 있다.

이러한 문제를 해결하기 위해 등장한 것이 '이항 분류 방식'이다. 이 방식은 의회에 의석을 보유하고, 내각 구성에 참여할 가능성이 있는 정당만을 정당 체계 내 정당으로 인정한다. 이항 분류 방식은 특히 정당 난립 상황이 심할수록 유용한 분석 수단이다. 내각 책임제에서는 얼마나 많은 정당이 있느냐가 아니라 내각 구성에 참여할 수 있는 정당 수가 몇이냐가 중요하기 때문이다. 하지만 대통령제에서 대통령 선거 결과에 따른 정당 체계와 총선 결과에 따른 정당 체계가 서로 다른 경우에는 이항 분류 방식을 사용하여 비교하기가 어렵다. 다시 말해 이 방식은 정부 형태 간 교차 분석을 위해 사용하기 어렵다. 동시에 내각 구성 과정에 영향을 미치지 못하지만, 정치적 실체로서 존재하며 정치적 영향력을 행사하는 정당의 존재가 배제될 수밖에 없는 것이 이 방식의 단점이다.

앞의 두 방식을 비판하며 등장한 것이 ㉠'지수화 방식'이다. 지수화 방식에서는 내각 참여 여부를 막론하고 각 정당의 득표수와 의석수의 상대적 가치를 중요시한다. 이 방식은 각 정당의 득표수 또는 의석수를 상대적 비율로 파악하여 '선거 유효 정당 지수' 또는 '의회 유효 정당 지수'를 산정한다. 만약 2개의 정당이 선거에 참여했고 각각 60%와 40%를 득표했다면, 1을 각각의 제곱의 합(0.36+0.16)으로 나눈다. 따라서 선거 유효 정당 지수는 1.9(1/0.52)가 된다. 의회 유효 정당 지수는 득표율 대신 의석 비율을 사용한다는 점이 다를 뿐이다. 이러한 지수화 방식은 대통령 선거와 총선의 정당 체계를 같은 기준으로 비교하기 위해 사용할 수 있다. 정당의 선거별 득표수 또는 의석수를 상대적인 값으로 전환하여 지수화하기 때문이다.

결국 한 정당 체계의 정당 수는 산정 기준에 따라 달라진다. 다양한 정당 수 산정 방식이 제시된 것은 복잡한 정치 현상의 실체에 보다 가까이 접근하려는 노력의 결과이다. 하지만 더 중요한 것은 특정 정부 형태나 정치 상황에 국한되지 않는 산정 기준을 마련하는 것이다. 이러한 관점에서 볼 때, 국가 간 정당 체계 비교 연구나 정당 체계에 대한 일반 이론의 개발을 위해서는 지수화 방식이 가장 효과적이다. 이 방식은 정치 체계 간의 이데올로기적 분포를 객관적으로 비교할 수 있게 해 주며, 나아가 어떤 정당 체계가 민주 정치의 안정적 운영에 적절한지 판단하는 데 도움이 된다.

32. 정당 수 산정의 의의로 적절하지 않은 것은?

① 정치 현상에 대한 설명력을 높일 수 있게 한다.
② 정당의 여론 전달 역할을 평가할 수 있게 한다.
③ 정당 간 상호 작용에 대한 이해를 가능하게 한다.
④ 정치 상황의 안정성 정도를 파악할 수 있게 한다.
⑤ 정치 체계의 이념적 분포의 정도를 이해할 수 있게 한다.

33. 위 글의 내용을 <보기>의 상황에 적용하여 해석한 것으로 옳은 것은?

―――――<보 기>―――――
내각 책임제를 채택한 어떤 국가에서 총선에 참여한 정당은 모두 6개였다. 선거 후 의회 의석을 확보한 3개의 정당만 남고 나머지 정당은 해산하였다. 이 중 A당은 40%의 득표율로 40%의 의석을, B당은 30%의 득표율로 40%의 의석을, C당은 20%의 득표율로 20%의 의석을 얻었고, 나머지 정당들은 모두 합쳐 10%를 득표했지만 의석은 획득하지 못했다. 세 정당은 모두 내각 구성에 관심을 표하였다.

① 단순 방식에 따를 때, 선거 전후의 정당 수에는 변화가 없다.
② 선거 후 단순 방식에 따른 정당 수는 이항 분류 방식에 따른 정당 수보다 작다.
③ 이항 분류 방식에 따른 정당 수는 지수화 방식에 따른 의회 유효 정당 지수보다 크다.
④ 지수화 방식에 따를 때, 의회 유효 정당 지수는 선거 유효 정당 지수와 같다.
⑤ 지수화 방식에 따른 의회 유효 정당 지수는 선거 후 단순 방식에 따른 정당 수와 같다.

34. ㉠을 사용하게 된 배경으로 적절하지 않은 것은?

① 내각 구성에 참여하는 정당의 상대적 영향력을 비교해야 할 필요가 생겼다.
② 대통령제의 정당 체계와 내각 책임제의 정당 체계를 비교할 필요성이 증가했다.
③ 한 정치 체계의 선거 정당 체계와 의회 정당 체계를 비교해야 할 필요가 생겼다.
④ 정치 상황 또는 정부 형태와 관련 없이 사용할 수 있는 동일한 기준을 마련할 필요성이 증가했다.
⑤ 대통령제에서 대통령 선거 결과에 따른 정당 체계와 총선 결과에 따른 정당 체계를 비교할 필요성이 증가했다.

[35~37] 다음 글을 읽고 물음에 답하시오.

일반적으로 포유동물의 정소(精巢)는 초기 발생 단계에서 난소와 동일한 부위인 복부 내 등 쪽에서 형성된 후, 차츰 아래쪽으로 이동하여 복부 밖에 있는 정낭(精囊)으로 들어오게 된다. 정소의 온도는 체온보다 낮은데, 이는 열에 약한 생식 세포를 체온으로부터 보호함으로써 정자를 생산하는 데 알맞은 환경을 조성하기 위함이다. 한편 다른 체내 기관들처럼 정소도 정상적인 기능을 하기 위해서는 혈액을 지속적으로 공급받아야 하는데, 이렇게 혈액을 공급받다 보면 혈액이 지닌 열까지도 정소로 운반되기 때문에 정소의 온도가 상승하여 체온과 같아지게 될 것이다. 그렇다면 정소는 어떠한 방법으로 자신의 온도를 체온보다 낮게 유지할 수 있는가?

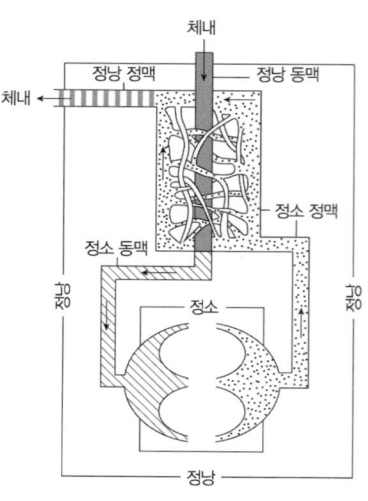

1998년에 발표된 역류 열전달(逆流熱傳達) 이론은 정소 온도의 항상성을 유지하기 위한 방법을 설명해 준다. 정소 정맥에는 정낭 동맥을 감싸고 있는 망사 구조 부분이 있는데, 역류 열전달 이론에서는 이 망사 구조가 핵심적인 역할을 한다. 열은 높은 온도의 물체에서 낮은 온도의 물체로 전도되는 성질을 갖고 있는데, 열이 전도될 때 단위 시간당 이동하는 열의 양은 접촉하는 표면적에 비례한다. 정낭 동맥을 감싸고 있는 망사 구조는 혈관의 표면적을 넓혀서 효율적으로 열을 전달한다. 그러므로 정소에서 나온 정소 정맥의 혈액이 체내에서 들어오는 혈액으로부터 열을 흡수함으로써 정낭 동맥의 혈액 온도를 떨어뜨리고 이렇게 하여 차가워진 정소 동맥 혈액에 의해 정소 온도가 체온보다 낮은 상태로 유지된다는 것이 이 이론의 핵심이다. 이 이론은 여러 동물 실험을 통해 지지되었는데, 정소가 정낭 속에 있는 양(羊)을 대상으로 한 연구는 정낭 동맥에서 ㉠39°C였던 혈액 온도가 정소 동맥에서는 ㉡34°C로 낮아졌다가, 정소를 통과한 후 정소 정맥에서는 ㉢33°C가 되고 정낭 정맥에서는 ㉣38.6°C로 다시 높아짐을 보여 주었다.

역류 열전달 이론은 정소로 유입되는 혈액의 온도를 체온보다 낮춤으로써 정소의 온도를 체온보다 낮게 유지하는 방법은 제시하였으나 어떻게 정소 온도를 체온보다 낮추는지는 설명하지 못하였다. 이에 대한 설명은 2007년에 발표된 스칸단 연구진의 가설에서 찾을 수 있다. 스칸단 연구진은 정낭이 열을 발산하기에 적합한 구조로 이루어져 있고 일반적으로 세포 분열 과정에서 열이 많이 발생한다는 사실에 착안하여 정소에서 발생한 많은 열이 정낭 표면을 통해 방출됨으로써 정소 온도가 체온보다 낮아진다고 하였다. 번식력을 갖춘 동물의 정소는 지속적인 세포 분열을 통해 매일 수억 개의 정자를 생산하므로 많은 열이 발생할 것인데, 정소의 온도가 높아지면 생산되는 정자의 수가 감소하고 심한 경우 정소가 손상될 것이 예상된다. 실제로 복부 밖에 정소가 있는 동물이 기온이 매우 높은 환경에 노출되었을 경우에는 일시적으로 배출 정자 수가 감소하며 반대의 경우에는 일시적으로 배출 정자 수가 증가하는 것을 볼 수 있다.

이 가설은 정소 내 온도가 상승하거나 더운 기온에 노출되면 정낭의 피부 표면적이 커지고 정낭 근육에 의해 정소가 몸에서 멀어지게 되며, 정소의 온도가 하강하거나 낮은 기온에 노출되면 정낭 피부 표면적이 작아지고 정낭 근육에 의해 정소가 몸에 가까워진다는 사실과 부합한다. 이와 같은 기제에 따라 정소에서 발생한 열이 정낭으로 전도되고 이 열이 체외로 방출되면 정소의 온도가 내려가면서 정낭의 표면 온도가 올라갈 것이라고 스칸단 연구진은 주장한다. 또한 이 가설은 동물의 정소 위치와 번식 사이의 관계를 보여 주는 연구 결과를 통해 힘을 얻는다. 예를 들어 박쥐의 정소는 평상시에는 복부 내에 존재하다가 짝짓기를 하는 계절이 되면 정낭으로 내려온다. 동면 포유동물의 경우 번식을 하지 않는 동면 기간 동안 정자 생산이 감소하는데 이때에는 정소가 정낭에서 복부로 이동하고 동면이 끝나면 다시 정낭으로 내려온다.

역류 열전달 이론은 정소의 온도를 체온보다 낮게 유지시키는 열역학적 기제를 제시하였으며, 스칸단 연구진의 가설은 정소에서 발생하는 열을 정낭을 통해 발산함으로써 정소의 온도를 체온보다 낮추는 기제를 제시해 주었다. 이런 점에서 볼 때, 역류 열전달 이론과 스칸단 연구진의 가설은 어떻게 정소가 정자를 생산하는 데 최적인 온도로 유지될 수 있는지를 설득력 있게 설명해 준다.

35. 위 글의 내용과 일치하지 <u>않는</u> 것은?

① 정낭 근육은 정낭 내에서 정소의 움직임에 관여한다.
② 정소의 온도는 생산되는 정자의 수와 밀접한 관련이 있다.
③ 열의 전도는 정소 온도의 항상성 유지에 핵심적인 역할을 한다.
④ 역류 열전달 이론은 정소로 혈액이 지속적으로 공급되는 기제를 설명한다.
⑤ 스칸단 연구진의 가설에 따르면 정소의 온도 조절에 가장 중요한 역할을 하는 것은 정낭이다.

36. ㉠~㉣에 대한 설명으로 적절하지 않은 것은?

① ㉠은 양의 체온과 비슷할 것이다.
② ㉠에서 ㉡으로의 변화는 정소 정맥이 정낭 동맥의 열을 흡수했기 때문이다.
③ ㉠에서 ㉡으로의 변화와 ㉢에서 ㉣로의 변화는 망사 구조의 기능 때문이다.
④ ㉡에서 ㉢으로의 변화는 역류 열전달 이론에 의해 설명된다.
⑤ ㉢에서 ㉣로의 변화는 정소 정맥이 정낭 동맥의 열을 흡수했기 때문이다.

37. 스칸단 연구진이 제안한 가설을 입증하기 위한 실험으로 적절한 것만을 <보기>에서 있는 대로 고른 것은?

<보 기>
ㄱ. 동면 포유동물의 동면 중과 동면 후의 정낭 표면 온도를 비교한다.
ㄴ. 번식력을 갖춘 양과 그렇지 못한 새끼 양의 정낭 표면 온도를 비교한다.
ㄷ. 박쥐의 짝짓기 계절 동안과 짝짓기 계절 후의 정낭 표면 온도를 비교한다.

① ㄱ
② ㄷ
③ ㄱ, ㄷ
④ ㄴ, ㄷ
⑤ ㄱ, ㄴ, ㄷ

[38~40] 다음 글을 읽고 물음에 답하시오.

정치권력의 남용과 사회적 부정부패를 감시하고 비판하는 언론의 기능은 건전한 여론 형성 기능과 함께 국민의 알 권리 충족을 위한 필수 조건으로 인식되어 왔다. 미국의 경우 언론의 감시·비판 기능을 파수견(watchdog)에 빗대어 표현하는데, 이를 헌법적으로 보장되는 것으로 인식하고 있다. 이러한 파수견 기능은 개인의 표현의 자유가 아닌 언론 기관의 표현의 자유를 의미한다. 즉 개인의 기본권적 특성보다는 언론 기관에 부여되는 제도적 권리의 특성을 지닌다.

파수견 기능이 헌법상 보장되는 권리라면 그것의 근거는 무엇인가? 이에 대한 미국의 ㉠전통적인 시각은 1791년에 제정된 수정 헌법 제1조의 의미를 언론 기관의 차원에서 적극적으로 해석하는 데에 바탕을 두고 있다. 언론의 자유(freedom of the press)를 보장하는 이 조항은 의회가 언론을 억압하는 어떠한 법률도 제정할 수 없도록 규정하고 있다. 이 시각에 따르면, 독립 시기를 전후로 정부를 비판하는 글들이 신문에 자유롭게 게재되었다는 점에서 이미 비판적인 언론 이데올로기가 존재했다고 한다. 이에 근거하여 수정 헌법 제1조가 차후에 언론 기관에 자연스럽게 적용될 수 있었다고 인식한다. 이 시각은 언론 기관의 핵심적 기능을 '견제 가치'에서 찾는다. 그래서 비록 언론의 상업주의적 폐해가 있다고 하더라도 국가 권력의 남용보다는 폐해가 덜하기 때문에 파수견 기능은 보호되어야 한다고 주장한다. 이를 위해 언론 관련 규제가 최소한도로 제한되어야 하며 심지어 공익을 위한 경우에는 보도로 인한 명예 훼손이 성립될 수 없다고까지 주장한다. 아울러 보다 적극적인 파수견 기능을 위해서 국가 기관에 대한 접근권을 강화하는 것과 같은 정책적 배려가 요구된다고 제안한다.

그런데 이러한 시각은 헌법의 규정을 지나치게 확대 해석하고 있으며 이를 뒷받침할 만한 구체적인 증거가 부족하다는 비판을 받는다. 미국의 언론법 학자 글리슨은 19세기 말에서 20세기 초에 발생한 명예 훼손 소송을 분석하면서 전통적인 시각과 다른 시각을 제시한다. 그는 법원이 언론의 파수견 기능을 언론 기관의 헌법적인 권리로 인정하게 된 것은 언론의 취재 보도 과정의 특수성에 대한 법원의 인식과 직결된다고 밝힌다. 19세기 말 언론의 보도 행태는 대단히 선정주의적인 경향을 보였고 이에 대해 사회적 규제가 있어야 한다는 목소리가 높았다. 명예 훼손 소송의 건수도 급증하게 되는데, 진실 보도를 요건으로 하는 명예 훼손법의 적용으로 인해 언론은 매우 불리한 입장에 놓여 있었다.

당시 신문사의 수가 늘면서 신문 산업이 크게 성장하게 되는데, 신문사들은 명예 훼손 소송을 신문 산업에 가장 위협적인 요소로 판단하였다. 이들은 명예 훼손 소송에 적극적으로 대처하는 한편 파수견 기능을 면책 특권으로 입법화하려는 다양한 노력을 기울였다. 이러한 노력은 언론의 공적 기능에 대한 법원의 인식을 확대하였으나 소송의 결과에는 영향을 주지 못했다. 예를 들어 1896년 시 공무원을 비판한 기사로 인해 벌어진 명예 훼손 소송에서 루이지애나 주 대법원은 언론의 파수견 역할은 인정했으나 문제가 된 기사가 취재 보도 자유의 범위를 벗어나는 것이라고 판시했다. 주 대법원은 신문의 파수견 역할이 진실을 밝히고 시민 정신을 고양할 수 있는 것으로 보았다. 다만, 이는 일관되고 합리적인 취재 및 편집을 통해서 달성될 수 있다고 피력했다. 즉 법원은 언론의 파수견 기능에 대해서는 긍정적인 태도를 보였으나, 여전히 진실 보도를 강조함으로써 취재 과정상의 복잡성을 내세운 언론의 주장은 수용하지 않았다. 이러한 법원의 판결 경향은 20세기 중반에 이르기까지 계속되었다. 결국 글리슨에 따르면 파수견 기능을 헌법적으로 보호하는 근거는 명예 훼손법 발전의 역사 속에서 찾을 수 있다는 것이다.

38. 위 글에서 설명하고 있는 '미국 언론의 파수견 기능'에 대한 이해로 적절하지 <u>않은</u> 것은?

① 국가 기관에 대한 언론 기관의 접근권을 확대해 줌으로써 이 기능을 강화할 수 있다.
② 국가 권력의 남용을 견제하는 기능으로서 헌법상의 보호를 받는다.
③ 이 기능을 보장함으로써 국민의 알 권리가 더 잘 실현될 수 있다.
④ 언론의 상업주의화에도 불구하고 이 기능은 원칙적으로 보호된다.
⑤ 이 기능은 개인의 표현의 자유를 보장하기 위한 전제 조건이다.

39. <보기>에서 글리슨의 연구에 나타난 사회적 상황에 대한 적절한 설명을 고른 것은?

―<보 기>―
ㄱ. 언론사는 파수견 기능을 내세워 명예 훼손 소송의 결과에 영향을 미쳤다.
ㄴ. 언론사는 명예 훼손법이 자신들에게 불리하게 적용되고 있다고 주장했다.
ㄷ. 언론사는 취재 보도 과정의 구조적 특수성을 법원이 인정해 줄 것을 요구했다.
ㄹ. 법원은 언론이 공적 역할은 하지만 파수견 기능은 인정할 수 없다고 판단했다.
ㅁ. 법원은 보도의 진실성은 명예 훼손 소송에서 언론이 면책되기 위한 요건이라고 판단했다.

① ㄱ, ㄴ, ㄷ　② ㄱ, ㄷ, ㄹ　③ ㄴ, ㄷ, ㅁ
④ ㄴ, ㄹ, ㅁ　⑤ ㄷ, ㄹ, ㅁ

40. ㉠을 통해 <보기>를 해석한 것 중 적절한 것은?

―<보 기>―
미국 시카고의 S 신문사는 관계 공무원들이 업주들에게 뇌물을 요구한다는 제보를 받고 이를 취재하기 위해 정식으로 허가를 받아 위장 술집을 차렸다. 한 달 후 S 신문사는 카메라를 몰래 설치하여 찍은 사진과 함께 20명의 공무원들에 대한 고발 기사를 3주간 연재물로 게재하였다. 관련 공무원들은 신문사의 보도가 자신들의 명예를 훼손하였다는 이유로 소송을 제기했다. 이에 대해 S 신문사는 자신들은 공익을 위해 보도하였다고 항변하였다.

① 명예 훼손 소송이 제기되는 경우 S 신문사의 면책 요건을 넓게 해석해야 한다.
② S 신문사의 위장 술집을 통한 취재 방식은 불가피한 경우에만 허용되어야 한다.
③ 비리와 연루된 공무원이라도 S 신문사를 상대로 명예 훼손 소송을 제기할 수 있어야 한다.
④ S 신문사가 공무원의 비리를 장기간 연속으로 게재한 것은 언론의 감시·비판 기능을 넘어서는 일이다.
⑤ 공익을 위해 보도할 경우에는 취재 대상이 누구인가에 따라서 S 신문사의 취재 보도의 자유에 대한 허용 범위가 달라진다.

제1교시

홀수형

법학적성시험 예비시험

언어이해 문제지

성 명 ⬜ 수험번호 ⬜⬜⬜⬜⬜⬜⬜

수험생 유의사항

—

○ 이 문제지는 **36문항**으로 구성되어 있습니다.
 - 본고사는 40문항으로 구성되어 있으나, 본서에서는 미출제 범위 문항(1~4)은 수록하지 않았습니다.

○ **시험 시간은 09 : 00~10 : 30(90분)입니다.**
 - 시험 시간은 실제 본고사와 동일한 40문항 기준입니다.

○ 문제지에 성명과 수험번호를 정확하게 기재하십시오.

○ 답안지는 반드시 컴퓨터용 사인펜을 사용하여 답을 표기하여야 합니다.

○ 답안지의 '필적확인란'에 제시된 문구를 정확히 정자로 기재하여야 합니다.

메가로스쿨 M

[5~7] 다음 글을 읽고 물음에 답하시오.

계몽된 현대 사회에서 이성이 설정한 최고의 목적은 '자기 보존'이다. 그 결과 자연은 목적 없는 단순 물질이자 자기 보존의 수단으로 전락한다. 오랫동안 자연의 지배를 받아 왔던 인간이 이제 자연을 지배하게 될 것이다. 그런데 이 과정에서 이성 자체가 도구화됨으로써 구체적이고 인격적인 자기는 사라지고 오직 비판 능력 없는 추상적 자아만 보존된다. 호르크하이머는 이렇게 진행된 인간의 승리가 자연으로부터 인간을 해방시키기보다는 오히려 인간에 의한 인간 지배로 귀결된다고 진단한다. 이를 개념화하기 위해 그는 우선 내적 자연과 외적 자연을 구별하고 후자를 다시 인간적 자연과 비인간적 자연으로 나눈다.

인간에 의한 자연 지배가 인간에 의한 인간 지배로 진행한다는 호르크하이머의 명제는 다음과 같이 설명될 수 있다. 먼저 인간에 의한 외적 자연 지배는 내적 자연에 대한 억압을 수반한다. 인간은 외적 자연과의 싸움에서 승리하기 위해 도구적 이성의 지배를 내면화하면서 자신의 내적 자연을 억압해야 하기 때문이다. 인간은 자연을 기계처럼 다루듯이 자기 자신도 도구적 이성에 의해 작동되는 기계처럼 다루어야 한다. 도구적 이성으로 무장한 자아가 자신의 내적 자연을 억압하는 것이다. 그런데 내적 자연을 철저하게 억압함으로써 성공한 사람이 이제는 그렇지 못한 사람을 지배한다. 추상적 자아에 의한 내적 자연의 지배가 강자에 의한 약자의 지배 구조를 강화하지만, 근본적으로는 사람들 사이의 지배 구조가 자아에게 내적 자연을 지배하도록 강제한다고 볼 수 있다. 자기 보존과 성공을 위해 인간이 자신의 내적 자연까지 가혹하고 무자비하게 공격할 수 있는 것은 냉혹한 지배자로부터 혹사당한 경험에서 벗어나려는 비극적 몸부림이기 때문이다. 이처럼 내·외적 자연에 대한 인간의 억압은 인간의 본래적 특성보다는 인간 사이의 관계에서 비롯된 것이다.

호르크하이머에 따르면, 외적 자연을 지배하기 위해 인간의 내적 자연을 억압하면 할수록 사람들은 억압의 주체인 이성과 자아에 대한 '원한 감정'을 더 키워 간다. 특히 이중적 억압의 희생자로 전락한 다수의 대중이 원한 감정에 사로잡힌다. 대중은 한편으로 자신의 자연적 충동을 스스로 억압해야만 하고, 다른 한편으로 보다 성공적으로 내적 자연을 통제한 사람들에 의해 지배받는다. 이와 같이 억압받은 대중의 내적 자연이 억압의 주체인 도구적 이성에 대해 품은 원한 감정은 폭동의 잠재력이 된다. 일반적으로 원한 감정은 그것의 원인을 제거하기보다 파괴 욕구로 발전하기 때문이다. 원한 감정에 사로잡힌 사람은 자신의 내적 자연을 억압하듯 타인을 공격하고 파괴하는 폭동을 일으킨다. 호르크하이머는 이를 '자연 폭동'이라고 부른다. 자연 폭동의 방향은 정해져 있지 않다. 파괴적 공격은 가장 가까운 사람을 향할 수도 있고 처음 본 사람을 목표로 할 수도 있다. 파괴의 대상은 이처럼 언제나 대체 가능하지만 사회적 약자나 소수자인 경우가 대부분이다.

호르크하이머는 여기서 현대의 파시즘이, 대중이 품고 있는 자연 폭동의 잠재력을 이용하여 자신들의 지배를 더욱 공고히 한다는 점에 주목한다. 그에 따르면 현대적 파시즘은 내·외적 자연을 억압하는 것에 만족하지 않고, 자기 자신의 체제에 자연 폭동의 잠재력을 포섭함으로써 보다 철저하게 대중을 착취한다. 예를 들어 나치는 도구적 이성에 의해 희생된 대중들이 가진, 이성에 대한 원한 감정을 유대인을 향한 자연 폭동으로 이끌어 낸 것이다. 그러나 자연 폭동은 억압된 자연을 해방시키는 것이 아니라 오히려 억압을 영속시키는 데 기여했다. 도구적 이성의 전면화에 대항하는 자연적 인간들의 야만적 폭동은 표면적으로는 이성을 비하하고 자연을 순수한 생명력으로 추앙했지만, 결과적으로는 이성의 도구화를 촉진하였으며 내적 자연을 잔혹한 폭력의 주체로 발전시켰다. 이런 맥락에서 호르크하이머는 반이성적 자연 폭동은 도구적 이성의 지배를 극복할 수 없다고 본다. 이성을 거부하는 자연 폭동은 자연을 해방시키는 것이 아니라 자연에 족쇄를 채우는 데 이용될 뿐이기 때문이다. 족쇄에서 벗어나려면 반이성적 자연 폭동에 의하지 않고, 겉으로 보기에 자연의 대립물인 이성이 먼저 비판적 사유를 통해 인간과 자연의 관계가 인간과 인간의 관계에서 비롯되었다는 것을 자각해야 한다.

5. 위 글의 '자아', '이성', '자연'에 대한 이해로 옳은 것은?

① 외적 자연은 추상적 이성과 자아를 가지고 있다.
② 나에게 다른 사람은 외적 자연이면서 인간적 자연이다.
③ 나는 자아가 없는 내적 자연으로서 기계적으로 살아간다.
④ 과거에 자연이었던 것이 이제는 자연이 아니며 자아도 아니다.
⑤ 내적 자연이 자아를 지배한다면, 외적 자연은 이성을 억압한다.

6. 위 글로부터 추론한 내용으로 적절하지 않은 것은?

① 인간에 의한 자연 지배는 인간에 의한 인간 지배의 또 다른 형태이다.
② 자연적 욕망을 강하게 억제함으로써 성공한 사람은 원한 감정을 갖지 않는다.
③ 다른 사람에 대한 폭력이 인간 해방을 실현하기 위한 투쟁으로 미화될 수 있다.
④ '자연 폭동'은 전체주의의 실체를 밝히지 못하고 오히려 그것의 권력을 강화한다.
⑤ 내적 자연을 통제하는 데 실패한 현대인은 외적 자연의 지배를 받을 가능성이 높다.

7. 위 글에 제시된 '호르크하이머'의 입장에 대한 비판으로 타당한 것은?

① 이성이 비판 능력을 상실했다고 진단하면서 이성의 비판적 활동에서 희망을 찾는 것은 이미 사라진 것을 있다고 가정하는 자기모순이다.
② 개인적인 심리적 병리 현상으로부터 사회적 억압 구조를 설명하는 것은 개별을 보편으로 성급하게 환원시키는 일반화의 오류이다.
③ 자연을 자기 보존의 수단으로 간주하는 도구적 이성에 대한 비판은 자연 중심 사상을 가지고 이성을 격하하는 자기 기만이다.
④ 인간이 자연을 억압한다는 주장은 자연이 기계처럼 작용한다는 검증되지 않은 명제를 가정한 허구이다.
⑤ 자연으로부터 해방된 인간이 자연을 억압한다는 비판은 '계몽'이라는 논점에서 일탈하고 있다.

[8~10] 다음 글을 읽고 물음에 답하시오.

수동형 RFID(Radio-Frequency IDentification) 시스템은 리더(reader)와 자체 전원이 없는 수동형 태그(tag)로 구성된다. 태그는 코일과 소량의 데이터를 담고 있는 칩으로 구성되며, 리더가 형성한 전자기장에 들어가면 전자기 유도 현상에 의해 코일에 전기가 유도되고 이 전력에 의해 칩에 담겨 있는 데이터가 리더로 전송된다. 전자기장을 이용하기 때문에 직접적인 접촉 없이 태그가 리더의 근처를 지나가는 것만으로 태그에 담긴 정보를 빠르고 정확하게 읽을 수 있다. 또한 배터리 교환 등 유지 보수 문제가 없고 소형으로 제작 가능하다. 반면에, 태그의 전원이 리더의 전자기장에 의존하기 때문에 허용 전력에 제한이 많으므로 칩이 저장할 수 있는 데이터 크기와 정보 처리 능력에 한계가 있다.

두 개 이상의 태그가 동시에 리더의 통신 영역으로 들어오면 각 태그가 송신하는 정보가 얽히게 되는데, 최근에 ㉠ 이것을 해결할 수 있는 몇 가지 알고리즘이 개발되었다. 이 방법을 적용하면 리더의 통신 영역 내에 있는 모든 태그의 정보가 거의 동시에 읽히므로, 여러 가지 물건을 담아서 계산대를 통과시키면 상품의 종류를 한 번에 확인할 수 있다. 상품 판매로 이어지기 위해서는 태그에 판매 정보를 기록하거나 ㉡ 태그의 작동을 불능화하는 작업이 필요하다. 신용 카드나 신분증에 RFID 시스템이 도입되면 일상생활의 편리함은 더욱 커질 수 있는데, 상품 정보 확인뿐만 아니라 지불과 서명까지 동시에 진행할 수 있다. 그러나 통신 영역 내에 있는 모든 태그의 정보가 리더에게 전달될 수 있으므로, ⓐ 자신도 모르는 사이에 '무엇을 입고 무엇을 지닌 상태로 언제 어디서 누구와 무엇을 얼마나 샀는지' 등의 정보가 파악될 수도 있다. 즉 악의적으로 설치된 리더에게도 무방비로 노출되어 있는 셈이다.

따라서 태그가 신분증이나 신용 카드 등의 용도로 사용될 때는 리더의 정보 접근을 차등화할 필요가 있다. 즉 리더가 태그의 정보를 읽어 내려 할 때 리더의 종류에 따라 읽을 수 있도록 허용된 내용만 전달되도록 하는 선별적 정보 제공 기능이 필요하다. 이 방법을 이용하기 위해서는 ㉢ 태그가 리더의 종류를 알 수 있도록 해 주는 회로를 설치해야 하는 부담이 있으므로 현재는 태그의 데이터를 읽어 낼 수는 있으나 정상적인 방법이 아니면 그 내용을 알 수 없도록 하는 방법을 많이 사용한다. 태그에 미리 암호화된 정보를 수록하고 수신된 암호 코드는 리더가 가진 키(key)에 의해서만 해독될 수 있게 하는 것이 한 예이다.

암호화 방법은 태그 내용을 보호할 수 있지만, 태그가 움직이는 경로를 노출시킬 수 있다. 즉 태그에 수록된 암호는 늘 같기 때문에 동일한 암호가 읽히는 위치를 계속 기록하다 보면, 태그의 이동 경로를 알아낼 수 있다. 이것을 막으려면 태그가 키를 공유하고 리더에 노출될 때마다 예측이 불가능한 암호로 매번 바꾸어서 전송하면 된다. 그러나 이 방법 역시 태그의 물리적 분실이나 도난에 의해 칩에 들어 있는 공유키가 노출되면 암호를 읽을 수 있고, 여러 곳에서 수집된 자료를 분석하면 태그의 현재와 과거 행적을 알아낼 수 있게 된다. ㉣ 태그를 초소형으로 만들어 사람의 몸에 이식하면 태그 분실이나 도난을 막을 수 있어 RFID의 혜택을 보다 안전하고 편안하게 누릴 수 있으나 이 방법은 몸에 태그를 이식하는 것과 관련된 윤리적 문제를 발생시킬 수 있다.

태그에 여러 기능을 넣기 위해서는 부가 회로가 필요하고 이에

언어이해

따라 칩의 크기와 전력 소모가 커진다. 많은 전력을 공급하기 위해서 리더의 전자기장의 세기를 증가시키면 이웃한 리더와 간섭이 생기는 또 다른 문제점이 발생할 수 있다. 현실적으로 아직 해결해야 할 기술적인 문제가 많으므로, 높은 보안성을 가지는 시스템의 도입은 시간이 걸릴 것으로 보인다. 그러나 점점 사용이 확대되어 가는 추세를 볼 때, 정보 유출의 위험을 줄이기 위해서 개인 정보의 추출 및 이용에 대해 엄격한 제한을 두는 제도적 장치가 필요하다.

8. '수동형 RFID 시스템'의 특성으로 적절하지 <u>않은</u> 것은?

① 암호화 방식을 사용하면 이동 경로가 노출되는 것을 방지할 수 있다.
② 태그에서 정보를 읽어 내기 위해서는 전자기장 발생이 필요하다.
③ 하나의 리더로 여러 태그의 정보를 동시에 처리할 수 있다.
④ 전자기장의 세기를 증가시키면 태그의 허용 전력이 커진다.
⑤ 비접촉 방식이기 때문에 사용하기가 편리하다.

9. ㉠~㉣ 중, ⓐ를 막기 위한 방안끼리 묶인 것은?

① ㉠, ㉡   ② ㉠, ㉢   ③ ㉡, ㉢
④ ㉡, ㉣   ⑤ ㉢, ㉣

10. 위 글에서 <보기>의 '가치 교환의 문제'에 해당하는 것은?

<보 기>

석유 정제 공정에서 화학 공정 속도를 높이면 불순물의 양이 늘어나고, 불순물의 양을 줄이려면 화학 공정 속도가 느려진다. 이와 같이 특정 시스템 내에서 서로 다른 기술적 특성이 충돌할 때 '가치 교환(trade-off)의 문제'가 발생한다.

① 태그에 들어 있는 공유키가 노출되면, 암호가 노출될 수 있다.
② 리더의 전자기장 세기를 증가시키면, 통신 가능 영역이 넓어질 수 있다.
③ 악의적으로 설치된 리더가 있으면, 태그 정보가 무방비로 노출될 수 있다.
④ 보안성 강화를 위해 인체에 태그를 삽입하면, 윤리적 문제가 발생할 수 있다.
⑤ 태그에 여러 기능을 넣기 위해 부가 회로를 추가하면, 전력 소모가 커질 수 있다.

[11~13] 다음을 읽고 물음에 답하시오.

존 포드(John Ford) 감독은 서부 영화를 스트레스 해소용 활극에서 인문학적 깊이를 지니는 장르로 발전시켰다는 점에서 높이 평가되는데, 그의 작품 가운데 특히 주목을 끄는 것이 <리버티 밸런스를 쏜 사나이>(1962)이다.

영화는 상원 의원 랜스가 과거를 회고하는 장면으로 시작한다. 동부에서 갓 변호사 자격을 획득한 랜스는 마차를 타고 서부 지역을 지나다가 무법자 리버티 밸런스 일당의 습격을 받아 큰 부상을 입는데, 톰과 그의 연인 할리 덕분에 목숨을 구하고 신본이라는 마을에 살게 된다. 그곳 사람들은 종종 마을에 나타나 행패를 부리는 리버티에게 저항할 엄두를 내지 못한다. 마을 보안관 역시 리버티 앞에서 벌벌 떠는 소인배일 뿐이다. 피바디라는 지식인이 '신본 스타'라는 신문사를 통해 근대적 이념을 전파하려 하지만, 주민 대부분이 문맹인 그곳에서 무력감만 느낀다. 리버티가 겁내는 사람은 자기보다 힘세고 총을 더 잘 쏘는 톰뿐이다.

랜스는 이러한 상태를 방관할 수 없다는 생각에 야학을 열어 사람들에게 글을 가르치는 한편, 변호사 사무실을 열어 리버티의 법적 기소를 꾀한다. 그를 보면서 톰은 리버티를 이길 수 있는 건 총뿐이라며 비웃는다. 그러던 중 리버티 일당에 의한 피바디 살인 미수 사건이 벌어지자, 랜스도 법의 무력함을 절감하고 결투를 통해 리버티를 쏘아 죽인다. 그래서 랜스는 '리버티 밸런스를 쏜 사나이'로 불리게 된다. 이윽고 서부에서도 연방 상원 의원 선거가 시작되자 랜스는 후보로 출마한다. 하지만 자신의 소신을 어기고 총을 사용했다는 죄책감에 후보직을 사퇴하려 하자, 톰이 나타나 자신이 숨어서 리버티를 저격했다는 사실을 고백한다. 비밀을 얘기하던 중 톰은 "당신은 너무 생각이 많고 말도 많아."라고 빈정대지만, 랜스가 유세장으로 들어가는 뒷모습을 바라보면서 자신이 아무것도 할 수 없는 때가 왔음을 쓸쓸히 받아들인다. 결국 랜스는 선거에서 이긴다. 그리고 톰을 사랑했지만 랜스 또한 사랑했던 할리는 랜스와 결혼한다.

[A] 영화는 이처럼 주먹과 권총의 시대가 가고 이성과 법의 시대가 시작되려는 미국의 역사적 상황을 배경으로 하고 있다. 이 작품은 문화철학자 비코를 떠올리게 한다. 비코는 법제도가 이성적·객관적 실체로서 정의를 실현하는 근대적 단계를 '인간의 시대'로, 개인의 감정과 물리적 힘이 최종심급(最終審級)이었던 야만의 단계를 '영웅 시대'로 부른다.

물론 포드가 비코의 저작을 읽었다는 증거는 전혀 없지만, 영화의 두 '사나이'는 비코가 대비시키는 두 시대 유형에 그대로 대응한다. 즉 톰과 랜스는 각각 역사의 뒤안길로 사라지기 시작하는 시대와 새롭게 도래하는 시대를 대표하는 인물이다. 톰이 허리에 차고 있는 권총과 랜스가 들고 온 법전은 그것을 잘 보여 준다. 이러한 대립적인 이미지는 랜스가 물을 끌어 들여 기르는 장미와 톰이 애착을 보이는 거친 사막의 선인장에서도 잘 드러난다. 그런데 이 작품에서 주목해야 할 것은 갈등 관계에 있는 두 대립적 가치를 하나의 예술적 장치로 엮어 형상화함으로써 자신의 ㉠양가적(兩價的) 지향성을 우회적으로 노출시키는 포드 감독의 전략이다. 이는 등장인물에 포드 자신이 투영되어 있다는 점에서도 그렇지만, 특히 제목 자체가 두 인물을 동시에 가리킨다는 점에서 잘 드러난다.

[B] 이 영화는 호쾌한 장면 연출을 극도로 억제함으로써 다른 대부분의 서부극과 달리 관객에게 높은 수준의 감상 능력을 요구한다. 즉 이 영화의 예술적 이미지는 더 이상 감각적으로만 소비되는 대상이 아니라 일종의 변용된 이미지로서, 피상적 접근만으로는 판독될 수 없는 심층적 내용을 담고 있다. 이렇게 예술 작품은 그것의 생산 과정뿐만 아니라 수용 과정에서도 지적 도야를 불가결의 조건으로 요구하거니와, 한갓된 감각적 쾌 또는 불쾌에서 소진되지 않는다. 더욱이 수작으로 평가되는 작품들에는 심층 의식, 사상, 가치관, 세계관 등은 물론 예술 자체의 정체성에 대한 작가의 생각까지도 예술적 장치 안에 교묘하게 숨겨져 있는 경우가 적지 않기 때문에, 작품과 직·간접적으로 연관된 선이해(先理解)가 갖춰지지 않으면 결국 그 작품들은 수수께끼로 남는다. 요컨대, 훌륭한 예술적 이미지는 육안으로 '보는' 대상에 그치지 않는, 심안으로 '읽어야' 할 일종의 텍스트인 것이다.

11. [A]의 '비코'의 분류에 따라 등장인물을 평가할 때, 적절하지 않은 것은?

① '리버티'는 철저히 '영웅 시대'의 법칙에 따라 사는 인물이다.
② '피바디'는 '인간의 시대'를 지향하지만 '영웅 시대'의 위력 앞에 한계를 느끼는 인물이다.
③ '보안관'은 '인간의 시대'를 형식적으로 대변하지만 오히려 '영웅 시대'에 순응하는 인물이다.
④ '랜스'는 '인간의 시대'의 법칙을 철저히 지킴으로써 '영웅 시대'의 종말을 가져온 인물이다.
⑤ '톰'은 '영웅 시대'의 법칙에 따름으로써 역설적으로 '인간의 시대'의 도래를 앞당긴 인물이다.

12. ㉠에 대한 설명으로 가장 적절한 것은?

① 숨어서 악당을 쏘도록 설정함으로써 서부 영화의 주제인 정의의 구현 이면에 숨겨진 비겁함을 동시에 보여 준다.
② 두 남자와 한 여자의 삼각관계를 통해 남성과 여성에 대한 서부극의 일방적인 이분법적 시각을 여전히 드러낸다.
③ 성격이 전혀 다른 두 사람에 대한 동시적인 미련은 성격이 전혀 다른 두 시대의 삶의 방식에 대한 동시적 애정을 반영한다.
④ 근대 국가로서의 미국의 가치를 드러내려 하지만, 남녀 사이의 복잡한 애정 관계를 다룬 멜로물의 요소 또한 뿌리치지 못한다.
⑤ 한 나약한 인간이 강자로 성장해 가는 해피 엔딩의 전형적 구조에 따르면서도, 현실의 충실한 반영을 넘어선 서부극 특유의 공상적 주제를 구현한다.

13. [B]의 관점에 따라 예술 작품을 감상한 것으로 적절하지 <u>않은</u> 것은?

① 다빈치의 그림 <성안나와 성모자>는 그의 출생 내력과 유년기 경험이 묘한 동성애적 코드로 변형된 무의식 세계를 함축하고 있어서 프로이트 정신 분석학의 주요한 소재로 등장한다.
② 모차르트의 오페라 <마술 피리>는 이집트 신화 모티프를 차용하고 여러 익살스러운 장면과 고난도의 아리아를 활용하여 예술의 심미적 가능성을 극대화하는 가운데, 프리메이슨의 선진적 정치 이념을 함축하고 있다.
③ 괴테의 소설 <젊은 베르테르의 슬픔>은 합리적 이성의 일방적 독주를 경계하면서 감성적 차원을 옹호하려는 그의 낭만주의적 인간학을, 이룰 수 없는 사랑에 대한 한 남자의 좌절이라는 통속적 줄거리 속에 담고 있다.
④ 존 케이지의 <4분 33초>는 공연장에서 발생하는 즉흥적인 소음뿐 아니라 정적(靜寂)까지도 음악적 소리로 사용할 수 있다는 가능성을 시사했다는 점에서, 음악의 본질 문제에 대한 미학적 질문을 던진 도발적 실험이다.
⑤ 앤드류 로이드 웨버의 뮤지컬 <요셉과 멋진 색동옷>은 구약 성서에서 그 소재를 빌려 오지만, 우리가 주목해야 하는 것은 록, 컨트리, 탱고, 칼립소 등 다양한 음악 양식이 어떤 식으로 활용되어 관객에게 편안한 즐거움을 제공하는가 하는 것이다.

[14~15] 다음 글을 읽고 물음에 답하시오.

신제품을 개발하는 방식에는 크게 두 가지 전략이 있다. 하나는 압축 전략으로, 이는 개발 과정의 합리화라고 할 수 있다. 이 전략은 예측이 가능한 단계들로 구성된 제품 개발 과정을 단축할 수 있다는 특성이 있다. 각 단계들의 합이 전체 과정이므로 이 전략은 각 단계에서 걸리는 시간을 단축하고자 한다. 이를 위해 일련의 단계들을 명확히 확립하고 분석한 후에 '쥐어짜기'를 통해 제품 개발을 가속화할 수 있다는 것이다.

이 전략은 '계획하기'에 많은 시간을 할애해야 한다. 이 과정을 통해 불필요한 단계를 제거할 수 있으며 활동을 효율적인 순서로 배열하여 의사소통과 업무 조정에 드는 시간을 줄일 수 있다. 또한 협력 업체의 전문 기술을 활용하여 단계를 간소화하고 개발 팀은 핵심적인 업무에 더욱 전념한다. 데이터베이스에 축적된 과거의 설계들을 재활용하여 개발 시간과 잠재적 오류를 줄이며, 연속된 개발 단계들을 부분적으로 겹치게 함으로써 시간을 절약할 수 있다.

이 전략의 성공적인 수행은 다부서 팀과 관련이 깊다. 다부서 팀을 가동함으로써 여러 부서의 협력이 공고해질 경우 개발 과정이 빨라질 것이다. 포상 제도는 계획 기간 안에 개발을 완료하겠다는 각오와 집중력을 이끌어 내어 성과를 볼 수 있지만, 신제품 개발 선정 시 손쉬운 개발 대상을 선호하게 만들 수도 있다.

압축 전략과는 대조적으로 경험 전략은 단지 기존의 과정을 압축하여 가속화하는 것만으로는 현실적으로 시장에 제품을 내놓는 속도를 빠르게 하기 어렵다고 본다. 이 전략은 시장 상황이 불투명하거나 첨단 기술을 적용해야 하는 불확실한 상황에서 선택된다. 명확하지 않고 변화하는 환경에 대처하기 위해서는 직관력을 키우고 유연한 선택 대안을 구사해야 한다는 것이다. 그렇게 해야 불확실한 환경을 재빨리 학습하고 환경 변화에 따라 유연하게 대응할 수 있다고 본다. 따라서 이 접근 방식은 확실성보다는 불확실성에 대한 대응이고, 선형적이기보다는 반복적이고, 기획적이기보다는 경험적이다. 반복을 통해 신제품 개발 속도를 빠르게 할 수 있다고 보아 시제품 제작을 통해 제품 설계를 가속화시킬 것을 주장한다.

이 전략은 즉각적으로 결정하기, 실시간 교류와 경험, 유연성 등을 중요시한다. 또한 빈번한 이정표 관리, 강력한 리더 배치 등을 활용함으로써 제품 개발을 가속화하려는 경향이 있다. 이정표 관리는 공식적인 평가이기는 하나 사전에 계획되는 것은 아니다. 그 대신 수시로 현재 진행 상황을 재평가하여 코스를 이탈하는 행동을 막고, 변화하는 시장이나 기술에 대한 대응을 점검해서 반복과 시험으로 인해 무질서해질 수 있는 개발 활동들을 조정하는 기능을 발휘한다. 수없이 많은 반복과 시험 활동 때문에 팀 구성원들이 '큰 그림'을 잃는다면 개발 과정은 통제 밖으로 벗어날 우려가 크다. 강력한 리더는 그러한 사태를 방지하여 개발 과정에 지연이 발생하지 않도록 하는 역할을 한다.

14. '경험 전략'의 특징으로 적절하지 않은 것은?

① 즉각적이고 유연한 판단으로 대안을 결정한다.
② 실시간적 교류 활동으로 제품 개발을 가속화한다.
③ 반복 설계와 시험을 통해 학습된 경험을 활용한다.
④ 진행 상황에 대한 공식적 점검을 수시로 실행한다.
⑤ 개발 활동 내용을 순차적으로 배열하여 효율성을 제고한다.

15. 위 글의 내용으로 볼 때, 제품 개발 전략의 선택에서 고려해야 할 조건으로 적절하지 않은 것은?

① 개발에 허용된 시간
② 계획 수립의 용이성
③ 진출하려는 시장의 상황
④ 기업이 보유한 인적 역량
⑤ 제품에 적용될 기술의 특성

[16~18] 다음 글을 읽고 물음에 답하시오.

"나는 어제 돌아갈 때 어쩌면 이것이 영원한 이별이 될지 모르지만 만일 오늘 또 오게 되면 당신에게 누가 리자베타를 죽였는지 알려 주겠다고 했지."

그녀는 갑자기 온 몸을 부르르 떨었다.

"그래서 자 이제 알려 주려고 온 거야."

"그럼 당신은 어제 그 말을 진심으로……" 소냐는 간신히 소곤거렸다.

"대체 당신이 어떻게 아세요?" 문득 정신을 차린 듯이 그녀는 빠른 말투로 물었다. 그녀는 숨쉬기가 힘들어지기 시작했고 얼굴은 점점 더 창백해져 갔다.

"알고 있어." 라스콜리니코프가 대답했다.

그녀는 잠시 침묵했다.

"사람들이 찾아냈다는 얘긴가요, 그 남자를?" 그녀가 머뭇거리며 물어보았다.

"아니, 찾아내지는 못했어."

"그럼 대체 당신은 어떻게 ㉠ 그것에 대해서 아신다는 거죠?" 잠시 침묵이 흐른 뒤 또 다시 그녀가 들릴 듯 말 듯 물어보았다.

그는 그녀 쪽으로 몸을 돌려 그녀를 뚫어지게 쳐다보았다.

"어디 맞혀 봐." 일그러지고 힘없는 미소를 띠며 그가 말했다.

그녀의 몸 전체에 경련과 같은 것이 지나갔다.

"아, 당신은 날…… 대체 왜 날 그렇게…… 놀라게 하세요?" 어린애처럼 미소 지으며 그녀가 말했다.

"내가 사건의 윤곽을 알고 있는 이상 내가 그 남자와 아주 친한 사이란 건 당신도 짐작할거야……." 그는 이미 그녀에게서 눈을 뗄 힘도 없는 듯 그녀를 뚫어지게 계속 응시하면서 말을 이어 갔다. "그는 리자베타를 죽이려 한 건 아니야……. 그냥…… 우연히 죽이게 된 것뿐이지. 그는 언니인 노파가 혼자 있을 때 그 노파를 죽이러 들어간 건데…… 그때 리자베타가 들어온 거야……. 그래서 그녀마저 죽이게 된 거지."

또다시 끔찍한 침묵의 시간이 흘렀다. 둘은 계속 서로를 응시했다.

"이래도 맞히지 못하겠어?" 마치 종루에서 아래로 몸을 던지는 기분으로 그가 갑자기 물었다.

"모르겠어요." 들릴 듯 말 듯 소냐가 속삭였다.

"잘 좀 생각해 봐."

이 말을 하자마자 익숙했던 예전의 한 느낌이 또 다시 그의 영혼을 얼어붙게 했다. 그가 소냐를 쳐다본 순간 갑자기 그녀의 얼굴에 리자베타의 얼굴이 겹쳐 보이는 듯했기 때문이다. 도끼를 들고 다가갔을 때, 그때의 리자베타의 얼굴 표정을 그는 선명하게 기억하고 있었다. 어린애가 갑자기 무엇엔가 흠칫 놀랐을 때 자기를 놀라게 한 것을 불안스럽게 주시하다가 조그만 손을 앞으로 내밀고 뒤로 몸을 빼내면서 짓는 금방 울 것 같은 표정……. 흡사 그런 완전히 어린애 같은 놀라움의 표정을 얼굴에 드러내면서 리자베타는 한 손을 앞으로 치켜들고 그를 피하려고 벽 쪽으로 뒷걸음질 쳤던 것이다.

그것과 거의 똑같은 일이 지금 소냐에게도 일어났다. 그녀는 무기력하고 놀란 표정으로 잠시 동안 그를 쳐다보더니 갑자기 왼손을 앞으로 내밀어 그의 가슴을 손가락으로 살짝 밀면서 침대에서 서서히 일어나기 시작했다. 조금씩 그로부터 뒷걸음질을 치면서도 그녀의 눈길은 더욱 더 그의 얼굴에 고정되어 갔다. 그녀의 공포감이 그에게도 갑자기 전해져 왔다. 소냐가 지었던 놀라움의 표정이 그의 얼굴에도 비친 후에 그도 역시 거의 어린애 같은 기소를 띠고 그녀를 쳐다보기 시작했다.

"알겠지?" 그가 마침내 나지막하게 물어보았다.

"아아!" 그녀의 가슴 속으로부터 끔찍한 흐느낌이 터져 나왔다. 그녀는 맥없이 침대로 쓰러지며 베개에 얼굴을 파묻었다. 그러나 이내 몸을 벌떡 일으키더니 그의 곁으로 바싹 다가서서 두 손으로 그를 잡고 그 가느다란 손가락들에 힘을 주며 또 다시 못에라도 박힌 듯 꼼짝도 않고 그의 얼굴을 응시하기 시작했다. 이 최후의 절망적인 눈초리로 그녀는 무언가 한 가닥 희망이나마 발견하여 그것을 잡아 보려 했다. 그러나 희망은 없었다. 이제는 의심의 여지가 없었다. 모든 게 그의 말 ⓛ그대로였기 때문이다! 훨씬 뒤에 이때의 일을 회상했을 때에도 그녀는 언제나 돌가사의한 느낌이 들곤 했다. 아무 의심의 여지가 없다는 사실을 그 때 대체 무슨 이유로 그렇게 대뜸 파악하게 되었을까? 사실 그런 종류의 무언가를 그녀가 예감하고 있었다고는 도저히 말할 수 없지 않았는가? 그런데도, 그가 그녀에게 ⓒ그 사실을 말하자마자 그녀는 자신이 마치 정말로 바로 그것을 예감하고 있었던 것 같은 느낌이 들었던 것이다.

"됐어, 소냐, 이제 됐다고! 날 괴롭히지 말아 줘!" 그가 고통스럽게 부탁했다.

그는 이런 식으로 털어놓으리라고는 정말로 전혀 생각지 못했는데 결국은 ⓡ그렇게 되어 버리고 말았다.

그녀는 정신없이 벌떡 일어나 두 손을 비비면서 방 한가운데까지 갔으나 재빨리 몸을 돌려 다시 그의 곁으로 돌아와 거의 어깨가 맞닿을 정도로 붙어 앉았다. 그리고는 갑자기 무엇에 찔린 듯이 몸을 부르르 떨고 외마디 소리를 지르더니 자신도 모르게 그의 앞에 무릎을 꿇고 앉았다.

"아 어쩌자고, 어쩌자고 당신은 그런 짓을 했어요!" 그녀는 절망적으로 외치더니 훌쩍 일어나 그의 목에 매달려 두 손으로 꼭 껴안았다. 라스콜리니코프는 문득 뒤로 물러나더니 서글픈 웃음을 띠고 그녀를 바라보았다.

"당신은 이상한 여자야, 소냐. 내가 ⓜ그것에 대해 얘기했는데도 끌어안고 키스를 해주다니. 당신 아마 지금 제정신이 아닌가 보군."

"아니에요, 이 순간 세상에서 당신보다 더 불행한 사람은 없어요!" 그의 말은 듣지도 않고, 그녀는 흥분의 절정에 달한 듯이 외쳤다. 그리고는 발작이라도 일으켰는지 흑흑 흐느껴 울기 시작했다.

일찍이 한 번도 경험하지 못했던 감정이 그의 가슴에 파도처럼 밀려와 순식간에 그의 마음을 부드럽게 해 주었다. 그는 그 감정에 저항하지 않았다. 그의 눈에서 눈물 두 방울이 흘러나와 속눈썹에 맺혔다.

"그럼, 당신은 날 버리지 않을 거지, 소냐?" 그녀의 얼굴을 들여다 보며 한 가닥 희망을 가지고 그는 물었다.

"그럼요, 그럼요, 절대로, 절대로요!" 소냐가 외쳤다. "난 당신을 따라 가겠어요, 어디든 따라 가겠어요! 아아…… 전 참 불행한 여자예요! 왜, 왜 내가 당신을 더 빨리 알게 되지 못했을까요? 왜 당신은 내게 좀 더 빨리 오지 않았나요? 아아!"

"그래서 이렇게 온 거잖아."

"그래요, 이제야 왔군요! 아, 이제 어떻게 하지……. 그래요 함께, 우리 함께!" 그녀는 제정신이 아닌 듯 다시 그를 끌어안으며 되풀이

했다. "감옥을 가더라도 함께 따라 가겠어요!"

― 도스토예프스키, 「죄와 벌」 ―

16. ㉠~㉤ 중, 의미하는 바가 <u>다른</u> 것은?

① ㉠   ② ㉡   ③ ㉢
④ ㉣   ⑤ ㉤

17. 인물의 심리 상태에 대한 설명으로 적절하지 <u>않은</u> 것은?

① '라스콜리니코프'는 그의 범행 사실을 '소냐'가 알도록 유도해 가면서도 그런 자신의 행위에 대해 자괴감과 절망감을 느낀다.
② '소냐'는 '라스콜리니코프'의 암시에 따라 그가 범인일지도 모른다고 생각하게 되면서 공포를 느낀다.
③ '라스콜리니코프'는 '소냐'가 범행 사실을 안 다음에도 그것을 믿지 않으려 애쓰는 표정을 짓자 괴로움을 느낀다.
④ '소냐'는 범행 사실을 확인한 상태에서 절망감과 함께 '라스콜리니코프'에 대한 강렬한 동정심을 느낀다.
⑤ '라스콜리니코프'는 '소냐'가 그를 불행하다고 말하며 울음을 터뜨리자 자신의 범행 동기가 이해되었다고 생각하고 감동을 느낀다.

18. <보기>의 ⓐ~ⓔ 중, 위 글에서 확인할 수 있는 것은?

<보 기>

도스토예프스키는 「죄와 벌」을 구상하면서 당대 러시아의 대표적 사상과 철학들의 부정적 요소들을 나타내 보고자 했다. 작가는, ⓐ 사회에 무익한 자를 제거하고 그의 재물을 사회적으로 유용한 일에 사용하는 행위를 휴머니즘의 차원에서 판단하려는 태도와 ⓑ 비범한 인간들이 대의(大義)를 위해 한 행동은 평범한 인간들의 가치 판단에 구속되지 않는다는 생각에 대해서 비판적 입장을 취했다. 이 작품에서 작가는, ⓒ 사람을 죽이는 행위의 동기를 논리적으로 설명하려는 태도는 그 자체가 모순이며, 따라서 살인 행위는 필연적으로 정신적 고통으로 이어진다는 점을 정교한 심리 묘사를 통해 보여주고 있다. 그러한 정신적 고통은 ⓓ 자신의 행위를 사랑과 양심의 차원에서 대하는 태도를 가질 때 해결 가능한 길로 들어설 수 있는데, 이와 관련해 작가는 그 ⓔ 궁극적인 해결은 신의 섭리에 의존함으로써만 가능하다는 점을 강조하고 있다.

① ⓐ ② ⓑ ③ ⓒ
④ ⓓ ⑤ ⓔ

[19~21] 다음 글을 읽고 물음에 답하시오.

오존(O_3)은 산소 원자(O)와 산소 분자(O_2)가 결합하여 생성된 것으로, 희석하여 소독제로 사용할 정도로 독성이 강한 물질이며 지상 대기 중에서는 식물의 엽록체와 인간의 폐 조직을 파괴하는 것으로 알려져 있다. 반면에 오존은 생명체에 유해한 자외선을 흡수하는 성질이 있어 상층 대기에서는 자외선을 흡수하여 지구 생명체를 보호하는 역할을 한다.

지상에서 오존은 질소 산화물이 강한 태양 광선을 받아 화학반응을 일으켜 생성된다. 질소 산화물은 연료의 연소 과정에서 배출되며, 대부분 산화질소(NO)와 이산화질소(NO_2)의 형태로 배출된다. 산화질소는 오존과 마찬가지로 화학적으로 매우 불안정하여 산소 원자와 결합하여 보다 안정된 이산화질소로 전환된다. 이산화질소는 태양 광선을 받으면 다시 산화질소와 산소 원자로 분해된다. 이렇게 해서 생성된 산소 원자가 산소 분자와 결합하여 오존을 만든다. 오존이 생성되는 과정에 탄화수소가 촉매로 작용한다.

상층 대기의 오존은 주로 저위도의 성층권 하층에서 생성된다. 산소 분자가 자외선을 받아 산소 원자로 분해되고, 분해된 산소 원자가 다른 산소 분자와 결합하여 오존이 생성된다. 이 과정에 질소 분자나 산소 분자가 촉매로 작용한다. 성층권은 최하부 대기층인 대류권의 상공으로부터 50km에 이르는 대기층인데, 공기의 연직 순환이 활발한 대류권과 달리 상층일수록 기온이 높아서 대류가 발생하지 않는다. 성층권의 기온은 오존이 자외선을 흡수하는 양에 비례한다. 오존은 성층권의 최하층에 대부분 존재하는데, 이 층을 오존층이라고 한다. 오존층 파괴는 항공기 운행과 핵 실험 과정에서 배출되는 산화질소의 영향도 있지만, 이산화탄소와 함께 주요 온실 기체로 분류되고 있는 프레온 가스(CF_2Cl_2 또는 $CFCl_3$)에 주로 기인한다. 1920년대 말에 개발되어 사용되고 있는 프레온 가스는 매우 안정하여 대류권 내에서는 햇빛에 노출되어도 분해되지 않는다. 그래서 긴 시간에 걸쳐서 대기 대순환 과정을 통해 지구 대기 전역으로 확산되어 갈 수 있다. 프레온 가스는 성층권에서 자외선을 받으면 분해되어 염소 원자(Cl)가 방출된다. 염소 원자는 오존과 화학 반응하여 산화염소(ClO)를 생성하고, 산화염소는 다시 산소 원자와 화학 반응하여 염소 원자로 돌아간다. 이런 과정이 반복되면서 오존이 파괴된다.

햇빛이 매우 약한 겨울철 남극 상공의 하부 성층권에는 바람이 강하게 회전하는 거대한 원형의 소용돌이가 형성된다. 그리고 대기 대순환에 의해 프레온 가스와 수증기를 포함한 공기가 저위도로부터 소용돌이 내로 유입된다. 소용돌이로 유입된 공기 속에 존재하던 수증기는 얼음 결정으로 변하는데, 이때 프레온 가스가 얼음 결정 속에 포집된다. 이 과정을 통해서 겨울 동안 소용돌이 내에는 프레온 가스를 포집한 얼음 결정이 계속 적체된다. 봄이 되어 이 지역에 햇빛이 들면 소용돌이는 세력이 약화되어 와해되는데, 이때 얼음 결정이 녹으면서 포집되어 있던 프레온 가스로부터 염소 원자가 공기 중으로 빠르게 방출되어 오존을 집중적으로 파괴한다. 남극의 오존층 파괴는 프레온 가스가 개발된 지 반세기가 지나도록 나타나지 않았는데, 그 이유는 프레온 가스가 남극 상공까지 수송되어 축적되는 데 오랜 시간이 걸렸기 때문이다.

한편, 북극의 소용돌이는 남극만큼 강하지 않아 그 모양이 구불구불하여 소용돌이 내의 공기와 주변 공기 간에 혼합이 많이 일어나고 오래 지속되지도 않는다. 이로 인해 오존층 파괴가 남극보다 덜하다. 그런데 지구 온난화가 진행될수록 성층권의 기온은 오히려 하강하게 되어 남극의 소용돌이뿐만 아니라 북극의 소용돌이도 더욱 강해지고 규모가 커질 수 있다고 한다. 대기 중에 온실 기체 농도가 증가하면 대류권에서는 온실 기체가 기온 상승을 가져오지만, 성층권에서는 성층권 특유의 열적 구조로 인하여 오히려 기온을 하강시키는 방향으로 작용한다는 것이다. ㉠지구 온난화에 수반되어 극지방 소용돌이의 강도 변화가 실제로 나타난다면 오존층 파괴의 양상이 지금과는 달라질 것이다.

19. 위 글의 내용과 일치하는 것은?

① 질소와 산소가 지상 오존 발생에 촉매로 작용한다.
② 프레온 가스는 오존층 파괴뿐만 아니라 지구 온난화를 유발한다.
③ 오존층 파괴는 프레온 가스 배출이 많은 지역의 상층에서 많이 발생한다.
④ 성층권에서 오존을 만드는 산소 원자는 주로 산화염소가 분해되어 생성된다.
⑤ 성층권에서 오존 농도가 가장 높은 고도와 기온이 가장 높은 고도는 일치한다.

20. 도시의 지상 오존 농도와 남극의 상층 오존 농도의 변화를 바르게 나타낸 것끼리 묶인 것은?

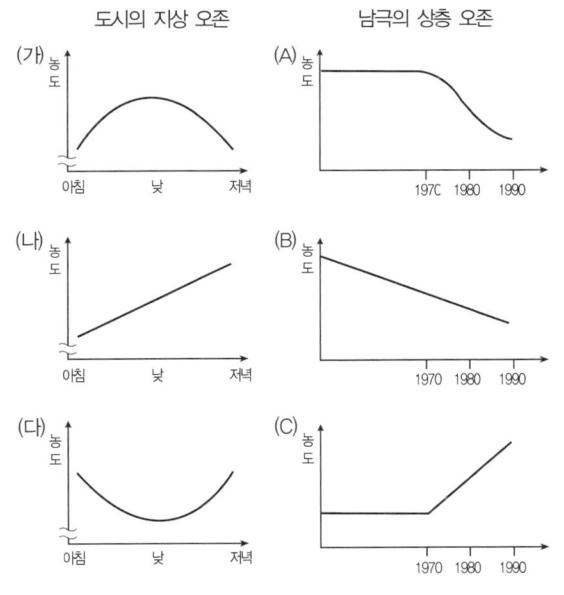

	도시의 지상 오존 농도	남극의 상층 오존 농도
①	(가)	(A)
②	(가)	(B)
③	(나)	(B)
④	(다)	(A)
⑤	(다)	(C)

21. ㉠과 관련한 설명으로 적절한 것은?

① 성층권의 오존층 파괴가 시작되는 시기는 봄 이후로 늦어진다.
② 성층권의 오존 농도가 감소되며 소용돌이 강도는 더 커진다.
③ 소용돌이 내에 농축되는 프레온 가스 양은 감소하게 된다.
④ 북반구의 자외선 강도가 남반구에 비해 더 커진다.
⑤ 북극 소용돌이의 형태는 더욱 구불구불해진다.

[22~25] 다음 글을 읽고 물음에 답하시오.

이 시대의 공중(公衆)에게 주요한 '쟁점'은 무엇이며 사적 개인들에게 핵심적인 '고민'은 무엇인가? 쟁점과 고민을 정식화(formulation)하기 위해서는 우리가 소중히 여기는 가치들 가운데 이 시대의 특징적 경향에 의해 위협받거나 지지받는 가치가 무엇인가를 질문해야 한다. 위협받는 경우든 지지받는 경우든 우리는 어떤 독특한 구조적 모순이 그에 관련되어 있는가를 질문해야 한다.

사람들이 일련의 가치를 소중히 여기면서 그것이 위협받지 않는다고 느낄 때 그들은 '안녕'을 경험한다. 일련의 가치를 소중히 여기지만 그것이 위협받는다고 느낄 때 그들은 개인적 고민이나 공적인 쟁점으로 '위기'를 경험한다. 만일 그들의 모든 가치가 위협받는 것처럼 보이면 그들은 공황이라는 총체적 위협을 느끼게 된다.

그러나 사람들이 소중한 가치들에 대해 전혀 인식조차 하지 않으면서 동시에 아무런 위협도 느끼지 않는 경우를 가정해 보자. 그것은 곧 '무관심'의 경험이다. 만약 그 경험이 사람들의 모든 가치와 관련된 것처럼 보인다면 그것은 냉담함이 되어 버린다. 마지막으로 사람들이 어떤 가치에 대해서도 소중하다고 의식하지 않지만 위협은 크게 의식하고 있는 경우를 가상해 보자. 그것은 '불안'과 초조의 경험이며 만일 그것이 완전히 총체적인 것이라면 알 수 없는 극도의 불안이 된다.

이 시대는 아직도 이성의 작동과 감수성의 활동이 정식화되어 있지 않은 불안과 무관심의 시대이다. 개인의 삶에서는 가치와 위협에 따라 정의되는 고민 대신 모호한 불안이라는 불행을 겪을 때가 많으며, 공중의 삶에서는 명백한 쟁점 대신 어딘가 잘못된 것 같다는 혼란스러운 느낌이 많다. 위협받는 가치가 무엇이며 그것을 위협하는 요인은 무엇인가 하는 것은 진술되지 않고 있다. 간단히 말해서 그것은 미결정의 상태로 남아 있다. 따라서 그것은 사회 과학의 문제로 정식화되지 못하고 있다.

1930년대에는 당시의 경제 문제가 일련의 개인적 고민인 동시에 하나의 경제적 쟁점으로 존재했다는 점에 의문을 가진 사람은 거의 없었다. '자본주의의 위기'에 관한 이러한 논의에서 마르크스의 견해와 그의 작업에 대한 다양하고 승인되지 않은 재정식화는 문제에 대한 주도적인 접근 방법으로 사용되었으며, 일부 사람들은 자기들의 개인적 고민을 이러한 관점에서 이해하게 되었다. 위협받고 있는 가치를 분명히 알 수 있었으며, 모든 사람들이 그 가치를 존중하였고, 그것을 위협하는 구조적 모순도 분명해 보였다. 사람들은 이 두 가지를 광범위하고도 심각하게 경험했다. 그 당시야말로 정치적인 시대였다.

그러나 제2차 대전 이후에는 위협받고 있는 가치가 가치로 널리 인정되지 않고 있으며 위협받고 있다고 느껴지지도 않고 있다. 대부분의 사적인 불안이 정식화되지 않은 채 지나가고 있으며, 수많은 공적인 불안과 엄청난 구조적인 중요성을 갖는 많은 결정들이 공적 쟁점이 되지 않고 있다. 이성과 자유 등과 같은 고유의 가치들을 받아들이는 사람들에게 있어서는 불안 그 자체가 고민이며 무관심 자체가 쟁점이다. 그리고 바로 불안과 무관심이라는 이러한 조건이야말로 1950년대의 현저한 특징이다.

[A] 이 모든 것이 너무나 현저한 특징이기 때문에, 관찰자들은 이것을 정식화해야 할 문제 자체가 변화한 것으로 해석하기도 한다. 1950년대의 문제나 심지어 위기조차도 경제라는 외적인 영역으로부터 이제 개인적 삶의 질에 관련된 것으로 이전되었다는 이야기를 우리는 자주 듣는다. 사실상 개인적 삶이라고 부를 수 있는 어떤 것이 있는가 하는 것 자체가 문제이다. 아동노동이 아니라 만화책이, 빈곤이 아니라 대중여가가 중심적인 관심사가 되었다. 사적 고민들뿐 아니라 수많은 중대한 공적 쟁점이 '정신병리학'에 입각하여 서술되고 있는데, 이런 것은 현대 사회의 중대한 쟁점들과 고민들을 회피하려는 애처로운 시도로 보인다. 이러한 진술은 흔히 서방 사회에, 그중에서도 미국 사회에만 국한된, 따라서 세계 인구의 3분의 2를 무시하는 국지적이고 편협한 관심사에 근거하고 있는 것으로 보인다. 또한 흔히 그것은 개인의 삶을, 그 속에서 삶이 영위되고 삶에 영향을 미치는 거대한 제도로부터 자의적으로 분리시킨다.

따라서 사회과학자에게 주어진 가장 중요한 정치적·지적 과제는 이 시대의 불안과 무관심의 요소를 명백히 밝혀내는 것이다. 이것이야말로 다른 문화영역에 종사하는 사람들이 사회과학자에게 부과하는 핵심적인 요구이다. 사회 과학이 현대라는 문화사적 시대의 공통분모가 되며 사회학적 상상력이 우리들 모두의 가장 긴요한 정신적 자질인 이유는 바로 이러한 과제와 요구 때문이라고 나는 믿는다.

— 밀스, 「사회학적 상상력」 —

22. 위 글의 논지 전개 방식으로 적절한 것은?

① 핵심 개념을 정의하고 그 개념을 사용하여 사회 현실을 분석하고 있다.
② 사회를 보는 관점을 분류하고 각 관점들의 특징과 한계를 검토하고 있다.
③ 시대의 대표적 사건들을 분석함으로써 해당 시대의 경향을 탐구하고 있다.
④ 현대 사회 문제를 서술하는 대립되는 견해들을 비교하여 조화를 꾀하고 있다.
⑤ 사회 과학의 구체적인 탐구 방법을 비교하고 효과적인 탐구 전략을 제안하고 있다.

23. 글쓴이의 견해로 볼 수 없는 것은?
   ① 시대의 특징인 불안과 무관심이 공적 쟁점이 되지 않는 것 자체가 고민이며 쟁점이다.
   ② 1930년대에는 경제 문제가 쟁점이었으나 1950년대에는 개인적 삶의 질 문제가 쟁점이 되었다.
   ③ 1930년대의 '자본주의의 위기'에 관한 논의에서는 마르크스의 관점이 주도적인 접근 방법이었다.
   ④ 쟁점과 고민을 정신 병리학에 입각하여 서술하는 것은 개인의 삶과 제도를 분리시키는 것이다.
   ⑤ 사회 과학은 위협받는 가치가 무엇이며 그것을 위협하는 것은 무엇인가를 밝혀야 한다.

24. '가치'와 '위협'에 대한 위 글의 설명과 일치하는 것은?
   ① 존중하는 가치가 위협받을 때 사람들은 냉담함을 경험하게 된다.
   ② 무관심은 존중하는 가치를 의식하지 않거나 위협을 느끼지 않는 경우에 생겨난다.
   ③ 소중한 가치가 위협받는 위기는 개인의 차원이나 공중의 차원에서 나타날 수 있다.
   ④ 존중하는 가치를 의식하지 않으면서도 총체적인 위협을 느끼는 경우에 사람들은 공황을 경험하게 된다.
   ⑤ 존중하는 가치에 대한 의식 여부와는 상관없이 위협을 느끼지 않는 경우에 사람들은 안녕을 경험하게 된다.

25. [A]로부터 추론할 수 있는 것은?
   ① 개인적 차원의 문제를 구조적 차원의 문제로 이전시켜 이해하려는 관점을 극복해야 한다.
   ② 개인적 삶의 질과 관련해서는 공적 쟁점보다 사적 고민이 더 중요하게 고려되어야 한다.
   ③ 사적 고민을 이해하려면 사회 제도와, 그 사회의 불안과 무관심의 요소를 고려해야 한다.
   ④ 공적 쟁점은 서방 사회 전반의 문제이지만 사적 고민은 미국 사회에 국한된 문제이다.
   ⑤ 제도적 차원의 중대한 쟁점들을 이해하기 위해서는 사적 고민을 통해 접근해야 한다.

[26~28] 다음 글을 읽고 물음에 답하시오.

권위주의로부터 민주주의로의 이행은 국가 권력에서 정통성이 없는 권위주의 정치 세력을 배제하고 선거 경쟁을 통해 정부를 구성하여 민주적 절차를 마련해 가는 과정을 의미한다. 민주주의로의 이행 과정을 중시하는 주창자들은 공통적으로 민주주의란 국민으로부터 지지를 얻기 위한 자유롭고 공정한 선거 경쟁에서 다수의 표를 얻은 정당 및 정치인들이 국가 권력을 획득하는 제도적 장치라는 점을 강조한다. 민주주의를 정치적 경쟁 및 참여가 보장되는 기본적인 절차로 해석하는 것도 이러한 설명의 연장선상에 있다. 이러한 절차적 제도로는 투표권, 공무 담임권, 자유롭고 공정한 선거, 결사의 자유, 표현의 자유 등을 들 수 있다.

하지만 ㉠참여 기회가 확대되었다고 실질적 참여가 확대되는 것은 아니다. 그리고 정기적이고 공정한 선거 경쟁을 통해 대표와 정부가 구성되고 국민을 대변하는 절차가 확보되었다고 해서 반드시 경제적 균열과 사회적 갈등이 해소되는 것도 아니다. 오늘날 상당수의 민주주의 국가에서 권력 및 자원 배분상의 불합리로 권력 남용과 사회적·경제적 불평등이 만연하여 갈등과 긴장이 조성되고 있는 것은 이를 방증한다. 그러므로 국민의 참여와 선택에서 연유하는 정치적 **대표성**이 보다 확고히 보장되기 위해서는 사회적으로 취약한 집단들이 정치 과정에 참여하고 대표될 수 있는 실질적인 장치가 확보되어야 한다. 또한 정치 기구가 자원 배분을 위한 정책 결정 및 집행을 수행하고, 이를 통해 실현된 성과와 실적이 국민의 요구에 효율적이고 효과적으로 부응하는 **응답성**이 마련되어야 한다. 아울러 선출된 대표가 국민의 완벽한 대리인으로 행위하도록 통제해야 하고, 국민의 이익을 위해 일하지 않는 대표는 제도적 장치를 통해 퇴출되는 **책임성**도 강화되어야 한다.

이것은 민주주의가 다양한 국민의 참여를 통하여 사회의 불확실성과 불안정성을 제도화함으로써 자기 지속적인 체제로 확립되어 가는 과정, 즉 민주주의의 공고화로 일컬어진다. 현대 사회는 시민 사회, 정치 사회, 국가 그리고 경제 사회 등 부분 체제들의 복합체이다. 민주주의의 공고화는 각 부분 체제의 제도화 과정이고, 각 부분 체제들은 상호 의존적이다. 우선, 이익 표출 및 집약 기능을 수행하는 시민 사회의 결사체들이 보다 포괄적으로 조직되어 협력하는 네트워크 및 사회적 신뢰를 구축하고 이익 갈등을 조정했을 때 민주주의 공고화가 가능해진다. 사회 구성원 개인과 집단의 이해가 개별적으로 분산되는 것이 아니라, 자율적인 결사와 제도적 장치 마련을 통해 시민 사회 내의 요구 사항이 취합되어 갈등 조정이 용이하게 될 수 있기 때문이다.

또한 선거, 정당, 의회 등으로 구성되는 정치 사회가 사회적·경제적 균열로 인한 갈등을 정상적으로 해결할 수 있는 규범, 규칙 및 절차를 갖고 있을 때 민주주의는 공고화될 수 있다. 정치 사회의 공식 및 비공식 행위자들이 경제사회적 균열구조에 조응하여 편제되고, 이들의 이익을 정치 영역에 합리적으로 반영할 수 있는 구조를 제도화할 때 민주주의는 보다 성숙되는 것이다.

아울러 효과적이고 효율적인 정책 결정 및 집행을 통해 갈등 조정을 시도하는 국가 능력, 그리고 경제적 지배 세력의 압력이나 이익으로부터 자유로운 국가의 자율성 역시 민주주의의 공고화에 중요한 관건이다. 국가가 특정 세력의 정치적·경제적 이해를 관철하는 도구적 수단으로 전락하는 것을 막고, 합리적인 국가 운영을 통해 구성원의 이해를 통합하는 능력을 키우는 것은 갈등 확산을 방지하여 민주주의를 정착시키는 데 있어 결정적이다.

마지막으로 국가와 시장을 매개하는 경제 사회가 자본의 생산성과 효율성을 제고하고, 시장 경제의 비윤리성을 치유하는 복지 제도를 통해 시장 실패자들이 겪는 사회적·경제적 불평등을 완화할 수 있는 사회 안전망을 경제 사회 내의 합의를 중심으로 제도화할 때 민주주의는 공고화된다.

26. 위 글의 '대표성', '응답성', '책임성'에 대한 설명으로 가장 적절한 것은?

① 민주주의로의 이행은 정치적 대표성을 보장하지 못한다.
② 선거를 통한 정치 권력의 탄생은 정치적 응답성을 보장한다.
③ 정치적 대표성은 정치적 응답성보다 책임성 보장에 기여한다.
④ 정치적 응답성은 정치 기구의 행위에 대한 국민의 반응을 의미한다.
⑤ 정치적 책임성은 대의제에서 정치 대표자에 대한 국민의 통제 행위와 관련된다.

27. '민주주의의 공고화'를 위해 도입될 수 있는 방안으로 적절하지 <u>않은</u> 것은?

① 시민 사회의 신뢰 구축과 조정 기제를 강화한다.
② 경제사회적 균열 구조를 반영하는 정치 세력화를 억제한다.
③ 시민 사회의 활성화로 분산된 이익의 집약 통로를 확보한다.
④ 경제와 사회 지도층의 이익 독점을 통제하는 제도를 확립한다.
⑤ 시장 경제의 부작용을 치유하는 사회적 합의 장치를 확충한다.

28. ㉠에 대한 사례로 가장 적절한 것은?

① 복수 노조 허용에도 불구하고 노사 간의 갈등은 줄어들지 않았다.
② 피선거권 확대에도 불구하고 국회의원 당선자 대부분은 재력가였다.
③ 보통·평등 선거의 도입에도 불구하고 지역 투표 성향은 강화되었다.
④ 투표일을 공휴일로 지정했음에도 불구하고 투표율은 높아지지 않았다.
⑤ 법정 선거 연령이 낮아졌음에도 불구하고 청년들의 선거에 대한 관심은 변화하지 않았다.

[29~31] 다음 글을 읽고 물음에 답하시오.

베버는 독일의 통일 민법전(民法典)이 제정되자, 이를 서구 근대법의 최상의 형태로 보고자 하였다. 그의 관심은 서구 근대법과 자본주의의 친화 관계를 밝히는 데 있었다.

베버는 자본가의 관심이 서구 근대법의 추진력으로 작용하였다고 하였다. 근대 자본주의 기업은 계산 가능성을 전제로 하며, 마치 기계의 작동처럼 확정적이고 일반적인 규범에 의하여 그 작용을 합리적으로 예측할 수 있는 법 체계와 행정 체계를 요구한다. 또한 정치적 측면에서는 절대주의 국가의 확대된 행정 업무를 처리하기 위한 군주의 행정 기술적인 관심과 관료 행정의 공리적 합리주의가 서구 근대법의 등장을 촉진하였다. 베버는 특히 관료제에 주목하면서, 관료제는 그 내적인 필요성에서 행정의 합리적 수단을 창출하게 되고, 그 결과로 새로운 법이 요구된다고 지적하였다.

정치적·경제적 요인 이외에 서구 근대법의 등장에 중대한 역할을 한 것으로 베버가 본 것은 직업적 법률가 계층의 성장이다. 법률가 계층의 양성은 유럽 대륙에서는 대학에서 행해진 이론적 법학 교육에 의하여, 영국에서는 실무자들에 의한 경험적 법 훈련에 의하여 이루어졌다. 서구 근대법의 발달을 촉진한 것은 로마법의 전통에 입각하여 유럽 대륙에서 수행된 근대적 법학 교육이었다. 근대적 법학 교육에서 사용되는 법 개념들은 성문화되어 있는 일반 규칙에 대한 엄격히 형식적인 의미 해석을 통해 형성되었고, 법 이론은 종교적·윤리적 이해 관계자들의 요구 사항에서 점차 벗어나 독자적인 논리 체계로 구성되었다. 이러한 법 이론의 지배를 받는 법률가 계층이 성장함에 따라, 법적 추론에 대한 예측 가능성이 보장되었다.

베버는 서구 근대법이 자본주의의 경제 활동을 촉진하는 방법에 대해 다음과 같이 보았다. 첫째, 계약 당사자 간에 존재하는 권리·의무 관계가 근대법에 구체적으로 규정되어 권리의 실현이 확실히 보장된다는 것이다. 따라서 계약 당사자는 법적 안정성 위에서 자유롭게 활동할 수 있는 범위가 넓어진다. 둘째, 경제 활동의 결과에 대한 예측 가능성을 증대시키는 새로운 법적 수단이 제공됨으로써 자본주의 발달에 기여한다는 것이다. 예를 들어, 법인(法人)과 같은 법 개념의 도입으로 개인의 책임의 한계가 명확히 규정되어 개인의 경제 활동 영역을 크게 확장할 수 있도록 해 주었다.

자본주의와 서구 근대법의 관계에 관한 베버의 설명에서 벗어난 것으로 보이는 사례가 이른바 '영국 문제'이다. 영국의 보통법(Common Law)은 ㉠베버가 말하는 서구 근대법의 특성을 갖추지 못했기 때문이다. 보통법은 구체적 판례에 기초한 경험적 정의를 추구하는 불문법 체계로, 전혀 논리적이지도 추상적이지도 않았다. 그럼에도 불구하고 서구 자본주의는 영국에서 가장 먼저 시작되고 가장 발달했다. 이 점에 대하여 베버는 영국의 법률가 계층이 그들의 고객인 자본가들의 이익에 봉사하고 있으며 이들 중에서 판사는 엄격히 선례에 구속되어 있기 때문에 그 판결 결과는 예측 가능성을 가지고 있다고 설명하였다.

요컨대 영국의 보통법이 체계적인 과학성을 결여하고 있었다는 것은 분명한 사실이다. 또한 베버 당시의 독일이 경제적으로 영국에 뒤떨어진 사회였음도 부정할 수 없다. 따라서 영국 문제에 대한 베버의 논의가 암시하는 것은 자본주의 발전에 필요한 정도의 법적 예측 가능성은 법의 체계화뿐만 아니라 다른 방식에 의해서도 실현될 수 있다는 것이다.

언어이해

29. '서구 근대법과 자본주의의 관계'에 대한 베버의 설명으로 적절한 것은?

① 영국의 자본주의 발전은 불문법 체계의 유연성에서 비롯되었다.
② 자본주의 기업은 구체적이고 경험적인 정의에 입각한 법 체계를 요구하였다.
③ 행정 관료는 자본가의 이익에 봉사하기 위해서 서구 근대법을 필요로 하였다.
④ 기업 책임에 관한 법은 기업가의 행위 결과를 예측할 수 있게 하여 자본주의 확산의 기회를 제공하였다.
⑤ 서구 근대법은 경제적 계약 관계와 법적 권리·의무 관계를 분리시킴으로써 자본주의 성장에 기여하였다.

30. ㉠으로 적절하지 않은 것은?

① 법적 추론의 결과를 예상할 수 있게 한다.
② 윤리 규범을 이용한 추론 체계를 갖는다.
③ 추상적인 법 개념이 사용되고 있다.
④ 로마법의 영향을 받았다.
⑤ 법전의 형태를 갖는다.

31. 이론이 전개되어 간 경로가 '영국 문제'에 대한 베버의 설명 방식과 가장 유사한 것은?

① 멘델레예프는 원소를 일정한 규칙성을 갖도록 배열하는 문제를 해결하는 과정에서 당시 경쟁하던 두 방법의 장점을 절충하려 했다. 결국 그는 원소를 기본적으로 원자량 순으로 배열하되 성질이 같은 순으로 묶는 방법을 제안했다.
② 다윈은 자신의 진화론이 설득력을 얻기 위해서는 부모 세대의 특징이 자식 세대로 안정되게 전달될 수 있는 메커니즘을 설명할 수 있어야만 한다는 것을 알고 있었다. 하지만 만족스러운 설명은 멘델에 의해서 비로소 제시되었다.
③ 박테리오파지에 대한 연구를 통해 델브릭은 형질이 원칙적으로 유전자에 의해 결정될 수 있다고 믿게 되었다. 하지만 진핵 세포에 대한 연구 결과가 축적되면서, 형질이 유전자 외에도 다른 환경 요인의 영향을 받는다는 점이 분명해졌다.
④ 베게너는 대륙들의 해안선이 들어맞는다는 사실과 각 대륙의 화석 기록의 특징 등에 기초하여 대륙 이동설을 제안했다. 그의 이론은 동료 학자들의 지지를 얻지 못하다가 대륙의 이동을 설명할 수 있는 판 구조론이 제시되면서 비로소 널리 수용되었다.
⑤ 하이젠베르크는 원자 수준의 미시 현상에서는 측정 과정에 개입하는 불가피한 물리적 영향 때문에 측정값에 일정한 제한이 있다는 불확정성 원리를 제안했다. 현재 불확정성 원리는 하이젠베르크가 제안한 것과는 다르게 해석되지만, 여전히 그것의 수학적 형식은 타당한 것으로 인정되고 있다.

[32~34] 다음 글을 읽고 물음에 답하시오.

"글쎄올시다."
도장방 주인은 인면(印面)을 들여다 보며 오준의 묻는 말에 이렇게 대답할 뿐이다.
"값이 나가는 것이오?"
"누가 새긴 것입니까?"
"수하인이란 사람이 새겼다나 봅디다……."
주인도 그것이 수하인의 솜씨임을 모르고 물은 말은 아니다. 무슨 까닭에 이 도장이 ㉠한길에 나오게 되었는질 알고 싶어 묻는 말이다.
"수하인 같은 분이 새겼다면 값을 말하기가 힘들지요."
"건 무슨 말씀이오?"
"우리 영업하는 사람이야 석재와 치수에 따라 값을 정하지만, 수하인 같은 분이야 원래 장사가 아니시니까 헐값에 그냥도 줄 수 있는 반면, 부르는 것이 값이 되는 경우도 있지요."
"글쎄, 선살 하려면 좋은 석재를 써서 하지, 영 어울려야죠……. 그 좋은 재료를 좀 구경합시다."
주인도 그 재료가 무슨 재료인지는 감별할 능력이 없었다. 밀화같이 말끔한 돌이라는 것으로, 혹시나 수하인이 늘 말하던 전 황석이 아닌가 하는 생각이 들었지만, 그렇다고 아무것도 모르는 손님에게 설명할 필요 없었다.
주인이 먼지를 훅 불어 내놓는 갑 속엔 각종 석재가 그득히 들어 있었다.
"골라 보시우."
이렇게 뒤섞어져 있는 데선 어느 것을 골라야 할지 망설이게 되었다.
"이게 어떻습니까?"
"그야 손님 의향이시죠."
"대리석이죠?"
"대리석에다 대겠습니까? 계혈석이란 특수한 돌입니다."
"결재 도장이니까 무늬도 좀 이렇게 울긋불긋한 것이 위엄이 있어 뵈지 않습니까?"
"그야, 쓰시는 분 마음이지만…… 그렇게 말씀하시니 그런 것 같기두 합니다."
장사치란 손님의 비위에 오르내리는 존재들이지만 오준은 적이 만족했다.
자체(字體)를 고르고 값을 흥정했다. 어차피 새겨 갈 도장이란 것을 눈치 챈 주인은 값을 듬뿍이 불렀다.
"한 자에 삼천 환씩 치고, 재료값까지 합쳐 만오천 환이면 비싼 값이 아닙니다. 그러구 이런 어른의 도장을 새기면 널리 선전도 되고 해서 처음부터 싼 값으로 부른 것입니다."
석운 앞에서 오준이 만 환 정도면 될 것이라고 장담한 것은 값을 알고 한 말이 아니라, 엄청나게 불러 본 것이지만, 실지 그 이상이고 보니 입이 딱 벌어질 지경이다.
"비싼 값이 아닙니다. 서울 장안 다 돌아다니셔도 더 싼 값을 부르는 사람은 없습니다. 이 결을 보십시오. 품이 곱이나 더 듭니다. 수정과 상아 말씀을 하시지만, 그런 것이라면 제가 이 재료를 사는 셈 치고 그냥 새겨 드리지요."
오준은 그 말엔 귀가 솔깃했다. 이 하치않은 돌 대신 수정이나 상아 도장을 그냥 새겨 준다니 ㉡흥정은 된 흥정인 것 같았다.
"그러실 것 없이, 이 재료를 맡으시고 상아 도장 하나 더 끼워 만 환으로 합시다."
주인은 못 이기는 척하고 받아들였다.

좀 싼 값이긴 해도 그 도장을 수하인에게 돌려주고 싶었던 까닭이다. 서법(書法)과 도법(刀法)은 물론, 돌을 다루는 것까지 이 주인은 수하인에게 배우다시피 한 사람이다.
주인은 수하인을 찾을 생각으로 일찌감치 가게 문을 닫았다. 동소문 집에 비하면 말할 수 없이 좁은 방이지만, 알뜰스레 꾸며 놓은 건넌방에 수하인은 등불 밑에 단좌하고 있었다.
"오래간만입니다."
"오, 웬일인고? 가게를 일찍 닫았구만……."
"네……. 오늘 좀 이상스러운 물건이 들어왔기에 일찍 문을 닫고 선생님을 뵈러 왔습니다."
젊은 친구가 내놓는 도장갑을 보고 수하인은 깜짝 놀랐다.
"어떻게 된 연고인고?"
젊은 친구는, 오준이라는 작자가 그 도장을 갖고 와서 결재 도장으로선 어울리지 않는다고 하던 말에서부터 낱낱이 일러바쳤다.
"㉢자네 복일세……. 술을 좀 하려가?"
조용히 묻고 난 수하인은 술상을 청했다.
술을 들면서도 아무런 말이 없는 것이 마음의 동요를 누르려고 애쓰는 것같이 보여, 젊은 주인은 오히려 미안스러웠다.
"그것이 전황석일세, 자네 처음이지?"
"네?"
젊은 주인은 전황석이라는 말에 주기가 혹 위로 오르는 것 같았다.
"원정 민영익 씨가 쓰던 인장이지……. 그것이 어쩌다 거부 이모가 갖구 있던 것을 우연스레 구했기에, 석운이 벼슬을 했어도 선사할 것이 있어야지. 그래 보냈더니 마음에 들지 않았던 모양이구만. 자네 손에 갔으니 이제야 제값을 불러 줄 사람을 찾은 셈일세."
수하인이 갖고 가라곤 하지만 젊은 주인은 들고 나올 수가 없었다. ㉣자기 솜씨라면 빡빡 갈아 버릴 수도 있었지만, 아무리 그 재료가 귀중한 것이라 해도 마음대로 갈아 버릴 수 없는 물건인즉, 들고 나올 필요가 없었다.
"㉤전황석을 알고 쓸 사람이 몇 사람 있겠습니까? 그럴 바에야 선생님이 보존하시는 것이 좋을 것 같습니다."
수하인은 몇 번 사양했지만 젊은 친구의 고집도 어지간했다. 계혈석 도장을 새겨 주기로 하고 수하인은 그것을 받아 두었다. 버릴 수 없는 친구에게 버림을 받은 듯싶어 한없이 섭섭했다.
"산홍이, 술을 한 잔 따라 주우."
산홍은 수하인 하라는 대로 술을 따라 권했다.

[A]
밖엔 또 눈이 내리기 시작했다.
이번엔 잔을 산홍에게 권했다.
산홍은 옛날과 다름없이 두 손으로 받은 잔을 소반 위에 놓았다.
산전수전 다 겪은 산홍이었지만, 오십을 바라보는 얼굴이면서도 잔주름이 없었다.
수하인은 가라앉은 마음의 흥을 돋우려고 대금(大笒)을 들었다.
귀에 익은 가락이다.
한 잔 술에 얼굴이 붉어진 산홍은 살폿이 눈을 감았다.
지나온 한평생이 대금의 가락 모양 산홍에겐 쓸쓸하고 외로웠다.
가락을 짚는 수하인의 손끝은 허무한 인정에 떨었고, 지그시 감은 긴 살눈썹이 축축이 젖어들었다.

— 정한숙, 「전황당인보기」—

언어이해

홀수형

32. 위 글의 인물들에 대한 설명으로 적절하지 않은 것은?

① '도장방 주인'은 자신의 뜻대로 거래를 이끌어가는 수완을 발휘하고 있다.
② '오준'은 전각 재료라든가 전각 기술에 대한 식견을 갖추지 못하고 있다.
③ '석운'은 친구의 정성을 대수롭지 않게 여기고 있다.
④ '수하인'은 제자의 도움을 받고 있는 현실에 언짢아하고 있다.
⑤ '산홍'은 예의 바른 몸가짐으로 상대방을 공경하고 있다.

33. ㉠~㉤에 대한 설명으로 적절하지 않은 것은?

① ㉠: 귀한 물건이 홀대받는 속내를 궁금해 하고 있다.
② ㉡: 자기에게 유리한 흥정이었다고 만족하고 있다.
③ ㉢: 친구에게 보낸 선물이 타인의 손에 들어간 것을 보면서 서운해 하고 있다.
④ ㉣: 자신의 전각 기술이 뛰어나다고 믿고 있다.
⑤ ㉤: 전각의 가치를 알아주지 않는 현실을 구실 삼아 스승을 위로하고 있다.

34. [A]를 통하여 알 수 있는 작가의 주제 의식으로 가장 적절한 것은?

① 등장인물의 변함없는 태도와 쉽게 변해 버린 인심을 대조함으로써 예술이 지니는 현실 비판적 기능을 강화한다.
② 대금 연주를 통해 세상에서 받은 아픔을 치유함으로써 물질만능주의를 정신적인 방법으로 극복할 수 있음을 암시한다.
③ 대금 소리를 매개로 등장인물 간의 감정 이입을 형상화함으로써 예술의 진정한 가치가 정서적 일체감에 있음을 강조한다.
④ 포근한 느낌을 주는 흰 눈과 따뜻한 느낌을 주는 붉은 얼굴을 중첩시킴으로써 인정미 넘치는 사회가 오리라고 기대한다.
⑤ 대금을 짚으면서 눈물을 흘리는 주인공의 고적한 모습을 보여 줌으로써 사라져 가는 것들에 대한 애틋한 마음을 드러낸다.

[35~37] 다음 글을 읽고 물음에 답하시오.

〔세종실록 12년 2월 19일 조에는 세종의 명을 받아 표준 음률을 정하고 아악(雅樂)을 제정하는 사업을 맡았던 박연이 황종관 제작의 현실적 어려움을 토로하면서 제시했던 해결 방안이 다음과 같이 기록되어 있다.〕

박연이 아뢰기를,
"기장[秬]을 쌓는 법은 비록 전적(典籍)에 기재되어 있지마는 참된 기장을 얻는 것이 가장 어려운 일입니다. (중략) 신이 원하옵건대, 남방의 여러 고을에서 기른 기장을 모두 가져와 세 등급으로 나누어 각각 쌓아 황종관을 만들어, 그중에 중국의 음과 서로 합하는 것이 있으면 삼분손익(三分損益)하여 12율관을 만들고, 오성(五聲)의 조화를 얻으면, 이어서 도(度)·량(量)·형(衡)도 따라서 살필 수 있게 될 것입니다.
다만 중국 역대의 음률 제정이 기장으로 말미암아 일정하지 않았고, 성음의 높낮이도 시대에 따라 달랐으니, 지금 중국의 음률이 참된 것인지 아니면 우리나라의 기장이 참됨을 얻었는지 어찌 알겠습니까? 그러나 음률과 도·량·형의 제정은 곧 천자의 일이고 제후의 나라에서 마음대로 할 수 있는 일이 아니옵니다. 만약 지금 남방의 '검은 기장[秬黍]'이 끝내 중국의 황종(黃鍾)*과 합하지 않는다면 일단은 형편에 따라 다른 종류의 기장을 임시로 사용해 쌓아 율관을 만들어 중국의 황종에 맞추고, 그런 연후에 법도에 따라 가감해 성률을 바로잡으면 될 것입니다." 하였다.

〔세종실록 12년 9월 11일 조에는 세종이 음률 제정의 고제(古制)를 탐구하던 중에 황종관 제작 사업의 방향에 대해 언급한 내용이 다음과 같이 기록되어 있다.〕

임금이 좌우의 신하들에게 이르기를,
"아악은 본디 우리의 소리[聲]가 아니고 실은 중국의 소리[音]이다. 중국 사람들은 평소에 익숙하게 들었으므로 제사 때 연주함이 마땅하나, 우리나라 사람들은 생전에는 향악(鄕樂)을 듣고 죽어서는 아악을 연주하니 어찌 그러한가? 하물며 아악은 중국에서도 시대에 따라 만든 것이 다르고, 황종의 소리 또한 높고 낮음이 있다. 이로 보아 아악의 제도는 중국에서도 일정하지 않았음을 알 수 있다. 그러므로 내가 조회나 하례에 모두 아악을 연주하려고 하나, 합당한 제도를 정하지 못할까 걱정이다. 황종관으로는 후기(候氣)** 함도 여의치 않을 것 같다. 우리나라가 동쪽에 치우쳐 있어 춥고 더운 풍기(風氣)가 중국과 아주 다른데, 어찌 우리나라의 대나무로 황종관을 만들겠는가. 황종은 반드시 중국의 관을 사용해야 될 것이다.
(중략) 박연이 만든 황종관은 어느 제도에 근거해 바로잡은 것인가? (중략) 지금 우리나라의 기장을 가지고 황종관을 정하는 것은 매우 불가한 일이다. (중략) 봉상시에서 악을 익히는 자들이 관습도감의 사람들만 못할 것이니, 모름지기 관습도감의 사람들로 하여금 익숙하게 익히도록 하는 것이 옳을 것이다. 박연·정양은 모두가 신진 인사들이라 오로지 그들에게만 의뢰할 수 없을 것이니, 경들은 유의하라." 하였다.

〔세종실록 12년 12월 1일 조에는 「아악보(雅樂譜)」가 완성되었다고 기록되어 있다.〕

[세종실록 15년 1월 1일 조에는 아악의 제정 과정에 대한 다음과 같은 사관의 기록이 있다.]

을사년(세종 7년) 가을에 해주에서 검은 기장이 나고 병오년 봄에 남양에서 경석(磬石)이 산출되니, 임금께서 개연히 옛것을 개혁해 새로이 고치려는 뜻을 갖고 박연에게 편경(編磬)을 만들라 명하였다. 다만 우리나라는 본래 화음이 맞는 악기가 없어서, 박연이 해주산 검은 기장을 취하여 쌓아 크기를 맞추어 옛 설에 의거해 황종관 한 개를 제작해 불어 보니 중국의 편종과 편경이 내는 황종음보다 약간 높았다. (중략) 우리나라는 동쪽에 치우쳐 있어 풍토 및 기후가 중국과 매우 달라 후기로 음률을 찾으려 해도 응당 중험하지 못할 것을 헤아려, 해주산 검은 기장의 모양으로 밀랍을 녹여 그것보다 약간 큰 낱알을 만들어 쌓아 황종관을 만드니, 그 형태가 우리나라의 작은 '붉은 기장[丹黍]'과 똑같았다. 곧 1알을 1푼[分]으로, 10알을 쌓아서 1치[寸]로 하는 법식으로 해서 9치를 황종관의 길이로 정하니 90푼이다. 여기에 1치를 더해서 황종척(黃鍾尺)의 길이로 정했다. (중략) 밀랍으로 만든 기장 1,200개를 관에 넣으니 진실로 남고 모자람이 없었고, 불어 보니 중국의 편종과 편경이 내는 황종음과 서로 맞았다.

(중략) 지신사 정흠지 등이 박연에게 묻기를 "형제(形制)와 성음의 법을 어디에서 취했는가?" 하니, 박연이 말하기를 "형제는 중국에서 하사해 준 편경에 의하였고, 성음은 신이 직접 만든 12율관으로 맞추어 이루었습니다." 하였다. 여러 대언(代言)들이 박연에게 꾸짖으며 말하기를 "중국의 음을 버리고 직접 율관을 만들어서야 되겠는가?" 하고 모두 터무니없고 망령되다 여기었다.

<세종실록의 편경>

(중략) 임금이 박연에게 명하기를, "내가 조회의 아악을 창제하고자 하는데 입법과 창제는 예로부터 하기가 어렵다. 임금이 하고자 하는 바를 신하가 혹 막고, 신하가 하고자 하는 바를 임금이 혹 듣지 아니하며, 비록 위와 아래에서 모두 하고자 하여도 시운이 불리한 때도 있다. 지금은 나의 뜻 이 먼저 정하여졌고, 나라에 일이 없으니 마땅히 마음을 다하여 이룩하라." 하였다.

- 「조선왕조실록」 -

* 황종: 아악의 12음률 가운데 첫 번째 음.
** 후기: 절기에 따라 달라지는 천지의 기(氣)를 황종관으로 측정하는 것.

35. 위 글의 '황종관'에 대한 설명으로 옳은 것을 <보기>에서 고른 것은?

<보 기>

ㄱ. 황종관의 길이는 황종척으로 9치였다.
ㄴ. 황종관의 재료인 기장의 산출지는 전적에 규정되어 있었다.
ㄷ. 중국에서 받아 온 편경의 황종음에 맞추어 황종관을 만들었다.
ㄹ. 해주산 기장으로 만든 황종관과 밀랍 기장으로 만든 황종관의 음이 일치했다.

① ㄱ, ㄴ ② ㄱ, ㄷ ③ ㄱ, ㄹ
④ ㄴ, ㄷ ⑤ ㄷ, ㄹ

36. 위 글의 시대 배경에 대한 이해로 적절하지 않은 것은?

① 아악의 제정에 앞서 도량형 정비 사업을 진행하였다.
② 음악을 관장하는 부서로 봉상시와 관습도감이 있었다.
③ 검은 기장과 경석의 출현으로 편경 제작 의욕이 고무되었다.
④ 조정의 관료들은 박연의 독자적인 황종관 제작에 비판적이었다.
⑤ 조회 음악과 제사 음악을 아악으로 일치시키려는 움직임이 있었다.

37. 위 글로 미루어 볼 때, '나의 뜻'을 정하는 데 바탕이 되었을 생각으로 보기 어려운 것은?

① 조선과 중국의 풍기는 다르지만 음률의 조화는 가능하다는 자신감
② 중국의 황종관도 정확한 후기를 보장하지 못한다는 생각
③ 고제에 맞는 참된 황종음을 구현할 수 있다는 확신
④ 재래의 아악을 정비할 필요가 있다는 현실 인식
⑤ 중국의 아악도 불변하는 것은 아니라는 인식

[38~40] 다음을 읽고 물음에 답하시오.

경쟁하는 가설 중에서 하나를 선택해야 할 때, 우리는 관련된 경험적 증거를 살펴서 결정하게 된다. 경험적 증거를 어떻게 고려해야 하는지에 대해서는 다음 세 입장을 생각해 볼 수 있다. 우선 제거법은 여러 가설을 세우고 경험적 증거로 경쟁하는 가설들을 하나씩 제거해 감으로써 남는 가설을 선택하는 방법이다. 이 방법은 여러 가설 중에서 참임이 확실한 가설이 분명히 있고 경험적 증거가 나머지 가설을 분명하게 제외시킬 때 유용하다.

하지만 제거법은 경험적 증거가 여러 가설에 부합하는 경우에는 아무런 도움이 되지 못한다. 예를 들어, 최근 경제 지표가 좋다는 경험적 증거는 우리나라 경제가 건전한 성장을 하고 있다는 가설과 외적 성장에도 불구하고 위험 요인이 증대되고 있다는 가설 모두에 부합할 수 있다. 이 경우 경쟁하는 두 가설 어느 것도 주어진 경험적 증거에 의해 배제되지 않으므로 제거법은 가설 선택의 근거를 제공하지 못한다.

고전적 귀납주의는 제거법의 이런 단점을 보완하여 경험적 증거가 배제하지 않는 가설들 사이에서 선택을 가능하게 해 준다. 고전적 귀납주의는 특정 가설에 부합하는 경험적 증거가 많을수록 그 가설이 더욱 믿을 만하게 된다고 주장한다. 이에 따르면 우리는 관련된 경험적 증거 전체를 고려하여 가설을 선택할 수 있다. 예를 들어, 비슷한 효능이 기대되는 두 신약 중 어느 것을 건강보험 대상 약품으로 지정할 것인지를 결정하는 경우를 생각해 보자. 고전적 귀납주의는 우리가 두 신약에 대한 다양한 임상 시험 결과를 종합적으로 고려해서 긍정적 결과를 더 많이 얻은 신약을 선택해야 한다고 조언한다. 물론 임상 시험에서 부정적 효과를 보인 신약에 대해서는 고전적 귀납주의는 제거법과 동일한 결론을 제시한다.

그런데 어떤 경험적 증거가 특정 가설에 부합할 때, 우리는 고전적 귀납주의로부터 그 가설의 신뢰도가 그 경험적 증거로 인하여 얼마나 높아지는지를 정량적으로 판단할 수 없다. 베이즈주의는 이 문제를 다음과 같이 해결한다. 새로운 경험적 증거가 입수되기 전에 가설에 대해 우리가 가지고 있던 신뢰도를 0부터 1까지의 값으로 나타내고 이를 '사전 확률'이라 하자. 신뢰도 0은 가설이 거짓임을 우리가 확신한다는 의미이고, 1은 가설이 참임을 확신한다는 의미이다. 이 사전 확률이 새로운 경험적 증거에 의해 어떻게 새로운 신뢰도, 즉 '사후 확률'로 바뀌는지를 말해 주는 '베이즈 정리'라는 명확한 계산 방식이 있다. 베이즈주의는 사후 확률에서 사전 확률을 뺀 값을 '증거의 힘'이라고 부르며, 이를 통해 새로운 경험적 증거가 가설에 대해 얼마나 강력한 증거인지를 판별한다. 그러므로 주어진 가설의 신뢰도에 변화를 주지 않는 경험적 증거의 힘은 0이 된다.

예를 들어, 한 에어컨 회사가 여러 가지 기후 증거 자료를 통해 내년 여름 기온이 지난 10년 동안의 평균치보다 더 높아서 에어컨 판매가 늘 것이라는 가설을 세웠다고 하자. 이 가설의 사전 확률을 0.6이라고 하자. 그런데 내년 경기가 좋아져서 가전제품 소비가 늘 것이라는 새로운 증거가 제시되었을 때, 베이즈 정리를 적용하여 주어진 가설의 사후 확률이 0.8로 높아졌다고 하자. 이때 새로운 증거가 주어진 가설에 대해 갖는 힘은 0.2가 된다. 이처럼 베이즈주의는 증거와 가설 사이의 관계를 정확한 정량적 수치로 표현할 수 있어서 가설 선택의 엄밀성을 높일 수 있다.

이와 같은 유용성에도 불구하고 베이즈주의에 대한 비판도 제기될 수 있다. 중요한 비판 하나는 베이즈주의가 제시하는 가설 평가 방법이 과학자들의 실제 연구 방법과 일치하지 않는다는 점이다. 베이즈주의는 증거와 가설의 관계를 확률을 이용하여 분석한다. 그런데 비판자들에 따르면, 실제로 과학자들은 그와 같은 확률 계산을 하지 않고 다른 증거 평가 방식을 사용하는 경우가 많다는 것이다. 이런 맥락에서 베이즈주의는 현실에 맞지 않는 이론이라고 비판받는다. 이에 대해 일부 베이즈주의자들은 베이즈주의가 과학자들이 실제로 가설을 평가하는 방식을 기술한 이론이 아니라 과학자들이 마땅히 따라야 할 규범을 제시한 이론이라고 대응하기도 한다.

38. '베이즈주의'에 대한 이해로 적절하지 않은 것은?

① 베이즈주의에 따르면, 사후 확률이 사전 확률과 같을 수 없다.
② 베이즈주의는 증거의 힘에 따라 증거를 순서대로 열거할 수 있다.
③ 베이즈주의에서는 가설의 사전 확률이 높을수록 가설의 사후 확률이 상승할 수 있는 폭이 줄어든다.
④ 베이즈주의가 규범적 이론이라면, 과학자들이 베이즈 정리를 사용하지 않는다는 사실에 의해 그 정당성이 위협받지 않는다.
⑤ 베이즈주의에 따르면, 참이라고 확신하지 못하는 가설의 사후 확률은 가설에 부합하는 새로운 증거가 발견될 때마다 높아진다.

39. '제거법'과 '고전적 귀납주의'에 대한 설명으로 적절하지 않은 것은?

① 제거법은 둘 이상의 가설이 제기될 때 유용할 수 있다.
② 둘 이상의 가설이 이미 확인된 경험적 증거와 부합할 때, 제거법은 가설 선택을 확정짓지 못한다.
③ 가설에 부합하는 증거가 계속 등장할 때, 고전적 귀납주의는 가설의 신뢰도가 높아진다고 말한다.
④ 고전적 귀납주의는 경험적 증거를 통해 경쟁하는 가설들에 대한 상대적 평가가 가능하다고 말한다.
⑤ 경험적 증거가 가설에 부합하지 않을 때, 제거법과 고전적 귀납주의는 가설 선택에 대해 다른 답을 내놓는다.

40. <보기>에 제시된 사례를 베이즈주의 입장에서 해석한 것으로 적절한 것은?

<보 기>
"범인이 왼손잡이다."라는 가설 A에 대해 철수는 증거를 보기 전에 이미 A가 참이라고 거의 확신했다. 그런데 시신에 난 칼자국은 범인이 왼손잡이라는 증거 (가)이고, 범인이 남긴 필적은 범인이 오른손잡이라는 증거 (나)이다. 철수는 (가)와 (나)를 함께 고려하여 가설 A에 대해 더 확신하게 되었다. 반면 지문 흔적에 대한 분석 (다)는 아무런 도움이 되지 않았다.

① (가)와 (나) 중에서 A에 대해 갖는 증거의 힘은 (나)가 더 크다.
② (가)와 (나)와 (다)가 A에 대해 갖는 증거의 힘을 합하면 0보다 크다.
③ (나)가 A에 대해 갖는 증거의 힘은 0보다 크다.
④ (나)와 (다)만 고려하면 A의 신뢰도는 변함이 없다.
⑤ (다)가 A에 대해 갖는 증거의 힘은 0보다 크다.

법학적성시험 예시문항

언어이해 문제지

수험생 유의사항

- 이 문제지는 **6문항**으로 구성되어 있습니다.
  - 예시문항은 8문항으로 구성되어 있으나, 본서에서는 본고사 미출제 범위 문항(1~2)은 수록하지 않았습니다.

메가로스쿨

법학적성시험 예시문항
언어이해

[3~5] 다음 글을 읽고 물음에 답하시오.

18세기 초부터 약 한 세기 동안 영국의 경험주의 철학자들이 발전시킨 미의 이론인 취미론은 미를 객관적이고 형식적인 성질, 예를 들어 비례와 같은 것으로 이해하였던 전통적인 미론과는 근본적으로 다른 것이었다. 취미론에 속하는 이론가들은 상이한 개념이나 취지로 다양한 주장들을 전개했지만, 이것들로부터 다음과 같은 몇 가지 공통 요소들을 도출할 수 있다.

먼저 취미론자들은 '미의 감관'의 존재, 즉 감각적인 성질로서의 미를 파악하는 감관(sense)인 '취미(taste)'가 존재함을 주장한다. 하지만 취미는 시각과 청각과 같은 외적 감관이 아니라 내적인 감관이다. 맹인이 빛을 보지 못하듯, 사람들 중에는 뛰어난 시각 능력을 지니고 있으면서도 자연 풍경이나 그림에서 아무런 즐거움을 얻지 못하거나, 혹은 뛰어난 청각 능력에도 불구하고 음악에서 아무런 감흥을 느끼지 못하는 경우가 있다. 이들은 취미를 결여한 사람들이다. 이렇듯 비록 대상을 지각하는 외적인 감관과 더불어 작동하더라도 취미는 외적 감관인 오감의 능력과는 구별되는 능력이며, 그러한 의미에서 '내감' 혹은 '**제6감**'이라고도 할 수 있다.

한편 미가 취미에 의해 지각된 것이라면, 취미론자들에게 미는 주관적인 것이 된다. 취미론자의 한 사람인 허치슨은 미란 마음속에 일어난 하나의 관념이라고 주장했다. 이는 곧 미가 그것을 지각하는 마음과 어떠한 관계도 없이 그 자체로 아름다운 성질, 곧 대상 속에 들어 있다고 생각되는 성질을 뜻하는 것이 아니라는 말이다. **미의 관념**이란 대상의 어떤 특수한 성질을 지각할 때 그 지각으로부터 환기되는 특수한 즐거움을 뜻한다고 이해할 수 있다. 취미론자들은 '이 꽃은 아름답다.'와 같은 취미 판단을 할 때 '이 꽃'은 분명 외부 세계의 대상들을 지시하고 있지만, '아름답다'는 외적인 자극의 성질을 지시하는 것이 아니고 그러한 자극에 의해 우리의 마음속에 환기된 즐거움을 지시하고 있는 것으로 파악했다. 물론 고전적 미론에서도 주관의 즐거움이 거론된 경우는 있었으나, '아름다운 사물은 우리를 즐겁게 한다.'와 같은 식의 파생적인 요소로 거론된 것이었고, 미의 본질에 대한 대답은 아니었다. 이 변화가 바로 스톨니츠에 의해 '미학에서 일어난 코페르니쿠스적 혁명'이라 명명된 것으로, 취미론으로부터 비롯된 근대 미론과 그 이전의 고전적 미론을 구분하는 분수령이 된다.

하지만 주관적 즐거움이 모두 다 미일 수는 없다. 왜냐하면 그러한 즐거움 중에는 우리의 식욕이나 성욕 혹은 소유욕이나 지배욕 등으로 인한 즐거움이 있을 수 있기 때문이다. 이에 대해 취미론은 '**무관심성**(disinterestedness)'이라는 기준을 제시한다. 즉, 이해관계(interest)에서 벗어나 대상을 그 자체로서 지각할 때 얻는 특수한 즐거움이 무관심적 즐거움이며, 이것이 곧 미적 즐거움이라는 것이다.

마지막으로 취미론은 무관심적 즐거움을 느끼게 하는 대상들의 성질들을 경험적으로 관찰하기 시작했다. 이는 우리의 취미 능력에 반응하여 특수한 즐거움을 환기하는 대상들의 공통적인 성질을 찾아내어 미적 판단의 보편적 기준을 확보함으로써 소위 '취미론의 공식'을 완성하려는 시도였다. 그 결과 제시된 것이 '**다양성 속의 통일성**', '**비례**' 같은 것이었다. 그러나 예견할 수 있는 일이듯이, 이 성질들의 목록은 확정될 수 없는 것이다. 어떤 대상을 아름답다고 판단하는 근거가 궁극적으로 주관적인 즐거움에 있다면, 그렇게 판단된 대상들을 경험적으로 관찰하여 도출된 대상의 특수한 성질이라는 기준은 기껏해야 개연성을 가질 뿐 보편적인 확실성을 가질 수는 없기 때문이다. 요컨대 취미론을 따르는 한, 미적 판단의 객관성과 보편성에 대한 기대는 헛된 것이 된다.

취미론의 기본 정신은 후에 미적 태도론으로 계승되는데, 여기에서는 미적 판단의 객관성과 같은 문제는 대두되지 않는다. 취미론보다 훨씬 간단한 구조를 가진 미적 태도론에서는 특수한 감관으로서의 취미나 취미에 반응을 일으키는 특수한 대상과 같은 요소들이 미를 정의하기 위해 필요한 것이 아니기 때문이다. 대신 태도론자들은 우리들 누구나 가지고 있는 지각 능력을 일상적 지각과 미적 지각으로 구분할 것을 제안한다. 대표적인 미적 태도론자인 쇼펜하우어에게 있어 **미적 지각**은 대상에 대한 관조적 태도라고 할 수 있는데, 그는 그 태도의 특징이 무관심적이라고 한다. 미적 태도론은 대상이 무엇이든 간에 그것에 대해 미적 태도를 취하기만 하면 그것이 곧 아름다운 대상이라는 결론으로 귀결된다.

3. 위 글에서 언급하고 있는 개념들에 대한 설명으로 적절한 것은?

① '제6감'이란 취미와 다섯 개의 감관을 매개하기 위해 상정되는 내적인 감관이다.
② '미의 관념'이란 미적 판단이 이루어질 때 마음속에 떠오르는 대상의 이미지이다.
③ '무관심성'이란 미의 관념이 취미의 공식에 따라 생성되는지를 판단하는 기준이다.
④ '다양성 속의 통일성'이란 특수한 즐거움을 환기할 개연성이 높은 대상의 속성이다.
⑤ '미적 지각'이란 특정 대상에 의해 일상적 지각이 무관심적 관조로 전환된 상태이다.

4. <보기>의 진술에 의해 논박되고 있는 취미론자의 주장은?

―<보 기>―
비례, 균형 등의 형식적 속성들은 본질적으로 수학적인 것이므로 우리가 가진 이성 능력이 그것들을 파악한다고 보는 것이 타당하다.

① 주관적 즐거움의 일부만이 미적 즐거움이다.
② 취미는 여타 외적 감각 기관과 동시에 작동한다.
③ 대상의 형식적 속성은 미적 판단을 위한 필요조건이다.
④ 미적 판단의 보편성은 경험적 관찰과 일반화로 확보될 수 있다.
⑤ 시각과 마찬가지로 취미도 대상의 속성에 직접 반응하는 감각 기관이다.

5. '취미론자'와 '미적 태도론자'가 공통적으로 받아들이고 있는 생각은?

① 언제나 그 자체로 아름다운 대상이 존재한다.
② 미의 지각을 전담하는 내적 감각 기관이 존재한다.
③ 대상의 성질은 미의 본질을 설명하는 데 불필요하다.
④ 미는 대상의 성질이 아닌 주관적 즐거움을 가리키는 말이다.
⑤ 대부분의 사람이 동의할 수 있는 보편적인 미적 판단이 존재한다.

[6~8] 다음 글을 읽고 물음에 답하시오.

우수한 기업들이 그 선도적 지위를 어떻게 상실할 수 있는가를 설명하는 와해성 혁신 이론은 클레이튼 크리스텐슨이 ㉠디스크 드라이브 산업을 연구한 결과 탄생했다. 그는 혁신적 기술을 기존 제품의 성능을 더욱 향상시키는 존속성 기술과, 초기 단계의 성능은 존속성 기술보다 떨어지지만 존속성 기술과 전혀 다른 가치를 지녔기 때문에 일정한 시간이 경과하면 존속성 기술이 가지고 있던 시장을 급격히 무너뜨리는 와해성 기술로 구분하였다. 불행하게도 선도 기업들은 기존 제품의 성능을 향상시키라는 고객의 요구를 잠시도 외면할 수 없기 때문에 자연히 존속성 기술을 중요시하는 반면 와해성 기술을 낮게 평가할 수밖에 없게 된다.

일반적으로 기업은 소비자가 흡수할 수 있는 능력보다 더욱 빠르게 기술을 발전시킨다. 그러면 왜 기업들이 소비자의 요구보다 더 높은 기술 수준을 제공하는 것일까? 그 답은 시장 세분화와 기술 제공자의 가격 정책을 보면 알 수 있다. 시장에서의 경쟁으로 가격과 이익률이 낮아지고 있기 때문에 기업들은 한 단계 높은 시장으로 진출하는 정책을 시도하곤 한다. 이러한 시장에서는 높은 기술 수준을 갖추고 디자인이 세련된 제품을 내 놓으면 제품당 이익률을 높일 수 있다. 소비자들 역시 시간의 경과에 따라 더 높은 기술 수준을 가진 제품을 기대하지만, 소비자들이 이러한 기술 진보를 완전히 활용할 수 있는 능력은 기업이 제공하는 기술 수준보다 낮다. 그것은 소비자가 필요를 느껴 새로운 기술을 어떻게 사용하는지를 배우고 이를 자신들의 일과 생활방식에까지 받아들이는 데 시간이 걸리기 때문이다. 그러므로 기술 발전의 궤도와 소비자 요구의 궤도가 둘 다 우상향하기는 하지만 기술 발전의 궤도가 더 가파른 기울기를 가지고 있다.

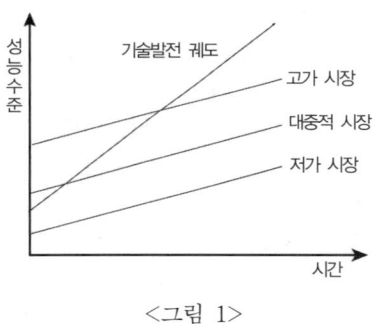

<그림 1>

<그림 1>에서 기존 기술 발전의 궤도는 대중적 시장의 요구 수준보다 조금 낮은 곳에서 시작하지만 시간이 지날수록 기업은 대중적 시장이 기대하는 정도보다 빠르게 기술 수준을 진보시켜 결국에는 고가 시장을 겨냥하게 된다. 기술의 수준이 높아짐에 따라 제품의 가격도 높아지므로 대중적 시장이나 저가 시장의 소비자는 별로 사용하지 않는 기술에 값을 더 치르게 된다고 생각할 수 있다. 이 경우 소비자들은 자신이 필요로 하지도 않는 높은 기술 수준의 제품을 높은 가격에 구입하거나 아예 사지 않고 지낼 수밖에 없을 것이다.

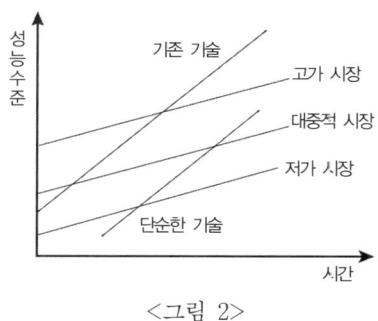

<그림 2>

<그림 2>에서와 같이, 어떤 시점에서 어떤 기업이 단순한 기술을 가지고 저가 시장을 공략하면 원래의 기술 발전 궤도보다 오른쪽에 새로운 직선이 위치하게 된다. 물론 이것 역시 시장이 기대하는 정도보다 더 가파른 기울기를 가지고 있다. 이 궤도가 발전을 거듭하면 마침내 기존 기술보다는 훨씬 낮은 가격에 대중적 시장의 수요를 충족시킬 수 있게 된다. 이쯤 되면 기존 기술로 고가 시장만을 겨냥하던 기업들은 그들이 너무 저가라서 쳐다보지도 않았던 시장에서 다른 기업들이 매우 높은 매출을 올리고 있음을 알게 될 것이며, 그 시장이 더 이상 외면해도 좋을 저가 시장이 아님을 깨달을 것이다.

와해성 기술은 존속성 기술에 비해 그 성능이 미흡하지만 색다른 가치의 측면을 높이 평가받는 특징이 있다. 이 기술을 응용한 제품은 일반적으로 더 싸고 더 작고 더 단순하고 더 편리하다. 이러한 와해성 기술 역시 자체적으로 성능이 향상되어 당초의 존속성 기술 시장이 요구하던 수준에 도달하면, 그때부터 소비자를 급속히 흡수함으로써 존속성 기술이 가졌던 시장을 '와해'시키게 된다. 예컨대 개인용 컴퓨터가 처음 소개되었을 때 당시의 중형 컴퓨터에 비해 그 성능은 장난감 수준이었지만 가격은 '더' 쌌으며, 무엇보다도 '개인'이 소유하면서 마음대로 사용할 수 있다는 '색다른 가치' 때문에 급속도로 보급되기 시작했던 것이다.

기업들은 고객이 원하기 시작할 때 와해성 기술에 자원을 투자할 수 있으며, 그 이전에 투자하기에는 어려움이 크다는 것을 잘 알고 있다. 그러나 불행하게도 그러한 고객의 신호가 전달된 후에 비로소 와해성 기술에 관심을 갖는다면 이미 실기(失機)한 것이다. 선도 기업들이 와해성 기술에서 성공을 거두고 선도적 지위를 유지하기 위한 유일한 방안은 와해성 기술을 중심으로 새로운 사업 단위를 설정하여 기존 고객의 압력으로부터 자유로운 조직을 갖는 것이다.

6. 와해성 기술에 대한 설명으로 적절하지 않은 것은?

① 시장적 이유 때문에 선도 기업에 의해 낮게 평가된다.
② 초기에는 시장을 거의 갖고 있지 않다가 점차 기존의 시장을 점유한다.
③ 새로운 시장에서 새로운 가치를 부여받기 때문에 높은 제품 가격을 형성한다.
④ 대다수 고객에게 충분한 만족을 주지 못하는 기술적 약점이 오히려 강점이다.
⑤ 반드시 고도의 기술 수준을 나타내지는 않으나 시간에 따라 그 성능은 향상된다.

7. '크리스텐슨'이 <보기>와 같은 동료의 말에 착안하여 ㉠을 연구했다고 할 때, 그가 주목한 ㉠의 특징으로 가장 적절한 것은?

<보 기>

유전학자들은 인체를 대상으로 연구하길 꺼린다네. 새로운 세대가 나타나기까지는 30년이 걸리기 때문에 어떤 변화의 원인과 결과를 이해하는 데에 너무나 오랜 시간이 필요하지. 그래서 그들은 단 며칠이면 알을 배고, 태어나서 성숙하고 죽는 초파리로 연구한다네.

① 기술적 내용에 대한 이해가 비교적 쉽다.
② 고객이 증가하는 속도가 무척 빠른 산업이다.
③ 연구 대상으로 적합한 30여 년의 역사를 가졌다.
④ 기술 변화와 기업의 흥망이 빈번하게 진행되어 왔다.
⑤ 컴퓨터 등 다른 산업의 발전에 불가결한 부품 산업이다.

8. 위 글에 근거하여 선도 기업의 경영자에게 제안한다고 할 때, 적절하지 않은 것은?

① 선도적 지위를 계속 유지하려면 신규 사업 추진 여부를 현재의 시장 수요로 판단하지 말라.
② 기술의 성능을 지속적으로 개선하여 다양한 기능을 요구하는 소비자들의 수요에 신속히 대응하라.
③ 사전에 예측할 수 없는 와해성 기술 시장을 겨냥해서 잠재적인 소비자를 발견하는 마케팅 전략을 구사하라.
④ 경영자들은 자신이 자원의 흐름을 통제한다고 생각하지만, 실제로 이를 좌우하는 것은 고객이라는 사실을 잊지 말라.
⑤ 현재 낮은 성능의 제품도 미래에는 높은 경쟁력을 가질 수 있으므로 시장의 경쟁 기반이 변화하는 지점을 정확히 포착하라.

메가로스쿨

메가로스쿨

메가로스쿨

LEET 타입 자가진단하기

같은 성적이라도 약점과 강점은 서로 다르므로
메가로스쿨 자가 진단을 통해 나에게 필요한 학습 플랜을 알아보자.

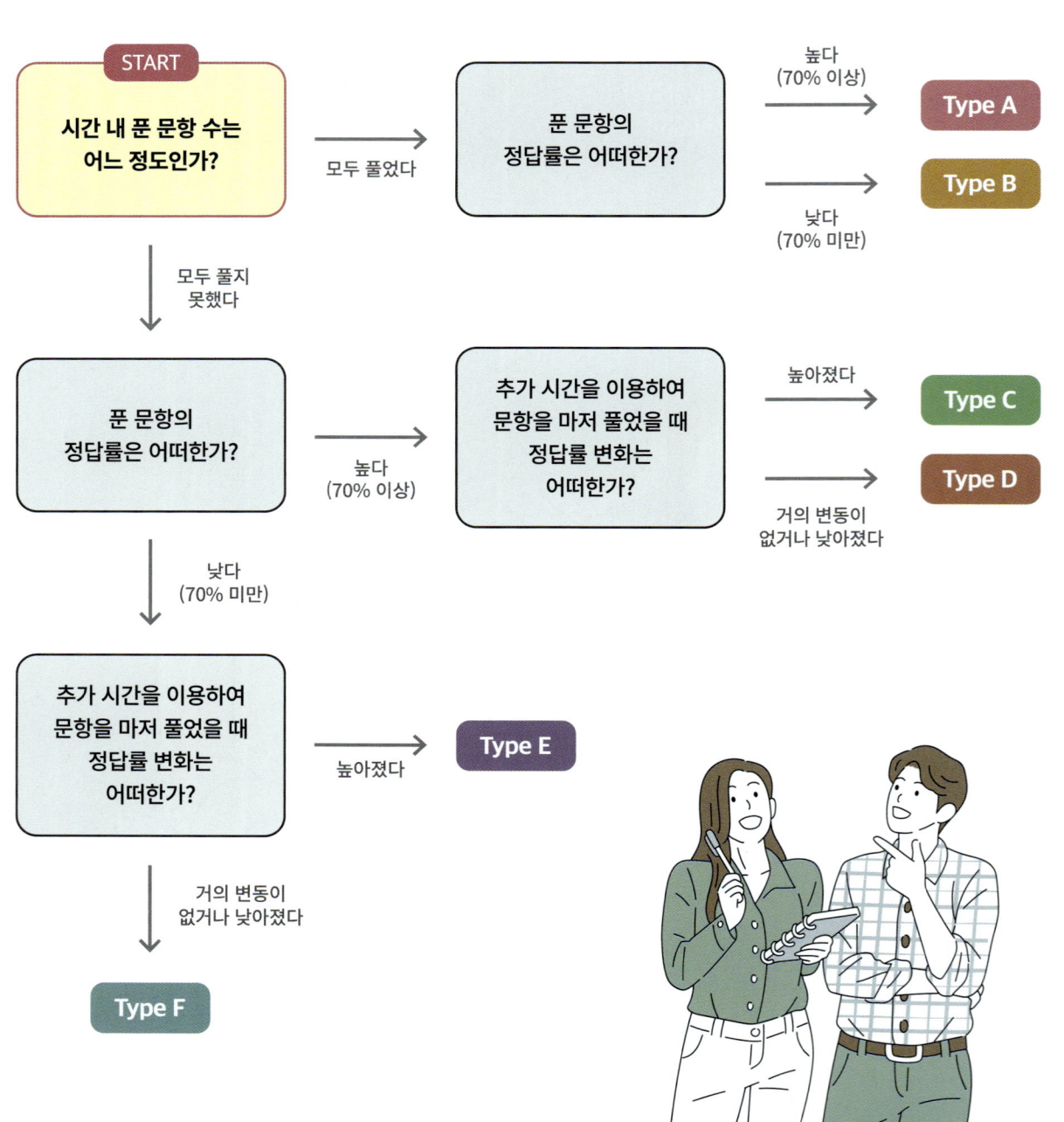

Type A

문제 풀이 속도와 정확도 모두 안정적

기본적인 독해력이나 문제해결력이 어느 정도 갖추어져 있음을 의미한다.

특히 처음 LEET를 접한 수험생이 시간 내에 이러한 정답률을 보인다면 자신감을 갖고 고득점을 목표로 삼는 것이 좋다. 하지만 이 타입에 속하더라도 틀린 문항에 대해 어느 부분에서 어떻게 틀렸는지를 점검하는 것이 반드시 필요하다.

Study PLAN

**오답노트를 통해 현재의 풀이 감각을 유지하되 약점은 철저히 보완해야 한다.
킬러 문항을 정복하자.**

평균이 높아진 최근 LEET 경향에 따라 만점을 목표로 해야 원하는 성과를 낼 수 있다. 이 경우 만점을 목표로, 고난도의 추론 문항과 신유형에 대비할 수 있도록 **최대한 다양한 문항**을 풀어보는 것이 좋다. 또한 킬러 문항을 피하거나 혹은 **특정 유형의 문제를 포기하는 경우 결코 고득점을 얻을 수 없다.** 반복해서 틀리는 유형이나 자신이 없는 내용영역에 대해서 피하지 않고 깊게 공부해볼 것을 권한다. 킬러 문항의 경우 손쉬운 공략법은 없으며, **유사한 문제를 꾸준히 풀어보는 것이 정도이자 지름길**이다.

풀이 감각을 유지하기 위해 전국모의고사로 경쟁자의 위치와 나의 수준을 평가하는 것이 중요하다.

무엇보다 성적이 오르지 않거나 성적이 낮은 수험생에게도 오답노트가 필요하지만, 성취 수준이 높은 수험생에게도 오답노트는 유용하게 활용될 수 있다.

오답을 분석해 보면 자주 틀리는 문제가 보일 것이다. 자주 틀리는 문제를 분석한 후에 **어떠한 유형에서 자주 틀리는지를 따로 모아 정리해 두어야 한다.**

단순하게 틀린 문제를 오려 붙이고 답을 써놓는 것은 옮겨 쓰기에 불과하다. 오답노트에는 문제를 풀면서 어디까지 생각했고, 왜 그런 생각을 했으며, 틀린 부분의 근거를 제시문에서 도출하여 기록해 두는 것이 중요하다. 바로 이 부분이 문제를 틀리게 되는 시점이기 때문이다.

Recommend

▶ 파이널 실전 모의고사는 LEET 평균과 유사한 3회분의 실전 모의고사와, 2회분의 고난도 모의고사로 구성되어 있다. 다양한 난도의 시험에서 시간 관리를 해봄으로써 어떤 난도의 시험에서도 흔들리지 않는 시험 운영력을 향상시킬 수 있을 것이다.

Type B

모든 문항을 다 풀지만 실점 문항도 많다

시간 내 모든 문항을 풀어냈으므로 시간 관리 감각이 떨어지는 것은 아니다. 그러나 LEET에서의 **'시간 단축 능력'**과 **'정확한 문제 해결력'은 별개의 능력이 아니다.** 시간을 단축시켜주는 것은 결국 실력이기 때문이다. 그래서 이 타입의 경우, 본고사에서 낯설거나 생소한 유형/소재가 등장하였을 때 실질적으로 득점을 하지 못하면서 시간에 쫓길 가능성이 크다.

문제 풀이만 반복하는 것은 시간을 단축시켜줄 뿐 실력을 높여주지도, 또 정답률을 높이지도 못하므로 정확도를 높이는 데 주력해야 한다.

Study PLAN

정확도를 높여야 한다.
자주 실수하는 부분이 있다면 반드시 교정하자.

한 문제라도 철저히 풀어보고 분석해야 한다.
필요하다면 몇 회독을 했더라도 기출문제를 다시 펴고 정오답 근거를 구조화하여 직접 해설을 작성해낼 수 있어야 한다. LEET를 모르는 친구에게 설명을 해준다는 생각으로 제시문을 소화해내야 한다.

기출문제 중 본인이 이해가 잘 되지 않거나 부족한 부분에 대해서는 한 번 더 반복해서 학습한 후 모의고사 문제풀이에 들어가는 것을 권한다.

제시문에 주어진 정보의 범위를 넘어서는 추론을 해서도, 제시문에 주어지지 않은 정보를 끌어들여 추론을 해서도 안 된다는 **LEET식 사고**를 깊게 체화할 필요가 있다. 제시문에 주어진 정보를 정확히 파악하는 능력을 기르고 싶다면, 모의고사 문제풀이 단계에서도 선택지의 정오에 확신이 없는 문제들을 따로 선별하여, 사고 과정을 직접 작성한 후 해설지의 논리와 비교하는 훈련이 필요하다. **한 문제라도 정확히 분석하는 것이 결국 속도를 높이는 것**이므로, 조급해 하며 문제 풀이의 양에 집중하지 않아도 될 것이다.

Recommend

▶ 기출 분석은 아무리 강조해도 부족함이 없으므로, 유난히 어려워하는 유형의 기출문제 해설을 직접 작성한 후, 메가로스쿨 기출문제 해설집과 협의회의 해설서 논리를 삼중으로 비교 검토하는 학습을 제안한다. 이후 유형별 문제집의 문제들을 유형/내용 영역별로 풀고 유형별 기출 논리를 완성해 가는 학습도 도움이 될 것이다.

Type C

정확도는 높지만 한 문항을 푸는 데 소요되는 시간이 많다

LEET식 사고가 체화되어 있어 정오 판단 기준은 정립되어 있다. 하지만 빠르게 지나가야 할 문제도 신중히 시간을 들이는 타입이므로, 본고사가 예년보다 쉽게 출제될 경우 공부한 만큼 성취율이 나오지 않을 가능성이 있다.

따라서 이제는 전체 시험에서의 운영 능력을 향상해야 한다.

Study PLAN

시간 관리 능력을 키워야 한다.

유형/내용영역별로 모아둔 문제를 집중적으로 풀면서 문제별로 나만의 접근법과 풀이법을 만들어 둘 필요가 있다.

▶법조문이 제시문으로 나온 문제는 구조 분류 후, 예외 체크만 한 후 선택지로 넘어 가는 것

▶강화약화 문제는 제일 먼저 주장이나 가설부터 찾은 후, 가설과 사례를 분리하고 선택지를 판단하는 것

▶반대로 철학 문제는 제시문의 면밀한 정독이 끝난 후 선택지 판단을 하는 것 등

사람마다, 성취 수준마다, 전공마다 문제 접근법은 다르다. 다른 사람의 완벽한 노하우가 나에겐 장애물이 될 수 있다.

LEET에 자주 나오는 내용을 사전에 학습하면 관련된 내용이 문제로 출제될 때 빠르게 접근할 수 있다. 그 후 유형별로 문제를 집중적으로 풀어나가면서, 나만의 문제 접근법을 만들어야 시간을 벌 수 있는 문제와 시간을 더 써야 하는 문제를 구분할 수 있다.

Recommend

▶ 유형별 기출문제집, 잘고른300제, 유형별 문제집이 유형/내용영역별로 문제를 모아둔 교재이므로, 2~4주 플랜으로 세 교재를 동시에 집중 학습하는 것을 제안한다.

[LEET 배경지식&기초논리학 with 기출을 통해 LEET에 빈출되는 내용 숙지 ⇒ 유형별 기출문제집으로 유형/내용영역별 기출문제의 풀이 방법 습득 ⇒ 유사 기출인 잘고른 300제로 나만의 문제접근법 정립 ⇒ 유형별 문제집을 통해 유형별로 묶어 풀어보면서 완성]

Type D

난도가 높은 문항은 스킵하고 푸는 타입일 가능성이 높다

푼 문제는 정답률이 높고, 안 푼 문제는 시간을 충분히 가졌음에도 정답률이 현저히 낮다는 것은 특정 유형이나 소재의 문제를 쉽게 포기하는 전략을 썼기 때문일 수 있다. 그러나 본고사 난도가 어떤 수준으로 출제될지는 누구도 모르는 것이므로, 이 전략으로는 평소 포기했던 유형의 비중이 높게 출제되거나, 저난도로 출제될 경우 다른 수험생에 비해 등수가 낮아질 수 있다. **취약한 소재나 유형을 너무 쉽게 포기해서는 안 된다.** 충분히 보완할 시간이 있다.

Study PLAN

약한 유형을 집중적으로 학습하자.

수험생마다 까다로운 제재나 유형이 존재한다.
어떤 유형이나 제재는 열심히 공부하였지만 기본적으로 정보량이 많아 득점률이 떨어질 위험이 있다. 하지만, 어떤 유형은 충분한 연습을 통해 접근법을 파악하면 득점으로 연결될 수 있다.

후자의 대표적인 유형이 추리논증의 **'수리형'** 문항이다. 법조문 및 사회, 과학, 인문 전반에서 수리적 언어 사이에 반복되는 일정한 연결 고리나 법칙을 찾게 하는 문제 비중이 높아지고 있다. 언어 형태로 주어진 정보를 표나 그래프의 수리적 형태로 바꾸어 표현할 수 있으면 문제를 보다 효율적으로 풀 수 있는데, 이 과정에서 수학적 지식은 요구되지 않으므로 고도의 수식이나 계산은 필요치 않다. 따라서 이러한 유형은 대량의 반복 연습을 통해 충분히 득점으로 연결될 수 있다.

그리고 언어이해와 추리논증 모두 제시문은 논증의 논리적 성격을 가지고 있다. 논증의 논리적 성격을 파악하고 **논증의 논지와 필수적인 정보**를 찾는 훈련을 집중적으로 해나가면, 정보량이 많은 제시문도 수월하게 접근할 수 있다. 이런 연습을 하려면 논증의 형태를 띤 글을 많이 접해야 하는데, 기출문제를 제외하고는 논증의 형태의 글을 찾기가 쉽지 않다. 따라서 기출문제의 제시문을 재료로 삼아 이를 집중 분석할 필요가 있다. 논증이라면 주장에 대한 근거가 있기 마련이므로, **주장을 찾았으면 근거가 되는 진술과 근거가 되지 않는 진술, 그리고 주장과 근거가 모두 아닌 진술을 명확히 구분하여 분석**해야 할 것이다.

또한 **전제 간 결합 관계**에 따라 **결론** 도출이 어떻게 되는지를 면밀히 분석해야 한다. 기출문제 제시문을 분석할 때는 결론과 전제, 그리고 소결론이 대결론의 전제가 되는 구조, 긴 제시문의 전체적인 구조를 파악할 수 있어야 한다.

Recommend

▶ 약점 문항이 묻는 것을 정확히 파악하고 정오를 판단하는 연습을 충분히 하기 위해 유형별 기출문제집과 잘고른 300제를 풀이하여 학습한다. 만약 약점이 되는 부분이 언어이해의 '규범'이거나 추리논증의 '강화약화'라면, 유형 전략서를 통해 보완한다. 그리고 유형별 문제집을 통해 유형별로 학습한다면 도움이 될 것이다. 유형별로 문제를 모아 풀면서, 특정 유형의 문제를 푸는 과정에서 발견되는 반복되는 규칙을 찾으면 정답이 찾아지는 경우가 많으므로 이러한 나만의 접근법을 정립하는 데 초점을 두어야 한다.

[유형별 기출문제집에서 나의 약점 유형만 뽑아 집중적으로 풀기 ⇒ 잘고른 300제의 해당 유형 풀기 ⇒ 유형 전략서로 약한 유형 집중 보완 ⇒ 유형별 문제집의 실전문제를 통해 약점 보완 확인 및 점검]

Type E

어떤 문항을 먼저 푸느냐에 따라 점수 변화가 크다

시간 내 푼 문제는 정답률이 현저히 낮고, 시간 제한 없이 푼 문제는 정답률이 높다. 이는 2개의 경우로 분석할 수 있는데 우선, 시간 내 문제를 해결해야 하는 '시험' 자체에 대한 훈련이 부족하기 때문일 수 있다. 다음으로 시간 내에 푼 문제가 고난도 문제라면 난도가 높은 문항에 시간은 시간대로 쓰면서 동시에 고난도 문제를 해결할 능력이 부족한 것을 의미할 수도 있다.

첫 번째 경우라면, LEET가 요구하는 사고를 가졌으므로 일정 시간 내에 문제를 해결해야 하는 **'시험'에 대한 훈련**, 즉 남은 기간 동안 전국모의고사를 통해 본고사 현장과 같은 분위기에서 실력을 평가해보고, 시험 운영 전략을 세워 나간다면 고득점을 받을 수 있을 것이다.

그러나 두 번째 경우라면, 어떤 문제가 어려운 문제이며 시간을 많이 써도 내가 맞힐 가능성이 낮은 것인지를 구분하지 못하고 있다는 의미일 수 있다.

이 경우 LEET 시험을 구성하고 있는 유형을 먼저 공부하여 익숙해진 후, 문제별로 접근 전략을 짜야 한다. 본고사에서는 어떤 문제가 먼저 나올지 모르므로 문제 풀이 시 정확도를 높이는 훈련과 함께 시간 내에 풀 수 있는 문항의 개수를 점차 늘려갈 수 있도록 학습 플랜을 마련할 필요가 있다.

Study PLAN

유형/내용별로 나에게 유리한 문제와 아닌 문제를 구분할 수 있어야 한다.

유형/내용영역별로 모아둔 문제를 집중적으로 풀면서 문제별로 나만의 접근법과 풀이법을 만들어 둘 필요가 있다.

LEET에 자주 나오는 내용을 사전에 학습하면 관련된 내용이 문제로 출제될 때 빠르게 접근할 수 있다. 예를 들어, **법조문**이 제시문으로 나온 문제는 구조 분류 후, 예외 체크만 한 후 선택지로 넘어 가는 것, **강화약화** 문제는 가설부터 찾은 후 가설과 사례를 분리하고 선택지를 판단하는 것, 반대로 철학 문제는 제시문의 면밀한 정독이 끝난 후 선택지 판단을 하는 것 등등 **나만의 문제 접근법**을 만들어야 시간을 벌 수 있는 문제와 시간을 더 써야 하는 문제를 구분할 수 있다.

Recommend

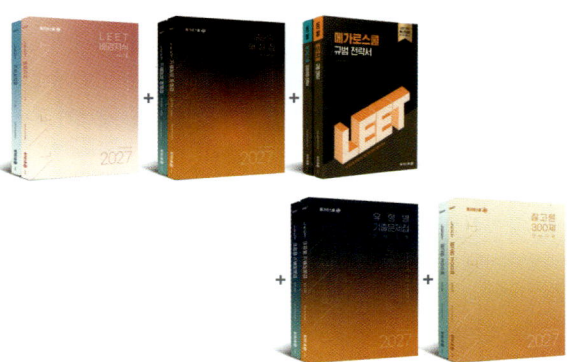

▶ 우선 기출문제의 출제 원리를 파악해야 한다. 그 다음으로 자신만의 풀이 방법을 확립하는 것이 중요하다.

[LEET 배경지식&기초논리학 with 기출을 통해 LEET에 빈출되는 내용 숙지 ⇒ 기출문제 해설집을 통한 기출문제의 출제 원리 파악 ⇒ 유형 전략서를 통해 언어이해의 기본이 되는 '규범' 영역 학습 / 추리논증의 기본이 되는 '강화약화' 영역 학습 ⇒ 유형별 기출문제집을 통해 기출문제를 유형별로 나누어 풀이하여 유형별 풀이 방법 확립 ⇒ 잘고른 300제를 통해 확립된 풀이 방법을 적용]

Type F

문제 풀이 속도와 정확도 모두 불안

저득점의 원인이 반드시 시간 부족에 있다고 보기 어려운 경우이다.

시간 내 풀지 못한 문항이 많다는 것은 한 문항을 푸는 데 적지 않은 시간을 들였다는 것을 의미한다. 시간을 많이 들여 푼 문항들마저 오답인 경우가 많다면 풀이 과정의 정확도와 속도를 모두 높일 수 있는 훈련이 필요하다.

문제 풀이 속도를 높이는 방법은 따로 있지 않고, 문제 해결력을 높이면 속도는 일정 수준까지는 충분히 뒤따라온다. 그러므로 조급해하기보다는 양질의 문제를 통해 **LEET의 출제 구조와 선택지 정오를 면밀히 분석하여 정확하게 푸는 훈련**을 하는 것이 고득점으로 향하는 바른 학습법이다.

Study PLAN

기출문제의 정오부터 분석한다.

LEET 문항의 출제 원리와 이에 부합하는 사고 과정을 충분히 **학습한다는 것은 과목별로 다소 상이할 수 있다.**

언어이해의 경우, 가장 기본이 되는 것은 **제시문과 선택지의 관계**를 분석하는 것이다. 제시문과 선택지의 관계는 크게 '의미상 대등한 변형'과 '핵심 정보를 유지하는 압축'으로 나누어 볼 수 있다. **'의미상 대등한 변형'**이란 선택지에 사용된 단어나 어구가 제시문에서 사용된 단어나 어구와 동일한 의미로 해석 가능한지 판단하도록 하며, **'핵심 정보를 유지하는 압축'**은 제시문에 제시된 정보들의 관계가 선택지에서도 유지되고 있는지 등을 판단하도록 한다.

문제 해결에 필요한 정보는 제시문에 명시되어 있으므로, **선택지의 정오를 판단하기 위한 근거가 될 만한 내용을 제시문에서 조회**하는 것이 문제 해결에 있어 가장 우선된다. 이후 조회한 내용과 선택지 내용을 비교·대조하여 의미상 일치 여부를 판단한다. 이때 제시문에 사용된 어휘나 어구가 서로 의미 변화 없이 대체 가능한 것들로 변환되어 선택지에 사용되었는지, 제시문에 제시된 정보와 선택지에 제시된 정보들 사이의 논리적 관계가 변환 이후에도 그대로 유지되고 있는지, 정보들 사이의 논리적 관계에 오류는 없는지를 판단할 수 있어야 한다.

이 분석이 충실히 갖추어진다면, 이후 추론, 평가 유형에 속하는 모든 문항의 득점을 위한 발판이 마련되었다고 할 수 있다. 이 해결 능력을 충분히 함양하지 않으면 나머지 유형의 문항에서도 정답률을 높이기 어려우니, 고득점을 위해서는 반드시 기출문제를 이렇게 분석할 수 있어야 한다.

추리논증의 경우 제시문이 대부분 논증으로 구성되어 있으므로, 선택지 판단을 하기에 앞서 제시문을 **전제와 결론, 주장과 근거**로 구분하여 그 구조를 분석하는 훈련을 할 필요가 있다. 많은 문제를 분석하기에 시간이 부족하다면, 단 1개를 학습하더라도 충실히 하는 것이 본시험에서 보다 더 도움이 될 것이다.

Recommend

▶ LEET의 기초가 되는 출제원리를 먼저 습득한 후, 기출문제를 분석하여 LEET의 기초를 마련하는 것이 중요하다.

[LEET 배경지식&기초논리학 with 기출을 통해 LEET에 빈출되는 내용 숙지 ⇒ 유형 전략서를 통해 언어이해의 기본이 되는 '규범' 영역 학습 / 추리논증의 기본이 되는 '강화약화' 영역 학습 ⇒ 기출문제 해설집을 통한 기출문제의 출제 원리 파악 ⇒ 유형별 기출문제집과 유형별 문제집을 통해 유형별 풀이 방법 확립]